LA REALIDAD HISTORICA

DE

ESPAÑA

BIBLIOTECA PORRUA

4

AMERICO CASTRO

LA REALIDAD HISTORICA DE ESPAÑA

EDICION RENOVADA

TERCERA EDICION

EDITORIAL PORRUA, S. A.
AV. REPUBLICA ARGENTINA, 15
MEXICO, 1966

Primera edición, 1954
Segunda edición renovada, 1962
Tercera edición, reimpresión de la edición renovada de 1962, 1966

IMPRESO EN MÉXICO
PRINTED IN MEXICO

A
C. M. de C.

INTRODUCCION EN 1965

La primera edición de esta obra salió al público a fines de 1962, y se ha agotado antes de haber podido yo terminar su Segunda Parte, en la cual completo y amplío lo expuesto en la Primera. Todo es singular y extraño cuando se trata del pasado español, ante todo porque lo problemático no es sólo el contraste entre la apariencia del fenómeno y su posible realidad, sino el conflicto entre las preferencias y los hábitos de los futuros historiadores frente a las exigencias de una realidad ya no tan fácil de manejar como antes. Ahí yace la penosa dificultad para quien pretende romper ese cerco mágico, alzado sobre hondos y seculares cimientos. Para esta obra de demolición y reconstrucción va habiendo cada día más espectadores, pero el número de los activos colaboradores es aún escaso, aunque valiosísimo.

He juzgado útil anticipar en esta Introducción algunas ideas que irán apareciendo en otros escritos míos, y tendrán amplio desarrollo (de permitirlo el tiempo que me resta) en la Segunda Parte de esta obra. Sería urgente reemplazar la vulgar noción de "decadencia" española, por justas ideas acerca de cómo eran la forma y el funcionamiento del vivir español que decaía. Sobre ello se aducen explicaciones exteriores a la vida (guerras, escasez de población, etc.). No se piensa que hay tierras superpobladas cuyos habitantes nada producen en verdad digno de mención, y pueblos pequeños en donde acontece todo lo contrario. Las guerras han sido a veces punto final, y en otros casos, puntos de partida. Por todo lo cual hemos de preguntarnos cómo eran —ellos y sus vidas— los españoles cuyo país fue haciéndose desde fines del siglo XVI cada vez más pobre y más ignorante. No sabíamos aún el motivo de haber sido tan inútil económicamente para los españoles el fabuloso imperio de las Indias. Ni cuál fue la razón para que España, tan próxima geográficamente, tan parte de Europa, se hubiese alejado cada vez más de ella. Este nuestro no saber no se remedia sosteniendo la falacia que España siempre estuvo enlazada con Europa, y siguió en su vida un curso paralelo al de los otros pueblos de Occidente.

Hay que hacer girar la mente en estrechados círculos en torno a estos y otros enojosos problemas para llegar algún día a su centro real, y no continuar dando vueltas insensatas y sin rumbo. Hay que sacar a la luz del día por qué todavía hoy seguimos siendo una colonia cultural del extranjero; esto no es obra de los "encantadores", ni de un fatal destino, sino del curso vital que nos hemos trazado cuantos hoy hablamos español y portugués en el mundo. Ahora mismo los italianos están contribuyendo muy valiosamente al conocimiento de la literatura española, mientras los españoles no hacemos lo mismo respecto de la "sorella latina".

Como reverso de estos aspectos negativos aparece la grandeza del Imperio y la serie gloriosa de lo hecho hasta comienzos del siglo XVII, inseparable todo ello del conflicto de las castas, ante el cual se cierran los ojos y se detienen las plumas. Y, no obstante, la realidad fue así y no de otro modo. Hubo la casta de los cristianos viejos, y la de los nuevos, de origen judío o morisco. Como desgarro de la vida española andan todavía por ahí los sefardim ('españoles'); y hasta el siglo XVIII conservaron su fisonomía española (andalusí, no andaluza, según por confusionismo se suele decir) los moriscos expulsados en 1609.[1] Sin el trenzado previo de dichas tres castas y casticismos y su tensión y desgarro entre 1492 y 1609, ni La Celestina ni el Quijote existirían, ni el Imperio se hubiera estructurado en aquella forma, ni habría sido económicamente improductivo, ni los españoles habrían desarrollado su cultura religiosa, filosófica y científica según lo hicieron en la primera mitad del siglo XVI, ni caído en la ignorancia y abatimiento intelectual del XVII —grave hipoteca aún no del todo cancelada. Confío en que con los años, tan elementales verdades irán ocupando el lugar de las leyendas y torceduras de la verdad hoy en vigor.

Algunos lectores se preguntan cómo no encuadro en una sola obra la totalidad de mi pensamiento acerca de España, eso que ahora llama el gran filólogo Antonio Tovar, mi buceo "para dar con la clave de las espinas clavadas en nuestra existencia como pueblo".[2] Otros echan de menos un análisis de los regionalismos o nacionalismos españoles (de los cuales me ocuparé en la Segunda Parte). Hay quien considera incompleta el área de mi "realidad" histórica por no incluirse en ella el vaticinio, e incluso

---

[1] Ver John D. Latham, *Towards a Study of Andalusian* [debía decir "Andalusí"] *Immigration and its Place in Tunisian History*, en "Les Cahiers de Tunisie", 5e année (1957), págs. 203-249. Para la supervivencia de palabras españolas en la industria del bonete o fez tunecino, ver P. Teyssier en *Mélanges offerts à M. Bataillon*, en "Bulletin Hispanique", LXIV bis, 1962, págs. 732-740. Cervantes, cúspide de la triple tradición castiza en España, hace decir a Ricote sarcásticamente: "me parece que fue inspiración divina la que movió a Su Majestad a poner en efecto tan gallarda resolución", la de expulsarnos a nosotros los moriscos *(Quijote, II, 54)*. Uno de ellos, refugiado en Túnez, alaba al Señor "que con su misericordia puso en el corazón del tercer Filipo, *y en los que eran sus consexeros,* [lo mismo dice Ricote], que mandásemos *(sic)* saliésemos de su reino..." La salida de España fue para ellos, como la de los judíos de la cautividad de Egipto (ver *De la Edad conflictiva,* 1963, págs. 251-252).

[2] *España: entraña y piel,* en "Gaceta Ilustrada". Madrid, febrero, 1965, pág. 33.

la organización, del futuro de los españoles. Tantas demandas y esperanzas me honran mucho, aunque mi tema viene contrayéndose a proponer un plausible correlato objetivo para los términos "español" y "España", flotantes todavía entre brumas caliginosas. Hallar lo aún no dado por existente requiere previo esfuerzo imaginativo, y no supeditarlo todo "a la árida letra de la exposición documental, . . . actitud que. . . saca de quicio al historiador", al observar que las nuevas ideas "no tienen vuelta de hoja".[3]

Mi idea de qué y cómo sean los españoles no es ya atacada directa y personalmente. Las ingenuas y voluminosas críticas de hace años, el tiempo se ha encargado de mostrar su inanidad. Nadie, sin embargo, ha intentado escribir una historia de nuevo tipo, partiendo de la realidad de ser incorrecto llamar españoles a quienes moraban en la Península Ibérica con anterioridad a la Reconquista.[4] Un viraje mucho más amplio será necesario para incluir en la historiografía futura la presencia positiva y decisiva de las castas (¡no razas!) mora y judía. Porque es notable la resistencia a aceptar que el problema español era de *castas* y no de *razas*, hoy sólo aplicable a quienes se distinguen, como dice el Diccionario de la Academia, "por el color de su piel y otros caracteres". Los textos alegados en las páginas 31 y 32 son inapelables, y refieren a la casta o linaje religiosos, lo mismo que este otro de un romance:

"...estoy con un perro moro, malhaya para su casta,
que quiere que yo reniegue de toda mi fe cristiana".[5]

El conflicto social e íntimo de las castas continuaba presente en el Romancero tradicional.

Modernamente, en 1877, Galdós —adivino genial de lo yacente bajo el convencionalismo de las crónicas, que no historias de España— escribía en *Gloria:*

"¿Por qué, Dios mío, es posible que Tú hagas esto?" —pregunta Gloria. "El no lo hace —dijo Daniel con melancolía—. Estamos tocando la obra de estas sociedades perfeccionadas, que, juzgándose dueñas de la verdad absoluta,

[3] Manuel Cerezales, en el diario *El Alcázar*, Madrid, 23 de febrero, 1965, con motivo de mi libro *La Celestina como contienda literaria*, Madrid, 1965.

[4] Es significativo que sea un médico, interesado, además de en su ciencia, en la *libre* práctica del menester de humanista, quien ose escribir: "Demos el nombre de 'cultura española' sólo a la que nace y se constituye después de Covadonga" (P. Laín Entralgo, *Introducción a la cultura española*, en "Atenea", Concepción (Chile), 1964, pág. 33).

[5] J. M. de Cossío y T. Maza Solano, *Romancero popular de la Montaña*, Santander, 1933, núm. 211.

conservan las *leyes de casta* como en tiempo de los filisteos" *(Obras completas,* edic. Aguilar, I, pág. 561).

En el siglo xix el sistema de las castas no estaba vivo como en el xvi cuando redactaron el epitafio de los Reyes Católicos (ver pág. 169), aunque sus efectos se manifestaran en el hecho de la creencia única, e intolerante hacia cualquier otra. La referencia a las castas en *Gloria* tiene aquí función novelística y no histórico-sociológica, por supuesto; la filiación cervantina de la novela galdosiana se hace presente en la imposibilidad del personaje de seguir un curso de vida en apariencia posible, que da la ilusión de ser de uno. El amor hace aquí de libro de caballerías; y la incompatibilidad de las castas es el muro de impasable realidad contra el cual Gloria y Daniel se estrellan.

Poner al aire la armazón interior de esta vida española desazona a quien la airea y a quienes contemplan lo hecho visible. Sale a luz algo que estaba y *está* ahí (en algún modo), y parecía no estar. Las perspectivas y los criterios estimativos se trastornan, se siente uno como desvestido, y procura arroparse con cualquier cosa a mano; renegamos del indiscreto cuya excesiva curiosidad perturba el vigente *statu quo.* Como reacción se intenta hacer de España un país "como el resto de Europa"; [6] los más escandalosos y desventurados contrastes con el Occidente europeo en el siglo xix quedan reducidos a comunes denominadores: quiebra del antiguo régimen, maquinismo y romanticismo. Como circunstancia tangencial se menciona "la idiosincrasia particular del pueblo español", nunca analizada por nadie desde dentro, ni hecha ver externamente como una comprensible estructura.

Mi "armazón" del proceso histórico español (en parte europeo, en parte no) perturba a los tradicionalistas y *beati possidentes,* tanto como a quienes anhelan mudar el rumbo de cuanto existe. No se tiene bastante en cuenta que las mutaciones han de partir de lo que está ahí, y de los medios al alcance de quienes pretenden mudar eso que existe. Es decir, lo que quiera que sea, ha de ser hecho con *españoles,* los cuales se nos aparecen de dos maneras: o reducidos a pasiva obediencia, o sueltos y sin trabas para moverse a su arbitrio. En el primer caso no es demasiado importante sacar a luz los cimientos y la armazón del vivir colectivo, pues a éste se le pide obediencia y nada más. Mas todo varía si a la vida colectiva se le abre ancha la salida, y se le invita a caminar.

Se han escrito cientos de miles de páginas desde hace siglos sobre las fallas y fracturas de que adolece la comunidad española; se han dedicado en cambio muchísimas menos a identificar y a hacer comprensi-

---

[6] *España es así,* 1964, edit. por el Servicio Informativo Español, pág. 46.

ble quién y cómo sea dicha comunidad. Se habla de la psique o de la "idiosincrasia" española, como si el temperamento y el carácter pudieran ocupar, sin más, el lugar de los seres humanos así temperamentados y caracterizados. ¿De quiénes se habla al proferir la palabra "español"? Castellano, portugués o catalán refieren a quienes se saben serlo, a realidades humanas en movimiento, itinerantes; la dimensión de sus vías y el norte de sus rumbos permiten atisbar el "estar siendo" de su particular vivir. Cuando los pueblos se contentan con su conciencia de estar existiendo, con demandas y lamentos estáticos y no *viables*, la historia les vuelve la espalda. Los pueblos sufren entonces de la dolencia que llamo "existencialitis", y dejan de ser tema para la historia.

Todos podemos engañarnos, y es por lo mismo útil referirse a la zona precisa de nuestro posible engaño. Mi problema es, ante todo, el de la radicalidad de lo español y no el de su frondosidad. El tema de esta y otras obras mías no es la política, ni la religión, ni la economía, ni el catalanismo, ni el centralismo opresivo, ni la técnica, etc. Quienes amablemente sugieren (son bastantes) que escriba una obra sistemática y bien estructurada, no se dan cuenta —por culpa mía, sin duda— de que mi interés se concentra en lo español (por ejemplo) de la economía, y no en la economía de los españoles. De no proceder así, podemos estar girando indefinidamente en torno a la cuestión, sin mostrar cuál sea ésta. Los impacientes eluden el aspecto más decisivo de este para los españoles magno asunto, y por eso no dejo de hablar de musulmanes, de judíos y de los conflictos casticistas, es decir, de las fuerzas que tensaron (o paralizaron) la acción de los españoles, escindidos en castas desde dentro de su existir, y a mal traer unos con otros —abriéndose vías a codazos por entre opresivas circunstancias. Ha de intentarse hacer más amplio este cuadro, ineludible fondo para cualquier plan o imaginación del futuro.

No ha sido posible dar por sabidas ideas básicas antes expuestas, porque su verdad no es demostrable matemáticamente; hubo así que tener presentes —en interés de *esta causa*— a quienes razonan mediante "juicios antipáticos *a priori*". Las cuestiones de hecho y de principio en esta obra (cuya finalidad es práctica, no llanamente erudita ni altamente filosófica), han tenido que irse abriendo camino con ayuda de ciertos trabajos complementarios. Primero con *Origen, ser y existir de los españoles,* cuyo título es ahora más preciso: *Los españoles: cómo llegaron a serlo,* Madrid, Taurus, 1965. Al darme cuenta de que lectores inteligentes y de buena fe hallan difícil excluir a los iberos y celtíberos como una fase previa de los españoles (como españoles en ciernes, diríamos), intento eliminar en el libro antes citado, y que pronto saldrá al público, tan estorboso obstáculo. La vida colectiva no es sólo resultado de una sucesión biológica. Esa vida va moldeándose a través de formas limitadas por la conciencia de su autonimia (*romano, visigodo, catalán*, lo que sea). Dentro de cada una de esas especificadas unidades, la conciencia colectiva tiene presente sus inmediatos y anteriores momentos y situaciones, del mismo modo que la persona individual siente en sí su mocedad y su niñez. Sabe también de sus padres, y puede saber incluso de sus tatarabuelos si éstos fueron ilustres. Todo ello, sin embargo, no está presente, ni afecta a la persona como vida suya, siempre latiendo en ella como un recuerdo de algo presente y suyo, grato o ingrato. Pues bien, los celtíberos serán antepasados, en el grado que sea, de los españoles, sin ser por eso niñez o mocedad de los españoles: una cosa es *saber de*, y otra *tener presente a*. Los *españoles* no necesitan estudiar nada para *tener presentes*, como tales, a castellanos, catalanes, aragoneses o andaluces. Los celtíberos son españoles sólo en las páginas de libros fantaseadores.

Con miras, igualmente, a allanar el terreno a quien en el futuro quiera estructurar una historia de los españoles, menos inexacta que las hoy vigentes, he escrito *De la Edad conflictiva*. En esa obra se demuestra que el conflicto intercastizo afectó al curso de la civilización española en su totalidad y *hasta hoy*, y que hubo en efecto una tendencia a cultivar determinadas tareas intelectuales o materiales, según fuera la persona de casta cristiano-vieja, o cristiano-nueva. El número de escritores y de científicos de casta hispanojudía aumenta cada año. La paralización de las actividades culturales en el siglo XVII, y su escaso nivel (en comparación con las de otros pueblos occidentales) en los siglos XVIII y XIX, es incomprensible sin la ya habitual y subconsciente presión ejercida por la casta cristiano-vieja, pues se había hecho hondamente obvio, desde el siglo XVI, que los menesteres culturales eran, o "cosa de Inquisición" (según más tarde escribía Sor Juana Inés de la Cruz), o mancillaban la condición del cristiano castizamente viejo. Lo cual dejó su huella tanto en Galicia como en Cataluña, Madrid o Andalucía, sin que en ello tuvieran intervención directa ni la dinastía austríaca ni la borbónica.

Otro estorbo que obstruía la intelección del siglo XVI era la tendencia a enfocar la literatura, desde *La Celestina* en adelante, tomando puntos de vista genéricos. Quienes así obran, lo hacen para hacer ver que España era un país europeo como otro cualquiera, con su Humanismo, su Renacimiento, su Barroco, etc. En mi libro *La Celestina como contienda literaria*, 1965, dejo fuera de duda que aquella obra genial respondía a circunstancias humanas posteriores a 1492, específicamente judeoespañolas; sin ellas son inexplicables las nuevas formas literarias desde fines del siglo XV hasta el XVII, desde el teatro de Juan del Encina a la novela picaresca, y a la misma posibilidad formal de la novela cervantina. A quienes repugna y estremece tener que enfrentarse con nuestros fenómenos de cultura partiendo de tan antipáticas circunstancias, parece razonable falsear y deformar los hechos para encuadrarlos en un marco de su gusto. Es característico el modo de enjuiciar el hecho de las Comunidades de Castilla; se habla de ellas como de un alzamiento democrático a tono con corrientes e ideologías europeas, y se rechaza de plano que los españoles de casta judía tuvieran nada que hacer en tan caótica revuelta. A lo dicho en mi citado libro *La Celestina...*, añadiré ahora lo escrito en 26 de abril de 1521 por los inquisidores sevillanos al Emperador: "...tener por cierto que los que principalmente habían sido causa de las alteraciones de Castilla fueron los conversos, y personas a quienes tocaba [es decir, 'causaba temor'] el oficio de la Inquisición".[7] Los sociólogos españoles no tiene en cuenta la Inquisición (duró 340 años) al enfrentarse con la sociedad española.

Frente a la tendencia a cerrar los ojos y a amputarle siglos a la historia de España (ver luego pág. 22), me he propuesto desvelarlos. No cabe esquivar lo que fue, ni darlo simplemente por sabido. "Saber", en su dimensión histórica, equivale a percibir en el presente las *huellas del propio pasado*. El hoy, en el caso de los españoles, se *funde* con situaciones castellanas, leonesas, aragonesas, navarras. No me refiero a los Borbones ni a los Austrias; éstos, como las dinastías de Trastámara y de Aragón, reinaron sobre pueblos ya constituidos de cierta manera según un sistema horizontal de castas, y no solamente vertical como en el resto de Occidente. Desde el siglo x —para comenzar desde un punto firme—, las poblaciones cristianas estuvieron entremezcladas con moros y judíos, en proporción mayor o menor aunque siempre presente en sus efectos. A pesar de que unos reinos se unieran con otros, todos continuaban estando escindidos interiormente a causa de las tres formas de casticismos. Todavía en 1609, Aragón se encontró, a causa precisamente de los moriscos, en situación diferente a la de Castilla. Los judíos, por su parte, estaban culturalmente más arraigados en Castilla y León que en Cataluña o Andalucía, de donde habían sido expulsados antes de 1492.

Cuando se conozca más en detalle la actuación económico-cultural de los españoles judíos, y luego de los conversos en Castilla y en Aragón, aparecerán con más nitidez los cortes y desniveles entre ambos reinos. El sistema de las castas y sus consecuencias afectaron hondamente al *simultáneo proceso de unión-desunión*, constante en España entre el siglo x y nuestro tiempo. Un hecho de gran bulto es que Castilla y Aragón, unidos al parecer sobre firme base bajo la soberanía de los Reyes Cató-

---

[7] Manuel Danvila, *Memorial Histórico Español*, XXXVII, pág. 294 (*apud* Claudio Guillén, *Un padrón de conversos sevillanos* (1510), en "Bull. Hispanique, 1963, LXV, pág. 67).

licos, no compartieran el dominio del reino de Granada, de las islas Canarias y de las tierras del Nuevo Mundo. En mi opinión, la casta cristiano-castellana que llevó el peso de la Reconquista desde mediados del siglo XIII, tuvo que ver con esto. En relación con ello ha de tenerse presente la acción de los conversos en torno a la corte castellana en el siglo XV, desde Juan de Mena hasta Nebrija (ver más adelante páginas XXIII y 81).

Ya decía el converso don Alonso de Cartagena que, a diferencia del rey de Inglaterra, el de Castilla hacía guerra "por *extensión de los términos de la cristiandad*" (pág. 85). Antes había escrito fray Diego de Valencia, otro converso, que si los castellanos se pusieran de acuerdo,

> Non sé en el mundo un solo rencón
> que non conquistassen, con toda Granada.

El corregidor de Toledo, Gómez Manrique, aunque no parece fuera converso, participaba de sus puntos de vista, no creía en "el mito de los linajes", y estaba en gran intimidad con el converso Juan Alvarez Gato.[8] El regidor Manrique esperaba que el príncipe don Alfonso conquistara "Citra y Ultramàr a las bárbaras naciones". Esto y lo dicho más adelante delinean bien la posición de los conversos, ansiosos de elevarse y de salvarse como clase (dentro de su casta) fomentando la gloria imperial de Castilla, profetizando el imperio antes de que existiera. No hubo en Aragón (desligado de la empresa de la Reconquista en el siglo XIII) un coro semejante de incitaciones poéticas y de razones en prosa (Juan de Lucena, Nebrija), tendientes nada menos que a mover a los castellanos a conquistar el mundo. Ni fueron Aragón o Cataluña descritos y calibrados socialmente en la forma en que lo fue Castilla (ver luego págs. 85-92). Lo cual, unido a la acción literario-cultural de los conversos en Castilla y León, permite afirmar que la acción de la casta judía (a través de los conversos) no rindió en Aragón, Cataluña o Valencia los mismos resultados que en Toledo, Salamanca, Extremadura o Andalucía. La mención de sus nombres y de sus obras no es para este lugar.[9]

El belicismo de la casta cristiana en Castilla, combinado con el incitante profetismo de su casta judía (ahora conversa), hacen menos sorprendente la decisión de Alejandro VI en cuanto a ser Castilla y León

---

[8] Ver Francisco Márquez, *Investigaciones sobre Juan Alvarez Gato*, Madrid, 1960, págs. 164-165.

[9] Luis Vives no ejerció influencia dentro de España. Para nombres de conversos insignes ver *De la Edad conflictiva*, 1963; *La Celestina como contienda literaria*, 1965; *Fray Bartolomé de las Casas* en los "Mélanges à la mémoire de Jean Sarrailh", París, 1965; A. Domínguez Ortiz, *La clase social de los conversos*, 1955.

(y no Castilla-León-Aragón) el poder dominante sobre las tierras ultramarinas. La bula del Papa (4 de mayo de 1494) ordenaba que todas las tierras al Poniente de la línea ideal que cortaba el Océano de Norte a Sur, "fuessen de los Reyes Católicos, y de sus herederos y sucesores en los reinos de Castilla y León". En su testamento de 1504, Isabel de Castilla ordena se entregue a Fernando de Aragón (en medio de muchas laudes y tratamiento de Su Señoría) "la mitad de lo que rentan las islas y Tierra Firme del mar Océano" —una espléndida pensión vitalicia—, después de puesto muy en claro que Granada, las islas Canarias y cuantas "tierras descubiertas é por descubrir, ganadas e por ganar, han de quedar en estos mis reinos de Castilla y León".[10] El matrimonio de los Reyes había unido dos coronas, pero no a quienes vivían bajo ellas. El que a las Indias fuesen más tarde y ocasionalmente gentes de toda España, no priva a ese hecho de su inicial y honda significación.

Muy antiguos motivos impulsaban a Castilla a reservarse para ella sola sus futuras conquistas ultramarinas. Desde mediados del siglo XIII Aragón no había podido participar en la obra de la Reconquista; a mediados del XIV Alfonso XI de Castilla y León ganó la batalla del Salado y perdió la vida frente a los muros de Algeciras. Los portugueses habían llegado al Algarbe en 1249, y en esa zona el curso del Guadiana fue ya su permanente frontera. Los aragoneses no pasaron de Alicante; Murcia, ocupada por ellos dos veces en el siglo XIII, tuvo que ser devuelta a Castilla. Así contenidos, los reinos de Aragón y Portugal hubieron de proyectar más allá de sus costas la energía nacida y fomentada en sus siglos de lucha con la morisma —clave explicativa de toda esta historia. Aragón-Cataluña comenzaron a labrarse un imperio mediterráneo, afirmado en Nápoles y Sicilia, y pronto desvanecido en la Grecia bizantina. Los reyes portugueses (ayudados por la técnica astronómico-marítima de sus vasallos judíos) iniciaron desde mediados del siglo XV navegaciones y conquistas que hoy nos parecen leyenda y no realidad. Cuando los castellanos se desembarazaron del estorbo moruno en 1492, juzgaron venido el momento de dar suelta a su represado y mesiánico imperialismo; los aragoneses —ausentes de la guerra contra moros por no querer aceptar la supremacía castellana— no participarían ahora en la empresa de dominar el mundo, tan insistentemente vaticinada por los conversos de Castilla. Divididos en la guerra contra la morería, los españoles continuaron estándolo en los intentos de expansión imperial. Se ve así con

---

[10] Alonso de Santa Cruz, *Crónica de los Reyes Católicos*, edic. de J. de M. Carriazo. Sevilla, 1951, I, págs. 95 y 355. Carriazo, I, LXII, sospecha con buen fundamento que Santa Cruz fuera converso; lo hacen ver las ocupaciones de cronista y cosmógrafo, y el silencio acerca de su familia es tan característico como su figura de intelectual inquieto, insatisfecho y pedigüeño (I, LIII-LIV).

sencilla claridad que la auténtica historia de los españoles tiene por tema el ascenso grandioso y divergente de tres imperialismos, hendidos y contrapuestos en su raíz, heterogéneos en su desarrollo y en sus resultados. Los castellanos de Isabel de Castilla vieron con vehemente evidencia en 1494, que el futuro glorioso que apuntaba en el horizonte tenía que ser suyo y de nadie más. Había llegado su hora, la prevista por quienes sabían del más allá de las esperanzas.

La angustia española de los subnacionalismos y los separatismos no tendrá alivio, mientras los capítulos de agravios y dicterios no cedan el paso al examen estricto de cómo y por qué fue como fue lo acontecido —las bienandanzas y las desdichas. El convivir de los individuos y de las colectividades requiere un almohadillado de cultura moral, racional e interesada. Cuando el individuo o la colectividad persisten en la contemplación y en el regodeo de ser de este o el otro modo (muy suyos, muy peculiares, muy tradicionales, muy entrañables, muy sentidos), florecerán, en el mejor caso, el lirismo con matiz de elegía y añoranza. El individuo y la colectividad permanecerán recluidos indefinidamente en su vallado ámbito. Al poeta lírico no le importa, pero la colectividad será muy poco venturosa.

Castilla no pudo inundar de cultura de ideas y cosas castellanas a Cataluña, como hizo Francia con Provenza y luego con Borgoña. Esas porciones de Francia no se sienten hoy oprimidas por el centralizado "gobierno" de París, porque el espíritu geométrico de París les fue infundido a través de obras y de acciones que, a primera vista, no ofrecían estructura circular ni centrada. El derecho de París a hacer de centro se hizo insensiblemente obvio.

Castilla no se impuso por ser centro; sus reyes antes de Felipe II movían su corte de acá para allá, carecieron de sede fija; dominaron los castellanos a causa de la dimensión imperativa de sus personas, lo cual es otro asunto. Ya en el siglo XIII la Reconquista aragoneso-catalana gravitaba hacia ellos.

Durante la dominación española en las Indias, el oro, la plata y otras riquezas afluyeron a la Península; muchos encontraban empleo en los virreinatos y en el sub-imperio monacal creado junto a aquéllos. Atrás quedaban, a fines del siglo XVIII, la corte de Carlos IV y las ciudades y aldeas impasibles, ancladas en creencias y costumbres inmutables. Pero el inmenso imperio se desvaneció casi súbitamente, y los españoles quedaron reducidos a su horizonte doméstico. Las Antillas y las Filipinas eran solo pobre residuo de las grandezas de antaño. Coincidió con ello la invasión francesa, una desdicha compartida con otros países europeos. Fueron, en cambio, muy privativo desastre las subsiguientes y atroces guerras civiles que contribuyeron a poner más de relieve la flaqueza de España, ya con escasa conciencia de sí misma, sin curiosidad de saber qué y cómo había sido. Sobre sus gloriosas ruinas se lanzaron sabios extranjeros estimulados por la ideología de ciertos filósofos alemanes, ávidos de sacar a luz el misterio del espíritu de los pueblos (Romanticismo). El americano Ticknor publicó en 1849 una historia de la literatura española, traducida al español, francés y alemán; otro americano, Prescott, en 1837, escribió una historia de los Reyes Católicos; en 1843, la de la conquista de Méjico; en 1847, la del Perú; en 1855, la de Felipe II. Ya en el siglo xx apareció la monumental *A History of the Inquisition of Spain*, de Henry Ch. Lea, ni traducida ni reemplazada por otra mejor en España. La actividad de los extranjeros en torno a la civilización española no ha cesado, ha ido más bien en aumento; los españoles mientras tanto se enquistan en sí mismos, y poco o nada averiguamos acerca de las culturas extrañas o remotas en el tiempo.

No hay lamento ni melancolía en lo que escribo. Mi propósito es táctico y constructivo; para hacer caminar al entumecido, lo primero es desentumecerlo. Los españoles no podemos lanzarnos a saber de los demás y a liberarnos de la tutela cultural de los de fuera, en tanto que permanezcamos ciegos y mudos respecto de nosotros mismos, simulando haber sido lo que no fuimos, inmersos en falsedades por puro e ingenuo miedo a aceptar la verdad. El siglo xix no fue así como dicen: "Como el resto de Europa, la vida española entre 1815 y 1868 fue afectada por un hecho político de base (la quiebra del antiguo régimen y el auge de la ideología liberal), una coyuntura económica general (la organización del maquinismo y la organización industrial moderna) y una subversión del espíritu (el romanticismo)." Nada de esto es cierto; es evasivo.

El señor Vicens Vives,[11] cuyos son los anteriores juicios, partía de la ficción de haber seguido direcciones paralelas España y el Occidente europeo, cultural y socialmente. Es manifiesto que la casta cristiana de los reinos cristianos adoptó antes del siglo xv estilos europeos de arte, formas y temas de poesía culta, sobre todo a través de Francia. Este europeísmo no brotó ya —como el visigodo— desde dentro de la tradición romano-germánica, pues fue en gran parte importación extranjera, ligada con la presencia de monasterios cluniacenses y cistercienses, y con el continuo fluir de los peregrinos a Santiago. Después de ese período la casta cristiana no produjo, por propia iniciativa, una cultura semejante a la del resto de la cristiandad. Faltaba, sobre todo, una literatura en latín medieval, análoga a la de las Islas Británicas, Francia, Italia y Alemania. Los hispano-cristianos estaban muy absorbidos por la continua tarea de afirmar sus reinos, frente al moro y a los otros reinos cris-

---

[11] *Historia de España y América*, 1961, t. V, pág. 337.

tianos; habían nacido, por otra parte, a la vida histórica en la creencia de que el "saber", la cultura intelectual, era tarea propia de moros, judíos y extranjeros.

El prestigio del saber musulmán no fue *pasajero,* ni se extinguió con la desaparición del Califato cordobés. En el siglo XIII Alfonso el Sabio se servía de los comentarios árabes a la *Biblia;* en los "escriptos de arávigos sabios" se dan detalles sobre la salida de Adán y Eva del Paraíso; y más adelante se habla "del logar e del tiempo del nascimiento de Abraam segund los arávigos". Porque "los arávigos [h]an su *Biblia* trasladada del ebraygo como nos", los cuales, aunque "anden errados en la creencia", por no tener "la fe de Jesu Cristo, pero muchas buenas palabras, e ciertas e con razón, dixieron en el fecho de la *Biblia, e en los otros saberes, e grandes sabios fueron e son aún oy".* No hay mal en servirse de estos comentarios, ya que "nuestros sanctos", para probar la encarnación de Cristo también adujeron pruebas "de gentiles, tomadas del arávigo e otrossí de judíos" lo mismo que "de los cristianos".[12]

Si para un tema tan básico como la Encarnación de Cristo se usaba lo escrito por árabes y judíos, no es extraño que en las ciencias aconteciera lo mismo; lo cual hace ver la singular forma de la cultura española en el siglo XIII. Fue así posible escribir sobre astronomía en la lengua hablada por los castellanos, cuando en Europa se usaba el latín como medio de expresión científica (esa astronomía era árabe, y los traductores eran judíos que odiaban el latín).

Los árabes continuaban siendo altamente respetados en el siglo XIV, según escribe un escritor de tanto relieve como don Juan Manuel, situado culturalmente (como su tío el rey Alfonso X) en el triángulo formado por los saberes cristianos, musulmanes y hebreos, tan españoles los unos como los otros todavía en aquella época: Los moros —escribe don Juan Manuel—, "tan buenos homes de armas son, et tanto saben de guerra, et tan bien lo facen, que si non porque deben haber et han a Dios contra sí, por la falsa secta en que viven...,[13] yo diría que en el mundo non ha tan buenos homes de armas, nin tan sabidores de guerra, nin tan aparejados para tantas conquistas" *(Libro de los Estados,* LXXVI, BAAEE, LI, pág. 323). Don Juan Manuel sabe que las guerras contra moros acontecían en lugares sin contacto con la cristiandad europea. En la obra antes citada, el consejero del Infante se excusa de no haber tratado de las guerras "que son entre los cristianos et los moros..., por razón que los moros non caen en *comarca de los emperadores,* nin han guerra con ellos"

---

[12] *General Estoria,* edic. Solalinde, I, 1930, págs. 6, 85 y 86.

[13] Es sabido que en la Edad Media el islamismo aparecía como una secta cristiana, no como una religión del todo independiente.

(*o. c.*, LXXV, pág. 322). Las guerras y, en parte, también la cultura de estos cristianos belicosos quedaban al margen de Europa.

Aquellos cristianos no podían ignorar la presencia de sabios extranjeros, afanosos de exhumar la ciencia griega oculta entonces en obras musulmanas (de las cuales los cristianos de Castilla poco provecho sacaban). De nuevo se "triangulaba" el problema, porque el cristiano necesitaba de la ayuda de los judíos para entender lo escrito por los árabes, accesible a los extranjeros en el medio cultural de Toledo y Sevilla, e imagino que no sólo en esas ciudades.

La misma figura de Raimundo Lulio, que emerge solitaria en el siglo XIII, está conectada con el Oriente como ninguna otra en Europa. Lo hace ver su *Libro del gentil y de los tres sabios*, escrita primero en árabe, y en la cual las tres religiones, *en 1300, ya españolas*, conviven pacífica y humanamente. Por lo demás, no es esta sazón para hablar de las relaciones entre el misticismo de Lulio y el sufismo; mas desde ahora puede decirse que Lulio pensó y sintió en un medio afectado por tres civilizaciones.

Los castellanos de casta cristiana se interesaron escasamente por la vida meditativa y contemplativa. La primer orden religiosa fundada por ellos —la dominicana— nació animada del afán de conquista espiritual. No surgieron dentro de ella pensadores como Rogerio Bacon o Guillermo de Occam: infiltrada de conversos en el siglo XV, la orden se volvió sede dilecta para inquisidores. La única orden contemplativa, los jerónimos de fines del siglo XIV, estuvo inspirada en sus comienzos por derivaciones del franciscanismo (los "fraticelli"). Durante los siglos XV y XVI el pensamiento español, en su casi totalidad, estuvo relacionado con las actividades de la casta judía; no será posible, sin embargo, darse cabal cuenta de la cuestión, mientras no se pongan bien de manifiesto las indirectas conexiones de los temas religiosos, filosóficos y literarios con la situación psíquica, cultural y social de los conversos. Se mezclan y entrechocan en nuestro problema factores negativos y positivos, destructores y creadores, rencorosos y entrañables, lo secularmente racional y lo divinamente inefable. Una visión de tipo "Picasso", olvidada de la lógica, sería necesaria para encuadrar en un mismo marco a Torquemada y a Luis de León, a Fernando de Rojas y a Luis Vives, a Juan de Valdés y a Mateo Alemán.

Esa cultura ya no era judía sino cristiano-española con algunos matices característicos, cuya determinación precisa exigirá previas y detenidas meditaciones. Por no existir tales estudios, las obras de estas personalidades erráticas parecen a veces prematuras, anticipaciones de algo nunca plenamente logrado (el pensamiento de Vives o de Gómez Pereira, por ejemplo). Si fuera lícito hablar de lo que no pudo existir, las obras de

Vives, de Francisco Sánchez y de Benito Spinoza debieran haberse producido en España.

Por razones de casticismo, más que de Contrarreforma, fueron desapareciendo las posibilidades de ensanchar la cultura errática de los conversos (Vives en Brujas, Francisco Sánchez en Tolosa de Francia, García da Orta en la India, Andrés Laguna volvió a España poco antes de morir y su *Dioscórides* se publicó en Amberes). El distanciamiento de Europa se acentúa desde fines del siglo XVI y a lo largo del XVII. El cambio de dinastía después de 1700 hizo ver el estado de atraso de la Península a quienes tenían noticia de cómo se pensaba más allá de las fronteras. Se hicieron loables esfuerzos (Feijoo) para importar ciencia, técnica y "curiosidad" mental (Jovellanos). No obstante lo cual, en la vida española no se produjo ninguna actividad científica original y por sí sola válida. Se esfumó el Imperio indiano, y la reacción producida por tamaño desastre fue mínima. A la muerte de Fernando VII (1833) el país apenas alentaba culturalmente, aunque tuvo energía para lanzarse a una guerra civil que duró hasta 1839, y cuya finalidad en el campo carlista era mantener a España inalterable.

Es sumamente pernicioso que la historiografía vaya legando a cada nueva generación una imagen inexacta de las precedentes, porque se anula así lo que en el pasado podía servir de base para una visión posible, constructiva y esperanzada de España. Se repite una y otra vez el batallar contra molinos de viento. Porque sería muy extraño que España se hubiese puesto a tono con Europa en el siglo XIX, cuando nunca antes lo había estado.

Quienes al volver de la emigración se reintegraban a España después de 1833, dieron lugar a un hecho sin precedente; antes de ellos Europa había sido visitada por individuos, no por grupos representativos de diversos sectores de la sociedad.[14] El resultado de las emigraciones durante aquellos diez años —según hace ver el profesor Llorens— afectó a la literatura, tanto en Inglaterra como en España. El Romanticismo, como antes el Neoclasicismo del siglo XVIII, sólo dejaron como efecto durable (en mi opinión) formas de expresión literaria, no nuevos modos de trabajo y convivencia. Porque la verdad es que los emigrados no sabían qué hacer ni con la gente ni con la tierra de su patria. Algunos desorientados buceaban en la tradición democrática de la Edad Media española,[15] como si ésta tuviera algo que ver con las ideas inglesa o

[14] La emigración en Inglaterra (1823-1834) ha sido estudiada por Vicente Llorens, *Liberales y románticos*, Méjico, 1954.

[15] Lo mismo hacen hoy quienes buscan en la Edad Media (y en general en la tradición española) antecedentes para las formas democráticas y parlamentarias del siglo XIX. Richard Herr, *The Eighteenth-Century Revolution in Spain*, 1958, pág. 337, intenta sacar de la historia

francesa de gobierno democrático, basadas sobre una cierta disposición moral o intelectual del *hombre interior,* no con programas políticos aplicados sobre quienes no sabían qué hacerse con ellos (la forma en que los españoles y los iberoamericanos han manejado en el siglo XIX las constituciones inspiradas en principios y modelos extranjeros lo demuestran abundantemente).

La mayoría de los españoles emigrados a Inglaterra entre 1823 y 1834 no aprovecharon los años de *ocio* para incorporar a sus vidas ejemplos de nuevos modos de existencia colectiva, distintos del dejado atrás y al cual debían sus infortunios. Divididos entre sí, se limitaban a añorar y a anhelar. Como dice Llorens *(o. c.,* pág. 36), "ni siquiera se familiarizaron con la lengua ajena". Istúriz (más tarde presidente del consejo con Isabel II) explicaba así su ignorancia del inglés: "Es un error pensar que yo estuve aquí [en Inglaterra] diez años; la verdad es que no lo estuve más que ocho días, porque cada semana esperaba una revolución en Madrid, y vivía con la maleta hecha para marcharme a España."

La acción de la vida europea en el siglo XIX fue exterior y superficial.

---

española "the Birth of the Liberal Tradition". Como guía para penetrar en esa historia toma las *Memorias* de Manuel Godoy, Príncipe de la Paz, según el cual no había que buscar en "los funestos ejemplos de la Revolución francesa" explicación para la revolución que lo había derribado a él, sino en "nuestros propios anales, desde el tiempo mismo de los godos", llenos de "ejemplos peligrosos; y no tan lejos de nosotros, la deposición de Enrique IV, las Comunidades de Castilla y las Germanías de Valencia... las turbaciones del reino de Aragón en tiempo de Felipe II y los recuerdos dolorosos de sus fueros destruidos... Tales memorias fermentaban en algunas cabezas, y pasaban a proyectos" (BAAEE, t. LXXXVIII, pág. 117). Continúa así la confusa labor de quienes, en España y fuera de ella, escriben sobre historia española sin preguntarse previamente quiénes y cómo fueron los españoles. Y como hay fabulosos intereses invertidos en este asunto de la historia fabulosa, haría falta un Hércules para sacar de cautiverio a esta pobre historia. Porque a la desorientación de buscar en los "anales" los orígenes del liberalismo español, se superpone el error de reducir a abstracciones sociológicas lo acontecido en el siglo XVIII: una población con fuerte ritmo de crecimiento, masa popular retrasada, naciente proletariado, aumento del nivel de vida, burguesía comercial, etc., etc., cosas todas externas y accidentales respecto de la cuestión de cómo y por qué no tuvo éxito el despotismo ilustrado. La externalidad y el abstraccionismo de la sociología al uso no conseguirán sacar de la tiniebla en donde hoy se esfuma, la auténtica realidad de los españoles de hoy, de ayer y de antes de ayer. Muchos piensan que eludiendo y silenciando esa realidad, ésta desaparece, y no va a incomodarles. No se piensa en que, reducida o aumentada de volumen, la población española era, ante todo, española, y hizo lo que hizo como tal, en el siglo XVIII y el XIX. Imagino que el capítulo VIII de esta obra mía (sólo comentado por anarquistas) ha sido leído temerosamente, y se preferiría que no existieran los hechos ahí presentes y clamantes. Lo mismo acontece con *De la Edad conflictiva,* muy difundida por España e Hispanoamérica, aunque eso no impide que se desvíe la atención de lo, al parecer, enojosamente real. No se explica, en efecto, que en febrero de 1965 alguien respetable escriba: "la hispanización profundísima y perdurable de los sefardíes", sin darse cuenta de la imposibilidad de separar lo español y lo sefardí —la expresión es tan ilógica como decir "la españolización de los castellanos".

Por lo cual es inadecuada la idea de las "dos Españas", una reaccionaria y otra progresiva, la última de las cuales, a la postre, es siempre aplastada. Se llama reacción al mantenimiento de los hábitos inveterados; y progreso, a ideas y formas de cultura importadas del extranjero. Cuando se tiene presente el hecho de la *importación*, la imagen de una España doble se desvanece. Porque si importar significa superponer y no fecundar (esto último ha acontecido no en España, sino en el Japón, en el campo de la ciencia y de la técnica), entonces la forma, el rumbo y la actividad de un pueblo permanecen siendo como era en lo básico y esencial. Los casos individuales y los focos inconexos de actividad no rectifican el curso de la vida, no pueden crear otra *nueva*, durable y coherente. El invento de las dos Españas es puro verbalismo, y lo único aquí notable y significativo es el éxito de tal inanidad, que no exige esfuerzo en quienes la adoptan y creen en ella. Las diferencias de niveles de cultura, de religión, de lengua, se dan en Inglaterra, Francia y Suiza (para citar ejemplos muy a mano), y no por eso los pueblos de aquellas naciones están partidos en dos fracciones incompatibles entre sí.

El error de las "dos Españas" continuará sirviendo de fácil respuesta a penosas interrogaciones, mientras no nos habituemos a la realidad de que, hasta hoy, la vida auténticamente española ha consistido en lo que llamo "conciencia de inseguridad", en la necesidad de convivir con personas y cosas *que no son como* uno *desearía*, y en rebelarse contra el hecho de que así sea. En España (en la verdadera España, no en la fraguada por los cronistas), el mantenerse dentro de uno, asido a la conciencia de *ser yo*, el de mi casta, pasó siempre por encima de cualquier otra consideración. Si el cristiano se entregaba a las cosas, su persona se le iba de las manos; el cristiano viejo se hacía sospechoso y el nuevo no podía hacerse pasar por viejo. Hubo, por tanto, absoluta necesidad de determinar, clara y tajantemente, quién era más persona. La respuesta final la dieron los Reyes Católicos, y quien, o quienes, redactaron ese epitafio que hemos sacado a luz, y que los historiadores cierran los ojos para no ver: a moros y judíos —se hace decir a los Reyes— les hemos aplastado las personas y por eso nos llamamos "católicos", y todos nuestros súbditos lo son. Ahora bien: la monstruosidad (en Occidente) del Estado-Iglesia no se suprime quemando iglesias y matando curas.

Cuanto no es eso, es pura "anécdota", hecho suelto y descoyuntado. La casta cristiana descuidó la ciencia en el siglo XI, el XVI, el XVIII y el XIX, no sólo por su tradición de belicismo, sino además, y sobre todo, por el muy antiguo hábito de saberse estar siendo quien se era, por haber tenido que magnificarse el ánimo, que ser preeminente, tanto en la guerra como luego en la paz —hidalguía, casticismo de primera clase, frente a los otros por bajo de él.[16] Mas lo grave del asunto es que la exorbitancia de personalidad, de valía, manifestaba a cada paso su condición menesterosa. Había que tomar en préstamo dinero y *cosas*, servirse de las actividades de moros y judíos dentro de cada reino cristiano, o recurrir a lo hecho por extranjeros. Más adelante digo (págs. 86 y 88) cuán bien se sabía en el siglo xv que el castellano no elaboraba las primeras materias a su alcance. Aunque se hable sin fundamento de lo "pasajero" de la "influencia" islámica, las palabras antes citadas de Alfonso el Sabio y Don Juan Manuel prueban lo contrario. La civilización musulmana era un horizonte cultural para el cristiano de Castilla aún en el siglo xiii, quinientos años después de haber sido ocupada la península por los moros. Los testimonios artísticos corroboran lo dicho por Alfonso el Sabio, y ensanchan el horizonte abierto hacia la ciencia y la sabiduría musulmanas. El estudio de los sepulcros del monasterio de las Huelgas de Burgos, llevado a cabo con su inigualada pericia por Manuel Gómez-Moreno,[17] hace bien perceptible la dependencia de Castilla respecto del Oriente y de Europa:

"Castilla giraba entre dos polos entonces [*hasta el siglo XIII*]: Burgos representaba la atracción europea, con la inglesa Leonor como prenda, con la reforma del Cister por augurio del nuevo orden que había de transformar en el siglo xiii la sociedad, acabando con el predominio señorial, en bien del pueblo apoyado por sus reyes. [*En mi lenguaje: la casta cristiana comienza a tomar posiciones, por bajo de los reyes y de los grandes señores, contra las de los moros y los judíos, que serán*

---

[16] Con esto enlaza prietamente el problema del llamado "individualismo" español, una noción por decir así fosilizada en la mente de los españoles y extranjeros al referirse a los españoles. "Individualismo" fuera del mundo hispánico refiere a lo hecho por la persona sin ingerencia de la colectividad o del Estado (sistema americano de la "free enterprise"; antes, del "laissez faire", etc.). "Individualismo", en sentido español, apunta al potencial voluntarioso que la persona siente bullir dentro de sí; la proyección o el resultado objetivo de ese potencial importa menos que la conciencia de existir esa tensión interior. Al español le interesa, como persona, el sentirse y creerse capaz de hacer algo, o lo que tiene de *suyo* lo hecho por él, no la realidad y el valor de lo hecho. El "individualista" español no rompe el cordón umbilical entre lo hecho y su presencia, su conciencia de estar él en lo hecho; de ahí la desproporción entre el volumen del arte español y el de la ciencia, la filosofía o la técnica españolas. Consecuencia del inmanentismo psíquico del español fue la expresión "yo soy quien soy", o "yo sé quién soy"; esto le sirvió de fe de vida, porque el casticismo no se fundaba en hacer nada, sino en serlo ya todo la persona. En suma, la conciencia de casticismo, el hidalguismo, el absolutismo de la persona, el no someterse espontáneamente a la ley, la autosuficiencia, el no interesarse en el resultado objetivo y comprobable de las actividades humanas y el peculiar anarquismo español (cap. VIII), son todos ellos aspectos de una misma y radical realidad. Hablo de esto en otros lugares de esta obra, en la cual, por razones ya obvias para el lector, las reiteraciones e insistencias son *tan conscientes* como inevitables (ver pág. 103). De ese "individualismo" a lo que llamo "existencialitis" en todo el mundo hispano-portugués, no hay sino un paso.

[17] *El panteón real de las Huelgas de Burgos*, Madrid, 1946.

deshechas definitivamente por los Reyes Católicos, según reza su epitafio.] El otro polo era Toledo, colonia andaluza [*es decir, de al-Andalus, no de la llamada luego Andalucía*], receptora de la cultura oriental a cuenta de judíos y de moros [*con fina percepción, son citados los judíos antes que los moros; los judíos castellanos habían sido culturalmente muy afectados por la civilización musulmana; en el ambiente regio y aristocrático el judío gozaba de una familiaridad imposible para el moro*]; con arte e industrias propias, que se sobreponen a lo europeo, y ya hemos visto cómo estas yacijas de las Huelgas se engalanan con presentaciones magníficas de tipo meridional, así como por obra de traductores latinos, encarnó en el acervo cristiano su ciencia, su filosofía, su literatura. El norte traía ideas, espíritu; el sur, elegancia, cultura, trabajo..." *(o. ci.,* págs. 99-100).

Los preciosos tejidos y vestimentas con inscripciones árabes hallados en este panteón confirman lo escrito por Alfonso el Sabio: una importante zona de la vida cristiana gravitaba hacia el Oriente, sin que por eso la ciencia y la filosofía de los árabes hubiesen sido cultivadas originalmente por los cristianos de Castilla. Es probable que al escribir "el acervo cristiano", Gómez-Moreno pensara en la cristiandad europea como un conjunto. La relación entre los cristianos de Castilla y los moros era, al mismo tiempo, de proximidad y de distanciamiento. Había que servirse de ellos; aceptar lo que por fuerza de las circunstancias iba penetrando en el lenguaje, en modos de expresarse literariamente, en la conducta colectiva (tolerancia religiosa, guerra santa), y en el hecho mismo de llamarse "cristianos" los reinos no musulmanes (ver pág. 29). Es de origen musulmán la identificación de la conciencia de personalidad —es decir, el existir como individuo de una comunidad política— con la creencia religiosa que se profesa. Don Juan Manuel (el más eximio representante del sentido de la vida castellana en el siglo XIV) lo dice bien claro: "La primera cosa que home ha menester para vencer los moros, et para que *todas las sus sabidurías et maestrías* non le puedan empescer, es que los que fueren contra los moros vayan como dicho es... [con] toda su esperanza [puesta] en Dios et creer firmemente... que todo es en Dios" *(Libro de los Estados,* BAAEE, LI, págs. 324 y 323). Las "sabidurías y las maestrías" no servían para dominar el enemigo; para lograrlo era exigencia primaria encarnarse y endurecerse en una fe contraria, hacerse "hombres de fierro", como llamaban los moros del siglo XV a los castellanos que combatían contra ellos en la Vega de Granada, según cuenta la *Crónica* de Don Juan II.

Todo lo cual viene a converger en la realidad de ser unos mismos los castellanos interesados en importar "sabidurías y maestrías", y los muy necesitados de ahincarse hondamente en su fe. En el fondo acontece —y ahí es donde yace el centro del problema— que los españoles progresistas siempre *pretendieron que todo cambiara y a la vez continuara estando como estaba*. O llaman a alguien de fuera para que realice el cambio, sin construirse previamente *bases propias y nuevas* sobre las cuales afirmar lo nuevo. Lo importado en el siglo XVIII no modificó nada esencial en España, pues todo fue incrustación exterior y no injerto. Al no darse cuenta de ello, los frecuentes estudios acerca de la llamada Ilustración dieciochista se alzan sobre una base falaz. Todo acaba por estar como estaba, no por culpa de Carlos IV y Fernando VII, sino de quienes ni pudieron ni supieron inventarse eficazmente otros modos de estructurar su vida colectiva. Los ingleses mudaron su religión tradicional y le cortaron la cabeza a Carlos I (su monarquía en el siglo XVIII no era como la anterior); los franceses aceptaron la convivencia con los protestantes, y luego transformaron revolucionariamente —*aunque pensándolo muy bien antes*— la estructura total de la nación. En España se ha creído hacer gran cosa con armar tumultos, motines, griterías y sangrientos alborotos que dejan intacta la raíz del problema.

Se han introducido "sabidurías y maestrías" cuando no implicaban radicales cambios en los modos tradicionales de creer, de pensar y de comportarse (ferrocarriles, termómetro, anestesia, etc.). Nunca se produjo, desde dentro de la vida misma de los españoles, un cambio de modos de vida inspirado en ideas y creencias seculares, terrenas. Algo tan mínimo como la libertad de cultos, tan característica —en el siglo XIX— de los pueblos occidentales, siempre produjo la impresión de ser un "escándalo" legislativo. Jaime Balmes escribía en 1844:

"Cuando los demás pueblos se alegrarían infinito de que subsistiera entre ellos algún principio vital que pudiera restablecerles las fuerzas que les ha quitado la incredulidad, España, que conserva el Catolicismo, y *todavía solo*, todavía poderoso, ¿admitiría en su seno ese germen de muerte que la imposibilitaría de recobrarse de sus dolencias, que aseguraría, a no dudarlo, su completa ruina?" [18]

Se pregunta uno cómo hubiera sido la cultura de Balmes, si su fuente sólo hubiera sido la de los países en donde el catolicismo estaba "todavía solo". Para cualquier lector superficialmente al corriente de lo pensado y en vías de hacerse en la Europa "mala" de 1840, el juicio de Balmes es en este caso tan ingenuo como temerario. Es cierto que las mejoras en la vida material y social de Europa no corrían parejas con lo avanzado en el campo de la letra impresa. Las ciudades estaban sucísimas, la gente moría como chinches a orillas del Támesis, no saneado eficazmente hasta la época de Disraeli. Coleridge compuso en 1828 su célebre poesía sobre

---

[18] *El protestantismo comparado con el catolicismo*, Barcelona, 1935, I, pág. 186.

Colonia, la ciudad de los setenta y dos hedores y de varias pestes; [19] la condición de los trabajadores rurales e industriales era calamitosa, etc. Pero la acción concertada de la inteligencia, la moral y el interés mudó la faz de Europa, a la cual España —la impasible— dejó el cuidado de "inventar", como más tarde diría Unamuno.

Don Domingo Sarmiento llegó a Madrid en 1846. Sarmiento —como bien sabía Unamuno y otros que lo han leído— es una de las más extraordinarias personalidades del mundo hispánico; afanoso de realidad, leía en la vida por bajo de las palabras y gesticulaciones de los interesados en disimularla. La variedad de trajes del pueblo le parecía muy pintoresca, digna "del pincel", aunque "revela, sin embargo, una de las llagas más profundas de España, su falta de fusión en un Estado. Las provincias españolas son pequeñas naciones diferentes, y no partes integrantes de un solo Estado. El barcelonés dice, "soy catalán", cuando se le pregunta si es español; y los vascos llaman castellanos a los que quieren designar como enemigos de su raza y de sus fueros". A Sarmiento le encantaba el pueblo español; fue a los toros, y sintió "todo su sublime espectáculo". Sintió además el dolor de España como un "español de aquende", según él decía en Buenos Aires al final de su vida. Escribió también palabras, que hoy no se leen ni se interpretan, sobre los vacíos de cultura en la España de 1846. Carecía de importancia, según él, que los hispanoamericanos tuvieran una ortografía y los españoles otra: "Como ustedes no tienen [hoy] autores, ni escritores, ni sabios, ni economistas, ni políticos, ni historiadores, ni cosa que lo valga; como ustedes aquí y nosotros allá, traducimos", era indiferente esta o la otra ortografía. No había visto "más libro español que uno que no es libro, los artículos de periódico de Larra; o no sé si ustedes pretenden que los escritos de Martínez de la Rosa son también libros".[20] El juicio de Sarmiento, en el fondo exacto, requeriría correcciones y atenuaciones. Pero esto exigiría analizar en detalle qué y cómo eran los españoles entre 1840 y 1850, lo cual yo no voy a hacer ahora. Lo primero que habría de ser notado es que hubo españoles con cabal conciencia del estado del país, además de Larra. Por ejemplo, Juan Donoso Cortés: "Hay algunos pueblos heroicos; el español es un pueblo épico: cuando apartando los ojos, humedecidos con lágrimas, de sus miserias presentes [1843], los fijamos en los tiempos de su pasada grandeza, un santo y respetuoso pavor se pone en nuestros corazones..." Lo decía en una reseña de una pobre obra, el *Curso de*

---

19   Dicen que el Rin lava vuestra ciudad,
            "But tell me, Nymphs, what power divine
        Shall henceforth wash the river Rhine."
                    (*Selected Poetry*, edic. D. A. Stauffer, 1961, p. 106.)

20   *Viajes. España e Italia*, Buenos Aires, 1922, págs. 25, 35, 9.

historia de la civilización de España, de Fermín González Morón. La obra de Donoso Cortés está tan llena de cándidos errores como de luminosos destellos: "Entre el general francés y el caudillo africano está la especie que sirve entre uno y otro de transición: está el guerrillero español. . . Entre el mahometismo fatalista del africano y el catolicismo filosófico francés está el catolicismo español con sus tendencias fatalistas, *con sus reflejos orientales.*" Estas palabras pronunciadas en el Congreso de los diputados, en marzo de 1847, provocaron en la Cámara exclamaciones de "¡Bien, muy bien!". Pero al mismo tiempo que intuye el carácter europeo-oriental de España, dice Donoso Cortés que la "falsa civilización [de los árabes] no era sino la barbarie". Los cristianos que pelearon contra ellos eran pobres e ignorantes, pero "esta pobreza y esta ignorancia eran, sin embargo, fecundas, así como la cultura refinada y el maravilloso esplendor del Imperio árabe eran de todo punto estériles". Lo importante para Donoso Cortés era "la verdadera noticia de Dios y la doctrina del Evangelio"; a los árabes les estorbaba "una noticia falsa de la Divinidad y una doctrina absurda: el fatalismo". De todos modos, en el discurso parlamentario antes citado, Donoso Cortés venía a coincidir con Sarmiento: "Nuestra España, señores, decaída de su antiguo esplendor, relegada a los últimos límites del Occidente, sin escuadras que recorran los mares, sin ejércitos que recorran las tierras, está como apartada del mundo, fuera de aquel gran torbellino que arrebata a las naciones" *(Obras completas,* Madrid, 1946, I, págs. 945-946; II, págs. 66, 62). España estaba caída, pero no muerta: poseía conciencia.

Las obras de Balmes también han de recordarse. Había, por tanto, algunos libros, no obstante la tajante negativa de Sarmiento; si bien todo ello resultaba insignificante cuando se piensa en lo impreso ya por aquel tiempo en Alemania, Francia e Inglaterra (Hegel, Compte, Stendhal, John Stuart Mill, etc.). Ahora bien, saliendo del campo de la filosofía, de la ciencia y de la literatura, nos encontramos con algo desconcertante entre 1845 y 1850, con el *Diccionario geográfico-estadístico-histórico de España y sus posesiones de Ultramar,* por Pascual Madoz, en 16 tomos, impresos a dos columnas y en letra compacta. Parecerá, al pronto, una ingenuidad fijarme yo en eso, aunque más de un siglo después, esta obra no ha sido superada. ¿Cómo fue posible en tan pocos años, en un país de malos caminos y con comunicaciones tan deficientes, llevar a cabo esta obra, para España, colosal? Don Pascual Madoz disciplinó a los curas y secretarios de ayuntamiento en toda España y en sus colonias de entonces; todos enviaron informaciones que en la mayoría de los casos aún son valiosas. Aunque se suponga el incentivo de que las ciudades y las aldeas saliesen en letra de molde, no es menos admirable el prodigio de haber movilizado don Pascual la conciencia y el saber de sí misma *en toda* la nación. Las famosas *Relaciones topográficas*, de Felipe II, han sido publicadas en este siglo, con dificultades y lentitudes. Para el organizador y compilador de este *Diccionario*, el "individualismo", la incuria, la falta de conexión entre unos y otros españoles, todo eso y mucho más fue puesto en paréntesis, como en una gran tregua de Dios. Los españoles "cooperaron" en este caso como si fueran anglosajones o germánicos. Ni Madrid, ni ninguna capital iberoamericana poseen todavía una Biblioteca Nacional con libros y catálogos como las de los Estados Unidos, Suecia o Suiza. La gloria y la gratitud a la sombra de don Pascual Madoz, un modesto y genial creador de eficaz convivencia por encima de los egoísmos apocados de cada rincón. He ahí un caso de "individualismo", mucho más difícil que el de quienes ofrendan su vida a una causa pasionalmente insensata.[20 a]

Habría sido esperable, en ciertos momentos de lucidez después del letargo del siglo XIX, que nos hubiésemos hecho problema del carácter predominantemente costumbrista y localista de la vida española. Los japoneses mantienen sus trajes y ceremonias, a la vez que comienzan a superar a los americanos en muchas zonas de su tecnología; y sus avances científicos corren parejas con los de Occidente. El tono y aire de la vida española, por el contrario, destacan intensamente lo personal, el "por ser yo quien soy"; la inquietud de la mente y el obrar hacendoso y

---

[20 a] **Al** recordar la ingente construcción estadístico-geográfica de don Pascual Madoz, surge la no menos gigantesca de don Francisco Coello, "teniente coronel" y "capitan de ingenieros", autor del *Atlas de España y sus posesiones de Ultramar*, con 65 mapas plegables, con tapas de cartón para su cómodo manejo. Una Real Orden, de 3 de septiembre de 1848, recomendaba su adquisición a los ayuntamientos. "En cada hoja, además del mapa de la provincia, figuran los planos particulares de sus principales poblaciones, y extensas noticias estadísticas e históricas, escritas por don Pascual Madoz." Así pues, el *Diccionario* de Madoz estaba coordinado con el trabajo cartográfico de Coello, para su tiempo extraordinario en España. Ignoro si existen estudios de tan excepcional contribución a la cultura española —ojalá los haya—, en un momento en que ésta era sumamente tenue, y la vida de la nación andaba desquiciada. Todavía en 1912 utilizaba yo los mapas de Coello en mis andanzas por las tierras del antiguo reino de León, a caza de fenómenos geográfico-lingüísticos. Da gran optimismo imaginar a Madoz y Coello haciendo trabajo de equipo en Madrid, entre 1845 y 1850, llevando a buen término tareas que entre nosotros han solido a veces iniciarse, sin luego pasar de sus cimientos; o se resuelven en trabajo de baja calidad, precipitado y farfullero. Comparable a lo hecho por Madoz y Coello han sido la *España Sagrada*, del Padre Flores; la primera edición del *Diccionario de Autoridades*, en 1736; y anteriormente, la *Biblioteca Vetus et Nova*, de don Nicolás Antonio. Pero insisto en que lo más sorprendente en el caso de Madoz fue la dimensión nacional de su esfuerzo, el poner a trabajar a millares de españoles, olvidados por un momento de su "personalismo", de sus lamentos y protestas, y de sus querellas intestinas e interregionales. El "determinismo" de la historia es el nombre dado hoy a la pereza, y a la mala administración de la inteligencia. El determinismo, desde 1500, iba embebido en la creencia de que trabajar con la mente, y con el ingenio y las manos que Dios daba a cada cual, era asunto de perversos y deicidas judíos. Y así nos fue.

eficaz de las manos no alegran ni impulsan. Se achacan los males —como Don Quijote— a los "encantadores", al clima, a esta o a la otra persona, a cualquier cosa. La conducta del individuo ni es individualista ni es sociable; es "haciadentrista", porque todo lo fuera de ese "dentro" es maligno y sospechoso, o resulta indiferente. Lo más allá de la aldea, de la provincia o de la región es ignorado, o es sentido como un enemigo en potencia. Vida confinada y suspicaz; "me están minando el terreno" —¿quién no lo ha oído? La envidia no es afección específica del alma española, según se dice y se redice sin más averiguación; es necesario efecto del vivir confinado, del atisbar receloso por encima de las bardas de nuestro propio huertecillo, más a menudo "hortus illaboratus" que "hortus deliciarum".

Hemos de abrir sendas a través de la selva oscura de esta historia, suelo y perspectiva para cuanto hoy acontece. ¿Por qué, por ejemplo fueron tan imperfectos los cosidos que ligaban unas a otras las piezas del tejido nacional de los españoles? Cuando parecía abrirse ante todos ellos la tarea de labrarse un común y maravilloso imperio —muy necesitado de inteligencia, de voluntades concordes y de manos hacendosas—, Isabel de Castilla dice en su testamento, que todo aquello será solo pertenencia de Castilla y León; antes, en el convenio celebrado con Portugal a fin de que los descubrimientos de Colón no dieran lugar a contiendas con el vecino reino, se habló siempre de "los reyes de Castilla y de Portugal", no de los de Aragón.[21] A tono con ello, la empresa de las Indias fue asunto de religión y de personas, no de quehaceres planeados. Y tuvo que ser así por rigurosa exigencia de la estructura castiza de la sociedad española; el quehacer objetivo y metódico era cosa de judíos (o luego, de conversos); y la acción combativa, heroica, promovedora de honra personal, mantenedora de la conciencia y de la esperanza de ser quien se era por el hecho de ser quien se era (el célebre "yo soy quien soy", usado más tarde), todo eso representaba el único posible caudal humano accesible al cristiano viejo. Tal era el motivo del profundo corte que separaba a unos españoles de otros (ruego al lector que, al llegar a este punto, lea las frases de Fray Luis de León sobre la condición social e íntima de sus compatriotas en 1580, transcritas en las págs. 282-284 de esta obra). Todo lo cual acontecía en el medio supraterreno y sobrenatural del vivir diario (campo sin límites acotado para sí por la especial religión de los españoles, injerida en los asuntos de Estado —como hay que repetir una y otra vez— en un modo sin análogo en Occidente). Las leyes seculares y objetivadas carecían de efectivos espacios humanos en donde operar. La vida se polarizaba —en una u otra forma— entre

---

[21] A. de Santa Cruz, o. c., pág. 109.

las cimas divinales de lo personal, y las simas del caos anárquico o del provecho apicarado. Esa estructura del imperio indiano posibilitó maravillas, inexistentes en las zonas americanas colonizadas racional y prosaicamente por los ingleses; aunque al mismo tiempo sirvió de promorfo a la insensata parcelación estatal de los Estados Desunidos de Hispano-América; e hizo imposible el aunamiento de los españoles de España por encima de las barreras creadas por la Reconquista.

Todos los grupos humanos comienzan por crearse y mantener usos peculiares, "diferenciales"; pero además hace falta algo, por encima de ellos, para que un grupo pueda agruparse con otros. Dos ruedas que giran una junto a otra, engranan no por ser ruedas sino a causa de sus engranajes. Los Estados Unidos poseían la voluntad de unirse antes de estarlo políticamente, y lo mismo vale de otras auténticas federaciones, modernas o antiguas. Cada grupo federado existía ya dentro de sí como una efectiva federación de sus individuos, ligados unos con otros por algo más que por el hecho de estar juntos y de sentirse "casta", por algo desligado de la sentimentalidad localista. Los españoles de las distintas regiones compartieron una fe común, creencias casticistas como la de la limpieza de sangre; [22] se cobijaron bajo la cúpula del prestigio regio mientras el imperio era potente en Europa; defendieron la tierra de España durante la invasión francesa en 1808. Pero desvanecidos los halos mágicos o el peligro inminente, la noción de comunidad interregional o regional tuvo escaso valor. [23]

Es inútil —con oriental fatalismo— buscar en características "ibéricas" o "psíquicas" la raíz de las desuniones españolas, ni atribuirlas a

[22] Los catalanes eran tan susceptibles castizamente como el resto de los españoles; ver A. Domínguez Ortiz, *La clase social de los conversos*, pág. 203, quien cita textos como éste: "no se ha hallado... catalán o catalana, que aunque más pobre y necesitado esté, se haya sujetado jamás a casarse con persona manchada de judíos".

[23] Ver luego, pág. 325, para el Madrid del siglo XVII, en donde quienes vivían separados sólo por una pared, estaban más lejos unos de otros que Valladolid de Gante, según Tirso de Molina, en su comedia *La celosa de sí misma*. En la pág. 274 cito a Ganivet: "Somos refractarios a la asociación, y de hecho cuantas sociedades fundamos, naufragan al poco tiempo; y, sin embargo, somos el país de las comunidades religiosas..." Los catalanes de hoy han preferido dejar a los americanos explotar la enorme producción de corcho de la provincia de Gerona, más bien que poner en común, para ese fin, sus no menos enormes masas de capital. ("The Armstrong Company owned a third of Spanish cork... A Canadian company controlled the electricity of Catalonia". H. Thomas, *The Spanish Civil War*, 1965, p. 278). Si de la economía se pasa a la política, el resultado es el mismo: "Los catalanes en el exilio no nos dejamos aventajar por nadie en cuanto a grupismo y divisiones políticas." Lo dice el catalán Fidel Miró, *¿Y España cuándo?*, Méjico, 1959, pág. 101. Los intentos de aunarlos en 1958 no tuvieron éxito: "El propósito, pues, de un movimiento catalán unido, de hecho nacía muerto... aunque hasta la fecha no hemos tenido la valentía de confesarlo" *(o. c.*, pág. 107). Mientras se persista en llamar a esto "iberismo", la cuestión será insoluble.

la acción de los Austrias o los Borbones. La unión, cuando la hubo, fue de índole regio-religiosa; los individuos estaban recluidos en su personalidad castizo-religiosa de uno a otro extremo de la Península. Cuando los halos mágicos dejaron de actuar desde arriba, las personas se sintieron solas, sin nada que hacer en común.[24] Las diversas secciones del país comenzaron a sentir dolor en sus junturas, y cada una de ellas intentó, a mediados del siglo XVII, ir por su lado, no porque España estuviera en decadencia, sino como lógico resultado del modo de vivir español. Aquella forma especial de religión —totalitaria y absorbente—, unida al intrapersonalismo castizo, en una sociedad vacía de valores extrapersonales, había privado de contenido la estructura estatal de España. En 1948 recordaba yo las palabras de Quevedo en 1645: "Hay muchas cosas que, pareciendo que existen y tienen ser, ya no son nada sino un vocablo y una figura."[25] El conde-duque de Olivares, por buen político que hubiese sido, no habría podido modificar el funcionamiento hidalgo-celestial del mundo regido por Felipe IV, yermo de propósitos y actividades, ensimismado, o dependiente de la vida "venturi saeculi". Sin tener presente la realidad de esta situación humana, la historia se hace externa, y su auténtico tema queda fuera de ella, desvalido.

Portugal se separó porque los portugueses nada tenían que hacer

---

[24] Recuérdese el terremoto de Caracas, en 1812, cuando los lazos con la corona habían sido ya cortados por Simón Bolívar. "En los momentos de mayor angustia se pedía misericordia y perdón al Rey tanto como a Dios... Don Nicolás Anzola, regidor, pedía de rodillas y a gritos perdón al señor Don Fernando VII." Otros creían que Dios había "declarado su voluntad, destruyendo hasta las casas hechas por los españoles". Bolívar, racionalista innovador, se irguió contra todos, y según un testigo presencial pronunció "estas impías y extravagantes palabras: 'Si se opone la naturaleza, lucharemos contra ella, y la haremos que nos obedezca'" (*Apud* S. de Madariaga, *Bolívar*, Buenos Aires, 1959, I, págs. 336-338). Espléndido contraste, preñado de sentido. La gente no tenía más norte ni más auténtico plasma moldeante que el de sus creencias en Dios y en el Rey. Bolívar, San Martín y otros vieron, a la postre, que entregadas a sí mismas, las abstractas ideas de los "libertadores" caían en tierra estéril. Al fin y al cabo habría hecho falta volver a las andadas de las creencias, y gobernar regiamente a los libertados del "yugo español". Bolívar pensó en hacerse "soberano", y claro, no lo logró (ver Madariaga, *o. c.*, II, pág. 443), y murió solo y abandonado. San Martín tuvo que dejar la Argentina liberada, y murió en Francia. Al proclamarse independiente la Nueva España en 1821, Agustín de Iturbide propuso mantener el enlace tradicional con la monarquía española en el *Plan* llamado de Iguala, por haber sido proclamado en aquel lugar. Se invitaba al Rey a venir a Méjico como Emperador, o a otro individuo de la casa reinante (Fernando VII ni respondió). En suma, los libertadores en la independencia hispanoamericana confirman mi idea de que la Ilustración, tanto en España como en sus Indias, fue un "gesto y una actitud" sin engranaje alguno con el pueblo. Lo real, por encima y debajo de las gesticulaciones, es que a Fernando VII correspondía la tiranía de Rosas en la Argentina; a los pronunciamientos del Madrid isabelino, los cuartelazos hispanoamericanos. La historia de Hispanoamérica necesita ser verídica tanto como la de España.

[25] *España en su historia*, pág. 20.

en común con los españoles, fuera de dejarse dominar por ellos; los portugueses o gallegos del Sur —erguidos contra el débil reino leonés su vecino— se habían constituido como entidad política independiente ya en el siglo xii, y poseían un dominio colonial suyo. Cataluña también se rebeló contra Castilla; los catalanes ofrecían, sin duda, muy definida fisonomía (lengua, usos jurídicos, costumbres suyas), aunque no suficiente dimensión política, pues sus reyes lo fueron siempre de Aragón, nunca de Cataluña. Por otra parte, tan mal unida estaba Cataluña a la corona de España a mediados del siglo xvii, como Aragón o Andalucía. Don García de Toledo, marqués de Villafranca, general de las galeras de España, había mal augurado que el levantamiento de Cataluña iría seguido de otros. Es sabido que el duque de Híjar quiso desgajar a Aragón de la corona, y lo mismo deseaba hacer con Andalucía el duque de Medina-Sidonia.²⁶

Moralmente, sino de hecho, se volvía a los reyezuelos de taifas; no 'surgieron las taifas porque los descontentos ni proponían programa alguno, ni hubiesen sido capaces de estructurar a los habitantes de sus taifas, para que juntos emprendieran tareas entonces para ellos ya nefandas. Por no verlo o no querer decirlo, los libros de historia compilan hechos que vagan espectralmente por sus páginas. España sufría de una atonía religiosa de tipo oriental, de costumbrismo rural y aldeano; a comienzos del siglo xviii dos dinastías rivales, la borbónica y la austríaca, ensangrentaron sus campos y ciudades con miras a señorear un pueblo ya para entonces sin tarea común. Las historias se contentan con poner sobre todo ello el inadecuado rótulo de "decadencia". Los historiadores también estaban aquejados de "costumbritis", y continuaron apegados a la visión historiográfica de don Rodrigo Jiménez de Rada, a comienzos del siglo xiii: los celtíberos eran españoles, etc. Esta confusa e ineficaz visión de la historia total de España, se complicó con las ofuscadas subhistorias de las regiones, empeñadas por «patrióticas» razones en achacar la causa de sus males a quienes las dominaron hace siglos, o a unas u otras circunstancias. Del mismo modo que en Castilla reniegan de los Austrias, en Cataluña, Galicia o Vasconia, la emprenden con Castilla. Consolados con ese telón de boca y sus vistosas y lúgubres pinturas, no se piensa en si no sería mejor levantarlo y ver qué se está representando realmente tras de él. Este es uno de los principales motivos —disculpe el lector la insistencia— de que hasta hoy no sea posible entablar diálogos fructíferos entre unos y otros españoles, cuando sale a escena el personaje hispánico. "¡Telón rápido!", exclaman todos. Y cada uno añade nuevos matices y perfiles a lo en él figurado. Cada uno traza de su Castilla,

²⁶   J. H. Elliott, *The Revolt of the Catalans*, Cambridge, 1963, págs. 527, 531.

de su Cataluña, o de su Galicia, o de lo que sea, la figura que más cuadra a la necesidad de tranquilizarse a sí mismo y a quienes escuchan o leen. No interesa *ejercitarse* en tareas de *posible* convivencia.

La religión es tabú; lo son los moros, los judíos, los castellanos, los catalanes, los vascos, etc., etc. Del dogmatismo católico-español se pasa al marxista o al anarquista. Lo único entonces posible es continuar esperando al Mesías más al alcance de la mano. Para unos Rusia, para otros China, o incluso una reorganización europea a favor del Mercado Común, o una Aurora anarquista, o un sistema férreo que silencie e inmovilice las voluntades. Sin el menor propósito político, me limitaría a emitir una opinión sumamente simple: mientras los españoles no se resignen a aceptar el hecho de haber sido como han sido, a percibir el latir de su pasado en su presente, y a rectificar heroica y serenamente lo *nocivo* de su pasado, las discusiones acerca de su futuro se basarán en vocablos y exclamaciones. La secular y falsa imagen del pasado es como una antigua arma de panoplia, inútil frente a las automáticas de nuestros días.

Hay que aceptar el hecho del no paralelismo de España respecto de Europa, y de que su aislamiento cultural y económico no respondían a razones culturales ni económicas, sino de casticismo personal. En ningún otro país europeo sirvió ser hijo o nieto de labriegos analfabetos como criterio para seleccionar a los consejeros del rey.[27] Esos campesinos o villanos (como se les llamaba en el siglo XVII), cuando servían al rey como soldados, trataban con "cualquier señor o noble" con "brío y libertad", según escribía el conde-duque de Olivares (ver luego pág. 56). La incultura garantizaba el no ser de casta judía, valía como virtud genealógica para el hidalgo, y como signo de fidelidad para quien servía al rey. Por otra parte, si el tener padres incultos preparaba a la hidalguía, la incultura del noble garantizaba no haber tenido contacto familiar con la judería, ni próximo ni remoto: "Ha venido la cosa a tal extremo, que aun es señal de nobleza de linaje no saber escrevir su nombre."[28]

Como he hecho ver en *De la Edad conflictiva* y en otras obras, el intenso cultivo de la ignorancia se hace muy patente en lo escrito por Cervantes, por el P. Cabrera, predicador de Felipe II; por Sor Juana Inés de la Cruz. La Biblioteca de El Escorial, tesoro de cultura clásica, oriental y española, no sirvió de medio de estudio, hasta que los extranjeros comenzaron a laborar en ella a fines del siglo XVIII. Los códices griegos de la Universidad de Salamanca fueron mutilados por los in-

[27] *De la Edad conflictiva*, 1963, pág. 197.
[28] Juan de Mal Lara, *Filosofía vulgar*, 1568, VI, 61.

quisidores en el siglo XVII, y no han sido catalogados hasta 1963 por Antonio Tovar.[29] Esta situación afectó a toda España, lo mismo que el desprecio del comercio, de la industria y de todo negocio que tuviera que hacer con dinero. Todo ello levantaba sospecha de judaísmo, lo cual explica que la riqueza de las Indias beneficiara al tesoro real y a la Iglesia, pero no a la sociedad. Aún hoy día la palabra "indiano" tiene algún matiz despectivo, al aplicarse al enriquecido en Hispanoamérica.[30]

[29] *Catalogus codicum Graecorum universitatis Salamantinae*, en "Acta Salmanticensia", 1963. El profesor Tovar no asocia el vandalismo de los inquisidores con el hecho (demostrado por mí) de que en el siglo XVII cultura equivalía a judaísmo; consecuencia de ello fue el olvido de que en la Universidad había códices griegos, y el no haber habido en realidad quien fuera capaz de estudiarlos hasta ahora. La tendencia a referir estos y otros hechos análogos a la "Contrarreforma" es muy corriente en España, por falta hasta ahora de mejor explicación. La "Contrarreforma" frenó la curiosidad intelectual en Europa, pero poseemos ya una masa aplastante de testimonios que comprueban que la potencial hidalguía del ignorante labriego, la ignorancia de los nobles y la parálisis de toda curiosidad intelectual se basaban en haberse confundido el ser culto con ser de casta judía. Por otra parte es ya hora de poner fin a la creencia de que la Contrarreforma actuó por igual en todas partes, y provocó análogas reacciones de cerrada ignorancia. De haber sido así, Galileo y Descartes no habrían podido ni aprender ni escribir nada. El estudio del griego y de las matemáticas no se extinguió ni en Italia ni en Francia en el siglo XVII. La Roma posterior al concilio de Trento no tomaba tan seria y gravemente las cosas como suele creerse. En 1580 y 1581 estuvo allá Michel de Montaigne y visitó el Vaticano más de una vez. El día de Navidad de 1580 Montaigne oyó misa en San Pedro. En esta misa y otras, escribe Montaigne, "le pape [Gregorio XIII] et cardinaus et autres prelats y sont assis, et, quasi tout le long de la messe, couverts, devisans et parlans ensamble. Ces ceremonies semblent estre plus magnifiques que devotieuses". Al año siguiente asistió el jueves santo a la lectura anual de la bula en que se excomulgaba a los herejes que detentaban tierras de la Iglesia, "auquel article les cardinaus de Medicis et Caraffe, qui étoint jouignant le pape, se rioint bien fort". Otro día, el general de los franciscanos predicó ante el Papa y los cardenales, y fue privado de su cargo y encerrado, por "avoir accusé l'oisiveté et pompes des prelats de l'Eglise", y haber hablado "avec quelque aspreté de voix", y haber usado "de lieus communs et vulgaires sur ce propos" *(Journal de Voyage en Italie*, Paris, Collection "Hier", 1932, págs. 158, 188, 156). Unos veinte años después del concilio de Trento, la Roma "contrarreformada" seguía siendo tan espectacular y mundana como antes, y poco franciscana a juzgar por lo acontecido al general de aquella orden. Cuando se trata de vida y no de ciencia las abstracciones genéricas son poco útiles.

[30] Ver sobre este aspecto capital del problema indiano-español mi Prólogo al libro de Javier Malagón, *Estudios de Historia y Derecho*, Veracruz, 1965; y *Fray Bartolomé de Las Casas o Casaus*, en "Mélanges à la mémoire de Jean Sarrailh", París, Centre de Recherches de l'Institut d'Etudes Hispaniques, 1965. Felipe Teixidor me recuerda el significativo pasaje de Mateo Alemán, en donde éste dice sarcásticamente, que hay en Sevilla muchos maestros de escuela que "guardan conciencias", es decir, las que se dejan allá, por ser muy pesadas, "los que se embarcan para pasar la mar". Temen "que se hubiera de hundir el navío con ellas; así las dejan en sus casas o a sus huéspedes ['a quienes los han hospedado'], que las guarden hasta la vuelta". Si no recobran sus conciencias, "no se les da por ello mucho; y si allá se quedan, menos" *(Guzmán de Alfarache*, I, iii, 5). Textos parecidos a éste encontrará el lector en los trabajos míos antes citados. El doble interés del aquí aña-

No pudieron crearse contactos económicos y respetables entre la Nueva España y la Vieja, porque el enriquecido en las Indias de hecho quedaba manchado en su honra —de hecho la perdía al embarcarse con propósitos lucrativos.

Así comienza a hacerse alguna luz en torno al hecho capital de no haberse soldado unas con otras las regiones que ostentan "hechos diferenciales", sin advertir, empero, que diferencias tan grandes o mayores que las existentes entre Cataluña y Castilla no impidieron fundirse interna y firmemente a Francia, Italia o Suiza.

ALGUNA CLARIDAD SOBRE EL SIGLO XVIII

Los modos españoles de estar en su vida penetran y discurren como un haz histórico de apretados problemas a lo largo del siglo llamado de las luces. Algunas personalidades eminentes iluminaron aquellas retrasadas y retardatarias circunstancias con ideas reflejadas, no originales. Feijoo, Azara, Jovellanos y otras ilustres figuras eran planetas y no estrellas con luz propia. Por no pensar ni escribir claro sobre este luminoso tema perduran los equívocos y los sofismas al tratar de los españoles de "la Ilustración". Ingenuamente se dice al público que la España desnivelada con Europa en el siglo XVII, se emparejó con ella en el XVIII (sobre todo en tiempo de Carlos III), para luego recaer en su retraso, su ruralismo, etc. Es fatal que así acontezca mientras se insista en hablar de tejados, sin preguntarse antes por los edificios a que aquéllos pertenecen. O sea, sin decir lealmente al lector cómo era, en donde estaba intelectual y moralmente, y qué hacía el pueblo sobre el cual se proyectaban ciertos reflejos de la Ilustración europea.

El absolutismo unitarista de los Borbones y de sus consejeros fue infecundo en cuanto a crear articulaciones de cultura material, intelectual y moral entre las desunidas regiones, desunidas por los motivos antes expuestos. El consenso aquí echado de menos hubiera debido producirse como un efecto secundario e indirecto, no mediante violencias militares o policiacas. Los reinos de Castilla y Aragón —ya lo veremos— seguían estando separados por bordes muy sensibilizados e hirientes.

Hace mucho hubiera sido necesario dejar en un rincón el vacuo concepto de "decadencia", y reemplazarlo por análisis despaciosos de la progresiva debilidad interior y exterior de España, de ˙i persistente desdén por cualquier tarea intelectual y técnica. Porque   amos siglos

dido es que Mateo Alemán —converso rematadamente amargado— también pasó el mar, y acrecentó así, muy a sabiendas, el número de los que iban creando un insalvable abismo de "moralidad" —al estilo cristiano viejo— entre España y sus Indias.

sintiéndonos incómodos y enfermos, y sin ganas de hacer la diagnosis de tan crónica dolencia —que yo juzgo remediable.

La relación de la "voluntad" de cultura económico-intelectual con las luchas intercastizas es algo ya puesto fuera de duda, si no insistimos en taparnos los ojos y en cerrar los oídos. Un distinguido autor no siempre de acuerdo con mis maneras de pensar, cita espontáneamente hechos de gran volumen que las corroboran:

"La profesión médica estuvo relegada en las Universidades [del siglo XVIII] a un segundo plano, y como clase social no obtuvo la consideración a que era acreedora. Las causas de este hecho son varias: de un [lado], pesaba el recuerdo de la gran parte que tuvieron los judíos en la Medicina durante toda la Edad Media, creando una vinculación cuyas reminiscencias llegan hasta muy avanzada la Moderna... Feijoo dice que se acogían al estudio de la Medicina los que eran incapaces de estudiar Teología o Jurisprudencia" *(Teatro crítico,* VIII, 3º).[31]

Los linajes más nobles de la Montaña se enriquecían exportando mercancías para las Indias: "estando en estilo que no solo caballeros muy calificados, sino títulos de Castilla cargaren para Indias". No encuentro, en cambio, que nadie industrializara los productos o explotara las riquezas de las tierras ultramarinas. Incluso algo tan modesto como el cultivo de la patata va unido al nombre del agrónomo y economista Antoine-Augustin Parmentier (1737-1813). Los bien atrincherados en sus blasones, no temían mancillarlos ganando fácilmente dinero; aunque a pesar de todo "el ideal de todo negociante afortunado seguía siendo abandonar los negocios, comprar bienes raíces, fundar mayorazgo, entroncar con familia hidalga y hacerse perdonar el origen de su fortuna. No otro fue el proceso de la ruina del Consulado de Burgos... Felipe V declaró que nadie perdía su nobleza por comerciar...; pero la opinión vulgar, más fuerte que las leyes, no se había modificado; [el comercio] estaba en gran parte en poder de extranjeros, como antes lo estuvo en poder de judíos" (Domínguez Ortiz, *o. c.,* págs. 185-186).

España seguía sintiéndose en riesgo de ser judaizada: "Muchísimo judaísmo se encierra en España [escribía un memorialista en tiempo de Felipe V]. Es el ordinario vivir de éstos el logro, la usura; sus exercicios: médicos, renteros, mercaderes, confiteros, y todos sus oficios, son de haraganes; son mañosísimos y astutos; y cuando renteros que están con poderío, tiranos, y se vengan de la christiana gente; cuando mercade-

---

[31] Antonio Domínguez Ortiz, *La sociedad española en el siglo XVIII,* vol. I, 1955, pág. 180.

res, la misma usura..." Nos parece estar leyendo a Andrés Bernáldez, el cronista de los Reyes Católicos.[32]

"Incluso para lograr el título de maestro de primeras letras había que demostrar limpieza de sangre, según ley dictada en 1771" *(Novísima Recopilación*, VIII, 8, 2). ...Los sastres [según se sabe, profesión tachada de judía desde antiguo] tenían que probar en Sevilla ser cristianos viejos, poseer "las calidades que se requieren para los oficios públicos honoríficos de limpieza" *(o. c.*, pág. 204). "Todavía en 1829 solicitaban los arquitectos que se les considerase arte liberal" (pág. 395).

No obstante tan sustanciosas informaciones, Domínguez Ortiz es de parecer, que "No existía una clase de intelectuales puros, entre otras razones porque la ciencia pura no daba para comer, ni siquiera en los más elevados empleos docentes, lo que puede apreciarse en las dotaciones de las cátedras universitarias..." *(o. c.*, pág. 168). Pero si antes hemos visto que el comercio, que daba para comer, creaba muy malas reputaciones, no parece razonable achacar a motivos económicos la falta de ciencia en la España del siglo XVIII: Vives, Galileo, Newton o Lavoisier no pensaron y escribieron por afán de lucro. El desprecio por la Medicina —que daba para comer— estaba conectado con el miedo a ser tenido por cristiano nuevo. El alejamiento de toda actividad científica era herencia de las circunstancias socialmente activas desde el siglo XVI, según está demostrado en *De la Edad conflictiva* (edic. de 1963). Ese es el punto más central y más doloroso en este "reconocimiento" del dolido cuerpo de la España del siglo XVIII.

Los hechos sueltos han de hallar su sitio en una estructura integral de la sociedad española en el espacio y en el tiempo. El epitafio de los Reyes Católicos es punto obligado de referencia al tratar con eficaz ecuanimidad de las circunstancias desagradables que hoy nos deprimen.[33] Joaquín Costa tuvo el acierto de simbolizar en un sepulcro, lo que debería ser olvidado en cualquier intento de rectificar el modo español de vida. Lo único objetable es que el estorbo no era la tumba del Cid épico, sino la de los Reyes Católicos, concentrada expresión de odios aún muy vivos en la entraña social del siglo XVIII.

Sería por demás candoroso esperar de la noche a la mañana un desplazamiento de valoraciones muy arraigadas, tan violentas como re

---

[32] Moya Torres, *Manifiesto universal...*, pág. 121 *(apud* Domínguez Ortiz, *o. c.*, pág. 228). El mismo autor cita de una obra de 1729: "Judaei sunt infames, abiecti, irrisi, o[p]pres[s]i et vilissimae conditionis. Judaei gens fetens et obscaena" (Arredondo Carmona, *Senatus consulta Hispaniae illustrata...*, comentario XXIV; *ibidem*, pág. 229, nota 25).

[33] Algunos extranjeros las señalan con fría objetividad: "For many generations Spain had neither been feared as an enemy nor valued as a friend" (Hugh Thomas, *The Spanish Civil War*, 1965, pág. 277).

fractarias al análisis reflexivo. Mas una cosa es indudable: que el porvenir de quienes hoy se mueven sobre la famosa piel del toro hispánico,
depende de su posibilidad y de su esfuerzo para hallar una situación
intermedia entre el totalitarismo teológico y el frenesí destructivo, entre
la unidad nacional mantenida por una compresión externa y un des-
mandado y localista sálvese el que pueda. Todo cuanto suele decirse
acerca de los males pretéritos (decadencia, los problemas quedaron sin
resolver, los Austrias, los Borbones) queda en realidad reducido a esto:
La posibilidad de una cultura de tipo intelectual y económico fue inten-
cionadamente hecha añicos en la primera mitad del siglo XVI. Al mismo
tiempo es inútil lanzar protestas y proferir gemidos sobre el pasado que
fue, irreversible. España se quedó sin *propia* solera cultural (Nebrija,
Vives, Pedro Núñez, el Brocense, y otros), y tendrá que crearse una, todo
lo tenue que se quiera al comienzo, pero *suya*, y suficientemente amplia
para penetrar la masa social en toda su extensión, a fin de hacer imposible en el futuro —por lo pronto— el asesinato a mansalva de los españoles por los españoles, suicidamente.

La ficción de que España es un país como los restantes de Occidente,
además de ficción es una falsedad paralizante. He aquí un párrafo del
señor Domínguez Ortiz, notable por su clarividencia:

"Los clichés habituales que hoy se usan [burguesía de tipo francés, etc.]
...solo son aplicables a España en pequeñísima escala... Era muy honda la huella
que siglos enteros de menosprecio había dejado hacia las ocupaciones *mecánicas*...
Esos cargadores gaditanos que solicitaban hábitos, esos comerciantes madrileños
que pedían limpieza de sangre para entrar en su corporación, daban muestras de
un espíritu bien poco burgués. También es sintomático que Floridablanca, a quien
sus partidarios consideraban como el representante de las clases burguesas, se
afanase por probar su descendencia de hidalga estirpe... Los viajeros occidentales
sentían al atravesar los Pirineos la sensación de penetrar en otro mundo donde
todo, costumbres, ideales de vida, nivel de existencia, era diverso; *si la fe excluía
el escepticismo religioso* que entonces se ponía de moda, la ausencia de comodidades,
que en otros países resultaban ya elementales, diferenciaban en lo material a nuestros compatriotas de aquellas sociedades donde la burguesía iba poniendo sus propios
ideales" *(o. c.,* págs. 198, 197, 198).

Es, por consiguiente, baldío hablar, según hace un pensador contemporáneo, de "los enormes esfuerzos que se hacen durante el siglo XVIII,
sobre todo en el reinado de Carlos III, por abrir de nuevo España, por
incorporarla a Europa, a la cual ha pertenecido siempre, y así dejarla
ser ella misma". Frente a este modo plácido, y grato a tantos, de concebir
la historia, preferiría yo —de ser forzoso elegir— la fórmula de Pierre
Bayle: "La perfection d'une histoire est d'être désagréable à toutes les sec-

tes." Habría, por otra parte, que reducir a humo mi *De la Edad conflictiva* y esta misma obra, para que dejara de ser insostenible la premisa mayor: "España siempre ha pertenecido a Europa." Del todo, nunca.

Ortega y Gasset vio con claridad —oponiéndose tácitamente a los modos usuales de juzgar a España— que en donde la Contrarreforma "fue nociva, no lo fue por ella misma, sino por su coincidencia con algún otro vicio nacional... Causó *daño definitivo*, precisamente en el país que la emprendió y dirigió, es decir, en España... En Francia no sólo no causó avería, sino que hizo posible la gran época de esta nación". La Contrarreforma coincidió "con una enfermedad terrible que se produjo en nuestro país coincidiendo, de modo sorprendente, con la [época] del Concilio de Trento, órgano de aquélla. Esta enfermedad fue la hermetización de nuestro pueblo hacia y frente al resto del mundo, fenómeno que no se refiere especialmente a la religión ni a la teología ni a las ideas, sino a la totalidad de la vida, que tiene, por lo mismo, un origen ajeno por completo a las cuestiones eclesiásticas, y que fue la verdadera causa de que perdiésemos nuestro Imperio. Yo le llamo la "tibetanización" de España... [una] radical hermetización hacia todo lo exterior, inclusive hacia la periferia de la misma España, es decir, sus colonias y su Imperio" (Apéndice a *La idea de principio en Leibnitz,* en "Obras Completas", VIII, 1962, págs. 355-356).

Es notable que Ortega barruntara que el aislamiento entre España y las Indias determinó la ruina del Imperio; y que a la vez no se percatara de que la cerrazón hacia afuera, era simple reflejo de la parálisis de toda actividad de la mente, impuesta sobre los capaces de ejercitarla dentro de España. Pero cuando Ortega escribía esta obra suya (1947), ¿quién tenía la menor vislumbre de cómo fuese la estructura interior de la vida española? Habíamos comenzado a desvelarlo por aquellos años, aunque la claridad total no se ha producido sino hacia 1960. Pero Ortega —mente fértil en atisbos— se dio cuenta de que la Contrarreforma no explicaba la ruptura cultural entre España y Europa, aunque aquella ruptura necesitaba ser referida a un agente histórico, a un *quién*, sin el cual el atroz hecho de la "tibetanización" quedaba flotando en una vacuidad angustiosa, en lo que Gracián llamó "la Cueva de la Nada".

Retornando al problema del siglo XVIII, los conatos de una enseñanza racional se inspiraban en la cultura francesa, no echaron hondas raíces en ninguna parte, y afectaron sobre todo a algunos lugares de las Provincias Vascongadas y de Asturias (Los caballeritos de Azcoitia, el Instituto de Jovellanos, en Gijón, etc.).[34] El proyecto de reforma universi-

---

[34] Jean Sarrailh, *L'Espagne éclairée de la seconde moitié du XVIIIe siècle,* 1954, págs. 201, 229 y *passim.*

taria ordenado por Carlos III conmovió al principio a la sociedad española, si bien a la postre su resultado fue nulo. Agente de la corona en aquel caso fue el canónigo don Francisco Pérez Bayer, preceptor de los Infantes. La reforma afectaba sobre todo a los Colegios Mayores, fundados a fines del siglo xv en las Universidades de Salamanca, Alcalá y Valladolid. Los colegiales formaban un cuerpo cerrado, servían de semillero para catedráticos tan engreídos de su colegialidad como vacíos de ciencia. Luis Sala Balust ha estudiado con gran copia de documentos lo que él titula "Un episodio del duelo entre manteístas y colegiales en el reinado de Carlos III".[35] "Manteístas" llamaban a los estudiantes que no disfrutaban de becas en los Colegios Mayores. El ministro don Manuel de Roda inspeccionó uno de éstos en 1771, y halló, entre otras cosas, que "los [colegiales] que disfrutan de rentas eclesiásticas, andan como seculares, sin insignia alguna de eclesiásticos, con capas de color de perla, con plumajes en el sombrero; y los ordenados *in sacris*, sin traer corona abierta, y mantienen caballos" (Sala Balust, pág. 312). Lo peor de aquella vida mundana era su nulo rendimiento cultural, y el hecho de ser las cátedras universitarias verdaderas prebendas, que beneficiaban sobre todo a los colegiales. Estos se defendían con listas de escritores salidos de los Colegios en los años en que se les achacaba estar en decadencia, a lo cual replicó Pérez Bayer que, entre 1640 y 1769, las obras de tales escritores, casi la mitad de ellas "están aún por imprimir en las librerías y archivos de sus Colegios...; otras son... opúsculos ascéticos, instrucciones para bien morir, vidas de santos, etc." Son "muy raras las obras que se llaman magistrales, y que se conozcan fuera del reino..." Durante aquella época, 130 años, habían pasado por los Colegios más de dos mil colegiales (*o. c.*, pág. 317).

En los Colegios reinaba el espíritu de la casta cristiano-vieja. Los colegiales y sus familiares eran todos limpios de sangre, y sin tacha de haber practicado "oficios viles y mecánicos"; se consideraban todos "vasallos bien nacidos, fieles y de honor, en que se incluyen muchos de las más ilustres y primeras casas del reino". La reforma apoyada por los "manteístas" significaba "envilecer los Colegios", si se les admitía en ellos. Hay además otro aspecto en esta pendencia entre colegiales y manteístas que es especialmente de interés, porque se ve en último término cómo al centrarse el valor de las personas en su casta e hidalguía (con desdén hacia la inteligencia y el trabajo eficaz), se fomentaba la desunión de los españoles. El ministro don Manuel de Roda y el canónigo don Francisco Pérez Bayer eran del reino de Aragón (aragonés el primero, valenciano el segundo). Pues bien, del mismo modo que antes vimos

[35] Publicado en *Hispania sacra*, vol. 10, 1957, págs. 301-384.

a Isabel la Católica reservar las Indias para los reinos de Castilla y León, en 1770 los becarios de los Colegios Mayores, continuaban considerando a los aragoneses como extraños a España, como malos españoles: "aquellos cuyas patrias debieran no haber enjugado aún las lágrimas de su perfidia [es decir, rebelión de Cataluña, intento separatista en Aragón, haber combatido a favor del Archiduque de Austria en la Guerra de Sucesión] . . . : aquellos que, conspirando contra la nobleza castellana, han logrado con el exterminio de los seis Colegios Mayores cerrarle la puerta para los tribunales, con el deshonor de ellos y perjuicio del público". Era de temer que, con el triunfo de los manteístas, se adoptaran algunos "autores herejes y de sospechosa doctrina" *(o. c.,* págs. 339-340).[35 bis]

Castellanismo, limpieza de sangre, ortodoxia inmutable: el problema seguía tan vivo y tan hermético como dos siglos antes. Los Colegios acabaron por ser extinguidos en 1798, y su reforma quedó reducida a una contienda personal a la postre infructuosa. Las fronteras "morales" entre los reinos —luego regiones— eran fosos de antipatía, por falta sobre todo de una cultura económico-intelectual, de una zona de mutua utilidad en la cual nada tuvieran que hacer el casticismo o el temor a la herejía, o el ser de Pontevedra, de Valladolid o de Gerona, y mucho el uso de la razón, tan provechosa en Occidente para católicos, como para quienes no lo eran. Por desdicha para España la casta triunfante no lo entendió así. En 1687 un Padre Juan de Riquelme —contemporáneo de Pascal, de Newton y de Leibnitz— nos dice *Para qué tiene el hombre razón* en un libro publicado en Madrid con este título. En la "aprobación" de él, escribe fray Manuel de Villegas: "Y viendo yo la propiedad con que le competen a esta obra y a su autor todos los dichos elogios, y que los celadores de la Fe tienen no solo eficaces y convincentes argumentos para debelar la impiedad de los Ateos, la infidelidad de los Herejes, la perfidia de los Judíos y la bárbara obstinación de los Mahometanos, juzgo será importantísima y utilísima dicha obra para la consecución de tanto empleo; y así es mi parecer que se dé a la estampa." [36]

En resumen, todos los aspectos de esta radical realidad son solidarios unos de otros. No fue un azar que la empresa de las Indias corriera a cargo de Castilla-León, y que Aragón-Cataluña hubiesen quedado fuera; y fue gran calamidad que el vastísimo Imperio no hubiera servido de

---

[35 bis] Cervantes, que sabía de España, observó la diferencia de nivel entre castellanos y aragoneses en cuanto a llaneza y altanería. El paje de la duquesa hace saber a la mujer y a la hija de Sancho Panza, "que las señoras de Aragón, aunque son tan principales, no son tan puntuosas y levantadas como las señoras castellanas; con más llaneza tratan con las gentes" *(Quijote,* II, 50).

[36] Paulino Garagorri, *Del pasado al porvenir,* Barcelona, 1965, p. 154.

argamasa económica y social para hacer menos vacilante la precaria unidad de los reinos y regiones de la Península. El monólogo sentimental y el resquemor ocuparon más tarde el lugar del diálogo entre *estas tareas* y *aquellas faenas*. Entre las regiones se tendieron puentes de rencor y de verbalismo. De rechazo, las historias de las latentes subnaciones se hicieron tan inexactas, defensivas y brumosas como las del conjunto español, todas ellas historias de una conciencia existencial descarnada de su auténtico contenido, silenciado por ingrato y doloroso. Esto vale para todo el mundo de tradición española en donde va sobreviviendo, sobre todo, lo creado y expresado con el idioma, órgano para una literatura no siempre muy sustancial; muchos escriben y poetizan simplemente para oírse su existencia, para sentirse estar y continuar siendo ellos mismos. Existencialitis.

Los ajustes en el mundo hispánico, para producirse, necesitarán pasar antes por una crisis de conciencia (a veces he llamado a esto, "ensayos de conciencia", en el sentido de los de Montaigne, algo como una tensa brega con las interiores rutinas). Hay que sacar a luz, desarraigar las hondas raíces de los desacuerdos. De no ser así, las palabras seguirán fluyendo desmandadas. Algunos piensan que a mí me interesa sólo la media España castellana y no la otra. Mas, en primer lugar, yo no tengo la culpa de que Castilla haya estado a punto de absorber totalmente a toda la Península; si no lo logró, el motivo tal vez fue haber llevado al extremo su abstracto poder imperativo ("la dimensión imperativa de la persona") junto con su casticismo orientalizado y teologizado, y su paralizante limpieza de sangre. De todas suertes, la lengua castellana y lo escrito en ella por gentes de las tres castas, ahí está. Si otras lenguas peninsulares no llegaron a tanto, la culpa no es de los castellanos, sino de las gentes que hablaban otras lenguas. Los griegos, aplastados por los romanos, lograron sin coacción alguna que los bien educados en Roma hablasen griego. Italia, sometida políticamente a extranjeros, sacó adelante su toscano por encima de muy varios y pujantes dialectos. Las lenguas se abren caminos ascendentes a través de lo escrito en ellas por quienes las hablan.

Mi visión dramática de nuestra angustiosa historia aspira a esforzar el ánimo de los desalentados, no a censurar porque sí, ni a ofrecer consoladoras dedadas de miel nacionalista o patriótica. Ya pasó el tiempo para tales juegos. España tiene salvación precisamente por la índole dramática de su existencia, no solamente lamentosa o elegíaca. Cada una de sus castas sucumbió, perdió su supremacía aferrada heroicamente a su españolidad. Los más decaídos, los moriscos, mantuvieron y defendieron su español en Túnez hasta el siglo XVIII (ver nota 1). Los conversos tensaron su cristiandad y prosiguieron sus tareas culturales en tal for-

ma, que sin ellas la civilización española ofrecería graves deficiencias.[37]
Los otros, los de la dimensión imperativa, aún en el siglo XVIII han realizado prodigios en las Indias, y no se han resignado, se han desvivido para
sacar de su marasmo al imperio agonizante. El siglo XIX no se resignó
a ser una excepción en Europa. Fue un siglo de atraso, y que se desangró
luchando por no querer cambiar y por no resignarse a no transformarse.
En ese combate entre el ayer y el mañana yace la posibilidad de crearse
alguna vez un hoy, un hoy de paz fecunda, no simplemente aplastante.
Mas para eso —que no es un maná sino dura escalada— es preciso cesar de engañarse a uno mismo y a los demás. El castellano ha de confesar-
se con el catalán, y viceversa. Al primero le faltó sentido de la "faena", y
al segundo sentido político, de dominar hacia afuera. Cataluña ha sido
lírica e industriosa, sin épica, novela ni drama, y no pudo traspasar su
envoltura aragonesa, una recia coraza sin la flexibilidad tan matizada de
lo catalán. Cuando llegaba la hora de la verdad, el grito de guerra tenía
que ser "¡Aragó!", el transformador de su potencial político. La sumisión a gentes de fuera data en Cataluña, como en Italia, del siglo VIII.
A pesar de lo cual, Italia *es* y Cataluña también *es*, porque hay muchos
modos de ser un pueblo, y de convivir con otro. Venecia ha tenido más
dimensión internacionalmente autónoma que Cataluña, y no se considera
hoy irredenta por formar parte de Italia. Lo cual no significa planear
ni predecir el futuro de Cataluña.

Lanzarse a practicar el oficio de zahorí es por demás ingenuo, e inútil.
Lo único seguro es la base inconmovible que hemos excavado bajo la
engañosa superficie de lo que parecía ser historia de España. Sobre ella
deberán labrarse su porvenir como españoles quienes no prefieran limitarse a clamorear sus dolidas añoranzas o decepciones. Las deficiencias
han de ponerse en común clara y lealmente, a fin de cambiarles el signo
y de que, por encima de ellas, aparezcan auroras de suficiencia. Así
pienso en 1965. Lo de 1962, que no contradice estas páginas, viene
a seguida de esto. Un mismo problema humano puede ser enfocado desde
muy varios puntos de vista.

*   *   *

Al final de esta Introducción conviene aludir brevemente al sesgo
tomado por ciertos estudios históricos acerca de España. El pensamiento

---

[37] Desarrollo algo más lo dicho aquí en mis páginas sobre el P. Las Casas, antes
citadas. Sobre Jovellanos y la Ilustración española, ver el excelente estudio de John H. R. Polt,
Jovellanos and his English Sources, en "Transactions of the American Philosophical Society",
diciembre, 1964.

económico materialista de Marx se extiende con rapidez a favor del éxito logrado por la Unión Soviética (en realidad, un Imperio, y una Iglesia con su ortodoxia, su Inquisición y sus herejías). También la filosofía tomista floreció y se ahincó en las mentes durante siglos, como respaldo ideológico de la Iglesia Católica. En el caso español el marxismo histórico está ayudado por la carencia, entre hispanistas, de modos de ver la historia, congruentes con la realidad de los fenómenos de la vida pasada. Las historias usuales y no marxistas, no están fundadas en una teoría de lo humano, sino en la fe en el español eternizado, y siempre caminando al par de Europa.

Es difícil abrirse nuevas sendas por entre los resquicios de ambos cerrados dogmatismos.[38] La razón es que *lo humano* del hombre interesa poco, ha sido puesto "en órbita", y en los poderosos y resonantes medios universitarios de ahora hay interés en que continúe allá. Paralelamente a la historia marxista se difunde profusamente la lingüística estructural, sistematizada en Dinamarca y también "puesta en órbita". Goza, como era esperable, de gran éxito en los Estados Unidos, pues en ella queda eliminada la dimensión histórica y vital del lenguaje. Sus fórmulas abstractas, la reducción del fenómeno lingüístico a fenómenos mensurables dejan en tiniebla la función expresiva del lenguaje, su valor como verbo cultural y estético. Ese tipo de lingüística no tiene respuesta para la pregunta de cómo el toscano se convirtió en lengua italiana, de cómo el sentimiento de *belleza* actuó en Italia como ingrediente unificante; tampoco razona la historia marxista cómo las inmensas riquezas conquistadas por los pisanos en Palermo se transformaron en el deslumbrante "duomo" de Pisa.

Pierre Vilar ha compuesto una ingente obra, llena de admirables y utilísimas estructuras económicas: *La Catalogne dans l'Espagne moderne* (París, 1962, 3 tomos que suman 1873 págs.). Se dice ahí que "El mercado es la primera escuela en donde la burguesía aprende el nacionalismo".[39] Se pregunta uno, sin embargo, cómo los mercados pudieron inducir a llamarse "cristianos" a los grupos que iniciaron la Reconquista. Los problemas de "autonimia" no interesan a la historia basada radicalmente en lo económico. Pero es innegable que, hoy como antaño, las personas viven, se matan, se agrupan, se disocian, se definen con un nombre colectivo, no sólo por motivos de agricultura, de comercio, o de

---

[38] Richard Herr cree, de buena fe, que mis obras históricas solo ofrecen "el más cuidadoso estudio" del carácter español. Pero añade que esa "es cuestión a la cual Unamuno, Ortega, y toda la generación del 98 se han dedicado en un momento u otro" *(Revista de Occidente,* Madrid, mayo, 1965, p. 223).

[39] Ver Richard Herr, *Revista de Occidente,* Madrid, mayo, 1965, p. 210.

aumento o descenso de la población. Los hindúes actuales se dejan morir de hambre antes que renunciar a que vivan los millones de ratas que los infestan; los españoles se empobrecieron peleando por su fe y por su *honra*, y renunciaron a enriquecerse desarrollando el comercio y la industria en relación con su inmenso imperio. Esos *hechos* son tan fehacientes como las estadísticas de los precios, y las cifras del comercio de exportación e importación, todas sin duda de gran utilidad.[40]

Por encima, debajo y en torno de los factores económicos aparece el hecho realísimo de que la existencia humana siempre está enfilada *hacia* y *para* un futuro. A la historia marxista le preocupa el estudio de los bienes fungibles, y no el del "manjar que no perece", que decía Antonio de Nebrija, y antes y después de él cuantos de veras sintieron que, con sus personas o con sus obras, habían dejado algo que el tiempo no destruiría totalmente, en la historia, en la *memoria de los bienes y de los males no fungibles*. Se comprende muy bien que quienes viven tensamente —plegados a la necesidad de mantener bien prietas en el puño las riendas que dirigen a cientos de millones de personas—, carezcan de ocio para abandonarse a la contemplación e intelección de cosas no referentes a la subsistencia y a las armas agresivo-defensivas. Mas de eso a dar como "ciencia" los corolarios de ciertas perentorias y disciplinarias necesidades, media un insalvable abismo. Lucidos estaríamos los hombres de Occidente, si al volver la vista hacia el pasado, no halláramos en él sino estructuras y superestructuras, clases sociales, tráfico comercial, alza y baja de precios, curvas demográficas, y así sucesivamente. El drama del vivir, la expresión digna de ser rememorada, lo ahí todavía presente en páginas, colores, sonidos, formas plásticas, eso y lo que yace tras eso, es lo que convierte en historia la sucesión de las generaciones. Estas, sin más, son un mero *estar ahí*, por enorme que sea el Imperio, y por medrosas que sean las armas nucleares, en Moscú, en Wáshington, en Pekín, o en donde sea.

University of California. San Diego.
La Jolla, junio, 1965.

---

[40] Como el tema es candente, es decir, quemante, ha de decirse sin ambages que las visiones históricas se están deshumanizando; las cosas —lo que llamo "objetocracia"—, se sobreponen a lo humano, cada vez más descartado. El inspirador de la historiografía francesa —una muy eminente personalidad—, Fernand Braudel, hace perceptible su preferencia por las fuerzas inanimadas de la historia en frases como éstas: "Si la Méditérranée avait vécu sur elle même... elle auroit dû résoudre..." *(La Méditérranée....* 1949, p. 357). Pero el Mediterráneo, ni solo ni acompañado, podía resolver nada.

ADICION A LA NOTA 20a DE LA PAGINA 24

Habría debido mencionar al hacer referencia al *Diccionario Geográfico-Estadístico* de Pascual Madoz, el nuevo *Diccionario Geográfico de España*, Ediciones del Movimiento, Madrid, 1961, 17 tomos. La obra ha sido planeada por el gobierno español con miras a dar a conocer las "mejoras observadas desde 1940", según se dice al final de casi todos los artículos. La aparición de este nuevo Diccionario, inspirado en el de Madoz, no invalida lo dicho antes acerca del sentido de aquella obra, ejemplar y extraordinaria.

PROLOGO PARA ESPAÑOLES
A LA PRIMERA PARTE DE
ESTA RENOVADA EDICION

"SEAMOS DUEÑOS Y NO SIERVOS DE NUESTRA HISTORIA"

La presente obra difiere considerablemente de la publicada con el mismo título por la Editorial Porrúa, S. A., en 1954. Su contenido es, o enteramente nuevo, o aparece ordenado y matizado en nueva forma. Las ideas que me habían servido de guía han sido destacadas con mucha mayor precisión, y sin dar por supuesto que bastaba con insinuarlo para mí evidente. Tiene razón Proust al afirmar que la "vérité que l'on met dans les mots ne se fraye pas son chemin directement, n'est pas douée d'une évidence irrésistible" (A la recherche..., IV, 18).

Desde hace años he venido tropezando en la dificultad de haber sido enfocados y caracterizados los españoles como si hubiesen sido objetos biológicos o psíquicos, y no una unidad colectiva de vida humana, existente en un tiempo, en un espacio y con clara conciencia de su dimensión social. No se ha tenido en cuenta que comenzaron a vivir socialmente como españoles quienes se dieron a sí mismos ese nombre, en el siglo siglo XIII, un nombre que desde hace mucho sabíamos no era castellano (en ese caso hubiera sonado *españuelo); con más precisión sabemos ahora que su origen fue provenzal. La españolidad es una dimensión de conciencia colectiva, no ligada a la biología ni a la psicología de los individuos. Es español quien se siente estarlo siendo en compañía de otros, o es reconocido como tal por quienes se ponen en contacto con él. Analizar y razonar ese problema es una de las finalidades primarias de ésta obra.

En anteriores investigaciones tuve sobre todo en cuenta el objeto ideal que me proponía delimitar y esclarecer, y me preocupé escasamente de las vidas humanas en donde mis ideas tenían que instalarse para abrirse camino y hacerse fecundas. El exclusivismo de mi enfoque habría bastado, de haberse tratado de un objeto físico, captable experimental o teóricamente, y no fundido con la vida de quienes han de conocerlo. La noticia de que los electrones en nuestro cuerpo funcionan de este o el otro modo, no afecta a la imagen y valoración de la persona, sea ésta individual o colectiva. Mas en el caso presente, el escritor ha de llevar su pluma sobre la arista formada por una doble vertiente: una, la de la realidad de lo que el objeto parece ser; otra, la de los sentimientos y reacciones de todo un pueblo, habituado desde tiempo inmemorial a creer que sus antepasados eran unas gentes que yo ahora despojo de su españolidad. Y por si fuera poco, hago además saber a los españoles, que son como son, se han comportado colectivamente en la forma que sabemos, valen lo que valen y sufren lo que sufren, porque siglos atrás sus antepasados —fueran cristianos o no cristianos— pertenecieron a una colectividad humana, sita temporal y espacialmente en la Península Ibérica, e integrada por tres castas de creyentes: cristianos, moros, judíos. O sea, que los españoles nacieron a la vida histórica sin conciencia de ser celtíberos, y sí de ser cristianos, mudéjares o judíos. La contextura semítica se hace manifiesta al observador, ante todo, en el exclusivismo religioso de los españoles, pues el volumen y función sociales de su fe ultraterrena hacen pensar en el Islam o en Israel, más bien que en formas de religiosidad europeo-occidentales. Gracias a esta visión iluminadora se aclara y entiende lo que hasta este momento sólo había sido motivo para descaminadas pesquisas o infecundas lamentaciones. Los españoles de la casta políticamente dominadora, aptos sobre todo para mandar, guerrear y conquistar, dependieron considerablemente de las otras dos —o de franceses e italianos—, en cuanto al saber y a la técnica. Infiltrados desde el siglo xv por los conversos de la casta judaica, absorbieron las preocupaciones linajudas de esta última y su totalitarismo religioso. Para no ser tildados de judíos, los españoles cristianos rechazaron desde el siglo xvi cualquier actividad mental o práctica que pudiera parecer propia de hispano-hebreos. Y España quedó aislada, en rústica parálisis, y no participó en las tareas científicas y económicas de los otros pueblos europeos. Esa y no otra fue la razón del atraso cultural de España y Portugal, cuyas consecuencias llegan hasta el momento presente.

Es muy comprensible que mis revelaciones-demoliciones produzcan inquietud y desencadenen protestas, e incluso iracundias. Muchos intentarán huir de su propia sombra, sin hacerse cargo de que ningún ensayo de auténtica reforma de la vida española será viable, si no se tienen en cuenta los cómos y los porqués de esta peculiarísima condición humana. En todo caso, y sea cual fuere la idea que los españoles prefieran formarse respecto de ellos mismos, su estado de ánimo ha de ser incorporado a la realidad del objeto de nuestras meditaciones históricas. Es decir, que la resistencia a aceptar la realidad de ser como en efecto son, ha de ser incluida en la realidad de haber existido y de continuar existiendo como españoles: es un aspecto de lo que llamo "el desvivirse español", el estar haciendo regates a la propia vida.

No cabe limitarse, por consiguiente, a afirmar y a demostrar que este modo mío de ver la historia es verdadero, y que la pretendida españolidad de los celtíberos es un absurdo bastante infantil. Porque no se ventila aquí un pleito de simple legalidad lógica, o una cuestión de ciencia experimental, ni estoy discutiendo un teorema, demostrable mediante bien trabadas ecuaciones. La aceptación de la verdad de esta nueva historia choca con algo más que obstinación tozuda o partidismos de escuela. Para decirlo de una vez: el que estas nuevas verdades se abran anchas vías de comprensión, dependerá de que no sean sentidas como tristes y amargas, sino como eficaces y alentadoras, y como muy necesarias. Han de ser aceptadas no meramente como una trabazón de verdades y certidumbres, sino como un proceso de posibles y animadoras reconstituciones. Si yo hubiese creído que el pasado de los españoles sólo había sido una sucesión de fallos, deficiencias e ignorancias, habría empleado mi tiempo y mi esfuerzo en estudios sobre otras historias, hace mucho iniciados, y que envejecen entre mis materiales de trabajo.

En un futuro —no sé si próximo o lejano— la juventud española acabará por comprender que el desconocimiento de quién y de cómo se es históricamente, es ya por sí solo una ocasión para máximos errores e ineficacias. Es extraña y penosa anomalía que todo un pueblo siga sin saber cómo adquirieron sus antepasados la conciencia de ser españoles en el tiempo y en el espacio, y en virtud de qué elementos y circunstancias se alzaron hasta las cimas de un imperio, y quedaron más tarde reducidos a ocupar un lugar secundario —política, económica y culturalmente— tras la barrera de los Pirineos. España, tema de leyendas y blanco de animosidades, necesita ponerse en claro consigo misma, salir de la penumbra en cuanto a la noción de su propia existencia, antes de plantearse el problema de su situación frente a Europa, en el pasado y en la actualidad. Sólo después de tener bien a la vista los capítulos II y VIII de esta obra, podrá ser tratado ese tema sin nubosas verbosidades.

Mil doscientos años de vida esperanzada, angustiada y, a sus horas, gloriosa, no pueden ser sentidos ni como un fracaso ni como inexistentes, según han pretendido ciertos ingenuos partidarios del "borrón y cuenta nueva". Ni los pueblos ni las personas pueden obliterar su pasado, ni segmentarlo en zonas gratas y zonas menos apacibles. Fernando VII habló de los tres "mal llamados años", y más tarde algunos muy doctos españoles desearon quitarse de encima los tres últimos siglos. Un día vendrá en que las historias escritas incitarán a sus jóvenes lectores a hacer frente a los obstáculos surgidos de las tan inevitables como altas circunstancias de su historia, a cuyo duro clima y a cuyos desniveles y fragosidades habrá que irse habituando. Sólo con esforzados ejercicios de mente y de alma será posible beneficiarse de muchas de sus aún intactas riquezas.

El desconocimiento del auténtico pasado de los españoles —por subconsciente recelo de enfrentarse con él— es ya, por sí solo, un germen maligno que viene corroyendo desde hace siglos las raíces de la conciencia colectiva de todo un pueblo. No nos adormezcamos en divagaciones acerca de confusas "intrahistorias", y enfrentémonos sin volver la cara atrás con lo en verdad vivido, soñado, padecido y creado por quienes alternaron sus visiones paradisíacas con la experiencia de los purgatorios que sus mismas decisiones y abstenciones iban labrándoles.

Mi obra hispánica aspira a ser constructiva y alentadora, en forma distinta a como yo la concebía hace unos cuarenta años. Intenté entonces sacar a luz lo que en España hubiese habido de europeísmo (erasmismo, pensamiento "renacentista", ilustración del siglo XVIII), sin bucear previamente en las honduras del sentir colectivo, sin darme cuenta de que todos continuábamos quejándonos, renegando de nuestro sino, soñándonos, ennegreciéndonos por dentro mucho más que lo hacían las negras leyendas; acumulando datos, ediciones, anecdotismo, o lanzando afirmaciones de tipo sintético sin el menor fundamento analítico. No se nos había ocurrido que, antes de nada, era imprescindible *pensarnos*, dilucidar dónde, cuándo y cómo existieron los *quiénes* de esta historia. Sin categorizar, sin situar temporal y espacialmente la materia amorfa de los datos elementales de nuestra experiencia, nunca se nos habría revelado la realidad de los españoles. Creíamos que el problema consistía en utilizar los abstractos perímetros de la vida de cultura (Edad Media, Prerrenacimiento, Epocas de transición, Prerreforma, Reforma, Contrarreforma, Barroco, etc.), y no en *convivir*, en situarnos en la existencia de quienes se enfrentaron con esos horizontes de cultura —creados por ellos o por otros—, desde su específico funcionamiento vital. Llegó un momento en que los europeos escribieron sonetos en distintas lenguas, y trazaron edificios de estilo greco-romano —o rompieron, o trataron de romper, la disciplina de la Iglesia de Roma. ¿Pero permite eso, y otros análogos fenómenos, penetrar de veras en la realidad humana e historiable de los españoles, franceses, ingleses e italianos?

Hace muchos años escribía yo que, más importante que hablar del erasmismo español, era percibir y poner de relieve lo español del erasmismo. La acción de la obra de Erasmo de Rotterdam fue considerable en varios países, aunque sólo en España sirvió de desahogo y esperanza a la angustia creada por los conflictos de casta y de limpieza de sangre. El potencial de la conciencia de intimidad —que no funcionaba entre españoles como en otras partes— ya se había abierto vías propias antes de la aparición de la doctrina erasmista que, por sí sola, habría sido escasamente eficaz. La tradición española (más islámica y hebrea en este caso que cristiana) permitió al genio de Cervantes servirse del erasmismo y del humanismo italiano para realizar una construcción única en Europa. Es por tanto más fecundo históricamente observar el hispano-cervantismo del *Quijote*, que su renacentismo o europeísmo.[1] En suma: que lo admirable o desesperante de la historia española ha de hacerse comprensible y valorable en y desde ella misma, en algo, en último término, sin paralelo en la Europa occidental, pese a los esfuerzos de quienes pretenden "normalizar" la historia de España y situarla a nivel de contenidos y en paralelismo temporal con la de Europa. Si yo hubiera persistido en mis intentos de europeización retrospectiva de hace cuarenta años, nunca hubiera averiguado *quiénes* han sido en verdad los agentes y cuáles las circunstancias determinantes de la historia de los actuales moradores de la Península Ibérica.

---

[1] Ver *Españolidad y europeización del Quijote*. (Al frente de *Don Quijote de la Mancha.)* Col. "Sepan Cuantos...", México, Editorial Porrúa, S. A., 1960.

Pasarán muchos años antes de que los españoles se habitúen a contemplar su imagen real en el espejo de su historia. Ciertos vocablos son usados por ellos con fuerza y prestigio mágicos —orientalmente—, como si la palabra encarnara en su sonido el correlato objetivo que no posee. Esto acontece, ante todo, con el término *España*, manejado como la cuerda que el faquir lanza al aire para trepar por ella. Incluso personas sabias e inteligentes *creen* en el españolismo de Séneca, porque al español suele encantarle caminar por vacíos de tiempo y de espacio humanos.

Tras de esta secular y obstinada ilusión yace la fe de todo un pueblo, que no se dejará arrebatar fácilmente la consoladora leyenda de sus orígenes imperiales, a la vez romanos y antirromanos —Numancia, Trajano, Teodosio. Mas esa leyenda es tan nociva como cualquier otro pertinaz engaño respecto de la identidad de alguien o de algo, sobre todo cuando ese alguien somos nosotros mismos.

La fuente de tan grave error yace en la confusión entre las nociones de objeto biológico y psíquico (ser fuerte o flaco, apasionado o envidioso), y de objeto "vital", en este caso la dimensión de copertenencia social: son españoles quienes sienten estarlo siendo. Ese sentirse fue resultado de un proceso de unificación, de un hacerse, cuyos límites y cuya *estabilización problemática* yacen ahí a la vista del historiador. El español nunca poseyó el ser de un árbol plantado en la tierra; antes de individualizarse como español tuvo que sentirse existir como colectividad española. En el año 1100 aún no había españoles, sino gallegos, leoneses, castellanos y aragoneses; éstos, poco a poco, fueron adquiriendo el hábito de llamarse españoles, una palabra —repito— venida de Provenza a fines del siglo XII.

Algo ha debido funcionar incorrectamente en la ciencia histórica de los españoles, pues de otro modo no habría sido necesario gastar tiempo en demostrar que los iberos eran iberos y no españoles. La persistencia de tamaño desatino —lo veo ahora con gran claridad— se debe más a desesperación, que a error o a ignorancia. Y a fin de no continuar desesperándonos han de sacarse a la luz del sol las raíces del descontento, porque de no ser así no se secarán, y continuarán dando flores y frutos de ineficacia: confusión mental y apocamiento de ánimo —o frenesí de histeria colectiva.

La busca de remotos, hermosos, heroicos e ilustres orígenes (pinturas de la cueva de Altamira, la Dama de Elche, Numancia, Trajano) tuvo ya su inicio en la llamada Edad Media, y estuvo motivada por el mismo hecho de la secular dominación musulmana. Fernán Pérez de Guzmán llamó a lo acaecido de 1400 para atrás: "historia triste y llorosa, indigna de metro y prosa". Cuando hacia fines del siglo XIX algunos españoles comenzaron a estar en disposición de hablar algo en serio de su pasado, se encontraron con la situación que he procurado aclarar en el capítulo VIII. La retórica falaz de los patrioteros no lograba disipar la sombría amargura de quienes contemplaban a España, "madre de naciones", reducida al nivel que conocen los no privados de decencia intelectual. Si en lugar de desesperarnos al saber que muchos obuses de la escuadra en Santiago de Cuba no tenían pólvora, que los sellos de quinina contra el paludismo que diezmaba a los soldados en la Manigua contenían harina, que los gruesos proyectiles de los fuertes de Manila carecían de espoleta (de esto me enteré hace pocos años), si en vez de bramar muy ineficazmente contra esas y otras calamidades, los obligados a ello por nuestra profesión nos hubiéramos lanzado en paciente silencio a buscar y a hacer comprensibles los motivos de aquel aquelarre goyesco, otra sería hoy la situación de los españoles frente a su pasado, su presente y su futuro. Por desdicha, cuanto más "investigábamos científicamente", tanto más nos alejábamos de las metas discretas y salvadoras. Nos entregamos a la orgía del saber por el saber, nos preocupábamos de los métodos interpretativos, pero no nos hacíamos preguntas acerca del objeto perseguido. Resultó así que la generación del 98, y quienes la continuamos, en cuanto a saber histórico, e intelección de qué y cómo hubiese sido España, no *aportamos ninguna verdad* decisiva, fortificante y consoladora.

De nada servía clamorear contra la falta de Renacimiento, contra los Austrias, contra la Inquisición, contra el "iberismo", contra la envidia, contra esto y aquello. Entre tanto se borraba la noción de lo "castizo", embrollada por Unamuno en un libro, por lo demás, espléndido. España no estaba "invertebrada", ni a los españoles había que amputarles tres o cuatro siglos de historia, según, en la cumbre de su desánimo, proponían personas, por unos u otros motivos, atenazadas por su presente. Cuando observadores de sensibilidad afinada comparaban la grandiosidad del Imperio español con la incultura y la incapacidad de la metrópoli para servirse de él, no sabían si estimar o lamentar las hazañas de Cortés y Pizarro. (Los españoles no supimos orientar acerca de este serio problema a los hispanoamericanos, muchos de los cuales continúan sin entender el sentido de su pasado, para los más de ellos poco grato.)

Fue produciéndose así el extraño fenómeno de bucear en formas de pretendido españolismo sin contacto con el enojoso presente, o de zaherir lo juzgado repulsivo en los siglos anteriores. Tan "esperpento" resultaba ser la España de Isabel II, como la de Carlos IV o Felipe II, con sus inquisidores y su cierre de fronteras para cuanto fuera cultura de la mente. La España del siglo XVII aparecía como un Tibet de Occidente, según J. Ortega y Gasset; el cual llamó "sevillano" a Trajano, y "godo" al Cid, mientras afirmaba que los árabes no habían sido "ingrediente" en la historia de los españoles; y ni de soslayo tuvo presentes a los hispano-hebreos. Un tamaño error en persona tan esclarecida no ha de ser censurado, sino entendido.

Los mejores españoles, aquellos sin los cuales muchos no pensaríamos como hoy lo hacemos, buscaban refugio en remotos y brumosos "españolismos", o en las capas profundas y silenciosas de lo humano español, en la "intrahistoria" de Unamuno, en las latencias de la vida que corre y subsiste —según él decía—, sin "expresarse en libros y papeles y monumentos". Unamuno elevaba a categoría histórica su laudable afán de escapar a las seudo-celebridades de fines del siglo XIX, a la angustia de no poder contemplar en la España de 1890 nada de lo que yo ahora llamo "historiable". Carecía España de la riqueza cultural de la otra Europa, cuyos libros traducía o leía don Miguel.

Ambas escapatorias —Séneca y Trajano, o la profunda "intrahistoria" de quienes no metían ningún ruido con su vivir cotidiano secularmente reiterado— coincidían en tender hacia metas de ilusoria salvación. Unamuno alardeaba de menospreciar las celebridades clamorosas tan pobremente representadas en torno a él. Su nihilismo cultural, su desestima del progreso, insincera en su raíz, acabó por convertirse en epidermis, o en perfil de su propia alma (si es lícito hablar así para hacerse entender). Lo de "¡que inventen ellos!" poseía sentido como incitación para crear formas de cultura más expresivas de vida, que fundadas en pensamiento despersonalizado; pero fue arbitraria insensatez condenar en bloque la civilización que había hecho posible cuanto estaba a la vista, y sin lo cual Unamuno no habría sido quien sigue siendo para nuestro bien cultural.

Unamuno —a veces amargo nihilista, tan desafecto a la novedad como Quevedo o Gracián— ignoraba, o pretendía ignorar, que la vida rústica soterrada en su hoy, carecía de volumen histórico, interno o externo; era plana temporalmente. Es evidente que sin un suelo sobre qué afirmarse, el arquitecto no alzaría torres y castillos visibles a distancia, a distancia de tiempo. Pero confundir la dimensión horizontal con la vertical fue simple falacia. Quienes hacen cosas "historiables" necesitan sin duda llanadas tradicionales de humanidad sobre qué afirmarse y extenderse —fieles que crean, campesinos que labren, gentes que entiendan y padezcan las nuevas verdades, etc. Pero los habitantes del mundo de la "intrahistoria" y sus usos reiterados, ni pueden ni deben salir a la luz de ninguna historia; por sí solos, como un absoluto, servirían de tema para hombres-hormigas, vitalmente miopes. Podrán, sí, servir de materia y punto de arranque a una infinita variedad de formas, lo cual es otra clase de actividad, y desde luego nada "intrahistórica". El que en las "celebridades" comentadas por los periódicos madrileños de 1900 apareciesen las peripecias políticas del señor Romero Robledo, o de don Práxedes M. Sagasta, o los dramas de Echegaray, o las idas y venidas de doña María Cristina, no quiere decir que toda celebridad fuese necesario aspecto de un valor desatendible. Nacido y crecido entre insignificancias, Unamuno, lo mismo que otros españoles no resignados a vivir a ras de vulgaridad, se encastilló en la fortaleza de su "intrahistoria". Lo que él construyó sobre esa idea —soñada, ilusoria—, ahí está en durables ensayos, novelas y poesías. La idea misma, como instrumento historiográfico, es ineficaz.

Según he intentado hacer comprensible en *Dos Ensayos* (1956), la vida humana, instalada en el tiempo que ella va creándose, corre a lo largo de tres niveles: el *describible*, el *narrable* y el *historiable*. Esos tres planos se confunden por quienes buscan lo español en una ilusoria "intrahistoria", o en el mundo humanamente intemporal de lo biológico y lo psíquico. No se ha pensado en ello, sencillamente porque encararse con tal problema habría obligado a preguntarse cómo llegaron a adquirir los españoles su identidad y conciencia colectivas —tema medroso. Era preferible huir de él, y refugiarse en la tiniebla de la Cueva de Altamira.

Hago ahora ver sin sombra de duda, sin posibilidad de tergiversar elementales evidencias, que los futuros españoles se hicieron posibles como una ternaria combinación de cristianos, de moros y de judíos. La casta de los cristianos no hubiera subsistido sin el sostén y el impulso de las otras dos, y llegó un momento en que las tres se sintieron igualmente españolas. Guerra de "españoles contra españoles" llamó don Diego Hurtado de Mendoza a la guerra de los moriscos granadinos. Españoles se sentían ser los judíos que laboraban y prosperaban junto a los reyes y a los grandes. De origen árabe y hebreo fueron los nombres de jerarquizaciones sociales, a primera vista románicas y cristianas —*hijodalgo* e *hijos de buenos*—, lo cual revela, sin más, que los criterios jerarquizantes fueron árabes o hebreos. Quienes después de conocer las páginas 220-223 de esta obra lean en el *Poema del Cid*:

"adeliñan tras mio Çid, *el bueno* de Bivar" (969),

verán en seguida que *el bueno* significa ahí lo que el hebreo *tov ha-ir*, 'el bueno, el señor de la ciudad'.

Cuando, en adelante, se hable de los españoles, habrá que entender bajo ese nombre una clase de gente que en el norte de Hispania, allá entre los siglos VIII y IX, comenzó por dotar de *dimensión político-social* su condición de creyentes cristianos, y por eso se llamaron a sí mismos "cristianos", un hecho nuevo y sin igual en la vida de Occidente. Aconteció esto a consecuencia de la forma de vida que proyectaba sobre ellos unos hombres tan poderosos como los romanos en su época imperial, y cuyo nombre étnico era también religioso, "mahometanos, musulmanes". El término "influencia" no sirve aquí de mucho, porque en realidad se trata de la acción proyectiva de una disposición interior de vida sobre otra, la cual acaba así, no por convertirse a la creencia de un potente, temible y prestigioso adversario, sino por usar su propia creencia en un modo nuevo e insospechado. Desde Galicia hasta Aragón, la gente allí refugiada se formó un "esprit de corps", se sintió ser "cristiana", colectiva y bélicamente, antes que sueva, goda, cántabra, vasca, o lo que fuera (ver pág. 29). Un hecho como éste, sin el cual la formación del futuro pueblo español es ininteligible, no había sido tenido en cuenta hasta ahora. Lo demás vino como secuela ineludible de una dada situación político-social-económica y del estado de conciencia de quienes vivían en tal situación. Los cristianos *no se bastaban a sí mismos,* ni cuando ocupaban sólo la faja norte de la Península, ni cuando su dominio político se extendía desde Mallorca a Lisboa. Su vida fue como la de tres hermanos siameses (suponiendo que esto existiese), forzados a convivir en unidad, y a la vez ansiosos de aniquilarse recíprocamente. De ahí sus coincidencias y su final desgarro —una catástrofe para los musulmanes y judíos de España en el siglo xv, una posibilidad para la grandeza imperial de la casta cristiana en el xvi —para un imperialismo inspirado y fomentado desde el siglo xiii ¡por la casta judía!— y un motivo para el agotamiento y atraso cultural de los españoles desde fines del siglo xvi en adelante.

El replanteo de las nuevas vías conducentes a una historia de los españoles real y no legendaria, habrá de hacerse en vista de estas guiadoras señales. Volver el rostro a tamaña realidad por sentirla antipática y deprimente, no servirá sino para agravar males y sinsabores ya inveterados. La táctica de "minimizar", de volver el rostro a la acción y a la presencia de los mudéjares y judíos, ya plenamente españoles al final de la Reconquista, no servirá sino para seguir aturdiendo y malguiando a la juventud que estudia en colegios y universidades, y para desorientar a los posibles conductores del pueblo español (al servicio de los españoles y no de una potencia extranjera), interesados en proponer accesibles metas a los pueblos peninsulares. ¿Cómo puede ser interpretado históricamente y regido políticamente un pueblo cuya *identidad*,—así como suena, su *identidad*— se ignora y se pretende seguir ignorando? ¿Qué tienen que hacer los tartesios y los túrdulos con los *cristianos* hacedores de España? ¿No fueron esos *cristianos* quienes llamaron "grandes" a sus más altos señores, porque los musulmanes llamaban así, *akābira ad-daulati,* a los 'grandes hombres del reino'? En suma, que fuera de *conde* (vocablo directamente venido del latín), las designaciones nobiliarias o estuvieron inspiradas por el prestigio judaico (los *buenos,* los *hijos de buenos),* o por el de los musulmanes *(hijos de bien, hijos de algo, grandes de Castiella, grandes de España,* pág. 223). *Infante,* en último análisis, es de origen árabe. Los demás títulos vinieron de Francia: *duque* es galicismo, y *marqués* y *barón* son palabras germánicas venidas a través de franceses.

El español cristiano estuvo animado y sostenido por un vigor épico e imperante, templado y aguzado en siglos de lucha. Pero la capacidad dominadora e imperial de la casta cristiana (ver cap. II), en Europa y en Ultramar, fue excitada y sostenida por la acción de los españoles judíos, educadores de la realeza y de los grandes señores (Jaime II de Aragón escribía a su hija Constanza, mujer de don Juan Manuel, que no siguiera criando sus hijos a uso de los judíos, según tenía por costumbre). ¿Qué idea cabe formarse de los españoles eludiendo u ocultando tal situación? La cultura española —en cuanto a saberes, ciencia y técnica— tenía raíces musulmanas y era transmitida por médicos, consejeros o alfaquís judíos, tan españoles como los señores, de quienes legalmente eran "siervos" y, de hecho, orientadores en lo moral y en lo cultural. He aquí —como anticipación para infundir mayor claridad a este cuadro de evidencias— lo que dice Martín González de Lucena, el Macabeo, padre de Juan de Lucena, el autor de *De vita beata*. Se llama "físico e siervo" de Iñigo López, señor de Mendoza (el futuro marqués de Santillana), en la traducción que hizo para su señor del comentario latino de Benvenuto de Imola al *Purgatorio* de Dante (en los libros al uso este hecho aparecerá desvaídamente como "influencia" italiana, o como fenómeno "prerrenacentista"). Este buen Macabeo, un converso, que vivía ya bajo el terror de que le tomaran por lo que era —un español de la casta judaica—, puso al final de su traducción: "Loor sin fin sea oy e siempre a la una, trina, infinita Esencia triumpersonalmente, e una esençial e infinitamente. Amén." [2] El alarde de trinitarismo, sin venir a cuento, es manifiesto indicio de pertenencia a la casta judaica, según he tenido ocasión de mostrar en varios casos.

Menester de los judíos en torno a Alfonso el Sabio (e imagino que ya antes) fue exaltar el poder real y mover el ánimo de los señores a la realización de grandes empresas. Los conversos en el siglo xv (ver pág. 81) cumplieron este cometido sistemática y sostenidamente. Los cristianos nuevos Alfonso de Palencia, Gonzalo García de Santa María y

[2] M. Schiff, *La bibliothèque du Marquis de Santillana*, pág. 307.

Antonio de Nebrija, conocían la idea del humanista italiano Lorenzo Valla de que el Imperio de Roma continuó vivo por sus letras, cuando el poder de sus armas había desaparecido. Los conversos del siglo XV no "replantean , a la española, ciertas sugerencias de Valla",[3] sino a la manera de conversos que se aferraban desesperadamente a la causa del triunfo nobiliario, cuando la plebe, "los menudos", "los comunes", estaban en vías de exterminar la casta hebreo-española. Ese es, en último término, el sentido de la frase de Nebrija, "siempre la lengua fue compañera del imperio", cuyo valor yacía en su fuerza vital e incitadora, y no en ser reflejo de una idea humanística. La "materia" podría venir del Humanismo italiano, o de donde fuera; pero su "forma", su plena realidad, sólo se manifiesta dentro del atroz conflicto de las castas, o sea, de la realidad última de los españoles.

Las historias escritas acerca de los españoles, si aspiran a ser verídicas, habrán de situar en un trasfondo los hechos y las ideas (la tan socorrida "history of ideas"), y en muy primer plano los agentes humanos, las situaciones y dimensiones de vida de quienes *habitan en los hechos y en las ideas*. El español se hizo, salió a luz de historia, integrado en una sociedad tridimensional. El español cristiano no se bastó a sí mismo; surgió a la conciencia de sí mismo ya islamizado, llamándose "cristiano" porque el enemigo se llamaba "musulmán". Fuera del campo de batalla, el hacer del moro le fue indispensable, y la vida del cristiano y la del musulmán se compenetraron en múltiples modos. La proyección islámica se manifiesta en su forma más amplia en el hecho de convivir los cristianos, los futuros españoles, dentro de un sistema de tres castas, inspirado por el modelo alcoránico de los tres "pueblos del libro". Ese círculo abarcador de la totalidad del conjunto social, fue estrechándose en círculos concéntricos: administrativos, agrícolas, de artesanía, de expresión íntima de lo corporal y de lo anímico, de invocación a Dios *(ojalá, olé)*; en suma, en un despliegue de fenómenos de vida que incluyen desde el *alcázar* hasta el *algarero* y el *alfiler*.

El judío se situó en los reinos cristianos en forma parecida a la que

---

[3]   Eugenio Asencio, *La lengua compañera del imperio*, en "Rev. de Filología Española", 1960, XLIII, 401.

había ocupado en al-Andalus, con la diferencia de que aquí se sentía por bajo de la civilización musulmana durante los siglos x, xi y xii, y allá muy por encima culturalmente de castellanos, leoneses y aragoneses, sin ciencia ni pensamiento propios, aunque dotados de una fuerza personal e imperativa muy superior a la de los musulmanes y judíos. Los judíos buscaron abrigo junto a la clase alta de los cristianos, con la cual se mezclaron bastante a menudo, a consecuencia de lo cual aparecía aquella "castizamente" impura en el siglo xvi. Los cristianos nuevos de abolengo judaico intensificaron su actividad científica, técnica, filosófica y literaria en el siglo xvi. Los cristianos castizos (ver cap. II, y mi libro *De la edad conflictiva*), a medida que el Imperio español iba alcanzando extensión incalculable, fueron mirando la tarea intelectual como propia de judíos, como nefanda —no como imitable y superable en calidad. Ese y no otro fue el motivo del atraso cultural de los españoles, visible hoy todavía en tantos sentidos.

Luis Vives era tan español como los cortesanos de Carlos V; lo invitaron a venir a España para encargarse de la educación del príncipe don Felipe, lo mismo que siglos atrás judíos españoles muy sabios habían instruido a príncipes y grandes señores. Pero Luis Vives, cuyo padre y cuya madre habían sido quemados por los inquisidores, no aceptó, tuvo miedo de regresar a su patria. La ciencia y el pensamiento españoles se vertieron así por países extranjeros. Ni en Salamanca ni en Alcalá tuvo cultivo y vigencia el pensamiento de Vives, ni la matemática de Pedro Núñez, ni la botánica de García de Orta, ni prosperó la astronomía copernicana que enseñaba en Salamanca el padre Zúñiga.

Algún lector dirá que ya sabe todo esto por haberlo leído en otras obras mías. Sé que es así, pero estas elementales verdades han de ser divulgadas en volúmenes gruesos, medianos y mínimos, porque ese y no otro es el problema central de la historia y del futuro de España. Convenía, además, ofrecer en breve cifra un anticipo de la doctrina de esta obra, mal leída y mal entendida por muchos. *Si el español no se decide a convivir con su propia historia*, ¿cómo se pondrá de acuerdo con sus prójimos españoles? ¿Cómo sabrá eludir la opresión, la anarquía o el caos? O quizá algo todavía peor: la insignificancia.

Hay que revivir el problema del casticismo (cap. II), abarcarlo en lo que tuvo de trágica inhumanidad, y también de grandeza. Un día vendrá en que los españoles se decidirán a sustituir su paralítico y a menudo gesticulante personalismo —sombra de un casticismo e imperialismo ya inservibles— por una generosa entrega a cuanto hubo de grande y de fecundo en las tres ramas del árbol de la auténtica vida española, *viviendo sin desvivirlo* su pasado, poniendo en él un enérgico acento español, valorando cuanto hubo de creación y de abierta posibilidad en el cristiano, en el moro y en el judío —en sus acciones, en su pensamiento, en su expresión vital. Queda abierta la vía para que inteligencias jóvenes y bien templadas superen el mal hábito de servirse del pasado español como de una cantera, cuyos bloques informes van apilándose sin sospecha de la construcción a que se destinan. Sin alguna intuición del sentido de la realidad perseguida, la búsqueda por la búsqueda, la erudición por la erudición, o no rinden nada, o recalcan el absurdo de ser eternos los españoles, u organismos ricos en funciones biológicas y reacciones psíquicas. Lo cual, conjugado con el antisemitismo y la ceguera para percibir los valores islámicos, lleva al estado de pobreza comprensiva y estimativa en que actualmente nos hallamos. Había así que encontrar modos de construir y exponer la historia de los españoles, que, sin ser hirientes y amargos, excluyeran la falsedad y el engaño, muy debilitantes del ánimo. El pasado de las tres castas, sus contrastes y armonías, pueden suministrar motivo para meditaciones históricas muy claras y animadoras. Porque el proceso cultural de *lo español* se desfigura al encajarlo en el seco esquema de las batallas, de las épocas, de los nombres que, para el joven y poco enterado lector, dicen muy poco. Una juventud con ansia y esperanza de futuro no debe abrirse a la conciencia de su patria sólo oyendo y leyendo que, desde mediados del siglo XVII, los españoles han estado sufriendo derrota tras derrota, y envileciendo su propia tierra con la sangre de otros españoles, más odiada que la del más siniestro extranjero. Así se inicia y se incuba la tendencia a dar la "espantá" a la realidad de la propia historia, a buscar albergue en Viriato y Trajano, o en la "intrahistoria"; o en el borrón de los siglos, y "cuenta nueva" (ver pág. 22).

El enseñador de historia española —si pretende ser verídico y estimulante, y no un sofista descarriador de la juventud—, ha de hacerse con una mentalidad y una capacidad estimativa, a la vez cristianas, islámicas y judaicas. Las catedrales, las mezquitas y las sinagogas españolas han de integrarse en una visión cultural que haga posible, cuando llegue la sazón, percibir el horizonte de ideas y de sensibilidad de la corte de Alfonso el Sabio, y más tarde la conjunción, en la obra de don Juan Manuel y en la del Arcipreste de Hita, de los temas de la cristiandad europea con los del Oriente español. Y de ahí, caminando por sus jornadas, se hará comprensible el magnífico, y también trágico y *fecundo*, momento de los Reyes Católicos.

Los niños españoles debían ser iniciados en el conocimiento de su patria ante un mapamundi, ante la imagen —en libros, en proyecciones— de las ciudades monumentales en las Indias (La Habana, México, el Cuzco, San Agustín de Florida, las Misiones de Texas y California, y cien cosas más). Todo esto, como creación humana y valor artístico, pertenece a la civilización española, ni más ni menos que Toledo o Santiago de Compostela, las Lonjas en el antiguo reino de Aragón, y todo cuanto en España no ha sido destruido por la incuria o la barbarie. Lo narrado y sentido por el Inca Garcilaso o por Bernal Díaz del Castillo, no es dato de erudición para ser memorizado, sino nervadura del alma española, para ser convivido con lo escrito por Luis de León, Cervantes, Quevedo, y tantos otros. La iniciación histórica ha de realizarse con un sentido de universalidad. El conocimiento del mundo antaño español no es apéndice o complemento de cultura, sino materia de nutrición primordial. La defensa de Cartagena de Indias por don Blas de Lezo, en el siglo XVIII, o los hechos de don Bernardo de Gálvez en la Luisiana y en la Florida, son tan españoles como las batallas de Bailén y de San Marcial contra los franceses. La idea de que sin la acción de los españoles desde fines del siglo XV, la mitad sur de Italia habría estado en gran riesgo de convertirse en parte del Imperio Otomano, debe ser conocida y destacada por quienes hablan de historia española.

Una línea ininterrumpida enlaza el lento proceso de la Reconquista y el ímpetu épico de la casta cristiana (las Gestas, el Romancero, el Teatro de Lope de Vega), con el propósito de civilizar imperialmente zonas de la Tierra desconocidas para la gente occidental. Llegando a este punto, una historia verídica y no falaz ha de poner muy de relieve la conjunción de los cristianos, de los musulmanes y de los judíos españoles: el proselitismo y mesianismo de los musulmanes, la pericia económica y científica de los hispano-hebreos. Sin musulmanes y judíos, el Imperio cristiano de los españoles no hubiera sido posible. El conquistar para cristianizar estuvo precedido del conquistar para islamizar.

Por otra parte, la situación de los españoles de casta hebrea en el siglo XVI, su viva conciencia de la tradición cultural de sus antepasados, el hecho de seguir afirmando su casticismo mediante enlaces endogámicos, dicron ocasión a posturas y reacciones tanto íntimas como sociales, reflejadas en la filosofía, en la ciencia y en la literatura. El pensamiento de Luis Vives y de Gómez Pereira, la ciencia de Pedro Núñez y de Andrés Laguna, el arte de *La Celestina*, las doctrinas jurídico-sociales de Francisco de Vitoria, la expresión de la intimidad en la mística de Teresa de Jesús, la estructura compleja de los personajes pastoriles y picarescos tan atentos a lo interior de sus vidas como a lo exterior a ellas, todos estos fenómenos de alta e historiable cultura son característicamente judeo-españoles. Las visiones celestiales de Luis de León, anheloso de penetrar en la naturaleza del universo, entonces secreta, apuntan hacia una dirección capital de la cultura española —integración de lo inmanente y lo transcendente en religión, en pensamiento, en ciencia y en arte. Por vías todavía mal exploradas, la tradición cristiano-islámico-judaica de los españoles se abrió paso en Europa, a través del *Quijote*, de la literatura místico-ascética (Teresa de Jesús, Juan de Avila), o de trasmisiones orales aún mal conocidas. La idea de lo que luego se llamó *vida* —necesaria para la innovación novelística motivada por el *Quijote*, presente más tarde en Rousseau, Maine de Biran y otros—, aquella idea lanza ya claros destellos en el andalusí (no andaluz) Ibn Hazam a comienzos del siglo XI: el hombre es un ser "preocupado", el propósito de liberarse de la preocupación es el único rasgo que realmente caracteriza al hombre frente a los demás seres del universo.

Se ejemplifica así un punto de convergencia (habrá otros) de las tres castas hispánicas en el campo de la cultura, en el vértice de un importante bien humano, hoy anhelado como nunca antes, por quienes contemplan al hombre archicivilizado rodar por tantos seductores declives de deshumanización. Mi historia no pretende negar ni amputar, sino integrar en comprensiones y estimaciones, de radio tan amplio como sea posible. Sólo así lograremos algún día abrirnos paso a través de una floresta de fábulas, amarguras, cegueras y "antiismos".

Este prólogo se limita a anticipar ciertas ideas, es un previo ejercicio para el deseoso de penetrar en la misma entraña del vivir español, para el preocupado por el futuro nacional e internacional de un pueblo, tan único en su grandeza y tan frágil en su ventura. Ha sido costumbre muy arraigada entre nosotros cerrar los ojos al *auténtico* pasado al ir a dar forma al sueño de un mejor porvenir, al mañana de la esperanza. Pero el pasado sigue estando ahí y es ineludible.

Ahora bien, el pasado no es una simple acumulación de sucesos inconexos que agradan, repelen o nos dejan indiferentes. El pasado ha de aparecer al historiador como un ordenado conjunto de "porqués" y de "cómos", tan provistos de fundamento como dignos de interés. Razonar esto que digo exigiría mucho espacio y mucho tiempo; mas ahora se trata únicamente de hacer ver que, si el pasado nos es indispensable al ir a planear cualquier forma de futuro, ese pasado depende a su vez —si ha de aparecer como en realidad existente— de nuestras *actuales* ideas acerca del hombre como ser humano, y del valor que asignemos a sus acciones y expresiones. Dependerá también de los medios e instrumentos interpretativos que se empleen para revelar y calificar la realidad de las vidas humanas, hoy ocultas en la lejanía temporal. *Uno* de esos medios, poco usados hasta ahora, es la observación de las expresiones lingüísticas en las que se manifiesta la posición del hombre respecto a su propia vida y al mundo en que ésta se integra. Gracias a esos y otros recursos hermenéuticos irá adquiriendo realidad plausible la figura de los españoles en el pasado.

* * *

Aunque este volumen forma un conjunto de razones dirigidas a fundamentar cualquier futuro ensayo de historia de los españoles, y en ese sentido constituye una obra independiente, el autor la considera como una PRIMERA PARTE. En su continuación —que aparecerá tan pronto como las circunstancias lo permitan— se concederá primaria importancia a la situación social y cultural de los cristianos, moros y judíos españoles, y a las formas de civilización nacidas de la armonía y del desgarro de las castas —y de las conexiones o choques con Europa—, armonias y desgarros a los cuales debe su originalidad, sus grandezas y sus problemas, ese trozo de realidad humana llamado pueblo español.

UNA ADVERTENCIA Y MUCHOS
AGRADECIMIENTOS

He seguido el criterio de los arabistas españoles al transcribir ciertas palabras árabes, necesarias para mis finalidades históricas y no lingüísticas. No he sido consecuente en la transcripción de algunos nombres de persona a fin de hacerlos asequibles al lector no arabista —yo tampoco lo soy. Por eso uso la forma algo "baciyélmica" Ibn Hazam, en lugar de ibn-Ḥazm, para hacerla pronunciable. Y así en otros casos.

Me han sido utilísimas las discrepancias y polvaredas de incomprensión suscitadas, por anteriores libros míos; gracias a ellas pude darme cuenta de que los lenguajes mentales son, a veces, tan herméticos como los sonidos de una lengua desconocida. Una vez sondeada la hondura de los errores vigentes, prolongué mis cimientos hasta la región del más elemental sentido común, a fin de silabear mi expresión histórica lo más despaciosa y distintamente que me fuera posible. "Quién sabe", qué dicen los mexicanos.

La aprobación generosa de quienes se han interesado en la marcha de mi pensamiento histórico me ha servido de gratísima y muy alentadora compañía intelectual: comentarios en libros, en revistas, en la prensa diaria, en cartas, en palabras. Aparte de eso es deber de cordial gratitud añadir a los nombres ya mencionados en la edición anterior, los de quienes han aportado datos bibliográficos o de otra clase mientras preparaba la presente obra: Samuel G. Armistead, José M. Blecua, Carmen Castro de Zubiri, J. A. Gaya Nuño, Stephen Gilman, Rafael Lapesa, María Rosa Lida de Malkiel, Vicente Llorens, Juan Marichal, Francisco Márquez, Ramón Martínez López, James T. Monroe, Joseph H. Silverman, Felipe Teixidor, E. Tierno Galván. He aclarado cuanto me fue posible, en el capítulo IV, ciertos puntos que, a juicio de J. Ferrater Mora, podían ser malentendidos por los no familiarizados con esta clase de problemas. Elisa Aragone ha colaborado en la preparación del índice de materias. Para todos ellos, mi profundo agradecimiento.

Princeton, N. J.—Cala de San Vicente, Mallorca, junio-agosto, 1962.

LA REALIDAD HISTORICA

DE

ESPAÑA

Capítulo I

PLANTEAMIENTO DEL PROBLEMA: EN BUSCA DE UNA REALIDAD NO FABULOSA

Unico entre los pueblos de Occidente, el español se rige, en cuanto al conocimiento de su pasado y de sí mismo, por una historiografía fundada en nociones fabulosas. El español se considera casi como una emanación del suelo de la Península Ibérica, o por lo menos tan antiguo como los moradores de sus cavernas prehistóricas; es decir, de quienes en la cueva de Altamira (Santander) dejaron sobre sus muros de roca, luminosas e inquietantes figuras de hombres y bisontes. Una ininterrumpida continuidad enlazaría así la españolidad del habitante prehistórico de la montaña santanderina, con la de quienes allá preparan el queso de Cabrales en grutas menos sombrías, pero tan antiguas geológicamente como las del hombre rupestre.

La fe en la indefinida y biológica continuidad del español hacia atrás, inspira tanto la obra de respetables sabios como la de alborotados eruditos sin buena retórica. Los pocos dados a reflexionar avivan así la fe en sí mismos, en su *ser* más bien que en lo que haya sido valioso *hacer* en los antepasados. Según las vigentes creencias, la *esencia* del español cruzó incólume e inafectada a través de las varias gentes y de todo lo acontecido en la Península desde que existe tradición de ella. El padre Juan de Mariana —en muchos sentidos una excelsa personalidad— comenzaba así su *Historia de España*, en 1601: "Túbal, hijo de Jafet, fue el primer hombre que vino a España", y al decir "España" pensaba en un concepto fijo, como si hablara del primer "árbol" plantado en España. A mí me hicieron recitar en la escuela, que "Túbal, hijo de Jafet y nieto de Noé, fue el primer poblador de España". Mariana escribe (II, 1) que la ciudad de Cartago envió "a Sicilia dos mil cartagineses y otros tantos soldados españoles", tan españoles para el autor como quienes, en su tiempo, guarnecían Sicilia. Antes dice Mariana (I, 14): "De estos celtas y de los españoles *que se llamaban iberos*, habiéndose entre sí emparentado, resultó el nombre de Celtiberia, con que se llamó gran parte de España."

Saltando de 1600 al momento actual, un erudito historiador acepta como exacto lo dicho por alguien acerca de la Granada musulmana: "De doscientas mil almas que había en la ciudad de Granada, aún no eran las quinientas de la nación africana, sino naturales *españoles* y godos que se habían aplicado ['allegado, arrimado'] a la ley de los vencedores." [1] * Resulta entonces que los habitantes de la región luego llamada granadina se hicieron musulmanes y hablaron árabe, y, a pesar de ello, sus descendientes permanecieron siendo españoles, como los iberos y como los de hoy. El señor De las Cajigas observa que los moros que continuaron entre los cristianos (los mudéjares) se opusieron, "con un sentimiento conservador, a la total y rápida cristianización de las comarcas y ciudades ocupadas por los reconquistadores". Los moriscos opusieron más tarde (entre 1492 y 1609) la misma resistencia a asimilarse a la vida y costumbres de sus vencedores. "Fue —dice— un encadenamiento ininterrumpido de nueve siglos (VIII al XVII), casi un milenio de oposición popular contra el régimen dominante. Puede y debe pensarse que la raíz de esta resistencia, tenaz y sostenida, es una *supervivencia sorprendente de la tozudez ibérica ancestral*" (pág. 47), Esa resistencia, "constantemente la realizaba *la misma unidad étnica*", porque los mozárabes y los mudéjares "fueron, ante todo y sobre todo, españoles, e hijos los unos de los otros". Los árabes y beréberes, antes de eso, "fueron asimilados rápidamente por la vitalidad superior, numérica y espiritual, del país invadido" (pág. 48); es decir, de España, en cuyo suelo, desde siempre, moraban españoles.

Es general, cerrada y dogmática, la creencia de ser los españoles tan antiguos como los primeros habitantes de la Península. Las nociones de Iberia, Hispania y España se confunden en la mente de los historiadores, tanto antiguos como modernos. El señor Ramos Oliveira, para quien todo lo humano depende de circunstancias económicas, afirma que "la personalidad moral de España era ya en la época prerromana la que ha distinguido a nuestra nación en todos los tiempos... El español representativo es el celtíbero".[2] Según el señor Pericot, "de los tartesios a los andaluces modernos pocas diferencias caben en los 3,000 años (un centenar de generaciones) transcurridos, no ya en su tipo físico, que debe ser *casi el mismo*, sino incluso en su temperamento. Basta pensar en que el *genio alegre*, la habilidad danzarina y la taurofilia eran ya cualidades que les adornaban en la Antigüedad... ¿Qué nos dirán los textos tartesios cuando puedan hablar; mejor, cuando podamos entenderlos nosotros?... No lo sé, *pero sí estoy seguro* de que nos darán un cuadro de una sociedad perfectamente española". Aunque el señor Pericot escribe que "Tartessos

---

* Para las notas al capítulo I véanse las páginas 25 a 27.

acaso no es gran cosa más que un mito, y no estaría bien que cuando tratamos de desechar mitos en la Historia de España... cayéramos en otro mito, por simpático que sea..., *en todo caso*, en este reino tartesio, que tiene la poesía del misterio que envuelve su historia..., vivía una de las raíces más profundas de la España de todos los tiempos".[3]

En 1960 ha aparecido un nuevo y significativo testimonio de la peculiar fe historiográfica de los españoles.[4] Con perfecta regularidad todos ellos encajan en análogo marco ideológico: antigüedad prehistórica del actual habitante de la Península; tales habitantes eran *ab initio* españoles; no fueron afectados por las varias gentes y civilizaciones que han existido en la Península; los hispano-judíos no dejaron huellas profundas. He aquí algunas declaraciones de esa fe: La "movilidad demográfica de la región [toledana y madrileña] apenas creemos haya afectado a la firme base celtíbera de la Meseta. Aún hoy día la nota dominante en los pueblos alcarreños y toledanos es el aislamiento, y el sentido en muchos aspectos tribal de su organización... El desequilibrio entre la fuerte emigración y las casi inexistentes inmigraciones... ha sido siempre característico de estas zonas, a excepción, naturalmente, de la capital, ya fuese Toledo o Madrid. Toda especulación sobre cambios o mezclas raciales en estas zonas debe contar con esta realidad: que *sigue siendo prehistórica la base de su población*" (pág. 93). La resistencia de los mozárabes fue más fuerte que la acción de los musulmanes: "El mozarabismo impuso su criterio intransigente. La coexistencia [cristiano-islámica] nunca tuvo otro carácter que el provisional de toda ocupación militar... Para tener una idea de la relación entre moros y cristianos en la Edad Media, puede ayudarnos el observar la moderna "convivencia" hispano-marroquí en la antigua zona del protectorado" (pág. 88). "No obstante, este indudable judaísmo toledano no tiene el predominante papel histórico que Américo Castro le atribuye." Después de la expulsión de 1492, "los residuos posteriores fueron rápidamente asimilados. Es, por eso, tendencioso incluir en un común apartado judaizante a los autores cristianos, ajenos a la tradición mosaica, sólo en razón a sus lejanos antepasados" (pág. 92).

Afirmaciones parecidas se encuentran en muchos libros, en los voluminosos, en los menudos, en los de hace siglos, en los de ayer. La idea del iberismo y celtiberismo de los españoles de hoy ha sido adoptada a veces por eruditos franceses y alemanes.

Esa ardiente fe es, entre españoles, anterior al nacimiento en Alemania de la "ciencia" histórica del siglo XIX. La identificación de los españoles y de las distintas zonas románicas de la Península con sus habitantes prerromanos y sus límites prehistóricos, es tan antigua como la misma historiografía de los españoles. Ya don Rodrigo Jiménez de Rada creía en el siglo XIII que "los iberos o españoles descienden de Túbal,

quinto hijo de Jafet".[5] Luego, en el siglo XVI, un erudito tan docto como
Florián de Ocampo veía españoles en todas partes —en Irlanda, en
Asia. Cirot pensaba, con acierto, que el espectáculo de las conquistas
del Nuevo Mundo daría a Ocampo la idea de haber sido aventureros
y colonizadores los "españoles" de tiempo de los Atlas, de los Sicano y
de los Sículos, y de otros personajes fabulosos (ibíd., pág. 120).

La visión del Imperio proyectaba en el pasado quimérico el ansia
imperial de los españoles, de la casta hispano-cristiana reforzada con los
cristianos nuevos, que rivalizaban en celo con aquélla. Mas esto ya no
basta para explicar el ansia moderna de eternizarse hacia atrás, de creerse ya existentes en Tartessos, de hacer hablar con acento andaluz al emperador Trajano, o para introducir en el pasado de la Península un
ritmo recurrente, en virtud del cual el emperador Teodosio —un romano nacido hacia 346—, en Cauca, un lugar de la Hispania romana,
orientó su política igual que doce siglos después el emperador Carlos V.
Si todo esto fuera cierto, los hoy llamados españoles poseerían una realidad uniforme y estática, milenariamente reiterada, con mágica fuerza para
asimilarse, sin perder su disposición de vida, a ligures, iberos, celtas,
fenicios, cartagineses, romanos, visigodos, beréberes y árabes. La sostenida
continuidad de los primitivos habitantes, de los aborígenes, se estableció,
según creen, mediante la propagación biológica y unas concomitantes "características psicológicas". Unico entre los pueblos de Occidente, el español pertenecería a una clase de hombre ajena al tiempo y a las circunstancias, con un ser y una estructura psíquica inmutables, no afectada por
la necesidad de enfrentarse consigo misma, con otros hombres y con circunstancias espacio-temporales.

LA VIDA HUMANA ES MAS QUE TIERRA, BIOLOGIA, PSICOLOGIA Y ECONOMIA

No tendría sentido gastar tiempo en calificar de quimérica tal forma de concebir al español y las dimensiones historiables de su vida pasada. Esta manera de historiar se me aparece, más que como un error,
como un reflejo del modo de estar situados los españoles, sean o no
historiadores, dentro de su propia vida, de esa vida cuyo análisis y
valoración constituyen el tema de esta obra. Ahora bien, si no se toma
distancia respecto de la vida, no es posible percibir ni su forma ni su
funcionamiento. La historiografía española, el hecho de incluir en ella
un pasado que no le pertenece y de excluir de ella lo más característico de su realidad, son una "inherencia" al mismo proceso del vivir
español.

Aparte de eso, la historiografía corriente ha sido afectada por el hecho de no tener en cuenta ciertas ideas europeas de la realidad del hombre, que a mí me parecen necesarias para entender aquélla. Los historiógrafos no las tienen presentes, o hacen como ciertos funcionarios antaño con las órdenes del rey: "las acatan pero no las cumplen". Hay incluso profesionales del pensamiento puro, muy exhibidores de modernidad, que frente a problemas concretos de historia siguen comportándose como hegelianos o positivistas. Téngase en cuenta, por otra parte, que el saber, en sí buenísimo, se torna ociosa acumulación de materiales sin finalidad perceptible, al no ser dispuesto en una estructura dentro de la cual adquieran sentido las partes y el todo.

La historiografía al uso parte del supuesto de que la *sangre*, su transmisión a lo largo de las generaciones, *determina* la *esencial* constitución del hombre hispano, español. Por esa vía se pasa de Indívil y Mandonio a los españoles que después vinieron, sin darse el trabajo de fijar en qué sentido se emplea el término *español*. Establecida de antemano la identidad entre los términos *Hispania* y *España*, sin haber fijado antes el sentido del uno y del otro, todo lo demás viene a quedar reducido a esto: nos agrada sabernos eternos, superiores a cuantos pueblos hollaron el sacro suelo de España, pues todos —romanos, visigodos, árabes— dejaron de ser lo que eran, y quedaron a la postre incorporados a la perenne esencia de lo español —Cuevas de Altamira, heroísmo de Numancia, Trajano y Teodosio, Séneca y Lucano, Isidoro de Híspalis, grandeza de la Córdoba califal, pensamiento de Averroes y Maimónides, la extraordinaria figura de Ibn Hazam, la totalidad de la literatura en árabe y hebreo, todo se vierte en el común acervo del patrimonio español. Los vacíos se hacen así menos inquietantes, y se elude el problema angustioso de plantearse estrictamente la pregunta temible: ¿Pero qué y quiénes somos en realidad?

Con la "teoría" de la continuidad biológica se combina la de la permanencia de ciertos rasgos psicológicos, interpretados con briznas de una muy elemental psicología: ser impetuoso, orgulloso, envidioso, poco reflexivo, generoso, sufrido, etc. No se piensa que lo decisivo en tales casos es lo que el hombre *haga* con sus medios y con sus deficiencias o exuberancias biológicas y psíquicas. Y lo mismo vale de sus circunstancias naturales y económicas. La Grecia antigua, las Islas Británicas y la Península Ibérica no se bastaban a sí mismas económicamente. Las gentes de esos tres países salieron de ellos en busca de mejor fortuna, y las tres acabaron por construirse un vasto imperio colonial. ¿Pero de qué nos sirve el factor económico —un común denominador— para penetrar en la auténtica realidad de la colonización de la Magna Grecia, de la Nueva España mexicana, o en la del Canadá, Australia y Nueva Zelanda?

Cuando leo como prueba de españolismo que algunos califas de Córdoba tuvieron madres gallegas, que Ibn Hazam tenía ascendencia hispánica y otras cosas análogas, me pregunto cuál sea la experiencia de la vida ahí a la vista en quienes así razonan. Cuando Ibn Hazam nació, la vida en al-Andalus llevaba casi 300 años sometida a la presión conformadora del Islam; se expresaban en árabe incluso los no musulmanes, aunque las hablas románicas perduraran no sabemos claramente en qué extensión. Los usos tradicionales estaban encuadrados por los modos de vida del pueblo dominante, política, social y culturalmente, no obstante la fragmentación política de al-Andalus. En la extensa obra de Ibn Hazam no hay reflejos de nada romano, visigodo o tartesio, sino lengua, religión, pensamiento, sensibilidad y modos de vida conectados con el Oriente musulmán. Una situación hasta cierto punto comparable a la del al-Andalus es la de Nuevo México, sometido a los Estados Unidos hace poco más de un siglo. Los descendientes de los españoles o mexicanos que vivían allá en el momento de la ocupación, se han asimilado completamente al modo de vida norteamericana, a pesar de que sobreviva esporádicamente la lengua de los antepasados en forma cada vez más anglicizada. Pero aun en este caso no puede olvidarse que la lengua española continúa viva como órgano expresivo de cultura, y que inmigraciones de México han mantenido colonias de habla castellana en Tejas, Nuevo México, Arizona y en California. No aconteció así a los descendientes de la población preislámica en lo que había sido Bética romana, sin ningún contacto en los siglos IX y X con modelos vivos de cultura más allá de sus fronteras. Los de Roma se habían desvanecido, y los románicos aún no habían surgido.

Tengo amigos americanos cuyos abuelos fueron españoles; han vivido fuera del círculo de quienes en los Estados Unidos siguen apegados a su tradición española a través de parientes y conocidos; no hablan una palabra de español, son presbiterianos, cuesta enorme trabajo hacerles entender los valores de la civilización española, su comportamiento es idéntico al de cualquier otro americano archianglosajón, en cuanto a cultura y formas de vida. He conocido de cerca a un descendiente de checos, gran presidente de una universidad en que he sido profesor. No sabía checo, y nunca reaccionaba, ni de lejos, en forma centroeuropea. Los ejemplos se pueden multiplicar indefinidamente. Claro que si se mantiene el inmigrante y sus descendientes en medios en donde siga hablándose la lengua de origen, y se conserven la religión y los usos tradicionales, entonces se crearán situaciones intermedias durante algunas generaciones, aunque, a la larga, la nivelación con las gentes entre las cuales se vive acaba por ser total.

Y lo mismo aconteció en países moldeados secularmente por una civilización extranjera. Los romanos acabaron por romanizar a los griegos del sur, y a los celtas y a los etruscos del norte. El dialecto de Nápoles y el de Sicilia proceden del latín allí hablado, no del griego. A nadie se le ocurre hoy llamar celtas a los habitantes del norte de Italia, ni galos a los belgas.

Los partidarios del "eterno e inmutable español" no tienen presente la acción social e individual del lenguaje, combinada con la de la religión. La mayor parte de Hispania acabó por estar fuertemente romanizada, lo mismo que otras importantes zonas del Imperio. Sin el empeño, o necesidad, de los historiadores de hacer de Hispania una provincia distinta de las restantes del Imperio Romano, hace tiempo que la españolidad de Séneca habría desaparecido de los libros. ¿Piensan, acaso, que el norte de Italia poseía menor personalidad que la Bética, sometida sin lucha? También hubo en la Galia cisalpina muchos modos de hablar, variedad de usos, formas y dimensiones peculiares de vida colectiva. Pero al cabo de los siglos que fueran, los galos de antes acaban por aparecer como romanos. Es decir, que el más humilde campesino al alzarse de la tarea siempre a un mismo nivel, el horizonte que contemplaba era el romano, no el celta de antes. Los partidarios de la eterna españolidad me parece no tienen en consideración la diferencia entre los varios planos y dinamicidades de la vida colectiva. La miden toda por el mismo rasero: españolidad.

Al pensar y sentir así se olvida que la condición y dimensión que convierten al ser humano en individuo de una tribu, de una región o de una nación, son independientes de la biología o de la psicología de la persona. Dependen, en cambio, de la conciencia (vivencia) de los lazos que ligan al individuo con los otros miembros de la colectividad. Estas nunca se constituyeron sobre analogías biológicas y corporales (ser fuerte, enclenque, alto, bajo, rubio, moreno), o psíquicas (valiente, tímido, envidioso, sufrido, orgulloso, etc.). Estas condiciones y dimensiones humanas pertenecen a la esfera de la individualidad, no a la de la conciencia de colectividad.

El hombre se siente individuo de una tribu, de una región, o de una nación, por sentirse ligado a la comunidad por el modo de hablar, por una trabazón de estimas e intereses comunes, por creer de cierta manera, por reaccionar de modo semejante frente a las circunstancias que afectan a la vida colectiva, por comunidad de hábitos, por la conciencia de la necesidad de mantener unida la colectividad de que inmediatamente es miembro a otra de radio más amplio, por un tipo de comunes preferencias y de jerarquizar valores, por el modo de conducirse con quienes no son individuos de su grupo, etc. Hay al mismo tiempo que tener en cuenta el distinto grado de flexibilidad y movilidad de la dimensión colectiva y de la estrictamente individual; esta última es más estable que aquélla. No es pensable que el pigmeo adquiera estatura aventajada, y es difícil que el envidioso deje de serlo; pero los grupos humanos mudan a veces sus modos de comportamiento (la Roma del Imperio era tan Roma como la de la República, y sin embargo, las diferencias entre una y otra fueron considerables). Y la Roma del siglo XIV sólo en la palabrería de Cola di Rienzo semejaba a la antigua. El grave error de la historiografía española ha sido confundir, desde hace siglos, la condición y fisonomía individuales (biológica, psíquica) con la realidad de los objetos humanos llamados tribu, región, nación y Estado. Este error de lógica y ontología humanas, que nunca creí fuera necesario poner tan de manifiesto, ha venido manteniendo enredada y confusa durante siglos la noción que los españoles poseen acerca de sí mismos.

El modo de españolizar al-Andalus musulmán no es menos arbitrario. Se dice que aquellas gentes de lengua árabe y religión musulmana eran españolas, y no tenían como dimensión colectiva de su vida la del mundo islámico. No se tiene en cuenta cómo la lengua árabe moldea y dispone el comportamiento interior y exterior de la persona. Cuando un grupo humano llegó a expresarse lingüísticamente en forma incomprensible para otro grupo próximo, esto significa que la vida misma, en el grado que sea, también se había hecho peculiar. De ahí el esfuerzo de los organizadores y dominadores de imperios y naciones para imponer a sus súbditos una lengua uniforme. Los incas peruanos forzaban a hablar la "lengua general"; Roma latinizó vastísimas regiones, excepto en donde la lengua provincial superaba en prestigio civilizador a la de los conquistadores (como aconteció en Grecia); o en casos como el de Vasconia, sin interés práctico para los romanos. Una vez reducida por fuerza de armas, la región vasca quedó parcialmente excluida de la colonización romana.

Al ser mahometizada y arabizada lingüísticamente la zona más civilizada del exreino visigodo, al-Andalus se volvió una prolongación del imperio espiritual y lingüístico del Islam. Al cabo de siglos se expresaban en árabe incluso los mozárabes cristianos, que justamente por eso fueron llamados mozárabes, o sea, arabizados; en esa lengua fueron redactados los documentos de los mozárabes toledanos. Sorprende, por lo mismo, la insistencia de los orientalistas panhispánicos y de sus seguidores en negar la conexión de al-Andalus con el Oriente musulmán, y en ligar con lazos de sangre, de descendencia biológica, a los musulmanes andalusíes (no *andaluces)* con Tartessos y Celtiberia. No se tiene en cuenta —insisto en ello— hasta qué punto el Islam y la lengua árabe moldean la disposición, las valoraciones y el horizonte de la vida. He aquí cómo razona quien ha vivido la lengua árabe desde dentro de ella:

"A la palabra y a la imagen de las palabras se les asigna poder mágico, consciente e inconscientemente... El pensamiento expresado en árabe es por lo común vago y difícil de fijar con precisión. Las palabras quizá nunca fueron definidas rigurosamente... Un escritor árabe puede llegar a hacerse célebre sólo haciéndose comprender difusamente... El escritor obliga a su pensamiento a ajustarse a las estructuras lingüísticas ya existentes... Las restricciones lingüísticas son culpables, al menos en parte, de la falta de organización padecida hoy por el mundo árabe... Las palabras son *la cosa real*... Si un árabe se expresa exactamente, sin exageración, otros árabes pueden seguir pensando que está queriendo decir lo contrario de lo que dice... Los nombres de lugar, de cosas y de personas son importantes, afectan grandemente a su realidad, e influyen en la actitud del pueblo hacia los lugares, las cosas y las personas. La tendencia a ajustar el pensamiento a la palabra, o a la combinación de palabras, más bien que la palabra al pensamiento, se debe a que, psíquicamente, las palabras ocupan el lugar de los pensamientos; las palabras son sustitutivos, no expresiones del pensamiento... La imagen lingüística desplaza la imagen de lo percibido, y aquélla es tratada en la práctica como si fuera la cosa real, y no su representación lingüística... La poesía árabe se basa, mucho más que en inglés o francés, en el efecto acústico de los sonidos." [6]

Estas para mí utilísimas observaciones adquieren fundamento teórico al ser relacionadas con la concepción ontológica sobre que se alza la vida islámica. En árabe no hay verbo "ser", y el *ser* de algo no significa para el árabe lo mismo que para un occidental,[7] a ello hago referencia más adelante.

La acción de la lengua sobre el estarse haciendo de la vida colectiva, hace ver lo imposible de imaginarse el pasado como un fondo de roca sobre el cual fueron asentándose las sucesivas oleadas de humanidad hablante advenidas a la Península. Por bajo de ellas fueron quedando extintas como función y dimensión sociales, gentes y hablas de la Península Ibérica, según siempre aconteció. ¿Qué ha sobrevivido de vida egipcio-faraónica en el Egipto hoy a nuestra vista? Y aquel pueblo poseía una unidad y grandeza de civilización incalculablemente superiores a las de las rudimentarias e inconexas poblaciones de Iberia. La oleada griega, la romana y la islámica silenciaron y convirtieron en material arqueológico una de las culturas más altas y durables de la Antigüedad. Sobre los celtíberos y los tartesios se sobrepusieron romanos, visigodos y musulmanes, y también el modo de vida española, distinto de todo lo anterior, según hago ver en la presente obra.

INCISO SOBRE LOS VASCOS

Pero ahí está en la Península el pueblo vasco, proyectado en la perspectiva de su pasado prehistórico, con una lengua que ha sobrevivido, al menos en parte, al paso y vecindad de romanos, visigodos, musulmanes y castellano-aragoneses. Se crea así la ilusión de una línea continuada desde la tiniebla prehistórica hasta el momento actual. Pero aun en este caso la contradicción con lo antes dicho es sólo aparente. El vasco penetró en la vida histórica, en la que llegaría a ser española, al despojarse de su lengua, fragmentada y paralítica culturalmente, nunca alzada sobre el nivel oral. En España el vasco nunca se escribió antes de la época actual, y eso con esfuerzo y artificiosidad. En 1921 yo oí leer un discurso en vizcaíno que, por supuesto, yo no entendía; ni tampoco un vasco guipuzcoano sentado junto a mí en una memorable sesión de la Academia Vasca.

Sin la ocupación musulmana de la Península los vascos habrían permanecido en su aislamiento, recluidos en su zona montañosa, mientras las gentes de habla románica iban extendiendo su lengua por la zona del vasco subpirenaico, según demostró Menéndez Pidal en un espléndido estudio. Existían apegados a la tierra, poco cristianizados, y sin voz en la historia. Pero emergen como un pueblo admirable al variar el rumbo y ritmo de su vida, al expresarse en castellano o navarro-aragonés a este lado del Pirineo; en gascón, y más tarde en francés, al otro lado del Bidasoa. Su recio material humano no adquiere realidad historiable sino al reencarnarse en formas de vida colectiva ajenas a la suya ancestral —y lo mismo aconteció a sus vecinos de la costa cantábrica. Los vascos, como los otros pueblos de la futura España, fueron moldeados por el sistema personalista de las "castas", se dinamizaron con capacidad imperante; y al par de otras gentes de la costa cantábrica, se sintieron hidalgos a nativitate, limpios de mácula islámica o hebrea.[8] Es decir, que gracias a las circunstancias creadas por la ocupación musulmana y por el nuevo sesgo de vida iniciado por las poblaciones románico-cristianas en el siglo VIII, los vascos comenzaron a tener un papel activo, contrario aunque comparable al de los beréberes que, impulsados por el Islam, intervienen activamente en la dominación y colonización islámica de los cristianos peninsulares. Los vascos moldean y potencian su hasta entonces informe energía en formas de civilización romano-germánica; sin ellas, ni el reino de Navarra ni el condado de Castilla hubieran sido posibles, pues las nociones de reino y condado les eran ajenas. Las poblaciones de lengua románica no sometidas al Islam, espoleadas y a la vez muy afectadas por él, fueron para la gente vasca algo como los invasores romanos habían sido para las gentes de la Bética y de la Tarraconense 800 años antes. En la medida que el vasco, hasta entonces remoto y extraño, se romanizó y cristianizó en lengua y espíritu, es decir, se hizo otro, salió de su prehistoria, y acabó por convertirse en uno de los más valiosos elementos constitutivos de la futura españolidad.

No fantaseemos. En una España ideal en donde tocase a cada región la misión para la cual posee más virtud y capacidad, los vascos ejercerían de archicastellanos, que es lo que en verdad son y han sido históricamente. En el pasado, el oro y la plata del Imperio pasó por sus manos sin mancillarlas, y por eso se les confiaba en las Indias el estupendo oficio de "apartador de oro y plata". Cuando Dios quiso, el vasco funcionó como paradigma de justa legalidad, de hombría hispánica, de espíritu liberalmente abierto, con discreción y veracidad responsables. Por eso los reyes los eligieron como secretarios. Tres vascos fueron quienes a comienzos del siglo XVIII hicieron construir en la ciudad de México el asombroso Colegio de las Vizcaínas, una cumbre de belleza inteligente. Con tenaz y esclarecida energía, aquellos tres vascos, de mente internacional y no aldeana, mantuvieron su colegio fuera de la ingerencia tanto virreinal como arzobispal, aunque muy dentro de la piedad religiosa, como lo hace ver la linda capilla en donde las educandas asistían a los actos del culto.[8] [a]

Si más tarde aquel su estar en la comunidad hispánica de que eran cofundadores conoció días tristes, la razón (lo único que aquí me interesa) ha de buscarse en la misma peculiaridad del funcionamiento del vivir español. Por lo demás, si ahora saco a colación el problema vasco, ha sido tan sólo para mostrar con nitidez, que la presencia de los vascos en la vida española, tal como yo la concibo, nada tiene que hacer con la fantástica pervivencia de tartesios o celtas. Los vascos en el siglo VIII seguían estando allá en sus montañas, prontos, como todo lo en realidad existente, a actuar como condición para algo, y para ser condicionados por algo. Los tartesios y los celtas no estaban ya en ninguna parte.

EL ENLACE PSICOLOGICO CON LOS PUEBLOS PRERROMANOS ES INOPERANTE

No creamos, por consiguiente, que es español todo lo acaecido en la tierra llamada hoy España, ni italiano cuanto existió en la tierra de la antigua Italia. El pasado de un pueblo aparece como una continuidad ininterrumpida, dada en un espacio geográficamente estable. Como la escena de la historia nunca está desierta, el espectador cree ingenuamente que los actores siguen siendo los mismos. De ahí que se llamen españolas las pinturas de las Cuevas de Altamira, y se piense que fueron españoles Trajano, San Isidoro de Híspalis y Viriato, lo mismo que lo son Cervantes, Unamuno y los académicos de la lengua, definidores del sentido del vocablo "español".

¿Pero cuáles han sido de veras el contenido y el límite semántico del vocablo *español*, y la realidad histórico-humana a que unívocamente refiere? El problema es de hermenéutica, estrictamente filológico, aunque hasta ahora los filólogos lo hayan descuidado, o creído resuelto o inexistente. Es natural que así fuese, dados los supuestos en que descansa la historiografía al uso. No se ha dado respuesta, por consiguiente, a la pregunta acerca de qué signifiquen y a qué apunten precisamente los adjetivos *español, francés, inglés,* etc.

En vista de lo antes dicho y de lo que aún he de decir, el adjetivo *español* no puede aplicarse con rigor a quienes vivieron en la Península Ibérica con anterioridad a la invasión musulmana. Si llamamos *españoles* a visigodos, romanos, iberos, etc., entonces hay que denominar de otro modo a las gentes en cuyas vidas se articula lo acaecido y creado (o aniquilado) en aquella Península desde el siglo x hasta hoy. Al afirmar que el busto de la Dama de Elche o las *Etimologías* de San Isidoro son obras españolas, lo que se quiere decir es que ambas fueron obra de personas que habitaban en lo que hoy llamamos España.

Las ciudades y personas situadas en la tierra en donde existe hoy *eso* que llamamos español (Gades, Híspalis, etc.), todas ellas han sido antecedente y condición que han hecho posible el *eso* llamado español, en un enlace de sucesivas posibilidades y de limitaciones. Estas últimas, no tenidas en cuenta por los historiadores, son tan reales como las posibilidades.[9] Mas *sólo en virtud de un tosco paralogismo cabría identificar la realidad vital de la posibilidad, con lo hecho posible por ella; lo condicionado, con la condición.* Es decir, que por haber sido los iberos y los romanos condición para la existencia de los futuros españoles, se crea que éstos son tan españoles como aquéllos. Se piensa entonces que la realidad histórica es algo sustancial, dado de una vez para siempre. Se alega, con este propósito, a Estrabón, quien sabía que en Iberia se hablaban distintas lenguas por gentes muy distintas unas de otras.[10] Las de junto al Betis "están del todo transformadas, y han adquirido la manera romana de vivir; les falta poco para ser enteramente romanas, y ni siquiera recuerdan su lengua" (*Geografía,* 3, 2, 15). "Incluso los celtíberos —añade—, los más salvajes entre los iberos, han adquirido civilidad." Al contrario de éstos, los montañeses del Norte, no romanizados, vivían del bandolerismo (3.3.5). Suponemos, entonces, que unos habitantes de Iberia serían como extranjeros para los otros. Unos eran mansos y fácilmente dominables; otros resistieron casi dos siglos a las legiones de Roma, establecidas de modo permanente en las regiones norte y noroeste. ¿Diremos que eran españoles los cántabros belicosos, y no los turdetanos o los tartesios, sucesivamente fenicios, cartagineses y romanos? Lo acotado del perfil geográfico de la Península crea el espejismo de una unidad fija y continuada.

Es ya clásico un texto de Justino, el abreviador de las *Historias*

Filípicas, del galo Trogo Pompeyo. Justino uniformiza en una engañosa síntesis los habitantes de Iberia, y los contrastes violentos de la tierra y del clima: "La salubridad del aire es igual en toda Hispania; ...los ríos no corren torrencialmente en forma dañina, y dan riego a campos y viñedos." El clima es moderado, sin los extremos de Africa y Galia: "inde felicibus et tempestivis imbribus in omnia frugum genera fecunda est, adeo ut non ipsis tantum incolis, verum etiam Italiae urbique Romanae cunctarum rerum abundantia sufficiat (XLIV, 1, 1, 2).[11] Y luego el célebre pasaje: "Corpora hominum ad inediam laboremque, animi ad mortem parati. Dura omnibus et adstricta parcimonia. Bellum quam otium malunt; si extraneus deest, domi hostem quaerunt." [12]

Estas generalidades no permiten llegar a la forma de vida, a la peculiaridad colectiva que estamos persiguiendo, y no sería además difícil encontrar pueblos, antiguos o modernos, igualmente sufridos y sobrios. De los escitas dice el mismo Justino que "desprecian el oro y la plata, tanto como otras gentes los codician. Se alimentan de leche y miel; ignoran el uso de la lana y de los vestidos, aun cuando los atenace *(urantur)* un riguroso frío; usan, sin embargo, pieles" (II, 2, 3). El moro no le iba a la zaga al español en sustentarse con poco, según notaba en el siglo XVI el capitán Aldana:

> Es voz común de la común rudeza
> que la falta de humor ['agua'] que España tiene,
> y sobra de desierto y de aspereza,
> le hace defensión contra el que viene;
> y no sabe entender con qué destreza
> de nutrimiento el moro se mantiene,
> como en el siglo atrás bien claro vimos,
> cuando el paterno límite perdimos.[13]

Hay que saber entender, como dice Aldana, que otros pueblos poseen también rasgos como los españoles, que como tales rasgos aislados nada significan para la intelección de la historia. Justino habla de la incapacidad de agruparse los griegos casi en los mismos términos que de la de Iberia: "Toda Grecia, bajo el mando de lacedemonios y atenienses, estaba dividida en dos partes; y pasaba, de guerrear en el exterior, a hundir las armas en sus propias entrañas" (III, 2, 1). Estas u otras cualidades valdrán para la intelección de la historia en la medida en que se articulen dentro de un proceso vital y en vista de su resultado valioso, en último término peculiar, único. Los sobrios puritanos, por ejemplo, desdeñaban los placeres del paladar por motivos ético-religiosos, es decir reflexivamente; junto a esto cultivaban el capitalismo, la cohesión y el bienestar colectivos. La sobriedad hispana, no era general, y tuvo tanto que hacer con la estructura de la sociedad (ver cap. VIII), como con la pobreza de la tierra. La sobriedad a veces fue sentida como sostén fecundo para la energía o la santidad:

> Que soy fuerte como España,
> por la falta de sustento.

(QUEVEDO.)

Hambre y pobreza, mal toleradas, de Lazarillo y de su señorial Escudero, y añoradas por aquellas monjitas teresianas a quienes el bienestar ponía mustias; ayunos heroicos en que se tensó el ánimo del español, siempre que una meta seductora le ha sonreído. La sobriedad, en sí misma, es una abstracción o una anécdota que no permite entender la total integridad de la vida. Lo importante es lo que cada pueblo haga con su sobriedad, o con su sibaritismo, y no su "psicología".[14]

Al decir "español", y al intentar poner en claro las representaciones que suscita en la conciencia, aquéllas variarán con el saber y la experiencia de cada persona, aunque siempre se intuirá algo único, difícil de precisar al querer reunir los varios aspectos en que se pose la reflexión. Según el Diccionario, "español" es el natural de España. La definición es elusiva, pues el nacer en un lugar, o hallarse en él, no dice qué o cómo sea el objeto en cuestión. No es que no sea cierto que, en general, sean españoles quienes nacen en la España de hoy. ¿Pero es eso todo? ¿Bastaría con decir que "alga" es una planta acuática? En el caso de las algas importa poco el asunto, porque el curioso hallará cuanto desee sobre ellas en un tratado de botánica. Pero ¿adónde iremos para averiguar rigurosamente qué quiere decir, qué sea el objeto humano llamado "español"? La dificultad se acrece por no poseer una clara noción de qué o cómo sea esa España de donde son naturales los españoles. Si se aplica la idea expresada en el Diccionario, ¿diremos que son españoles Averroes y Maimónides, nacidos en al-Andalus? ¿Cabe, en rigor, llamar España a la Córdoba en donde nacieron? ¿Serán españoles quienes, habiendo nacido en la España de hoy, por haberse educado en el extranjero, o por otro motivo, no dan la impresión de ser españoles? Y aun concediendo que, jurídicamente, lo sean, ¿bastaría la legalidad de ser español para abarcar la realidad humana, total, de serlo efectiva, auténticamente? Esto último puede acontecer a gentes no naturales de España, pero cuyas vidas se han estructurado en el *eso* colectivo que llamamos español.

Los criterios esencialistas y estáticos fallan al ir a apresar la huidiza realidad que perseguimos, capaz de ser intuida y no definida. Si, por ejemplo, tomamos la lengua como norma, veremos que, no obstante su suma importancia, hay en Cataluña, Galicia o Vasconia quienes (por muy separatistas que sean, y precisamente por serlo) son españoles aunque no hablen castellano o lo hablen mal. El historiador Gonzalo Fernández de Oviedo tropezó en el problema de qué cosa fuesen los españoles cuando veía llegar, a las tierras recién descubiertas, a gallegos, roselloneses, vizcaínos y andaluces, distintos entre sí y muy en pugna unos con otros. Su españolidad consistía, según Oviedo, en ser súbditos leales del rey de España. Aquella devoción al rey no era nada superpuesto, sino *creencia auténtica*, funcional en el vivir de aquellas gentes. La explicación de Oviedo era de tipo vitalista, no racionalista, y descansaba sobre su vivencia de la forma en que colectivamente se aunaban los españoles.

LA VIDA EN EL PASADO HISTORIABLE NO FUE REALIDAD ESTATICA

La historiografía de un pueblo ha de fijar, antes que nada, la identidad del pueblo del cual se está hablando. Una vez puestos de acuerdo sobre ello, es necesario hacer visible la dimensión historiable de las gentes cuya personalidad es ya consabida para quien escribe y para quien lee. Porque no todo lo que acontece, ni todo lo que hace la gente es merecedor de ser historiado, pues el tema de la historia es histórico por poseer la virtud de sobrevivir, se hace durable como valor, y posibilita el nacimiento de otros (el pensamiento griego; la obra jurídico-política de Roma; la creación de pueblos extraeuropeos de lengua europea, iniciada por españoles y portugueses e imitada luego más tarde por ingleses, franceses y holandeses; o el arte de Cervantes y de Goya, etc.). Esos e incontables otros valores, así como cuanto efectivamente los hizo posibles, caen dentro de la jurisdicción de la historiografía.[16]

La labor del historiógrafo consiste en hacer ver cómo un pueblo fue haciéndose progresivamente existente e historiable, y no puede partir del gratuito supuesto de que el pueblo en cuestión es una ya siempre dada sustancia sin dimensión espacio-temporal. Historiar la vida de un pueblo implica hacer visibles su conciencia de estar existiendo, la voluntad y el impulso constituyentes de esa existencia, y la estructura colectiva y dinámica en virtud de la cual el pueblo historiado aparece consistentemente moviéndose a lo largo de su existencia en el tiempo. El pueblo tema de historia se constituyó con la mira puesta en un futuro, y no sólo en el ayer de la rutina cotidiana, local, y sin vistas a ningún más allá, a ·valías soñadas y aún no alcanzadas. Los pueblos que no aspiraron a ser más de lo que eran y no pasaron de ahí, no son, ni pueden ser objeto de historia, Aparecer hoy como miembro de una colectividad española, francesa, o lo que sea, es resultado del propósito y del esfuerzo a consecuencia de los cuales aquella comunidad humana llegó a serlo. Lo cual quiere decir que no son "españoles" los hechos del pasado, en la Península Ibérica, porque los agentes de ellos fuesen ya españoles desde siempre, sino al revés: que un cierto tipo de propósitos y de actividades en relación con unas circunstancias acabó por crear un cierto modo de conciencia colectiva en quienes venían realizando aquella clase de actividades y de esfuerzos. Las tribus o poblaciones ibéricas (llamémoslas así para entendernos), no tenían conciencia de formar una sociedad unida, coincidente con la extensión geográfica de la Península. Por cuanto dicen los cronistas y geógrafos griegos y romanos, se ve que aquellas poblaciones estaban desunidas y no hablaban la misma lengua. Existían apegadas a su tierra, a su hoy, y nada más. ¿De dónde o cómo les podría venir la conciencia de ser "españoles"? Directamente de ellos, por lo demás, no se sabe nada. La idea de su españolidad y de su continuidad a lo largo del tiempo es resultado de la proyección anacrónica en el pasado de situaciones existentes muchos siglos después. Los habitantes prerromanos de la Península fueron llamados *Hispani* por los romanos, porque en las denominaciones dadas desde fuera se unifican, por comodidad, las diferencias dentro de los países.

La conciencia de la unidad *humana* de quienes existían en el suelo de la Península, tan bien delimitado físicamente por mares y montañas, surgió después de la dominación romana, y fue luego reafirmada como visigoda durante los siglos V, VI y VII. Isidoro de Híspalis escribía con conciencia de ser visigodo, según luego se verá. Pero la historiografía al uso descarna el pasado de su realidad humana, y se forja la figura de un español sustancial, como una "cosa en sí", lo cual, si por un lado parece metafísica, es en el fondo una pura ingenuidad.

La visión de la España en gran medida ruralizada del siglo XVII, bastante contrapesada por el refinamiento de las ciudades mayores, motivó exageraciones como la de Gracián: según él, España continuaba estando como "cuando Dios la crió". El volumen del elemento campesino en la vida española y la persistencia de muchas tradiciones populares ha contribuido a la creencia de que los españoles continúan en lo biológico y en lo humano el mismo tipo de hombre presente en la Península hace miles de años. Decía Ganivet de los españoles: "Venimos a hallarnos a la vejez con el espíritu virgen" *(Idearium español)*. Ortega y Gasset creía que "la famosa falta de necesidades del español" es como la "que ya señalaba Aníbal" *(Interpretación de la historia universal,* pág. 360), y relaciona las mantillas de las señoras andaluzas con el tocado de unas figuras femeninas en un mosaico cretense de 1400 a. de C. *(ibíd.,* página 163). Se alega también la continuidad de la tauromaquia, como si quien hoy va a contemplar la lidia de ganado bravo prestara a ésta

la significación sacra que tenía hace milenios. Los usos y espectáculos
existen dentro de una estructura humana; desgajados de ella se desreali-
zan y se despojan de su sentido. Lidiar toros fue deporte caballeresco
(como en *El caballero de Olmedo*, de Lope de Vega); más tarde, en el
siglo XVIII, fue brega para gente baja que, por precio, se daba en espectáculo. Mas el hecho de que el denuedo y la hombría del matador, fuese
o no "caballero", sedujese a los españoles, es fenómeno que adquiere
sentido dentro del culto del poder imperativo de la persona, de la dimensión social, de la casta vencedora de moros y conquistadora de mundos.
Lidiar contra toros o contra moros, lo mismo daba:

> "¡Quál lidia bien sobre exorado arzón
> mio Cid Ruy Díaz, el buen lidiador!"

Las gentes que en la Península fueron sucesivamente dominadas
por fenicios, cartagineses, griegos, romanos, visigodos, bizantinos y musulmanes no poseían la estructura y fisonomía colectivas, sociales, de quienes fueron lentamente conquistando la tierra peninsular durante ocho
siglos. La lidia de toros no significaba para ellos lo mismo que para los
cretenses, sencillamente porque su ligazón, fisonomía e interdependencia
sociales no eran cretenses ni tartesias. Tampoco son celtas ya quienes continúan la tradición del "Halloween" ("víspera de Todos los
Santos") en los países de lengua inglesa, aunque todavía en las Islas Británicas se enciendan hogueras, se adivine la ventura de las personas, se
cuenten cuentos de duendes y de brujas, etc. El druidismo es una cosa
y el anglicismo es otra. Los ejemplos de fenómenos análogos son incontables.

La "realidad" de la lidia de toros en la prehistoria y en la vida
española no es la misma, como no es tampoco la misma en la vida de
quienes gustan de ese espectáculo en el sur de Francia. Cualquier uso
o institución se presta a parecidas observaciones. Desde que existen espadas, parejas de hombres inflamados de odio han intentado matarse
con ellas, sin que por esto la "realidad" humana de los duelistas, ni de la
institución del duelo fuesen la misma. Hay, por consiguiente, que partir
de la "morada vital" de que luego hablo, para entender todos esos hechos humana e históricamente. Las supervivencias tradicionales (trillar,
por ejemplo, como en el antiguo Egipto, según se ha hecho en ciertos
lugares de España hasta el siglo actual) no implican que el labriego sea
celtíbero o egipcio, sino simplemente que el modo de existir como español
ha hecho posible conservar muchos arcaísmos junto a grandes modernidades de auténtica creación española y nada rústicas, como crear admirables ciudades en remotas tierras. Lo español consiste precisamente en

la coexistencia de la rusticidad más primitiva con el artístico refinamiento de un Velázquez, de un Lope de Vega y de tantos otros. De los tan exhibidos usos tradicionales, de la intra-historia tan grata a Unamuno, nunca habría surgido una conciencia colectiva capaz de elevarse hasta el rango de una conciencia nacional española.

Los usos arcaicos, conservados en una u otra forma en toda comunidad humana, subsisten en España como elementos atrofiados de vida, ya sin conexión con la estructura en la cual existían auténticamente. La superstición del número 13 (en muchos hoteles norteamericanos no hay habitación ni piso número 13) no implica que el medio social en torno funcione mágicamente. Entre iberos o celtíberos el trillar con bueyes o golpeando la mies con el mallo no sería visto por nadie como arcaico *(como hoy lo vemos)*, pues ese uso, las supersticiones y todo lo demás se estructuraba en un sistema de vida que servía de horizonte límite para la colectividad y para sus individuos. Pero la clase de hombre luego llamado español, llegó a ser lo que fue por haberse situado, a su modo, *frente* al mundo en torno a él en forma distinta a la de quienes habían tenido como pauta para su vida y horizonte de sus esperanzas a visigodos y romanos. No se hizo español por seguir labrando la tierra con el arado de madera, pisando la uva con esparteñas o por conservar en su aldea instituciones tradicionales; se hizo español abriéndose paso hacia el futuro, afirmado en la creencia de su poder personal, animado por la ejemplar eficacia de un modo de existir y de jerarquizarse políticamente dentro de organizaciones políticas nuevas y fragmentadas. La organización romana y visigoda se había impuesto desde arriba, la de las futuras Españas surgía desde el seno de ellas mismas; es decir, desde el interior de unos grupos que iban tomando forma y consistencia, de fronteras afuera y de fronteras adentro. El español se constituyó a medida que la conciencia del valor anejo a sentirse "hombre en sí" fue moldeando su conducta. El "hombre en sí" del infante don Juan Manuel en el siglo XIV, llevaba siglos labrando la figura interior del español, que se hace "ome esencial", en palabras del buen conde de Haro en el siglo XV, según más adelante ha de ver el lector. He ahí el verbo, el logos formativo, que dio estructura, sentido e impulso ascendente a los españoles, a quienes, por eso mismo, se hacían y se ahincaban en su españolidad. Cuando el Presidente del Consejo Real y Arzobispo de Compostela disuadió a Carlos V de ir a combatir personalmente con Francisco I de Francia, su principal argumento fue este: "A V. M. no es oculto que [el rey de Francia] es tenido por loco y parlero, estimado por inconstante y por *persona sin ser*." [17]

Era preciso insistir sobre tales detalles a fin de barrenar y hacer saltar los bloques compactos de la historiografía fabulosa, en la cual se

revuelven y confunden nociones que han de ser pulcramente distingui-
das unas de otras. Partiendo del absurdo de que España es igual al suelo
de la Península Ibérica, y de que lo humano es simple biología; confundiendo los usos tradicionales con la posición del hombre respecto de
ellos; ignorando que la lengua es inseparable de la intención valorativa
que sobre ella proyecta quien la habla; sin principios rigurosos sobre la
realidad del hombre y del mundo en que aquélla se realiza, la historiografía tradicional viene haciendo rodar a lo largo de muchos siglos un
revoltijo de humanidad a la cual, caprichosamente, se le da el nombre
de española. Ni siquiera se han tenido en cuenta, ni se han manejado,
los instrumentos intelectuales al alcance de cualquiera, importados y bien
reelaborados en terso castellano: "Si *las circunstancias* hacen al espíritu
[es decir, al *yo* enlazado con aquéllas], es ['lo hacen'] modificadas por
este mismo, y recibidas en él según él es" (Unamuno, *En torno al casticismo*, 1895). Cuando las circunstancias hacen que un sujeto humano
las rehaga y dé forma en su conciencia, de tal modo que el producto
resultante llegue a adquirir fuerza innovadora y valor normativo, entonces la realidad cotidiana, por sí sola sin dimensión ascendente, se provee
de dimensión histórica, historiable. Antes de hacerse perceptible y ascendente como ser historiable, el español no ha existido. Ha existido algo
que no era él, que era condición y circunstancia posibilitante para él, pero
no él; era otra cosa, que a mí no me interesa primordialmente, porque
no trato de historia visigótica, romana o celtibérica —suponiendo que
hoy exista una posibilidad de historia celtibérica. Me interesa presentar
una estructura, no un osario de anécdotas y de hechos truncos o des-
coyuntados.

· Antes de existir españoles en la Península, hubo en ella gentes con
conciencia de ser otra cosa: godos, hispano-romanos, cántabros, celtíberos,
celtas, iberos o lo que fuere. La pretensión de españolizarlos a todos, aparte de ser metódicamente absurda y anacrónica, no tiene en cuenta el
que, de ser eso cierto, los franceses, los italianos, los ingleses, etc., también serían seres sustanciales e inmemoriales. Pero basta pasar los ojos
por cualquier libro escolar, para convencerse de lo contrario, y no seguir pensando como el padre Mariana en 1600. Hay obras en francés, como la de Ferdinand Lot, *Naissance de la France*, 1948, en donde puede
leerse: "Sólo las circunstancias hicieron que la *futura* Francia y la *futura*
Alemania, casi hermanas gemelas hasta entonces [843, tratado de Ver-
dún], viesen cortado el lazo que las unía, y pudieran *tomar conciencia* de
su personalidad, *confusa hasta entonces*" (pág. 416). Estas circunstancias
fueron que los francos, al este y al oeste de la raya que más tarde divi-
diría Francia de Alemania, fueron separados por una faja de tierra. Porque son los hombres —añado yo— quienes moldean y orientan la con-

ciencia de cómo han de ser los hombres. Por ser esto así, un libro tan elemental como el de F. Lot debe ser leído por los historiógrafos recalcitrantes: "La transformación de la Galia romana en Francia es uno de los espectáculos más sorprendentes de nuestra historia. ¿Cómo y por qué aquellos *galos que se sentían romanos,* por decir así orgánicamente, que cantaban a Roma, soberana herida aunque siempre adorada, incluso después de 410, pudieron tan rápidamente olvidarla, y no aspirar sino a un fin, a ser tomados por francos?" (pág. 135). Quien lea esa obra, y las citadas en su bibliografía, se dará cuenta de los motivos de un hecho tan evidente. El primer rey de Francia fue Carlos el Calvo, coronado en Roma en 875; antes nada había que pudiera llamarse Francia. El mismo nombre de *La Gaule* fue una creación literaria, que aparece en el siglo XIII.

Las mismas razones valen para Italia, cuyo nombre coincide hoy con el de la provincia romana del mismo nombre, en la cual no existía el menor barrunto de la futura "italianità" de Dante o de los hoy llamados italianos. Y era así, porque "en el imperio y en sus clases dirigentes había una conciencia romano-imperial, *no italiana;* [en el siglo V] mantener la soberanía en Armórica o en Valeria (la Panonia norte-oriental) significaba para aquella gente lo mismo que poseer Venecia" (L. Salvatorelli, *L'Italia Medioevale* [1936], pág. 18). No digamos nada de las gentes de la Península de los Apeninos con anterioridad a haberse constituido el *pueblo romano como entidad historiable.*[18]

Hay que insistir —en vista de una ceguera siete veces secular— en que ningún historiador o escritor en Italia o Francia pretende hoy identificar a italianos y franceses con los habitantes romanos o prerromanos de sus respectivos países. Fundar la continuidad *humana,* social, en enlaces geográficos, biológicos o abstractamente psíquicos (estos o los otros rasgos de carácter), y no en la conciencia de formar parte de una comunidad humana, agente y responsable de sus destinos, es una ofuscación sólo mantenida hoy por ciertos historiadores españoles.

El alto poeta Giosuè Carducci (1835-1907) hace datar del año 1000 la vida italiana, como *italiana:* "De hecho desde los primeros años del siglo XI se siente como un tintineo de vida, aún tímida y oculta, que más tarde estallará en relámpagos de pensamiento y de obra; desde este momento comienza en verdad la historia del pueblo italiano" *(Dello svolgimento della letteratura nazionale).* No menos terminante es Giuseppe Prezzolini, en su sugestivo libro *The Legacy of Italy,* iniciado así: "Los orígenes: Por qué los italianos no son romanos." Sus razones son que: "Al contrario de la creencia popular mantenida por algunos pretendidos eruditos, por muchos ampulosos propagandistas y por una serie de ilustres poetas, los italianos no son, descendientes directos de los romanos, sino un nuevo pueblo, tan distinto de aquéllos como los franceses, los españoles o los anglosajones" (pág. 7). Nadie que hoy se respete en Italia —en donde la historia propia ha sido profundamente estudiada— se lanzaría a escribir que los italianos de lengua románica enlazan con los etruscos, ni que éstos se continúan en aquéllos. Por lo que respecta a los franceses, además de lo ya dicho, téngase presente la *Histoire de la civilisation française*, de G. Duby y R. Mandrou, 1958, cuyo punto de partida es el final del siglo x. ¿Estarán desbarrando todos estos historiadores, cuyo número podría ampliarse considerablemente? ¿Serán ciertos historiadores españoles los únicos cuerdos?

La Hispania de Roma y de los visigodos se desvaneció, y con ella la dimensión hispano-romano-visigótica de sus habitantes. El nombre de Hispania sobrevivió fonéticamente en el de España, cuyos sentidos tardaron siglos en llegar a ser lo que hoy significa *España*. Los españoles son tan distintos de los *Hispani* de Roma, como los toscanos de tiempo de Dante lo eran de los etruscos que vivían en Faesula, hoy Fiésole. Los romanos decían *Hispaniae* para abarcar a la *Hispania citerior* y a la *Hispania ulterior*. De ese plural deriva el decir las *Españas*, nombre usado por ciertos doctos como reflejo de la aspiración a unir los fragmentados reinos cristianos en la época de la Reconquista. Pero quienes en el siglo XII llamaban España a su tierra poseían una conciencia de su vida colectiva sin conexión alguna con la de los *Hispani* de tiempo de Roma. Tan diferente, que los habitantes de esa España aún no se llamaban "españoles" en el siglo XII. Ese nombre no aparece en el *Poema del Cid*, de hacia 1140; el juglar habla de "gallizianos, leoneses, castellanos", y de "francos" con referencia a los catalanes. Según ha demostrado Paul Aebischer, el nombre "español" es un provenzalismo.[19] Cualquier estudiante de fonética histórica se daba cuenta del origen extraño de esa palabra, que de haber sido española habría sonado "españuelo"; pero Aebischer ha precisado el origen provenzal de "español", cosa que no se había hecho; observa este lingüista que, para los españoles de la Edad Media, su unidad era mucho menos evidente que para sus vecinos extrapeninsulares: "Para que se sintiera la necesidad de un adjetivo 'español', indudablemente era preciso que los que sentían tal necesidad estuviesen en relaciones comerciales, o de otra clase, con el conjunto que forma la España actual." Quienes sentían más que nadie esa necesidad eran los habitantes del Languedoc; y la razón de que ese "español" se extendiera por las lenguas vecinas antes que en castellano, es que "España" significaba la zona de la Península ocupada por los moros.[20]

En circunstancias normales no hubiera debido yo comenzar una obra acerca de la historia de los españoles en la forma en que lo estoy haciendo. Pero la antigüedad y el general arraigo de la creencia de ser

"eternos" los españoles, me ha forzado a ello. El intento de los historiadores —a la vez consciente y subconsciente— de eludir el enfrentarse
con el verdadero pasado de los españoles, les llevó al lógico resultado
de forjarse otro ilusorio. Mas esta ilusión es tan explicable como excusa-
ble, pues es directo reflejo de la inquietud sentida por algunos eminentes pensadores de fines del siglo XIX y comienzos del actual, que incluso
llegaron a dar por inválidos y vacíos los tres o cuatro siglos que nos han
precedido. Es una clara manifestación de lo que más adelante llamaré
"vivir desviviéndose; aunque desde ahora conviene tratar de poner en
claro lo que aspiro a expresar.

La idea y el sentimiento —para mí no justificados— de haber sido
fallidas casi todas las actividades españolas durante el siglo XVI y XVII,
llevaron a don Francisco Giner, en un arrebato de amor y dolor de España, a escribir con motivo de ciertas deficiencias observadas por él en otros
países:

> Si tanta vanidad y mentira, aun fuera de este oscuro rincón —más amado
> cuanto más oscuro—, queda todavía allá... en el empíreo soleado de las naciones
> soberbias, resplandecientes y gloriosas, ¿cómo podría ser de otro modo en un
> pueblo [como España] *amputado de la historia hace más de tres siglos,* cuando
> menos en la parte más espiritual de ella y más profunda? [21]

En 1910 escribía José Ortega y Gasset:

> Gravitan sobre nosotros *tres siglos* de error y de dolor: ¿cómo ha de ser lícito,
> con frívolo gesto, desentendernos de esa secular pesadumbre? [22]

En 1937 clamaba la Falange Española:

> [Hace] cerca de *tres siglos,* el *ser auténtico e inmortal* de España agonizaba,
> desgarrado en la carne y en el espíritu por los dardos venenosos y *extranjeros* de
> una concepción atea y materialista [¿en 1637?] de la vida. Perdimos el destino y
> la misión imperiales... Ahora que la tradición de todo *este ser* y poder de España
> vuelve, renacida con la gracia de la sangre joven, se han hecho carne sagrada de
> heroísmo las flechas de la Falange.[23]

En 1947, Pedro Bosch Gimpera, un docto arqueólogo, tituló un
artículo suyo: *Contumacia de las desviaciones históricas;* y en él afirmaba que en España,

> contumaz en sus errores..., todos los problemas, desde los Reyes Católicos, *incluso
> desde más atrás,* han quedado insolubles, o se han solucionado mal... En el crisol
> de España siguen vírgenes las cualidades de sus pueblos y de su carácter.[24]

Las grandezas del siglo XVI y del XVII no satisfacían, y la época anterior, mancillada por la ocupación musulmana y por las ingerencias

judaicas, tampoco. Para Fernán Pérez de Guzmán, a mediados del siglo xv, la ocupación de España por los moros era tema para una

Historia triste y llorosa,
indigna de metro y prosa.[25]

Ya en el siglo xv los mejores españoles, los más inteligentes, comenzaron a contemplar con repugnancia su pasado inmediato, como indigno de ser historiado. De ahí la vuelta a las grandezas de la historia romana en la Península Ibérica, grandezas muy vivas en las *Coplas* de Jorge Manrique. Era reconfortante volver a ellas, tanto como al remoto pasado celtibérico, a Viriato, a Numancia, a Indívil y Mandonio. El descontento y la angustia trazaron la pauta de la historiografía española.

Una vez más se confirma esta idea al leer la *Descripción de España*, del ilustre humanista portugués Damián de Goes (1501-1574), escrita para defender el buen nombre de la tierra que él sentía como suya contra las censuras de Sebastián Munster y Miguel Servet:

"Es verdad que hay siglos más brillantes que otros, y que España no destaca hoy en la ciencia como en tiempos pasados; no puede, sin embargo, tildarse de pobre de cultura la nación que ha producido tan grandes figuras, ni debe considerarse agotada la fuente de aquéllas por el hecho de no haberlas producido durante algún tiempo." [26]

Damián de Goes colma los vacíos sentidos en el presente con listas de nombres de escritores romanos, musulmanes y hebreos que vivieron siglos atrás: ahí figuran los romanos nacidos en Hispania, e incluso Juvenal, que más bien debería ser italiano, pues nació en Aquino. Luego vienen los musulmanes y los hebreos de al-Andalus, Averroes, Maimónides y hasta Avicena el asiático. Los españoles auténticos son mencionados, en este orden: Alonso de Madrigal, el Tostado; Arnaldo de Vilanova, Raimundo Lulio, el cardenal Cisneros, Alfonso el Sabio, don Enrique de Villena, Luis Vives, Jorge Manrique, Juan de Mena y Garcilaso. Termina Damián de Goes su elogio de las letras españolas con estas significativas razones: "No habrían faltado a España en los últimos mil años los brillantes ingenios que esa nación siempre produjo, si no hubiese permanecido tantos años bajo el dominio de pueblos tan bárbaros como los godos, los alanos y los sarracenos, ajenos a toda especie de cultura; libres ahora de esa opresión, no dude Sebastián de Munster que los españoles alcanzarán en breve las cimas de la ciencia" *(op. cit.,* pág. 107). Pero si los godos y los sarracenos eran bárbaros sin civilización, ¿cómo figuran en la lista de varones ilustres (pág. 105), San Leandro, San Ildefonso, Averroes y Avicena?

El pasado español siempre ha sido problema de difícil trato para quienes han intentado juzgarlo con mesurada reflexión. Unos lo desva-

lorizan y lo privan de estructura constructiva; frente a esa "desvertebra-
ción", hay quienes niegan que haya habido decadencia española. Al derrumbarse la monarquía en 1931, hasta hubo quien propusiese como ideal
político comenzarlo todo "da capo", como si la historia de España no
hubiera existido. Todo lo cual refuerza la sospecha de que la vida de
los españoles ha sido única; para mí, espléndidamente única.

Aislados en su fe histórica, insensibles a los problemas que el pasado planteaba a pueblos tan próximos como el francés y el italiano, los
historiógrafos peninsulares fueron haciendo rodar a través de los siglos
la bola legendaria del españolismo de iberos y celtíberos. El volumen
de tal fantasía en la mente y en el ánimo de quienes aprenden a acari-
ciarla ya en la escuela, es incalculable. Eruditos respetables y charla-
tanes audaces forman el cuadro de apretada defensa en torno a ella, y nos
quedamos así sin saber qué sean los españoles, ni cómo fue originada
su existencia. Al publicar la primera edición de esta obra me pareció
suficiente llamar la atención del lector sobre este inveterado embrollo;
juzgué incautamente que lo obvio y razonable se abriría paso. Algunos
están ya convencidos, por supuesto; pero la historiografía convencional
y petrificada sigue ahí, refugiada tras baluartes de seudopatriotismo y
de antisemitismo, y blandiendo los espectros de los "españoles" Séneca
y Trajano. Dan por supuesto, falazmente, la existencia de "quod erat
demonstrandum"; confunden el contenido semántico del adjetivo latino
Hispanus con *español*, un vocablo extranjero del siglo xii; imaginan
que el hombre de la Península fue siempre español; creen que la tierra
peninsular, españolizada hoy por los auténticos españoles, era ya española antes de existir éstos. Y sobre tan ingenua petición de principio afin-
can la ilusoria figura de su "español", como si se tratara de un objeto
tan real y visible como la catedral de Toledo, que es toledana por hallarse en Toledo. Creen estos historiadores que las diferencias entre el español prerromano y el posterior se debe sencillamente a que hay muchas diferencias entre unas y otras épocas: unas veces acontecen unas
cosas, y otras, otras. Supongo imaginan que el "español", una vez brotado sobre la tierra peninsular, pasó por varios estilos y circunstancias
de vida, del mismo modo que la catedral de Toledo fue primero gótica del siglo xiii, luego gótica del xiv; recibió ornamentaciones mudéjares, adiciones renacentistas, barrocas y hasta del rococó entre los siglos xiii y xviii. Mas la diferencia sería que nosotros sabemos cuándo
y cómo se inició aquella joya arquitectónica, y los historiadores del eterno
español nunca dijeron en qué consistiese, de veras y estructuradamente,
la realidad del español. Toman eso que llaman "características psicológicas" (una ingenua vaguedad del siglo xix) y lo proyectan sobre las
vagas descripciones de los habitantes de la Península en textos griegos y

romanos —ignoran que el hombre no se caracteriza por su psicología, sino por el valor y por el sentido de lo socialmente hecho con su psicología.

Se han ido así proyectando y acumulando circunstancias propias de otros sujetos colectivos (iberos, celtíberos, etc.) sobre la imagen verbal del "español", convertida sin razón en una esencia subyacente al fluir del tiempo vital. El volumen de tal desatino, el gran estorbo que significa para siquiera medio entender la realidad de los españoles, y ocuparse de su futuro, me obligan a reiterarme y a poner de manifiesto las hondas raíces de una multisecular equivocación.

NOTAS

[1] Isidoro de las Cajigas, *Los mudéjares*, I, 1948, pág. 73. El autor atribuye este texto a Hernando de Baeza, el intérprete de Boabdil, que escribió unas *Relaciones de algunos sucesos de los últimos tiempos del reino de Granada*, publicadas por la Sociedad de Bibliófilos Españoles, vol. III. Pero Hernando de Baeza nada dice de eso. La inexactitud es para mí indiferente, porque lo notable es que el señor De las Cajigas acepte como verdaderos tales juicios.

Esa cita procede, en realidad, del historiador de Granada Francisco Bermúdez de Pedraza, a través de la cita hecha de él por F. J. Simonet, en su *Historia de los mozárabes de España*, Madrid, 1897-1903, pág. 788: "El historiador Bermúdez de Pedraza opina que en tiempo de los almohades... se acabaron casi totalmente los mozárabes de esta región, [los cuales] fueron renegando de tal modo, que cuando los Reyes Católicos recuperaron este reino, no hallaron rastro ni reliquias de ellos. En apoyo de la apostasía de la *antigua raza española* [!], cita la relación que en 1311 hicieron los embajadores del reino de Aragón al Sumo Pontífice Clemente XI, [en la que decían] que en aquella sazón vivían en la ciudad de Granada doscientas mil personas, y no se hallaban quinientas que fuesen moros de naturaleza, porque todos eran hijos o nietos de cristianos." En apoyo de esto cita Simonet a Ibn-al-Jatib, que también decía que en la segunda mitad del siglo XIV, los habitantes de Granada eran en mucha parte de origen extranjero. Ahora bien, si aplicáramos ese extraño criterio a otros países, resultaría que en la Inglaterra del siglo XIV tampoco había "ingleses de naturaleza", porque unos eran descendientes de daneses; otros, de normandos, y otros, de otras "razas". Como veremos luego, este criterio "genealógico-biológico" usado por los historiadores españoles, es, en último término, semítico, y se funda en la preocupación del linaje, tan intensa entre judíos y musulmanes. O sea, que este desatino cobra sentido dentro de la estructura casticista de la vida española, según hago ver en el capítulo II.

[2] *Historia de España*, I, 232, 234.

[3] Luis Pericot García, *Las raíces de España*, Madrid, 1952, págs. 52-53. Los subrayados son míos.

[4] M. Criado del Val, *Teoría de Castilla la Nueva*, Madrid, 1960 (Biblioteca Románica Hispánica, dirigida por Dámaso Alonso).

[5] Ver George Cirot, *Les histoires générales d'Espagne entre Alphonse X et Philippe II*, 1905, págs. 32 y siguientes.

[6] E. Shoubi, *The Influence of the Arabic Language on the Psychology of the Arabs*, en "The Middle East Journal", 1951, V, 284-302. No vaya a pensarse que el autor es un crítico frío del mundo islámico, pues escribe desde dentro de él: "Está en gran medida justificada la alta estima de los musulmanes por el Alcorán."

[7] Me he ocupado de este problema, después de publicada la primera edición de esta obra, en *Hacia Cervantes*, Madrid, Taurus, 1960, págs. 308 y siguientes, y en *Españolidad y europeización del Quijote*, título del prólogo a la edición de esta obra por la Editorial Porrúa, S. A., México, 1960, págs. XLI y siguientes.

[8] Ver mis observaciones sobre esto en *Origen, ser y existir de los españoles*, Madrid, Taurus, 1959, pág. 62.

[8a] Gonzalo Obregón, Jr., *El Real Colegio de San Ignacio de México (Las Vizcaínas)*. El Colegio de México. México, 1949.

[9] Aunque pensadas desde otro punto de vista y para otros fines, conviene recordar

aquí ciertas ideas de X. Zubiri: "La vida del hombre no es un simple ejercicio o ejecución de actos, sino un uso de sus potencias. Y sólo tendremos lo específico de la historia cuando se explique lo que es esto que, provisionalmente, llamamos uso de las potencias, a diferencia del simple ejercicio de sus actos... La historia no está tejida de hechos, sino de sucesos y acontecimientos... Los actos del animal son "reacciones" estimuladas por los objetos con los cuales vive. En cambio, "el más elemental de los actos específicamente humanos interpone entre las cosas y nuestras acciones, un 'proyecto'... Si la situación del animal es una inmersión en las cosas, la situación del hombre es estar *a distancia* de ellas... Como recursos, las cosas y la propia naturaleza humana no son simples *potencias* que capacitan, sino *posibilidades* que permiten obrar" *(Naturaleza, Historia, Dios,* 1944, págs. 398-402). A esto añado que el realizarse de tales posibilidades está condicionado, a su vez, por la disposición de la "morada" de la vida en que cada pueblo acaba por establecerse, según luego diré.

[10]   El vasco era una lengua distinta del ibérico; aquél estaba "orientado hacia Eurasia, y el ibérico seguramente hacia Africa" (Antonio Tovar, *Sobre el planteamiento del problema vasco-ibérico,* en "Archivum", Oviedo, 1954, pág. 231).

[11]   "Lluvias abundantes y oportunas la hacen fértil en toda clase de frutos, de tal modo que puede abastecer no sólo a sus habitantes, sino también a Italia y a la ciudad de Roma."

[12]   "Están hechos a sufrir privaciones y trabajos; sus ánimos desafían la muerte; son todos de suma sobriedad; prefieren la guerra a la paz, y si falta enemigo de fuera, lo buscan en su tierra."

[13]   *Apud* A. Rodríguez Moñino, *El capitán Francisco de Aldana (1537-1578),* Valladolid, 1943, pág. 36.

[14]   Se ha llevado y traído mucho un texto de Fírmico Materno, escritor sículo del siglo IV, como si sirviera para entender la realidad histórica de algunos pueblos surgidos más tarde en el área de lo que había sido Imperio Romano: "Itali fiunt regali semper nobilitati praefulgidi. Galli stolidi, leves Graeci..., acuti Siculi, luxoriosi semper Asiani et voluptatibus occupati, *et Hispani elata iactantiae praeposteri*" *(Peri Matheseos,* I, 2, 3, 4). Pero si nos contentamos con la explicación de haber sido la fanfarronería peculiaridad hispánica (y no, además, de los antepasados de Tartarín de Tarascón), habría que admitir también que los franceses, continuadores (?) de los galos, son unos idiotas, y los griegos que preparaban la grandeza imperial de Bizancio, unos frívolos y ligeros. Lo que, sin duda, es inadmisible es pretender fundar sobre tales "características psicológicas" una construcción historiográfica.

[15]   Observando con más atención el fenómeno del culto monárquico, se verá que el poder real no aunaba a la gente hispana desde fuera de ella; la fe en el soberano era la forma en que adquiría realidad externa el anhelo de mantenerse colectivamente existiendo en vista de un deseado futuro. Los españoles, dada la manera de su existir, se aunaban en la estima de la valía de su casta, de la cual era señal y exponente su creencia religiosa y su fidelidad al monarca. Nadie hubiera podido escribir en el siglo XVII, ni en público ni en privado, como La Bruyère en sus *Caractères:* "Les cours seraient désertes et les rois presque seuls si l'on était guéri de la vanité et de l'intérêt..." Los cortesanos "font les modes, raffinent sur le luxe et sur la dépense et apprennent [aux femmes] de prompts moyens de consumer de grands sommes en habits... Un noble..., s'il vit à la cour, il est protégé, mais il est esclave: cela se compense" *(De la Cour).* Los ingleses dieron muerte a Carlos I, y los franceses, a Luis XVI; antes habían sido asesinados Enrique IV y Enrique III, todo ello durante la época de la monarquía de derecho divino. Nada así aconteció en España. Cuando los pueblos hispanos perdieron el asidero del rey, su funcionamiento vital les llevó a agruparse bajo caudillos locales, provinciales o nacionales; más que como tiranos convendría mirarlos como adalides buscados y deseados. Más o menos apretadamente, o ajustadamente, todos los pueblos hispano-portugueses existen en y según esa estructura, están en la misma "mansión" de vida. El nacionalismo les es inherente, un nacionalismo de estarse sintiendo existir, y no motivado en estar haciendo o en haber hecho esto o aquello en modo especialmente valioso.

[16]   Remito a mi ensayo *Descripción, narración e historiografía,* en *Dos Ensayos,* Editorial Porrúa, S. A., México, 1956.

[17]   *Colecc. de Docs. Inéditos para la Historia de España,* 1842, I, pág. 56 (el texto es ahora más accesible en J. F. Montesinos, *Ensayos y estudios de literatura española,* México, 1959, pág. 41).

[18]   Véase sobre ello *Origen, ser y existir de los españoles,* págs. 40 y 64-69.

[19]   *El étnico "español": un provenzalismo en castellano,* en "Estudios de toponimia y lexicografía románicas", Barcelona, 1948, págs. 13-48.

[20]   Según me comunica Rafael Lapesa, el más antiguo caso de "español" es el de "domno Español", como nombre propio de un clérigo de Toledo que suscribe un documento de 1194 (A. González Palencia, *Los mozárabes de Toledo,* vol. preliminar, pág. 181). "Para mí —dice Lapesa— es indudable que se trata de un provenzal."

[21] "Problemas urgentes de nuestra educación nacional" (1905). Véase F. de los Ríos, *El pensamiento vivo de Francisco Giner*, Buenos Aires, 1949, pág. 127. Ya pensaba así Giner en 1889, e incluso añadía un siglo más a la cuenta: "Esa parálisis morbosa que, desde hace quizá *cuatro siglos*, ha sufrido nuestro desenvolvimiento nacional" *(Ensayos sobre educación,* en la reedición de "La Lectura" [1917], pág. 8.). En último término, Giner sentía acerca de España como algunos españoles de los siglos xvi y xvii que luego citaré: "En nuestra propia nación la grandeza interior de nuestra cultura, desde mediados del siglo xv, ayudó a extender nuestra dominación por el mundo; y este, al parecer último fruto de nuestros progresos, señaló el comienzo de nuestra ruina." (Notas a Heinrich Ahrens, *Enciclopedia jurídica,* 1879, II, 419.)

[22] "La pedagogía social como programa político", en *Personas, obras, cosas,* Madrid, 1922, pág. 201.

[23] Preámbulo del Decreto de 1° de octubre de 1937, instaurador de la "Gran Orden Imperial de las Flechas Rojas" *(Repertorio cronológico de legislación, Pamplona,* 1938, pág. 994). El sentido del comienzo del texto parece ser: "Hace cerca de tres siglos que el ser auténtico e inmortal de España agoniza, desgarrado en la carne...", etc.

[24] *España Nueva,* México, 20 de septiembre de 1947.

[25] *Loores de los claros varones de España,* en "Nueva Bibl. Aut. Esp.", XIX, 718.

[26] Damião de Góis, *Opúsculos Históricos,* traducción de Dias de Carvalho, Oporto, 1945, pág. 107.

CAPÍTULO II

LOS ESPAÑOLES COMO RESULTADO DEL ENTRECRUCE
DE TRES CASTAS DE CREYENTES

Un pueblo se constituye al singularizarse y afirmarse frente a otros; y el que adquiera luego dimensión histórica depende de su justificada pretensión de "ser más",[1] * no de su apego a formas milenarias de entrojar el grano, de conjurar el mal de ojo, o por ser más o menos sobrio, sufridor de males u orgulloso. No son simplemente las circunstancias psíquicas o exteriores las que dan forma a la vida colectiva, ya que lo decisivo será siempre la manera de situarse el hombre en esas circunstancias, sean ellas materiales o humanas. Usos de remoto origen existen en muchos sitios, pero no son ellos los que hacen que un triestino y un florentino coincidan en sentirse resultado de una conciencia, de un anhelo y de un esfuerzo seculares, determinantes del hecho de que ambos *quieran* expresarse en la lengua general de Italia.

Los españoles fueron resultado de la voluntad y del esfuerzo de ciertos habitantes de la Península, interesados en constituirse como grupo social y político, con vista a un futuro dependiente de un común quehacer. Lo lograron sobre todo por medio de la guerra, a veces contra el musulmán, a veces contra el cristiano próximo a su frontera. Aspiraron a unificarse en un conjunto inclusivo de todos los pueblos peninsulares, aunque ya en el siglo XII Portugal se desgajó para siempre de aquel conjunto. La unidad de los restantes pueblos de la Península se realizó plenamente en unos casos, y en otros, no. Comprender aquel intento de unirse política y culturalmente y los motivos de desunirse o de mal unirse es tema primordial para la historiografía de España.

De haber existido la "sustancia" humana con que sueñan tantos, no habría sido tan dura la tarea —aún hoy difícil y espinosa— de unificar a todas las gentes españolas. Porque la voluntad de unirse y de desunirse es inseparable del mismo proceso vital que hizo surgir la clase

* Para las notas al capítulo II véanse las páginas 67 a 71.

[28]

de gente llamada "española" por los provenzales en el siglo XII, sin que en ello interviniera ningún "particularismo ibérico". Anticipando lo que luego he de desarrollar, la vida peninsular se reconstituyó, con posterioridad a la ocupación musulmana, al hilo de un sistema de castas, fundado en el hecho de ser la persona cristiana, mora o judía. Al desaparecer de la escena social los moros y los judíos, continuó muy viva la estima de lo "castizo" de la persona, es decir, del hecho de ser cristiano viejo. La conciencia del valer *per se* de la casta ya libre de la contaminación judía y musulmana se vigorizó y magnificó a favor de los triunfos imperiales lejos del suelo peninsular. Pero dentro de la Península, rota y olvidada la convivencia de las tres castas que había hecho posible la hegemonía cristiana, suprimida la colaboración de los judíos y de los moros, los cristianos viejos, privados de comunes tareas, se inmovilizaron. La "honra" de ser español, el ideal de llegar a ser, de poseer "ser", acabó por henchir el ámbito de la propia existencia.

Esta es, en abreviatura, la maravilla y el drama que me propongo hacer visible, comprensible y estimable a lo largo de la presente obra.

LA CONCIENCIA DE CASTA TUVO FUNDAMENTO RELIGIOSO

La eficaz resistencia contra los moros iniciada en Asturias en el siglo VIII tenía como finalidad última recuperar la tierra antes regida por los reyes visigodos de Toledo. El cronista del monasterio de Albelda escribía en 880, reinando Alfonso III de León, que en 711 "los sarracenos ocupan las Españas *(Spanias)*, y se apoderan *(capiunt)* del reino de los godos, el cual en parte poseen todavía; contra ellos batallan los *cristianos* noche y día, combaten a diario *(quotidie confligunt)* hasta que el designio divino decida que sean expulsados en el futuro implacablemente *(dehinc eos expelli crudeliter jubeat)*".[2] Se ve por esto que, unos 170 años después de la ocupación musulmana, se recuerda el reino de los godos, pero se dice que quienes pelean contra los musulmanes son cristianos, no godos, para señalar el contraste, y oponer un análogo valor espiritual frente al del Islam. Ya entonces la filiación religiosa servía para delimitar la figura nacional y gentilicia de todo un pueblo, hecho nuevo en Occidente. Lo cual era simple calco de la situación ofrecida por el enemigo llamado "sarraceno" por la Crónica, con el sentido de "musulmán", y no de "sirio". El que la hueste de los sarracenos estuviese integrada por beréberes, por árabes, por cristianos renegados, o por quienes fuesen, no obstaba para que su fisonomía militar y política apareciera ante todo como mahometana, como gente de la "casa del Islam", *dar al-islam,* que en ella había encontrado su salvación. Resulta así que el llamarse "cristianos" quienes guerreaban contra los moros, ya revelaba la presencia de una huella islámica en quienes siglos adelante serían llamados "españoles". Ese nombre aún no aparece en el *Poema del Cid*; en él se llaman "cristianos" quienes se enfrentan con los "moros". Cuando éstos hacen sonar sus tambores, "a maravilla lo avíen muchos dessos crisitanos" (verso 2346). En la *Chanson de Roland,* los enemigos de los "sarracenos" o "paganos" se llaman "franceses": "L'ost des Franceis" (v. 49). "Chrestien", en cambio (vv. 38, 102, etc.), designa en general a quienes profesan la religión de Cristo.

No quiero decir que la guerra contra el moro tuviese carácter religioso, con miras a exterminar una creencia juzgada falsa (como la cruzada de los franceses contra los albigenses, o como las guerras de los católicos contra los protestantes en los siglos XVI y XVII). "Cristiano", en nuestro caso, quería decir que los combatientes estaban animados y sostenidos por una creencia religiosa no menos eficaz militar y políticamente que la del enemigo. La fe en Cristo "nacionalizaba" tanto como la fe en Mahoma, bajo la cual casi toda la tierra de la Península había caído en manos sarracenas. El hacer coincidir la dimensión nacional (política) con la de la creencia religiosa fue consecuencia de una primera y básica correlación entre al-Andalus y los nacientes reinos cristianos. Otros paralelismos irían surgiendo a lo largo de un contacto de muchos siglos.

Pero que la guerra no era precisamente *por* la religión lo dice muy claro don Juan Manuel (†1348), bien al tanto del pasado y del presente de su Castilla:

"Ha guerra entre los cristianos e los moros e habrá, fasta que hayan cobrado los cristianos las tierras que los moros les tienen forzadas; ca cuanto por la ley nin por la secta que ellos tienen, non habrían guerra entre ellos" (*Libro de los Estados,* Bibl. Aut. Esp., LI, pág. 294).

Lo cual está a su vez inspirado, como digo en el capítulo XI, en la doctrina alcoránica de la tolerancia. Con todo lo cual comienza a dibujarse el perfil de un complicado sistema de lucha y de convivencia. Complicado, porque quienes convivían dentro de esta última, para no disolverse en ella, circunscribían su ser colectivo con la línea de su filiación religiosa, la de su *casta.* Antes de ser leoneses, castellanos o aragoneses, quienes combatían contra los moros y vivían entremezclados con judíos, eran cristianos. Cada uno de estos grupos de creyentes había surgido y delimitado su perfil como resultado de unas circunstancias sin enlace con la vida peninsular previa a 711. Su condición social iba ligada a motivos que trascendían las circunstancias políticas, pues dependían ante todo de un linaje espiritual, y enlazaban luego con cierto tipo de ocupaciones y aspiraciones. El vocablo *casta,* nacido en España, no se usó en el sentido hindú, aunque luego se aplicara por los portugueses a las castas

de la India. Nada tiene esto de extraño, ya que muchos términos referentes a fenómenos de vida humana no poseen sentido rigurosamente
unívoco: los reyes de los reinos peninsulares no ejercieron la realeza
como los de Francia e Inglaterra, y sin embargo de ello, a todos los llamamos reyes. La importancia del régimen de castas en la Península, sin
análogo en Occidente, dotó de significación humana la palabra *casta*,
antes aplicada a animales, como cuando Bartolomé de las Casas habla
de "muy castizos y generosos caballos".

En el *Vocabulario* de Antonio de Nebrija se traduce "casta: buen
linaje". Según el *Tesoro de la lengua castellana*, de Covarrubias (1611),
"*casta* vale linaje noble y castizo; el que es de buena línea y decenden-
cia, no embargante que decimos 'es de buena casta y mala casta'...
Castizos llamamos a los que son de buen linaje y casta". Hablando de
las castas de la India en el siglo XVI, desde el punto de vista portugués,
Duarte Barbosa menciona familias "fidalgas e de boa casta" (Corominas, *Diccionario etimológico*). Dice Antonio de Guevara que, al padre
y a la madre, "*como les va la honra*, búscanle al *hijo mujer que sea cuerda, rica... honesta y castiza*".[3] Con motivo de las opiniones reinantes
entre dominicos y franciscanos acerca de los indios, advertía Gonzalo
Fernández de Oviedo que "estas cosas son peligrosas, no tan sólo a los
legos que nuevamente vienen a la fe, pero aun a los que son *christianos
castizos* podrán poner en muchos escrúpulos."[4] El mismo escritor hace
la, para mí, preciosa observación de "que entre todas las naciones de
los cristianos no hay alguna... donde mejor se conozcan [que en Espa-
ña] los nobles e de buena e limpia *casta*, ni cuáles son los sospechosos
a la fe; lo cual en otras naciones es oculto".[5]

La posición de los españoles cristianos respecto de su "casta" no
procedía de motivos que les fueran exclusivos, puesto que lo mismo acontecía a los españoles de casta hebrea. La razón de todo ello se encuentra
en la base estructural de la vida española, en el trenzado de tres pueblos, cada uno de ellos afanoso de afirmarse como tal, con y contra los
otros dos. La forma de aquel contraste fue variando a lo largo de los
siglos, aunque el punto de arranque y las motivaciones subsiguientes descansaban sobre el hecho de tener que convivir tres pueblos, tres castas,
y también sobre el hecho de la original deficiencia de cada una de ellas.

El afán, en su origen semítico, de mantener puro el propio linaje
de la casta está expresado muy a menudo en la literatura de los hebreos
españoles:[6]

"Dixeron los ŷidiós ['los judíos'] a la Ley Santa: Tú eres muy santa, te
tomemos como una novia de casta alta, te preciamos como el oro en la garganta."[7]

Casta, lo mismo que en los ejemplos cristianos antes citados, quiere decir "linaje", en este caso, no contaminado de sangre impura. En versiones sefardíes del romance de Tarquino y Lucrecia aparecen variantes muy expresivas del exclusivismo de la casta. Dice Tarquino:

> "Vuestros amores, mi dama, no me dexan repozare..."

Y responde Lucrecia:

> "I más quiero morir con onra y no vivir desfamada,
> que no digan la mi yente de un crisiano fue ['fui'] namorada."

La anterior versión es de la isla de Rodas. En otras de Tekirdăz (Turquía), y de Salónica ocurren estas variantes:

> "Que no digan la mi yente de un crisio ['cristiano'] fue namorada.
> Que non digan la mi yente de un crísiyo fue amada."

En otro romance cuya procedencia no se conoce, aparecen estos versos:

> "Siendo hija de quien so, me casaron con cristiano...
> Yo era hija del cohen gadol ['sumo sacerdote'].

En una versión inédita del romance de la *Mujer engañada* se habla de la casta como en el texto antes transcrito de Antonio de Guevara:

> "Yo era mansevo y casarme quería;
> y tomí una muchacha, y es de casta y muy rica."

Y si del Oriente sefardí regresamos a España, encontramos en Andalucía el siguiente cantar:

> "Desciendes de mala rama, no lo puedes remediar;
> las mujeres y melón, por *casta* se han de probar." [9]

Una oposición y una correlación —tan tajante la una y tan clara la otra— descansaban sobre circunstancias seculares; aunque el acentuar la "casta" y lo "castizo" estuviese ya relacionado con la pugna entre cristianos viejos y nuevos, muy agudizada desde fines del siglo xv.[10] De todas maneras, la separación de la sociedad en tres grupos dentro de los reinos cristianos iba ligada a lo acontecido en al-Ándalus, integrado por musulmanes, cristianos y judíos desde el momento de surgir aquél como entidad política en el siglo VIII. Antes de producirse tan decisivo hecho, hubo en el seno de la población de la Península diferencias fundadas en otros motivos. Hispano-romanos e hispano-visigodos se mezclaban con dificultad, si bien los matrimonios entre ambos pueblos acabaron por ser legales. Topónimos como *Romanillos* y *Gudillos*, junto con otros notados por Menéndez Pidal, revelan el apartamiento de ambas clases de gentes, las cuales, ya se ve, no se llamaban a sí mismas ni "españolas", ni "celtíberas", ni "iberas", sino lo que sentían ser dentro de su conciencia colectiva. Esa conciencia estaba determinada por motivos terrenos, de tejas abajo y no religiosos, según acontecía más tarde.[11] En cuanto a los judíos de la época visigótica, su puesto en la sociedad era muy otro de como después fue, según más tarde habrá de verse.

La conciencia de "casta" fundada en una fe religiosa fue motivándose en la futura vida española durante los siglos de lucha para recobrar la tierra y en vista del modelo ofrecido por al-Andalus, en donde los invasores musulmanes (árabes, sirios, beréberes) no pudieron prescindir ni de los habitantes cristianos ni de los judíos. La autoridad de los emires, y más tarde la del breve califato, ni pudo ni quiso nivelar religiosamente al-Andalus. Gentes fanáticas, salidas del corazón de Africa, lo intentaron más tarde en el siglo XII; pero la estructura social y vital de los reinos cristianos era lo que ya habían contribuido a crear unos 500 años de lucha y convivencia con el vecino al-Andalus, nacido, como los reinos cristianos, bajo la estrella de la "inseguridad", según ahora ha de ver el lector. Aparte de las resistencias de Toledo y Mérida al poder central de Córdoba, el rebelde 'Umar ben Hafsún, y luego sus hijos, desafiaron la autoridad de los emires desde su inexpugnable fortaleza de Bobastro durante casi medio siglo. Fue necesaria la energía del gran 'Abd al-Rahmán III (912-61) para poner fin a aquella disidencia, en la cual los intereses cristianos (mozárabes) y musulmanes se mezclaban extrañamente. El emir cordobés 'Abd Allah temió en 891 que el fin de al-Andalus, profetizado desde mucho antes, estaba próximo. Pero el mismo 'Abd al-Rahmán III conservó Bobastro como un refugio para el caso de que tan siniestra profecía se cumpliese.[12]

Si tanta inseguridad se sentía en el momento cumbre de la dominación musulmana, es razonable inferir que aquélla no sería menor al hundirse el califato en los primeros años del siglo XI. La heterogénea composición demográfica de al-Andalus contribuía en gran parte a esa falta de firmeza, incluso antes de los grandes progresos de la Reconquista desde fines del siglo XI. Los musulmanes incluían orientales, beréberes y conversos de varia procedencia (cristianos, judíos, esclavos venidos de Europa). Pero estos mahometanos convivían, además, con cristianos y judíos, aunque, a pesar de todo ello, el predominio del modo de vida islámico y oriental era manifiesto por ser decisivo el prestigio de su civilización. Los mozárabes adquirieron la cultura árabe, en vez de imponer la suya sobre los mahometanos, cuya arquitectura fue imitada por los cristianos; éstos, en al-Andalus, estaban más versados en la literatura árabe que en la latina.[13] Jueces y obispos cristianos a veces llevaban nombres árabes: un cadí se llamaba Walid ibn Haizuran, y un metropolitano de Toledo, 'Ubayd ben Qasim.[14] Aquellos cristianos arabizados, al emigrar a los reinos del norte, marcaron en ellos la huella de la civilización de al-Andalus, un país del todo distinto de la actual Andalucía. No se explica, por consiguiente, que se llame andaluza una poesía que, correctamente, debiera denominarse andalusí. Producen asombro juicios como los siguientes:

"La gran masa de la población musulmana estaba constituida por españoles convertidos al islamismo, los cuales, al adoptar la religión de los vencedores, cambiaron muy poco su modo íntimo de vida. Estos conversos podían ser de raza judía o de raza ibero-romana... Sus hijos y descendientes, que los cronistas llaman *muwallad-s*, tras algunas generaciones no se distinguían de los antiguos musulmanes. Los matrimonios entre una y otra categoría acabaron por producir una nivelación en la cual, como era esperable, predominaba *la sangre española*." [15]

Las anteriores frases ejemplifican la situación caótica en que se hallan muchos historiadores, tanto españoles como extranjeros. Partiendo del sofisma de existir un "eterno español", ligado a la geografía, derivan de tan falsa premisa una serie de deducciones secundarias que embrolla *ad infinitum* cuanto después viene. ¿Qué se entiende, en casos así, por "modo íntimo de vida"? La vida digna de mención y recuerdo en al-Andalus, entre los siglos IX y XII, aparece como un conjunto coherente, pese a todos los trastornos políticos y sociales que desgarraron aquel país. La agricultura, la industria, el comercio interior y exterior (sobre todo desde Sevilla y Almería), las bellas artes (arquitectura, orfebrería, tejidos), la doctrina islámica y los modos de sensibilidad religiosa, el saber científico y técnico, el pensar filosófico, ¿cómo podían ser españoles, si aún no existían éstos? Para entender plenamente aquel conjunto sin duda habrían de tenerse en cuenta las aportaciones persas, helenísticas, bizantinas, sirias, etc. Mas la forma en que todas ellas fueron combinadas y asimiladas confiere a la vida y a la civilización de al-Andalus fisonomía e importancia únicas. En lo que ambas tienen de decisivo, gravitan hacia el oriente bizantino-musulmán, pese a cualquier detalle de tradición peninsular, que en nada afecta al esplendor y originalidad de aquel conjunto. ¿O se cree acaso que la mezquita de Córdoba, Medina Azahara (que para el caso no importa esté en ruinas), la Alhambra, la astronomía de Azarquiel, el pensamiento de Ibn Masarra, Ibn Hazam y Averroes fueron disfraces islámicos de unos eternos españoles, celtíberos y tartesios? ¿No sería ya hora de tratar con un mínimo de corrección mental estos asuntos?

Muchos siguen asidos a las fabulosas ideas de Simonet en el siglo XIX, quien afirmaba sin ningún reparo que "*los españoles* convertidos al islamismo solían tomar carta de naturaleza en las tribus árabes y berberiscas para hacer olvidar su origen cristiano, que los exponía al insulto y desprecio de los *musulmanes viejos*". (Nótese cómo Simonet proyecta sobre la vida en al-Andalus el contraste del siglo XVI entre cristianos nuevos y viejos.) "Resulta de todo esto que *los árabes no introdujeron la civilización en nuestro suelo*, y que, por el contrario, el gran esplendor con que brilló la España árabe [*es decir, al-Andalus*] durante algunos siglos se debió principalmente a la influencia del elemento hispanoromano, que [comunicó a aquella sociedad] las dotes privilegiadas de *la raza indígena*" (*Hist. de los mozárabes*, pág. 645).

Esa vacua palabrería sigue siendo, para muchos, verdad de evangelio revelado. Por fortuna, quienes conocen lo en verdad acontecido en al-Andalus, se expresan en otra forma. Según M. Gómez Moreno, la mezquita de Córdoba es obra peculiarísima: "Su originalidad, el desconcierto de no descubrirse nada, cerca ni lejos, capaz de razonar su estructura, su decoración, su estética peculiar, tan ajena de lo consagrado en servicio de las religiones monoteístas." Y esto lo dice Gómez Moreno, no obstante los arcos de herradura, de tradición romana y conocidos de los visigodos, pero que fueron usados en vista de una nueva estructura —ni romana, ni visigoda— que presta carácter único a aquel monumento. El cual se alza sobre la iglesia visigoda de San Vicente, que es "irreconocible, incluso en sus cimientos" *(El arte árabe español hasta los almohades*, 1951, págs. 40, 44).

Si en el arte acontece esto, la situación en cuanto al pensar filosófico enlaza con circunstancias orientales y no míticamente "españolas". Miguel Asín *(Abenmasarra y su escuela*, 1914, pág. 17) observa que, para Saíd —historiador de las ciencias y de la filosofía en el Toledo musulmán—, "los nombres de Séneca o de San Isidoro, glorias de la España anteislámica, eran desconocidos". (Asín, como tantos otros, seguía aferrado al españolismo de Séneca y de San Isidoro). Lo mismo acaece al "cordobés Ibn Hazam" (para Asín la Córdoba de hace mil años y la de ahora eran la misma ciudad), el cual no conoce nada de la cultura romano-visigótica, porque, dice Asín, "la tradición indígena se había roto sin empalmar con el Islam". (Ver mi *Origen... de los españoles*, pág. 26.)

Si se pasa del campo del arte y del pensamiento al de la vida material y práctica, la agricultura se aparta de la tradición peninsular en múltiples modos (importación de plantas como el *algarrobo*, la *berenjena*, la *naranja* y el *limón;* técnicas de regadío, etc.). Reliquias del helenismo, aún vivo en el cercano Oriente entre los siglos VII y X, fueron salvadas por sabios musulmanes, y dieron lugar a un resurgir científico del que son ejemplo el conocimiento y estudio de Aristóteles y Dioscórides en al-Andalus. Por si esto no bastara, el número y carácter de los vocablos árabes inyectados en el romance de la Península anulan por sí solos la pretensión inaudita de que los musulmanes, por ser escaso el número de los *racialmente árabes*, no rompieron la continuidad de la vida en la tierra que más tarde fue llamada española. ¿Hasta cuándo rodará por los libros la patraña de que al-Andalus fue un país "español", barnizado exteriormente de orientalismo?

El prestigio de al-Andalus más allá de sus fronteras peninsulares era compatible con la debilidad de su estructura política antes y después del breve esplendor del califato —un siglo apenas. La religión islámica, al legalizar la convivencia de gentes de diferente fe religiosa, abría el camino a la ambición política de quienes se sabían ser indispensables por ser escaso el número de los invasores, sobre todo en el siglo VIII. Según Abén Jaldún, "Tárik instaló en Toledo a los judíos", y Muza hizo lo mismo en Sevilla.[16] Ese pueblo, desde entonces, afirmado sobre la conciencia de su alto linaje, entablará un pugilato de predominios y grandezas con sus rivales musulmanes y cristianos. Los mozárabes, por su parte, se rebelaron en ocasiones, no por ser "españoles", sino a causa de la fe cristiana, que los vigorizaba frente a sus rivales musulmanes. Mas, aparte de eso, se hallaban muy islamizados en sus costumbres, y ello explica que llevaran a los reinos cristianos en los siglos IX y X modos materiales de vida, y a veces también "psíquicos", nuevos para ellos. Por unos u otros conductos, 300 años después de existir al-Andalus, se sabía muy bien de sus modos de vida en el norte de la Península. El existir como un conglomerado de gentes de distintas creencias, ninguna de las cuales podía subsistir sin las otras dos, daba lugar en el norte a la misma "inseguridad" radical característica de al-Andalus. Quedó así abierta la vía para las tres formas de "casticismo", a la conciencia de sentirse colectivamente importante por el mero hecho de ser cristiano, moro o judío.

Es inexplicable que un arabista francés imagine que la persistencia en ciertos casos de nombres románicos *(Angelino, Yannair* "Gener", etc.) entre conversos al islamismo, "no sólo es prueba de la considerable aportación de elementos celtibéricos a la raza hispano-musulmana, sino además de una influencia innegable sobre las concepciones árabes de la genealogía" (H. Pérès, *o. c.*, pág. 255). El señor Pérès se compenetró de tal modo con la visión fabulosa de la historia española, que hace de los celtíberos punto de arranque para la conciencia del valor del linaje, tan presente entre semitas y tan visible en el Antiguo Testamento. Los musulmanes no iban en esto a la zaga de los hebreos. El andalusí al-Šaqundí, dice acerca de su patria:

"Loado sea Dios, que dispuso que quien hable con orgullo de la península de al-Andalus pueda hacerlo a plena boca, infatuándose cuanto quiera sin encontrar quien le contradiga... Yo alabo a Dios porque me hizo nacer en al-Andalus... Yo pertenezco a un linaje de gentes nobles y poderosas... ¿Acaso no somos nosotros los Banú-Marwán, aunque cambie nuestro estado y a pesar de las vicisitudes de la suerte?" [17]

Al interés de los andalusíes por su linaje se refiere también Abén Jaldún (1332-1406) al describir la triste situación del Islam en aquellas tierras:

"Eso se debe a haber perdido el espíritu colectivo, a causa de haberse hundido el poder árabe en ese país, y a haberse venido abajo la dinastía fundada sobre aquel poderío. Desaparecida la dominación de los beréberes —pueblos en los cuales siempre existió un fuerte sentimiento nacional—, esos árabes han perdido el espíritu colectivo y de mutuo auxilio que lleva al poder; no conservan sino sus genealogías... Se imaginan que con el *nacimiento* ('la conciencia del linaje') y con un empleo del gobierno, se llega fácilmente a conquistar un reino y a gobernar hombres. Encontraréis entre ellos que personas con un oficio y simples artesanos, *sueñan con el poder* y tratan de conquistarlo." [18]

La conciencia de casta continuaba siendo muy viva, incluso entre los moros cristianizados, como se ve por esta anécdota recogida por don Luis Zapata en su *Miscelánea* ("Memorial histórico español", XI, pág. 400):

Una dama, "a otra de casta de los reyes de Granada, le dijo una vez que era mora.

"—Si soy mora, soy a lo menos de casta de reyes.

"—¿Qué se me da a mí —replicó la otra— si sabemos que no se salvó ninguna de ellos?

"—Más quiero —dijo la infanta— tener reyes abuelos en el infierno, que no como vos, escuderos en el paraíso.

"Esto le dijo por baldón [comenta Zapata], pero muy mucho se engañó en ello."

Conciencia de linaje, en último término de "casta", en quienes soñaban con ejercer la soberanía sobre las otras dos, incluso cuando ya no poseían ni medios ni fuerza para ello. La sublevación de los moriscos en tiempo de Felipe II lo hace ver bien claro. En otra forma, el sueño de alzarse a las cimas del gobierno entre los hebreos, tanto en al-Andalus como en los reinos cristianos, también los animó durante siglos, según más adelante se verá.

La convivencia pacífica de las tres castas, trenzada con el latente o manifiesto afán de destruirla, nos sitúa frente al problema-clave de la historia auténticamente española. Es por lo mismo necesario anticipar algunas explicaciones respecto de los fundamentos ideales que hicieron posible establecer y mantener la convivencia de aquellas tres castas durante unos 700 años. Aquella situación fue algo más que un estado de hecho, y así lo comprende quien se sitúa en el interior de la vida manifestada en tales hechos.

Pensemos, por ejemplo, en el epitafio del sepulcro de Fernando III el Santo, en la catedral de Sevilla. Está redactado en latín, castellano, árabe y hebreo, hecho sorprendente para el no familiarizado con las circunstancias en la Castilla del siglo XIII y durante el reinado de Alfonso el Sabio, de las cuales son reflejo esos cuatro epitafios.

Que yo sepa, nadie ha observado el hecho de que los textos latino y castellano no correspondan exactamente uno con otro. He aquí el trozo que hace a mi propósito:

HIC IACET ILLUSTRISSIMUS REX FERRANDUS CASTELLE ET TOLETI LEGIONIS GALLIZIE SIBILLIE CORDUBE MURCIE ET IAEN QUI TOTAM HISPANIAM CONQUISIVIT FIDELISSIMUS VERACISSIMUS CONSTANTISSIMUS IUSTISSIMUS STRENUISSIMUS DECENTISSIMUS LIBERALISSIMUS PACIENTISSIMUS PIISSIMUS HUMILLIMUS IN TIMORE ET SERVICIO DEI EFFICACISSIMUS QUI CONTRIVIT ET EXTERMINAVIT PENITUS HOSTIUM SUORUM *PROTERVIAM* QUI SUBLIMAVIT ET EXALTAVIT OMNES AMICOS SUOS QUI CIVITATEM HISPALENSEM QUE CAPUD EST ET METROPOLIS TOCIUS HISPANIE *DE MANIBUS ERIPUIT PAGANORUM ET CULTUI RESTITUIT CHRISTIANO* UBI SOLVENS NATURE DEBITUM AD DOMINUM TRANSMIGRAVIT ULTIMA DIE MAII ANNO AB INCARNATIONE DOMINI MILLESSIMO DUCENTESSIMO QUINQUAGESSIMO II.

AQUI IACE EL REY MUY ONDRADO DON FERRANDO SEÑOR DE CASTIELLA E DE TOLEDO DE LEON DE GALLIZIA DE SEVILLA DE CORDOVA DE MURCIA ET DE IAHEN EL QUE CONQUISO TODA ESPAÑA EL MAS LEAL E EL MAS VERDADERO E EL MAS FRANC E EL MAS ESFORÇADO E EL MAS APUESTO E EL MAS GRANADO E EL MAS SOFRIDO E EL MAS OMILDOSO E EL QUE MAS TEMIE A DIOS E EL QUE MAS LE FAZIA SERVICIO E EL QUE QUEBRANTO E DESTRUYO A TODOS SUS ENEMIGOS E EL QUE ALÇO E ONDRO A TODOS SUS AMIGOS E CONQUISO LA CIBDAD DE SEVILLA QUE ES CABEÇA DE TODA ESPAÑA E PASSOS HI EN EL POSTREMERO DIA DE MAYO EN LA ERA DE MIL ET CC ET NOVAENTA AÑOS.[19]

Los epitafios en árabe y en hebreo, cuya traducción debo a la amabilidad del profesor M. Perlmann, dicen así:

ESTA ES LA TUMBA DEL GRANDE Y ALTO REY DON FERRANDO, SEÑOR DE CASTILLA, TOLEDO, LEON, GALICIA, SEVILLA, CORDOBA, MURCIA, JAEN, DESCANSE EN PAZ, QUE CONQUISTO TODO AL-ANDALUS, EL MAS FIEL, RECTO, GENEROSO, JUSTO, VALEROSO, SABIO, PODEROSO, MISERICORDIOSO, EL MAS HUMILDE ANTE DIOS Y EL MAS GRANDE EN SU SERVICIO, QUE ROMPIO Y DESTRUYO TODOS SUS ENEMIGOS Y ENSALZO Y HONRO TODOS SUS AMIGOS Y CONQUISTO LA CIUDAD DE SEVILLA QUE ES CABEZA DE TODO AL-ANDALUS. FALLECIO EN ELLA —QUE DIOS LE HAYA PERDONADO—, EN LA NOCHE DEL VIERNES, 22 DE RABII DEL AÑO 650 DE LA HEGIRA.

EN ESTE LUGAR ESTA SEPULTADO EL GRAN REY FERRANDO, SEÑOR DE CASTILLA, TOLEDO, LEON, GALICIA, SEVILLA, CORDOBA, MURCIA, JAEN —QUE SU ALMA ESTE EN EL PARAISO—, QUE CONQUISTO TODA ESPAÑA, EL RECTO, EL PIADOSO, EL GENEROSO, EL HEROICO, EL PIADOSO, EL MODESTO, EL TEMEROSO DE DIOS, QUE LE SIRVIO TODOS SUS DIAS, QUE ROMPIO Y DESTRUYO TODOS SUS ENEMIGOS Y ALZO A TODOS LOS QUE LE AMABAN, Y CONQUISTO LA CIUDAD DE SEVILLA, QUE ES CABEZA DE TODA ESPAÑA, Y MURIO EN ELLA EN LA NOCHE DEL VIERNES, 22 DEL MES DE SIVAN DEL AÑO 5012 DE LA CREACION DEL MUNDO.

El epitafio en latín, como se ve, es reflejo de una política respecto de las tres castas de creyentes, y los redactados en castellano, árabe y hebreo son expresión de otra, de la tolerancia y del espíritu de convivencia que a las tres las ligaba. En el texto latino se dice que el rey machacó y exterminó la "proterviam" (la desvergüenza, el impudor) de sus enemigos, o sea, de los musulmanes que ocupaban Córdoba y Sevilla; se añade que arrancó a Sevilla del poder de los paganos (de los infieles) y la restituyó al culto cristiano. Nada de esto aparece en los otros tres epitafios. La Iglesia, potestad sin duda suprema, expresó su modo de entender la victoria del rey Fernando sobre los musulmanes, pero lo hizo en la lengua que sólo los "clerici" entendían, no el vulgo de los cristianos, ni los moros, ni los judíos. La política de Alfonso X no concidía enteramente con la de los eclesiásticos de su corte.

El texto hebreo parece inspirado en el árabe, porque en el original se dice "medina", al nombrar la "ciudad" de Sevilla. Cuando en latín y en castellano se dice que Sevilla "es cabeça de toda España", el árabe dice "cabeza [20] de todo al-Andalus", y el texto castellano refleja ese sentido al decir "España". Según fue normal en la época constituyente de la vida española, los tres pueblos formaban la contextura social sobre la cual se alzaba la potestad regia; y cada uno de ellos rendía, en coincidencia con los otros dos, el homenaje debido al monarca.

Sería, con todo, insuficiente imaginarse esta política "compaginadora" sólo como un pragmático oportunismo, ya que tan arraigado modo de convivir no hubiera sido posible sin algún fundamento religioso e ideal. Aquel *modus vivendi* bajo la autoridad y la protección regias fue también sentido como un modo de conducta grato a Dios, según analizaré con más detalle en el capítulo XI. Baste ahora con recordar que el rey Alfonso, inspirador de aquellas tres coincidentes inscripciones, hizo escribir en sus *Cantigas*, que Dios es:

> Aquel que perdõar pode
> chrischão, iudeu e.mouro,
> a tanto que en Deus aian
> ben firmes sas entençes.[21]

En la misma obra, el Rey Sabio dice que los moros creen en la virginidad de Santa María, porque así lo escribió "Mafomat no Alcoran" (cant. 329, edic. Valmar). En un nuevo texto de la *Crónica de Alfonso XI*, un jefe moro pone a Dios por juez entre él y un príncipe cristiano que ha roto la tregua acordada entre ambos, y Dios falló el pleito en contra de los cristianos, cuyos caudillos perdieron la vida en la Vega de Granada.[22]

En un manuscrito que en el siglo xv poseía el conde de Haro, se decía que "algunos moros e judíos dizen que tan bien pueden ellos dezir el pater noster segunt su seta, como nos los cristianos segunt nuestra ley. El obispo de Jaén, don Pedro, que fue cativo en Granada, por esta porfía dellos romancó esta oración del pater noster por declarar que la non pueden dezir".[23] Tales infiltraciones religiosas (lo del padrenuestro se funda en un *hadiz* de Mahoma, ver cap. XI) son tan explicables como las que se producían en el lenguaje y en las costumbres, según he de exponer más adelante.

Basta con los anteriores hechos para darse cuenta de cómo funcionaba la creencia en una superior armonía religiosa, y para percibir sus reflejos tanto en la vida práctica como en la del espíritu. La posibilidad para tal armonía fue dada, en último término, por el Alcorán (III:63) al reconocer la comunidad espiritual de "las gentes del Libro" (ahl alkitab), o sea, entre musulmanes, judíos y cristianos, cuya creencia se funda en un libro revelado. Aquella fe fue realmente "vivida" por los andalusíes. Uno de ellos, nacido en Jaén en 828, y criado en Córdoba, redactó unas Ordenanzas para el buen régimen de los mercados,[24] en las cuales se recomienda, para evitar fraudes, tener presente el precepto alcoránico (V:70): "Si hubiesen cumplido la Tora, el Evangelio y lo que le fue revelado por su Señor, habrían comido de lo que hay por encima de ellos y por bajo de sus pies."

He ahí la raíz del sistema social que permitió la convivencia de los tres pueblos-castas tanto en el sur musulmán como en el norte cristiano. Poco importan las irregularidades y las vicisitudes en cuanto a la realización práctica de aquel modo de vivir colectivo, pues todo en la vida y civilización españolas entre los siglos VIII y XV pone bien a la vista su realidad. Las leyes y los usos no dejan de estar vigentes y de ser efectivos por el hecho de no ser general y constante su observancia. Todo ideal de vida destaca su autenticidad y validez al ser confrontado con las dificultades prácticas en que tropieza; ni tampoco anula el carácter ideal de una doctrina religiosa o ética, el que su funcionamiento se combine con circunstancias económicas, siendo así que todo plan de vida se articula con la estructura ideal-corporal del hombre. No pensemos, por tanto, que la convivencia de las tres castas a favor de la cual se estructuró la vida española, fue un fenómeno de tipo económico, y nada más. En cuanto a los numerosos casos de mala convivencia, recuérdese que incluso en países regidos por leyes decentes, las cárceles están llenas de criminales de derecho común.

Todas esas actitudes marginales al problema mismo impiden ver la realidad de lo acontecido en la España de las tres religiones, de las tres lenguas y de las tres castas: existieron las tres suficientes centenares de años para, a lo largo de ellos, desarrollar y cultivar un tipo de aspiración ascendente y peculiar a cada una de ellas, y un tipo de tareas dirigidas a afirmarse y a perdurar en la conciencia de ser lo que se era personal y colectivamente. De las pugnas y rivalidades entre esos tres grupos, de sus entrelaces y de sus odios, surgió la auténtica vida de los españoles, que no es tartesia ni celtíbera, sino eso que está ahí simplemente a la vista.

LA CONCIENCIA DEL LINAJE COLECTIVO Y SU FUNCION ESTRUCTURANTE

El modo más eficaz de salir al paso a las fábulas respecto del pasado español, es hacer visible e inteligible el modo en que aquel pueblo llegó a hacerse como lo que ha sido y es. Me interesa, por consiguiente, más la función desempeñada por los fenómenos, que los fenómenos en su mera realidad conceptual y aislada. He de tener además en cuenta —es por desgracia imprescindible— que muchos lectores crecieron con la idea del españolismo casi geológico de sus antepasados, y que es muy arduo sacar de las mentes tamaño absurdo.

Ha sido excepción, dentro de tan rutinaria postura, el intento de J. Ortega y Gasset, en *España invertebrada*, de poner en relación el tono decadente y, según él, radicalmente enfermizo de la vida española, con circunstancias ni ibéricas ni celtibéricas, sino visigóticas. El futuro de los españoles dependió, según él, del hecho de ser los visigodos un pueblo vitalmente pobre, debilitado por largos e íntimos contactos con los decaídos romanos. Sin negar yo que los francos de la futura Francia poseyesen mayor energía que los visigodos, y que la vida en la Península habría sido muy otra si un pueblo fuerte y disciplinado hubiese impedido a los musulmanes apoderarse de la entonces mejor parte de su suelo, no es menos cierto que el problema historiográfico es determinar lo que en realidad hayan sido y hayan valido los españoles. Una historia fundada en un "si esto o aquello no hubiera sido como fue", sirve sólo para escarceos verbales. La historia de los españoles ha de comenzar determinando quiénes eran y cómo obraban los iniciadores de nuevas formas de vida colectiva después del fracaso de los visigodos, y en prieto ajuste con los pueblos semíticos —moros y judíos— que durante siglos mantuvieron a alto nivel la civilización de los habitantes de al-Andalus. Esos pueblos semíticos afectaron hondamente la estructura de vida y las formas de conducta de los cristianos del norte. No me explico cómo Ortega y Gasset pudiese dejar sin mención el papel de los hispano-hebreos, ni que escribiese estas frases que aún aparecen en la edición de 1952 de *España invertebrada* (pág. 110), lo mismo que en la de 1922 (pág. 146): "Dado el desconocimiento de la propia historia que padecemos los españoles, es oportuno advertir que *ni los árabes constituyen un ingrediente esencial en la génesis de nuestra nacionalidad, ni su dominación explica la debilidad del feudalismo peninsular.*" Mas una historia de España fundada en lo que *no fueron* los visigodos, e ignorante de 900 años de presencias semíticas, ¿cómo podía revelarnos la realidad de esa historia? Lo cual no impide que en *España invertebrada*, ocasionalmente, haya bastantes juicios merecedores de estima y meditación.

Se cometería, sin embargo, un tosco error si se enfocara la acción ejercida por los semitas sobre los cristianos en este y otros casos, como una "transferencia de ideas" —algo semejante, por ejemplo, a la adopción del sistema parlamentario francés por españoles e italianos en el siglo XIX. El funcionamiento interior de la vida frente al fenómeno del linaje, la tolerancia o lo que sea, importa ahora como hábito estimativo, valorativo. Los hispano-cristianos que desde el siglo VIII se enfrentaban y entremezclaban con moros y judíos poseían previas creencias, naturalmente; pero el valor combativo y constructivo de aquéllas les fue revelado por el enemigo (se verá más adelante con motivo de Santiago), por un enemigo cuya vida se articulaba total y auténticamente en la creencia. Los visigodos, al igual de las otras tribus germánicas, no habían dominado las provincias del Imperio Romano sostenidos por el estímulo de una creencia religiosa; sus guerras no fueron "divinales", según veremos decía en el siglo XV el judío converso don Alonso de Cartagena para caracterizar con un rasgo único a los españoles frente a los demás europeos (ver pág. 84). La "guerra divinal" fue un invento mahometano, en todo caso apareció en Europa por vez primera gracias al Islam. Nada como eso existía en Iberia antes de la invasión de 711. Novecientos años más tarde españoles y portugueses conquistaban pueblos remotos "divinalmente", es decir, con plena conciencia de que la palabra de Dios y la palabra del hombre eran el fundamento de la verdad, y sin conceder importancia a la verdad de las cosas, fundada en lógica impersonal.[25] Hablar en este caso de "transferencia de ideas" supone eludir el problema histórico, o enfocarlo desde puntos de vista del todo inoperantes.

Viviendo como intermediario entre moros y cristianos, el judío presentaba un aspecto "occidental" de que el musulmán carecía. Ducho en lenguas, trabajador, andariego y siempre alerta, engranó con el cristiano mucho más que el moro. La especialidad de sus tareas, inaccesibles o desdeñables para el cristiano, lo convirtieron en una casta, ya que su creencia discrepante le impedía enlazarse "gradualmente" con los cristianos, quienes en realidad formaban también otra casta, no otra clase. La tolerancia de los siglos medios, la convivencia de tres credos incompatibles, impidió la vigencia del régimen gradual del feudalismo europeo —labriegos, artesanos, nobles, clérigos. España se desarticuló en tres gradualismos, independientes unos de otros, y ahí yace un importante motivo para la ausencia de una sociedad feudal.[26] Si en el siglo XIV —lo mismo que en el XII y en el XIII— hubo moros y judíos que tenían castillos por el rey, ¿qué sociedad homogéneamente ordenada hubiera podido organizarse sobre tal base?

Pero no es sólo el hecho (que pudo ser ocasional) de haber bailíos hebreos en Aragón, o alcaides moros y judíos en los castillos de Castilla, lo que impidió la articulación feudal de España. El sentido de los hechos, quien los vive, es lo que explica la historia, no los hechos, en sí meras apariencias inertes. La vida, tanto individual como colectiva, existe articulada en una jerarquía de valores. Pues bien, el hispano-cristiano, sin otro horizonte que el de sus creencias, veía que no podía extraer de la comunidad cristiana cuanto le era necesario para subsistir; hubo de aceptar como realidad ineludible diversas superioridades musulmanas y judías. Por eso la hija de Jaime II de Aragón, casada con el más alto señor de Castilla, criaba a sus hijos según le aconsejaban los judíos, según digo en el capítulo dedicado a los judíos. El cristiano se hallaba en una situación de coloniaje espiritual, ni más ni menos que los moros y judíos españoles, colocados a la vez debajo y encima de los cristianos. A diferencia de España, el feudalismo de la cristiandad occidental poseía una escala jerárquica de respetos, sumisiones, derechos y deberes cerradamente homogénea; el señor constituía para el vasallo un horizonte total y absoluto. El español, muy al contrario, tuvo que repartir sus fidelidades entre tres cimas de diferente altura (cristiana, musulmana, judía), sin clara conciencia de qué era lo debido al reino del rey y al reino de Dios. En semejante situación el feudalismo de tipo europeo se hizo muy difícil.

Fueron inútiles las leyes dictadas para impedir que los cristianos utilizaran los buenos servicios de judíos y moros; las leyes tolerantes de las *Partidas* (un código por lo demás puramente teórico en el siglo XIII) aceptaban la existencia de moros y judíos, pero no sugerían que los cristianos hubieran de inclinarse ante su superioridad ocasional. Se toleraba a los judíos para que "ellos viviesen como en cautiverio para siempre, e fuesen remembranza a los omnes que ellos *vienen del linaje* de aquellos que crucificaron a N. S. Jesucristo" *(Partida* VII, 24, 2).

La vida cristiana fue, por tanto, resultado de una costumbre inevitable y de una voluntad legal no respetada. Lógicamente, esa contradicción era insensata; pero como así vivieron los reinos cristianos durante más de cinco siglos, tan fácil calificativo sería insuficiente, y valdría más pensar que la forma de vida consistió en un fatal compromiso entre dos creencias, entre creer que el judío era deicida y creer que su aceptación era legítima. La sinagoga era también casa de Dios, según las *Partidas*.

La aceptación de la ocasional superioridad de los infieles, sus convecinos, no privó al cristiano de su conciencia de ser señor de su tierra. Pero el cristiano se creyó superior por hallarse en posesión de una creencia mejor y por estar haciendo lo que el villano morisco no sabía ni podía. La clase social funda su rango sobre todo en su poder de mando y en el volumen de su riqueza; la casta lo hace depender de la mera existencia de la persona: a la larga, todos los hispano-cristianos acabaron por sentirse una casta superior por el hecho de ser de linaje cristiano, no moro ni judío. La forma de su vivir diario fue, por consiguiente, análoga a la de su creación literaria: un "integralismo" personal, de raíz islámico-judía, que sirvió de común denominador de vida a moros, a judíos y a cristianos. Lo haré ver más adelante.

Volviendo ahora concretamente a cómo fue vivido el hecho de ser "castizo", de buena casta, hay que tener en cuenta para entenderlo la situación de convivencia y de interdependencia de tres pueblos, vigente en los reinos cristianos. La preocupación de ser "limpio de sangre" que inquietó a los españoles cristianos desde el siglo XV en adelante, descansa sobre antecedentes muy anteriores a la instauración del tribunal del Santo Oficio. Los hispano-cristianos calcaron en este caso un sistema de valoración individual y colectiva muy propio del hispano-hebreo, tan recelado y odiado, como admirado e imitado. El fenómeno es de capital importancia como síntoma del funcionamiento del vivir español, especialmente a medida que avanzaba el siglo xv. Cuanto más perseguían al hispano-hebreo, tanto más se encarnaban los cristianos en el sistema semítico de la pureza del linaje.[27]

Según es sabido, fue y es frecuente entre pueblos primitivos asignar valor mágico y espiritual a la sangre. Mas el pueblo hebreo sintió en forma exaltada la comunidad de su sangre "espiritual": "Porque tú eres pueblo santo a Yahvé tu Dios: Yahvé tu Dios te ha escogido para serle un pueblo especial, más que todos los pueblos que están sobre la haz de la tierra" *(Deuteronomio,* 7:6). "Tú los introducirás y los plantarás en el monte de tu heredad. En el lugar de tu morada que Tú has aparejado, oh Yahvé" *(Exodo,* 15:17). De ahí arranca —o eso expresa— el sentimiento de existir como una casta santa y cerrada. Los textos alegados, y los que aduzco después, son muy accesibles; pero como no se mencionan al tratar del sentimiento de cristiandad vieja y de hidalguía entre españoles, había que traerlos a cuento. Si desde fines del siglo xv los españoles consideraban nefando mezclarse con hispano-hebreos y con hispano-moriscos, eso significaba que habían asimilado plenamente la creencia hebrea a causa de la cual los judíos se habían mantenido como casta aparte. Clama Esdras en el libro que lleva su nombre: "El pueblo de Israel y los sacerdotes y levitas no se han apartado de los pueblos de las tierras de los cananeos, heteos [etc.] . . ., haciendo conforme a sus abominaciones. Porque han tomado sus hijas para sí y para sus hijos, y la *simiente santa* ha sido mezclada con los pueblos de las tierras [impuras]; y la mano de los príncipes y de los gobernadores ha sido la primera en esta prevaricación" *(Esdras,* 9:1-2). También los nobles, mucho antes de 1500, habían "prevaricado" en los reinos cristianos, y por eso en el siglo xvi no valía el ser gran señor como signo de cristiandad vieja. Como garantía de absoluta "pureza" sólo era válido el descender de labriegos por los cuatro costados, según hago ver en mi libro *De la edad conflictiva: El drama de la honra en España y en su literatura.*

Dados los prejuicios, la confusión y las ocultaciones que reinan en este caso, conviene insistir en el carácter especial de esta "limpieza de sangre". Algunos pueblos germánicos se han creado una imagen ejemplar y corpórea del perfecto individuo de su raza. La noción de naturaleza física y biológica presente en las mitologías occidentales, funcionó dentro de la vida alemana en modo desconocido para el español. No existe un tipo físico de "hombre español", racial. La "limpieza de sangre", desde el siglo xv, valió como conciencia de casta, de descender del pueblo que los españoles del siglo xvi acabaron por identificar también con el elegido por Dios —*more Hebraico.* Calderón, en *El alcalde de Zalamea* (II, 21), hace que Pedro Crespo diga a su hijo: "Eres de linaje limpio", aunque seas "villano"; puedes, por tanto, aspirar *a ser más*, a levantar la conciencia de tu valor como persona *castiza*. Pedro Crespo no habla de *hacer*, sino de *ser*.

El sentimiento expresado por Calderón y en el *Antiguo Testamento*, floreció briosamente entre hispano-cristianos al verse liberados de la supremacía social y económica de los hispano-hebreos (matanzas y despojos de fines del siglo XIV, depuraciones inquisitoriales, expulsión de 1492). Quedaba por desollar el rabo: el recelo frente a los cristianos nuevos, excluir a quienes fuesen de linajes impuros, sobre todo a los sacerdotes. Hoy sólo los eclesiásticos y algunos eruditos tienen bien presente el *Antiguo Testamento*; pero en el siglo XVI su texto estaba vivo y funcionaba con autenticidad. El libro de Esdras (cap. 2) da una lista de quienes habían venido a Jerusalén después de la cautividad de Babilonia, de sus linajes y de la cabeza de ellos. Los sacerdotes debían mostrar el registro de su ascendencia, o sea, su ejecutoria de limpieza de sangre. Los hijos de ciertos sacerdotes "buscaron su registro de genealogías, y no fue hallado; *y fueron echados del sacerdocio*" (*Esdras*, 2:62). "Los hijos de Habaías, los hijos de Cos, los hijos de Barzilai, el cual tomó mujer de las hijas de Barzilai Galaadita, y se llamó del nombre de ellas. Estos buscaron su registro de genealogías, y no se halló; y fueron echados del sacerdocio" (*Nehemías*, 7:63,64).

He ahí el fundamento de los estatutos de limpieza de sangre [28] en el siglo XVI, aunque no se hable de ello, por no ser grato ni para los cristianos ni para los judíos. El cardenal Silíceo purgó de clérigos impuros la catedral de Toledo, de acuerdo con el patrón de Esdras y Nehemías. Los límites entre la casta cristiana y la judía se hicieron eclesiásticamente tajantes, y ello corresponde a la división social expresada en la literatura por los términos *casta* y *castizo* antes alegados. "Y habíase ya apartado la simiente de Israel de todos los extranjeros; y se pusieron en pie, y confesaron sus pecados y las iniquidades de sus padres" (*Nehemías*, 9:2).

El afán genealógico se expresa abundantemente en el *Antiguo Testamento* (ver *Crónicas*, I), y se extiende hasta el *Nuevo*. Perduraba el recuerdo de que habiendo sido "contado todo Israel por el orden de los linajes, fueron escritos en el libro de los Reyes de Israel y de Judá" (*I Crónicas*, 9:1).[29]

De ahí arranca el hecho de que el hispano-cristiano identificara la conciencia de su hombría "en sí" (don Juan Manuel en el siglo XIV, el conde de Haro en el XV), con saberse puro e incontaminado en cuanto a la ascendencia de su sangre. La casta, antes del siglo XVI, una realidad "de facto", ahora lo era "de jure". El terror a ser tomado por hispano-judío, encastaba judaicamente al cristiano en su sentirse castizo. De

ahí que Antonio de Guevara y otros hablaran de casar a los hijos con
"mujer castiza", según ya se vio. Según expongo en otro lugar de esta
obra y en *De la edad conflictiva: El drama de la honra*, el interés por
las cosas pensables y usables quedó fuera del área de la conducta, puesto que las más de esas actividades acostumbraban a ser ocupación de moros
o de judíos. Resultó preferible y menos peligroso ahincarse en la conciencia de ser quien se era —cristiano viejo. El padre Mariana, al hablar
de la expulsión de los judíos, dice que algunos reprendieron al Rey Católico por la perdida de riqueza que tal medida llevaba consigo. Pero
la acción y las consecuencias de romperse la convivencia de las tres
castas medioevales eran inevitables.

La oquedad cada vez más ancha y más profunda producida por la
ausencia de las actividades judaicas y morunas, y por las de los cristianos nuevos, fue llenándose con el prestigio y la eficacia del poder
imperial ejercido por los españoles en Europa y en el Nuevo Mundo.
El período que vimos culminar simbólicamente en el cuádruple epitafio
del sepulcro de Fernando el Santo, se cierra en el siglo XVI con otra
inscripción funeraria, la de la tumba de los Reyes Católicos, en la Capilla Real de Granada, cuyo sentido puse de manifiesto por vez primera
en mi librito *Origen, ser y existir de los españoles*. Al redactor del epitafio no le interesó glorificar la memoria de los dos geniales soberanos, que
después de unificar España, abrieron a sus gentes perspectivas grandiosas y universales. El epitafio (ver más adelante) menciona el aniquilamiento de la secta mahometana y de la "herejía" judaica. Nada más.

Al acentuarse el valor de lo "castizo", la casta de los cristianos se
acercaba cada vez más al modo semita de existir, a no hacer distinción
entre vida religiosa y vida civil, entre Iglesia y Estado. En un impulso
mimético, tan agresivo como defensivo, los españoles fueron confundiendo ambos órdenes de actividades casi como los reyes de Israel o los califas musulmanes. Para el familiarizado con los documentos de las can-
cillerías de los Reyes Católicos y de Felipe II, las diferencias de tono y
estilo entre ambas harán patente la evidencia de mi juicio. Y no se acu-
da al socorrido recurso de la Contrarreforma, porque los otros soberanos
empeñados en la lucha contra el protestantismo se expresaban en
muy distinta forma.

Antes del siglo XV, ni los castellanos ni los aragoneses se habían
desvivido por exhibir la pureza de su linaje cristiano. Pero la fuerza y
el brío que el artesano y el villanaje habían ido adquiriendo durante el
siglo XV, alcanzaron su cima al advenimiento de los Reyes Católicos. La
supremacía de los hispano-hebreos se hizo entonces intolerable a las
masas aldeanas, según lo hace sentir muy claramente el cronista Andrés

Bernáldez, el Cura de los Palacios (Sevilla), un apasionado detractor del pueblo judío:

"Tenían presunción de soberbia; [pensaban] que en el mundo no había mejor gente, ni más discreta, ni más aguda, ni más honrada ['distinguida'] que ellos *por ser del linaje e medio de Israel*. En cuanto podían adquirir honra ['alto rango'], oficios reales, favores de reyes e señores [lo hacían]; algunos se mezclaron con fijos e fijas de caballeros cristianos, con sobras de riquezas..., y *quedaron más tarde en la Inquisición* [que se hizo de ellos], por buenos cristianos e con mucha honra." [30]

Judíos y conversos atraían las iras de los postergados por culpa suya o de quien fuera. Ostentar ufanía del linaje se había hecho consustancial con la misma existencia del pueblo hebreo, sobre todo en España después de su convivencia con moros y cristianos. En los cristianos se agudizó con el ejemplo de los hebreos que, convertidos o sin convertir, contribuían en forma eficacísima al éxito nacional e internacional de Fernando e Isabel.[31]

IRRADIACIONES DE LA NOCION DE "CASTA LIMPIA DE SANGRE"

La nueva y muy apretada situación de los judíos respecto de los cristianos durante el siglo xv fue mucho más decisiva para el rumbo de la vida española que el resurgimiento de las letras clásicas, los contactos con Italia o cualquiera de los acontecimientos que suelen usarse para vallar la llamada Edad Media y dar entrada a la Moderna. La feroz persecución de los hebreos modificó las relaciones tradicionales entre los nobles, los eclesiásticos, los villanos y los judíos,[32] y llevó al extremo aquella forma única de vida española en que religión y nación confundieron sus límites.

Ilustres familias cristianas se habían mezclado durante la Edad Media con gente judía, por motivos económicos, o por la frecuente belleza de sus mujeres; pero antes del siglo xv nadie se escandalizó por ello, o no fue bastante el escándalo para dejar algún eco en la literatura, aparte de los legendarios amores de Alfonso VIII y la Judía de Toledo. Mas en la época en que estamos, ya se escribe sueltamente sobre un tema que encendía las pasiones, es decir, sobre el drama sin solución que desgarraba dos pueblos enemigos, o más exactamente, dos castas de españoles. En poesías infamatorias, como las *Coplas del provincial* y otras, se alude a la procedencia judía de ciertas personas; a ello replican algunos conversos, tan seguros de su distinción como de la plebeyez de sus impugnadores. Alguien remitió a don Lope Barrientos, obispo de Cuenca y partidario de los conversos, un alegato contra un Pedro Sarmiento y un bachiller Marcos García Mazarambrós, incitadores de los saqueos y asesinatos toledanos en 1449.[33] Ante todo rechaza el autor de dicho alegato el nombre de conversos, "porque son hijos e nietos de cristianos, e nacieron en la cristiandad, e no saben cosa alguna del judaísmo ni del rito de él".[34] Los buenos conversos no deben pagar por los malos, como "no mataremos a los andaluces, porque cada día hay entre ellos quienes se van a tornar moros". Viene a continuación una larga reseña de nombres ilustres emparentados con quienes habían sido judíos, sin excluir a personas de sangre real: "*Subiendo más alto*, no es necesario de recontar los fijos e nietos e viznietos del noble caballero e de grande autoridad, el almirante don Alonso Henríquez, que de una parte desciende del rey don Alonso [XI] e del rey don Enrique [II] el Viejo, e de otras partes viene de este linaje." Añadamos que habiendo casado Juan II de Aragón, en segundas nupcias, con doña Juana Henríquez, hija del almirante de Castilla, el hijo de esta señora, Fernando el Católico, resultaba ser de origen judío por parte de madre.[35]

En otros dos bien conocidos textos del siglo XVI se mencionan las familias con antecedentes judaicos. Uno es el *Libro verde de Aragón*,[36] y otro *El tizón de la nobleza de España*, del cardenal Francisco Mendoza y Bobadilla, arzobispo de Burgos,[37] en donde demuestra que no sólo sus parientes, los condes de Chinchón (acusados de poco limpia sangre), tenían antepasados hebreos, sino casi toda la aristocracia de aquella época. Si la vida española se hubiera desenvuelto en un ritmo de calma y armonía, la mezcla de cristianos y hebreos no habría originado conflicto alguno. El hebreo se había dignificado casi tanto como el cristiano, pese a todas las prohibiciones, y los mismos reyes daban a algunos de sus judíos el título de *don*, signo entonces de alta jerarquía nobiliaria. El rey Fernando I de Aragón hizo armar caballero al converso Gil Ruiz Naiari en 1416 *(Sefarad*, 1948, VIII, 397-401). La mezcla de la sangre y el entrelace de circunstancias ya conocidas afectaron a las formas internas de vida, y el judío de calidad se sintió noble, a veces peleó en la hueste real contra el moro, y alzó templos como la sinagoga del Tránsito en Toledo, en cuyos muros campean las armas de León y Castilla. La mayor preeminencia que Rabí Arragel asignada a los judíos castellanos era la del "linaje", el ser más nobles por la sangre que los judíos no españoles.[37 bis] El obispo de Burgos, don Pablo de Santa María (que antes de su conversión era Rabí Salomón Haleví), compuso un discurso sobre el *Origen y nobleza de su linaje*.[38] El sentimiento de hidalguía y distinción nobiliaria era común en el siglo XV a cristianos y judíos, y acompañó a éstos en su destierro. Dice Max Grünbaum: "Quien asista al oficio divino en la espléndida sinagoga portuguesa de Amsterdam, nota la diferencia entre los judíos alemanes y los españoles. La solemne y tranquila dignidad del culto, lo diferencia del de las sinagogas germano-holandesas... La misma «grandeza» española se encuentra en los libros hispano-judíos impresos en Amsterdam." [39] Todavía hoy persiste en los hebreos de la diáspora hispánica ese sentimiento de superioridad, lo cual es inexplicable si no lo referimos a su horizonte anterior a 1492 —la creencia en el señorío de la persona, alma de las castas que por una u otra vía confirieron su grandeza a la España de antaño. A través de aquella forma íntima de existir sigue el sefardí ligado vitalmente a sus adversarios y perseguidores de hace casi 500 años, cuya lengua aún conservan.

Pero ahora va a interesarnos más el fenómeno inverso, la acción que los judíos conversos ejercieron sobre los cristianos. Ya veremos (cap. XVII) que sin aquéllos es imposible entender el nacimiento de la prosa docta en el siglo XIII. La literatura de los siglos XIV y XV también debe al pueblo judío, entre muchos más, las obras de don Šem Tob, don Alonso de Cartagena, Juan de Mena, Juan de Lucena, Mosén Diego de Valera, Diego de San Pedro, Alonso de Palencia, Rodrigo de Cota, Hernando del Pulgar y Fernando de Rojas: luego, Luis Vives, Juan y Alfonso de Valdés, Francisco de Vitoria, fray Luis de León, Mateo Alemán, Jorge de Montemayor y Santa Teresa, el anónimo autor del *Lazarillo de Tormes*, entre otros, mostrarán la huella de su ascendencia israelita.[39 bis] Pero más bien que sobre hechos tan notorios, desearía llamar la atención hacia ciertos aspectos de la disposición vital hispana que se manifiestan con claridad desde fines del siglo XV. No se encuentra en los cristianos medievales la inquietud por lo que después se llamaría "limpieza de sangre". De haber existido, no habría sido posible la fuerte mixtura malignamente denunciada por *El tizón de la nobleza*,[40] ni hubieran ocupado los judíos las situaciones eminentes en que se encontraban en el mismo momento de su expulsión.

Quienes realmente sentían el escrúpulo del linaje y de la limpieza de sangre eran los judíos, según prueban los textos bíblicos antes citados, el comentario del rabí Arragel, lo dicho por los conversos Juan de Lucena y Hernando del Pulgar, y por otros como ellos. Gracias a las traducciones de A. A. Neuman conocemos las opiniones legales ("responsa") de los tribunales rabínicos, en las cuales aparecen cosas insospechadas. Se percibe en ellas una inquietud puntillosa por la pureza del linaje familiar y por el qué dirán, que estudio en mi citado libro *De la edad conflictiva*. Por las razones expuestas en él y por todo lo dicho en esta obra, se comprende que a la casta cristiana no le preocupara la cuestión del linaje y de la limpieza de sangre cuando cristianos y judíos vivían claramente separados unos de otros; y si el cristiano emparentaba

con familias judías en algunas ocasiones, esto no producía escándalo.
Siendo así las estimaciones sociales vigentes antes del siglo XV, no cabe
esperar que aparezca un documento cristiano de hacia 1300 análogo a este
judío publicado por A. A. Neuman, y que aquí transcribo:

> Sepan cuantos vieren esta carta autorizada con mi firma, que ciertos tes-
> tigos han comparecido ante mi maestro Rabí Isaac, presidente de la audiencia,
> y han hecho llegar a él el testimonio fiel y legal de personas ancianas y venera-
> bles. Según éstos, la familia de los hermanos David y Azriel es de limpia descen-
> dencia, sin tacha familiar; David y Azriel son dignos de enlazar matrimonialmente
> con las más honradas familias de Israel, dado que no ha habido en su ascendencia
> *mezcla de sangre impura* en los costados paterno, materno o colateral. Jacobo
> Isaachar.[41]

La causa de la anterior información de limpieza fue haber dicho
alguien que uno de los ascendientes de aquellos aristocráticos jóvenes
había sido esclavo. No contentos con el fallo de la corte local, los infa-
mados acudieron a otros eminentes rabís; todos los dictámenes fueron
elevados en suprema instancia al célebre Šělomó ben Adret, de Barcelona,
cuyo es el siguiente informe:

> Cuando recibí vuestra carta y la abrí, quedé aterrado. El autor de tan per-
> verso rumor, sean los que fueren sus motivos, ha pecado gravemente y merece mayor
> castigo que el matador a sangre fría; un asesino no da muerte sino a dos o tres
> almas, y este sujeto ha difamado a treinta o cuarenta. La voz de toda la sangre
> familiar clama desde la tierra con grandes gemidos. Un tribunal rabínico debiera
> excomulgar al difamador, y yo refrendaré su sentencia con mi firma *(l. c.,* II, 7).

Henos, pues, ante el más antiguo texto de una prueba de limpieza
de sangre en España, con testigos examinados en distintos lugares, un
texto sin análogo entre los cristianos de entonces. En los siglos XVI y
XVII la limpieza de sangre se convertiría en nervadura de la sociedad
nobiliaria y eclesiástica, como resultado de las preocupaciones que le
habían inyectado los conversos, pues así como el "summum jus" viene a
dar en la "summa injuria", así también la frenética oposición a los
judíos se impregnó, con dramático mimetismo, de los hábitos del adversario.[42]

Una judía de Coca (Segovia) mantenía relación de amor con un
cristiano hacia 1319. Sobre el nefando caso poseemos una decisión de
Rabí Ašer de Toledo, muy importante por el fondo social que nos descubre.[43] Yěhudá ben Wakar, médico del infante don Juan Manuel, fue
con su señor a Coca en 1319, en donde supo que una viuda judía se hallaba encinta, de resultas de sus amores con un cristiano, al cual había
cedido además buena parte de sus bienes. Los cristianos de Coca so-
metieron el caso a don Juan Manuel, quien resolvió que el tribunal ju-

dío era el competente. La judía dio a luz dos mellizos; uno murió, y otro fue recogido por cristianos para ser bautizado. Yĕhudá preguntó entonces a Rabí Ašer "cómo había de obrar para que *la ley de nuestra Tora* [43 bis] no apareciera hollada a los ojos de la gente... Todos los pueblos de los alrededores de Coca hablan de ello, y las conversaciones sobre esa perdida han corrido por todas partes, con lo cual nuestra religión se ha hecho despreciable... Se me ocurre, siendo tan notorio el caso, cortarle la nariz a fin de desfigurarle el rostro con que agradaba a su amante".[44]

Notemos cómo a Yĕhudá le inquieta más la divulgación del escándalo que la falta cometida por la hermosa judía, cuyo rostro deseaba afear. La ley de las *Partidas*, mencionada antes, sancionaba moderadamente el comercio ilícito de la cristiana con el infiel, y extremaba la severidad sólo con quienes reincidían; la jurisprudencia de las aljamas subraya, en cambio, el efecto de las transgresiones de la ley sobre la opinión pública, e identifica la fama-honra del individuo y la de la comunidad. No encontramos nada semejante en la Castilla de la Edad Media, pero sí entre los españoles del siglo XVI, quienes confundían el honor-reputación colectivos con el del individuo, y consideraban un baldón colectivo el que un solo español incurriera en herejía.[45] No es menos peculiar que el Santo Oficio sancionara faltas contra la moral, tales como el amancebamiento, lo mismo que los ataques contra la religión, con lo cual la semejanza con los tribunales era aún más estrecha.[46] Ley, religión, moral y cohesión colectiva venían a ser para la casta, una y la misma cosa.[47]

Comenzamos así a darnos cuenta de que la extraña identificación establecida en España entre la Iglesia y el Estado es inseparable de la contextura cristiano-islámica-judía, dentro de la cual nada puede ser ya reconocible como puro y abstracto cristianismo, islamismo o judaísmo. La nueva situación vital no traía ningún cambio en cuanto al funcionamiento de las posibilidades e imposibilidades en que consistía la disposición íntima de la historia hispana, hecha de creencia y de conciencia de cómo está existiendo la propia persona —y no el mundo en torno a ella. La Inquisición y la inquietud por la limpieza de sangre satisfacían en grado superlativo las posibilidades y las auténticas inclinaciones de los hispanos; las costumbres de sus almas, al entrar el siglo XVI, descansaban sobre unos cimientos de 800 años de profundidad. La Península había sido invadida, durante aquel tiempo, por almorávides y almohades africanos (siglos XI y XII), anhelosos de restablecer el rigor de la creencia islámica caída en laxitud bajo los reyes de taifas; los cristianos del norte se opusieron tenazmente a la penetración de herejías extrañas (la de los albigenses, por ejemplo), a la vez que ahogaron dentro de sus mentes cualquier pensamiento dañoso para la estabilidad de su creencia; y no es casualidad que el libro decisivo para persuadir a los descarriados de la fe mosaica fuese obra de Maimónides, un judío de Córdoba. Así pues, quien esté penetrado de lo que significa mi idea acerca de la realidad concreta *de cada* historia, comprenderá que la Inquisición y el celo por la limpieza de sangre no impliquen ningún cambio en el funcionamiento estructural de la historia hispana, no obstante introducir en ella nuevos contenidos. La oposición entre las castas es lo que hace comprensible el propósito de mantener al reino bien compacto a fin de guerrear en el exterior sin tropiezos internos. Esos argumentos se adujeron *a posteriori;* piénsese, sin embargo, en su insuficiencia, recordando que los moriscos —más peligrosos, políticamente menos enlazados con la administración pública que los hebreos— no fueron desterrados en masa hasta 1609. Ni siquiera Felipe II lo llevó a efecto después de las luchas sangrientas en la Alpujarra. El Estado-Iglesia fue una creación que brotó del ánimo de quienes vinieron a encontrarse en una posición ventajosa para dar suelta a lo que llevaban dentro de sí desde hacía mucho tiempo; fue una conquista casi revolucionaria realizada por masas resentidas, y por conversos y descendientes de conversos ansiosos de olvidar que lo eran. Los moldes de lo que había sido vida judaica se henchían de contenidos y propósitos antijudaicos, con una furia proporcional al deseo de alejarse de sus orígenes. Siglos de tradición, tanto islámica como judaica, habían afectado al espíritu de la casta ahora al frente de un imperio. El establecimiento de la Inquisición es solidario del mesianismo [48] que florece selváticamente entre los siglos XV y XVI, junto con el arrebato místico-sensual de los alumbrados, cuyos enlaces islámicos ha puesto Asín fuera de toda duda.[49]

No es, por consiguiente, una paradoja, sino una realidad elemental, mi idea de que la sociedad española iba fanatizando su cristianismo a medida que desaparecían y se iban cristianizando los judíos. El catolicismo español del siglo XVI, totalitario y estatal, no se parece al de la Edad Media, ni al de Europa, ni siquiera al de la Roma pontificia, la cual no tuvo escrúpulo en dar asilo a muchos judíos expulsados de España. Tengamos también muy presente que todavía en 1491 Fernando el Católico protegía a los judíos de Zamora contra las prédicas de los dominicos, confiaba a hebreos la administración de la Santa Hermandad, los utilizaba como embajadores, etc. El final del siglo XV experimentó un muy intenso trastorno, que hizo imposible lo antes usual. La infiltración de los conversos en la sociedad cristiana dio origen a fenómenos que han hallado paralelo en la historia de nuestros días, cuando muchos extremistas de la "derecha" o de la "izquierda" trocaron sus papeles de la noche a la mañana, con lo cual, los antes perseguidos, aparecieron súbitamente convertidos en verdugos.

Hasta el siglo xv los cristianos se habían mezclado con los judíos, —no lo olvide el lector— y fue así posible que incluso cristianos de ascendencia regia amaran a judías, y que la madre de Fernando el Católico fuera de sangre hebrea. Lo normal del caso se revela en el silencio acerca de tales mezclas antes del siglo xv, y en el escándalo a que más tarde dieron origen. De ahí que bastantes conversos —*no todos*— se hicieran perversos, y que de entre ellos salieran los más atroces enemigos de los israelitas y de los mismos conversos, los cuales se hallaban por doquiera, y a veces a gran altura.[50] Del célebre teólogo y dominico Juan de Torquemada, cardenal de San Sixto, dice Hernando del Pulgar: "sus abuelos fueron de linaje de los judíos convertidos a nuestra sancta fe católica",[51] con lo cual el primer inquisidor, fray Tomás de Torquemada (pariente del cardenal), resulta ser también *ex illis*. Hernando del Pulgar —un alma sutil y extraña— era otro judío converso, aunque las historias literarias no lo señalen como tal.[52] Con motivo de haber prohibido los guipuzcoanos que sus familias entroncaran con conversos, y que éstos fueran a morar a su tierra, escribe Pulgar una irónica epístola a don Pedro González de Mendoza, el Gran Cardenal de España:

Sabido avrá V. S. aqel nuevo istatuto fecho en Guipúzcoa, en que ordenaron que no *fuésemos* allá a casar ni morar... ¿No es de reír que todos, o los más, enbían acá sus fijos que *nos* sirvan, y muchos dellos por moços d'espuelas, y que no quieran ser consuegros de los que desean ser servidores?... *Pagan agora éstos* ['los judíos'] *la prohibición que fizo Moisén a su gente que no casasen con gentiles*.[53]

Pulgar, secretario de la Reina Católica, historiador de los hechos de sus reyes y amigo a la vez de retraerse en soledad, vivió en toda su amplitud el drama de la mutación social de España. Con justa mirada supo percibir el sentido de los hechos en torno a él, y ahora hemos procurado adaptar, lo más posible, nuestra visión a la suya.[53] Con ánimo libre decía al Cardenal, gran aristócrata —más allá de todo recelo plebeyo—, que el exclusivismo de sus contemporáneos, su inquietud por la limpieza de sangre, era una réplica a aquel otro hermetismo de los ascendientes de Pulgar. La realidad de la historia necesita de ambos extremos para hacérsenos inteligible: el exclusivismo de la España católica fue una réplica al hermetismo de las aljamas.[54]

EL ENTRELACE DE LAS CASTAS

Las dos castas sometidas enlazaban con la políticamente superior mediante una escala de valores, por decir así, rota; se valoraban las obras y se desestimaba a quienes las hacían; lo hecho por artesanos, negociantes, industriales, sabios, etc., nacía ya mancillado por el hecho de venir de unas castas juzgadas inferiores. El producto era bueno, pero sus productores *no se convertían en una clase social* legitimada. La producción de riqueza no aparecía como un índice de valor para la casta cristiana, la cual necesitaba y desdeñaba a quienes allegaban el dinero. De no haber sido así, el hermetismo se hubiera roto y las castas infieles se habrían infiltrado en la de quienes imperaban con daño para su existencia como tal casta. Las tareas sociales tuvieron que diversificarse, no según su valor objetivo, sino de acuerdo con la casta que las realizaba. Eran moros el *alfayate*, el *alfajeme*, el *harriero*, el *albañil*, el *alarife*, el *almotacén*, el *zapatero*, etc. Eran judíos el *almojarife*, el médico, el boticario, el *albéitar*, el comerciante, el astrólogo, el *truchimán*, y otras tareas y profesiones. El cristiano era todo eso en menor proporción; su meta fue ser hidalgo o sacerdote, condiciones humanas que "imprimen carácter". Fuera de tal marco quedaba la masa informe del villanaje cristiano, exprimido por nobles, eclesiásticos y judíos; en él fermentaron siempre los anhelos de ascender a la hidalguía mediante el esfuerzo bélico, o el sacerdocio, a fin de incorporarse a la casta dominadora y señorial. (Piénsese en una Florencia en donde los banqueros y los artesanos hubiesen sido despreciados.)

Fue así constituyéndose una forma de sociedad en la cual, antes del siglo XVI, la clase de ocupaciones guardaba relación, generalmente hablando, con la creencia de quien la practicaba. Pero moros y judíos acabaron a la larga por dar la impresión de ser tan españoles como lo eran quienes, con sus acciones imperativas, aspiraban a ocupar *los lugares más altos de los fechos*, según escribía Alonso de Palencia. ¿No eran españoles los *Libros del saber de astronomía*, basados en la ciencia árabe, y escritos en castellano, y no en latín, a causa de los judíos que los habían traducido? Y en nivel más bajo, ¿no aparecería como más español el alfayate moro o judío, que el *sastre* y el *chipelero* ("sombrerero") franceses? Mas lo seguro es, en todo caso, que para los castellanos —eje de la futura España— siempre hubo unos menesteres considerados y valorados como primordiales (los propios del señorío, o de quienes aspiraban a alzarse hasta esa cima), y otros secundarios, practicados por moros y judíos, o en ciertos casos por franceses y genoveses. A partir del siglo XIII, la casta judía se esforzó cuanto pudo por ocupar puestos preeminentes (la "empinación" de que hablaba el cronista de los Reyes Católicos, Andrés Bernáldez), y la casta cristiana no lo toleró. Tal fue el drama que expondré en detalle en el capítulo dedicado a los judíos.

Escribía en el siglo XVI el cordobés Juan Ginés de Sepúlveda: "En nuestra Córdoba se desatiende el comercio, y se considera distinguidísimo sobresalir en armas. Y así, después del cuidado de la familia, la mayor preocupación es la de la agricultura, trabajo muy honesto y próximo a la naturaleza, que suele endurecer el ánimo y el cuerpo, y prepararlos para el trabajo y para la guerra; hasta tal punto, que los antiguos prefirieron la labor del campo a los negocios, y los romanos sacaron de la ariega a muchos cónsules y dictadores... No nos preocupemos, pues, si por el momento Córdoba posee ciudadanos más fuertes que opulentos" *(De appetenda gloria,* edic. de Madrid, 1780, IV, 206).

Comprendemos ahora el largo alcance de la expresión: "O corte o cortijo", o de aquel otro dicho: "Iglesia, o mar, o casa real." Se aspiraba a ser gestores directos de la creencia, a emprender la aventura que condujese al señorío, o a servir al rey en alguna forma, descansando en la conciencia de ser castizo en cuanto a la creencia y a la hidalguía.

La conciencia de ser hidalgo por naturaleza era sobre todo un rasgo castellano. Para estos efectos Castilla comprendía los antiguos reinos de Castilla, León y Andalucía, sin excluir los vascos, siempre preferidos por la corona para cargos de estricta responsabilidad. El conde-duque de Olivares, de hecho rey de España entre 1621 y 1643 mucho más que su señor Felipe IV, confirmará esta idea. Dice así en las Instrucciones de gobierno, escritas en 1625 para avivar el seso del frívolo y adormecido monarca: "Me parece muy del servicio de V. M. que estos vasallos [de Portugal] vivan con esperanza que V. M. ...asistirá con su corte en Lisboa por algún tiempo continuado y de asiento... También juzgo por de obligación de V. M. ocupar a los de aquel reino en algunos ministerios de éste, y muy particularmente en embajadas y virreinatos, presidencias de la corte y en alguna parte de los oficios de su real casa; y esto mismo tengo por conveniente hacer con los *aragoneses,* flamencos e italianos... que se reputan por extranjeros." Los portugueses, añade, se parecen más a los pueblos antes citados que a los castellanos; forman éstos lo mejor de la infantería española, en la cual "se ve, con la fidelidad a sus reyes (mayor que la de otros ningunos vasallos), *el brío y libertad del más triste villano de Castilla con cualquiera señor* o noble, aunque de tan desigual poder, mostrando en la sabiduría del intento cuánto exceden los corazones a las fuerzas humanas".[55]

Olivares pensaba en articular en unidad los *disjecta membra* de los dominios españoles en Europa sirviéndose del prestigio real. Aun en 1625 aparecían como extranjeros los aragoneses, entre quienes figuraban los catalanes y los valencianos.[56] El núcleo de España seguía siendo Castilla; lo había sido desde el siglo x justamente por ser sus hombres como dice Olivares que eran. El villano más humilde, *limpio de sangre por ser labriego,* se sentía parte de la casta señorial. Mi idea me parece más ajustada a la realidad que la de esa pretendida democracia castellana sin ningún posible riguroso sentido. El régimen de vida de Castilla no fue nunca democrático; quizá lo fue algo más el de Aragón. Los castellanos fueron gobernados señorialmente por los mejores o más afortunados de aquella casta, cuyos miembros todos aspiraban al mismo privilegio. Tal fue el motivo de su grandeza y de su final miseria. Democracia en el sentido griego o franco-inglés no la hubo nunca.

Inverso, aunque análogo en su esquema vital, fue el caso de los hispano-hebreos encastillados igualmente en su creencia. Su razón de existir fue también su religión, lo mismo que para los hispano-moros. Vida noble, vida técnica y vida laboriosa: las tres existieron en España en forma muy alta, y "teóricamente" no había motivo para que de ellas no surgiera una nación "normal". Por desgracia no fue así. Aconteció en cambio que el judío se impregnó de obsesión nobiliaria, y el cristiano se dejó ganar por la tendencia inquisitorial y defensiva, por la idea de la limpieza de sangre, y hasta inventó la categoría social del "cristiano viejo".

El cristiano se habituó a no necesitar conocer la naturaleza y el manejo de las cosas, porque eso no era exigido por la gran tarea de conquistar la tierra y organizar su Estado; el resto corrió a cargo de Santiago, de los frailes e inmigrantes franceses,[57] de los genoveses que construían galeras, de los moros que labraban moradas y fortalezas, de los judíos que sabían de oficios, de curar dolencias, de allegar dineros para adquirir las cosas necesitadas por reyes, señores, clérigos y "omes buenos" de las ciudades. La urgencia de conseguir moneda explica que el judío apareciera siempre en las candilejas de la historia. El auge, más tarde, de los metales preciosos de América no se debió al predominio de ninguna doctrina económica: fue meramente el aspecto tomado en el siglo XVI por la necesidad de obtener, por medios indirectos, desde las agujas hasta los tejidos de gran precio. (Ya lo dice Miguel Servet en 1535.)

La historia se reviste así de sentido y se explica a sí misma. Para el hispano-cristiano la paz nunca fue productiva. El cristiano, dentro de casa, se sentía sin nada que hacer y alborotaba el reino. Conquistada Granada, sin embargo, el gran humanista Juan Ginés de Sepúlveda sentía el peligro de que al español le faltase tarea adecuada:

Según los filósofos, la naturaleza, para avivar sus virtudes, dotó a los hombres de cierto fuego interior que, si no se atiza y pone en acción, no sólo no luce, sino que languidece y a veces se apaga. Por eso a veces me vienen dudas de si no habría sido mejor para nosotros que se mantuviera el reino moro de Granada, en lugar de hundirse completamente. Pues si bien es cierto que extendimos el reino, también echamos al enemigo más allá del mar, privamos a los españoles de la ocasión de ejercitar su valor, y destruimos el motivo magnífico de sus triunfos. De ahí que tema un poco que, con tanto ocio y seguridad, el valor de muchos se debilite.[58]

Por lo visto, las tareas bélicas de la España de Carlos V no eran suficientes para los humanistas Ginés de Sepúlveda y Ambrosio de Morales. Tal idea, extraña a primera vista, no fue aislada ocurrencia, pues la vuelvo a hallar en Fray Alonso de Cabrera, predicador de Felipe II:

> Nuestros abuelos, señores, se lamentaban de que Granada se hubiese ganado a los moros, porque ese día se mancaron los caballos y enmohecieron las corazas y lanzas, y se pudrieron las adargas, y se acabó la caballería tan señalada de Andalucía, y mancó la juventud y sus gentilezas tan valerosas y conocidas.[59]

Los españoles tuvieron conciencia vivísima de que su existir era un hacerse y un deshacerse. El rey Fernando el Católico, buen conocedor de su pueblo, le propuso la tarea bélica y señorial que aquél anhelaba y de que sólo era capaz. Vinieron luego las grandes empresas de América y de Europa, y la nación no se sintió fecundada ni satisfecha con ellas, según nos dicen (entre otros que holgaría citar) Sepúlveda, Las Casas, Antonio de Guevara, el padre Cabrera, Quevedo y... Cervantes, testigos muy calificados. Gracián tendrá la impresión de hallarse en un mundo vacío, lo mismo que los ascetas, los autores de novelas picarescas y muchos personajes en el teatro de Calderón.

Mi idea de las castas, sin otro mundo que su conciencia de serlo, tal vez explique tan singular historia. La casta dirigente creyó poder vivir sola, aferrada a su creencia y a su sentimiento de ser superior; al mismo tiempo notaba el "vacuum" irremediable en que estaba sumida al intentar salir de su encerramiento personal. Ningún país europeo había producido antes del siglo XVI tanta profusión de héroes y caudillos: jugaban con los mayores obstáculos de la naturaleza y ganaban siempre —Vasco de Gama, Albuquerque, Cortés, Pizarro, Balboa, Magallanes, Elcano, Cabeza de Vaca, etc. Ellos, y muchos frailes de energía igualmente titánica e iluminada por su creencia, consumieron sin resto sus personas como un holocausto a aquella extraña deidad —el integralismo de la persona. Frente al principio heredado de Grecia de que la realidad "es lo que es", el español sostuvo que la realidad era lo que él sentía, creía e imaginaba; "pospuesto el temor" —un *leitmotiv* ya en el siglo XV—, se instaló en Italia, caminó victorioso por el corazón de Europa o la altiplanicie andina.[60] Sin temor y sin sorpresa, pues todo podía adecuarse con fantasías ya vividas. A las gentes de Hernán Cortés, su entrada triunfal en México les pareció un episodio de *Amadís*, o cosas de encantamiento; la realidad era un simple juego de propicios o adversos encantadores.

La voluntad, el valor y la fantasía llenaban el lugar de la reflexión, y crearon así una manera de vida que sería ineptitud calificar de primitiva, atrasada, precientífica, etc., porque esa vida fue articulándose según una escala de valores ascendentes. El hombre llamado "primitivo" no tiene conciencia del riesgo de serlo; el español siempre supo cuán ardua fuese para él la tarea de ser español. Para serlo plena, castizamente, renunció, ya en el siglo XVI, al saber que le brindaba la casta española de ascendencia hebrea, según hago ver en mi libro *De la edad conflictiva.*

Se ha solido enjuiciar la vida española partiendo del principio de que las formas más logradas de la llamada civilización occidental eran la meta suprema hacia la que deberían haber dirigido su curso todos los pueblos de la tierra. Se mira entonces como primitivos, atrasados, infantiles o descarriados a los grupos humanos no incluidos plenamente en el área de la civilización iniciada en Grecia, moldeada políticamente por Roma, y llegada a su cenit con los estupendos hallazgos de la ciencia física. Los creyentes en la eficacia de este curso de vida piensan que los pueblos "atrasados" respecto de él, viven en un limbo aguardando a recibir la luz de la nueva revelación, así como los paganos (según se pensaba en la Edad Media) habían vivido marcando el paso en espera de que les llegara la verdad de Cristo. La idea cristiana fue sustituida en el siglo XVIII por la fe en el progreso; los no versados en matemáticas, en la lengua francesa, en la interpretación racional del mundo y en las cortesías de los salones, eran mirados como personas deficientes en espera de ser salvadas. La España de Carlos V también había aspirado a incluir a todo el planeta en el redil de su fe teocrático-nobiliaria, y desplegó con ese motivo una arrogancia no menor que la de los británicos en el siglo XIX. Tales juicios "democéntricos" (que no egocéntricos) denuncian en los pueblos que los sienten y los formulan una conciencia muy firme de su propio valor; mas ofrecen al mismo tiempo un grave obstáculo cuando pretendemos hacer perceptibles los valores de la historia española, extraña en su curso, unos valores que justamente van revelándose más y más a medida que se ahonda en aquel extraño carácter. El vivir con la propia casa a cuestas, "con todo su ser" (cap. XII), hizo posibles espléndidos resultados, pues la vida total de la persona pudo expresarse en acciones de singular grandeza, o en obras de arte de nuevo y gran estilo.

Es indudable, sin embargo, que los españoles han sufrido las consecuencias de la peculiaridad de su vida interior mucho más que los otros pueblos de la Europa occidental. Sin cosas ni ideas objetivadas, la "casta" no devino clase social, no salió de su quieto hermetismo, y no se produjeron acrecentamientos culturales (pensamiento, técnica) motivados por iniciativas españolas. Lo más de la energía hubo de consumirse en el esfuerzo por mantenerse como casta cristiana frente a las otras dos; es decir, guerreando e imperando sobre los vencidos o subyugados. Así se estructuró en su subconsciencia la gente que no se llamó española, claramente, sino en el siglo XIII. El europeo occidental, desde Carlomagno, gozó de una amplitud de movimientos volitivos y mentales imposible para el hispano-cristiano enfrentado con el moro. El europeo guerreó mucho también; pero siempre sobre una común base humana, y no entre gentes de otra casta para quienes cielo y tierra poseían diferente significación. Lo hace ver la misma posibilidad y extensión del imperio de Carlomagno, el cual llamó a su corte a un discípulo de Beda el Venerable, a Alcuino, un clérigo de la catedral de York, para fundar la famosa escuela de humanidades. Se mantuvo así vivo el rescoldo de la unidad cultural romano-cristiana. *Si los hispano-cristianos hubiesen intentado hacer lo mismo, no habrían pasado de la fase mozárabe, y la ola islámica los hubiera sumergido a la larga.*

La obligación de tener que luchar para mantener viva la identidad terreno-espiritual de la persona, impidió entablar las luchas de otro tipo que en Europa dieron ocasión a mutaciones religiosas, filosóficas o económicas. Las personas estaban seguras en cuanto a la firmeza de su base personal (la tradición romano-cristiana), y pudieron constrlirse nuevos horizontes que no alteraban la posición de aquélla. De ahí que, frente al realismo filosófico, pudiera surgir el pensamiento de la filosofía nominalista en la Francia del siglo XI, fundamento remoto de la ciencia moderna. Y tras eso, todo lo demás: separación de las verdades teológicas de las racionales con la filosofía del inglés Ockam en el siglo XIV. Y más tarde, cuanto llamamos cultura occidental, en filosofía, ciencia, industria y política —no limitada a expresar actitudes y sentimientos personales. Los españoles habrían podido contribuir a esa cultura que llamo "despersonalizada", pero su contribución habría sido hispano-judía.

EN RESOLUCION...

Queda así provisto de fundamento y situado en su conexión histórica el sentido de los vocablos *casta* y *castizo;* este último es usado hoy con significación vaga, sin enlace con su origen. Unamuno escribía en 1895 *(En torno al casticismo),* que "lo castizo, lo verdaderamente castizo, es lo de vieja cepa castellana... Lo castellano es, en fin de cuenta, lo castizo". La palabra *casta* penetró en las lenguas occidentales por haber aplicado los portugueses al sistema social de la India un término que les era familiar, aunque, naturalmente, las castas de España no hubiesen sido como las asiáticas. Del sentido de "animal vigoroso, saludable o prolífico", *castizo* pasó a designar una excelencia humana relacionada con el linaje ("cristiano castizo, mujer castiza"), o la buena calidad de algo. En el siglo XVII se dijo "bondad castiza, amor castizo". Más tarde, "ser castizo" ha significado "ser valiente y decidido, tener arrestos, ser rumboso", etc. Late bajo todo ello el remoto sentimiento de las cualidades y virtudes más preciadas para el español cristiano viejo y de abolengo no mancillado por la "pravedad herética", como antaño decían los inquisidores.

Casta y *castizo* existían como realidad íntima en la conciencia de quienes eran: o cristianos, o moros o judíos. Pero el uso polémico de tales términos no tenía motivo para arraigar en el lenguaje hablado, mientras las tres castas convivían, o en tanto que persistía vivo el recuerdo de tal convivencia. Lo que hoy se llama "patria, nación, el pueblo como un todo", era sentido en el siglo XII como un conglomerado de creyentes de distinta fe, cada uno con su Ley religiosa. La mención conjunta de "moros y cristianos" quería decir "todo el mundo, cualquiera". En el *Poema del Cid*, "mientra que sea el pueblo de moros e de la yente christiana" significa, según Menéndez Pidal, "mientras el mundo dure". "Moros ni christianos" se usaba en el sentido de "nadie"; y "en moros ni en christianos" quería decir "en ninguna parte". Después de 400 años de estar allí los moros, un escritor del siglo XII creía que aquella situación era consuetudinaria, e iba a durar tanto como lo que para él valía como mundo.

La creencia de ser el moro un elemento consustancial en el panorama humano del cristiano del norte de la Península, estaba arraigada en la fantasía popular en los siglos XII y XIII. Según acaba de demostrar Samuel G. Armistead, el monje de Arlanza, autor del *Poema de Fernán González*, escrito a mediados del siglo XIII, estaba convencido de que el rey don Rodrigo había luchado contra los moros como luego lo haría el conde Fernán-González. El rey don Rodrigo exclama en el *Poema:* "¡mal grado a los moros que la solían tener!" (la tierra de España). Por eso tenía que combatir para que aquella tierra no volviese a poder de "los dueños primeros".[62] La proyección sobre el remoto pasado de la Península de las circunstancias vigentes en el siglo XIII hizo que uno de los redactores de la *Crónica General*, de Alfonso el Sabio, parangonara la situación de los iberos y celtíberos, en la guerra entre Cartago y Roma, con la de los cristianos de Castilla entre los moros y los europeos. Por ese motivo, dice, se pusieron del lado romano, "porque tenien que era más razón de tener [amistad] con los romanos, que eran de parte de Europa, que non con los de Carthago, que eran de Affrica" (edic. Menéndez Pidal, pág. 19 *b*). Así pues, lo que observé al leer la *Crónica General*, es confirmado ahora por esta nueva interpretación del *Poema de Fernán-González*.

Se explica así mejor el que para el juglar del *Poema del Cid*, la frase "mientra que sea el pueblo de moros e de la yente christiana" signifique "siempre". Aunque es llamativo que no aparezca en el *Poema* la expresión trinaria, tan frecuente más tarde, de "cristianos, moros y judíos". El motivo sería —imagino— la falta de dimensión épica del judío, que haría inoportuna su mención en un cantar de gesta.

Pero referirse a la convivencia de las tres castas era ya normal en la época del *Poema*. Cuando Alfonso VII hizo su solemne entrada en Toledo, en 1139, la *Chronica Adephonsi Imperatoris* refiere que: "cuando todo el pueblo hubo oído que el Emperador venía a Toledo, todas las autoridades *(omnes principes)* de los cristianos, de los sarracenos y de los judíos, y todo el pueblo de la ciudad, salieron a encontrarle lejos de ella, con adufes, cedras, rotas y multitud de músicos. *Cada uno de ellos alababa y glorificaba a Dios en su propia lengua*, por haber favorecido tanto todos los hechos del Emperador". Y también decían: "Bendito sea quien viene en nombre del Señor." [63]

Se ve, por consiguiente, que ya en el siglo XII los tres "pueblos del Libro" convergían en creer en un mismo Dios, en una misma esperanza de paz y misericordia. Si poseyésemos textos de los siglos XI y X, expresivos de situaciones de vida colectiva, la figura social dibujada por ellos sería la misma, como la trazada por los textos desde el siglo XII hasta el XV, porque así fue la historia, y no de otro modo. Para hacer visible como un conjunto el pueblo castellano en el siglo XIV, el Arcipreste de Hita ha de mencionar a los tres pueblos, cuando quiere abarcar la totalidad de la gente a quien la carta de Don Carnal se refería:

> La nota de la carta venía *a todos nos:*
> "Don Carnal poderoso, por la gracia de Dios,
> a todos los cristianos, e moros e judíos,
> salud con muchas carnes..." (1193)

En el *Poema de Alfonso el Onceno*, de mediados del siglo XIV, se describe la entrada del Rey en Sevilla, según el mismo esquema de la Crónica de Alfonso VII, dos siglos antes. Aunque aquí la casta cristiana está ya caracterizada por sus deportes señoriales y combativos, la mora por sus demostraciones de alegría y los judíos por su apego al *Antiguo Testamento*. Los reyes de Castilla y Portugal fueron recibidos por los

> cavalleros bofordando,
> todos con gran alegrança;
> e a la gineta jugando
> tomando escudo e lança.
>
> E los moros e las moras
> muy grandes fiestas fazían,

los judíos con sus Toras
estos reys bien resçebían.

(Edic. Y. T. Cate, 267-268.)

Juan Alfonso de Baena compuso un *Dezir* para dar consejo e incitar a más altas empresas al rey Juan II de Castilla, un menester característico de judíos conversos en el siglo xv. El poeta se dirige a toda clase de gentes:

Pues escuchen los señores
et infantes et perlados,
duques, condes, adelantados,
los maestres e priores,
mariscales, regidores
de cibdades e de villas;
oyan todos maravillas,
non se espanten trobadores,
escuchen, pues, castellanos,
grandes sabios remonistas [seguidores de Raimundo Lulio],
et sotiles alquimistas,
et los rudos aldeanos,
judíos, moros, cristianos,
frayres, monges, omnes legos... [64]

Aunque el panorama de la vida social se ha complicado, por ser ya otra la actitud del escritor frente a aquélla, continúa sintiéndose la necesidad de mencionar las tres castas cuando hay que referirse a la gente como totalidad, no particularmente a los duques, monjes, sabios o aldeanos. Baena menciona en primer término a los judíos, y en último a los cristianos, por motivos de rima o por personales preferencias.

Seis años antes de la expulsión de los judíos y de la toma de Granada, la estructura social de las castas seguía siendo en Castilla como en tiempos de Alfonso VII. Un cronista de Palencia, Pedro Fernández del Pulgar, describe la entrada en la ciudad, en 1486, del obispo fray Alonso de Burgos:

"En su recibimiento hubo grandes fiestas, y especialmente lo regocijaron los moros y judíos que moraban en la ciudad, que eran sus vasallos; los moros con diversas danzas y invenciones; y los judíos iban en procesión cantando cosas de su ley; y detrás venía un Rabí, que traía un rollo de pergamino en las manos cubierto con un paño de brocado; y ésta decían que era la Torah; y llegando al Obispo, él hizo acatamiento, como a ley de Dios, porque dicen que era la Santa Escritura de el Testamento Viejo; y con autoridad la tomó en las manos, y luego la echó atrás por encima de sus espaldas, a dar a entender que ya era pasada; y así por detrás la tornó a tomar aquel Rabí. La cual ceremonia digna [es] de ponerse en esta memoria, porque fue la última vez que se hizo, a causa que después, de ahí a pocos años, se tornaron cristianos",[65] —dice con melancólica reticencia este converso.

Los grandes señores, fueran eclesiásticos o seglares, continuaban la costumbre secular de mantener unidos en sus estados a gentes de las tres creencias —por lo menos en Castilla la Vieja, menos alborotada contra los judíos en el siglo XV que Andalucía. Esta situación se interrumpe con el exilio de los judíos en 1492. Cuando a fines de ese siglo se dice en *La Celestina* (acto VII) que la madre de Pármeno, en razón de sus brujerías, "ni dexava christianos ni moros ni judíos cuyos enterramientos no visitava", la convivencia de las tres castas es ya un tema, en efecto, enterrado. El sistema ternario de las castas deja de hacerse visible en la vida diaria y en la literatura, para convertirse en latente y angustiosa inquietud, en preocupación por lo castizo de la persona y la "limpieza" de su sangre. De las consecuencias, a la vez penosas y admirables, de tal situación social trato en mi libro *De la edad conflictiva: El drama de la honra en España y en su literatura.*

DESPUES DEL SIGLO XV

Las alusiones al sistema social de las tres castas, después de 1500, no proceden ya del lado cristiano, sino del sefardí. El romance compuesto con motivo de la expulsión de los judíos de Portugal comienza describiendo la entrada en Lisboa de la reina Isabel, hija de los Reyes Católicos:

> Ya me salen a encontrar tres leyes a maravilla:
> los cristianos con sus cruces, los moros a la morisca,
> los judíos con vihuelas, que la ciudad se estrujía...[66]

Tan "españolamente" encarnada en la vida hispano-judía se hallaba la imagen de la convivencia tradicional de las tres castas, que los cristianos y los moros de la versión marroquí antes citada, se transforman en turcos y griegos en una versión de Salónica:

> Los turcos en las mexquitas, los gregos van a la klisa,
> los yidiós a la Ley Santa, la que la sivdad mos guadra.[67]

La Tora, cantaban aquellos hebreos, *mos guadra*, "nos guarda" la ciudad de Salónica. Guarda poco eficaz para aquellos desventurados, pues de cincuenta y tres mil que eran en 1940, quedaron reducidos a mil ochocientos en 1948.[68] El juego siniestro de las circunstancias se repetía.

Mas aunque dentro de la Península, según he dicho, se extinguiera con el siglo XV [68 bis] la mención literaria de las tres castas, aquel modo socialmente trino de sentirse existir como españoles se mantuvo vivo en la tradición oral. En el *Vocabulario de refranes* de Gonzalo Correas, compilado en el primer tercio del siglo XVII, encuentro éste: "Judíos en pascuas, moros en bodas, cristianos en pleitos, gastan sus dineros" (edic. 1924, p. 253). El que los judíos sean mencionados en primer término, y el caracterizar las preferencias de cada grupo según un criterio económico, inclinan a pensar que fuera judío el autor del refrán. El judío concede primaria importancia a sus festividades religiosas, una finalidad grave y respetable; el moro, como es sabido (ver cap. VI, *los moriscos*), gustaba mucho de fiestas y regocijos ruidosos; el cristiano aparece como pleitante, como preocupado de hacer valer su derecho, de afirmar sus razones o intereses personales. Esta caracterización está fundada en la forma de las estimaciones, en el movimiento y dirección de la vida, no en abstractas características psicológicas; quien la formuló prefería al judío y miraba de reojo hacia el cristiano. Y es curioso que este refrán aún se mantuviera en la tradición paremiológica, cuando hacía más de un siglo que los judíos habían dejado de existir en España, por lo menos oficialmente.

Decía Unamuno en 1895: "Lo verdaderamente original es lo originario, la humanidad en nosotros" (*En torno al casticismo*). La expresión era demasiado abstracta, ya que lo pertinente hubiera sido más bien volver al sentido originario de la casta y de lo castizo; de otro modo la historia española continuará siendo un torrente de verbalidades, por muchos que sean los hechos y saberes que se acumulen. Los españoles se encontrarán a sí mismos *en* su historia, en su vivir pasado, porque los españoles en modo alguno pueden ser ellos *y* su historia; no son resultado de una adición, sino de la conjugación infrangible de sus personas con los modos y los tiempos en que ellas se han expresado. Se encontrarán a sí mismos en la conciencia de su pasado, *para ahincarse en él, o para soslayarlo* y apuntar hacia otros rumbos. Aquel pasado, desde fines del siglo XV, no tuvo en cuenta los riesgos y las necesidades del futuro; mandaba la angustia del presente, de un presente de puntos sucesivos, no lineal. El español, ya solo en su casta, aspiró a hacerse eterno e inmutable —en un proseguido y grandioso arrebato, quién lo duda. Sólo que la conciencia del pasado dejó de actuar como "ternaria" para volverse unitaria y monolítica. De ahí el olvido de la propia historia, y el relleno de aquel vacío con fábulas ilusorias, de godos, romanos y celtíberos. El futuro, de construible, pasó a ser meramente imaginado como deseable.

Dice Unamuno —con más discreción de la que otras veces usó—: "Tenía honda razón el señor [don Gumersindo de] Azcárate, que nuestra cultura del siglo XVI debió de *interrumpirse*, cuando la hemos olvidado."

Unamuno, con todo, creía que no había muerto, porque "lo olvidado no muere, sino que baja al mar silencioso del alma, a lo eterno de ésta". Lo cual en este caso es una linda aunque inexacta frase. ¿Qué fue del pensar de Vives, del humanismo de Nebrija, Valdés y el Brocense; de la ciencia de Pedro Núñez? La "cultura" hubo de ser importada en el siglo XX, en conexión con circunstancias azarosas y siempre precarias. El mismo novelar de Cervantes revivió prodigiosamente en Galdós a través del cervantismo muy vivo en otras literaturas de Europa.

Aquel pasado permaneció, en cambio —en eso tenía razón don Miguel—, como soterrado rescoldo, en ciertas gentes de España, especialmente en la Castilla arriba del Duero —como eco dormido de una voz ya muda, de clamores de grandeza ya inconscientes, o musitados, sin oído que los recogiese. Galdós (en *Nazarín)* habla de esos "tipos de raza castellana, como cecina forrada en yesca". "Es [el castellano] —dice Unamuno— calmoso en sus movimientos, en su conversación pausado y grave, y con una flema que le hace parecer a un rey destronado. Esto cuando no es un socarrón, voz muy castiza de un carácter muy castizo también." Pero Unamuno, en un desliz positivista, creía que todo esto tenía que hacer con el clima: "Una casta de hombres sobrios, *producto* de una larga selección por las heladas de crudísimos inviernos y una serie de penurias periódicas, hechos a la inclemencia del cielo y a la pobreza de la vida."

He preferido, por mi parte, subordinar las circunstancias naturales a las humanas, y volver a la raíz misma del sentimiento de "casta" y de "castizo". Me rendí a la evidencia de que la disposición de vida, hoy española, fue como un tejido de tres hilos, sin que quepa excluir de él ninguno de ellos. Los historiadores sabios, en ciertas ocasiones, hablan de objetividad, tanto como los críticos literarios de tipo "científico". No quieren descubrir su intimidad al enfrentarse con fenómenos humanos, porque eso a un sabio, sobre todo si es alemán o inglés, le parece muy "shocking". Dan suelta, en cambio, a veces con gran cinismo, a sus odios y rencores sin la menor continencia. El antiislamismo y antijudaísmo llegan a límites cómicos, según he hecho y haré ver. Mas hay que poner valladares a la historiografía fabulosa. Hay que hurgar en intimidades sensibles del pasado, para muchos dolorosas, no por el gusto de hacer ciencia, sino para suscitar clarividencias y templar los ánimos frente al más incierto futuro que se va a presentar al Occidente después de la caída del Imperio Romano. Y el español, entre los europeos, quizá sea el menos en contacto con el sentido de su propio pasado. Estoy persuadido de que en el cielo de España no sonreirán las hadas y los hados mientras la vida que fue, y sigue ahí latente en sus consecuencias, no sea manifestada, *valorada* y transmutada en formas de actividad que, sin destruir aquélla, la hagan apta para enfrentarse con los problemas ante los cuales se hallan los habitantes de la Península. De ahí que para el historiador, su primer deber sea hacer volver a los hispanos de la alucinación respecto de sí mismos, y estimularlos a desechar la apatía ante el esfuerzo calculado, y a tomar precauciones ante la violencia como sustituto del vacío existencial. ¿Quimera? Puede ser. Mas ha habido otras mucho menos justificadas, y cuyas consecuencias fueron bastante funestas.

NOTAS

[1] Según ya se verá más adelante, en el siglo XIII se sentía que Castilla "es mejor de las sus vezindades"; Dios quiso mejorar a España respecto "de Inglaterra y Francia", puesto que "non yaz Apóstol en todo aquel logar", etc.

[2] *Chronica Albeldense*, edic. M. Gómez Moreno, en "Bol. Acad. Hist.", 1932, pág. 569.

[3] *Cartas*, Bibl Aut. Esp., XIII, 160 b.

[4] *Historia natural de las Indias*, edic. 1851, I, 73.

[5] *Quincuagenas de la nobleza de España*, edic. 1880, pág. 281. El interés de Fernández de Oviedo en subrayar el "casticismo" de los españoles es nuevo indicio de ser él cristiano nuevo. J. de la Peña y Cámara supone con razón que el empeño en hacerse pasar por hidalgo y cristiano viejo muestra que F. de O. no lo era (ver *Rev. de Indias*, Madrid, 1957, XVII, 634 y siguientes). No creo fundadas las objeciones de J. Pérez de Tudela Bueso, en su edición de las obras de este autor, *Bibl. Aut. Esp.*, págs. XV-XVI. La figura social e intelectual de F. de O., su actitud evasiva en cuanto a sus antecedentes y a la vez exuberantemente personal, son semejantes a las de otros conversos en los siglos XV y XVI.
En unas pruebas de la limpieza de sangre de un descendiente de Diego de San Pedro (el autor de la *Cárcel de amor*), aspirante al hábito de Santiago, en 1592, un testigo dice no saber "de qué casta y calidad de linaje" fuese aquel Diego. Otro testigo también ignora "de qué linaje, ni casta ni calidad de ella fuesen" otras personas implicadas en el asunto. (Ver E. Cotarelo, en *Boletín Academia Española*, 1927, XIV, 311, 312.) Diego de San Pedro era converso.

[6] Los siguientes textos me han sido comunicados por los señores Samuel G. Armistead y Joseph H. Silverman, a quienes expreso aquí mi gratitud.

[7] Ms. judeo-español de la isla de Rodas (siglo XVIII).

[8] M. Attías, *Romancero sefardí*, Jerusalén, 1956, texto 88.

[9] F. Rodríguez Marín, *Cantos populares andaluces*, III, 173.

[10] Téngase presente mi libro *De la edad conflictiva: El drama de la honra en España y en su literatura*, Madrid, Taurus, 1961.

[11] Esos nombres de lugar, existentes hoy, tampoco significan que la romanidad o la goticidad de sus habitantes continuaran vigentes mucho tiempo después del siglo VIII. Lo romano y lo godo valen ahí como lo babilonio del sistema duodecimal de contar las horas, importado del Oriente por los romanos. Menéndez Pidal no cree "en una persistente diferenciación étnica entre godos y romanos", aunque cita unos cuantos nombres de lugar que recuerdan la situación vigente antes de existir al-Andalus *(Orígenes del español*, 1950, págs. 505, 509). Esto confirma mi idea de que ni los romanos ni los godos se sentían ser españoles.

[12] R. Dozy, *Histoire des Musulmans d'Espagne*, 1932, II, 63-66, 273; *Recherches*, 1881, 29. M. Gómez Moreno, *Las primeras crónicas de la Reconquista*, en "Bol. Academia Historia", Madrid, 1932, C, pág. 580.

[13] Ver *Origen, ser y existir de los españoles*, págs. 26 y 48.

[14] Henri Pérès, *La poésie andalouse en arabe classique au XI° siècle*, pág. 255.

[15] Pérès, *o. c.*, pág. 254.

[16] *Histoire des Berbères*, trad. Slane, edic. 1925, I, 349, 350.

[17] *Elogio del Islam español* [hacia 1200], trad. de E. García Gómez, págs. 41, 44. El uso del término "español" no me parece correcto; los musulmanes de al-Andalus eran un pueblo distinto, tan orientales como los magrebíes, los egipcios o los sirios.

[18] *Prolégomènes*, trad. de M. G. de Slane, 1863, I, pág. 63.

[19] Los epitafios en latín y castellano fueron transcritos por Diego Ortiz de Zúñiga, *Anales eclesiásticos y seculares de la muy noble e muy leal ciudad de Sevilla*, Madrid, 1795, I, 415-416. El texto castellano ha sido cotejado con la fotografía amablemente enviada por ε.

Laboratorio de Arte de la Universidad de Sevilla, al cual expreso aquí mi reconocimiento. Los textos árabe y hebreo, junto con los latino y castellano, están reproducidos en el *Catálogo conmemorativo del VII centenario de la conquista de Sevilla*, impreso en Vitoria, H. Fournier, 1948.

²⁰ "Cabeza" por "capital" es traducción de *rās* en el epitafio en árabe, conservado en el español *res* "cabeza de ganado".

²¹ Cantiga de "A carta de pēedença" ("de penitencia"), Ms. de la Bibl. Nazionale de Florencia, B. R. 20, fol. 53 r.

²² Ver el texto en D. Catalán, *Un prosista anónimo del siglo XIV*, pág. 118.

²³ Ver A. Paz y Melia, *Biblioteca fundada por el Conde de Haro en 1445*, en "Rev. de Arch., Bibl. y Museos", IV (1900), pág. 665. (Dato comunicado por Francisco Márquez.)

²⁴ Traducidas por E. García Gómez y publicadas en "Al-Andalus", 1957, XXII, 257 y siguientes.

²⁵ En su *Historia da India*, terminada en 1635, decía Antonio Bocarro: "Podemos mui bem chamar a esta conquista... dilataçāo e exaltaçāo da fé catholica...; senāo que de d'antes póde ser que nāo fosse tāo pura, pelos grandes interesses que d'antes tiravam do commercio..." La gran dificuldad con que chocaban los portugueses era que los reyes vecinos, "por cubiça ou por suberba... nāo guardam fé nem amisade..., sendo entre os portuguezes o contrario tāo certo", que muchas veces dejaron perder grandes ocasiones para no romper la "*inviolavel guarda de sua fé e palavra*" (edic. de Lisboa, 1876, parte I, págs. 3, 41). Añadamos que Antonio Bocarro era un converso (ver J. Lucio d'Azevedo, *Historia dos Christāos-Novos Portugueses*, Lisboa, 1922, pág. 231). Según se verá en el capítulo final, esta idea acerca de la "verdad" es característica del pueblo hebreo, no es occidental.

²⁶ El orden musulmán se expresa en textos como el siguiente: "El mundo es huerto, e el su valladar es regnado, e el regnado mantiénese por las leyes, e las leyes establécelas el rey, e el rey es pastor, e mantiénese por la caballería, e la caballería mantiénesè por el haver, el haver ayúntase del pueblo, e el pueblo es siervo de la justicia, e por la justicia enderéçase el mundo" *(Buenos proverbios*, cap. XIII, edic. H. Knust, pág. 276). Textos análogos en *Poridad de poridades*, y en las *Partidas:* "El regno es como huerta, et el rey como señor della, et los oficiales del rey que han de judgar et de seer ayudadores a complir la justicia, son como labradores; et los ricos homes et los caballeros son como asoldados para guardarla, et las leyes et los fueros et los derechos son como valladar que la cercan, et los jueces et las justicias son como paredes et setos, porque amparan que non entren hi a facer daño" (II, X, 3). Para textos árabes con la misma idea, ver Knust, pág. 227. Este orden descansa sobre un esquema plano, no vertical, y lo sintió muy bien el que escribiera este trozo de las *Partidas* al insistir sobre los símbolos *valladar, paredes, setos*. Nótese como este orden fluye por una superficie plana, en encadenamiento de arabesco, en espacios que se integran en cerrazones que se abren para que el espíritu mundano-divino y divino-mundano siga corriendo y remansándose en un infinito proceso. El orden vertical, a la europea, fue difícil para los españoles.

²⁷ Trato de ello especialmente en *De la edad conflictiva*, Madrid, Taurus, 1961.

²⁸ Sobre las polémicas a que dieron lugar los estatutos de limpieza, ver ahora el importante estudio de Albert A. Sicroff, *Les controverses des statuts de "pureté de sang" en Espagne du XVᵉ au XVIIᵉ siècle*, París, Didier, 1960.

²⁹ Para ver cómo vivía este sentimiento del linaje entre los hispano-hebreos basta consultar los comentarios del Rabí Arragel, escritos hacia 1420: "Utilidades de este capítulo [del libro de *Esdras*] son: una, fazernos saber que quien toma muger de agenas nasçiones, que faze muy fuerte pesar e enojo a Dios; nota en Salamón que tomó mugeres de agenas nasçiones, e aquello causó todo el mal de Israhel, en cabtivo... E dixo [Esdras] que sólo este pecado de dormir con mugeres de otras nasçiones e en ellas fijos engendrar, era bastante para que en Israhel non quedase ningún remante" (Biblia, edic. del Duque de Alba, II, 868). Como se ve, mucho antes de que la literatura de los cristianos tratase de la limpieza de sangre, la preocupación de conservarla era consustancial con la misma existencia de los hebreos. Los conversos que, a millares, se mudaron a la casta cristiana, inyectaron en ella el ideal bíblico de la limpieza de sangre. El *Antiguo Testamento*, después de todo, también valía como libro revelado para los cristianos. Sólo que no fue ese motivo el determinante de que la limpieza de sangre bíblica penetrara en el ámbito de la vida cristiana en España.

³⁰ *Historia de los Reyes Católicos*, edic. 1870, I, 124-134. El resentimiento, el complejo de inferioridad, hierven bajo la poco piadosa pluma del Cura de los Palacios.

³¹ Miguel Pérez de Almazán, un converso oriundo de Calatayud, fue el primer Secretario de Estado en España, y a ejemplo suyo, otros reyes comenzaron a tener Secretarios de Estado. Almazán era respetadísimo en las cortes extranjeras, y su sagacidad y sus abnegados servicios influyeron considerablemente en la política internacional del rey Fernando. Ver el

importante artículo de P. Rodríguez Muñoz, *Un colaborador de los Reyes Católicos*, en "Publicaciones de la Institución Tello de Meneses", Palencia, 1957, págs. 117-158.

[32] También afectó a las profesiones liberales. Con motivo de los motines toledanos de 1449, escribía el converso Hernando del Pulgar: "Miénbraseme entre las otras cosas que oí decir a Fernand Péres de Guzmán, que el obispo don Pablo [de Santa María] escribió al Condestable viejo que estava enfermo ahí en Toledo: «Pláceme que estáis en cibdad de notables físicos e sustanciosas medecinas». No sé si lo dixiera agora; porque vemos que los famosos odreros [uno que hacía odres había sido cabeza de motín contra los conversos] han echado dende los notables físicos; y así creo que estáis agora ende fornecidos de muchos mejores odreros alborotadores que de buenos físicos naturales" ['versados en ciencias naturales'] (ver *Clásicos castellanos*, vol. 99, pág. 24).

[33] Ver *Crónica de don Juan II*, en Bib. Aut. Esp., LXVIII, 661-662.

[34] Publicó este texto Fermín Caballero, *Conquenses ilustres. Doctor Montalvo*, 1873, págs. 243 y siguientes. El informante del obispo de Cuenca llama "bachiller Marquillos" a Marcos García, y le acusa de haber levantado la cizaña de Toledo y de no ser hombre para nada, "ni aun en su villano linaje de la aldea de Mazarambrós... Mejor fuera tornarse a arar como lo fizo su padre e sus abuelos, e lo fazen hoy día sus hermanos e parientes" (pág. 252). Bien se ve en este y otros casos que la furia contra los conversos era atizada por los rústicos. A la postre el ser labriego sería la más firme protección contra la acusación de ser de casta judía.

[35] No es esto una inferencia problemática, pues era cosa sabida, según prueba la siguiente anécdota que cuenta Luis de Pinedo, *Libro de chistes (Sales españolas)*, recogidas por A. Paz y Melia, Madrid, I, 1890, pág. 279): "El mesmo Sancho de Rojas [primo hermano de Fernando el Católico], dijo al Rey Católico (estándole cortando un vestido de monte): —Suplico a Vuestra Alteza que si sobrare algo de ese paño, me haga merced de ello. El Rey le dijo que de buena gana. Otro día dijo el Sancho de Rojas al Rey: —Señor, ¿pues sobró algo? Dijo el Rey: —No, por vuestra vida, ni aun tanto —y señalóle una O hecha con la mano en el pecho (la que solían traer los judíos de señal de paño en el pecho puesta)—. Respondió Sancho de Rojas: —Hablóme aquel morico en algarabía, como aquel que bien lo sabe." Por otra anécdota de Luis de Pinedo (pág. 268), parece que también se atribuía origen judío al duque de Alba: "Alonso de la Caballería dijo al Cardenal don Pedro Gonçalez de Mendoça, que le preguntó qué le parecía de don Enrique Enríquez, que fue después Almirante, y de don Fadrique de Toledo, que después fué duque de Alba; dixo: «Paréceme que cuanto más se apartan los judíos más ruines son.»"

[36] Utilizado por J. Amador de los Ríos en el volumen III de su *Historia de los judíos*, y publicado luego en la *Revista de España*, CV, CVI, 1885. Fue editado modernamente por I. de las Cajigas.

[37] Dada la rareza de sus ediciones, remito al resumen de la *Enciclopedia Espasa*, artículo "Nobleza". Ver *Revue Hispanique*, 1900, VII, 246.

[37 bis] Biblia, edic. del Duque de Alba, pág. 3.

[38] Lo menciona J. Amador de los Ríos, *Estudios sobre los judíos de España*, 1848; edic. de Buenos Aires, 1942, pág. 333, como inédito; no conozco otras referencias a este manuscrito de la Biblioteca Nacional de Madrid.

[39] *Jüdisch-spanische Chrestomathie*, 1896, pág. 4.

[39 bis] La lista es muy incompleta. Ver ahora Francisco Márquez, *Investigaciones sobre Juan Alvarez Gato*, Madrid, 1960.

[40] Entre las prohibiciones del decreto de 1412, dado durante la menor edad de Juan II, figura que ninguna cristiana "non sea osada de entrar dentro en el cérculo donde los dichos judíos e moros moraren, de noche nin de día" (Baer, II, 268).

[41] A. A. Neuman, *The Jews in Spain*, II, 5. El documento figura en los "responsa" de Šelomó ben Abraham ben Adret, que vivía entre los siglos XIII y XIV.

[42] Para otras calumnias sustanciadas ante tribunales rabínicos, ver Neuman, II, 8.

[43] Las *Partidas* (VII, 24, 9; 25, 10) condenaban a la cristiana que yacía con moro o judío a perder la mitad de sus bienes por la primera vez y a entregarlos a sus padres; la segunda vez perdía todos sus bienes en la misma forma, y era condenada a muerte si reincidía ulteriormente. Tratándose de mujeres casadas, el marido podía hacer lo que quisiera —matarla o absolverla.

[43 bis] Ver los textos bíblicos antes citados.

[44] Baer, II, 138, da una versión alemana del original hebreo.

[45] Ver Marcel Bataillon, "Honneur et Inquisition", en *Bulletin Hispanique*, 1925, XXVII, 5-17. Miguel Servet, divulgando sus herejías por el extranjero, deshonraba a España; su propia familia intentó atraerlo a su patria con añagazas para entregarlo a la Inquisición.

[46] Neuman, *o. c.*, II, 278.

[47] Los citados hechos no pueden considerarse como casos aislados de reivindicación del honor familiar; han de situarse, por el contrario, en el cuadro total de las preocupaciones "castizas", ya presentes en los libros de *Esdras* y *Nehemías*, y aún visibles en la literatura sefardí (ver pág. 45). No creo que quepa distinguir en estos casos entre cuestiones de honra y de linaje, según opina A. Sicroff en *Les controverses des status de "pureté de sang"*, pág. 88.

[48] Ver *Aspectos del vivir hispánico*, págs. 21 y sigs., para el mesianismo de aquella época. Se creía en la misión sobrehumana de los Reyes Católicos y del cardenal Cisneros; éste, a su vez, protegía a la monja Juana de la Cruz, profetisa que esperaba alumbrar a un nuevo Salvador (M. Bataillon, *Erasme et l'Espagne*, pág. 74); un fraile franciscano se creía llamado a engendrar un profeta que salve el mundo, y escribió, al efecto, a la Madre Juana de la Cruz, virgen sin tacha. Un franciscano, fray Melchor, descendiente de judíos conversos, creó conventículos de alumbrados y hallaba adeptos entre los conversos (*ibíd.*, págs. 65-73). En 1520, un Juan de Bilbao, judío, se hizo pasar por el príncipe don Juan y por redentor de pueblos (*ibíd.*, pág. 51).

[49] Ver *Al-Andalus*, 1945 a 1948.

[50] Hablando rigurosamente, los conversos de la segunda generación en adelante no eran judíos; aunque seguían perteneciendo a aquella casta a causa de su perdurable conciencia de no ser cristianos viejos.

[51] "Claros varones", edic. *Clásicos castellanos*, pág. 119. Un historiador de los dominicos, fray Hernando del Castillo, negaba en 1612 la veracidad de Pulgar *(Historia de Santo Domingo y de su orden*, pág. 572); pero Pulgar sabía quiénes eran sus ilustres contemporáneos, mientras fray Hernando sólo trataba de dar lustre a su orden y de remover la tacha de "infamia" que pesaba sobre el famoso cardenal.

[52] Ver el estudio preliminar de Juan de Mata Carriazo a su edición de la *Crónica de los Reyes Católicos*, de H. del Pulgar, Madrid, 1943.

[53] *Letras*, edic. "Clásicos Castellanos", págs. 149-150.

[54] Lo cual no quiere decir que la reacción inquisitorial fuera judaica, sino que es inexplicable si no se tiene en cuenta la reacción de los conversos contra los judíos.

[55] El texto ha sido publicado por G. Marañón, *El conde-duque de Olivares*, 1936, pág. 426.

[56] En 1564 no estaba muy inclinado don Martín Pérez de Ayala a aceptar el arzobispado de Valencia, porque no le agradaba "venir a hacer vida con gente nueva y *no de nuestra nación* del todo" ("Vida de don Martín de Ayala", en *Nueva Bibl. Aut. Esp.*", V, 236).

[57] Es curioso que el hispano-cristiano no poseyese palabra tradicional para *sastre*. Esta es un galicismo, procedente del sur de Francia (v. A. Steiger, *Aufmarchstrassen des morgenländischen Sprachgutes*, Berna, 1950, pág. 17). *Alfayate* es árabe. *Ropero* tuvo uso más limitado.

[58] Diálogo llamado *Gonsalus seu de appetenda gloria*, XXVI. Dice también Ambrosio de Morales en su prefacio al *Razonamiento sobre la navegación del Guadalquivir*, de Hernán Pérez de Oliva: "Córdoba estaba en aquel tiempo [hacia 1520] como medio despoblada, désde que, acabándose la conquista del reino de Granada, le faltaron los continuos exercicios de la guerra, en que sus naturales muy honradamente se entretenían."

[59] *De las consideraciones sobre todos los Evangelios de la Cuaresma.* 1601 (en Nueva Bib. Aut. Esp., III, 60). Excelente perspectiva la de ese texto para situar en ella la génesis del *Quijote*. También Aquiles, en la morada del eterno descanso, suspiraba por los combates de Troya: "¡Oh, si nunca se hubiera tomado la ciudad sagrada!" *(Odisea*, XI, 8). Véase Unamuno, *Ensayos*, edic. Aguilar, II, 383.

[60] Todavía en 1634 aquel ejército decidía de los asuntos de Europa. Un alemán describe así a los españoles en la batalla de Nördlingen, la más sangrienta de la Guerra de Treinta Años: "Entonces avanzaron con paso tranquilo, apiñados en masas compactas [mit ruhigem Schritt, in festen Massen geschlossen], varios regimientos españoles. Eran casi exclusivamente veteranos bien probados; sin duda alguna, el infante más fuerte y más firme con que he luchado en toda mi vida." El ejército germano-sueco quedó deshecho. (Ver Pedro de Marrades, *Notas para el estudio de la cuestión de la Valtelina*, 1943, pág. 174.)

[61] Pedro de Médicis escribía a su hijo Lorenzo en 1466: "Te conforto a pigliarne pensiero e non maninconia... i pensieri sono utili, facendoli buoni" (Apud Edoardo Bizzarri, *Il magnifico Lorenzo*, pág. 51) Mas si los españoles hubiesen pensado como los florentinos, no habrían creado un imperio. Ese es el drama de toda vida: esto, a costa de aquello.

[62] *La perspectiva histórica del "Poema de Fernán González"*, en "Papeles de Son Armadans", Madrid-Palma de Mallorca, abril, 1961.

[63] Edic. de L. Sánchez Belda, p. 122. La Crónica fue escrita por un contemporáneo

del Emperador (pág. X); pero el texto que cito no significa que Alfonso VII fuese "tolerante", según cree el editor, sino que así, y no de otro modo, era la estructura de la vida hoy llamada española. El Emperador se hallaba incluso dentro de ella.

[64] Editado por J. Piccus, sin puntuación ni comentario, en *Nueva Rev. de Filología Hispánica*, 1958, XII, 338.

[65] El texto ha sido citado por Esteban Ortega Gato, *Blasones y mayorazgos de Palencia*, Palencia, 1950, pág. 39. Véase el estudio preliminar, nota 25, de Francisco Márquez Villanueva, al frente de la edición de la *Católica impugnación*, de Fray Hernando de Talavera, Barcelona, 1961.

[66] Ver R. Menéndez Pidal, *Poesía juglaresca*, 1957, pág. 98.

[67] Ver S. G. Armistead y J. H. Silverman, *Western Folklore*, University of California, 1960, XIX, 242.

[68] Ver M. Molho, *In Memoriam: Hommage aux victimes juives des nazi en Grèce*, Salónica, 1948. (Apud el citado estudio de los señores Armistead y Silverman, pág. 244).

[68 bis] Si bien es cierto que Torres Naharro alude a las tres castas (pág. 185), ha de tenerse en cuenta que escribía fuera de España, y que su personalidad se había formado en el siglo anterior.

Capítulo III

UNA HISTORIA DE INSEGURIDADES Y DE FIRMEZAS

Las gentes que hacia el siglo XII comenzaron a ser llamadas "españolas", llegaron a serlo merced a la fe en la pujanza de su ánimo indomable y en el valor de las creencias sobre las cuales afirmaban su impulso combativo. Al mismo tiempo, las situaciones geográficas y humanas creadas a lo largo de los siglos como resultado de aquel batallar, nunca valieron como plenamente seguras y satisfactorias, ni como promesa de un futuro estable y bien redondeado. De ahí la constante necesidad de rebasar los límites territoriales, de anhelar un "plus ultra" sin posible límite. Mas a la postre el pasado de tan tenso existir —ya se vio—, siempre fue sentido como muy discutible, como poco lleno. La historia de la Reconquista aparecía en el siglo XV a Fernán Pérez de Guzmán —una figura excelsa y archisignificativa— como "triste y llorosa". Mariana, en 1600, recordará que el Rey Católico fue muy censurado con motivo de la expulsión de los judíos. En los siglos XIX y XX se han enfocado con enojo y desengaño los 300 o 400 últimos años del vivir español. Y si el pasado nunca satisfizo del todo a los más inteligentes, el futuro siempre dependió para los más de alguna ilusión mesiánica, no de lo que el cálculo y el esfuerzo callado y previsor pudiesen allegar para bien y ventura del reino o de la nación. Esto es lo que pienso al afirmar que la historia de los españoles ha sido la historia de una inseguridad.

La vida, sea la de uno o la de muchos, siempre es insegura, pues nada hay más problemático que el hecho mismo de la existencia humana. Pero no es a ese tipo de inseguridad al que ahora me estoy refiriendo. Se sabe, o se debía haber sabido, que ya en el siglo XI, el musulmán andalusí (no andaluz) Ibn Hazam dijo que ser hombre consiste en preocuparse por la propia vida, por continuarla —esencial y radicalmente en eso. Vivir para el hombre equivale a estar intentando hallar salida o solución a la dificultad que se viene encima, chica o grande. Pero esa inseguridad que el hombre ha de hacer segura a cada instante,

[72]

no es la inseguridad de que estoy tratando, que apunta hacia el valor conferido a lo que existe en torno y a la misma posibilidad de la persona de hacer frente a los problemas frente a ella. Se trata de una inseguridad secundaria, de segundo grado. La persona, tácita o expresamente, se pregunta acerca de sus posibilidades para habérselas con los problemas frente a ella.

Los visigodos en Hispania (que aún no era España) y los francos en las Galias (que aún no eran Francia) —tierras hasta hacía no mucho romanas—, afirmaron y constituyeron sus respectivos reinos como godos y como francos carolingios. Los primeros lo consiguieron, y el resultado de ello fue Francia; los segundos, no, a consecuencia de haber sido vencidos militar y políticamente por los musulmanes. Quienes luego iniciaron nuevas formas de existencia política, no lo hicieron ya como visigodos, sino como cristianos, como dice la Crónica de hacia 880. Se habían ya proyectado luces y sombras islámicas sobre un trozo de Occidente, al norte de la Península; y las consecuencias de ello serían incalculables para quienes iniciaban un proyecto de vida nacional, no ya como romanos ni como godos, sino bajo una enseña religiosa, vibrante de resonancias orientales.

Secuela de haberse yuxtapuesto y confundido los motivos religiosos y los seculares, fue, en primer lugar, que los otros grupos de resistencia, además del astur (al norte de la futura Castilla, junto al Pirineo y en la futura Cataluña) coincidían en ser cristianos, en estar unidos en el trans mundo de su creencia, no en el mundo de las conexiones terrenas (un rey, un emperador). La precaria unidad política de la zona cristiana era correlato del carácter de "taifa" *avant la lettre* ofrecido por la es tructura político-religiosa de al-Andalus. O sea, que la desunión política de los pueblos peninsulares no se debe al mítico "particularismo ibérico", ni los separatismos provienen del hecho de haberse comenzado a desintegrar el Imperio Español ya en el siglo XVII. Hubo separatismos porque el Imperio no unió de veras a Portugal con España, ni a Cataluña ni a otras regiones con Castilla —o sólo las unió a medias. Se trata, como se ve, de un problema de estructura inicial, al menos en lo que tiene de decisivo. Que circunstancias concomitantes agraven ocasionalmente la cuestión, eso no deja sin validez lo que yace ahí patente desde hace siglos.

Otra consecuencia, tan visible como la anterior, fue que otras colectividades definidas por su religión —moros y judíos— convivieran con quienes combatían contra sus vecinos, fueran éstos moros o cristianos. El sistema de las castas también se ligaba con el modelo islámico de la convivencia de las "gentes del libro" (el *Alcorán*, el *Antiguo*, el *Nuevo Testamento*). Sin tal sistema, los reinos cristianos no habrían podido organizarse ni, a la larga, subsistir. La casta militar de los caballeros fue desarrollando su energía con una intensidad y una especialización proporcionales a la libertad de movimientos que les dejaban quienes, en la retaguardia, se ocupaban en técnicas, administraban los dineros y cultivaban los menesteres intelectuales (moros, judíos) —o clérigos franceses.

Gutierre Díez de Games describía en el siglo xv aquel proceso de especialización, descripción aplicable tanto a los tiempos antiguos como a los suyos:

"Los gentiles buscaron una manera de apartar hombres para batallar. ...Los patriarcas vinieron a acordar que cuando fuesen a las batallas, que pusiesen hombres a lugares en las alturas que mirasen las batallas como se facían, e conosciesen a los que peleaban bien de voluntad, e daban buenos golpes, e sufríen el miedo, e non dudaban la muerte, antes estaban firmes. Desde que las batallas eran fechas, tomaban aquéllos e apartábanlos e dábanles grandes gracias, e facíanles mucha honra porque tan bien habían peleado. E facíanlos andar acaudillados a su parte, e mandábanles *que non usasen de otros oficios*, salvo aquél..., e que en aquello fuese todo su estudio... E honrábanlos e amábanlos mucho todos los pueblos, e llamábanlos *hombres de bien*." [1] *

Estos "hombres de bien" recuerdan mucho a los "fijos d'algo", "hijos de bien" (ver cap. VI).

Se produjo así un "subregionalismo" en el interior de cada región políticamente demarcada. Ni los unos ni las otras se integraron establemente mediante un sistema de jerarquías verticales, combinado con el entrecruce de los intereses horizontales. Junto con esto, a medida que las actividades de la casta dominante políticamente iban ganando en importancia, las otras dos castas iban perdiendo la suya, y a la postre serían aplastadas por la violencia (expulsión de judíos y de moriscos).

Así pues, desde sus inicios, o sea, desde el momento en que unos grupos humanos se sintieron ligados por un común quehacer, y se llamaron a sí mismos castellanos, leoneses, aragoneses, etc., la vida de todos ellos fue alzándose sobre cimientos de inseguridad. La desunión interestatal entre los varios reinos, los riesgos de la frontera islámica o cristiana y la heterogeneidad de las tres castas dentro de cada reino, motivaban íntimas situaciones de descontento. No cabe, por tanto, achacar la conciencia de inseguridad a la "decadencia" del siglo XVII, porque la realidad en los siglos anteriores fue la expresada por estos hechos. Se convirtió en habitual, al cabo de siglos, la conciencia de tener que estar siendo de un modo, y de tener que estarse comportando de otro. La angustia existencial se hizo crónica, y transparece una vez más en la frase de Bartolomé de las Casas de que los españoles deberían "*estar*

---

* Para las notas al capítulo III véase las páginas 104 a 106.

y non estar" en las Indias; *estar,* para mantener la soberanía real, y *non estar* para no corromper la fe y religión de Cristo con su conducta.[2]

Cuanto antecede permite entender que, incluso algunos ilustres escritores, dieran por inválidas amplias zonas del pasado español. No aparece éste, en efecto, como el de las otras naciones occidentales, provistas de un perfil bastante preciso. Existe, por ejemplo, una "versión canónica" de las historias de Francia o de Inglaterra fundada en ciertas características formales y en valores aceptados por todos como perfectamente válidos. El inglés o el francés parten de una firme creencia al enfrentarse con su pasado, reflejada en fórmulas al parecer seguras: empirismo y pragmatismo, racionalismo y claridad. Hasta 1935 (año más, año menos) los grandes pueblos de Europa vivieron, y en parte viven, sobre la creencia de poseer una historia normal y progresiva, afirmada en bases estimables que sólo un audaz "outsider" se atrevería a poner en duda. Cada momento del pasado fue sentido como preparación de un futuro de riqueza, cultura y poderío.

Cuán otra, en cambio, la historia de la Península Ibérica. Señoras de medio mundo durante tres siglos, España y Portugal llegaron a la edad presente con menos pujanza política y económica que Holanda o Escandinavia, porciones de la Europa esmaltada y brillante. El mundo hispano-portugués ha sobrevivido al prestigio de un pasado esplendoroso y a la vez enigmático para muchos; el nivel de su arte y su literatura y el mérito personal y ejemplar de algunos de sus hombres continúan siendo altamente reconocidos; el valer de su ciencia y su técnica lo es menos; su eficacia económica y política apenas existe. Contemplado desde tan problemático presente, el pasado se vuelve puro problema que obliga a aguzar la atención del observador, porque incluso los hechos más prodigiosos de la historia remota parecen ir envueltos en melancólicos vaticinios de un ocaso fatal y definitivo. El pasado se siente entonces como precursor de un futuro hipotético.

Hipotético en cuanto a la prosperidad material y a la sensación de feliz placidez a que el europeo del siglo XIX fue habituándose cada vez más; pero seguro y afirmativo en cuanto a la capacidad de crear formas de expresión para la conciencia de su existir, y del conflicto entre lo firme y lo problemático del humano vivir. El rigor usado por otros hombres para penetrar en el problema del ser y de la utilización racional de la naturaleza se volvió para el español impulso expresivo de la conciencia de su mero existir en el mundo; a la visión segura del presente intemporal del ser, sustituyó el vivir como un avanzar afanoso por la región incalculable del deber ser; a la actividad del hacer y del razonar —olvidados de la presencia de quien hace y razona— corresponde España la actividad personalizada, no valorada según sus resultados útiles, sino de acuerdo con lo que la persona es o quiere ser: hidalgo, místico, artista, soñador, conquistador de nuevos mundos que incluir en el panorama de su propia vida. Reverso de todo ello fueron el pícaro, el vagabundo o el ocioso, caídos en inerte pasividad. O se vivía en tensión de proeza, o en espera de ocasiones para realizarlas, las cuales, para los más, nunca llegaban. Hay un dicho pleno de profundo sentido: "o corte o cortijo", es decir, o exaltación hasta lo supremo, o sentarse a ver cómo transcurren los años por la órbita impasible del destino.

Es comprensible que tal estructura de vida [3] siempre fuese un problema para los mismos que la vivían, un problema moral henchido de anhelo e incertidumbre. Porque España era una porción de Europa, en estrecho y continuo contacto con ella. En un modo u otro, España nunca estuvo ausente de Europa, y sin embargo, su fisonomía fue siempre peculiar, no con la peculiaridad que caracteriza a Inglaterra respecto de Francia, o a ésta respecto de Alemania u Holanda. Secuela inmediata de tales fenómenos es que la historia de España no haya podido estructurarse en un modo válido para todos; un agudo relativismo matiza cuanto a ella se refiere: en sus nacionales, arrogancia, melancolía, recelo y acritud frente a los extraños; en éstos, aire desdeñoso, tenaz incomprensión, inexactitud calumniosa y, a veces, entusiasmo exaltado. Los españoles mismos —por si esto fuera poco— se forjaron una historia legendaria a fin de, inconscientemente, eludir la presencia de su auténtico pasado.

Tomando como criterio de juicio histórico el pragmatismo útil y rico en resultados, el pasado español consistiría en una serie de errores políticos y económicos, cuyos resultados fueron el fracaso y la decadencia, a los que escaparon otros pueblos europeos libres de la exaltación bélico-religiosa, y del personalismo estático y señorial. Las maravillas logradas gracias a la estructura hispana de vida, se admiran sin regateo cuando su perfección alcanza límites extremos (Cervantes, Velázquez, Goya), y cuando no rozan la incapacidad de comprender, o la vanidad y el interés de otros países más poderosos. No se reconocerá espontáneamente, por ejemplo, que la ciudad de México y muchas otras de Hispano-América eran las más bellas del Continente en cuanto a su prodigiosa arquitectura, pues esto obligaría a admitir que la dominación española no fue una mera explotación colonial. La deleitosa sorpresa de Alejandro de Humboldt hacia 1800 no ha pasado a los libros o a las conversaciones de nuestros contemporáneos; lo impide la conciencia de superioridad en los angloamericanos, y el resentimiento de la mayoría de los hispanoamericanos, que hallan en el pasado colonial una fácil excusa para su presente debilidad social y técnica. Lo impide, además, la inconsciencia en que España ha vivido respecto de sí misma y de su pasado. En cambio, las misiones, castillos o edificios de gobierno en Lui-

siana, Florida, Texas, Nuevo México o California —leves migajas de
aquel poderío artístico—, se conservan por los norteamericanos con un
cuidado y ternura superiores a los de España y México respecto de sus
incalculables tesoros.

Esto significa que aun lo indiscutible del pasado español muchas
veces no lo es. Durante casi trescientos años han permanecido sepultados
en indiferencia los mejores cuadros de El Greco, concebidos en y a causa
de España, y hasta el siglo xx no ingresó su arte en la esfera de los
valores universales. En cuanto a historia literaria, el valor del teatro español del siglo xvii fue revelado por los extranjeros; y de la poesía de
don Luis de Góngora, pensaban mis maestros que *Las Soledades* y
el Polifemo eran simple desvarío de una mente enferma o capricho-
sa; sólo hace unos treinta años comenzó a trascender al público un juicio
más de acuerdo con la verdad artística, juicio que hoy empieza a ser
compartido tanto por españoles como por extranjeros. Todo ello procede de que los fenómenos máximos de la civilización española no son
calculables racional, sino vitalmente, y así casi nada parece indiscuti-
do y bien afirmado.

El hecho es que la vida española, a base de radical personalismo y
en contacto con el mundo europeo fundado en la victoria del hombre
sobre los obstáculos de la naturaleza, cayó en progresiva desesperanza,
en parálisis y desinterés para cuanto no fuera expresión de la conciencia
del propio vivir. Mucho antes del siglo xvii había comenzado a sentir
el español la inanidad de sus realizaciones colectivas; [4] la vida nacional
consistió desde entonces en procurar detener los golpes de un mal destino, o sea, en oponerse al avance irresistible de quienes inyectaban razón
en su vivir, y con su técnica construían el moderno poderío de Occidente.
Mas no obstante la melancólica reflexión de Quevedo y de muchos otros
escritores, el brío español continuó ampliando el Imperio y mantenién-
dolo enhiesto durante el siglo xviii. Cuando España perdió sus dominios americanos en 1824, los españoles de Hispano-América pudieron
recibir casi íntegra la herencia de tres siglos de colonización civilizadora,
a pesar de los tenaces ataques de Inglaterra, Francia y Holanda. Lo cual
significa que la línea de reflexión crítica y angustiada de ciertos pensadores españoles no coincidía con el impulso vital de quienes todavía en
el siglo xviii (en una nación casi desierta y empobrecida) proseguían ampliando la soberanía española en Luisiana y California, y provocaban en
la Península el renacimiento cultural del reinado de Carlos III: libros,
ciencias, edificios, y al final de todo, el prodigio incalculable de un
Goya. Los habituales criterios pierden su eficacia al ir a aplicarlos a
la historia de España, siempre encerrada en un antagónico y enigmático
vivir-morir, lo cual no significa para mí un valor negativo.

Henos, pues, ante una historia que a la vez se afirma y se destruye en una continuada serie de cantos de cisne. En 1499, el alma desesperada y evanescente de la España judaica se vertía en la inmortal *Celestina*, obra del judío converso Fernando de Rojas. En 1605, a la luz crepuscular de un ambiente a la vez renacentista y antirrenacentista, surge el *Quijote*, como eterna encarnación del imposible racional hecho posible poéticamente. A fines del siglo XVIII, en un Imperio ya esqueleto y sombra de sí mismo, Goya superaba todas las ruinas en el arte único de su pintura. Hacia 1900, España fue calificada por lord Salisbury de "nación moribunda", y justamente durante tal "agonía" se preparó el movimiento literario artístico, científico y filosófico que, en el siglo XX, lograba para España una consideración internacional no gozada desde el siglo XVI. No hay caso parecido de tan palmaria contradicción entre el vivir y el no vivir, mucho más extraño si se piensa en todos los motivos internos y externos que desde el siglo XVII, "lógicamente" pensando, hubieran debido reducir a Hispania a un país de labriegos, de "fellahs", sin posibilidad de interesar al visitante más que por sus ruinas y por sus costumbres pintorescas.

No debe, por tanto, causar sorpresa que tan extraño modo de historia necesite ser examinado olvidando un poco las ideas de progreso y decadencia materiales, de poderío político y de eficacia técnica. Desde el siglo XVII, el predominio exclusivo de la casta de los cristianos viejos corre pareja con el marasmo cultural y con la desintegración de la voluntad colectiva. En el exterior se desgajan de la corona Holanda y el Franco-Condado; después, dentro de la misma Península Ibérica, Cataluña estuvo a punto de separarse tras de haberlo hecho Portugal en 1640. Había perdido eficacia el mito de un imperio universal sostenido por la fe católica, tal como la *sentían* los españoles, no exactamente como la *entendía* la iglesia de Roma, pese a su acuerdo dogmático. Una vez resquebrajada la voluntad colectiva en aquel siglo, nunca más volvió a restablecerse; en adelante unos querrán unas cosas y otros las opuestas.[5] Muchos no deseaban nada, y vivían en la inercia de la costumbre y de la creencia, sin preocuparse de hacer y saber nada nuevo; en algunas zonas de España usan el arado romano y trillan con bueyes, todavía en el siglo XX.

Aunque más adelante volveré sobre cuestión tan central, valga lo dicho para advertir que no cabe aplicar ahora los métodos usaderos de entender la historia: las civilizaciones nacen, progresan y se agostan. Para entender esto tomemos el ejemplo, a la vez próximo y distante, de Francia. La meta de aquel pueblo fue desde el siglo XI constituir una nación unida bajo la autoridad real, que abarcase políticamente lo que la civilización y la lengua francesas iban conquistando por delante, inspirán-

dose más en intereses terrenos que en la creencia religiosa. Desde Enrique IV la aspiración nacional se racionalizó, y los sabios —según el patrón neoestoico del Renacimiento— tomaron a su cuenta la dirección del
vulgo, fuertemente apoyados por la monarquía. En adelante se vivirá, y
hasta se hablará, según principios racionalmente establecidos, uniformes
para todos, por cuyos canales la autoridad descendía automáticamente
desde la cúspide de la corona hasta el último súbdito. La idea del Estado
(monarquía absoluta) y el llamado clasicismo literario son aspectos de
un mismo impulso. Vivir, para Francia, consistió en conocer y en aplicar
los principios deducidos por la razón autónoma según un proceso lógico,
riguroso y claramente explicable. Todo acto humano de dimensión colectiva tendría que caber en esquemas previamente trazados, aun a costa
de los mayores sacrificios. Se excluye del lenguaje lo que los "sabios"
dicen que debe excluirse, y así la lengua francesa de los siglos anteriores
se hizo ininteligible. El hombre intelectualizado prestó escasa atención
a los aspectos del vivir elemental, vario e individualizado.[6] El arte y la
vida pública siguieron normas rigurosas. Un día el francés razonante
decidió que había que cortar cabezas, empezando por la del rey, y así
se hizo. Más tarde se uniformaron la división geográfica del país, la
educación, las costumbres y hasta las maneras. La historia francesa, en
sus aspectos esenciales, ha sido vivida con compás y regla, y así llegó
a ser Francia un gran país. Articular y explicar una historia tan abierta
y patente en su estructura, es tarea relativamente fácil. La voluntad de
dominio se alió al propósito de conocer. De ahí, genialidad de pensamiento (Descartes); de ahí, imposibilidad de una obra de arte que abar-
que la integridad de lo humano, que es razón cognoscitiva y desmesura
audaz y a todo riesgo. Nada en Francia es parangonable con Dante,
Miguel Angel, Cervantes, Shakespeare o Goya.

Con método análogo, aunque enfrentándonos con mayores complejidades, pudiera esquematizarse la historia de Inglaterra y las de otros
pueblos del occidente europeo. Mas al llegar a España, tales procedimientos sirven en escasa medida, y hay que tomar vías menos llanas.
Hay que tomarlas, porque sea cual fuere en último término la estructura
vital de esos otros pueblos (no es mi propósito tratar de ello), siempre
sería verdad que su historia, al ser contemplada hoy, se anexa el optimismo y la confianza del historiador, como resultado de un proceso
de valoración sostenido y ascendente. El historiador parte de su intuición
de ser Francia (tomémosla como ejemplo) una porción de humanidad
bien lograda, y gracias a ese optimismo previo hasta puede acontecer que
se sobrevaloren cosas que tal vez se subestimarían si la Francia del siglo XIX hubiese sido una nación pobre y desvalida. Cuando se es gran
señor y poderoso, hasta las tonterías que se dicen pasan por agudezas.

Pensando fríamente —es decir, antivitalmente— resultaría que la mayor parte de los numerosísimos volúmenes de Voltaire están repletos de prosa o verso insignificante; ahora bien, como Voltaire gozó de merecido prestigio —basado en algunas y admirables obras—, y a causa también del imperio intelectual que ejerció en un momento adecuado para ello, no es costumbre destacar la masa enorme de lugares comunes y de insipideces que pueblan su producción desmesurada. En cambio, muchos hemos incurrido en la audacia de atacar a Lope de Vega por su excesiva fecundidad, su premura en componer comedias, su superficialidad y muchas otras fallas. Pero ya hace bastantes años escribía yo que si España hubiera poseído fuerza armada y economía poderosas, el tono de los historiadores extranjeros habría sido otro.

Mas así es porque así es la vida, y con ella no caben juegos ni escamoteos. Un factor esencial de la historia que se escribe es la postura vital del historiador dentro del tiempo en que escribe. En el siglo XVI, el Seigneur de Brantôme juzgaba excelentes las comidas y hospederías de España, las cuales, según Cervantes y otros muchos, dejaban bastante que desear. El entusiasmo de Brantôme no nos sorprende, conociendo el ángulo vital de aquel extraño personaje. Lo cual no significa caer en ningún relativismo, porque cuando éste es absoluto, entonces deja de serlo y hay que buscarle otro nombre, quizá el de intento de expresar en forma plausible la integración de los fenómenos de vida en la "morada vital" que los hizo historiables.

VIVIR DESVIVIÉNDOSE

Muchos desearían que esa historia hubiese sido de modo distinto de como fue, porque la vida de España hace siglos que viene consistiendo en un anhelo de "desvivirse", de escapar a sí misma, como si la vida pudiese desandar su camino. El "desvivirse" se refiere en este caso a la insatisfacción de la propia vida, a preguntarse si de veras se ha alcanzado la finalidad que se perseguía, o si es posible alcanzarla. Los españoles —insisto en ello— son tal vez el único pueblo de Occidente que considera como nulos o mal venidos acontecimientos y siglos enteros de su historia, y que casi nunca ha experimentado la satisfacción gozosa de vivir en plena armonía con sus connacionales. Se vive entonces como si la vida, en lugar de caminar hacia adelante, sintiera la necesidad de desandar, de comenzar nuevamente su curso. Molesta que hubiese habido moros y judíos; una dinastía austríaca; los catalanes reniegan del compromiso de Caspe, etc. A eso llamo "desvivirse". Muy a menudo ha expresado el español la falta de proporción y congruencia entre la intensidad de sus impulsos y la firmeza y validez de los resultados conseguidos.

Lo cual es distinto del "desvivirse" de Santa Teresa, a quien el no morirse para ver a Dios hacía vivir en agonía.

Dos personajes literarios, Don Quijote y Don Juan, serían excelentes ejemplos del "desvivirse" español. Don Quijote —solícito buscador de todas las intemperies— declara ya muy cerca del final de sus días: "Yo hasta agora no sé lo que conquisto a fuerza de mis trabajos" (II, 58). Aunque nosotros sí sabemos que la mejor conquista de este inventor de incertidumbres fue la de su propia conciencia, una conciencia enriquecida con todas las experiencias que del "sí mismo" atesoraba la literatura de su tiempo.

Don Juan, sumergido en amores, apenas los roza cuando ya escapa, sin posible demora en ninguno de ellos. Tanto es así, que uno se pregunta si su vivir no consiste más en huidas que en afanes logrados, pues en éstos ya van implícitas aquéllas. Don Juan, máximo creador de dulces e inestables inseguridades, exclama antes de morir: "¡Mas, ay, que me canso en vano de tirar golpes al aire!"

Considerar un aspecto cualquiera en la historia de un pueblo exige, por consiguiente, una visión de la totalidad de su volumen y de sus valores. Lo cual no garantiza que podamos responder a todas las preguntas que se nos hagan, siendo así que ahora aspiro más bien a un "entender" que a un "saber por saber". Durante largos años había yo venido escribiendo acerca de aspectos concretos de historia lingüística, literaria, religiosa y hasta pedagógica dentro del mundo hispánico. Hace algún tiempo (hacia 1940) se me pidió que expresara en un ensayo mis ideas sobre el Renacimiento en España, y, como nunca, vi con claridad que tal tarea era imposible, si no iba articulada, iluminada, en una visión general de la historia hispánica. De otro modo se caería en el anecdotismo y en la arbitrariedad, en la denigración o en la supervaloración. Por tal motivo, mi proyectado artículo sobre el Renacimiento se convirtió en el presente libro, detalle personal sin ningún interés, y que sólo menciono para acentuar la importancia que concedo a la claridad interior, y mi menor afán por acumular noticias desligadas de un conjunto. Justamente pudiera decirse que un rasgo del tiempo actual es el desequilibrio entre lo que "sabemos" y lo que "entendemos".

JUDIOS CONVERSOS SE HACEN PORTAVOCES DEL "DEBERIA SER" DE LA VIDA ESPAÑOLA

Una vez tomadas las vueltas a la significación de los hechos, su ordenada estructura se hace aparente. Después de la violenta reacción de 1391 se hacía cada vez menos realizable el sueño judaico de grandeza y supremacía, desde siglos atrás acariciado. Pero el hábito, ya tan antiguo, de sentirse y de ser importantes seguía vivo en los conversos del siglo XV, algunos de los cuales hicieron cuanto estuvo a su alcance para influir en la política castellana. Lo cual, una vez intuido, permite establecer una relación de análogo propósito entre varias obras observadas hasta ahora como fenómenos aislados y sin encaje en la vida del pasado español. Tenemos, en primer término, el *Laberinto de Fortuna* del converso Juan de Mena, obra "destinada a actuar sobre los 'caballeros famosos' y sobre el rey [Juan II]; la moral que propugna Mena es esencialmente nobiliaria, con especial hincapié en las cualidades más convenientes para la guerra y la gobernación".[7] Observa con acierto Lapesa, que la obra está dividida en unidades, en cada una de las cuales "se define una virtud o un vicio, cuyo fomento o represión se aconseja al rey en la última estrofa correspondiente" *(ibídem)*. Es decir, que el *Laberinto*, trenzado con su estructura artística, lleva el propósito de alzarse, en alguna forma, hasta las cimas de la casta cristiana, pues en aquellas alturas adquirió forma justificada la convivencia de las tres castas, ahora en riesgo de hacerse añicos. El converso dotado de cultura se arrimaba a los reyes y a los grandes, lo mismo que antes hicieron sus antepasados; y desde esa altura planteó en sus escritos el "problema de España" por vez primera. De lo cual se desprende que la condición de converso no es un detalle de erudición soslayable, sino un elemento funcional que ha de incorporarse al propósito mismo de la creación artística.

Tanto es así, que, procediendo inversamente, habrá la posibilidad de reconocer ascendencia judaica en un escritor del siglo XV interesado en cuestiones políticas y en aconsejar al rey, como en el caso de Mosén Diego de Valera, de quien más adelante trataré. Conversos eran los cronistas Alonso de Palencia y Hernando del Pulgar; debía serlo también Diego Enríquez del Castillo, y muy probablemente el rabioso antijudío Andrés Bernáldez, tan versado en actividades hispano-judaicas.

Semejante en finalidad a la obra de Juan de Mena —grande por su ritmo y por el alto vuelo de sus imágenes— es el rastrero poetizar del converso Juan Alfonso de Baena en el *Dezir* compuesto para mover el ánimo del rey Juan II en favor de los Infantes de Aragón. Declara el autor ser oriundo de Baena,

> "do aprendí fazer borrones,
> et comer alcaparrones
> muchas vezes sobre cena".[8]

Baena pretende aliviar al Rey en sus trabajos:

> "Alto Rey; si bien leedes
> et notades mi proçeso...,

> ...creo que tomedes
> grant plazer e gasajado,
> pues con él será aliviado
> el trabajo que oy tenedes." (2)

Reclama la atención de los cristianos viejos de la clase alta:

> "Alto Rey: ruego e pido,
> los nobles en condiciones,
> *fidalgos lindos* ('de sangre limpia'), varones
> de linaje escogido,
> que non pongan en olvido
> de notar mi escritura." (8)

El cual tratado, a pesar de cuanto digan los maldicientes,

> "...juro en Jesu Christo,
> (esto quede por fazaña),
> que jamás en toda España,
> otro tal nunca fue visto." (9)

El autor pone en lista los autores leídos por él, que un editor de este *Dezir* debiera identificar a fin de darnos una idea del cuadro de la tradición cultural hispano-judaica en aquel momento. Baena dice haber leído la *General Estoria*, los *Morales de Aristótiles, Macrobio, Horacio* (en sus *Libros filosofales*), al astrónomo árabe *Azarquiel:* "yo leí de limosines sus ca(n)dencias musicales", etc. (coplas 15-19).

Pertrechado de tanta sabiduría (efectiva o palabrera), Baena se siente autorizado a decir al Rey:

> "Vuestro reyno está doliente
> de tan grande açidente,
> que más arde que la llama..." (41)

Incita al monarca a imitar la conducta de Alfonso VIII:

> "et lo que el rey don Alfonso
> ovo fecho, vos faredes". (51)

El recuerdo de las Navas de Tolosa debiera animar a Juan II, hijo de Enrique III, muerto en el momento en que

> "iva dar un salto
> en los moros con denuedo". (119)

Incita a Juan II a que "haga guerra a los moros" (152) y que no retroceda luego de haber comenzado. En suma, Baena se sitúa como consejero áulico en el ánimo del Rey, con miras a fomentar el espíritu bélico y las empresas de gran vuelo imperial. Junto a ellas, sintiéndose instrumento moral y técnico de la expansión española, la casta judía se sentía abrigada contra el oleaje de "los menudos", de "la gente del común", de cuantos desde fines del siglo XIV se aprestaban a devorarla. Los conversos respaldarán con sus dineros y sus consejos la empresa de Granada, la de Colón, el gran juego internacional de Fernando el Católico, muy sostenido por su secretario de Estado, el converso Almazán.

A esta luz se verá mejor cómo la Castilla del siglo XV, a través de los escritos de conversos de mayor o menor talla (sólo mencionaré a algunos de ellos), aparece tomando conciencia de lo que es, de lo que no tiene, de su inseguridad congénita.

Sentían y presentían que Castilla había llegado a la convicción de haber doblado el cabo de las incertidumbres en su lucha con el Islam, y que se avecinaba un futuro esplendoroso. Mas justamente entonces se hicieron portavoces de la conciencia de España y comenzaron a preocuparse por la forma de su existir, además de afanarse por lo que aquélla tuviera que hacer para existir. En 1459, el conocido humanista Alonso de Palencia —un judío converso— escribía que España era una "provincia que no se da a la compostura del razonar", y por cierto en un libro cuyo significativo título es *Perfección del triunfo militar*.[9] Pero mucho antes, en 1434, don Alonso de Cartagena, obispo de Burgos, había pronunciado su famoso discurso ante el Concilio de Basilea para justificar la precedencia de Castilla respecto de Inglaterra; su alegato nos trae la primera descripción del funcionamiento íntimo de la sociedad castellana. Como se sabe, don Alonso era un converso, hijo de don Pablo de Santamaría, otro ilustre converso que había ocupado muy alta posición entre los hebreos españoles, y que alcanzó en la Iglesia rango de igual eminencia. Sin entrar ahora en la complejidad de ese hecho, notemos que don Alonso, gran jurista, razonaba como un buen diplomático lleno de fervor por su tierra; desde hacía siglos los hebreos españoles se habían destacado como consejeros y como embajadores de los reyes cristianos y musulmanes. No se crea que el obispo de Burgos recitó en Basilea un discurso sin convicción interior; sus palabras rebosaban conciencia de hispanidad, y las preferencias y desdenes allí expresados son los mismos que venían singularizando a España desde hacía ya siglos: "Los castellanos no acostumbraron tener en mucho las riquezas, mas la virtud; nin miden la honor por la quantidat del dinero, mas por la qualidad de las obras fermosas; por ende las riquezas non son de alegar en esta materia [según hacían los ingleses], ca si por las riquezas mediésemos los asentamientos ['las precedencias'], Cosme de Médicis, o otro muy rico mercadero, precedería por ventura a algún duque."[10] Es decir, que la casta hebrea —ahora transmutada en cristiana— había hecho suyo el sistema de valoraciones de esta última, aunque conservando la tendencia semítica a hablar de lo actual y concreto desde puntos de vista íntimos.

El espíritu nobiliario unido al desdén por las actividades comerciales marcan ya el abismo que separará a España de la Europa capitalista: para este converso, Cosme de Médicis no era sino un vil mercader. Don Alonso da al pronto la impresión de estar Castilla muy segura de sí: "Los reyes de España —entre los quales el principal e primero e mayor, el rey de Castilla e de León— nunca fueron subjectos al Emperador, ca esta singularidad tienen los reyes de España que nunca fueron subjectos al Imperio Romano ['el Sacro Romano Imperio'] nin a otro alguno, mas ganaron e alçaron los regnos de los dientes de los enemigos" (página 214), observación muy aguda y cuyo sentido se verá más adelante. "En el tiempo de los godos, muchos de los principales de España [?] se llamaron emperadores" (pág. 215). En realidad, sin embargo, León y Castilla sólo nominalmente continuaron el reino visigodo, porque su fuerza espiritual y sus títulos políticos, incluso imperiales, se basaban en Santiago, sede del cuerpo del Apóstol, que fue para aquellos monarcas lo que Roma para el Sacro Romano Imperio. Para don Alonso de Cartagena la fuerza de Castilla se fundaba menos en realidades materiales que en la virtud espiritual y trascendente de la monarquía; en otro caso no se le ocurriría alegar, como gran mérito contra Inglaterra, que "los castellanos e los gallegos e los vizcaynos diversas naciones son, e usan de diversos lenguajes del todo" (pág. 350), en donde está implícita la idea que un siglo más tarde expresará el converso Gonzalo Fernández de Oviedo: que lo único que concertaba la variedad discordante de las gentes hispanas era el hecho de ser súbditos del rey de España. Por otra parte, en las palabras del obispo de Burgos ya se diseña la futura política imperial de Carlos V, dirigida a extender una creencia, más que a establecer un sistema de intereses humanos: "El señor rey de Inglaterra, aunque faze guerra, pero non es aquella guerra *divinal*... ca nin es contra los infieles, nin por ensalçamiento de la fe cathólica, nin por *estensión de los términos de la cristiandat*, mas fázese *por otras cabsas*" (pág. 353).[11] La creencia, para este semita, es base firme sobre la cual se alza la vida colectiva; la multisecular lucha contra el infiel trajo riqueza y poderío, reflejados a su vez en el prestigio espectacular de la monarquía y de la nobleza que la aureola: "Callo agora la fermosura e grandeza de su corte, ca fablando con paz e reverencia de todos los príncipes, yo podría dezir que dentro de esta parte del mundo que sabemos, non hay corte de algún príncipe que sin bollicio nin movimiento de guerra sea tan visitada e llena de tantos prelados e condes e barones e otros

nobles, e de tanta muchedumbre de gentes de pueblos, como la corte
real de Castilla" (pág. 351). La corte era como un templo al que se
asistía para obtener beneficios terrenos, del mismo modo que se visitaba
la iglesia de Dios para lograr favores celestiales; en la nobleza y en el
sacerdocio tomaban forma visible los sumos ideales que animaban a la
casta dominante. Reflejando tales esplendores consiguió el obispo de
Burgos que el Concilio de Basilea reconociera la precedencia de Castilla
respecto de Inglaterra.

Los ingleses alegaban contra los castellanos que su tierra era más
rica y productiva, y a ello replicó el obispo: "Non quise alegar fartura
de tierra, porque me pareció *alegación baxa* e muy apartada de nuestro
propósito, ca non de labradores mas de muy nobles reyes fablamos; e
non a la fartura del campo, mas a la virtud del varón es el honor de-
vido" (pág. 533). A don Alonso le cuesta descender al plano de las ma-
terialidades, mas pues los ingleses lo quieren, aduce "las viñas e los olivares de los quales hay gran abundancia en el regno de Castilla, e son
desterrados para siempre del regno de Inglaterra... E en quanta reputación son el vino e el azeyte entre todas las cosas que pertenecen a la
fartura de la tierra, todas las naciones lo saben... Si de los oficiales
de fazer paños fablaran, por ventura algo les confesara, ca *no hay
en nuestra tierra texedores que tan delicado paño fagan como es la escarlata de Londres;* pero aun aquella confeçión que llamamos grana con
que la escarlata recibe la suavidat de olor e de encendimiento de color,
en el regno de Castilla nace e dende se lleva a Inglaterra... Podría
dezir de los metales, mas a mi juicio tan baxa e terrenal alegación non
pertenesce a tan alta materia" (págs. 533, 534). En último término, las riquezas son algo secundario que "ayuda para exercicio de la virtud, mas no
son de alegar como cosa principal"; de todas suertes, Castilla es rica,
tal vez demasiado, puesto que algunos temen que "la abundancia de
riquezas como hoy es en Castilla, fagan algunt daño a la virtud". Para
que nada falte en este primero y fidelísimo cuadro del alma española
—diseñado por un semita—, don Alonso termina su arenga, más que
alegato, con un gesto de suprema arrogancia: "Non traeré otro testigo
si non esta embajada que vedes, ca non suelen de regno pobre tales
embaxadores salir" (pág. 536).

No creo que ningún otro pueblo de Europa haya revelado a comienzos del siglo xv una tan redonda y cabal conciencia de sí mismo. Castilla
sintió la ineludible necesidad de salir al mundo; con paso y voz firmes
se enfrentó con quienes pretendían amenguar su dignidad; aceptó la precedencia del Sacro Romano Imperio, continuación ideal del de Roma, y la
de Francia, brote directo del Imperio Carolingio, pero nada más. Indirectamente, sin embargo, las palabras del obispo de Burgos descubren,

tras la arrogancia del ataque, un afán de justificación y un propósito defensivo; es decir, *inseguridad*. Eso es lo que más claramente aparece en el papel confidencial que Fernando de la Torre, también de ascendencia judía, dirigió a Enrique IV de Castilla, en 1455, cuando se disponía a inaugurar su reinado.[12]

Tal documento parece contener el primer análisis crítico de la situación y modos castellanos de vida, el primer ensayo de abierta justificación frente a las censuras de los extraños, las cuales hubo de oír el autor hallándose en la corte de Carlos VII de Francia. Castilla comenzaba a adquirir nombradía internacional, y atrajo la curiosidad de otras cortes al ser degollado en 1453 el condestable don Alvaro de Luna. Sorprendía desfavorablemente a los franceses que el favorito de don Juan II hubiera acumulado tal masa de riquezas en su castillo de Escalona, cuando ni el mismo rey de Francia poseía tantas. Fernando de la Torre se apresta a la discusión, muy complacido de luchar "contra el más grande y excelente reino de cristianos, que es el de Francia". Su escrito no es una arenga retórica, sino una descripción valorativa de las peculiaridades españolas. Menciona las riquezas naturales: hierro, acero, lanas, trigo, vinos, aceite, fruta, mercurio, y por encima de todo, "singulares cavallos y mulas". Parece al pronto que el autor va a darnos una versión más de las *Laudes Hispaniae*, frecuentes en la Edad Media, aunque en seguida se observa cómo el patriotismo se combina con una postura crítica y moderna, impensable antes. Aquí, además, se habla de la condición de la gente y no sólo de los productos de la tierra.

El siglo xv fue época de grandes mutaciones, a las que no fue extraña la incorporación de muchos conversos a la sociedad de los cristianos; además de lo suprahumano, comenzaba a interesar lo que existe dentro del espacio y el tiempo inmediatos, la realidad contemporánea. El marqués de Santillana compuso un poema acerca de una batalla —la de Ponza—, librada en su tiempo, y el Romancero glosaba poéticamente sucesos actuales y próximos. Las crónicas se interesaban por las vidas de personajes coetáneos (don Alvaro de Luna, Pero Niño, el condestable Miguel Lucas de Iranzo),[13] y hablan así, no sólo del pasado, sino de lo que todos han visto. Desde esa postura vital, Fernando de la Torre se lanza a decirnos, por segunda vez, qué es y cómo aparece España al ser comparada con otras naciones. Sus palabras tienen encanto de novedad que alborea. Como en el caso de Juan de Mena y de Alfonso de Baena —y antes del judío don Sem Tob de Carrión—, un súbdito se permitía aconsejar a su soberano acerca de lo que Castilla esperaba de él, aunque fundándose ahora en lo que el país realmente parece ser, y no en abstractas ideas de virtud y buen gobierno. La tesis de Fernando de la Torre es que Castilla (que virtualmente era ya España) poseía dos supremos valores: una tierra próvida y fertilísima ("la grosedad de la tierra") y ánimo magnífico para las empresas bélicas. Ocurre, sin embargo, que al lado de esas condiciones naturales o espontáneas existían limitaciones bastante serias, pues Castilla valía por lo que *era*, y mucho menos por lo que producía con el trabajo de su gente: "Sea por *vanidad* —que por *orgullo*, superfluidad o demasía se acreçe— de estas y de otras muchas cosas que en otras partes se façen ['se reelaboran'], se sirven [en Castilla] en gran cantidad; no embargante [tenga que reconocer que] *allá se obren mucho más polidamente;* pero de Castilla las más salen en forma grosera, y allá [en el extranjero] se reduçen; y se usan y consumen [en Castilla] mucho más que en parte del mundo." Del condado de Flandes vienen "raso, tornai, tapiçerías y trapos finos; de Milán, los arneses; de Florencia, la seda; de Nápoles, las cubiertas [de cuero para los caballos]. Sin lo cual ligeramente podrían pasar [los castellanos], o lo podrían façer, *si quisiesen a ello disponerse,* según los grandes aparejos que tienen; que cuantas lanas y colores y çumosas yervas y otras cosas son necesarias, si las supiesen las gentes ansí confeccionar y obrar como los flamencos, ya es dicho si las ay; fierro y açero, si lo ansí supiesen forjar y temprar como los milaneses, ya es dicho que los ay; seda y plata con oro, si la ansí supieren texer y façer como los florentines, cierto es que la tienen; cueros valientes de los más grandes y mejores toros del mundo, si los ansí supiesen curtir y adereçar como los de Nápol, çierto es que los ay y los matan, y ansí de las otras cosas". Castilla *es* valiente, *posee* riquezas naturales, pero no *hace* cosas que exigen ingenioso esfuerzo. El pobre estilo de Fernando de la Torre se realza cuando piensa en los caballos, noble y bélico complemento del caballero: "perfecto cavallo no lo ay en otra parte sino en Castilla, ansí *de coraçón*, cuerpo y ligereça..., lo que no se fallará en los de Pulla, non envargante sean más grandes y anchos, ni menos en los alemanes que son desbocados y de grandes caveças; ni los çeçilianos, que no son tan ligeros, claros ni tan naturales para la façienda ['la pelea']".

Mas el autor no se limita a enumerar valías y deficiencias. Con mente inquisitiva, y en estilo inconcebible un siglo antes, quiere hallar un motivo para la inhabilidad técnica de los españoles: "¿dónde esto emana y procede salvo de la fertilidad de la tierra [en Castilla], y en otros reinos, de la su neçesidad? La cual, trabajando las gentes, saven convertir en riqueças y rentas; y en Castilla, la grosedad de la tierra los façe en cierta manera, *ser orgullosos y haraganes, y non tanto engeniosos ni trabajadores*". O sea, que de la necesidad nace la técnica; y del exceso de fáciles bienes, el orgullo y la pereza. Por primera vez, y muy crudamente, se dice en 1455 por un hispano-semita lo que habrá de repetirse durante siglos, en España y fuera de ella. Lo extraño en este caso es que Fernando de la Torre, para compensar la ausencia de laboriosa actividad en sus compatriotas, convierte la fertilidad de la tierra en algo mágico y deslumbrante: "non una vez en el año, mas tres en algunas partes, lleva o puede llevar pan la tierra y fruta los árboles". Castilla se basta a sí misma, en tanto que otras gentes han de importar lo que ella produce. De todos modos, y pese al entusiasmo que muestra, De la Torre también escribe desde una postura defensiva; percibe sutilmente la diferencia entre España y el occidente de Europa, se siente atacado y contraataca. Por primera vez se plantea el problema de cómo sea y cuánto valga España, problema que aun hoy sigue abierto. De la Torre incorpora a la vivencia de su propia historia, la dolencia de sentirse incapaz de proveer a ciertas necesidades de cultura: ser mucho, hacer poco.

No por eso diríamos que en nuestro crítico domine el pesimismo. Si España no descuella por su habilidad y riquezas industrial y comercial, sobresale notablemente por su ánimo y su grandeza, "pues si leéis las romanas historias, bien fallaréis que de Castilla han salido y en ella nacieron hombres que fueron emperadores de Roma, y non uno, mas siete [!]; y aun en nuestros tiempos avemos visto en Italia y en Francia, y en otras muchas partes, muy grandes y valientes capitanes".[14] Todo esto suena a mesianismo y lenguaje imperial, anunciador de las grandes empresas del siglo próximo. Antes de Fernando de la Torre, ya había dicho fray Diego de Valencia —otro converso— que si la gente castellana se pusiese de acuerdo,

> non sé en el mundo un solo rencón
> que non conquistassen, con toda Granada.

Y poco después Gómez Manrique (1468) desea que el príncipe Alfonso conquiste "Cítara ['Citra'] y Ultramar, / a las bárbaras naciones".[15] El Imperio Español, fundado por Fernando e Isabel, no fue ningún feliz azar, sino la forma ensanchada del mismo vivir castellano en el momento en que adquiría conciencia de sí frente a los restantes pueblos de Europa, una conciencia que los hispano-semitas venían expresando y ensanchando desde tiempos de Alfonso el Sabio. Tierra de bravos toros, de caballos con ojos y corazón de fuego, con hombres que ya a mediados del siglo xv asombraban con sus proezas, ¿qué faltaba? El valor impetuoso y la creencia confiada no se satisfacen con límites y fronteras, pues busca lo infinito en el espacio y en el tiempo; justamente lo contrario de lo que persigue la mente razonadora, que mide, limita y concluye. Castilla, a mediados del siglo xv, se sentía segura de su valor y de su querer, aspiraba nada menos que a un infinito poderío, en "Citra y Ultramar". El imperialismo catalano-aragonés en el Mediterráneo (siglos XIV y XV), el castellano y el portugués de los siglos XV y XVI, fueron tareas en que se satisfacían unas voluntades indómitas, incapaces de modificar racionalmente el mundo natural en que se hallaban. La Castilla del siglo XV, lo único que apetecía era un adalid que enlazara las voluntades dispersas y diese la voz de ataque.[16] De ahí que De la Torre, ávido de proezas, se arrojara a dar consejos al desventurado Enrique IV, pobre jirón de realeza para una tierra anhelante de mando y buen rumbo. Pero con gran tino observa el oficioso consejero que la monarquía castellana puede aspirar a altas empresas por no compartir su poder con los grandes señores, según acontecía en Francia, "pues de la justicia criminal y civil de todos [el rey] es soberano; y como quiera que ['aunque'] de algunos pueblos y jurisdiçiones aya fecho merçed a sus duques, condes, marqueses y otros ricos hombres, pero la apelación y soberanía siempre queda anexa o subjecta a su chancillería y corona real". El rey de Francia, en cambio, carecía de jurisdicción sobre el duque de Borgoña, y obtenía de él, a lo sumo, 700 u 800 lanzas en caso de guerra. Así resultaba que el ejército de Castilla era numeroso y fuerte, porque "otra gente ansí diestra en armas, en el mundo no la ay"; y además era el único en el que se "sostienen los cavallos y arneses de continuo", aunque no haya guerra. Esto significa que ya a mediados del siglo XV se advertía la singularidad española de poseer una manera de ejército permanente, que Fernando el Católico desarrolló a fines del siglo y con ello hizo posible la expansión española en Europa. Ya vaticina De la Torre que las armas castellanas podrían apoderarse de "las tierras comarcanas y *aun alexadas,* si con grande raçón y travajo y unidad,[17] se dispusieran a ello". Esto no acontece "por los pecados y orgullo de la nobleça de España, o por las divisiones intrínsecas de los grandes de Castilla". De otro modo, el joven rey Enrique IV pondría "so la real subjeción y mano aquel reino de Granada". Hacia análogas empresas bélicas excitaba otro converso, Juan de Lucena, en 1463: "La casa está sin ruido, cuando los puercos son al monte... ¡Qué gloria de rey, qué fama de vasallos, qué corona de España, si el clero, religiosos y sin regla, fuesen contra Granada, y los caballeros con el rey errumpiesen en Africa!... *Mayor riqueza sería crescer reinos que thesoros amontonar.*" [17 bis] Esta voluntad anhelante de un jefe que mande y guíe dará al advenimiento de los Reyes Católicos un aire de profecía "semítica" que se cumple, de Mesías que al fin llega. Pero estos planes y anhelos provenían de quienes incitaban a la casta cristiana reflexiva y calculadamente, desde fuera de ella. La complejidad doblemente castiza de las figuras ahora analizadas no podía ser vista ni valorada con los métodos de observación antes usados. Las castas se integraban con miras a las grandes empresas imperiales, justamente en la época en que la convivencia de aquéllas comenzaba a hacerse imposible, y cuando España adquiría noción y sentido de sí misma a través de quienes pronto serían víctimas de su observadora agudeza y de su afán de preeminencia.

Del mismo modo que antes describía Fernando de la Torre el detalle de la riqueza natural de España, así también ahora nos hará ver, algo por dentro, la estructura del régimen monárquico. La corte es rica y a su sombra viven "infinitas gentes que en tiempo de paz andan continuas ['poseen cargos permanentes'] en la real casa y corte...; y con tantas guarniciones y tapicerías y vaxillas... que a todos es manifiesto por el mundo; y aun de las gentes comunes, cómo son ataviados y mantenidos, es de maravillar".[18]

Quienes no participaban de tal esplendor, que eran los más, "*andan vagamundos;* y non solamente en la corte, mas en todos los lugares, villas y tierras, *son en número sin cuenta;* los cuales, sin robar, ni furtar, ni facer otro mal, perpetuamente se mantienen con la grosedad de la tierra". Es manifiesto que De la Torre, para deslumbrar a los caballeros franceses con quienes debatía en la corte de Carlos VII, esbozó un cuadro de égloga, de Edad de Oro casi, al hablar de la hueste de vagabundos que vivían, sin más, de la próvida tierra. Aunque aquí, como antes al hablar de la falta de técnica, no está muy clara la separación entre el elogio de lo que se posee y la amargura por carecer de lo que otros tienen. De la Torre añade acerca de estos ociosos milagrosamente mantenidos: "no creo se faga en parte del mundo, que todos viven, singularmente en Francia, *por regla ordenada,*[19] en las casas de los señores; y de fuera, por los oficios y tratos"; es decir, gracias al trabajo profesional y al comercio.

A mediados del siglo xv ofrecía España el mismo aspecto que había de caracterizarla durante siglos: superabundancia de empleados, en la corte, junto a los nobles y en la Iglesia. La necesidad de "representar" un papel social, inherente a la condición española, llevaba a los señores a rodearse de muchedumbre de servidores y paniaguados. Hay datos precisos en la epístola de Fernando de la Torre: un vizconde francés, con 15,000 coronas de renta, concurrió sólo con diez hombres de armas al sitio de Cadillac; y en tiempo de paz mantenía no más de diez servidores, y todos "comían de continuo en el tinel y sala del rey". "¿Cuál cavallero ay en Castilla que con el tercio de su renta no lleve tres tantos hombres de armas, y ordinariamente no mantenga seis tanta gente, y no tenga por mengua, él y los suyos, comer en la sala de Su Señoría?" El caballero español de la casta cristiana tenía que sentirse como en vilo sobre la haz de la tierra. De ahí el desdén por las actividades mecánicas, comerciales e incluso intelectuales cultivadas por los de las otras castas. Anticipando ideas, diría que De la Torre es un claro ejemplo de lo que llamaré luego "integralismo hispánico", pues le llena de gozo y plenitud la unidad vital que observa entre el prestigio regio, el arrojo del caballero y las mágicas riquezas de la tierra. En Castilla el vivir era barato, y con menos dinero se adquirían más cosas que en Francia. "Pues esto ¿dónde procede salvo de la nobleça y grosedad de la tierra? Y ¿dónde rentas más provechosas ay y reluçen [más] que en la noble Castilla?" Cierto es que el duque de Borgoña saca grandes rentas de Flandes, "pero estas rentas vienen de *los tráfagos y engaños* de las mercadurías y de los derechos que dellas llevan; *mas no nacen allí*, que alemanes las traen, italianos las llevan, castellanos las inbían". El tráfago comercial, por consiguiente, desarraiga al hombre de la propia tierra, lo desintegraliza, lo aleja de la naturaleza y lo hace incurrir en el fraude. En tales surcos cae la sementera de que brotarán más tarde los sueños de la Edad de Oro, el menosprecio de corte y el cántico a la vida rústica, las narraciones pastoriles y el horror de Don Quijote por las armas de fuego. Quienes no derivan toda su sustancia de la tierra en que viven, ésos dejan a la postre de ser ellos mismos, se desintegran. Lo humano, entonces, sería punto de coincidencia para el recio aliento de la tierra y el rayo mágico de la fe en el valor,

> que no hubiera un capitán,
> si no hubiera un labrador.
>
> (CALDERÓN, *El alcalde de Zalamea.)*

En el vivir español se aunaban los efluvios de una tierra divinizada y de un cielo humanizado. Ya se ha visto cómo Fernando de la Torre ahincaba su orgullo en la "groseza" de la tierra española; mas antes de él los árabes ya habían hecho suyo el tema de la fertilidad del suelo, cultivado en al-Andalus con afectuoso esmero. La tierra de Sevilla fue comparada a la de Siria por su ubérrima producción, y cuanto "se siembra en ella, brota, crece y se magnifica"; en algunos sitios nacen los árboles frutales sin haber sido plantados, con sólo labrar y abonar el campo.[20] En la *Descripción de España*, por el Anónimo de Almería (siglo XII), se cuenta que en Zaragoza, "entre otras cosas extraordinarias que allí acontecen, no se echa a perder nada, ni las frutas ni el trigo. He visto trigo de más de cien años, y uvas colgadas desde hacía seis años. Es tal la abundancia de cereales, vinos y frutas, que no hay, en toda la tierra habitada, país más fértil".[21] Falta ese elemento de magia y maravilla en el conocido "Loor de España", de San Isidoro, ampliado luego en la *Crónica general* de Alfonso el Sabio: "los valles et los lla-

nos... lievan muchos frutos et son abondados... España es abondada
de miesses, deleitosa de fructas" (pág. 311). No se percibe aquí todavía
el temblor místico del Oriente. Mas, según León Hebreo, judío español
del siglo xv, las virtudes celestiales pasan por los otros elementos, "mas
no se afirman sino en la tierra, por su groseza y por estar en el centro,
en la cual todos los rayos hieren más firmemente. De modo que ésta
es la propia mujer del cuerpo celeste, y los otros elementos son sus
concubinas; porque en ella engendra el cielo toda o la mayor parte
de su generación, y ella se adorna de tantas y tan diversas cosas".[22]
La sublimación sexual de la tierra, pese a reminiscencias neoplatónicas,
muestra el sello del pensar y del sentir islámico-judaicos.

Si se agruparan las referencias a la tierra en la literatura española,
quedaría de manifiesto cuán peculiares son su enfoque y su estilo. Es
ya característico que un humanista tan docto como Juan Ginés de Sepúlveda pensase que la agricultura es "trabajo muy honesto y próximo
a la naturaleza, que suele endurecer el ánimo y el cuerpo, y prepararlos
para el trabajo y para la guerra: hasta tal punto, que los antiguos prefirieron la labor del campo a los negocios, y los romanos sacaron de
la ariega a muchos cónsules y dictadores".[23] Y la casta de los cristianos
viejos de ahí sacaría ejemplos de gente sin tacha de ascendencia judaica
(Peribáñez, Pedro Crespo).

Lope de Vega ponderó la riqueza del suelo español con la misma
exaltación de los musulmanes medievales:

> Es tierra fértil, que jamás se cansa
> en producir sustento, plata y oro...
> ¿Qué os parece, madama, de esta tierra?
> ¿No os da contento su agradable vista,
> las plantas de ella, fértiles y bellas,
> tanta diversidad de fruta y árboles?
> ¿No os admiráis de ver tanta grandeza? [24]

Otras veces aparece la tierra como "alma mater" digna de ser vene-
rada. Dice un náufrago en *El anzuelo de Fenisa:*

> La tierra sé que me espera,
> la tierra quiero besar...
> Es madre la tierra en fin,
> y como madre sustenta.

La vida campesina fue tema de primaria importancia en el arte
de Lope de Vega, y en general en toda la literatura de los siglos xvi y
xvii, no sólo por resonancia virgiliana o porque el Renacimiento hubiera
exaltado la naturaleza y la Edad de Oro, sino, además, porque el la-

briego fue sentido como fundamento de la casta dominante, y como cultor de un suelo mágico, eterno y próvido, dador de frutos y vinos sabrosos, lo mismo que del cielo descendían gracias, merced a los cultores de la divinidad invisible. El castellano de la casta cristiana, ya en la Edad Media, desdeñaba la labor mecánica, racional y sin misterio, sin fondo de eternidad que la trascendiera —tierra o cielo. La importancia del labriego y de todo lo rústico en la vida y en las letras de España, era solidaria de la presencia igualmente invasora de lo sacerdotal. Tierra y cielo resolvían su oposición en una unidad de fe. Si en la noción que el español tenía de la tierra no yaciese un anhelo de infinitud y trascendencia, Mateo Alemán —judío de origen— no habría escrito el siguiente tan admirable como sombrío pasaje:

"Siempre se tuvo por dificultoso hallarse un fiel amigo y verdadero... Un solo hallé de nuestra misma naturaleza, el mejor, el más liberal, verdadero y cierto de todos, que nunca falta *y permanece siempre*, sin cansarse de *darnos*, y es la tierra... Todo nos lo consiente y sufre, bueno y mal tratamiento. A todo calla... Y todo el bien que tenemos en la tierra, la tierra lo da. Ultimadamente, ya después de fallecidos y hediondos, cuando no hay mujer, padre, hijo, pariente ni amigo que quiera sufrirnos y todos nos despiden, huyendo de nosotros, entonces nos ampara, recogiéndonos dentro de su propio vientre, donde nos guarda en fiel depósito, para volvernos a dar en vida nueva y eterna." *(Guzmán de Alfarache*, II, 2, 1.)[25]

En la noción de patria —tierra de los padres—, el acento hería con más intensidad la tierra que los antepasados. Para Lope de Vega, el sutil sensitivo, la grandeza de Carlos V, nieto de los Reyes Católicos, no compensaba la falla de haber nacido en otro país: "Si a un hombre le fuera posible, había de procurar nacer en Francia, vivir en Italia y morir en España. El nacer, por la nobleza francesa, que siempre ha tenido *rey de su nación*, y nunca se ha mezclado con otro; el vivir, por la libertad y fertilidad de Italia, y el morir, *por la fe*, que en España es tan católica, segura y verdadera."[26] Mas, a pesar de todo, en las palabras de Lope tintinea una nota de insatisfacción y de inseguridad.

España fue una fe, una creencia, alimentada de vida y de muerte, de cielo y de tierra; fue la tierra del culto eucarístico y del cereal que presta a aquel Sacramento su substancia terrena. Calderón escribió *El mágico prodigioso*, un drama de arte complicado y sutilísimo, para ser estrenado en la aldea de Yepes, ante rústicos que acariciaban la tierra, y hallaban en su seno una razón de eternidad, una eternidad distinta de la celestial, aunque, como ella, perspectiva de infinitud. Entre las innumerables creencias que forman la textura de España, la tierra fue una y muy esencial; por eso lo aldeano y lo regio-divino se entremezclan en el teatro del siglo XVII, lo mismo que en el dicho popular antes citado, "o corte o cortijo". Unamuno, gran intuidor de la realidad hispana, escribía en 1927: "En pocos pueblos de la tierra, la divina tierra, o si se quiere demoníaca, es lo mismo, ha dejado más hondo cuño que en los pueblos que ha fraguado Hispania", porque España es "esta tierra bajo el cielo, esta tierra llena de cielo, esta tierra que siendo un cuerpo, y por serlo, es una alma." Lo cual no es caprichoso y bello lirismo, sino expresión de vida, no menos real e histórica que la descrita en las crónicas; bajo ese lirismo, según acabo de demostrar, laten diez siglos de anhelante y no muy seguro existir.

Se halla, por consiguiente, pleno de sentido el que Fernando de la Torre, el primer español que intentó pensar sobre su patria algo en serio, partiese de la tierra —de su realidad, de su emoción y de su magia. No ignoraba además el leal y semítico consejero cuál fuera el precio que había que satisfacer por ser Castilla como era. De la Torre lo aguardaba todo del nuevo y joven rey. A pesar de la venturosa "grosedad de la tierra", la solución de las dificultades españolas tenía que caer del cielo. Nuestro español cuatrocentista es el primero en contemplar a su patria con confiada satisfacción, y al mismo tiempo, crítica y angustiadamente. Desde el siglo XV hasta hoy corre sin ruptura la línea temblorosa de esa inquietud respecto del propio existir, de una inquietud ya presente en la creencia en un Santiago batallador, primera clara expresión de la conciencia de la vida española (ver pág. 97). Me parece, en vista de ello, que la historia tendría ante todo que hacerse cargo de este fenómeno primordial: he aquí una disposición de vida cuyo inicial y constante problema es la inseguridad y la angustia en cuanto a su mismo existir, el no estar en claro, el vivir en dudosa alarma. Se dirá que otros pueblos, aun los más productivos y florecientes, no estuvieron libres del latigazo ocasional de la insatisfacción y de la autocrítica; mas en ellos tales reflexiones son voces marginales junto al cauce del vivir colectivo, el cual sigue su curso, indiferente a las advertencias o dicterios que se lancen desde la orilla. Lo de España fue y es otra cosa, algo así como si el río no cesara de preguntarse si sus aguas van realmente por donde deben discurrir.

INSEGURIDADES Y FIRMEZAS

Hace medio siglo, un libro como el mío se habría tomado como una expresión de pesimismo, y el lector habría considerado con extrañeza, o con piedad un tanto ridícula, una historia cuyo rasgo primario consistió en no hallarse segura respecto de sí misma. Mas hace cincuenta años se creía que lo único valioso era lo claro y lo optimista, y que el sistema de vida occidental implicaba un seguro de indefinido progreso. Hoy sabemos que no, después de muy trágicas experiencias; sabemos, además, que puede haber formas de arte y de vida altísimas, basadas justamente en un radical y angustiado problematismo. Sea cual fuere, por otra parte, la peculiaridad vital de España, carecería de sentido tomar frente a su pasado cualquier postura que no sea puramente intelectiva. Entender la historia requiere sumirse en ella, y despojarse de patriotismo, lo mismo que de amargura. Sobre todo, si una vida histórica consiste en inseguridad, el historiador tiene que despojarse de toda inseguridad. Hay que aceptar la plenitud de lo dado, con su grandeza y con su miseria, pensando en la trabazón de ambas.

El "vivir desviviéndose" y el sentimiento de inseguridad poseen raíces seculares. La inseguridad no fue un sentimiento que surgiera en el siglo XVII cuando el poder militar de los españoles comenzaba a derrumbarse en Europa; ni significa parálisis ni inactividad, pues el español fue fomentando la conciencia de su especial deficiencia mientras iba magnificando la capacidad activista y dominante de su persona. Ensanchaba sus tierras y el número de sus súbditos, pero ese mundo en torno a él no sabía cómo llenarlo de... cosas. El mundo de fuera permanecía adherido al poder y a las "creencias" de la persona, pero ésta quedaba sin un entorno objetivado, independiente de ella. En el mismo proceso de esta obra lo irá percibiendo el lector. El sentirse plena y señorialmente instalado dentro de sí ("sus fueros, sus bríos; sus premáticas, su voluntad") llevaba como corolario sentirse insuficiente, desviviéndose, en un medio social hueco y desierto.

No es esto vaga retórica. En numerosos hechos ha de irse observando el grandioso y conmovedor problematismo del pasado español, concebido y expuesto, no siempre con la suficiente serenidad. En el siglo XI fueron importados de Francia los monjes de Cluny, por juzgarlos los reyes más aptos para ocuparse en los menesteres divinos. En el siglo XII se recurrió a los cistercienses. A los moros, en las tierras conquistadas, no se les exterminó, porque, como dice el Cid del Poema, "de ellos nos serviremos", y ha de verse cuán enorme fue su contribución, no sólo en técnica y saberes. Fernando II de León nombró adelantado de Badajoz al moro Abenhabel: "Metió en su comienda la guarda de sus moros et la çipdat" (*Crónica General*, pág. 676). Alfonso VIII llamó a sabios franceses y lombardos para iniciar los primeros estudios universitarios (*op. cit.*, pág. 234), a fin de tener un "enseñamiento de sapiencia." Se sentía que, hacia 1250, España no poseía el mismo rango que Francia e Inglaterra, pues en otro caso el *Poema de Fernán González* no diría:

De Inglaterra y Francia quísola [Dios] mejorar,
[ved] que non yaz Apóstol en tod aquel logar.

El español *se tenía a sí mismo*, gozaba del privilegio de su Santiago sobre los otros europeos; mas a éstos no se les ocurría entonces tomar a España como término de comparación. Los españoles lo hacían por sentirse inseguros... a la vez que grandes, y con razón para sentirlo. Es ya hora de ir intentando coordinar los aspectos contradictorios del pasado español.

Inseguridad para los cristianos significaba, entre otras cosas, no poder prescindir de los judíos, ni luego de los conversos, quienes expusieron su visión de la España íntima desde el alto miradero que a sí mismos se asignaron —los textos anteriores lo han puesto en claro. Fernando de la Torre decía que en España se criaba de todo, pero que eran importados los productos manufacturados. En 1535, Miguel Servet (seguramente otro converso) alababa el ímpetu imperial de españoles y portugueses, pero notaba aquel su "andar siempre mendigando libros extranjeros" (ver las adiciones a su traducción de la *Geografía* de Tolomeo). Fecundos ingenios, dice; grandes aspiraciones ("magna moliens") y escaso saber ("infeliciter discunt").

Desde dentro de la casta cristiana se expresaba aquel admirable Fernán Pérez de Guzmán, en cuyas *Generaciones y semblanzas* (1460) se habla ya del odio a toda personalidad destacada: "E non solamente este notable cavallero se perdió en estos movimientos de Castilla, mas otros muchos grandes e medianos estados se perdieron: que Castilla, mejor es para ganar de nuevo que para conservar lo ganado: que muchas vezes *los que ella fizo, ella mesma los desfaze.*" Esta última frase es mera glosa de lo dicho por don Alonso Fernández Coronel al ir a ser ejecutado por orden del rey de Castilla, Pedro el Cruel: "Esta es Castilla, que faze a los omes e los gasta." [27]

En vista de lo cual no tiene sentido continuar pensando como simple rutina que durante los años de expansión imperial, antes del siglo XVII, nadie se mostró inseguro y angustiado, porque como todavía no se había iniciado la "decadencia"... Pero los españoles del pasado supieron de sus asuntos y de sus ánimos mucho más que quienes olvidan la acontecido. Carlos V —para citar un testimonio no desdeñable— estuvo a punto de vender el Ducado de Milán en 1534 al duque Octavio Farnesio por dos millones de escudos oro, a fin de aliviar su angustia económica. Lo veían bien el ministro Granvela y el Consejo de Estado. Acerca de ello escribía el Emperador: "Las necesidades presentes en que estamos, y de la manera que se hallan nuestros reynos, estados y patrimonios, quán poderosos enemigos tenemos por mar y por tierra, y el alivio grande que sería *hallarnos fuera de este hoyo y laborinthio* (sic),[28] y con tanta suma de dinero . . ."

Antonio de Leiva, el embajador Gutierre López de Padilla y otros se opusieron con energía a la enajenación del ducado. Pero en un *Papel que dieron a S. M. sobre lo de Milán* (atribuido a don Diego Hurtado de Mendoza) se dice: "Todo el mundo sabe que tenéis empeñado vuestro Estado, consumido vuestro patrimonio y vuestros vasallos empobrecidos, y con sola la anchura de vuestra reputación se sustenta vuestro Estado." Algunos proponían deshacerse de Flandes y, en cambio, unir Italia a España para que los estados de aquélla "possino supplire tutte quelle [cose] delle quale *manca Spagna*". En las postrimerías del reinado de Carlos V, Luis de Orezuela escribía en 1552 en un despacho dirigido al secretario de Estado Gonzalo Pérez:

"Se va desmoronando todo, y si el príncipe [don Felipe] no abre los ojos en tiempo para remediar, arguyen los tiempos y disposición presentes *gran ruina y caída,* no menor que la de un grande edificio roto y abierto de alto abaxo por todas partes, y inclinado a su precipicio."

A pesar de lo cual el Imperio fue haciéndose y consolidándose, gracias a cualidades humanas más fuertes que la presión negativa de atroces circunstancias. La angustia y la inseguridad labraron un tipo de hombre en el cual la distinción y la gracia, unidas a una serena temeridad, suscitaban el asombro, la admiración y la envidia de los europeos. Dice Bernal Díaz del Castillo: "Aquí en esta isla [de Cozumel] comenzó Cortés a mandar muy de hecho, y Nuestro Señor le daba gracia, *que doquiera que ponía la mano se le hacía bien,* especial en pacificar los pueblos y naturales de aquellas partes."

El Imperio nació cuarteado y al borde de todos los precipicios; la inseguridad y la angustia ya lo endechaban en el siglo XVI, y sin embargo, la inmensa y más española porción de él llegó intacta hasta el siglo XIX. Si las razones económicas y técnicas hubiesen sido decisivas, el Imperio debió extinguirse en tiempo de Carlos II, o mucho antes. Pero la última palabra siempre la tuvieron los hombres, los de la casta hecha a imperar y a saber mandar, que se alzaban como Dios les daba a entender, y que eran deshechos en virtud de los mismos motivos que los elevaban hasta la cresta de sus historiables proezas.

Cuando las virtudes de las castas se debilitaron, no hubo entonces *cosas* materiales o intangibles con que reemplazarlas (dinero, artefactos, teorías). Y ese desequilibrio, percibido sagazmente por la casta hispanojudaica, explica los tumbos y tropezones de la existencia española, cuya inseguridad ha sido largamente expresada, sin afectar radicalmente ni al ascenso ni a la caída del Imperio. La historia de España no está invertebrada ni es misteriosa: ha sido el proceso de un incongruente diálogo entre los hombres y las cosas, entre lo vital como un bloque y el cincel de la mente incapaz de tallarlo. Carlos V, en un momento de depresión y aconsejado por el forastero Granvela, se dejó arrebatar por el mágico tintineo de una cascada de oro —dos millones de escudos. Pero para el riojano Antonio de Leiva, que había vencido en Pavía a Francisco I y entrado en Milán, el problema no era de razones áureas, sino de entrañas.

Mas prosigamos oyendo las voces de quienes expresaban las vivencias de su presente —que es ahora nuestro pasado.

En el máximo momento del Imperio (1569) escribía el granadino Gonzalo Jiménez de Quesada, fundador de Santa Fe de Bogotá: "¿Por dónde caminará ya el día de oy el español que pueda contar senzilla y verdaderamente sus hazañas?" La superioridad de España no se reconocía en Francia, no obstante las victorias españolas. "Pero vos, flamenco, y el de los otros estados comarcanos a éste, ¿qué os a hecho España para que en ninguna mesa borgoñona, como aya español en ella, no se trate luego de otra cosa sino d'estas diferencias y precedencias?" [29] Los alemanes se atribuyen la principal parte en las victorias españolas. Húngaros, daneses y polacos "con dificultad pueden oír mansamente tanta buena dicha de los españoles. Entrando por Italia, provincia principalísima entre todas las de Europa, se allará que no ay cosa que con más ynpaçiençia sea oída de sus oídos que contar feliçidades bélicas y militares de los españoles. Y lo que más d'espantar, es que en nuestras Indias Occidentales pasa lo mesmo, y que los bárbaros de ellas quieren diminuir la grandeza de aquellos que los conquistaron, poniendo escusas a su subgeción" (El Antijovio, Bogotá, 1952, págs. 21-24). Jiménez de Quesada, soldado y humanista en Europa, y en el Nuevo Mundo que él contribuía a conquistar y civilizar, sintió la soledad de la grandeza española. Exasperado por las calumnias de Paulo Jovio, compuso esta voluminosa obra, hasta hace poco desconocida. El español experimentaba la sensación de caminar sin avanzar a través de un inmenso mundo que no reconocía el valor del heroísmo hispano. Jiménez de Quesada ha tenido que esperar casi cuatrocientos años para que sus compatriotas reconociesen el indudable mérito de su obra y la dieran a conocer.

En 1609 comentaba así Quevedo la expulsión de los moriscos: "Y al fin, si los moros que entraron en 711 dejaron a España sin gente porque se la degollaron, éstos que echaron, la dejaron sin gente porque salieron. La ruina fue la propia; sólo se llevan ['la única diferencia es'] el cuchillo." (Chitón de las tarabillas.) La misma reducción nihilista de la vida en torno ocurre en El Criticón, de Baltasar Gracián (1657) uno de cuyos más significativos temas es el odio al vulgo, a lo que hoy se llama "masa": "vulgo no es otra cosa que una sinagoga [30] de ignorantes presumidos, y que hablan más de las cosas cuanto menos las entienden" (II, 5).

Una y otra vez Gracián repele al vulgo, lo cubre de improperios: "crédulo, bárbaro, necio, libre, novelero, insolente, hablador, sucio, vocinglero, embustero, vil" (II, 5). Lo grave para Gracián es que "los hombres de mucha naturaleza ['de origen elevado'], los de buena sangre, los de ilustres casas, que por poco que se ayuden han de venir a valer mucho, y dándoles todos la mano, han de venir a tener mano en todo, que ésos se quieran enviciar y anonadar y sepultarse vivos en el covachón de la nada" (III, 8). Toda esta gente, que pudo llegar a ser minoría valiosa y no lo fue, es arrojada por Gracián a "la cueva de la Nada". Para él, como para Quevedo, el mundo que le cerca es un juego de figuras inanes —el ruidoso número de los más frente a los ceros vacíos de los menos.

La imagen sin forma de esa nada venía precisándose desde mucho antes. Según el ex jesuita Francisco de Medrano, muerto en 1607, ni la paz ni la guerra hacían sentirse seguros a los españoles. Con tono y con resonancias de clamor bíblico, escribía que:

> Ya lo muelle nos daña
> de la paz, de la guerra ya la saña.
> España triste gime,
> *de la fortuna en la más alta cumbre;*
> que la sobra y oprime
> *de su gran majestad la pesadumbre;*
> y máquinas que *el cielo*
> *no apoya,* vienen con su peso al suelo.[31]

España no gemía entonces, oprimida por cualquier error, o por su apartamiento de un anterior tipo de vida, como acontecía en la Roma de la época imperial; a España la angustiaba la misma majestad de sentirse en la cima de su más alta fortuna. Lo único seguro, real, era el apoyo del cielo y no ninguna "máquina" de grandeza. Pero España se sentía vacía de sí misma y en gran riesgo, ya antes de escribir Medrano. Durante la guerra contra los moriscos granadinos, y aun después, se temía que los turcos, coaligados con los enemigos cristianos, repitieran la invasión musulmana. En unos versos dirigidos a don Juan de Austria, decía el capitán Francisco de Aldana (muerto en el desastre de Alcazarquivir, 1578):

> Recibe esta llorosa profecía,
> cumplida en mi vejez, triste, importuna:
> dígote que la ibera monarquía
> veo caer a los pies de la fortuna;
> crece la rebelión y la herejía;
> despierta el galo al rayo de la luna,[32]
> y el pueblo más de Dios favorecido
> duerme a la sombra de un eterno olvido.[33]

En el mismo tono se hacía llegar su voz melancólica a Felipe II:

Si al desastre del tiempo de Rodrigo,
cuando era aún el mundo tan novicio
que máquinas de fuego el enemigo
no conoció, ni bélico artificio,
España en su deshonra dio consigo
sin recelar del turco maleficio,
¿qué puede agora hacer, tan desprovista,
con gente tan copiosa y tan provista? [34]

Según este técnico de la milicia, que murió peleando heroicamente contra los moros africanos, España ofrecía un frente de superlativa nada contra su enemigo secular:

¿Qué debe sospecharse en *tanto exceso*
de privación de forma y de materia,
como se entiende [hay] entre ellos y nosotros? [35]

Pudiera ello pasar por voces aisladas [36] de pesimistas desmayados, si no coincidieran estas inquietules con la declaración, repetida a lo largo del siglo XVI, de haber sido un mal la conquista de Granada, por haber desaparecido así el gran estímulo heroico para los españoles. Las Casas y otros negaban la legitimidad de la política imperial de la corona en las Indias. Quevedo pensaba que cuantas más tierras conquistara, más enemigos se atraería España:

La ambición llega para adquirir más allá de donde alcanza la fuerza para conservar... América fue una ramera rica y hermosa, adúltera a sus esposos [¡los indios!]... Los cristianos dicen que el cielo castigó a las Indias porque adoraban a los ídolos; y los indios decimos que el cielo ha de castigar a los cristianos porque adoran a las Indias *(La hora de todos,* X, 1635).

¿Cuál puede ser entonces la realidad de un presente siempre sentido como falto de firmeza durable?

No puede ser otra sino un recrearse, como si el mundo se iniciara en cada instante, en un continuo proceso de deshacerse-hacerse. Y no vaya a pensarse que los textos antes transcritos —expresión de una vivencia "autobiográfica"— proceden sólo de disconformes ensombrecidos por el pesimismo. Nos persuade de lo contrario el entusiasta tradicionalista Menéndez y Pelayo, el cual exageró el volumen de la ciencia y del saber españoles, a fin de colmar el vacío del pasado que le angustiaba el alma.

Pero Menéndez y Pelayo no podía sospechar que aquella ciencia (humanismo, filosofía, matemática, botánica, etc.) fue sobre todo obra de cristianos nuevos, y que por eso mismo fue ahogada en germen por los motivos explicados en mi libro *De la edad conflictiva.*

Hace, por consiguiente, muchos siglos que el español preclaro viene sintiéndose existir en un modo de vida tan inseguro como, después de todo, espléndido. Porque, nótese bien: aquella inseguridad expresaba el desnivel sentido entre las aspiraciones y las situaciones (el radicalmente pobre y enteco de ánimo no aspira a nada).

Para mi propósito es inútil comparar la crónica situación española con la de otros países, y citar casos de perseguidos y disconformes: San Juan de la Cruz, atrozmente molestado por los frailes carmelitas; Giordano Bruno, quemado vivo en Roma; Luis de León, víctima del furor inquisitorial de la casta dominante; Galileo, tiranizado por los cardenales romanos; Miguel Servet, quemado por Calvino; Descartes, huido al extranjero, etc. Insisto en que para los fines de mi análisis es indiferente el que los españoles del siglo xv, del xvii o del xx tengan o no fundamentos objetivos para sentir lo que sienten; lo importante es notar la sensación de vacío vital experimentada por esos y otros ilustres españoles. La veracidad vital de sus juicios es lo que nos interesa.

Enumerar todos los motivos alegados para explicar los infortunios (o la peculiaridad) de España sería tarea larga. Se ha hablado del clima, de la pereza, de la envidia, de la resistencia a aceptar las luces de la razón, del fanatismo, de la ausencia de Renacimiento. Ya en el siglo xvi se achacaba a los moros la culpa de los males hispánicos. Hernán Pérez de Oliva —un buen humanista— dice que si todas las ciudades hubieran resistido a los sarracenos como Córdoba, su patria, "no echaran de nuestros templos nuestra santa religión, no nos dieran que llorar en la sangre de los nuestros hasta nuestros días".[37] El escribir "nuestros" cuatro veces en dos líneas revela hasta qué punto sentía a los moros como extraños el maestro Pérez de Oliva. Quería echarlos bien lejos de su vida. Algunos historiadores contemporáneos siguen creyendo que la dominación árabe desvió, para su mal, el curso de la historia española. Pero el lector ya sabe que el español es incomprensible si no es visto en función de las tres castas de creyentes, pues sin ellas no se habría hecho español.

Otros historiadores acudieron a la idea de una esencia española, a un *substratum* de vida humana sobre el cual hubiese jugado España la partida de su historia. Se ha hablado mucho de iberismo, de individualismo, de tendencias incompatibles con formas de buena sociabilidad. Los antiguos hablaron de ello, y algunos modernos se aferran a ese irreal "substancialismo" humano. Enlazan la Iberia conocida por Estrabón con la Península Ibérica de hoy. Caemos así en un fatalismo mítico, en una historia invisible previa a la vida dada en los largos siglos hoy a nuestro alcance. La verdad sería que el español aparece dado en sus "comportamientos", en su *sentirse* español, y no en sus fabulosos supuestos "raciales".

Mi propósito es ahora más claro y más sencillo; aspiro a describir qué le ha acontecido al español, y qué bases de vida fueron ofreciéndole las circunstancias en que el destino le colocaba. Sólo así podremos contemplar la historia como una realización de valores, y no como el feo reverso de un tapiz. Lo que nos importa es lo que el español ha sentido ser y lo que ha conseguido, porque esos logros son indisolubles de sus desdichas y de sus fracasos. Rebelde a la ley y a cualquier norma estatal, el español fue dócil a la voz de su creencia y al imperativo de su persona absoluta. De no haber sido así, la Península se habría convertido en una prolongación de Africa, o en una extensión de Francia, o quizá de Inglaterra. El español se hizo, en su afán de subsistir y de *ser más*, no basado en ideas o ambiciones económicas; se encastilló en su propia persona y de ella sacó arrojo y fe para erigir un extraño e inmenso imperio colonial, que duró de 1500 a 1824. Conservó sin mutaciones esenciales su lengua del siglo XII, y con ella forjó creaciones de arte dotadas de validez permanente. Los españoles no se dejaron unificar mediante razones, conocimientos, leyes o una red de enlaces económicos, sino a través de creencias que los penetraban e impulsaban. Todo ello casa mal con el concepto de "individualismo", forjado por el pensamiento del siglo XIX, desde otros puntos de vista y para resolver otros problemas. (Véase sobre ello el capítulo VIII.)

Los historiadores que han intentado explicar la existencia de España como un mal crónico (por ejemplo, Ortega y Gasset en su *España invertebrada)* aparecen ahora como casos descollantes del "vivir desviviéndose": su explicación de la hispanidad es una función de su hispanismo. A ninguna gran civilización le ha acontecido vivir siglos y siglos sintiendo faltarle la tierra bajo los pies, y creando a la vez valores tan de primera clase. Este pueblo, en más de una ocasión, ha marchado a su propia ruina como a una jubilosa saturnal. Mas por el momento no vamos a inquietarnos por ello, ni a decir si este modo de ser es un mal o una virtud.

La paradoja, lo extraño de esta historia, consiste en que no es posible captar su sentido a menos de poner el historiador en paréntesis su propio vivir hispánico. De no ser así, la historia española aparecerá inevitablemente como un "no es", o como una "enfermedad" —según escribía Ortega y Gasset—, o como un cuento fabuloso (Numancia, Trajano, Viriato, etc.). Para no meternos en tales callejones sin salida, hay que fijar pulcramente las bases teóricas sobre las cuales ha sido posible construir este modo de ver la historia. Sólo así será posible demarcar el perímetro espacial y temporal de la auténtica realidad de los españoles, del existir como español.

NOTAS

¹ *El Victorial. Crónica de don Pero Niño*, edic. de J. M. Carriazo, pág. 5.
² El texto fue citado por Marcel Bataillon, con otro motivo, en *Charles-Quint et son temps*, 1959, pág. 84.
³ Desde ahora observaré que no uso *estructura*, en el sentido de configuración o plano ("Gestalt"), sino en el de "disposición funcional", abierta y dotada de *movimiento*.
⁴ Escribe don Francisco de Quevedo el 21 de agosto de 1645: "Muy malas nuevas escriben de todas partes, y muy rematadas; y lo peor es que todos las esperaban así. Hay muchas cosas que, pareciendo que existen y tienen ser, ya no son nada sino un vocablo y una figura." *(Obras en prosa*, edic. Astrana, pág. 1616.)
⁵ En el siglo XVIII unos pretendieron nivelar la cultura mítica y arracional con la ilustración racionalista del extranjero; los más prefirieron seguir dentro de la tradición que se desmoronaba.
⁶ Al duque de La Rochefoucauld se le fue una vez la pluma en su manuscrito, y escribió: "comme *les rhumes* et les maladies contagieuses". En el texto impreso hay sólo "maladies contagieuses", concepto abstracto que aleja la visión de toses, estornudos y moqueo. Estamos en el reino del "bon goût".
⁷ Rafael Lapesa, *El elemento moral en el "Laberinto" de Juan de Mena*, en "Hispanic Review", 1959, XXVII, 262.
⁸ Ver la edición paleográfica de J. Piccus en "Nueva revista de filología hispánica", 1958, XII, 339. Los números entre paréntesis se refieren a las estrofas.
⁹ En *Libros de antaño*, V, pág. 144.
¹⁰ "Discurso pronunciado por don Alonso de Cartagena en el Concilio de Basilea, acerca del derecho de precedencia del rey de Castilla sobre el rey de Inglaterra", en la revista *La ciudad de Dios*, 1894, XXXV, págs. 122-542.
¹¹ Véase también pág. 526. Hay otras curiosas observaciones sobre Inglaterra: "Aunque sea notable ínsula (ca llámase *Anglia*, que algunos declaran 'más gloriosa de dinero'), pero non hay en ella tantas provincias ni tan anchas" (pág. 349). La leyenda del "oro inglés" es, por tanto, bien antigua.
¹² Véase *Cancionero y obras en prosa de Fernando de la Torre*, publicado por A. Paz y Melia, Dresde, 1907.
¹³ La preocupación por la biografía de los contemporáneos aparece en las *Generaciones y Semblanzas*, de Fernán Pérez de Guzmán, y en los *Claros Varones*, de Hernando del Pulgar.
¹⁴ Nótese cómo Fernando de la Torre confirma mi idea de que la españolización mítica de los romanos de la Península, venía a compensar un sentimiento de deficiencia. Pensaría además el autor en caballeros como Rodrigo de Villandrando, conde de Ribadeo, que luchó magníficamente en Francia, sin dejar de ser leal vasallo de Juan II de Castilla; o en don Pero Niño, conde de Buelna. Juan de Mena menciona, en las coplas 198 y 199 de *Las Trescientas*, a Juan de Merlo, un caballero del tiempo de don Juan II, que murió peleando en la frontera del reino moro de Granada, según dice Hernán Núñez en su comentario; y añade que, "quando una vez ovo guerra entre estos dos reinos, Francia y Castilla, salió este famoso cavallero Juan de Merlo fuera del reyno, e venció en Basilea, una villa del condado de Brabante, entre Alemania y Francia, a un cavallero alemán llamado Enrique de Remestein por desafío; y otra en Ras ['Arras'] venció a un cavallero principal llamado Mosior de Charni". *(Las CCC del famosíssimo poeta Juan de Mena, con glosa*, Granada, 1505, fol. 99 *r.)* La literatura no registra las actividades bélicas de los castellanos en Europa del Norte antes del siglo XV.
¹⁵ Ver lo que digo en *Aspectos del vivir hispánico*, págs. 21-22.
¹⁶ Ya lamentaba Fernán Pérez de Guzmán que Enrique III (1379-1406) no "oviera cuerpo e coraçon para proseguir la guerra" con Portugal y conquistar aquel reino.
¹⁷ El hispano-semita, a la vez que anhelaba la expansión imperial de Castilla, quería paz y concordia dentro de su tierra —el sueño de no ser perseguido. El rabí Arragel, glosando la *Biblia*, pondera así los bienes de la armonía y el mutuo acuerdo: "Estos de aquesta torre [la de Babel], maguer protervos eran en Dios e ydolatrías, pero eran syn odio e malquista unos de otros, e a una concordia eran, e *sus faziendas unos a otros se guardavan;* por ende nuestro Señor quiso que memoria dellos quedase; pero los del diluvio, que se robavan, e unos a otros malquerían, por ende non memoria dellos quedó." *(Biblia*, traducida por Rabí Arragel (1422-¿1433?), edic. del Duque de Alba, 1920, I, 119 *a.)*
¹⁷ ᵇⁱˢ *De vita beata*, edic. "Bibliófilos españoles", págs. 126 y 166.

¹⁸ Es el momento del gran lujo en el vivir, desconocido antes de Juan II. Hay conciencia de riqueza (lo hemos visto en De la Torre), continúan estando en boga las costumbres moriscas, según diré luego, y se imitan los usos caballerescos de Francia. La expresión embellecida de todo ello se encuentra en las *Coplas* de Jorge Manrique:

> *Las dádivas desmedidas,*
> *los edificios reales*
> *llenos de oro,*
> *las vaxillas tan febridas,*
> *los enriques y reales*
> *del tesoro,*
> *los jaezes, los cavallos*
> *de su gente, y atavíos*
> *tan sobrados,*
> *¿dónde iremos a buscallos?*
> *¿qué fueron sino rocíos*
> *de los prados?*

¹⁹ Es notable que ya entonces un español observara que en Francia se vivía "por regla ordenada".

²⁰ *La Péninsule Ibérique au Moyen Age* [según] Al-Himyarī, trad. de E. Lévi-Provençal, Leyde, 1938, págs. 3, 5, 27 29.

²¹ Ver René Basset, en *Homenaje a don Francisco Codera*, 1904, pág. 643.

²² "Diálogos de amor", en *Nueva Bib. Aut. Esp.*, XX, 314.

²³ *De appetenda gloria.* Edic. de Madrid, 1780, IV, 206.

²⁴ Los ejemplos proceden de las comedias "Roma abrasada" y "El molino", y se hallan en R. del Arco, *La sociedad española en las obras dramáticas de Lope de Vega*, pág. 59.

²⁵ Ya se dice en *El Caballero Cifar* (siglo XIV): "Ca la más ligera cosa es del mundo de echar el cuerpo en la sepultura, mayormente que la tierra es casa de todas las cosas deste mundo e resçíbelas de grado" (ed. Wagner, pág. 116).

²⁶ *El peregrino en su patria*, 1604, pág. 304. Cuando Lope de Vega intuye en unidad la existencia de España, la ve como una oquedad lo mismo que Quevedo (falta una monarquía nacional, bienestar y libertad); mas todas las negaciones se vuelven afirmaciones en su arte, en compensación paradójica sólo posible en aquel país donde la censura y la exaltación de lo propio coexisten sin estorbarse. El desencanto o incluso la desesperación no tuvieron allá las consecuencias que lógicamente aguardaríamos.

²⁷ "Generaciones y semblanzas", en *Clásicos castellanos*. LXI, págs. 90 y 110. Pudieran establecerse otras correlaciones no menos significativas. Dice Fernán Pérez de Guzmán: "En Castilla ovo siempre e ay poca diligencia de las antigüedades, lo cual es grant daño... Sin dubda notables actos e dinos de loor son guardar la memoria de los nobles linajes o de los serviçios fechos a los reyes e a las repúblicas, de lo cual poca cura se faze en Castilla" (págs. 50-51). Tampoco satisface a Gracián la historia que escriben los españoles: "Asegúrote que no ha habido más hechos ni más heroicos que los que han obrado los españoles, pero ningunos más mal escritos por los mismos españoles. Las más destas historias son como tocino gordo, que a dos bocados empalaga" *(El Criticón*, III, 8). El rasgo común que presta unidad a los anteriores textos es que en el siglo XV y en el XVII la historia escrita dejaba insatisfechos a los observadores de lo que acontecía en torno a ellos.

²⁸ Para la rara forma *laborinthio*, cf. "laborinto no fingido", *Comedia Tinellaria*, de Torres Naharro, act. IV, v. 409, edic. Gillet El editor cree que hubo un cruce semántico con "labor". Los textos anteriores fueron citados por el malogrado historiador Federico Chabod, *Lo stato de Milano nello impero di Carlo V*, Roma, 1934.

²⁹ Para un español de tiempo de Carlos V, Flandes era un estado de aquella Borgoña siempre anhelada por el Emperador. En la cartuja borgoñona de Champmol hubiera querido él ser enterrado.

³⁰ "Sinagoga" se usa aquí en el sentido etimológico de "reunión, asamblea". El aristocratismo del autor se protege contra la bajeza del objeto que define, distanciándose de él mediante un docto helenismo, impenetrable para el vulgo. Y junto con eso, tal vez el retorcido Gracián usara contra la masa, ufana de su limpia cristiandad, la palabra más denigrante en aquella época, en el sentido en que el vulgo la entendería. Sobre la limpieza de sangre de Gracián hay sus dudas.

³¹ Para el texto, véase *Bibl. Aut. Esp.*, vol. XLI, pág 351 *a;* sobre el autor, Dámaso Alonso, *Vida y obra de Medrano*, 1948.

[32] Es decir, los franceses se unen a los turcos.

[33] *Epistolario poético completo,* ed. por A. Rodríguez-Moñino, 1946, pág. 21.

[34] A. Rodríguez Moñino, *El capitán Francisco de Aldana (1537-1578),* Valladolid, 1943, pág. 35.

[35] *Ibidem.*

[36] Para hechos análogos véase el *Epistolario poético,* antes citado, versos 91-99.

[37] "Razonamiento sobre la navegación del Guadalquivir", en *Obras,* II, 2.

Capítulo IV

SUPUESTOS TEORICOS

PLANTEAMIENTO DE LA CUESTION

Parto de la idea de ser insuficientes las caracterizaciones psicológicas al uso: los españoles son orgullosos, individualistas, envidiosos, pasionales, refractarios a seguir a los mejores, etc. En la medida de lo posible desearía poner de manifiesto la estructura de la vida española, a fin de poder relacionar los detalles con el conjunto en donde aquéllos se proveen de sentido, y presentar los hechos como "habitados" por el sujeto-agente de que son expresión. No basta, por consiguiente, con decir que un pueblo es igual a la clase de valores que persigue —algo como "dime con quien andas y te diré quién eres"—, si luego resulta que el historiador deja en sombra la estructura vital de quienes valoran. Porque suele acontecer que todo se reduzca a una caracterización esquemática y abstracta; hay, por ejemplo, quien habla de los españoles negativamente, por verlos como empeñados en no seguir a unas minorías selectas, la realidad y la posibilidad de las cuales queda en el aire; o hay quien todo lo reduce a ser el español un "caballero cristiano", por amoldarse ese tipo ideal a las preferencias emotivas del escritor; etc.

Ni basta tampoco con achacar a la economía y a la geografía lo decisivo en la realidad del hombre, ignorando y queriendo olvidar que los hombres se hicieron tales precisamente por sobreponerse a las circunstancias naturales de su medio.[1] * Pero el materialismo histórico por un lado y la abstracción intelectualista por otro, en alianza con aquél, aspiran, y tal vez lo consigan, reducir al hombre a un pelele electrónico, bien enseñado a balar, reír y gemir unánimemente.

La vida pasada no toma dimensión histórica por el mero hecho de haber sido y de ser conocida hoy; la historia depende de una especial dimensión de la vida, de la elevación de esa vida sobre su nivel cotidiano,

* Para las notas al capítulo IV véanse las páginas 141 a 143.

reiterado y sin relieve. El historiador ha de hacer visible el movimiento y ritmo ascendentes del sujeto colectivo de la historia, su conciencia de estarse haciendo en y con su historia. No importa para ello que haya más o menos acuerdo acerca del valor de las acciones y obras pretéritas, ni que sea imposible hacerlas universalmente válidas. La historia descansa sobre saberes de experiencia, empíricos, cuya dimensión más importante —su valiosidad— es indemostrable, aunque sí intuible. Desde el siglo XVI hasta hoy no pueden ser más opuestas las estimaciones de la obra española en América; los juicios oscilan entre considerar la conquista como un acto de barbarie cruel (Las Casas, Diego Rivera) y como "el más noble tipo de cruzada humana, universal y generosa que jamás haya existido" (José Vasconcelos). Pero el que el tema venga discutiéndose con tal pasión desde hace cuatro siglos y medio demuestra, sin más, el enorme volumen humano, la dimensión histórica de lo realizado por los españoles.

Esa dimensión histórica, historiable, es lo que ahora me interesa. Un pueblo se la crea al ir enfrentándose con las circunstancias que su propio hacer le depara —como un personaje a la vez novelístico y dramático. Sus obras continúan existiendo como un durable presente, aunque los biológicamente descendientes de quienes las crearon lleguen a existir en formas de vida sin ninguna conexión con aquéllos, sin conciencia social de ser como ellos. Ya no hay sumerios, ni griegos como los del Ática y la Magna Grecia, ni celtíberos, ni cartagineses.

En la historia se realizan en múltiples modos las posibilidades humanas de crear algo valioso e irradiante, apto para mover a otros hombres a rebasar el nivel de la insignificancia cotidiana, para tensar la mente, la fantasía o el ánimo. Ahora bien: los modos de vida historiables no se difunden mediante la supresión de las barreras políticas que separan y singularizan a los pueblos, sino en la medida en que ciertos valores se generalicen. Las frondas de los árboles históricos se tocan en sus cimas, pero los árboles mismos no se entrelazan en la profundidad sin luz de sus raíces (a menos que un pueblo sea absorbido sin resto en la vida de otro). Lo que se difunde son ciertos valores, por ejemplo, la creencia hebrea en el Mesías, advenido ya para muchos creyentes; o las formas del pensar helénico. Se extienden muchas cosas, importantes o menudas, desde el uso de la rueda hasta ciertas clases de danzas. A pesar de lo cual los pueblos creadores o receptores de unos u otros usos y valores conservan su singularidad, aparecen como unidades dentro de la totalidad de la vida humana, siempre pluralizada.

Hay, pues, que dar por supuesta la existencia de una entidad social y de la conciencia de pertenecer a ella generacionalmente, antes de describir y de tratar de entender el proceso histórico de una colectividad humana.

Los castellanos se *sabían* serlo desde el siglo X, y se esforzaron por *hacerse valer* como castellanos —no como celtíberos. El mero hecho de existir para que la vida elemental y uniforme prosiga subsistiendo en mejores o peores condiciones, no constituye historia. En todo caso, el caos confuso de hechos y acontecimentos fragmentados que el investigador del pasado o del presente saca a luz, no es por sí solo historia, no es todavía historia.

LA MORADA VITAL

Así concebida, la tarea histórica es aventurada, dado que nunca se llegará a una certidumbre, válida para los más, como lo es la verdad de las ciencias exactas. Quienes no sientan previa simpatía por las acciones y creaciones de un pueblo, no las aceptarán como valiosas por mucho que las encarezcamos. Sin una adecuada receptividad para ciertas clases de valores, éstos pueden resbalar sobre la facultad estimativa del observador; así aconteció al teatro de Shakespeare en el siglo XVIII,[1 bis] y lo mismo ocurre hoy con grandes valores en todas partes, o ignorados o no estimados.

Por todos esos motivos mi historia aspira únicamente a satisfacer las exigencias rigurosas que me he puesto a mí mismo. Parto de la convicción de haberse formado el pueblo español y de haber surgido a la vida historiable en enlace con situaciones casi siempre muy apretadas y desapacibles. Tuve así que construir una figura historiable en la cual cupiesen tanto los desarrollos valiosos como los opuestos a ellos. He tomado como centro y agente de esta historia el taller de vida en que la españolidad fue fraguándose, y no parciales rasgos psicológicos, siempre genéricos e inconexos; no he pensado tampoco en que las circunstancias exteriores fueran algo aislable del curso mismo de la vida, como si ésta fuese una realidad ya previamente dada sobre la cual cayeran causas o motivos. La vida historiable consiste en un curso o proceso interior, dentro del cual las motivaciones exteriores adquieren forma y realidad; es decir, se convierten en hechos y acontecimientos dotados de sentido.

Estos últimos dibujan la peculiar fisonomía de un pueblo, y hacen patente el "dentro" de su vida, nunca igual al de otras comunidades humanas. Mas este "dentro" no es una realidad estática y acabada, análoga a la sustancia clásica; es una realidad dinámica, análoga a una función o, como indicaré luego, a una invariante. Pero el término "dentro" es ambiguo: puede designar *el hecho de* vivir ante un cierto horizonte de posibilidades y de obstáculos (íntimos y exteriores), y entonces lo llamaré *morada de la vida*; o puede referirse *al modo cómo* los hombres manejan su vida dentro de esta morada, toman conciencia de existir en ella, y entonces lo llamo *vividura*. Esta sería el modo "vivencial", el aspecto consciente del funcionar subconsciente de la "morada".

El símil de la morada y la vividura servirá para precisar el pensamiento que lo ha motivado. Todos los pueblos dotados de fisonomía histórica (quiero decir historiable) poseen una morada vital y, a veces, hay entre ellas aparentes analogías, e incluso un análogo "mobiliario" humano. En casi todo el mundo se encuentran hoy ferrocarriles, aeroplanos, templos, escuelas, bibliotecas, médicos, orquestas, gobernantes, cuerpo diplomático, ejército, etc. Pensamos entonces que el mundo de los hombres es uno, y que llegará a serlo del todo cuando los beneficios de la civilización (término ambiguo y falaz, si los hay) se extiendan aún más. Obsérvese, no obstante, que mucho de ese "mobiliario" vital no procede auténticamente de las posibilidades de la propia "morada". A veces, los vehículos y los instrumentos técnicos son meras importaciones; o lo son las ideas, o los directores de las orquestas sinfónicas, o la música que ejecutan. Los ejemplos son demasiado obvios para que haya que aumentarlos. Estrechando nuestra observación, se notará que incluso si en un pueblo se producen ciertas cosas análogas a las de otros sitios (filosofía, ciencias, máquinas, etc.), esas actividades no desplazan el mismo volumen dentro de la totalidad de la vida; ni, sobre todo, están situadas jerárquicamente en la misma forma. En unas moradas la actividad científica o industrial llena casi todo el espacio vivible; en otras figuran como lujo infrecuente, o están relegadas a zonas de escasa estima —al sótano o, quizá, al desván. Igual acontece a todo lo restante que integra el extenso ámbito de la vida: coraje bélico, moralidad política y social, sentido de la personalidad, distinción literaria y artística, fomento de la inteligencia, religiosidad espiritualizada o materializada... De todo ello puede haber en un pueblo, aunque siempre dispuesto y ordenado según un sistema de capacidades y de preferencias. Lo cual significa que ahora nos importa primariamente no el qué y el cuánto de las actividades vitales, sino el peculiar modo de funcionar éstas. Las ideas, los ejemplos y los estímulos ofrecidos por la civilización, funcionarán aquí de un modo y allá de otro.

Usaré en esta obra, según convenga en cada momento, los términos "morada", "vividura", "estructura funcional", "disposición y manera de vida". Evito los términos "carácter" y "rasgos psicológicos", porque apuntan hacia algo ya fijamente dado, inmóvil. Me interesa la vida como movimiento, curso y dirección, como algo variable, conjugado con una "invariante" que haga captable lo que persiste a lo largo de las mutaciones temporales; "invariante", porque de otro modo no podríamos llamar "francés" al parisiense del siglo XI y al de hoy. Persigo una constante vital, un "modo" y no una sustancia. Las moradas de mi símil no están cerradas, ni reclusas, respecto de las de los vecinos. Los moradores salen y regresan; además del que se fabrican, poseen "mobiliario" importado de las más varias formas. Pero cuando se restablece la calma y el morador se reintegra al dentro de su morada, aquél preferirá habitar en unas estancias más bien que en otras, por encontrarse más en su casa en unas que en otras, más a gusto en unas tareas que en otras. La libertad del morador dependerá de las posibilidades y de los límites de su mansión, sea como fuere lo traído a ella. La conciencia de las dimensiones colectivas de la persona, junto con la forma, la tensión o la laxitud de esa conciencia, afectará profundamente a la libertad del "morador".

¿Mas cómo acontece que la "morada" interior y orientadora de un grupo humano desaparezca y sea sustituida por otra? Que esto ocurre es innegable, pues algunos de los principales grupos humanos en Occidente (italianos, franceses, españoles) son manifiestas novedades históricas. La lengua que comenzaron a escribir aquellos pueblos fue una máxima innovación, e indica una ruptura, un violento desvío, en la sucesión de los estados de conciencia colectivos. No entender el latín de Roma significó haber dejado de ser romano. Entre el momento en que se escriben las lenguas románicas y la época en que un orador se expresaba en latín culto y era entendido por el público, media un período en que un latín empobrecido era sólo patrimonio de una minoría que, en su vida ordinaria, hablaba algo que ya no era latín. No hubo *entre* ambas épocas una serie de obras literarias, expresivas de la conciencia colectiva y entendidas por todos. De haber acontecido así, la relación entre la *Chanson de Roland* y la *Eneida* sería como la existente entre la *Chanson* y la obra de Marcel Proust. Pero no fue así. Entre los galos latinizados y los contemporáneos de los Capetos hubo una ruptura de continuidad de conciencia. En cambio, entre los franceses del año 1000 y los de hoy media una serie de mutaciones graduales de expresión, establecidas a través de una misma "morada vital", renovada en su "mobiliario", pero no en la disposición formal de su vida,[2] según luego se verá. Para que ésta cambie hace falta un radical y prolongado cataclismo, perder la conciencia de lo que se ha sido, hablar otra lengua, no entender la anteriormente escrita, orientarse hacia otra forma de vida colectiva; o, en fin, quedar a la merced de la acción vigorosa de gentes otras que dominen por su fuerza, por su prestigio, o por ambos. En esos casos las "moradas vitales" se han desarticulado y se han reconstituido en otra forma. Claro signo, por ejemplo, de que los romanos de la Roma antigua habían dejado de existir, es que el Foro y sus aledaños, soterrados por el olvido, fueran un campo en donde pastaban las vacas en el siglo XIII: el llamado, todavía en el siglo XVIII, *Campo vaccino*.

Resultado de cuanto ha quedado establecido es que las actividades y cualidades valiosas de un pueblo no se incorporan sin más a la vida de otro. Los valores de cada "morada" únicamente arraigan en otras dispuestas a recibirlos. Esto se confirma al observar cómo, dentro de un mismo país, quedan aislados, o con escaso cultivo, ciertos fenómenos valiosos, cuando son excepcionales o no se ajustan a los hábitos dominantes: los inventos técnicos en España, el misticismo en Francia, ciertos modos europeos de pensar en los Estados Unidos, la música en los pueblos anglosajones, etc. Por el contrario, cuando algo encaja de veras en la corriente de la propia vividura, los valores auténticamente queridos se multiplican y difunden con holgada espontaneidad y a gran altura: la ciencia natural y experimental ha florecido en Inglaterra desde el siglo XIII hasta hoy; el pensar teórico llenó nueve siglos de historia griega; la tensión expansiva y conquistadora del español se mantuvo viva, en España o en sus dominios, desde el siglo X al XVIII; y así en otros casos bien conocidos.

En la morada vital, por consiguiente, aparecen estabilizados y estructurados hábitos de preferir, iniciados a favor de nuevas situaciones sociales; las originadas por la conquista musulmana lo fueron en grado extremo. Los grupos que, en el Norte, no fueron soterrados políticamente por el nuevo alud de soberanía, tuvieron que hacer frente a responsabilidades de mando e iniciativa militar, en lugar de continuar obedeciendo pasivamente a los reyes de Toledo. Incluso los habituados a rebelarse crónicamente, como los vascones, lucharían ahora al mismo tiempo que quienes lo hacían (como los astures y los galaicos) contra los enemigos musulmanes venidos del Sur. Es decir, que los vascones sentirían que no estaban solos en su rebeldía, pues sus luchas de ahora no eran como las sostenidas contra los visigodos y los romanos. Cuando todos se rebelan y el estado de revuelta se prolonga y no es dominado —que era lo que, hacia comienzos del siglo IX, acontecía desde Gallaecia hasta el sur del Pirineo oriental—, la rebelión se convierte en un estado de guerra intermitente y de insumisión constructiva. Las circunstancias de belicosidad colectiva explican el nacimiento de los futuros reinos de Navarra, de Aragón y de los condados catalanes; pero ese mismo fondo de rebeldía de la zona vasco-pirenaica, aún muy manifiesto en las postrimerías del reino visigótico, hace comprensible que astures, galaicos y leoneses formaran un reino unido, mientras que los navarros, sus vecinos castellanos y los aragoneses pirenaicos nacieran divididos, y constituyesen modos de sociedad política distintos de los del reino leonés. Nadie sabe cómo se vivía en la región vasco-pirenaica en el siglo VIII; pero es lícito buscar algún motivo para la desunión navarro-castellano-aragonesa, frente a la cohesión astur-galaico-leonesa. La tradicional rebeldía de los vascones fue ahora usada para otros fines y en otras formas —se hizo históricamente *otra*.

Mas por desunidos que estuviesen esos diferentes centros de nuevas personalidades colectivas, un propósito común los animaba a todos. Los futuros reinos españoles nacían desunidos, se combatirían unos a otros a veces con gran saña; pero esas luchas, a la vez que rasgaban, tejían contexturas. Las gentes de la zona norte de la Península no tenían modos de salir, ni al mar como los normandos, ni tampoco más allá del Pirineo. Su horizonte era el sur musulmán, y ese nuevo horizonte forzaba a combatir como cristianos, porque los otros lo hacían como musulmanes; el riesgo continuo y el afán de sobrevivir, avivaban la conciencia de la dimensión social del grupo propio, y de sus contactos con aquellos que combatían por la misma causa y contra un común enemigo (las alternativas de los estados de amistad y enemistad no invalidan el carácter más hondo y más permanente de esta situación). La conciencia de la ligazón de unas personas con otras dentro del grupo menor, y de la prolongación de esos enlaces con quienes no eran diferentes en el mismo modo que lo eran los moros, fue moldeando los hábitos de quienes existían en estado de vida fronteriza, defensivo-agresivo. Se produjo así una especialización de las funciones sociales de la casta cristiana, ya en los primeros siglos de la Reconquista. Los llamados a combatir respondían al *apellido*, a la llamada militar, y por eso los españoles acabaron por llamar así su nombre familiar *(apellido,* como "llamamiento a la guerra", está atestiguado en el siglo x);[3] la misión implícita en ese llamamiento incumbía sobre todo a la que fue así constituyéndose como casta cristiana. A los mudéjares les tocó otra clase de actividades, lo mismo que fueron otras las de los futuros hispano-judíos.

En la morada vital del futuro español estas modalidades acabarían por manifestarse como actuantes, o como oquedad señaladora de su ausencia. Pero he de decir muy claramente que mi noción de morada de vida no persigue finalidades abstractamente psicológicas o configurativas. La morada vital se me hace presente en realidad cuando la vida de un pueblo se hace notar por sus realizaciones valiosas en el tiempo y en el espacio. La morada vital es digna de mención y análisis, se hace en verdad existente, al manifestarse como una vía que conduce al logro de altos valores historiables. La morada vital interesa por su dimensión axiológica, no por su esquematismo psicológico o sociológico. Si españoles, franceses e italianos no hubiesen alcanzado, en modo peculiar en cada caso, cimas de historia, no me habría interesado escudriñar el albergue de vida en donde se planeó la estrategia merced a la cual los pueblos ganan la batalla de su futuro, o, a la postre, quedan reducidos a marcar el paso en forma más o menos vistosa, y a veces a ser el espectro de lo que fueron. Pero la agonía del helenismo alejandrino —de su agente humano— es tan historiable como el esplendor auroral del pensamiento presocrático.

Entre las varias inepcias a que ha dado ocasión el no entender lo que se lee, es el haberme achacado la "congelación" de los españoles, el haber "fatalizado" su historia. Quienes así juzgan, nunca se preguntaron por el motivo de ser llamados españoles, franceses o italianos quienes discurrían por las márgenes del Duero, del Sena o del Tíber, tanto en 1200 como en 1900; se quedan asombrados cuando alguien se plantea tal cuestión e intenta responder a ella. Porque yo creo que son las personas y no el agua fluyente lo que es español, francés o italiano. Y si no se crea una "forma" temporalizada para captar la realidad española en el tiempo, ¿cómo sería posible ni siquiera la mención de "lo" español? No son, en cambio, acusados de "congelar" la vida española quienes vienen afirmando que ya existían los españoles en la época prehistórica de la Península Ibérica, y sueldan la historia humana con la geografía física.

La conciencia de las posibilidades y de los límites de la futura morada vital de los españoles (de lo que querían, podían o les era menos grato o urgente hacer), comenzó a alborear al sentir la peligrosidad del mañana frente a los musulmanes de al-Andalus. Tomaron conciencia de sí quienes en el siglo XII serían llamados españoles en la medida en que se daban cuenta de cómo era su adversario, y de *cómo eran sus rivales cristianos*. Las *acciones* secularmente homogéneas de aquellos hombres (no hablo de su psicología, sino de su hacer) carecían de precedente en la Península. Aquellos vascones y rucones que solían rebelarse contra los romanos y los visigodos sin conseguir extender su rebeldía, no se sentían solidarios de las gentes del centro y sur de la Península; pero insistamos en que los astures, navarro-castellanos y aragoneses que resisten y atacan a la muslemía saben que tienen que contar —para su bien y para su mal— con las otras gentes de la zona norte. Así comenzó a dibujarse desde el siglo VIII, no una psicología, sino un modo de conducirse, cuya dimensión de valor es indisoluble de su realidad conceptual. No es sólo un *es*, sino también *un estarse haciendo*, cuya importancia me hace considerarlo como una morada vital y como una vividura. En aquella morada comenzaron a llenarse de esfuerzo personal sus senos más íntimos, mientras otras porciones quedaban desguarnecidas de *medios*, de lo que va creándose cuando la vida total no se siente en riesgo continuo. De la casta bélica, férrea de ánimo y disciplinada en la acción, derivan las altas empresas que llevaron a los pueblos hispánicos a Grecia en el siglo XIV, a Nápoles y a la India en el XV, a América, imperialmente, en el XVI. Pero como se ha visto en el capítulo II, el sistema de las tres castas complicó muy singularmente la estructura de la morada vital española, y obligó a articular dentro de ella las tareas preferentes con otras complementarias e indispensables. Más tarde, cuando aquel sistema se vino abajo, los huecos y fracturas en la vida española señalan la huella de lo que había existido y seguía existiendo *in absentia*. Mi libro *De la edad conflictiva: El drama de la honra en España y en su literatura*, lo pone bien a la vista. El valor primario concedido a la creencia y al hidalguismo de la casta continuó siempre vivo y actuante, en enlace con los rumbos preferentes y constructivos de la morada de vida española.

Insistamos en que la idea de la "morada vital" es distinta de la noción estática de "carácter nacional", un esquema abstracto e inmóvil que no tiene en cuenta cómo la persona vive las posibilidades y deficiencias de sus inclinaciones preferentes y de sus circunstancias. El "carácter nacional" no incluye el proceso del conflicto dialéctico inherente a todo hacer de vida, sea éste individual o colectivo. Mi idea de la "morada vital" nada tiene que ver con la inepta noción del "Dauerfranzose", lanzada por algunos alemanes hace años.

Un pueblo mantiene sus preferidas maneras de actividad historiable mientras le dura su ímpetu vital, o hasta que es modificado interiormente por otras gentes que vengan a mezclarse con él, o es aniquilado por algún cataclismo. Las invasiones germánicas acabaron por modificar la vividura del pueblo romano; los franconormandos cambiaron la estructura de los habitantes de las Islas Británicas; pueblos del norte de la Península Ibérica, entrelazados con visigodos, moros y judíos, forjaron la especial disposición de vida de los españoles, que no fue ya ni visigoda, ni mora, ni judía, sino española.

MAS OBSERVACIONES ACLARATORIAS

La mayor dificultad, el motivo mayor de confusión en los estudios históricos al uso, deriva de no haber incorporado en ellos la noción de "vida". La filosofía europea (también la española) ha hablado mucho de "vida", pero al llegar "la hora de la verdad", suele procederse como si tal noción no existiera. De ahí la necesidad de tener yo que incrustar en este libro algunos páginas, a primera vista heterogéneas y desplazadas, aunque necesarias para hacerme entender de quienes no se hayan creado grandes intereses dentro del perímetro de la historia fabulosa. Porque en otro caso, cuanto se diga caerá en tierra estéril.

Los textos antes reunidos e interpretados (págs. 97-101) han hecho sentir la situación embarazosa, problemática, de quienes expresaron su vivencia de cómo fuese el existir de España —una apretada coyuntura en la que manifiestan hallarse inclusos (¿reclusos?) algunos españoles muy significativos entre los siglos XV y XX. ¿En qué, en dónde sienten encontrarse esas personas con conciencia de poseer un pasado dificultoso y de estar chocando con un presente áspero? La persona en este caso no se refiere a ningún contratiempo casualmente sobrevenido, sino *a la totalidad de su vida*. La reiteración de tal fenómeno a lo largo de los siglos confiere a estas manifestaciones de la experiencia íntima el valor de una constante histórica, que expresa la conciencia de hallarse la persona *en* su propio vivir.

Por ese motivo, en lugar de hacer consistir la historia sólo en el estudio de las culturas, insistiría más bien en que las culturas son indisolubles de las gentes que las crean, las sostienen y van alimentando en ellas sus vidas. El Imperio Romano se extinguió, y dos siglos más tarde los romanos ya no existirán como romanos. Lo que a un pueblo le acontece (valorarse, desvalorarse, arrastrarse inerte, desaparecer, existir como Imperio Romano o como ciudad griega) es algo singular e irrepetible. Roma y Atenas, además de diferenciarse por su "cultura", poseían la singularidad de existir sus gentes con conciencia de ser romanos y atenienses. Esta observación, al pronto sencilla y de aspecto ingenuo, se convierte en inmanejable problema en cuanto se pretende proveerla de un sentido justificable. Muchos saben, desde hace más de un siglo, que la vida humana no es una "cosa", ni una sustancia agotable en una definición; es pura actividad, y no un objeto físico, psíquico o ideal (árbol, deseo, triángulo). Muchos creemos hoy que la realidad humana nos está dada en la vida: "La totalidad de lo dado psíquico-físicamente no *es*, sino *vive*, y esto constituye el punto germinal de la historicidad. Una autognosis, dirigida, no hacia un yo abstracto, sino a la plenitud de mí mismo, me *encontrará* determinado históricamente; la física, en cambio, me *conocerá* determinado cósmicamente." [4]

La vida de que ahí se habla no es sólo el correlato de la vivencia, sino, a la vez, la conexión que abarca y en la cual existe el género humano. En la vida se encuentran tanto el yo pensante como lo que da ocasión al pensamiento: todo existe y se da en la totalidad básica y omniabarcante de la vida, la cual está en ella misma, y es el último límite a donde el hombre puede llegar viviendo y viviéndose. Más allá de esto, sólo cabe concebir (o soñar) la vida anclada en un más allá anterior a ella e inefable, o encaminándose hacia un destino incalculable. ¿Por qué no?

Basta con esta rápida referencia a lo que aquí entendemos por vida histórica: una actividad funcional cuya razón de existir consiste en la misma inmanencia de su continuo tender hacia un futuro, partiendo de un presente inclusivo de su pasado. Si usamos en este caso el término "forma", será con referencia a una interna disposición, en la cual forma y contenido son inseparables de la actividad y de sus fines, de la estructura de la función. El indetenible proceso del humano vivir (pensado ahora como el vivir de un grupo humano con conciencia de su propia singularidad colectiva) puede encaminarse hacia un progreso, lo mismo que hacia el estancamiento y la ruina de los valores; las estructuras particulares que la autognosis hace perceptibles pueden moverse hacia la maravilla, o *hacia el horror*, sin que la vida colectiva haya mudado su "ipseidad", la conciencia de seguir siendo ella misma.

La insuficiencia de nuestras ideas históricas hace que algunos confundan la idea de la disposición histórica con un ingenuo determinismo, de tipo biológico o esencialista. Pero mi pensamiento sigue otros caminos. La morada de vida que postulo no es una realidad biológico-natural, en la cual, como diría Bergson, "su porvenir está contenido en su presente". El vivir humano (en cuanto valor) es, en cambio, creación, imprevisible e incalculable según leyes naturales, objeto de la *ciencia*; lo humano, frente a eso, se da en la *conciencia* (Bergson) o en la *autognosis* (Dilthey).

PRESENCIA DE LA "VIVIDURA"

En materia tan resbaladiza conviene mencionar algunos ejemplos en que se muestre la realidad de lo que llamo "vividura", el sentirse existir un grupo humano en su morada vital. Algunos historiadores han notado ocasionalmente la presencia de ese funcionamiento estructural, cuando han querido hacer inteligibles ciertos "hechos"; es decir, articularlos con el vivir del pueblo cuya historia aspiran a construir. Franz Cumont es autor de un espléndido libro sobre historia romana: *Les religions orientales dans le paganisme romain*, 1929 (4ª edición). Como es sabido, los romanos adoptaron multitud de creencias religiosas venidas de Asia Menor, Egipto, Siria y Persia, las cuales se entrecruzaron con la religión tradicional de los romanos, o la desplazaron. Cumont no se limita a notar los hechos, describir el culto, etc.; se plantea además el problema de cómo existieron aquellas creencias en el vivir romano, cuál es, diría yo, su *realidad* histórico-humana. Las divinidades del Oriente se difundieron por muchos países, pero en cada uno de ellos es distinta la manera de articularse con el vivir de cada grupo:

Los romanos, muy diferentes de los griegos a este respecto, *en todas las épocas de su historia*, han juzgado las teorías y las instituciones ante todo por sus resultados prácticos. *Siempre* sintieron por los ideólogos el desprecio que experimentan por ellos los hombres de guerra y los hombres de negocios. Se ha notado a menudo que, en el mundo romano, la filosofía se desvía de las especulaciones metafísicas para concentrar toda su atención en la moral. Más tarde, del mismo modo, la Iglesia romana dejará a los sutiles helenos las controversias interminables sobre la esencia del Logos divino, o sobre la doble naturaleza de Cristo. Las cuestiones que apasionan y dividen a los cristianos de Roma son las referentes a la conducta del vivir, tales como la doctrina de la Gracia (pág. 31).[5]

Los dioses romanos eran menos poéticos y más "honrados" que los griegos; "por temperamento y por tradición, el espíritu romano sintió la necesidad de usar la religión como sostén de la moral y del Estado" (pág. 34). Queda así destacada la invariante de la morada vital romana junto a la variación de sus contenidos, la religión en este caso; y nótese que sin la conciencia de tal invariante el historiador no podría construir su historia como romana. La necesidad de usar la religión para ciertos fines revela la presencia de una inclinación a dirigir la vida por ciertos cauces, y a ese propósito se subordina la religión, o cualquiera otra forma de cultura. La verdad del juicio de Cumont se confirma leyendo la correspondencia de Quinto Aurelio Símaco (345-405), cuyo existir sigue latiendo con ritmo romano cuando el Imperio está a punto de desaparecer. Símaco, prefecto de Roma y cónsul (!), construía casas para la eternidad (in aevum mansura), y pretendía combinar el cristianismo con el culto tradicional de los dioses, símbolo del triunfo del Estado: "consuetudinis amor magnus est".[6]

La realidad que pretendemos asir es en sí misma huidiza y difícil de expresar, aunque no se trata de ningún "espíritu" flotante en el vacío de la abstracción. La dificultad inicial yace en armonizar la idea de humanidad con la circunstancia de que sólo percibimos "especificaciones" de ella, dadas temporo-espacialmente; es decir, en vidas historiables. Estas unidades o especificaciones de humanidad, ni son ensambladuras de partes ni están sólo determinadas por causas finales, sino que son actividades totales en las que adquieren sentido su continuo proceso, sus circunstancias (Umwelt) y los fines a que se dirigen. Esas actividades son impensables sin la idea de ciertos hábitos constantes que limitan la acción a la vez que la crean. No basta con reducir las modalidades de vida a tipos de Weltanschauungen, de cosmovisiones, pues la vividura no es un concepto estático, sino un juego dinámico entre posibilidades e imposibilidades.[7] Habría entonces que establecer una correlación entre una determinada dirección vital y los imprevisibles e historiables valores de lo motivado por aquella dirección o tendencia.

La disposición, la contextura de una específica actividad histórico-vital, se hace a veces muy patente en lo que he llamado el juego dinámico de la posibilidad y la imposibilidad.[8] Los romanos, para volver al anterior ejemplo, no se conformaron con ser un pueblo de agricultores, jurídica y estatalmente organizados. Ignoro cómo aquel grupo de ítalos que hablaban latín adquirió su capacidad política, coherente, eficaz y expansiva. Lo cierto es que las gentes que llamamos romanas aparecen viviendo dentro de esa disposición funcional aun en el siglo v; la cual comenzó a desvanecerse cuando los germanos y pueblos del Oriente vinieron a ocupar la tierra del Imperio, iniciaron modos de vivir afectados por otras vividuras. Cierto es que, no obstante su invariante disposición, hay enormes diferencias entre la Roma de las Guerras Púnicas y la de Constantino. Ya desde antes del Imperio, Roma había comenzado a ser invadida pacíficamente por pueblos, religiones, instituciones, usos y objetos procedentes de la vasta extensión de las tierras que el romano imperante iba sometiendo. Se ha dicho, con razón, que la historia de los tres primeros siglos del Imperio fue una penetración pacífica del Occidente por el Oriente.[9] Los romanos desdeñaban la técnica y la ciencia pura, pero no podían prescindir de traer junto a ellos a los sabios del Oriente —astrónomos, matemáticos, médicos, filósofos, arquitectos, hasta juristas, entre los siglos III y v. Incluso quienes durante el Imperio pasaban por representar el espíritu de los griegos (Porfirio, Plotino, Jámblico, Galeno, Dioscórides, Luciano), eran egipcios, sirios o asiáticos. Los romanos cultos sabían griego y vivieron fascinados por las maravillas del Ática. Basta leer el libro V de *de finibus*, en donde Cicerón describe el reverente peregrinar de él y de sus amigos por los "santos" lugares de la desvanecida sabiduría ateniense —"tanta vis admonitionis inest in locis". Grecia y el Oriente próximo estuvieron presentes en Roma, durante siglos, con su magisterio y su fascinación, y, como era de esperar según la lógica de la vida, el romano llegó, para helenizarse, al límite de su posible elasticidad; intentó rebasarse y no lo logró.[10] Lo que liga vitalmente, dinámicamente, a Símaco con Cicerón y con los romanos del pasado —distintos en cualidad, en contenido y en valor—, a eso llamo la mansión en que la vida del romano moraba. Sin ella se esfumaría lo "romano" de la Historia de Roma.

Llegamos así a pensar que una historia adecuada a su objeto histórico no puede consistir simplemente en un relato de hechos sucesivos (por sí solos anécdotas sin sentido), ni en meramente valorar obras de civilización desgajadas de su enlace vital, ni en la sola busca de causas físicas o económico-sociales, ni en disolver las particularidades de la vida de un pueblo en la universalidad de lo humano. La historia —en tanto que valor historiable— se entiende si la contemplamos en el proceso de estarse creando desde dentro de su peculiar modo de comportarse, y no desde fuera. No existe un Gótico, un Renacimiento, un Barroco o un Neoclásico que, desde un espacio irreal, condicione el fluir de la historia como la luna interviene en las mareas. Ni tampoco es demostrable que la geografía o la economía determinen radicalmente el futuro de los hombres. Estos y otros factores se darán *en* cada historia, pero la disposición vital de los hombres de "cada historia" es lo que transformará, o no transformará, en presente y futuro suyos las posibilidades que las circunstancias les brinden.

La historia que se escribe elude su propio tema, si se limita a presentar un conjunto o sucesión de fenómenos sociales como un mero existir o acontecer. Porque una acción humana sólo adquiere sentido histórico cuando aparece realizándose sobre un fondo de adhesiones, indiferencias, o resistencias que la califican. La batalla, el poema o el pensamiento historiables siempre existieron en contextura con grupos de partidarios, o de gente adversa. La imagen tan antigua de la vida humana como "teatro del mundo", apuntaba hacia la vía a lo largo de la cual el fenómeno social se hace historiable como entrecruce de profundas individualidades y de extendida colectividad. Los hechos provistos de auténtica dimensión histórica, fueron algo así como representaciones de éxito durable y aptas para ser de nuevo "escenificadas" e integradas en el auténtico horizonte de la vida colectiva. Castilla, su casta cristiana, creó la épica y se recreó en ella, y luego en el Romancero, y más tarde en la Comedia de Lope de Vega, como en un "logos" de vida encarnada y encarnante. Uno de los sentidos del vocablo latino *successus* era "ascensión, superación de un obstáculo, éxito"; todavía llamamos "suceso" a algo que llama la atención, que descuella sobre la monotonía cotidiana. Lo habitual y reiterado importa como textura social y tema sociológico, pero no histórico en el sentido dado aquí a este término, que abarca más que el de "fenómeno de civilización", por ser visto como fruto del árbol del vivir, no simplemente como fruto; como expresión de una "vividura", o sea, de la vivencia de la "morada de vida", y no sólo como forma de vida social objetivada. En este matiz de enfoque se distingue la llamada historia de la civilización, de la historia del vivir de un pueblo a nivel historiable.[11]

Lo que para el observador aparece como "morada de vida" de una entidad colectiva, vale para ésta como "vividura" inmanente en la conciencia de quien está existiendo en el siglo XIII como castellano, como catalán, como español, con la vista y el alma puestas en lo que está haciendo y tiene que hacer —no puestas en su naturaleza biológica, ni en los godos, ni en los iberos, ni en los francos, sino en lo que estaban siendo y, en realidad, siguen siendo. Los hombres no crean grupos sociales por el modo de satisfacer sus necesidades biológicas; de haber sido así no hubieran surgido diferencias tan pronunciadas como las que en el siglo XII separaban a leoneses, castellanos, aragoneses y catalanes. Con lo cual se ve, una vez más, que el mito de la eternidad de los "españoles" fundado en la continuidad y homogeneidad de la "sangre" choca con los datos de la más elemental experiencia. La "morada" y la "vividura" se hacen presentes a un pueblo y a su historiador-biógrafo, en la medida que vaya adquiriendo relieve la forma del existir colectivo, que vayan saliendo de su mudez, que las palabras vayan desbordando sobre la plenitud de su corazón para expresar la conciencia del "nosotros", como una firmeza ya segura de su suficiencia, de su personalidad. El *Poema del Cid* declara con ufanía:

"Oy los reyes d'España sos parientes son." (3724)

Unos cien años más tarde dice el *Poema de Fernán González:*

"Fuerte mient quiso Dios a España honrar,
quando al Santo Apóstol quiso í enviar...
Com ella es mejor que las sus vezindades,
sodes mejores quantos en España morades,
omnes sodes sesudos, mesura heredades..." (155-156)

El rey Pedro II de Aragón peleó en las Navas de Tolosa (1212) junto a los castellanos de Alfonso VIII; el cual, al conocer la proeza de los aragoneses y catalanes que habían atacado a los sarracenos por la retaguardia, dijo, y así lo reconocieron todos, "que per Déu e per él [Pedro II] eran estats vensuts los sarrayns, e avien gasanyada la batayla" (Bernat Desclot, *Crònica*, cap. V). Y en ese mismo siglo, Jaime I narra que la hueste de los ricos hombres y de las *ciudades* sitiaban a Valencia, "e acostaven se mes a la vila que nosaltres, qui de primer eren venguts"; y quienes más se acercaron a la ciudad sitiada fueron los barceloneses *(Crònica,* edic. Casacuberta, V, 52). Los catalanes expresan así la conciencia de quienes eran, en una contextura aragonesa-española, pues en las Navas de Tolosa combatieron al mando de quien también se llamaba rey "d'Espayna". Pero aparecen ahí expresando su conciencia de catalanes, como una agrupación de ciudades, más próximos en eso a la estructura del norte de Italia que a la de Castilla.

Busquemos, por tanto, la realidad histórica de los pueblos en su conciencia de existir fuerte y valiosamente; quede lo de los antecedentes biológicos, eso que llaman raza, para lo zoológico, no para lo históricamente humano del hombre, siempre fundado en una conciencia de estarse haciendo, creándose, en una dirección ascendente:

"con buen servicio vencen cavalleros de España."
(Libro de Buen Amor, 621)

Lo que llamo "dimensión imperativa de la persona", tan visible en la morada de vida castellana como en la catalana, ocupó en el pasado de esos pueblos lugar más destacado que, por ejemplo, en Francia, en donde la "dimensión de cultura irradiante" está expresada como conciencia colectiva ya en Chrétien de Troyes, en el siglo XII:

> "et de clergie la somme ['la cultura'],
> qui maintenant en France est venue".[12]

Así va adquiriendo forma y consistencia la visión de la morada vital, aunque me doy cuenta de la dificultad de usar términos como "consistencia"[13] al referirse a lo tan vario en sus contenidos y tan desigual en cuanto al nivel estimativo o axiológico. Pero al mismo tiempo no es posible eludir lo que juzgo real por falta de medios expresivos para conceptuar lo ahí presente. En tales casos Montaigne acudía al recurso de "señalar con el dedo".

TODO DEPENDE DE COMO FUNCIONE NUESTRA IDEA DE LA VIDA

Muchos hoy damos por supuesta esa idea, aunque en la práctica hagamos escaso uso de ella, e interese poco precisarla. No me propongo entrar en el *mare mágnum* de tal problema, sino decir sencillamente qué "vida" refiere a la realidad subyacente a toda actividad humana, a lo que se hace para "desechar la *preocupación*", porque "el evitar la preocupación ha sido el designio común de los hombres... desde que Dios creó el mundo". Así lo dijo Ibn Hazam, de la Córdoba musulmana, en el siglo XI, y su pensamiento fue incorporado al europeo en 1916, cuando Miguel Asín tradujo la obra titulada por él *Los caracteres y la conducta*. El atisbo e intuición geniales de Ibn Hazam surgían en 1916 en un medio español familiarizado con el pensamiento de Nietzsche, Bergson, Dilthey y Max Scheler (la obra de éste sobre *El resentimiento en la moral,* fue publicada en alemán en 1912); aunque nadie, ni aún Asín, su docto traductor, hizo referencia a aquella novedad. La noción de vida, del continuo esfuerzo por prevalecer sobre la dificultad que preocupa (el hambre, el enemigo, la propia insuficiencia, la necesidad de expresar lo aún sin forma en la conciencia, o de saber qué y cómo es lo que se ignora, etc.), esa noción de vida-esfuerzo ayudará a trazar límites entre lo español y lo no español en el tiempo y en el espacio. Para lograrlo habrá que partir de realizaciones humanas dignas de historia, es decir, de una base problemática, ya que por evidente que sea la existencia de los valores como estímulo y norte de la vida, es en cambio muy arduo llegar a un acuerdo sobre *la valía de los valores* y el modo de estructurarlos. A un pueblo se le podrá caracterizar por la clase de valores que persiga a lo largo del tiempo; pero su historia dependerá del alcance y de la dimensión de esos valores, de los presentes en sus acciones y creaciones. Un pueblo no se hace historiable por tejer vistosas telas, o cazar y pescar con gran maestría, todo ello, sin duda, muy valioso.

La existencia colectiva de quienes hoy se llaman españoles tuvo un pausado comienzo temporal y espacial. Para hacer visible el cuándo y el cómo de esta formación humana ha sido preciso partir de cierta idea del hombre, y distinguir en él entre lo biológico-psíquico, y lo dinámicamente proyectivo. Deseados y proyectados fueron los modos de sociabilidad que hicieron posible la gran estructura del pueblo español, todos ellos con un contenido y perfil característicos, con una dimensión política y con una voluntad de expresarse en formas de estimable cultura. Lo historiable dependerá, por consiguiente, de cómo los grupos sociales vayan pensando con miras al futuro los modos de vida en que existen, es decir, de cómo usen su naturaleza biológica, como tal indiferente para la historia. El vivir por sobrevivir corporalmente no es su tema.

No existe todavía en letra impresa una ciencia del hombre formulada en términos unívocos y válidos para todos.[14] El rigor conceptual va haciéndose más laxo a medida que nos aproximamos a la extraña y movible realidad de la vida humana, e intentamos captar la realidad de las formas de existir colectivo. Para mi limitado propósito, y utilizando lo ya sabido, llamaría al hombre un ser de existencia prospectiva y temporalizada, cuyo presente va labrándose en una vista simultánea de su futuro y de su pasado (estar preocupado por hacer algo que aún no existe en vista de lo que ya está hecho). Sobre ese fondo elemental se apoya tanto la vida de quien pasó sus días a bajo nivel, meramente para no morir, y la de quien se esforzó por hacer imperecedera la obra de sus días (el humilde labriego o Alejandro Magno). Pero una vez establecido ese común denominador, habrá luego que distinguir entre la realidad de la vida de quien existió, por decirlo así, alimentándose del tiempo y contando sus horas, y la de aquel cuyo existir consistió en enriquecerlo de contenidos durables y visibles a distancia —en preparar goces, meditaciones y contemplaciones de maravilla a quienes luego vendrían, o también situaciones de horror y de agonía. La materia de la historia no es llana ni democrática, aunque la democracia, como idea y como ideal, tenga su puesto en el cosmos humano.

Hay que resignarse a contar con el hecho de no ser posible reducir la realidad de la vida y de los valores humanos a términos unívocos y satisfactorios para todos; pero tampoco se ha conseguido calcular con absoluta exactitud la razón de la circunferencia al diámetro. Creo, con todo, que aunque no se logre definir con rigor ciertos objetos, es importante notar evidentes diferencias entre ellos. El individuo o la colectividad que se limitan a existir en y con el tiempo, a absorberlo y a consumirlo, no son equiparables a quienes, individual o colectivamente, crean y objetivan tiempo humano, no calculable ya por la posición del sol, sino por la acción de ciertos fenómenos de vida, que crean "eras", épocas, dinastías, revoluciones, mutaciones determinantes de la ascensión, de la parálisis o del aniquilamiento de porciones de humanidad. O sea, que no es lo mismo ser el hombre un ser inherentemente temporal y sucesivo en cuanto unidad de vida, o ser el hombre, individual o colectivamente, un creador de tiempo humano generalizable, historiable, de modos de sentirse estando en el tiempo, en el tiempo avalorado por las propias obras de su creador. Los descubrimientos y colonizaciones de los españoles afectaron la conciencia de existir en otros pueblos occidentales (franceses, holandeses, ingleses), aunque lo hecho luego con sus colonizaciones sea historia de ellos y no española. Cada pueblo se unifica en su morada de vida, en la que se ha construido; ésta adquiere dimensión y sentido histórico, plena realidad, al ser sentida como valiosa en la vividura de esa morada vital.

Si la vida del hombre, como se ha visto, es en sí el mayor problema para el humanista, no es de menor volumen el planteado por el intento de mensurar sus dimensiones valiosas. Mas, como quiera que ello sea, parece empíricamente evidente que sin fe y sin estima "justificadas", y plausibles en algún modo, del pasado de un pueblo, hechos y datos por sí solos ofrecerán un espectáculo inerte, opaco y desabrido. Si la descripción o narración de acontecimientos no se integra en la vida total de que son expresión aquéllos, la obra del historiador carecerá de dimensión historiográfica.

A estas serias dificultades (que no pretendo vencer, sino sencillamente señalar) se agrega ahora el carácter evasivo y huidizo de los valores españoles, la resistencia a estimarlos en muchos casos tanto fuera como dentro de España. Se pretende incluso que sea español lo que no lo fue, y se desestima lo auténticamente situado en la conciencia de quienes sentían estar existiendo, creándose españolamente —no como celtíberos o como emperadores romanos. Siglos enteros de vida española se han considerado como inválidos, según ya se ha visto. La cual experiencia, junto a otras muchas (sin enlace con España) ahí ante nosotros en el momento actual, obliga a aceptar la realidad de no ser demostrable el que siempre haya de ser estimado y respetado lo que juzgamos valioso. Las condiciones y circunstancias determinantes de ciertos resultados humanos tal vez se presten al cálculo y a la medida; lo que luego valgan esos resultados, eso es ya tema de otro cantar. Recordemos el profundo chiste de Molière: "le malade est mort selon les règles".

Porque una cosa son los contactos cognoscitivos, y otra muy diferente las adhesiones estimativas. Las simpatías y repugnancias son tan reales como la potencialidad de un explosivo, aunque no calculables ni manufacturables. Hay, pues, que lanzarse a la tarea histórica con fe y esperanza, sin temor a la hipócrita objeción de quienes puedan tacharnos de relativistas y subjetivistas, blandiendo las armas falaces de una ciencia en este caso inexistente. Nuestro mundo actual vive desgarrado y en riesgo de ser aniquilado justamente por no ser demostrables los más excelsos valores de la civilización humana, por haberse confundido las lenguas expresivas de las estimaciones como en una nueva torre de Babel. Pueblos enteros, razas sólo separadas por el color de la piel, sistemas sociales de convivir, entablan pugilatos de antipatías, dialogan como si todos ellos fueran ciegos y sordos, porque todo objeto de vida se hace plenamente real en el recinto cognoscitivo-estimativo de una morada de vida colectiva, y cada una de éstas posee una peculiar capacidad valorante. No nos sorprendamos de que el pasado, un mismo pasado, aparezca a unos como magnífico espectáculo —o apolíneo o dionisíaco—, y a otros como danza macabra o montón de detritus. Después de la quema de Miguel Servet, Calvino preguntó ansiosamente si su víctima se había mantenido en su fe; y al decirle que sí, él replicó: "Hizo bien, yo habría hecho lo mismo." Cada uno piensa y estima lo humano desde su fe, mostrando más bien que demostrando. Los impulsos de donde parten los esfuerzos y los propósitos vitales no son unificables axiológicamente con sus resultados —como el hijo que nace no es reductible a la primera y mutua mirada que ligó a sus padres.

La vida humana podrá ser objeto de análisis abstractos, rigurosamente filosóficos; pero los juicios axiológicos acerca de sus expresiones concretas dependerán de la posición vital de quienes los formulen. La historia de los pueblos católicos será estimada de un modo entre católicos y de otro entre protestantes; el pasado "burgués" se refractará en el prisma comunista de un modo especial; los historiadores españoles miran con antipatía los injertos islámicos y judaicos en su vida histórica, etc. La pretensión de construir un sistema riguroso para enjuiciar los valores humanos acabará por producir una mitología de signo inverso a la de quienes personificaban divinamente la naturaleza;[15] la cientificación de lo humano lo deforma, lo mismo que las visiones imaginativas alteraban la realidad de los astros, los bosques y los ríos. Los objetos sin faz, mirada y voz expresivas podrán ser captados mediante definiciones quietas y cerradas; mas la realidad de cualquier fenómeno expresivo de lo humano —siempre movido por las fuerzas progresivo-regresivas del luego, del ahora y del antes, o del añorar, del desear y del pensar—, a este tipo de realidad no se le puede captar con medios incongruentes, no adaptados a sus extraños ritmos. La vigencia de la pretendida y presuntuosa "verdad" de la historia tendrá auténtica efectividad en áreas siempre más o menos limitadas.

*REQUISITOS FORMALES DE LA NOCION
DE "MORADA DE VIDA"*

Convendría fijar —o tratar de fijar— cuáles son las condiciones necesarias para hablar con fundamento de la "morada vital", y para que ésta no sea confundida con las circunstancias empíricas que la hacen posible, ni flote a merced de cualquier subjetivismo psicológico. Partimos, ante todo, de la presencia de un grupo humano, consciente de sus dimensiones colectivas y territoriales, de un pasado sentido como vivo, como el hombre adulto siente ser suyas su niñez y su mocedad; consciente también de un futuro prometedor de bienes o preñado de males. La conciencia de "ipseidad" —de ser el grupo continuación de lo que fue y anticipo de lo que se espera ser— se expresa en un nombre étnico, por ejemplo: *castellanos, catalanes, españoles;* y también, como singularidad en este caso, *cristianos*.

Que el grupo va labrándose una "morada" para su vida, se nota en el hecho de ir ensanchando su extensión geográfica, y de ir prolongando en el tiempo la acción progresiva de sus valores, de irlos enriqueciendo. Es decir, no se trata sólo de mantener los *usos* —formas colectivizadas de comportamiento—, semejantes hoy a como eran ayer y continuarán siendo mañana. En esta "morada" hay variedad y diferentes niveles de tareas, unas usuales y reiteradas, otras innovadas, cargadas de dinamicidad prospectiva. Es decir, que llega un momento en que lo habitual y usadero, de sustantivo o hipostático, se hace *instrumental*. La lengua, la creencia religiosa, las instituciones jurídicas y todo lo demás, de ser lo que están siendo, se vuelven *motivo para* insospechadas finalidades. He aquí cualquier ejemplo: nada intrínseco había en el habla de la Isla de Francia que la hiciese superior a las otras hablas comarcanas; el señor Conon de Béthune hablaba como se hacía en el Artois, provincia no incorporada al reino de Francia hasta 1659; pero hacia 1182 a este noble artesiano se le ocurrió visitar la corte de París, y la reina Adela de Champaña y su hijo Felipe II (entonces un muchacho) censuraron el modo de hablar de aquel gran señor que se distinguiría más tarde en las cruzadas de 1189 y 1199. En su tan conocida "lamentación" se queja de la descortesía de la reina y del rey:

"Qui m'ont repris se j'ai dit moz d'Artois,
Car je ne fui pas noriz a Pontoise."

La lengua, antes local, ampliaba su radio y se impondría sobre regiones aún no dominadas políticamente. La lengua no era una sustancia, sino un uso que había comenzado a servir funcionalmente para que un designio político y cultural llegara a realizarse. La morada vital se ampliaba en el espacio y en el tiempo, y fueron muchos quienes vinieron a instalarse en el ámbito de ese recinto ideal. Artesianos, borgoñones y provenzales acabarían por converger en ella, en una forma, en este caso, peculiarmente centrípeta, hacia París. Así se hicieron franceses todos ellos, adoptando modos de hablar, de pensar y de medir métricamente. A lo largo de todas las variaciones —muy considerables en el caso de Francia—, un plan y una dirección "pensada" han sostenido y mantenido a nivel historiable la vida francesa, a lo largo de una cadena de reglas y "reprensiones", ya presentes éstas en la lección dada al pobre Conon de Béthune.

La morada vital se estructura al ir superando la función cotidiana de los usos y costumbres. El tiempo no se limita a pasar por ella, pues no importa tanto medir la duración de este tiempo *humano* (según hace el prisionero en su celda), como penetrar y participar en el contenido de lo temporalizado, de lo que discurre a lo largo del tiempo, y confiere a éste dimensión historiable. El gran hecho —en arte, en ciencia, en política, en moral, etc.— modifica a la vez el sentido de cuanto le precede, y proyecta su acción sobre cuanto viene después. Claro es que una realidad siempre reiterada —la de la naturaleza, o la de esas aldeas observadas por Jovellanos, por Unamuno o por Azorín—, pierde su inmovilidad en el pensamiento del científico, o en la visión del moralista o del artista. Así se dinamiza lo estático, y se provee de *forma* historiable la *materia* que aún no la tenía.

Lo humano, como todo lo demás, posee siempre una materia y una forma, porque en otro caso no sería posible hablar de nada. (Pero ahora se trata de la forma "historiable".) Siempre está haciendo el hombre *uso* de *sus usos*, mientras éstos no caen en *desuso*. Pero en esa dialéctica —dada en la vida, no en la abstracción de la *idea*—, un modo especial de ser usados los usos consiste en servirse de ellos para expresar la vivencia de cómo aparecen en la conciencia de quien los vive. Baltasar Gracián (1601-1658) expresó en esta forma su sentir (su vivencia) de la vida usada por los españoles en torno a él: "España se está hoy del mismo modo que Dios la crió, sin haberla mejorado en cosa sus moradores, fuera de *lo poco* que labraron en ella los romanos...; no ha obrado nada la industria" *(Criticón, III, 9)*. Ante tan inerte e inmóvil paisaje humano, antesala de "la cueva de la nada", nuestro duro y genial aragonés no toma posición alguna, y el *nihil* recalca su nihilismo. Mas pasan los años, y el paralítico espectáculo de ciertos pueblos castellanos es usado para otros menesteres por don Melchor Gaspar de Jovellanos: "En los días más solemnes, en vez de la alegría y bullicio que *debieran* anunciar el contento de sus moradores, reina en las plazas y calles una perezosa inacción, un triste silencio, que no se puede advertir sin admiración ni lástima" (Bibl. Aut. Esp., XLVI, 491).

Ya no es neutral la posición del observador. El *nihil* gracianesco se ha vuelto un motivo de inquietud que, junto a otros, contribuyeron a hacer de la obra de Jovellanos (1744-1811) un titánico proyecto de reconstruir moral, intelectual y económicamente la vida española —un proyecto que aún no ha perdido actualidad, y sigue poseyendo plena dimensión historiable. Jovellanos, entre los reformadores del siglo XVIII, fue tal vez quien vio con más claridad que una auténtica "reforma" implicaba modificar al mismo tiempo los usos de la mente, los del trabajo práctico y los de la sensibilidad moral. Nada menos que eso.

Un siglo más tarde, los pueblos que tan diferente reacción habían producido en Gracián y en Jovellanos, continuaban oyendo el tic-tac del tiempo, como un invariable latir de la propia sangre. Mas ahora ese su estático existir va a ser vivido poéticamente, a recrearse en una visión que antes nadie había visto: "Yo he llegado a media mañana a este pueblecillo sosegado y claro; el sol iluminaba la ancha plaza; unas sombras azules, frescas, caían en un ángulo de los aleros de las casas y bañaban las puertas; la iglesia, con sus dos achatadas torres de piedra, torres viejas, torres doradas, se levantaba en el fondo, destacando sobre el cielo limpio, luminoso... He vuelto a ver en la plaza sosegada las sombras gratas y azules, las torres achatadas, los balcones cerrados; y he vuelto a oír el susurro del agua, los gritos de las golondrinas que cruzan raudas por el cielo, *las campanadas del viejo reloj, que marca sus horas, rítmico, eterno*, indiferente a los dolores de los hombres..." (Azorín, *Los pueblos*).

Estas tan distintas versiones de una semejante realidad ofrecen, no obstante sus marcadas diferencias, un rasgo común que las conecta con los afanes de quienes habitan en una misma morada: el pueblo español, afín para quienes se preguntan por su sentido, perdura y se recrea en la continua inquietud que provoca. Los usos inertes, monótonos, faltos por sí solos de dimensión historiable, actúan como un *logos* fecundante, que mantiene vivo el funcionamiento de la morada vital. En ella se encarnan, y surgen luego, en éstas o en las otras formas. Gracias a ello la historia de España existe, y es algo más que una descripción de usos reiterados —como los del beduino o los del *fellah*. No es una historia de invenciones científicas, pero sí de una sucesión de posiciones de conciencia (en Gracián, en Goya, en Jovellanos, en muchos más, antes y después de ellos): existir como un inevitable quebradero de cabeza.

En y *desde* esta morada vital fue haciéndose posible, en modo singular y único, lo antes inimaginable. En contraste con el centripetismo francés (por el cual Francia hubo de pagar su precio), la forma del vivir español fue abierta y centrifugada; quiero decir que no se constituyó en torno a un centro de actividades racionales, críticas y secularizadas, desde el cual emanaran normas acerca de cómo pensar y valorar la vida. La morada vital francesa se estructuró (y esos procesos estructurantes son los que me interesan) en una serie de impulsos "magistrales", obedecidos por quienes se dejaban dirigir por los interesados en crear una *élite* (término exportado por Francia), en educar a los mejores en el arte de ser inteligentes *(sages)* y de refrenar los desmanes de la pasión y la concupiscencia *(mesure)*. El ascetismo francés fue racional, secular; hubo también ocasionales huidas místicas del mundo, aunque el misticismo francés haya sido muy pobre comparado con el tan poéticamente exaltado de los españoles.

Los cuales se ordenaron como una comunidad política y social, y gracias, no al magisterio, sino al poder imperativo de los castellanos. Después de los Reyes Católicos, la monarquía, no sólo fue de derecho divino, sino que se hizo portavoz de los intereses religiosos. Los reyes de la Casa de Austria más parecen califas que soberanos seculares; y bajo ese su poder espiritual se aúnan quienes actúan y rigen sobre las tierras del Imperio. En cuanto la autoridad no era sentida como poder sostenido por Dios, el español se tornaba indócil e insumiso, se rebelaba interiormente contra toda ley, se volvía, en una palabra, "anarquista", según detalladamente expongo en el capítulo VIII.

Insistamos: la morada vital se va constituyendo al hilo de impulsos ascendentes, eficaces, y que dan lugar a nuevas situaciones colectivas. El punto de partida, naturalmente, son los usos establecidos (lingüísticos, religiosos, jurídicos, económicos, etc.); pero esos usos sirven y valen ahora como instrumento, no como base estática. Con ritmo progresivo y ascendente en su tono, fue constituyéndose desde los primeros siglos de la Reconquista la morada de vida de los, en el siglo XIII, llamados españoles. Su movimiento no fue ni podía ser centrípeto, sino algo como esto: un afianzamiento interior en el poder de la creencia religiosa y del creyente en ella, mientras las actividades exteriores se desbordaban sin plan calculado. Había que combatir contra el moro, o contra el vecino cristiano. Al extinguirse el último resto de soberanía musulmana en el siglo XV, los españoles se encontraban en la ambigua situación de serlo y de a la vez no serlo; es decir, desunidos como portugueses, castellanos y catalano-aragoneses. (Compárese, para contraste, la forma en que Francia fue soldando con su centro originario —y sin dar un paso atrás—, el Languedoc en el siglo XIII, la Borgoña en el XV, Flandes y el Rosellón en el XVII, Saboya en el XIX.) Su dimensión imperativo-impulsiva (voluntad y no cálculo pausado) llevó a los españoles hasta zonas remotas, sin cuidarse de cómo quedaba la tierra que se dejaban atrás, atentos solamente a magnificar su dimensión imperativa. (Los franceses —al revés de los españoles—, prisioneros de la mesura y de la exactitud, han tardado siglos en asimilar a gentes extrañas y remotas, mediante la obra sin duda admirable de sus escuelas, en la segunda mitad del siglo XIX.) Los españoles ya habían logrado muy visibles resultados a fines del siglo XVI, gracias sobre todo a la acción misionera de ciertas órdenes religiosas. Las Indias occidentales fueron ocupadas por españoles, cuyos descendientes continuaron existiendo en la morada vital hispánica, y aprendieron, *desde* ella, a captar de la cultura de Occidente lo posible desde aquel punto de vista, desde aquella perspectiva de vida. Una perspectiva distinta de la inglesa y de la francesa, pero que ha permitido a los descendientes hispanoamericanos de los españoles decir cosas muy bellas y muy válidas más allá de sus límites nacionales. Obsérvese el proceso de cultura historiable que va desde el inca Garcilaso y Sor Juana Inés de la Cruz, hasta Sarmiento, Rubén Darío y Alfonso Reyes. Para entenderlos a todos ellos y estimarlos debidamente, hay que contemplarlos *desde* la morada de vida española (que nada tiene que ver ahora con nacionalidad o mutaciones en los temas y estilos literarios). Inténtese ajustar a esos y a otros escritores como ellos a otras clases de morada de vida *historiable* (francesa, inglesa, etc.), y se verá que el resultado conseguido sería un absurdo.

Lo que llamo "instrumental" para las funciones de vida originadas en una morada de vida, puede ser algo dotado de valor positivo o negativo (abundancia o miseria, ánimo bélico o carencia de él, pensamiento de tradición griega o figuraciones míticas de la realidad, etc.). Las dimensiones espacio-temporales de las actividades motivadas por una particular morada de vida, son inseparables de su calidad axiológica —ascendente, incitante. Cuando la estructura del movimiento vital de un pueblo se estabiliza, se aploma, y la costumbre se adueña de los usos, la vida de un pueblo comienza a hacerse tema más para la crónica que para lo que llamo auténtica historia. Hay pueblos hoy archicivilizados (o muy atrasados, para el caso es indiferente) cuya existencia actual será en el futuro más narrable, o describible, que historiable.

Una vida colectiva que no se hace a sí misma problemática —como tal vida colectiva—, puede dar mucho que escribir al cronista, y muy poco al historiador. Los conflictos de la casta cristiana con las otras dos, entre los siglos XV y XVII —en el fondo un conflicto de aquella casta consigo misma—, hacen visible el funcionamiento de la morada española de vida, tanto en la metrópoli como en sus dominios. Las consecuencias de aquellos conflictos confirieron dimensión historiable a la vida española.

Llega un punto en que los intentos de alzarse hacia el futuro semejan al vuelo de la avutarda. La animación, antes vivísima en el interior de la morada (en esa mi figura ideal), se aquieta; sus habitantes —en cuanto a sus dimensiones historiables— comienzan a dar la impresión de un museo de figuras de cera (el símil es excesivo, arriesgado, pero...). Todo lo cual es compatible con grandes destellos de civilización, de poderío, o con grandes miserias y desventuras; y necesitaría ser cuidadosamente calibrado y matizado. Mi propósito, sin embargo, es explicar (si es posible) en qué sentido estoy empleando la expresión "morada de vida", la que se hace presente cuando las circunstancias dadas funcionan como instrumentales en vista de un nuevo y alto designio; en primer término, *el crearse un pueblo una nueva conciencia de su dimensión colectiva, nueva respecto de la antes expresada por quienes lo precedieron en aquel espacio geográfico* —una conciencia expresada en *obras.*

Los españoles llegaron a serlo porque, quienes aún no lo eran, usaron las creencias religiosas, las energías combativas, las instituciones jurídicas y todo lo demás en torno a ellos, con la vista ideal puesta en *finalidades* ni latentes ni implícitas en cuanto existía en el medio humano de la Península Ibérica antes del siglo VIII. Pero si las finalidades no preexistían, sus posibilidades sí estaban presentes. Las fuerzas constitutivas de una morada vital, de la futura existencia de un pueblo, actúan tanto prospectiva como retrospectivamente: con la *materia* de un pasado se edifica la *forma* de un futuro. La tradición no cae sobre el presente por su propio peso; perdura, más bien, lo que la gente quiere y necesita conservar de su pasado, a fin de construirse el futuro con materiales sentidos como propios; un futuro, sin embargo, diferente del pasado. En tales renovamientos de la tradición es en donde se nota que la morada vital mantiene plenamente su dimensión historiable. Ejemplo: la expansión hacia "el Andalucía" (así decían en el siglo XIII) y hacia el Algarve portugués, se corre hasta Africa, las Canarias, las Azores, y no se detiene hasta rodear cumplidamente el perímetro de la Tierra. O esto otro: la épica balbuceada del siglo X adquiere amplia dimensión castellana en los siglos XII y XIII, se torna pedestal y condición para el Romancero desde el siglo XIV, hasta alcanzar, en fin, nueva y muy imprevista reencarnación en la Comedia de Lope de Vega. Mas desde el siglo XVII en adelante, los españoles no saben ya muy bien qué hacerse con su tradición, *con lo ahí dado,* siempre en espera de lo que se le ocurra hacer con ello a los ingenieros y arquitectos del vivir colectivo. A veces, ya lo hemos visto, se han sentido como un estorbo los tres últimos siglos del pasado español; y, al mismo tiempo, no cabe echarlos a un lado. Pero tal problema sale ahora de mi provincia.

Todo es condición favorable para el futuro, y nada lo es. Lo interno del hombre (su psique inabarcable), lo mismo que lo periférico a él (desde las prácticas religiosas hasta las condiciones naturales, económicas y políticas), han sido medios para las más varias formas de vida colectiva y singularizada. El pueblo suizo, por ejemplo, se construyó su limitada morada vital —pero, al fin, morada—, soslayando y utilizando hábilmente sus concomitancias francesa, alemana e italiana. Lo suizo de esa peculiar comunidad descansa, sin embargo, en el modo en que los futuros ciudadanos helvéticos manejaron sus circunstancias políticas, y también económicas, más centrales, en su caso, que las lingüísticas, religiosas o, en general, culturales. En contraste con eso, el ritmo ascendente de la futura vida italiana (contemplada desde el siglo X) no se debió a motivos unificantes de tipo político, económico o religioso, sino culturales, en amplio sentido. Sobre aquella península se proyectaba la imagen de su unidad romana, una imagen a la cual los italianos no dotaron de efectividad con acciones políticas, sino a través de visiones estéticas, literarias y artísticas, que ligaban al pasado y miraban a un futuro. Tan virtual como esa figura de una Italia unida, era la de una Roma imperante desde la sede de los pontífices; mas, no obstante ser así, quienes moraban en la península de los Apeninos, dispares a no poder serlo más (desde Venecia a Palermo), entablaron una lucha para "reconquistarse" a sí mismos con armas culturales —literarias, artísticas, científicas, ingeniosas. Y con tal finalidad a la vista, los futuros italianos se crearon una originalísima morada de vida, cuyos medios instrumentales y axiológicos en nada semejan a los de España o Francia. Coincide con ellas, sin embargo, en cuanto a los requisitos de *dinamicidad* espacio-temporal y axiológica. Porque con sólo posarse en el recuerdo de la Roma imperial, o viviendo bajo la protección espiritual del "borgo papalino", de lo que había sido "urbs", los vénetos y los calabreses nunca se habrían creado una conciencia de "italianità". La fuerza, la dinamicidad prospectiva que acabó por hacerlos, en cierto modo, coincidentes, estuvo sostenida y orientada por la estrella de la "civiltà", una palabra que en la vida italiana posee matices y resonancias que no hallamos en sus análogos "civilization" y "Kultur". Percibirlos con algún rigor, revivir auténticamente el sentido de esas palabras, llevaría a darse clara cuenta de cómo los italianos, los franceses y los alemanes han estructurado sus moradas de vida.

Otros pueblos adquirieron dimensión historiable partiendo de una creencia religiosa, y su punto de arranque fue una revelación divina. Los casos más próximos para los españoles fueron los de Moisés y Maho-

ma, inspiradores de modalidades de vida distintas de las antiguas occidentales, y que han sobrevivido a éstas. Dejemos a un lado al pueblo he·
breo, por el largo eclipse de su nacionalidad, y por la subsecuente combinación de sus individuos con modos de vida que les eran ajenos. En
cuanto a los musulmanes, su dimensión historiable se desvaneció hace
mucho, y fue reemplazada por la modalidad de vida que llamo narrable,
por ser tema más de crónica que historiográfico. Su existencia se arrastra por el tiempo, por un tiempo sobre el cual ya no tienen imperio, aunque las dimensiones colectivas de sus sociedades pueden durar tanto como
la creencia sobre que se sustentan. Sus lenguas literarias, inmutables, descansan sobre fundamentos sacros e inconmovibles. Los letreros públicos
en el próximo Oriente (con excepción de Turquía) siguen redactándose
en hebreo bíblico o en árabe alcoránico. Las lenguas de Grecia y Roma,
por el contrario, subsisten en los gabinetes de ciertos sabios, y nada más.
Las colectividades de que fueron expresión, se estructuraron sobre motivos, sobre todo, terrenos, racionales: bellezas monumentales, pensamiento inquisitivo, instituciones jurídico-seculares, todo ello manejado
desde el problematismo de todo lo humano —terreno muy expuesto a la
erosión causada por los juicios y estimaciones de la gente.

Vivir desde el hombre, con prometeica arrogancia; vivir desde fuera
del hombre, sostenido por fuerzas que lo trascienden: esa es la dramática
alternativa del destino humano, de toda morada vital. El que éstas se
hayan estructurado partiendo de alguna de esas posiciones básicas, o de
combinaciones de ellas, importa mucho al historiador, sobre todo a quien
pretenda adentrarse en las complejidades de la vida española (occidento-
oriental). La de los rusos —no sé bastante de ella— quizá debiera enfocarse desde un punto de vista oriento-occidental. Aunque los criterios
genéricos —no lo perdamos de vista— han de aguzarse en este caso hasta
que vengan a dar en la concreta realidad de cada morada: no hay dos
iguales, y en esa su disparidad y su unicidad yace la posibilidad de comprender su singular forma de validez historiable —en suma, lo peculiar
de su civilización.

Lo cual tampoco significa que para evitar el escollo de un abstracto
logicismo hayamos de caer en un psicologismo relativista, en una como
experiencia mística e incomunicable. En la morada vital no cuenta tanto
esta o la otra modalidad psíquica, como lo motivado por ella, sus resultados; éstos dependen, más que de la "psicología", de la forma en que
el futuro sea planeado desde una dinámica morada vital. El valor y arrojo se "españolizaron" en una morada vital atenta, por ejemplo, a mantener y exaltar el prestigio de una casta —a "mantener honra", según
dice Bernal Díaz del Castillo—, y no a fomentar la técnica para indus·
trializar y comercializar las Indias, cuyas riquezas, como tales riquezas,

mancillaban la reputación de los individuos que las poseían, según se verá en el capítulo VIII.[16]

Es difícil hallar modos exactos de expresión (al menos para mí) cuando se quiere precisar lo que llamó "funcionamiento dinámico y ascendente" en una morada vital.[16 bis] Lo dicho antes acerca del "tiempo humano" y del "uso de los usos" quizá lo aclare algo. Recuerdo ahora haber leído que los chinos clasifican las palabras en "llenas" y "vacías" (algo así como la diferencia entre una preposición y un nombre); pues bien, en el funcionamiento de la vida colectiva hay temporalidad y psicología "llenas" y "vacías". Quevedo intuyó esa diferencia (no obstante su rudimentaria filosofía) al titular una obra suya *Grandes anales de quince días*. Unos breves días al comienzo del reinado del Felipe IV, fueron sentidos por Quevedo como un trastorno de considerable alcance. No importa ahora calibrar la exactitud de esa estimación de una fluencia temporal; baste con percibir en ella la intensidad con que el español sentía el hacerse-deshacerse del proceso de su propia vida, y la escasa atención que prestaba a cuanto no era ella. Aquella especial dimensión psíquica del hombre se cargaba de tensión, a costa del relajamiento de cuanto no era vivir en uno mismo; y añadiré que este fenómeno —en cuanto posibilidad creadora— tenía menos que ver con el "Barroco" que con la estructura de la morada, de la "vividura" española —es decir, con la dimensión vivencial de aquella morada.

Al historiador importa primordialmente cuál sea la clase de labor que un pueblo asigne a su psicología, a sus modos de sentir y a su facultad de pensar. Importa asimismo el modo en que llene su tiempo. Por eso no son fecundas las tipificaciones culturales, es decir, conceptos tan amplios y vagos como el de "cultura occidental", por entre cuyos huecos y grietas se nos escapa la realidad de los españoles, de los italianos, de los ingleses, etc., etc. En lugar de tan genérica caracterización, yo me preguntaría: ¿Qué se está haciendo, o que se hizo, del imperialismo castizo-político de los españoles, del impulso razonante-mesurado de la vida francesa, de aquella "Reconquista" estético-inteligente de los italianos? Y así en todos los casos con que nos enfrentemos.

Captar la expresión de lo que se está *queriendo, o pretendiendo ser, o queriendo hacer con lo que se sea*, vale más para el historiador que analizar quieta y abstractamente *lo que se sea*. Por eso vale poco para la visión histórica que quienes combatían contra los moros en el siglo VIII en Asturias y Galicia fuesen cristianos, o se llamaran cristianos; es en cambio decisivo que estuviesen perfilando su figura política *como* cristianos, *sabiéndose* ser cristianos, *queriéndolo* ser, *llenando* con esa su creencia un espacio y un tiempo, inventándose en suma una forma *ideal* de hogar humano, con puertas y ventanas abiertas hacia un futuro. Estos son los requisitos teóricos, encarnados en una experiencia concreta, que juzgo necesarios para hablar con algún fundamento de lo que llamo morada de vida historiable —vividura, en un modo, por decir así, vivencial.

Convendría, en fin, subrayar la diferencia entre morada de vida y cultura o civilización, por obvia que ella sea. Las culturas son mencionadas y vistas como objetos de vida histórica ya constituidos, prontos para ser expuestos en las páginas del libro o en las salas del museo. La morada de que hablo aparece como un proceso dialéctico, espacio-temporal, en vías de llegar a ser como más tarde resultará estar siendo; es un fenómeno más para ser acompañado en su hacerse que para ser delimitado entre un comienzo y un fin. En la morada de vida historiable cada momento se afirma y se opone respecto del anterior, y está lanzando llamadas hacia un futuro. Me interesa tal problema más que el de formular principios teóricos sobre cómo nazcan y perezcan las culturas; prefiero demorarme en el goce admirativo de sentirlas florecer y madurar, mientras anhelan y confían —o se angustian y desesperan. Esto no podrá sonar a muy científico, pero me autoriza a expresarme así el que con toda la "ciencia" de los siglos XIX y XX, la realidad de cómo surgió la auténtica vida de los españoles no había pasado de ser un tejido de fábulas desatinadas e incoherentes.

HACIA UN SENTIDO DEL VOCABLO "ESPAÑOL"

Son y han sido españoles quienes sienten y han sentido estar formando parte de una comunidad humana en la Península Ibérica, enlazada en una *continuidad de conciencia* social con quienes efectivamente la han hecho posible, y le han dado la forma de funcionamiento que ha venido singularizándola desde que el término "español" es usado en la Península. Quienes se sentían existiendo en esa particular forma de vida se consideraban españoles aun cuando no moraran en la Península, lo mismo que en el siglo XIX se sentían antes "British" que canadienses quienes hablaban inglés en el Canadá. Los habitantes de Cuba, Santo Domingo y Puerto Rico se sentían en 1800 tan españoles como los de las islas Canarias o los de Sevilla. Pese a marcadas diferencias regionales, quienes poseían un mínimo de cultura sabían que su unidad política y sus modos de conducirse en la relación con sus conciudadanos, fueran isleños o peninsulares, eran resultados de los designios y de las acciones de quienes, siglos atrás, habían preparado su actual presente en forma continua y sostenida. Todos pertenecían a la comunidad española, porque ciertas personas con autoridad y prestigio —los reyes de Castilla, de Aragón y luego de España— habían unido a sus antepasados bajo una fe humano-divina, y los habían lanzado a altas empresas más allá de las tierras de la metrópoli. Los españoles del siglo XVI —almas convergentes en una fe, en la obediencia a un monarca y en la estima del valor y ambición personales— sabían por tradición que su grandeza colectiva, y a veces individual, estaba fundada en la victoria de su casta sobre la musulmana y la judía. El Tribunal de la Fe, o Santo Oficio, se cuidaba de mantener vivo aquel recuerdo. Por otra parte, el sentimiento de españolidad se exaltaba al contemplar cómo la religión de la casta dominante se alzaba incluso por encima del poder real, cosa nunca antes vista; el rey señoreaba todos los reinos, antes divididos; la lengua de la Castilla triunfante se había hecho imperial, y convertido en órgano de expresión literaria incluso para catalanes y portugueses. La conciencia de españolidad se ensanchaba como un río caudal, sensible a la recepción de sus numerosas confluencias: "No todos los vasallos de la corona real de España son de conformes costumbres ni semejantes lenguajes", escribía en Santo Domingo Gonzalo Fernández de Oviedo,[17] pero una común adhesión a lo que todos estimaban alto y prestigioso los españolizaba a todos: "¿Cómo se avernán el andaluz con el valenciano, y el de Perpiñán con el cordobés...? ¿Quién concertará al vizcaíno con el catalán, que son de tan diferentes provincias y lenguas?... Mas, como *la cosa ha seydo tan grande*, nunca han dejado de pasar personas principales en *sangre, e caballeros, e hidalgos* que se determinaron de dejar su patria de España para se avecinar en estas partes..."

En la forja de la conciencia nacional se laboraba sin descanso para unir los dispares elementos de la Península, coincidentes en su fe y en su reverencia por ciertos principios y finalidades que tensaban la conducta. Cuenta el capitán don Bernardo de Vargas Machuca "que dos soldados heridos de yerba" por las flechas envenenadas de unos indios americanos, agonizaban malamente. Uno de ellos "estaba tan lastimado y se quejaba tanto", que su compañero, Antonio de Herrera, de Plasencia, sobrenombrado por su bizarría el "Bravo Español", le reprendió "con muy ásperas palabras", porque "con semejantes soldados *no se conquistaba el mundo*". "¿Estáis bien?" —preguntó al otro herido. Y respondiéndole que sí, le volvió a decir: "Pues quedaos con Dios, y él os dé esfuerzo y vida, que yo me voy a morir." Y tornándose a su cama, luego al instante expiró; y otro día siguiente murió el amigo."[18]

Con esos sentimientos y aspiraciones habían ido formándose eficaces ligazones españolas entre los pueblos que tan dispares aparecían a Fernández de Oviedo al comenzar el siglo XVI. El aliciente del oro de las Indias fue gran atractivo, sin duda; pero el sueño de la gran realización personal, el sentimiento de supremacía, fue un estímulo mucho más de primer plano. No por azar comenzó a imprimirse el *Romancero* en tiempo de Carlos V, un cuento y un canto de hechos heroicos exaltantes de la fantasía y de la sensibilidad. De padres a hijos se transmitía oralmente la noción de ser los españoles una continuidad social de la existente tiempos atrás bajo otros reyes. Seguían presentes Fernán González, el Cid y los reyes que habían conquistado los reinos ahora reunidos en la España del siglo XVI —León, Aragón, Granada, Navarra. Ese era el pasado auténticamente sentido como español en la conciencia colectiva. Lo anterior a la Reconquista eran recuerdos eruditamente juxtapuestos, reavivados por la necesidad de crearse un pasado a tono con ideales de grandeza, ya muy vivos en el siglo XV. Pero se creía que Numancia estuvo en donde luego Zamora.

Ser español, en suma, equivale a haberse estado sintiendo existir socialmente en un modo peculiar y único; la conciencia de estarse uniendo y ensanchando los grupos originarios de leoneses, castellanos y aragoneses con miras a alcanzar determinados fines, ha precedido al hecho de sentirse "español", un término importado, de fonética no "española". Los antecesores de los españoles se llamaban como todavía los llama Fernández de Oviedo, y enlazaron en una continuidad social y sin resquicio con los españoles del siglo XVI. Con la de éstos no enlazaba la conciencia social de godos, romanos o celtíberos, que habían vivido en la Península y expresado la conciencia de lo que realmente eran en su lengua, en sus escritos, en su pensamiento y en su arte.

No como abstracta observación psicológica, sino como vivencia de una *morada vital* pudo nacer en el siglo XVI el dicho de "Iglesia, o mar, o casa real", expresivo de las vías posibles para el español de entonces; es decir, de un panorama vital que, en sus líneas generales, funcionó hasta el siglo XIX. Menos conocido es esto otro:

Los seis aventureros de España, y cómo el uno va a las Indias, y el otro a Italia, y el otro a Flandes, y el otro está preso, y el otro anda en pleitos, y el otro entra en religión. E cómo en España *no hay más gente* de estas seis personas sobredichas.[19]

Tales juicios, formulados desde la vivencia de una situación colectiva, poseen validez como una visión del futuro en enlace con el presente; revelan, sobre todo, la seguridad de estar percibiendo los cauces estables por donde van a discurrir las vidas de las gentes, a primera vista densas de posibilidades imprevisibles. Imprevisibles en cuanto pensamos en el contenido de cada vida individual, única, irrepetible. Imagínese la diferencia entre que sean Gonzalo de Córdoba, o Miguel de Cervantes, o el duque de Osuna, o don Francisco de Quevedo quienes vayan a Italia; pero no es menos cierto que ni ellos ni otros dejaron de proceder según la forma de vida que en este libro presento como española. Vidas heroicas las hubo en abundancia, dichosas al afrontar los mayores riesgos por el Dios y el rey de España; mas en vano se buscará un Andrés Vesalio, o héroes del pensamiento como Campanella, Giordano Bruno o Galileo, porque en el siglo XVI el terror a ser tachado de judío acabó por paralizar todo menester intelectual. Lo cual, a su vez, nos sitúa en otra *estancia* de la mansión hispana: "España es provincia que no se da a la compostura de razonar" (Alonso de Palencia, 1459). "Esperemos que España, país de la luz y de la melancolía, se decida, alguna vez, a elevarse a conceptos metafísicos" (Xavier Zubiri, 1933). "La capacidad de los hombres de lengua española para las *otras* cosas humanas, tan superior a la capacidad para las ciencias, en particular las exactas y experimentales" (José Gaos, 1941). Ha habido, pues, conciencia de la limitación lo mismo que de la posibilidad hispánica. Feijoo, el padre Isla y otros han dicho lo mismo que Palencia, Zubiri y Gaos. Con ello se hace patente la vivencia de la durabilidad de lo que llamo estancia en la mansión histórica —conciencia de las dimensiones horizontal y vertical del conjunto humano a que se pertenece.

Sorprende, después de cuanto antecede, que la historia haya seguido escribiéndose como si su objeto fuese independiente de la vida que en la historia se expresa. La historia ha continuado siendo, o positivista (el hombre y las sociedades humanas están motivados por circunstancias naturales), o idealista (en la historia se realiza la *idea* hegeliana, abstracta y extravitalmente). Mi obra intenta tomar otros derroteros, según irán haciendo ver los puntos de vista y los hechos de que parto.

Es explicable que algunos juzguen no científico mi modo de proceder; nada importa que así sea, dado que mi finalidad es que la "biografía" aquí trazada sea vista y sentida como expresión auténtica de la vida del pueblo español, y sean hechas inteligibles sus grandezas y sus caídas. Era necesario para esto dejar a un lado al hombre abstractamente universal, y olvidar por el momento si los españoles fueron seres prehistóricos, medioevales, situados al margen del Renacimiento, o anticipadores del pensamiento moderno. Lo urgente para mí era decir cómo el español ha llegado, ante todo, a tener conciencia de serlo; y cómo desde esa conciencia de estar siendo español ha manejado, en una forma u otra, las posibilidades suyas y las ofrecidas a él por quienes no eran españoles.

Según pienso, cada español preocupado por lo que le acontecía a él y a otros en torno a él, hubiera podido decir como Quevedo: "¡Oh, cómo te deslizas vida mía!" No era posible olvidarse del hecho de que, incluso hoy mismo, hay quienes no gustan de llamarse españoles, aunque a otros les parezca que al obrar así se ahincan todavía más en su españolismo. La conciencia del existir y del valor de su propia existencia, tiene prioridad respecto del antiespañolismo de algunos españoles de ahora. Por ese motivo no enfoco la vida española desde puntos de vista biológicos, psicológicos o económicos, como si se tratara de un objeto fijo, y no como un deslizarse desde una posición dada hacia metas deseadas o impuestas por las circunstancias. Había, por ejemplo, que hacer ver que la economía española fue más un resultado de la voluntad de que fuera como fue, más bien que efecto de condiciones climáticas, pobreza del suelo, etc. (ver cap. VIII). Era igualmente necesario superar la actitud defensiva, que ya asoma en el siglo XV, respecto de los pueblos vecinos; Quevedo escribió en 1609 su *España defendida*, y luego han sido numerosos los intentos de rectificar las valoraciones el pasado. De ahí *La ciencia española*, de Menéndez y Pelayo, en la cual polemiza contra quienes ponían en duda aquella ciencia, sin haber llegado a conclusiones convincentes.[20] Pero la ciencia para el historiador es, ante todo, una función del mismo vivir de los españoles, dentro del cuadro de sus intereses y preferencias.

Mi historia no es ni patriótica ni agresiva; pretende hacerse cargo de los motivos determinantes de lo que para mí son maravillas, y a veces lamentables miserias. Nada más fácil que enfocar la historia de cualquier pueblo como una textura de monstruosidades e insensateces. Lo intentó Robert Briffault en *The Decline and Fall of the British Empire*, (Nueva York, 1938), y como era de esperar, su visión de Inglaterra es incoherente y absurda. Toda historia, cualquier acción humana de cierto vuelo, van caminando sobre ruinas, las van creando. Los imperios, las religiones mismas, se han afirmado sobre iniquidades, reverso fatal de sus virtudes. No me interesa la historia gloriosa ni la ignominiosa.

Mi historia, por otra parte, se funda en el supuesto de que la conciencia de ser español y de estar obrando como tal comienza a hacerse sentir entre los siglo X y XI, porque ser español y ser habitante de la Península Ibérica son cosas distintas. Conviene a mi propósito insistir en la conciencia de inseguridad como trazo que marca indeleblemente el curso del vivir hispánico, y se hace perceptible en el proceso mismo de la vida. El español inseguro no añora un tipo de acciones, o de conducta, distintas de las que motivan su insatisfacción; no es como el romano que, durante el Imperio,[21] echaba de menos la organización política y las costumbres de la República. El español no fraguó contenidos de vida a los que pudiera referirse como a una cultura objetivada y firme; añoró a veces las *personas* de los Reyes Católicos, lo cual es muy distinto. Lo que yo llamo España se hizo y se sigue haciendo en un telar de angustias. Un rincón de la Península, para subsistir, hubo de aniquilar a la España islamizada, en la cual incluso los ríos habían mudado sus nombres milenarios. Cada uno de los tres pueblos de la Península (cristianos, moros y judíos) se vio forzado, durante ocho siglos, a convivir con los otros dos y a anhelar su exterminio. Las guerras de los hispano-cristianos, como dijo don Alonso de Cartagena, fueron "divinales". La vida toda fue puesta, arriesgada, al tablero de la fe, a la pureza genealógica de la casta vencedora y ningún papel importante fue asignado a las tareas pacíficas, humano-temporales. Así se fue creando una disposición de vida olvidada de la vigente en los siglos visigodos, según luego haré ver. El principio "cedat curiositas fidei" —no funcional ni totalizante para el visigodo— llegó a serlo para quienes aparecen hoy como españoles. Los cuales —y este es el punto central en la vivencia de esta historia— nunca aceptaron lisa y llanamente aquel su vivir, como el chino se amoldó a su chinería, y el hindú a su hinduismo. El español hubo de luchar por su existir en su creencia (única razón de su vida) frente a los musulmanes primero, luego frente a judíos, protestantes o descreídos. Los franceses y los ingleses aceptaron, a la postre, la compatibilidad entre ser francés o inglés y tener creencias religiosas distintas de la tradicional, o no tener ninguna. Para la gente hispano-lusitana tal situación siempre ha significado un agónico existir. Los huecos que ha ido dejando el desvanecimiento de las creencias entre ingleses, franceses y alemanes se han ido llenando con el culto a ciertas "divinidades" temporales: la ciencia, las instituciones políticosociales, la literatura (en Francia); la comunidad ciudadana, la protección de las mujeres, los niños, los animales y las plantas (en países anglosajones), etc. Nada de esto compensa la desaparición de la creencia entre gentes hispano-portuguesas. La alternativa para ellos es, y ha sido: o creencia, o inexistencia, según percibe quien esté familiarizado con la vida en la Península Ibérica, en el Brasil o en México. Por bajo de cuanto quiera explicarse como un fenómeno universal de "estos tiempos" yace lo otro, la estancia en una peculiar morada de vida.

Esta se hace patente: *a)* Como anhelante esperanza de alzarse a cimas y destinos prefigurados en una creencia, divina o humana; *b)* O como inseguridad acerca del cumplimiento de la promesa implícita en la creencia; *c)* Como imposibilidad de escapar, *por propio impulso*, a la situación de credulidad, y de inventar nuevas realidades, físicas o ideales, forjadas por el razonamiento y la experiencia; *d)* Como consecuencia de lo anterior se adopta lo conseguido, mediante experiencia y razonamiento, por los extranjeros; *e)* En la irreprimible tendencia a expresar el complejo en que se integran la conciencia vital de la persona y sus circunstancias internas y externas.

La creencia de que aquí se habla (además de lo sobrenatural) abarca y totaliza el horizonte vital de la persona: se cree en el rey, en la casta, en el honor, en la tradición, en una ideología importada, en una mesiánica revolución, en la importancia de la propia persona, en un nacionalismo a veces vacío de contenido, etc.

Para la manifestación *a)* (por ejemplo) recuérdense textos como uno de fray Diego de Valencia (fines del siglo XIV): si los castellanos se aunasen, "Non sé en el mundo un solo rencón que non conquistasen, con toda Granada." O éste de Gómez Manrique, anterior a 1468: que Cristo deje conquistar a nuestro rey las tierras que las naciones bárbaras tienen aquende y allende el mar ("citra et ultramar / a las bárbaras naciones").[22]

Aunque no he de ejemplificar aquí lo que ha de ser ampliamente desarrollado a lo largo de esta obra.

NOTAS

[1] Dan Stanislawski *(The Individuality of Portugal,* University of Texas, 1959) explica la singularidad de Portugal por la naturaleza de su tierra, sus ríos y sus montañas.

[1 bis] Según Leandro Fernández de Moratín, las comedias de Terencio valían mucho más que las "del afluente, pomposo y extravagante Calderón". *El Burlador de Sevilla,* de Tirso de Molina, era, según Moratín, una obra "desatinada e indecente". Esto se escribía hacia 1790. *(Obras póstumas.* Madrid, 1967, I, págs. 361-400.)

[2] Aclaro esto en mi estudio "Presencia del Sultán Saladino en las literaturas románicas", en *Hacia Cervantes,* Taurus, Madrid, 1960.

[3] Ver V. Oelschläger, *A Medieval Spanish Words-List,* pág. 17. El que *apellido* "nombre de persona" no aparezca hasta el siglo XV, no impide que esta palabra, como tantas otras, haya existido oralmente desde siglos antes.

[4] Véase la correspondencia de Dilthey con el conde York von Wartenburg, en F. Heinemann, *Neue Wege der Philosophie,* 1929, pág. 198, en donde se hallará una buena exposición del pensamiento histórico de Dilthey, de la historia como autognosis *(Selbstbesinnung):* "En la vivencia aparecen dados inmediatamente los estados anímicos", en donde "vivencia" *(Erlebnis)* sería la conciencia de la experiencia directa de algo vivido.

[5] Para esta cuestión, véase también X. Zubiri, *Naturaleza, Historia, Dios,* págs. 472 y sigs.

[6] Símaco no parece darse cuenta de que Roma agoniza; nunca hubo más escuelas ni más instrucción: "Vivimos en verdad en un siglo amigo de la virtud", etc. (V. Gaston Boissier, *La fin du paganisme,* vol. II, pág. 192.)

[7] Prescindo de que hay también grupos humanos, coherentes sin duda y poseedores de una fisonomía, aunque borrosa y desvalorada. Estos como personajes a medio hacer, de vida torpemente expresada, o que simula ser lo que no es, pretenden también poseer una historia. El tema es delicado, y basta con insinuarlo.

[8] No me parece cierta la siguiente afirmación de Dilthey: "Como ninguna nación cuenta con su muerte, los planes y fines ocupan otros lugares que en la vida del individuo; mantienen sólo una relación temporal, relativa con la interioridad de la nación; ésta es capaz de *ilimitadas posibilidades" (El mundo histórico,* México, 1944, pág. 310). Mientras no se corrija la idea de que todo es posible al hombre (tal vez un arrastre de las desmesuradas pretensiones de aquel fantasma llamado "hombre del Renacimiento"), el saber histórico no podrá ceñirse correctamente a su objeto. Cada vía abierta a lo largo del pasado significaba la obturación de otras; es decir, una limitación a veces muy grave. El hombre de hoy aspira a conquistar en el futuro los espacios astrales, y a la vez siente la angustia y la falta de rumbo en su vida colectiva.

[9] F. Cumont, *op. cit.,* págs. 2-7.

[10] En un pasaje de Cicerón —no sé si notado— se percibe con nitidez cómo se articulaban los valores griegos en la morada vital del romano: "De ellos [de los antiguos peripatéticos] salieron oradores, generales y gobernantes. *Viniendo a un plano inferior [ut ad minora ueniamus],* matemáticos, poetas, músicos y hasta médicos se formaron en aquel como

taller de todas las artes y las técnicas" *(de finibus, V, 7)*. Esa era la jerarquía de los valores sociales para un romano profundamente helenizado.

11 "Vivencia" refiere a la dimensión activa (vital, sensible, valorativa) de lo dado neutralmente en el conocimiento sólo como concepto. He aquí ejemplos: la "esperanza" refiere a la situación activa de quien espera el advenimiento de algo bueno; la "espera" refiere neutral y objetivamente al acto de estar esperando. "Esperanza", por consiguiente, sería el "vivencial" de "espera". Análogas diferencias semánticas se observan en "honra" y "honor", "*estar* bueno" y "*ser* bueno", "ricacho" y "rico", "compró el coche" y "tiene coche", etc. Las gramáticas no han analizado este fenómeno sistemáticamente; pero sería útil hacerlo, pues se entenderían así las diferencias entre "grandioso" y "grande", entre "estar" y "ser", y otras muchas. En mi lenguaje, "vividura" es el vivencial de "morada de vida".

12 Ver mi *Hacia Cervantes*, 1960, pág. 72. Para los antecedentes de esta ufanía cultural francesa, ver Gustave Cohen, *Chrétien de Troyes*, 1931, pág. 170. La expresión de esa auténtica estancia en la morada de la propia vida ha sido tan funcional en Francia como la acción imperante y dominadora entre españoles. La inscripción sobre la puerta principal de la catedral de México (fechada en 1672, reinando Carlos II y siendo virrey el Marqués de Mancera) expresa conciencia de grandiosidad. En cambio, un libro de Mathieu de Fossey, *Le Mexique*, 1857, dice en el prólogo: "De quel pays peut-on aujourd'hui parler où la civilisation de la France n'ait rayonné et fait sentir son influence?" Esta conciencia del valor y dimensiones de la propia existencia es lo que es, y no es biología, ni psicología, ni economía. Es expresión de la forma de un vivir histórico.

13 Francisco de Jerez dice al final de la *Conquista del Perú*, dirigiéndose a Carlos V: "Ningún señor tiene gente / tan robusta y tan valiente" (BAAEE, XXVI, 347), lo cual es ya una caracterización cerrada y estática.

14 Para una original expresión del pensamiento más reciente sobre este problema, ver J. Ferrater Mora, *The Idea of Man*, University of Kansas, 1961.

15 Dice Fernand Braudel en *La Méditerranée et le Monde méditerranéen à l'époque de Philippe II*, 1949, pág. 357: "Si la Méditerranée avait vécu sur elle-même... elle aurait dû résoudre par elle seule le gros problème de ses excédents de population, c'est à dire, absorber ce surplus d'hommes, mieux en répartir la masse à travers son espace. Ce qu'elle a fait d'ailleurs en partie." Volvemos así a los tiempos homéricos, cuando Océano y Neptuno tomaban decisiones favorables o adversas para los mortales.

16 Hasta ahora no se podía entender el motivo de la pobreza de los hidalgos, atribuida sobre todo al general desprecio de los nobles por los trabajos remuneradores; pero tanto o más que el trabajo manual o comercial, infamaba la riqueza adquirida. El poeta Juan de Dueñas dice en unas *Coplas* para el rey Juan II de Castilla, que no deben ser favorecidos en la corte los conversos enriquecidos, con menoscabo de "los fidalgos esforçados por *pobreza* qué padezcan" (ver Francisca Vendrell, en *Sefarad*, 1958, XVIII, 110). Lo cual no "es un fenómeno general en aquella época de fines de la Edad Media", sino expresión del funcionamiento de la morada vital castellana, muy cargada de tensión ascendente en el siglo XV. Desde y con esa tensión se planeará y funcionará la estructura del Imperio Español. Fórmulas en parte justas (el "Otoño de la Edad Media" de Huizinga, la "Contrarreforma" de los alemanes, etc.) contribuyen a mantener en vigor muy ingenuas y generalizadas confusiones.

16 bis La meta hacia la cual tiende —consciente o subconscientemente— el "funcionamiento dinámico" de toda posibilidad de morada vital, sólo es perceptible retrospectivamente, porque los menesteres del historiador y del profeta son dispares. Al hablar de "funcionamiento dinámico y ascendente" pienso en algo como *una prolongada batalla, indecisa y confusa, a lo largo de la cual*, sin embargo, *va delineándose la victoria o la derrota*. Ese orden interior presta sentido a lo, a primera vista, confuso y caótico. Los enemigos con quienes traba pelea el intento de dotar de dimensión histórica la vida de un pueblo, son el tiempo y el espacio humanos. Juan de Lucena, aquel converso del siglo XV, puso estas elegantes palabras en boca de don Alonso de Cartagena: "Nosotros [es decir, los españoles con conciencia de nuestra situación cultural], señor Marqués [de Santillana], no vayamos tras el tiempo, forcemos tornar el tiempo a nosotros" *(De vita beata*, edic. de los Bibl. Esp., pág. 112). En otro lugar de esta obra digo, por otras pero análogas razones: "Seamos dueños y no siervos de nuestra historia."

17 *Historia general y natural de las Indias*, lib. II, cap. 13, pág. 54.

18 *Milicia y descripción de las Indias*, Madrid, 1599, lib. II, fol. 37.

19 Tal es el título de una obra que decía haber escrito aquel estrafalario Vasco Díaz Tanco de Fregenal, a mediados del siglo XVI (véase Gallardo, *Ensayo...*, vol. II, col. 784).

[20] En *De la edad conflictiva*, 1961, analizo la posición de los españoles respecto de la ciencia, a fin de partir de una base algo más firme.

[21] Sin hablar de Cicerón, Séneca, Tácito y otros famosos añorantes del pasado, recordaré a un escritor secundario, a Columela, autor de un tratado de agricultura *(de re rustica)* compuesto para que sus contemporáneos volvieran a los buenos usos de antaño: "Cuando pienso en tantos ilustres capitanes de pura cepa romana, siempre sobresalientes en la doble ocupación de defender y cultivar la tierra (la de la patria o la conquistada), comprendo que a nuestros contemporáneos, dados al lujo y a la molicie de los placeres, les desagrade la vida esforzada y varonil de sus antepasados" (Prefacio, 14). Columela se refiere en seguida a los banquetes, los baños termales, la lubricidad y la embriaguez de quienes, según frase de Séneca, "no veían ni salir ni ponerse el sol".

[22] Para estos y otros textos de mesiánico imperialismo, hecho realidad en las historias de España y Portugal, véase mi libro *Aspectos del vivir hispánico*, Cruz del Sur, Santiago de Chile, 1949.

Capítulo V

NO HABIA AUN ESPAÑOLES EN LA HISPANIA ROMANA NI EN LA VISIGOTICA

Las insuficientes nociones acerca del hombre y de su vida hicieron posible en el siglo XVIII imaginarse a los franceses como celtas y a los italianos como etruscos,[1] * y viceversa. Tan ingenuo espejismo acabó por ser rectificado en Francia, porque frente al pórtico de lo auténticamente francés se alzaba la grandiosa figura de Carlomagno. De aquel robusto tronco brotó la rama que había de constituir la monarquía francesa, y con ella la conciencia de pertenecer a la comunidad social llamada francesa.[2] En Italia, la ruina del Imperio Romano había sido compensada, en cierto modo, por el prestigio de Roma como capital espiritual de la cristiandad de Occidente, y también por el de las varias ciudades en donde fue originándose la llamada más tarde cultura del Renacimiento. En la Península Ibérica la vida tomó distinto rumbo, por el hecho de haberse tenido que aferrar los doctos, y más tarde el pueblo, a la imagen de una Hispania desde hacía mucho desvanecida, y sentida cada vez como más necesaria a medida que corrían los siglos. Se juzgaron "españoles" los heroísmos prerromanos de Numancia y Sagunto, la dominación romana en las provincias hispánicas, cuna de ilustres emperadores y de célebres escritores de la Roma imperial (Séneca, Lucano, Quintiliano, etc.). También la Hispania visigótica ha servido, más tarde, de consuelo retrospectivo; la Península parecía en vías de completa unificación en el siglo VII, y comenzaban a surgir en ella manifestaciones de cultura muy prometedoras.

Mas aquella Hispania, la tan laudada por Isidoro de Híspalis, fue casi toda ella arrancada violenta y súbitamente de la Romania cristiana y convertida en extensión del Oriente musulmán, en cuanto a la religión, a la lengua, a modos de vida y a la civilización en general. El clamor desesperado del anónimo autor de la *Crónica mozárabe* de 754, ha se-

---

* Para las notas al capítulo V véanse las páginas 172 a 174.

guido vibrando durante siglos: "Hispania, en otro tiempo una delicia, es ahora una desdicha"; ha experimentado todos los horrores sufridos por los mártires de Roma (edic. Tailhan, pág. 26). Las consecuencias de tan prolongada situación se confunden con el mismo hecho de existir los españoles y con el curso total de su vida. La conciencia que los hispano-cristianos de la Reconquista (más tarde españoles) fueron formándose de sí mismos, creció escindida desde su misma raíz y estuvo inspirada por contrarios sentimientos: conciencia de fuerza y de insuficiencia; repulsión y adhesión sentidas frente a al-Andalus, a la vez temible, deslumbrante, indispensable, envidiado y antipático.[3]

En esta perspectiva ha de contemplarse el pasado de la Península, si se aspira a que las futuras generaciones olviden las fábulas históricas aún vigentes en la época actual. Los castellanos y aragoneses no eran ni visigodos ni romanos ni celtíberos, porque la dimensión colectiva de un grupo humano depende de una forma social y no de una sustancia biológico-psíquica, latente y perdurable. Castellanos y aragoneses sabían que no les era posible prescindir de la morisma, ni aun después de haber conquistado las ciudades antes árabes. La economía y la administración de sus reinos exigían la colaboración de moros y judíos. Los reinos españoles llamaban la atención de los cristianos extranjeros por la singularidad de sus costumbres y por el aspecto de sus habitantes. Siglos de convivencia con aquellos orientales habían creado hábitos, visibles unos e íntimos otros, según irá viendo el lector en subsiguientes capítulos. Recordemos, por ejemplo, que las personas reales solían a veces enterrarse con vestimentas morunas, usadas también por las clases más altas y por el pueblo. Todavía en el siglo XVI Hernán Cortés veía a los mexicanos en una perspectiva matizada por sus reminiscencias moriscas:

"Y los vestidos que traen es como de *almaizales* muy pintados..., y encima del cuerpo unas mantas muy delgadas y pintadas a manera de *alquiceles* moriscos... Los aposentos muy amoriscados... Tienen sus *mezquitas*."[4]

Frente a la realidad de la auténtica forma de la vida española se alzaba la imaginada y deseada por quienes sabían del pasado preislámico de la Península, a través de lo escrito en latín o en romance. El rey don Martín de Aragón († 1410) creía que "los aragoneses eran los verdaderos celtíberos, de quienes se escribe que nunca desampararon a su señor en la batalla".[5] Valerio Máximo, en sus *Hechos y dichos memorables*, refiere, en efecto, que "los celtíberos juzgaban que era maldad quedar vivos en la batalla, si moría aquel por cuya salud habían ofrecido la vida".[6] A la misma costumbre —al parecer más celta que ibérica— alude César en la *Guerra de las Galias*, III, 22, en cuya lengua llamaban *soldurii* (una palabra celta) a quienes así morían obligados por un voto de fidelidad. No se ve, por consiguiente, la razón de convertir a los aragoneses en celtíberos por ser algunos de ellos muy fieles súbditos del rey don Martín el Humano, incluso si tal costumbre hubiera estado viva en Aragón, lo que no era el caso. La conexión de identidad establecida por el rey entre esos pueblos se debía a motivos sentimentales, al afán de dotar a su pueblo de una grata genealogía colectiva, sin preocuparse de si para ello había que salvar abismos de irrealidad. Imaginarse a los celtíberos como presentes en Aragón en 1400, sería algo así como evocar hoy las sombras de los faraones vagando en torno a las pirámides. Una construcción como ésta tiene validez como experiencia psíquica, y hasta puede alcanzar un posible valor literario; [7] pero su validez como realidad existente fuera de los deseos, los sueños y los libros, es nula. Reyes anteriores a don Martín (Pedro IV y Jaime I) no sintieron ninguna devoción "celtíbera" en torno a ellos, pues Aragón aparecía como tierra "rebelde y malvada", en contraste con Cataluña, "la más honrada tierra de España..., bendita y poblada de lealtad",[8] en donde no se sabe hubiese habido celtíberos.

A medida que las noticias transmitidas por los libros fueron siendo difundidas por los humanistas, la imagen de un pasado ilustre íbase haciendo familiar y admitida por todos. Sin ella, los españoles auténticos, los que espontáneamente se veían como una trabazón de cristianos, moros y judíos, se hubieran proyectado hacia un pasado de sombras tan poco gratas como inquietantes. La tensión imperial desde el siglo xv incitaba y exigía crearse gloriosos ascendientes, cimas de prestigio político y de cultura humanística. Trajano y Séneca resultaban ser españoles por el hecho de haber nacido en "España", en una tierra moldeadora de cuerpos ilustres.

FABULOSA ESPAÑOLIDAD DE LOS ROMANOS NACIDOS EN HISPANIA

La cultura expresada en latín romano por quienes nacieron en las provincias del Imperio (Hispania, Gallia Cisalpina o Transalpina) no fue obra de españoles, de italianos o de franceses, modos de existir humano sin ninguna realidad en aquella época. Estrabón, nacido antes que Séneca, dice que la provincia Bética estaba casi completamente romanizada.[9] La religión indígena desapareció de la Bética, cuyos habitantes se llamaban, según el uso romano, con triple nombre. Sólo una alucinación, explicable por una especie de psicosis colectiva, pudo hacer de Séneca y de su filosofía un fenómeno español. Aun admitiendo que el pensar estoico hubiese tenido hondas y originales repercusiones en el pensamiento español (no las tuvo), de ahí no cabría deducir ningún españolismo en

Séneca, del mismo modo que los reflejos neoplatónicos en Luis de Granada o en Cervantes, no arguyen a favor de la españolidad de Platón o de Plotino.

Séneca fue un romano, educado, como muchos otros, por maestros griegos imbuidos de pensamiento estoico. Nada tenía que hacer todo ello con su patria Corduba, que desde el siglo xv viene identificándose con la Córdoba posterior a la conquista de aquella ciudad por Fernando III. Un conocedor del pasado arqueológico de la ciudad actual dice que sus ruinas, "destruidas y calcinadas, yacen sumergidas a profundidades de cuatro y cinco metros. ¿Qué catástrofes ocurrieron entre los siglos iv y viii, capaces de producir el arrasamiento total de la urbe romana, la acumulación de tan ingente masa de tierra y escombros?" [10]

Para los conocedores de la literatura de Roma y del pensamiento griego, la idea de un "senequismo español" (Ganivet, Menéndez Pelayo y tantos otros) equivaldría a llamar maya, o algo así, la poesía de Rubén Darío, desconociendo el hecho de estar fundada en las letras de España y de Francia. Del mismo modo lo que sobrevive del pensamiento de Séneca es incomprensible, si no se le sitúa en el estoicismo de los romanos y de los griegos. Aparte de la fantasía de convertir a Séneca en un español, el error básico consiste en servirse de la idea vulgar de que ser estoico consiste en sufrir impasible las molestias del cuerpo y las del alma, para explicar el pensamiento de Séneca. El estoicismo fue, además de una moral, una complicada teoría filosófica, que en último término nada tiene que hacer con el hecho empírico de aguantar el hambre y el dolor.[11]

Aunque baste con lo dicho para hacer ver que el españolismo de Séneca descansa únicamente en el deseo de hacerlo español, conviene subrayar que el pensamiento crítico de Séneca y su interés por la ciencia natural nunca interesaron a la casta cristiana que, desde fines del siglo xvi, fue la que totalmente representó la forma de vida española. Si los españoles hubiesen sido senequistas, su historia habría sido diferente de como fue y es, porque su interés se habría centrado en el análisis racional de la vida terrena. Escribe Séneca: "La muerte es el no ser: lo que será después de mí, será como lo anterior a mí" *(Epístolas a Lucilio*, VI, 54, 4). La vida para él era un paréntesis entre dos nadas.

La ingenuidad de españolizar a Séneca acabará por salir de los libros, cuando los lectores se den cuenta del sofisma implícito en dotar de un mismo sentido los vocablos "Hispania" y "España" —una identidad tan sofística como sería el fundir los sentidos de la "Italia" de Augusto y el de la "Italia" de la monarquía de los Saboya. Superpuesta a esa ingenuidad aparece —insisto en ello— la confusión entre el ser sobrio, valeroso y paciente sufridor de cualquier mal, con la filosofía en que adquiría sentido transcendente y cósmico aquel modo de comportarse psíquica y moralmente —como si el haber en un lugar yacimientos de uranio implicara la existencia de una teoría de la explosión atómica. La único español en la creencia en el españolismo de aquel filósofo romano ha sido el estado de ánimo que la hizo posible, y el puesto que tal fantasía ocupa en la historia de las letras de España. La supercheria de Ossián —una invención de James Macpherson en el siglo XVIII— afectó considerablemente al cultivo de la literatura romántica en Europa, no obstante ser apócrifa aquella pretendida poesía céltica.

Suele alegarse a Quevedo como ejemplo de senequismo español, aunque basta leerlo para convencerse de no ser eso cierto. Quevedo trató españolamente a Séneca, sin duda, como antes los erasmistas españoles habían hecho con Erasmo, al tratar de amoldarlo a la difícil situación en que se hallaban como judíos conversos (los más de ellos lo eran). Pretendían que Erasmo dejara de ser como era. También Quevedo habría deseado que la filosofía estoica "no pecara demasiado de insensibilidad", porque, de haber sido así, podría "blasonar parentesco" con el cristianismo; Cristo, siendo "sabiduría eterna, se afligió, se turbó, se enojó, temió y lloró".[12] Quevedo se esfuerza en derivar el pensamiento estoico del de Job, con lo cual lo falsea radicalmente; rechaza además el suicidio, que él juzga accidental en Séneca. Pero sin apatía y sin suicidio, ¿qué queda de la moral de Séneca? Quevedo, a la postre, se percata del conflicto implícito en todo ello, y escribe con laudable corrección: "Yo no tengo suficiencia de estoico, mas tengo afición a los estoicos" *(Nombre, origen, intento, recomendación y descendencia de la doctrina estoica)*.

Por los mismo motivos que hacen insostenible la creencia en la españolidad de Séneca, ha de desecharse el que Lucano, Marcial y los demás escritores latino-romanos nacidos en Hispania tengan nada de españolidad. No siendo españoles los celtíberos, ni los iberos, ni los tartesios, ni ninguna de las restantes poblaciones prerromanas en la Península, ¿de dónde iba a venirles la españolidad?

LOS VISIGODOS NO ERAN AUN ESPAÑOLES

El mismo error de perspectiva que ha determinado el tomar por españoles a los celtíberos y a los hispano-romanos, llevó también a españolizar a los visigodos. De ser eso verdad, los francos serían franceses, y los ostrogodos y longobardos, italianos, según vengo diciendo desde hace mucho. Persiste el hábito de hablar de la "sangre" visigótica, como si los grupos dotados de conciencia nacional hubiesen adquirido ésta por motivos biológicos (en último término zoológicos). Si en una aldea de Castilla predomina la gente rubia y de ojos azules, se interpreta el hecho como una continuidad visigoda, y se dice que aquella "sangre" produjo particularidades "raciales". Huelga decir que sin los godos y cuantos antes de ellos vivieron en la Península, no hubiera habido españoles; como no existiría ninguna lengua, si antes de ella no se hubiese hablado otra; mas ni el indoeuropeo era alemán, ni el alemán es gótico, ni el italiano es latín. Es decir, que la forma de vida de quienes moraban en la Península en el año 700 era tan distinta de la de quienes moraban en Castilla y en Barcelona en el año 1100, como el latín lo era de las lenguas románicas.[13]

Los estudios citados en la precedente nota confirman el hecho de haber dejado los godos muy visibles huellas en la vida peninsular después del siglo VIII: nombres de personas, algunos vocablos góticos en las lenguas gallega, castellana y catalana; costumbres jurídicas, alguna tradición artística, objetos arqueológicos, etc. También Roma continuó viva en la memoria de las gentes de la Península italiana en la Edad Media, y no hay que decir, en el Renacimiento, sin que por eso nadie pretenda que los italianos fuesen romanos, o viceversa.

El señor Piel (págs. 410-411) se sorprende de que yo no haya concedido la misma importancia formativa a los elementos góticos que a los árabes; obsérvese, sin embargo, que lo godo en los siglos X, XI, XII y XIII es ya una supervivencia que no se renueva ni actúa activamente sobre la vida cristiana, mientras que los moros están construyendo casas y castillos, injertando en el léxico románico nuevas palabras, morando en las ciudades cristianas, etc., etc. Entre la "influencia" gótica y la musulmana hay la misma diferencia que entre el sobrevivir del recuerdo de las antiguas generaciones, y el convivir con personas de la edad de uno. Nada menos que eso. Los helenismos del castellano son materia de arqueología lingüística; los galicismos del siglo XI y XII son resultado de la presencia de clérigos y comerciantes franceses que estaban "allí" y "entonces", y que actuaban sobre castellanos, leoneses y gallegos con su prestigio y con sus intereses. Los mayores enredos de la historia española derivan de no tener presente el funcionar de la vida y su implacable lógica. Los leoneses, los castellanos, los aragoneses y los catalanes eran nuevas y crecidas criaturas colectivas, no necesitadas ya de las nodrizas goda, ibera o celtibérica. Es justo decir, sin embargo, que el señor Piel, con raro buen sentido, acepta sin reservas mi idea de no ser españoles los visigodos ("ni los visigodos eran españoles, ni los francos eran franceses").

El señor Clavería ha reunido ejemplos del uso de frases como "ser de los godos, venir de los godos, hacerse de los godos", tan frecuentes en la época para mí "imperial", más bien que Siglo de Oro. Con gran acierto nota que esas frases "remontan al recuerdo nostálgico durante la Edad Media del reino visigótico español" (pág. 358), en lo cual es exacto lo de "nostálgico" y no correcto lo de "español". Lo importante es lo "nostálgico", y fijarse en que nada análogo aconteció en los otros pueblos románicos. A Dante no le preocupan ni los ostrogodos ni los longobardos. "El orgullo del origen godo de los españoles" (pág. 360) no significa que los godos fueran españoles, sino que el presente y el más próximo pasado de los españoles no les satisfacía bastante, ni en la llamada Edad Media ni siquiera en la época imperial. La ilusión óptica, lo mismo que la creada por anhelosas añoranzas, hallan su expresión en la lengua; pero ni los españoles eran godos, por mucho que lo desearan, ni el sol "sale", no obstante decirlo así todas las lenguas desde hace milenios.

LO SABIDO ACERCA DE LOS VISIGODOS CONFIRMA LO DICHO ANTERIORMENTE

Interesa lo expresado por los visigodos acerca de sí mismos, no lo deseado e imaginado acerca de ellos cuando ya no existían como pueblo con conciencia de sí mismo. Aunque un filósofo español haya hablado de "este buen godo que era el Cid", tal juicio no es sino reflejo de una tradición de imaginaciones acerca del pasado español. Los habitantes de la Península, antes del siglo VIII, eran como decían los nombres de los lugares en que residían. Según observa Menéndez Pidal en *Orígenes del español* (pág. 505), "subsisten hasta hoy pueblos llamados *Godos* en Portugal, y en las provincias de Coruña, Pontevedra, Oviedo, Teruel; *Revillagodos*, en la de Burgos; *La Goda*, en la de Barcelona, y *La Romana, Romanos*, en la de Zaragoza; *Romãs, Romão*, en Portugal; *Gudillos*, en la de Segovia, y *Romanillos*, en la de Soria, Guadalajara y Madrid; *Godinhos, Godinho, Godinhella* y *Romainho*, en Portugal; *Godones*, en Pontevedra, y *Romanones*, en Guadalajara; *Godinhaços*, en Portugal; *Godojos*, en Zaragoza, y *Romancos* (Románicos), en Guadalajara". Huellas del establecimiento en la Península de otros invasores germánicos han sido también observadas por nuestro gran filólogo. Eco de los alanos son *Villa Alán* (Valladolid), *Puerto del Alano* (Huesca). De los suevos perduran nombres como *Suebos* (Coruña), el puerto de *Sueve* (Oviedo). Incluso en la toponimia menor quedan todavía *Vandalisque* (vándalos), *Godos, Godín, Romaney* (Asturias).

Como en todas partes acontece, los nombres de lugar conservan, a veces con inalterable persistencia, huellas de circunstancias o de pueblos desaparecidos hace muchos siglos. En *Cómpeta* (Málaga) persiste intacto fonéticamente el nombre romano *compita* 'cruce de caminos'. En los topónimos antes citados, los habitantes de la Península expresaron claramente lo que eran como colectividad: unos se sentían existir como romanos, como miembros de la entidad político-social creada por Roma, y los otros se sentían ligados a los pueblos germánicos que se habían establecido en la Hispania romana. No había conciencia ni sentimiento de ser colectivamente otra cosa. El pretendido españolismo de los godos es sencillamente un anacronismo y una fantasmagoría, fundados en posteriores anhelos y nostalgias.

COMO SE NOS APARECEN LOS VISIGODOS

Las crónicas medioevales llaman a la invasión musulmana en 711 "destrucción" de España, y tenía pleno sentido darle tal nombre. No nos detengamos en lamentar aquella remota desdicha, ni en imaginar cuál hubiera sido el destino de la Península sin los subsiguientes ocho siglos de guerrear contra la muslemía. Lo que importa ahora es hacer ver cómo la historia va a ser hecha *por otras gentes,* en otras circunstancias, conectadas con la vida posterior y no con la anterior a 711.

Los habitantes del norte y del noroeste de la Península nunca antes habían servido de sostén y de guía ejemplar a los ibero-romanos, o a los romano-visigodos. Los conocemos mal, fuera de saber que ofrecieron gran resistencia tanto a los romanos como a los visigodos,[14] lo cual impide formular sobre ellos juicios justificados; cuando no se conoce la estructura y la morada vital de un pueblo, es preferible dejar quieta la fantasía. Los suevos permanecieron en Galicia 175 años, hasta que Leovigildo los redujo a obediencia en 585. San Martín de Braga compuso, en el siglo VI, su tratado *de correctione rusticorum* para despaganizar a los galaicos y astures. En el campo de las bellas artes se pregunta Helmut Schlunk si "hubo en estas regiones una tradición continua, independiente del llamado arte visigodo, que empieza a conquistar las regiones septentrionales sólo en el siglo VII... Que había en el noroeste de España un arte provincial de carácter propio, diferente del centro y sur del país, lo acusan los restos decorativos".[15] Los vasconavarros, todavía en el siglo XII, daban al viajero fuerte impresión de rusticidad;[16] el no haberse romanizado lingüísticamente descubre, sin más, su escasa participación en la vida del resto de la Península.

La Reconquista se inició en esas regiones escasamente romanizadas del noroeste, y al norte del futuro Aragón. La mayor parte de Hispania, la bien latinizada, cedió a la presión musulmana, como antes se había entregado a los visigodos, y antes a los romanos; y antes de la llegada de éstos, las costas del este y del sur habían sido colonizadas por fenicios y griegos. Cuando se comparan los breves diez años de la conquista de las

Galias por Julio César, con los largos doscientos que la de Hispania costó a los romanos, vuelve a intervenir el espejismo de una tierra poblada por gentes unidas y animadas de espíritu nacional, algo así como el de la España que se opuso a los franceses de Napoleón. Pero los numantinos y los cántabros seguían combatiendo cuando grandes zonas de la Península vivían pacíficamente bajo la dominación romana desde hacía mucho; no sabemos cómo fuesen los sentimientos de los hispalenses y cordubenses respecto de los heroicos numantinos; pero sí se sabe que la mayoría de los sitiadores de Numancia eran indígenas a las órdenes de Roma.

Quienes comenzaron a guerrear eficazmente contra los musulmanes no fueron hispalenses ni tarraconenses, sino hombres sin enlace auténtico con la tradición visigoda. Aunque ellos se declararan herederos de la grandeza pasada, no es menos cierto que la pretensión genealógica no basta a estructurar la vida de un pueblo. Los cristianos reconquistadores no fueron los habitantes de Toletum, Caesar Augusta o Carthago Nova.[17]

La *Crónica General* de Alfonso el Sabio contemplaba el reino visigodo como una gloriosa lejanía sin semejanza con el presente:

Tan gran era, que el su señorío durava et teníe de mar a mar, bien desde la cibdad de Tániar, que es en Africa, fastal río Ruédano. Este regno era alto por nobleza, largo por abondamiento de todas las cosas, devoto en religión, concordado et ayuntado en amor de paz, claro et limpio por ell enseñamiento de los concilios...; et por la grand onestad de los omnes de orden que ý avíe..., et de los sanctos obispos Leandro, Esidro, Eladio, Eugenio, Alffonso, Julián, Fulgencio, Martín de Dumio, Taión de Çaragoça; et por el rico estudio de la alta filosofía que avíe en Córdova.[18]

De aquel saber, más añorado que conocido, no habían brotado nuevos retoños.[19] A más de quinientos años de distancia, el pasado visigodo se envolvía en una nube de leyenda; la mención de un entonces inexistente "rico estudio de la alta filosofía" en Córdoba [20] revela la importancia concedida a la capacidad cultural de los visigodos. El castellano del siglo XIII echaba de menos aquella cultura, estimable sin duda, y no sospechaba que él, por su capacidad imperante y asimiladora, y por la originalidad expresiva de su poesía épica, valía ya más que el opaco y vacilante visigodo.

La ruptura entre la Hispania de San Isidoro y los reinos cristianos del siglo XI se percibe bien, justamente allí donde parece existir un enlace entre una y otros. La basílica de San Isidoro, de León, mandada edificar por Fernando I en 1063,[21] revelaría al pronto la presencia en el monarca de la memoria del gran sabio hispalense. Mas, consultando la *Crónica Silense*,[22] vemos que el rey Fernando de León envió a Sevilla a los obispos Alvito y Ordoño, no a buscar el cuerpo de San Isidoro, sino el de una mártir, Santa Justa. Al no aparecer éste, pensaron llevarse, como un sustitutivo, los restos de San Isidoro. Según la *Crónica*, el alma del santo se apareció a Alvito, y le pidió que su cuerpo fuese trasladado a León. Resulta, pues, si el testimonio de la *Crónica* no es invalidado, que la traída a León del cuerpo del arzobispo de Híspalis fue motivada por su santidad, no por su sabiduría.

Visigodos y españoles divergen, ante todo, por ser diferentes sus nombres étnicos, y por el distinto modo de *vivir* su religión. Sorprende que aquellos pretendidos españoles estuviesen dominados en los siglos v y vi por herejes arrianos que negaban el dogma católico de la Trinidad; para ellos Cristo era algo así como un profeta, y no persona divina consustancial con la del Padre. Menéndez y Pelayo tropezó en esta dificultad, justamente por haber enfocado la historia española como una continuidad de creyentes ortodoxamente católicos. Es, entonces, lógica esta su afirmación: "España no ha sido nunca arriana, porque los visigodos no eran españoles." [23] Pero añade luego el mismo historiador, con apasionada arbitrariedad, que los hispano-romanos integraban "la verdadera y única raza [!] española" (pág. 135). Y ya enfrascado en esta selva fantástica, prosigue: "La raza que se levantó para recobrar palmo a palmo el suelo nativo era hispano-romana; los buenos visigodos [!] se habían mezclado del todo con ella" (págs. 185, 187, 189).

La realidad fue muy distinta. Cuando el príncipe católico Hermenegildo se rebeló contra su padre, el rey arriano Leovigildo, ilustres católicos, como el abad Juan de Bíclaro y el arzobispo Isidoro de Híspalis, tomaron partido por el padre en contra del hijo. Aquellos prelados, lo mismo que el obispo galorromano Gregorio de Tours, no vieron en Hermenegildo un mártir, sino un rebelde contra la autoridad del Estado.[24] Que la actitud de los católicos españoles se debiera a que fuesen "poco fanáticos" (Menéndez y Pelayo, *loc. cit.*, pág. 171), o a "nacionalismo godo" (Menéndez Pidal, *loc. cit.*, pág. 27), es manifiesto que la conducta de tales prelados habría sido inconcebible entre españoles, surgidos más tarde en indisoluble conexión con sus creencias religiosas. Según dice con razón Menéndez Pidal, católicos y arrianos coincidían en estimar y respetar algo por encima de sus respectivas creencias, precisamente, añado yo, por poseer una disposición de vida aún no española, y una jerarquía de valoraciones impensable más tarde. Un obispo español nunca ha reconocido, pública y solemnemente, su coincidencia con un hereje, ni se han abrigado ambos bajo un supremo principio de carácter secular. Los auténticos españoles, que surgieron más tarde, ya no entendían los motivos de los godos aquellos, e hicieron de Hermenegildo un mártir y de su padre un monstruo:

Leovigildo, rey de las Españas, teniendo aún a su fijo Hermenigildo preso en cárcel assí como dixiemos, matol con una segur yaziendo dentro, en víespera de Pascua mayor, porque se non quisiera tornar a la mala secta de los arrianos en que él creíe; e desta guisa fué hecho mártir de Dios (*Crónica General,* ed. cit., página 262).

La conducta de los prelados católicos en Hispania respecto de los reyes arrianos tenía precedentes en la vecina Galia. Sidonio Apolinar (430-488), obispo de Clermont, protestó contra la entrega de Auvernia, su provincia, al rey godo Eurico, que era arriano, según había dispuesto el emperador Procopio Antemio. Dos años de destierro en Septimania, al sur de la Galia, le hicieron cambiar de opinión; regresó a Auvernia, y celebró al rey hereje en sus poesías. Un siglo más tarde, Gregorio de Tours (538-594) también aprobaría la conducta del rey Leovigildo con su hijo Hermenegildo.[25] Pero Hermenegildo no fue canonizado hasta 1586, porque Felipe II lo solicitó del papa Sixto V, mil años después de lo que los visigodos consideraron vituperable rebelión, y los españoles de más tarde, glorioso martirio.

También es característica de la forma de vida de los conquistadores germánicos, el modo de convertirse al catolicismo el rey Recaredo, en 589. Vienen más bien al recuerdo la conversión del rey franco Clodoveo, en 496, y la del emperador Constantino, que tal vez le sirviera de modelo.[26] Las razones de Recaredo ante el famoso concilio III de Toledo expresan la relación que la monarquía visigoda mantenía con la Iglesia:

No creo que os sea desconocido, muy reverendos sacerdotes, que *el haberos honrado yo [llamándoos] a la presencia de Nuestra Serenidad,* tiene por objeto restablecer la forma de la disciplina eclesiástica. Habiendo impedido celebrar concilios la herejía que amenazaba a toda la Iglesia católica, Dios (a quien plugo apartar el obstáculo de aquella herejía *por medio de Nos)* nos ha amonestado para que restauremos la regla de la costumbre eclesiástica. Sírvaos, pues, de gozo y alegría saber que, por providencia de Dios, ha retornado la costumbre canónica al recinto paterno *para nuestra gloria.*

Exhorta luego a los padre conciliares a ayunar y a orar a fin de que se "les haga manifiesto el orden canónico, tan alejado de los sacerdotes por largo y prolongado olvido, que nuestra época confiesa ignorarlo".[27]

El rey habla, ante todo, como si estuviese prestando un gran servicio a Dios y a su Iglesia, amenazada *toda ella* por el peligro arriano, lo cual no era cierto. Se expresa Recaredo como si su propia persona no hubiera participado en la herejía arriana; en lugar de humilde arrepentimiento, ostenta arrogante suficiencia, pues se convierte *"para que en el futuro brille nuestra gloria,* honrada por el testimonio de la misma fe" ("per omne successivum tempus gloria nostra ejusdem fidei decorata clarescat"). El rey no pensaba en el atroz pecado de no haber creído que Dios es como es, y derivaba todo el asunto hacia el terreno de las costumbres, de las leyes eclesiásticas, y hacia la liturgia. En lugar de decir, como era práctica entre visigodos, *Gloria Patri per Filium in Spiritu Sancto,* ahora había que decir *Gloria Patri et Filio et Spiritui Sancto.*

Quien, sin tesis previa, lee las actas del famoso concilio obtiene la impresión de que los intereses políticos, la razón de Estado, dominan el sentimiento religioso y las inquietudes del más allá. Dice el Rey: "Non credimus vestram latere sanctitatem, quanto tempore in errore Arrianorum laborasset Hispania", lo cual no significa exactamente lo que Menéndez y Pelayo traduce ("por cuánto tiempo ha dominado el error de los arria-nos en España"), sino "por cuánto tiempo *ha padecido* (cuántos trabajos ha pasado) Hispania por estar en el error de los arrianos". Esos trabajos eran la guerra civil entre el rey Leovigildo y su hijo Hermenegildo, y la ocupación del sur de Hispania por los bizantinos, ayudados por los ca-tólicos. Escribía el hispano-romano Isidoro de Híspalis: "Gothi per Her-menegildum bifarie divisi multa caede vastantur" ("los godos [¡no dice los hispanorromanos y los godos!], divididos en dos bandos a causa de Hermenegildo, se destrozan y matan unos a otros").[28] La conversión de Recaredo y la condenación de Hermenegildo por Isidoro se integran en el propósito de unificar y engrandecer el reino visigodo. "Después de la conversión de Recaredo —dice el escritor católico Görres—, los bizan-tinos no ofrecían ya ningún aliciente a los hispanorromanos." Y en las actas del concilio se lee más adelante: "Vos tamen Dei sacerdotes memi-nisse oportet, quantis hucusque ecclesia Dei catholica per Hispanias adver-sae partis molestiis laboraverit." La conversión sirvió para exaltar la gloria del rey y de los visigodos: "Gloria Deo nostro Jesu Christo, qui *tam illus-trem gentem* unitati verae fidei copulavit, et unum gregem et unum pas-torem instituit. Cui a Deo aeternum meritum nisi vero catholico Reccaredo regi? Cui *praesens gloria* et aeterna, nisi vero amatori Dei Reccaredo re-gi?... Adest enim omnis gens Gothorum inclyta et fere omnium gentium gemina virilitate opinata." (J. D. Mansi, *Sacrorum Conciliorum... Collec-tio,* Florencia, 1763, IX, col. 979). Este estilo de expresión es caracte-rísticamente visigótico. La decisión tomada por el Rey semejaría en cier-to modo a la de Enrique IV de Francia, inspirada también más en motivos políticos que sentimentales. Con los bizantinos ocupando en Hispania una amplia y rica zona del reino, éste se apartaba de la Romania, la cual comenzaba a estructurarse bajo la guía espiritual de la Roma católica. Recobrar la soberanía sobre un reino no escindido y en armonía con la tradición cristiana del Imperio Romano, bien valía renunciar al dogma de la no divinidad de Cristo.

Aceptemos con Menéndez y Pelayo que los visigodos no eran es-pañoles,[29] aunque con la ineludible consecuencia de extender el mismo negativo juicio a los demás habitantes de aquel reino. La Hispania de los godos fue condición para los reinos cristianos que luego vinieron, como la Italia germano-bizantina lo fue para las futuras ciudades italianas, ya italianas y no germano-bizantinas ni romanas, y sin capitalidad secular que las unificara políticamente. Los estratos históricos en casos así hacen pensar en ciertas ciudades de la Antigüedad, arrasadas y sucesivamente reedificadas una sobre otra. Las excavaciones en Efeso han sacado a la luz las ruinas de la ciudad preegipcia, egipcia, griega y romana. Cada una utilizó materiales de la anterior a fin de rehacer la ciudad nueva; pero ninguna de ellas habría podido convivir con la antigua, ni representaba un momento en la "evolución" de esas ciudades sucesivas.

No escribieron los godos, o no se conservan, obras poéticas en que expresaran la intimidad de su vivir. Pero se sabe bastante de ellos para poder afirmar que la estructura de su vida no era ya enteramente romana ni germánica, aunque ambos elementos hubieran sido condición para su existir. Isidoro de Híspalis, de ascendencia romana, sentía que él era visigodo, aunque yo no pueda decir con precisión en qué consistiese el propósito colectivo de la vida visigoda por falta de información suficiente. Sospecho, además, que en la selva confusa del pasado debe haber algo que corresponda a una categoría de *morada vital incompletamente realizada*, o sea, pueblos-personajes que caminaron por su vida (antes o ahora, terrible situación) sin acabar por reconocerse, ellos mismos, como plenamente existentes y dignos de historia. Tal vez soñaran, o sueñen, en algún mágico azar que acabe de completarles su existencia. Hay pueblos que han vivido como esas hablas dialectales, que nunca sirvieron de expresión a obras importantes, aunque nuestro imperfecto instrumental histórico no permita captar estas "moradas" vitales a medio hacer. Tal vez esos pueblos han combinado un existir anhelante con la conciencia, o con la creencia, de existir plenamente. Desde luego que una cierta plenitud estructural deberá admitirse en tales casos: un enano es plenamente enano, aunque visto en otra perspectiva parezca incompleto, o sea, que hay pueblos sólo dignos de la crónica y no de la historia.

Si contemplamos el reino visigodo en la perspectiva de la Roma de Augusto, de la España de Carlos V o de la Inglaterra victoriana, la impresión obtenida sería que los visigodos de los siglos v, vi y vii no estaban aún en vías de llegar a ser muy importantes.[30] Los visigodos mismos parecen haber tenido conciencia de su difícil situación vital. Como las demás provincias del ex-imperio, los hispano-romano-visigodos creían que Roma no había desaparecido. Paulo Orosio, nacido en Hispania (y que algunos, anacrónicamente, llaman español), escribía en el siglo v: "Roma, después de tantos años, sigue manteniéndose, *e impera intacta*; los godos, y Alarico, la han invadido y despojado de sus riquezas, *no de su imperio."* Orosio, por otra parte, tenía que sentirse viviendo en el ámbito vital de Roma, porque los invasores bárbaros carecían todavía de "mansión" colectiva en donde uno pudiera incluirse, y el existir de Hispania, sin la conciencia de ser romana, era impensable. Si Orosio hubo de refugiarse en la noción vital de Roma para escapar a la angustia de no estar morando vitalmente en parte alguna, los visigodos esclarecidos de aquel tiempo sentían del mismo modo: sentían no ser alguien, y se abrazaban desesperados a la ilusión de una Roma aún existente, a pesar de cuanto ellos hacían para aniquilarla. Hay sobre esto una preciosa anécdota conservada por Orosio, que la recogió, hallándose en Belén con el futuro San Jerónimo, de boca de un caballero de Nárbona, quien había oído al rey Ataulfo exponer sus planes políticos. Este caudillo visigodo pensó acabar incluso con el nombre de "romano" *(obliterato Romano nomine)*, y reemplazarlo por el de "godo". La *Gothia* debía suceder a la *Romania*.[31] Cambió Ataulfo de parecer al pensar en que la barbarie de sus godos les impediría obedecer las leyes, "sin las cuales el Estado no es Estado" *(sine quibus respublica non est respublica)*; prefirió entonces servirse del poderío de su pueblo para restituir al nombre romano su anterior grandeza, pues no habiendo podido transformar a Roma *(postquam esse non potuerat immutato)*, aspiraba a restaurar su pasado.[32] Gracias a este destello de conciencia, de autognosis visigoda, que Orosio recogió con inteligente simpatía humana,[33] vemos entrar en la historia al pueblo godo sostenido por el propósito de instalar sus vidas en una mansión que no era la suya. Los godos, según se ha visto, querían ser romanos; ocuparon la Península en nombre de Roma, dieron leyes basadas en la tradición romana, escribían en latín, y hablaban algo que quería serlo y que ya no lo era; continuaron incluso la mala costumbre del Imperio de recurrir a gentes extrañas en sus querellas internas; la invasión bizantina es un antecedente de la venida de los árabes, cuya entrada definitiva en 711 estuvo precedida de otros tres intentos de ocupación extranjera.

No trato, sin embargo, de presentar un cuadro de la vida visigoda, ni de ahondar en sus deficiencias e incapacidades. Me interesa, por el contrario, destacar algunos de sus aspectos más valiosos para, desde ellos, hacer perceptible cuán radical es la diferencia entre su morada vital y la de los futuros españoles. Se ha visto ya que la conversión de Recaredo y la conducta de los prelados católicos fueron fenómenos muy encajados en la forma visigótica de vida. Conviene ahora añadir alguna observación acerca del supuesto teocratismo de los visigodos, mirado por muchos como un lógico antecedente de la España de Felipe II, aunque ciertos historiadores españoles ya no piensen así.[34] La Iglesia y la monarquía se sostenían mutuamente. Los reyes, sobre todo desde Recaredo, preferían apoyarse sobre la Iglesia unida disciplinariamente, y no sobre una nobleza dividida, hereditaria, poderosa y propensa a la sedición. El rey solía nombrar los obispos. Los obispos y futuros santos Braulio e Isidoro recomendaron al rey Sisenando, en cierta ocasión, un candidato para el arzobispado de Tarraco (hoy Tarragona), y el rey nombró a quien quiso.[35]

Pero hay algo aún más característico, y que nos lleva a la intimidad de la estructura de vida, a esa morada en y desde donde la vida se proyecta. Los eclesiásticos sabios de la época visigoda pasaron a la posteridad por sabios y no por eclesiásticos. Después de ellos no ha habido en España ningún santo que a la vez fuera sabio, docto, en el sentido secular de la sabiduría, como San Anselmo, San Buenaventura o Santo Tomás. Los españoles no canonizaron al padre Francisco Suárez, el mayor metafísico que hubo entre ellos; ni siquiera a Raimundo Lulio, que no pasó de la modesta categoría de "beato". Las canonizaciones en el pasado valen como expresión de las jerarquías valorativas en los pueblos cristianos.

La persona de Isidoro Hispalense (¿570?-636) hace ver con claridad la escisión entre la Hispania anterior a 711 y la futura España. Llegaban hasta él los últimos destellos del saber de Roma, ya disperso y sin enlace con la estructura de vida de la cual había sido expresión. En la obra isidoriana fueron compiladas y reducidas a sistema las nociones que sobre el hombre y la naturaleza poseyó Roma, y las doctrinas teológicas de algunos Padres de la Iglesia. Poco importa ahora la originalidad de aquellos escritos, o su posible valor para la ciencia moderna; traigo aquí a Isidoro para poner de relieve el afán intelectual que hizo posible su preocupación por el saber humano-divino. Después de los visigodos pasarán ochocientos años antes de que algunos españoles (de casta judía) se interesen en la cultura secular, en investigar qué sean las "cosas".

Brotada de la Antigüedad romana, la obra de Isidoro alimentó la curiosidad de saber en la Europa occidental de los siglos medios. En esa obra y en las de otros visigodos se vislumbra lo que hubiera podido ser la jerarquía de los valores en la Península Ibérica sin la irrupción de los musulmanes, observación que no tiene carácter elegíaco sino simplemente ilustrador. Isidoro no es profundo ni original en su pensamiento; descansa sobre el saber de Roma, y no conoce el de Grecia, apartada ya de Occidente y adormecida hasta en Bizancio. La ciencia natural de los romanos fue escasamente científica.[36]

Las *Etimologías* (u *Orígenes*) distan de ser, a pesar de lo dicho antes, una mezcolanza sin cohesión e interna unidad. Una idea, no perceptible a primera vista, domina el conjunto: partiendo de Dios, se desciende a los ángeles, a los hombres, y a la naturaleza. "El que la obra quedara incompleta no impide reconocer en ella un pensamiento ordenado dentro de un conjunto sistemático." [37] Isidoro escribía a tono con la mente occidental, y su obra continuó estándolo durante siglos. Dice Charles H. Beeson:

La rápida y en verdad gigantesca difusión de los manuscritos de Isidoro es un hecho notable en la historia de la tradición cultural. Observar la difusión y utilización de aquellas obras es tarea provechosa, que revela el extraordinario favor de que gozó Isidoro. Al poner de relieve el afán con que fueron leídas las diferentes obras de este diligente compilador, logramos una imagen de las actividades literarias y de las preocupaciones teológicas de la época más oscura de la Edad Media. Destaca como fondo del cuadro la poderosa influencia ejercida por Hispania sobre aquel mundo, una influencia a la cual contribuyó Isidoro más que nadie.[38]

Tan evidente realidad la aceptan los doctos en toda Europa, y sería ocioso allegar más testimonios. Incluso ha habido quien intente corregir la idea de haber ignorado el griego Isidoro, por haber en su obra pasajes literalmente vertidos de Cirilo de Alejandría, entonces sólo accesible en griego.[39]

Isidoro no fue, por otra parte, un casual monolito destacado sobre un fondo de arenas desérticas. A ciertos hispano-godos les era posible interesarse en el conocimiento de las cosas. Ildefonso de Toledo, otro futuro santo, escribe que Eugenio (un obispo que murió en 646) estaba muy versado en la observación de las fases de la luna; quien le oía hablar de ello quedaba atónito y sentía deseos de cultivar la ciencia astronómica.[40]

Este y otros hechos (las epístolas de Liciniano de Cartagena, por ejemplo) revelan la presencia de una atmósfera de curiosidad intelectual, cuya densidad no sabría determinar. El caso es que existía. Braulio, de Caesar Augusta (la cual, sin los árabes, no se llamaría hoy Zaragoza), envió a Isidoro una apremiante epístola para que le remitiera un ejemplar de sus *Etimologías,* la gran enciclopedia del saber de entonces: "¿Piensas, acaso, que el don de tu ciencia te fue dado para ti solo? Pues es tan tuyo como nuestro; es bien común y no particular." [41]

Prescindamos de comparar el valer absoluto de Isidoro con el de otros europeos (Beda el Venerable, los humanistas irlandeses, etc.). Lo único atinente al problema es la voluntad de conocer el mundo de la naturaleza y el de los hombres, el "origen" de las cosas, la historia racional, no fabulosa, de los actuales habitantes de Hispania (la *Historia de los godos,* de Isidoro); o los principios según los cuales debieran educarse dignamente los hijos de los nobles. Todo ello fue tarea personal de Isidoro, preocupado por ciertas cuestiones, y por darles una respuesta adecuada. Alguien pensará tal vez que Alfonso el Sabio, un español, poseyó curiosidad científica y compuso voluminosas obras. Mas entre ambos hay una tajante diferencia, la que media entre las respectivas moradas y dimensiones sociales de sus vidas. El rey de Castilla, como un califa oriental, ordenó a los sabios de su corte que emprendieran largas peregrinaciones a través de libros musulmanes y cristianos a fin de allegar masas ingentes de sabiduría, sobre el hombre como ser social y sobre su futuro destino. Alfonso, con una vida ya labrada en el yunque cristiano-islámico-judaico, apeteció que le enseñaran cómo había sido el hombre desde el fondo remoto de los tiempos, cómo debía ser regido moral y jurídicamente, cómo sería predecible su sino, a través del decreto de las estrellas: La pura y simple curiosidad racional no fue el menester del sabio, *al-hakim*, soberano de Castilla. Llovieron sobre él las sabidurías que solicitaba su afán de sapiencia. Su obra, por consiguiente, permaneció reclusa en su tierra, por no estar escrita en la lengua internacional de la Europa coetánea, que a Alfonso no le interesaba incluir en el panorama de su cultura; tuvo sentido y eficacia para quienes en España compartían su orientación de vida. Las tan encomiadas *Tablas astronómicas alfonsinas*, que pudieran ser excepción, son obra de astrónomos árabes y judíos, que llevan el nombre de Alfonso por pura y secular lisonja. Para hallar a un castellano comparable a Isidoro habría que llegar al humanista Antonio de Nebrija —un cristiano, según creo, descendiente de judíos—, discípulo directo de la ciencia italiana de fines del siglo xv. Entre Isidoro y Nebrija (ochocientos años) no encontramos nada que pueda enlazar con los rumbos y preferencias del vivir visigodo.

Los eclesiásticos visigodos, según se ve por todo lo que antecede, no desdeñaban el saber secular, ni pensaron que este mundo fuese un mar de miserias, carente de todo bien terreno. La lectura de las obras de ciertos visigodos, luego canonizados, deja impresión apacible y serena. Leamos, por ejemplo, el tratado de Isidoro de Híspalis acerca de la educación de los hijos de los nobles, construido sobre fundamentos más seculares que ascéticos.[42] En el ideal humano de Isidoro se armonizan la tradición grecorromana y la germanocristiana; la virtud está concebida en modo amplio, y no limitada a la vida religiosa o señorial. El tratado de Isidoro presupone la existencia de un régimen monárquico-electivo, dentro del cual puede ascender al trono cualquier caballero dotado de excelencia. Una frase de Platón resume el sentido de aquellas breves páginas: "Está bien gobernado el reino cuando mandan los filósofos y filosofan los príncipes" *(Tunc bene regi rem publicam quando imperant philosophi et philosophantur imperatores*, página 559). La frase se encuentra en muchos lugares, Boecio la cita *(de consolatione*, I, 4, 5) y todavía la recuerda La Bruyère. Mas Isidoro se sirve de ese lugar común pensando concretamente en el reino visigodo.

El espíritu estoico-cristiano transparece en la insistente recomendación de la castidad; nodrizas y maestros han de evitar toda torpeza libidinosa: "La calidad de los bienes entre los cuales han nacido ha de brillar más en el modo de comportarse que en su rango social." Ha de poseer el joven "apta et uirilis figura membrorum, duritia corporis, robur lacertorum" (pág. 558) —"figura varonil y bien proporcionada, dureza de cuerpo y fortaleza de músculos"; para lo cual es recomendable el deporte en la montaña y en el mar. El educando ha de estar versado en la *Sagrada Escritura* y también en filosofía, medicina, aritmética, geometría y astrología; ha de ser casto, sabio y de buen consejo, amante de la religión y defensor de la patria. El gran señor, además, deberá refrenar su codicia, a fin de no dañar a los humildes: "No deben extenderse sus campos desmesuradamente con daño de los pobres"— *Neque rura sua, exclusis pauperibus, latius porrigentur* (pág. 559).[43] Este breve tratado deja ver algo del horizonte humano y posible para los mejores visigodos en el siglo VII, no tan en tinieblas como suele decirse.

La Hispania de Isidoro se sentía bien asentada en este mundo, según se ve por el *de laude Hispaniae*, al frente de la *Historia Gothorum*:

De todas las tierras que se extienden desde el ocaso hasta la India, tú eres la más bella, oh sacra Hispania, madre siempre fecunda de príncipes y gentes, reina legítima de todas las provincias, de quien ocaso y oriente toman su luz. Eres honra y ornamento del mundo, y parte más ilustre de la tierra; en ti mucho se goza, y florece abundante la fecundidad gloriosa de la gente visigoda.

El elogio de Hispania termina así:

Con buen fundamento deseó poseerte en otro tiempo la Roma áurea, cabeza de las gentes; mas aunque el valor romano, victorioso, se desposara contigo en un comienzo, el potente pueblo godo vino más tarde y te raptó para amarte, después de múltiples victoriosas guerras reñidas en la vastedad del orbe. El te goza hasta hoy día, firme en la ventura de su imperio, entre regios emblemas y amplitud de riquezas.

No hace al caso recordar las "laudes" de otras tierras (en Plinio, Virgilio y otros escritores de la Antigüedad); lo que aquí cuenta es el que Isidoro ensalce la grandeza del pueblo visigodo, la fuerza de sus armas, ante las cuales cedió el poderío de Roma. La imagen pagana del rapto de la desposada sitúa el elogio de Hispania en una perspectiva bien terrena, sin angustias ni incertidumbres. El sabio arzobispo magnificaba la gloria militar de sus reyes, que no pelearon por motivos "divinales", como según don Alonso de Cartagena siempre habían hecho los reyes españoles:

En el año 620, en el año décimo del imperio de Heraclio, el muy glorioso Suintila recibió el cetro por gracia divina.[45] Siendo duque —título que le había conferido el rey Sisebuto— redujo a completa sumisión los campamentos bizantinos [en el sur], y venció a los rucones [en el norte de Hispania]. Luego de ascender a la cima de la dignidad regia, conquistó las ciudades aún en poder de los bizantinos... Suíntila fue el primero en poseer la totalidad de Hispania hasta más allá del Estrecho del sur, lo cual no habían logrado sus antecesores.

El mundo, según Isidoro, podía abarcarse y dominarse por el coraje bélico y también por el saber y la reflexión. La creencia, en él, no ocupaba sin residuo todo el espacio de la morada de su vida. El hispano-godo se hallaba a tono con los restantes pueblos del occidente europeo: franco-galos, anglo-britanos, ostrogodo-itálicos. Entre ellos, el "más allá" se articulaba con el "más acá" de este mundo, sin excluirse uno a otro. Por eso pudo colocarse el hispano-germanizado Isidoro, obispo católico, al lado de Leovigildo, rey herético, en contra de su hijo, el rebelde y católico Hermenegildo. Como él hicieron otros hispano-germanizados, tan católicos como sabios. En su *Historia Gothorum*, el entusiasmo por los godos raptadores de Hispania no se vela por la tristeza, que "españolamente" hubiera debido causarle el que hubieran venido a apoderarse de Hispania unos bárbaros para quienes Jesucristo no era Dios, sino un profeta, o algo así.

Cuando la *Crónica General* de Alfonso el Sabio toma y amplía en el siglo XIII el tema del "loor de España", su sentido es muy distinto, porque los españoles ya no eran hispano-romano-godos. Véase cuán lejos estamos de Isidoro:

Todos deven por esto aprender que non se deva ninguno preciar: nin el rico en riqueza, nin el poderoso en su poderío, nin el fuert en su fortaleza, nin el sabio en su saber, nin ell alto en su alteza nin en su bien; mas quien se quisiere preciar, préciese en servir a Dios, ca él fiere e pon melezina, ell llaga e ell sanna, ca toda la tierra suya es; e todos pueblos et todas las yentes, los regnos, los lenguages, *todos se mudan et se camian, mas Dios,* criador de todo, *siempre dura* et está en un estado (pág. 311).

Seiscientos años después de Isidoro, España está sumergida en la metafísica teológica del Islam: "Porque sólo Dios es y tiene ser." Quienquiera que redactase esta parte de la *Crónica General,* no pudo ya terminar el loor de España con las palabras, claras y lapidarias, de Isidoro: "Imperii felicitate secura", sino con otras temblorosas y angustiadas:

Pues este regno tan noble, tan rico, tan poderoso, tan onrado, fué derramado et astragado en una arremessa por desabenencia de los de la tierra, que tornaron sus espadas en sí mismos, unos contra otros, assí como si les minguassen enemigos; et perdieron y todos, ca todas las cibdades de Espanna fueron presas de los moros, et crebantadas et destroídas de manos de sus enemigos.... ¡Espanna mezquina!, tanto fué la su muerte coytada, que solamente no fincó y ninguno que la llante; lámanla dolorida, ya más muerta que viva, et suena su voz como dell otro sieglo, e sal la su palabra assí como de so tierra (pág. 312).

El anterior planto se refiere a la tragedia acontecida seis siglos antes, pero el momento en que se escribe la *Crónica*, ni ningún momento posterior, dará ocasión —hablando de una época pretérita— a unas palabras tan firmes y seguras como las de Isidoro. Por bajo de los más levantados tonos, se percibirá siempre el rumor de la inseguridad, de la insatisfacción o de la queja. El sentido y el rumbo de la vida en tiempos de Isidoro se desvanecieron para dar paso a algo muy diferente. En enlace y por encima de aquella vida renació otra, para gloria y pesadumbre del pueblo que la creaba —según acontece a todos los pueblos de la tierra, puestos ahí Dios sabrá por qué y para qué.

DE LA HISPANIA VISIGODA A LA AUTENTICA ESPAÑA

El recuerdo de los godos permaneció vivo entre los reyes leoneses y castellanos, como una imagen de grandezas pasadas que ellos aspiraban a restaurar. El pueblo conservó algunas costumbres jurídicas de origen germánico, las cuales subsistieron a pesar de haberlas querido desterrar la misma legislación visigoda, por ser contrarias al espíritu del derecho romano. Germánica era la costumbre de embargar el acreedor los bienes de su deudor sin intervención del juez; o de que la familia de quien había sido muerto por alguien pudiera tomar venganza en el homicida.[46]

La supervivencia de aquellas costumbres no implicaba que leoneses y castellanos vivieran según una forma interior de existencia análoga a la de ciertos pueblos germánicos que también habían conservado parecidos usos jurídicos. Las leyes romanas tenían vigencia al mismo tiempo que la tradición legal de los visigodos, y no pensaríamos por eso que los españoles fuesen romanos, pues todo lo que el pasado lega, recibe el sentido que le presta la estructura presente de la vida de un pueblo, la forma en que el pasado y sus usos son usados.

La añoranza de la idealizada monarquía visigoda alimentó la creencia de haber poseído la España cristiana un pasado ilustre, lo cual no carecía de fundamento. Cuando Alfonso II (791-835) instaló su corte en Oviedo (Asturias), pensaba restablecer el "orden gótico" de Toledo,[47] y, hasta el siglo XVII, "ser de los godos" significó un timbre de gloria para los españoles. Obsérvese, sin embargo, que, según he hecho ver en las páginas anteriores, aquella misma alentadora aspiración de querer ser como los godos revelaba que los españoles de la Edad Media no lo eran; ni tampoco era ya goda la tierra que iban reconquistando y repoblando. Lo que alienta e ilusiona, y la auténtica vida del alentado e ilusionado, son realidades distintas, como son distintas la condición y la posibilidad históricas respecto de lo condicionado y hecho posible por ellas. Las dimensiones colectivas y las valoraciones romano-visigodas se habían desvanecido; los obispos ya no subordinaban el poder eclesiástico a los intereses seculares del Estado. El afán de cultura de Alfonso el Sabio no será como el de San Isidoro. Al imperialismo mundanal de los visigodos había sucedido la guerra "divinal" de quienes colectivamente se llamaban "cristianos", porque sus enemigos se llamaban "musulmanes". En lugar de la violencia de los reyes visigodos contra los judíos, éstos serán protegidos por los reyes de España durante los ocho siglos de la Reconquista.

La Hispania cristiana fue en su mayor parte quedando sumergida y deshecha bajo el oleaje de los musulmanes. En las regiones en donde se inició la resistencia contra los infieles —en la faja cantábrica y en el Pirineo aragonés—, la perspectiva del vivir no era la visigoda. Las tareas eran distintas y muy difíciles por la pérdida de todas las grandes ciudades y de los recursos de la civilización de entonces. Las únicas ciudades de alguna importancia en Galaecia eran Bracara, Lucus Augusti y Asturica; las poblaciones asturianas durante la época visigoda debían ser pobres y pequeñas. Ambas provincias eran ricas en bosques, minas y ganados, mientras que las tierras más fértiles agrícolamente habían quedado en poder de los musulmanes. Compensando tal pobreza, la faja norte de la Península poseía una larga tradición de coraje humano, de rebeldía tenaz, que se había manifestado al combatir con romanos y visigodos, y al tomar, o al conservar, posturas discrepantes en el terreno espiritual. La ocupación sueva en Galicia contribuiría a distanciarla aún más del resto del país. La realidad era que astures y galaicos habían vivido como gentes dominadas y sin papel rector. Así las cosas, la catástrofe del Guadalete (711) vino a conferirles inesperadamente una misión de enérgica y solicitada iniciativa. Los olvidados de la historia comenzaron a crearse una suya desde mediados del siglo VIII, paralela a las otras iniciales historias de Castilla, Navarra, Aragón y Cataluña. La armonía entre esos pueblos, junto con sus pugnas y discrepancias, llenó la vida recordable de la Península desde entonces hasta hoy. La Hispania de los visigodos quedó fragmentada en regiones con nombres nunca antes oídos: Castilla, Navarra, Aragón y Cataluña. León había sido el nombre del campamento-ciudad de la *Legio Septima Gemina*. Sólo Galicia conservó su nombre tradicional de *Gallaecia*.

La nación visigoda se hundió cuando parecía ir caminando hacia el establecimiento de la unidad política, lingüística y religiosa de toda la Península.[48] Al producirse su ruina, la faja norte, desde Galicia al Mediterráneo, se escindió en segmentos que durante siglos permanecerían inconexos, y cuyas hablas son el gallego, el asturiano-leonés, el castellano, el vascuence, el aragonés y el catalán. Aunque el vascuence existiera desde una época prehistórica, la romanización (latinización) de quienes lo hablaban debió aflojarse y retrasarse con el hundimiento de la monarquía visigoda.[49] Cada una de esas hablas se hizo expresión, en mayor o menor grado, de la situación de vida en que se hallaba cada pueblo —el menester de la guerra, una economía rudimentaria, contactos de cultura con musulmanes y franceses. El pasado visigodo, como realidad política y social, iría quedando en remota lejanía. La historia se hará en adelante como un independiente caminar hacia el sur de seis grupos humanos —gallegos, leoneses, castellanos, vascos, aragoneses y catalanes—, que, como seis jinetes, inician su marcha pertrechados cada uno con su habla, y con su plan de vida. Del entrecruce de sus vidas, bajo la fuerte mano de Castilla, saldría el modo existencial de los españoles.

Durante los primeros siglos fue Galicia la que ofreció el programa más original y más fecundo para la cristiandad hispana: el culto bélico a Santiago Apóstol, debelador de la morisma, futuro patrón de España y uno de los centros de su historia, según haré ver más adelante.

Indirectamente no deja de tener algún sentido el deseo de algunos gallegos, hoy día, de que los restos mortales conservados en la tumba de Santiago Apóstol, en Compostela, sean los del célebre heresiarca Prisciliano, y no los del Apóstol de Cristo. Sin entrar a discutir una sospecha que nunca podrá ser demostrada con documentos fehacientes, pienso que la relación entre Santiago y Prisciliano no es corporal, sino de muy otro tipo. Prisciliano, máximo representante de una importante herejía, o disidencia cristiana, fue ejecutado en Tréveris, en 385, por orden de la autoridad imperial.[50] Las creencias priscilianistas arraigaron sobre todo en Galicia. Así pues, cuando los suevos arrianos ocuparon aquellas tierras se encontraron con creencias que guardaban alguna semejanza con la suya, en cuanto no aceptaban el dogma de la Trinidad de Dios Uno e Indiviso. El Concilio de Braga (567) anatematizó a quien dijese que "el Hijo de Dios y Señor Nuestro no existía antes de nacer la Virgen", o a quien introdujese "*otras* personas divinas fuera de la Santísima Trinidad", errores sostenidos por los priscilianistas. Creían éstos en "la procesión de los *eones*, emanados de la esencia divina, e inferiores a ella en dignidad". Uno de estos *eones* era el Hijo, por lo cual San León llama *arrianos* a los priscilianistas.[51]

El priscilianismo del siglo IV, el arrianismo de los siglos V y VI, el adopcionismo del siglo VIII (Cristo sería hijo adoptivo de Dios),[52] y otras creencias no muy alejadas de ellas, se entenderán mejor cuando sean vistas en enlace con ciertas religiones orientales difundidas por el Imperio Romano, cuyas legiones estaban integradas muy a menudo por asiáticos, según enseñan Franz Cumont y otros. La conversión de Recaredo no es pensable cambiara de golpe la creencia antitrinitaria, o incorrectamente trinitaria, de muchos cristianos de la Península, creencia priscilianista anterior a la llegada de los germanos arrianos. La falta de firmes ideas sobre la doble naturaleza divino-humana de Cristo durante la época visigoda, y el arraigo tradicional de aquéllas en la distante y excéntrica Galicia (muy paganizada aún en tiempo de San Martín de Braga, luego priscilianista y más tarde arriana), todas esas circunstancias hacen comprensibles ciertos aspectos populares del primitivo culto de Santiago, que hoy asombran a los poco familiarizados con estas materias.

Contempladas en la perspectiva del Toletum del siglo VII, las disidencias heréticas aparecerían con un valor negativo, como una merma de espíritu universal en cuanto alejaban a Hispania del conjunto de la Romania heredera de Roma. La conversión de Recaredo, las campañas contra los bizantinos y contra las gentes rebeladas del norte, trazaban un horizonte nacional firme y amplio. Los partidarios del rey Witiza que abrieron a los africanos los puertos del estrecho de Gibraltar debían estar muy seguros de la solidez de la monarquía, y creerían ser bastante poderosos para satisfacer las pretensiones del auxiliar extraño, y para conservar la estructura del reino.

Tenía, en cambio, que ser estrecha y particularista la perspectiva del incipiente reino astur-gallego-leonés. No tenemos acceso a la intimidad de aquel pueblo entre 711 y el final del siglo X; no hubo ningún Orosio que recogiera palabras como aquellas de Ataulfo al caballero de Narbona. Hay, no obstante, hechos de gran volumen que serán analizados más tarde y harán comprensible el paso de la Hispania visigótica a la vida de los españoles —dividida, angustiada, grandiosa a sus horas, y siempre fascinante.

RESUMEN Y ORIENTACION

He intentado dejar fuera de duda que el pasado anterior al siglo VIII fue obra de agentes humanos cuya conciencia social era distinta de la de quienes más tarde fueron llamados españoles. El correlato humano de los términos *Hispania* y *España* son totalmente diversos. *Hispania* es, muy probablemente, un nombre púnico que significaba "tierra de conejos".[53] Catulo llamó "cuniculosa" a la región celtibérica. *Hispania* fue nombre dado a una tierra por quienes no la habitaban, caso frecuente en toponimia. Los romanos dieron el nombre de *Hispania* a toda la Península; en el siglo IX los cristianos del norte solían llamar *Spania* a la zona ocupada por los musulmanes.[54] Durante la Reconquista predominaron las denominaciones regionales (Castilla, León, etc.), mientras que desde el siglo XVI se hace general el de *España*.

Para un observador ingenuo parece que nada hay de extraño en esos cambios de nombre, y que el pasado anterior a la Reconquista se diferencia de los siglos VIII al XIII, como estos últimos de los subsiguientes a ellos. Mas lo importante y decisivo es que los cambios que tuvieron lugar desde el siglo VIII han sido cambios de postura tomados por unos mismos sujetos-agentes, enlazados dentro de una misma conciencia de ser ellos, desde entonces hasta hoy. Todos esos sujetos-agentes se encuentran enlazados uno con otros sin solución de continuidad *interior*. Los hechos de los aragoneses (que inician su curso histórico en un rincón del Pirineo) engranan con la vida catalana, lo mismo que las decisiones tomadas por los castellanos afectan al futuro de los leoneses, etc. La importancia de los acontecimientos colectivos o de las creaciones individuales enlazan todas ellas con situaciones surgidas con posterioridad al siglo VIII, a consecuencia de la islamización de casi todos los habitantes de la Península, y no de oscuras y míticas características psicológicas, ibéricas o celtibéricas. Todos obraban en vista de las circunstancias dadas ante ellos. Desde la futura Navarra hasta Galicia se inició la pelea contra el moro, lenta y dificultosamente, con las fuerzas humanas y económicas allí accesibles; a lo largo de la frontera meridional del Pirineo, desde Canfranc al Mediterráneo, la defensa y el ataque se combinaron con ayudas de varias clases, venidas de los monarcas carolingios o de Aquitania. El diferente rumbo tomado por aragoneses y catalanes de una parte, y los castellanos y leoneses de otra, tuvo ahí su punto de arranque. Las relaciones ultrapirenaicas de catalanes y aragoneses (de que más adelante trataré) no fueron como las navarro-castellanas con Francia. El "camino francés" a Santiago entraba por Navarra y llegaba hasta el extremo oeste, un camino que no hubiera existido de no haber habido guerra crónica contra el musulmán. El mayor ímpetu bélico fue el de Castilla, la cual acabó por cerrar el paso hacia el sur a aragoneses y catalanes. Los cuales, por esos motivos y no por nada anterior al siglo VIII, desbordaron su energía sobre las tierras mediterráneas, y por eso hubo un reino aragonés-catalán en Sicilia, Nápoles y Cerdeña. A consecuencia de lo cual, los aragoneses y los catalanes tomaron algo del espíritu de las repúblicas marineras de Italia, y poseen formas de arquitectura civil desconocidas en Castilla, en las cuales se combina el arte con el interés mercantil. Lo hacen ver las bellísimas lonjas de Zaragoza, Alcañiz, Barcelona, Valencia y Palma de Mallorca.

Mas hubo un rasgo común, o más bien, una circunstancia determinante de la estructura y morada de vida en que todos los reinos cristianos acabaron por coincidir, pese a sus hondas diferencias. Las actividaddes guerras, políticas o comerciales estuvieron condicionadas por el entrelace de la vida de los cristianos con las de los moros y los judíos. Sin esta circunstancia la vida exterior e interior de castellanos y aragoneses es inimaginable. Lo que las historias usuales presentan como una yuxtaposición de hechos demográficos, es para mí una contextura y estructura de un modo interior de vida. Los cristianos no habrían combatido eficazmente sin la vecindad social de mudéjares y judíos; éstos habrían sido exterminados o expulsados si no hubiesen sido indispensables. Los franceses, que alguna vez intervinieron en la guerra contra la morisma de al-Andalus, mataban a los vencidos, y no comprendían por qué los cristianos de España no hacían lo mismo. Los judíos habían sido expulsados de Inglaterra y de Francia mucho antes del siglo xv, según diré en su lugar propio.

Aunque el detalle del proceso de la vida española irá siendo expuesto más adelante, era preciso desde ahora deshacer la falacia de que la historia de la Península Ibérica fue una serie de sucesivos cambios, experimentados por la misma entidad colectiva, y que tan diferente de las guerras celtíberas son las de la Reconquista, como éstas lo son de las de los siglos xviii y xix. Este es uno de tantos enormes obstáculos interpuestos entre la realidad de los españoles y el intento de poner ésta al alcance de los hoy ofuscados por las fábulas vigentes.

La auténtica España ha sido un conjunto de humanidad, para mí espléndido, a la vez integrado en tres castas (según se ha visto en el cap. II), y escindido en la forma que irá viendo el lector. Escindido en tres castas, en tres creencias, en tres ambiciosas pugnas, en una sucesión de acordes y desgarros. La forma interior de los acontecimientos que fueron teniendo lugar en los reinos del norte, estuvo prefigurada en al-Andalus, como una figura invertida, y de distinto colorido. A la ancha base de convivencia islámico-cristiano-judaica en el sur, entre los siglos viii y xi, sucederá en los siglos xi y xii una estrechez cada vez más opresiva para cristianos y judíos durante la dominación almorávide y almohade.

Pero en esos siglos xi y xii es precisamente cuando el norte cristiano (León-Castilla, Navarra-Aragón), en contraste con al-Andalus, amplía su horizonte social al absorber las poblaciones musulmanas y judías que la obra de la Reconquista iba desplazando. Lo amplía con eso y también con los monjes, caballeros y negociantes franceses atraídos por los varios intereses que el camino de Santiago les ofrecía. El reducido panorama de cultura y de posibilidades en los núcleos de resistencia en los siglos viii y ix, al abrirse hacia el norte europeo y hacia el sur orientalizado, magnificaba la conciencia personal de los reyes y de los señores a cuyo esfuerzo se debían tan animadoras mutaciones. Las inmigracio-

● Inscripción sepulcral de los Reyes Católicos, en la Capilla Real de Granada. (Foto de Manuel Pellicer.)

nes francesas habían sido fomentadas por quienes sentían afán de "europeizarse", y de resistir y oponerse al modo de vida muy impregnado de orientalismo de los reinos cristianos. Ese es el sentido —según diré luego— de la "invasión" cluniacense, y de que Alfonso VI casara a sus hijas con los condes Ramón y Enrique de Borgoña, como antes él mismo había tomado por mujer a Constanza de Borgoña. Esta es igualmente la explicación de que en la *Crónica General*, de Alfonso el Sabio, se incurra en el extraño anacronismo de atribuir a deseo de "europeísmo" el que, durante las guerras púnicas, los indígenas del Ebro se pasaran al ejército romano, "porque teníen que era más razón de tener [amistad] con los romanos, *que eran parte de Europa,* que non con los de Carthago, que eran de Affrica" (edic. M. Pidal, pág. 19). Lo cual era compatible con la adopción de costumbres orientales, tanto en las altas como en las bajas capas de la sociedad cristiana. Y el europeísmo de la Iglesia, de la arquitectura románica y gótica, y de la literatura tanto épica como de clerecía, en nada modificaba la básica estructura cristiano-moruno-hebraica de la sociedad española. Sobre esa ya tradicional base seguía apoyándose el ataque-defensa contra los infieles, y también contra los reinos cristianos colindantes.

Los reyes y sus consejeros concebían el entrelace de las tres castas como una armonía jurídica y moral, según se vio con ocasión de los epitafios de Fernando III (pág. 39) y en la forma tradicional de recibir a los reyes al hacer su solemne entrada en las ciudades. Aquella convivencia, sin embargo, llevaba en sí los motivos que habían de destruirla, según siempre aconteció a toda situación histórica de alto velamen. Con los intereses que hicieron nacer y mantuvieron unidas las tres castas de creyentes, coexistían también los afanes de preeminencia que a la larga darían al traste con aquel sistema social, único en Occidente.

Piedras miliarias que marcan y dividen períodos decisivos de la vida española son para mí los epitafios del sepulcro de Fernando el Santo y el epitafio, escueto y tremendo, de Fernando de Aragón e Isabel de Castilla en la Capilla Real de Granada:

"Mahometice secte prostratores
et heretice pervicacie extinctores
Fernandus Aragonum et Helisabetha Castelle
vir et uxor unanimes
Catolice appellati
marmoreo clauduntur hoc tumulo." [55]

La secta mahomética y los judíos, pertinaces en su disidencia, yacen ahora en el interior de este sepulcro, en vez de alzar voces de alabanza en torno a él en palabras castellanas, árabes y hebreas, coincidentes en su sentir. Un abismo separa ambas situaciones —la de 1252 y la de comienzos del siglo XVI—, aunque el sujeto-agente de ambas fuera la conciencia y la voluntad de la casta dirigente de la vida colectiva de los españoles.

Los españoles se constituyeron como una nueva variedad de pueblo europeo en virtud de unas concordes armonías, entrecruzadas por muy estridentes disonancias. Las mayores creaciones de la civilización española fueron expresión de las unas y de las otras. Piénsese en el sentido, por ejemplo, de que fueran descendientes de hispano-hebreos quienes, en el siglo XV, expresaran por vez primera el modo en que los españoles sentían acerca de sí mismos (pág. 81): Juan de Mena, Alonso de Cartagena, Alonso de Palencia, Diego de Valera, Fernando de la Torre, Juan Alfonso de Baena. Se iniciaba así la discusión acerca de cómo fuesen y de cuánto valían humanamente los españoles, un problema todavía no resuelto satisfactoriamente a gusto de todos. Porque la tarea de engrandecer políticamente a España y de crearle una cultura sobre la cual proyectar el ansia de grandeza, estaba dividida entre grupos de españoles incapaces de coordinarse unos con otros desde fines del siglo XV, justamente cuando los españoles comenzaban a elevarse hasta la cima de su destino. Hubo posibilidades de desarrollar el poderío militar, el económico y el intelectual, y al llegar al punto supremo faltó la fuerza cohesiva y encauzante para que aquellas fuerzas paralelas, y a la vez adversas —todas españolas—, tendieran hacia un mismo propósito. Españoles eran quienes dieron permanencia a las palabras de sus lenguas en torno al sepulcro del rey Fernando de Castilla y de León —una cima de españolidad. Lo eran el Cid, y don Sem Tob de Carrión, y el moro Abderramán que planeó el monasterio del Paular; y Gonzalo Fernández de Córdoba, y Luis Vives (que ya no pudo vivir en la Península), y los moros que mantenían ricas y fértiles en el siglo XVI las huertas y almunias de Valencia y Aragón. Todas estas posibilidades se hallaban presentes en la morada española de vida, aunque llegaron a estorbarse unas a otras al hacer prevalecer la conciencia de linaje, de casta, sobre cualquier otra consideración. De ahí el largo alcance de la frase del converso Gonzalo Fernández de Oviedo (pág. 31), de no haber nación cristiana en "donde mejor se conozcan [que en España] los nobles e de limpia casta, ni cuáles son *los sospechosos a la fe; lo cual en otras naciones es oculto*". La nobleza a que todos aspiraban, dependía de creencias ya no convivibles. Las circunstancias del siglo XVI enlazaban, polémica aunque apretadamente, con las del siglo VIII.

El sentimiento de casta fue, en la época formativa de la conciencia de españolidad, un estímulo que incitaba a hacerse valer, algo así como un sentimiento de "noblesse oblige"; más tarde, sin embargo, lo que había sido una motivación se volvió finalidad, es decir, no se aspiraba a ser heroico, inteligente o laborioso para elevarse como miembro de la casta cristiana, judía o mora, sino que se concentraba todo el esfuerzo en el afán por figurar como miembro de la casta que había llegado a ser única, la de los cristianos viejos de los siglos XVI y XVII, la única dominante y estimada. Tal fue el trastorno acaecido a la vida española, el cambio de rumbo que se hace visible, que se expresa y monumentaliza en las proezas imperiales, en la literatura y en el arte de los siglos XVI y XVII. Los contenidos de la vida sin duda se hacen diferentes, pero los españoles tenían conciencia de su entronque con su inmediato pasado, como la rama —de poder hacerlo— sentiría y expresaría su enlace con el tronco de donde arranca.

Lo acontecido después no es para ser tratado en este lugar. Mi único propósito ha sido poner bien en claro que las mutaciones observables en la vida española desde el inicio de la Reconquista hasta hoy son ramificaciones de un estado básico de conciencia, de la conciencia de aspirar a ser español, de sentirse español, de hacerse problema de quiénes deban y tengan derecho a ser españoles y quiénes no. El pleito aún no ha sido fallado; y desde luego nada tiene que hacer con los celtíberos.

Poco importa que esta historia sea ardua o ingrata de entender para los empeñados en ignorarla. La pretensión de convertir a España en un país de estructura análoga a la de sus vecinos occidentales ha impedido acercarse hasta ahora a la auténtica realidad de lo que ha sido y continúa siendo. Intentar suprimir el pasado, tomando ante él la actitud del avestruz, es actividad inane e inoperante. Querer recomenzar la vida española desde ahora, como si nada hubiese antes acontecido, es otra forma de "espantada" que sólo da motivo a vana gesticulación. Imaginar que hay "dos Españas", y que uno pertenece a la "buena" y el otro a la "mala" —un uno que está a veces en este lado, y a veces en el otro—, no tiene en cuenta que tal escisión se unifica en la unidad constante de los dos que se la crean. Para mí, la única postura posible es lanzarse de lleno, animado de simpatía y de ardiente "caritas", a vivir el problema, desde la fronda de su copa hasta la profundidad oscura de sus raíces. Hay que volver en sí, retornar a la realidad del "sí mismo", porque un pueblo, como una persona individual, pierde su tiempo y su razón si cree evitable la presencia de lo que en efecto ha sido. No soy ni pesimista ni optimista, y creo simplemente que tener plena conciencia de cómo se ha sido, es el único modo de alzarse a mejores destinos —si realmente se aspira a mejorarlos.

NOTAS

[1]   Ver *Origen, ser y existir de los españoles*, págs. 64-69.

[2]   "La unidad de Francia fue llevada a cabo por la dinastía de los Capetos" (Auguste Longnon, *Origines et formation de la nationalité française*, pág. 76).

[3]   Este fenómeno, único en Europa, es comparable con la situación, única en América, creada por la conquista española de tierras con alta tradición de cultura (maya, incaica, mexicana). No obstante grandes diferencias, las analogías de tipo cultural y psíquico son bien visibles.

[4]   *Primera carta de relación*, edic. Porrúa, S. A. México, 1960, pág. 16.

[5]   J. M. Lacarra, *Aragón*, 1960, I, pág. 245.

[6]   II, 6, 11. Cito por la traducción de Diego López, Sevilla, 1631, fol. 36 v.

[7]   Marcel Proust jugó exquisitamente con los paralelos y encontrados sentidos que en él evocaba el nombre de "Guermantes", y su efectiva vivencia de quienes llevaban ese nombre en su novela: "Je les voyais tous deux [el duque y la duquesa] retirés de ce nom de Guermantes dans lequel, jadis, je les imaginais menant une inconcevable vie" *(Le côté de Guermantes*, III, edic. 1946, pág. 173).

[8]   Cita esos textos con otro propósito J. M. Lacarra, *loc. cit.*

[9]   Ver Raymond Thouvenot, *Essai sur la province romaine de Bétique*, 1940, pág. 188, quien, por otros motivos, cae en excesos opuestos a los de los panespañolistas: "Tal vez haya que atribuir a Roma el nacimiento del particularismo andaluz, que hoy se afirma con tanto vigor frente a Castilla y a Cataluña" (pág. 683). Pero los andaluces de hoy no deben confundirse ni con los andalusíes musulmanes ni con los "Baeticolae" romanos.

[10]   L. Torres Balbás, *La mezquita de Córdoba*, pág. 6.

[11]   Mis ideas acerca de la realidad de los españoles convencen a algunos y perturban a otros. El señor G. Borrón reconoce fundada mi objeción de no ser español el estoicismo de Séneca; pero como a él le interesa el españolismo y no el estoicismo, aventura la extraña idea de no ser Séneca filósofo estoico *(Revista de Filosofía*, Madrid, 1955, diciembre). Para ello corta y trastorna los textos de aquel filósofo, según pongo de manifiesto en *Dos Ensayos*, México, Ed. Porrúa, S. A., 1956, pág. 55.

[12]   Coluccio Salutati rechazó la apatía estoica, a fines del siglo XIV, por los mismos motivos: "Potior est mihi veritas, quae patet ad sensum, quam opinio, ne dicam deliratio stoicorum", para quienes era inexistente lo sentido por la frágil carne de los mortales. Su sinrazón se demuestra con el ejemplo de Cristo, el cual "dum de morte cogitat, in sudorem sanguinem resolutum, nec mentis tacuisse tristitiam" *(Epistolario*, edic. Novati, III, 464). V. L. Borghi, *La dottrina morale di Coluccio Salutati*, en "Annali della R. Scuola Normale di Pisa", 1934, pág. 88).

[13]   Han vuelto a este tema recientemente, Wm. Reinhart, *La tradición visigoda en el nacimiento de Castilla*, en "Estudios dedicados a Menéndez Pidal", I, 1950, 535-554; Joseph M. Piel, *Americo Castro These von der "no-hispanidad" der Westgoden*, en "Romanische Forschungen", 1957, LXIX, 409-413; Carlos Clavería, *Reflejos del "goticismo" español en la fraseología del Siglo de Oro*, en "Homenaje a Dámaso Alonso", Madrid, 1960, I, 357-372.

[14]   "Perpetua pesadilla fueron para los reyes godos los pueblos de las montañas cantabropirenaicas" (R. Menéndez Pidal, *Historia de España*, 1940, vol. III, pág. 47).

[15]   *Ars Hispaniae*, Madrid, 1947, vol. II, pág. 342.

[16]   *Liber Sancti Jacobi*, transcripción de W. M. Whitehill, 1944, pág. 358.

[17]   Achacar a dificultades materiales la falta de cultura entre los cristianos del norte de España no cambia la realidad de ese hecho.

[18]   Ed. Menéndez Pidal, pág. 305.

[19]   Después de la ocupación musulmana la cultura eclesiástica decayó considerablemente (ver R. de Abadal, *La batalla del adopcionismo*, Barcelona, 1949, pág. 22).

[20]   Sidonio Apolinar (430-488) alude a una famosa escuela cordobesa sobre la cual no poseo más información: "Corduba praepotens alumnis." (Véase E. Pérez Pujol, *Historia de las instituciones sociales de la España goda*, 1896, vol. III, págs. 490-491).

[21]   R. Menéndez Pidal, *La España del Cid*, 1947, vol. I, pág. 136.

[22]   Ed. Santos Coco, 1919, págs. 81-82.

[23]   *Historia de los heterodoxos españoles*, 1917, vol. II, pág. 94.

[24]   "Los contemporáneos Juan de Bíclaro, Isidoro y Gregorio de Tours, aun siendo prelados llenos de fervor católico, condenaron unánimemente al príncipe como a un rebelde *(tyrannus* en sentido antiguo) contra su padre y contra el reino." (Franz Görres, "Die byzantinischen Besitzungen an den Küsten des spanischen-wesgotischen Reiches (554-624)", en *Byzantinische Zeitschrift*, XVI, 1907, págs. 515-538.)

[25] Ver Auguste Longnon, *Origines et formation de la nationalité française*, pág. 62. Luigi Salvatorelli, *L'Italia Medioevale*, págs. 69 y 74.

[26] Constantino adoptó la causa de la Iglesia por razones políticas, aunque no se convirtió hasta poco antes de expirar, por creer que el bautismo le libraría de todos sus pecados.

[27] *Collectio maxima conciliorum omnium Hispaniae et Novi Orbis*, de José S. de Aguirre, Madrid, 1781, vol. II. Puede verse el texto en Menéndez y Pelayo, *Heterodoxos*, 1917, vol. II, pág. 180, traducido ahora por mí más precisamente.

[28] Franz Görres, *loc. cit.*, pág. 522.

[29] En su discurso ante el Concilio de Basilea (1434), don Alonso de Cartagena (tan imperialista como todos los conversos interesados en la política del reino) se dio cuenta de la necesidad de hacer coincidir su idea de España con la continuidad de la fe católica: "Después que los españoles, en tiempo de Santiago, recibieron la fe, non se desviaron de ella", aunque es verdad que "en tiempo del rey Leovigildo... fueron *algunos* enfecionados de la herejía arriana... En el tercero Concilio de Toledo fue *del todo* la arriana herejía destroída; mas nunca universalmente desviaron de la fe, ca aun en aquel tiempo en que más prevalescía aquella herejía, florecieron en España Sant Isidro, Sant Leandre", etc. (*Ciudad de Dios*, XXXV, 1894, pág. 537). Ya hemos visto que la cuestión era un poco más complicada.

[30] Esta observación se refiere a lo sentido por los visigodos en un momento dado respecto de ellos mismos, pero no es un intento de vaticinar su porvenir. Ningún pueblo de Occidente ofrecía en el siglo VII la imagen anticipada de lo que iba a ser y a hacer cinco siglos más tarde. Los castellanos, desde el siglo XIII, sí ansiaban para ellos un futuro imperial.

[31] Así procedieron otros pueblos germánicos, que crearon Estados con nombres étnicos: *Lombardía, Francia, Anglia, Normandía, Burgundia*. Es significativo que nada así se produjera en la Península Ibérica; faltó a los visigodos ímpetu y personalidad suficientes.

[32] Ya se fijó en este importante texto Gaston Boissier, *La fin du paganisme*, 1891, vol. II, pág. 409. Véase Paulo Orosio, *Historiarum adversum paganos libri VII*, ed. C. Zangemeister, págs. 86 y 560.

[33] No participo de la idea de haber sido Orosio un español. Dice René Pichon, *Histoire de la littérature latine*, 1912, pág. 914, que Prudencio y Orosio se diferencian de San Paulino de Nola (353-431), por ser españoles los primeros y francés el segundo: "C'est toujours le contraste entre l'esprit français, fait de bon sens clair et de grâce légère, et le génie espagnol, plus âpre et plus passionné." Llevado como ciertos españoles de la idea arcaica de que las realidades humanas son sustancias inmutables, Pichon no se dio cuenta de que una historia como la de Orosio sorprende mucho en un español, pues en los mil quinientos años, que median entre Orosio y la época actual, ninguno de ellos ha intentado componer una historia universal para demostrar una tesis. Quienes se parecen a Orosio, son: Bossuet, Spengler o Toynbee.

[34] "No se puede llamar nacional la Iglesia visigótica del siglo VII, en el sentido de ser la Iglesia dirigida y gobernada por el monarca, ni teocrático el Estado visigótico, en el sentido de que... los obispos y los concilios tuvieron las riendas del gobierno... El rey visigodo ejercitó manifiestamente no pocos derechos en materias puramente eclesiásticas" (*Historia de España*, dirigida por R. Menéndez Pidal, vol. III, págs. 286-287).

[35] Dice Isidoro en una carta a Braulio: "De constituendo autem episcopo Tarraconensi non eam quam petistis sensi sententiam regis" (*Epistolario de San Braulio*, ed. de J. Madoz, págs. 87-88). A Isidoro le parece normal lo hecho por el rey, y no dice nada más sobre ello.

[36] Véase Ernest Brehaut, *An Encyclopedist of the Dark Ages: Isidore of Seville*, New York, Columbia University, 1912, pág. 40.

[37] A. Schmekel, *Isidorus von Sevilla, sein System, seine Quellen*, Berlín, 1914, páginas 1-2.

[38] *Isidor-Studien*, München, 1913, pág. 3. Para la influencia de los escritores visigodos sobre la liturgia europea, véase Bishop, en *Journal of Theological Studies, VIII*, 1907, pág. 278.

[39] Véase Patrick J. Mullins, *The Spiritual Life according to Saint Isidor of Seville*, The Catholic University of America, 1940, págs. 75 y sigs.

[40] "Idem Eugenius moribus incessuque gravis, ingenio callens. Nam numerus, statum, incrementa, decrementa, cursus recursusque lunarum tanta peritia novit, ut considerationes disputationis ejus auditorem et in stuporem verterent, et desiderabilem doctrinam inducerent" (*Episcopi Toletani*, en Migne, *Patrologia*, S. L., vol. XCVI, col. 204).

[41] *Epistolario de San Braulio*, ed. de J. Madoz, 1940, pág. 80-82.

[42] *Isidori Hispalensis «Institutionum Disciplinae»*, ed. de A. E. Anspach, en "Rheinisches Museum", Neue Folge, LVII, 1912, págs. 556-563.

[43] Quizá observe algún lector que Pedro Hispano, en el siglo XIII, podría compararse con San Isidoro, por ser autor de obras filosóficas y de medicina, leídas y admiradas en la Edad Media; algunas fueron traducidas al hebreo. Los alemanes K. Prantl, en 1866, y M. Grabman, en 1928, llamaron la atención sobre la importancia de los comentarios a Aristóteles

de Pedro Hispano. G. Sarton, *Introduction to the History of Science*, 1931, vol. II, págs. 889-892, menciona sus escritos sobre medicina. Posteriormente los españoles se han ocupado de este enciclopedista: T. y J. Carreras y Artau, *Historia de la filosofía española*, 1939, vol. I, págs. 101-144. M. Alonso ha editado el libro *De anima* (Madrid, 1941) y el *Comentario al "De anima" de Aristóteles*, Madrid, 1944. Parece ser que Pedro Hispano y el papa Juan XXI son una misma persona; Dante menciona a Pietro Ispano entre los mayores sabios *(Paradiso*, XII, 134-135). La figura de tan importante personaje está rodeada de leyendas, y el lector podrá ver lo que hay de seguro y de dudoso en las obras antes citadas. Para mi objeto basta con notar que este filósofo, médico y pontífice nació en Portugal, se supone que en Lisboa, en el siglo XII; hizo sus estudios en París, y en Francia y en Italia pasó el resto de sus días. Si biológicamente nació de padres que moraban en Portugal, la formación de su vida no fue portuguesa, puesto que, de haberse quedado allá, no habría hecho lo que hizo. Nada se opone a que una persona inteligente, nacida en la Península Ibérica, hoy o en el siglo XIII, llegue a ser un buen científico si incorpora a su vida, total o parcialmente, maneras de vida distintas. El español no tiene ninguna incapacidad biológica para la ciencia teórica o experimental. Lo que distingue a Pedro Hispano de Isidoro de Sevilla es que éste se educó en la Hispania visigoda, allí dio su fruto, y de allí se proyectó internacionalmente su obra; la de Pedro Hispano, por el contrario, se hizo posible y se realizó fuera de España. Los españoles sólo se han dado cuenta de la existencia de su "compatriota" en recientes años, y después de que lo hubiesen estudiado algunos extranjeros.

⁴⁴ En *Chronica minora saec. iv, v, vii*, ed. Th. Mommsen, vol. II, pág. 267.

⁴⁵ La creencia en la gracia divina recibida por los reyes procede de la ostentada por los emperadores romanos, los cuales, a su vez, la habían recibido de las religiones del Oriente, en donde los monarcas poseían carácter sagrado. Véase Franz Cumont, *Les religions orientales dans le paganisme romain*, 1929.

⁴⁶ Véase Eduardo de Hinojosa, *El elemento germano en el derecho español*, Madrid, 1915.

⁴⁷ "Omnem Gotorum ordinem, sicuti Toledo fuerat, tam in Ecclesia quam palatio, in Obeto cuncta statuit" *(Crónica Albeldense*, edic. Gómez Moreno, en "Bol. Acad. Hist.", 1932, pág. 602). R. Menéndez Pidal menciona la pervivencia de una leyenda goda: la de haber concedido el rey de León la independencia al conde de Castilla Fernán González por no haber podido aquél pagar el precio de un caballo, crecido en progresión geométrica *(Los godos y el origen de la épica española*, 1955, págs. 64-67). Otros temas épicos, y el mismo género literario de la épica, tendrán sin duda antecedentes visigodos. Menéndez Pidal cree que yo pienso "que los visigodos están fuera de todo lo que podemos llamar hispano" (pág. 39). Pero cuanto antecede y la totalidad de esta obra mía demuestra que mi pensamiento es otro. Hay en la literatura española más temas bíblicos, helénicos y romanos que germánicos, y no por eso los españoles continúan las formas y dimensiones colectivas de vida de aquellos pueblos. La épica como género literario es indoeuropea, y no por eso eran indoeuropeos (como forma y dimensión colectiva de existencia) los griegos y los germanos. "Descender de" biológicamente es distinto de sentirse "existir social e históricamente como".

⁴⁸ Para las cuestiones lingüísticas, véase R. Menéndez Pidal, *Orígenes del español*, 1929, y Amado Alonso, *Partición de las lenguas románicas de Occidente*", en "Miscelánea Fabra", Buenos Aires, 1943.

⁴⁹ No sólo eso, sino que las nuevas circunstancias confirieron a los vascos y a su habla un papel activo y constructivo; ellos dieron a los castellanos algunas pronunciaciones vascas, entre otras, la desaparición de la *f* inicial del latín; por eso los castellanos dicen *hacer* y no *facer*. El ímpetu de un pueblo, sin tradición de cultura perceptible, dejó así su huella en una lengua de abolengo romano. Creo que los vascos actuaron en pequeño sobre el castellano, como los francos en enorme escala sobre el galo-romano, el francés de hoy, y los beréberes sobre los musulmanes de al-Andalus. La presencia y la importancia de los combatientes vascos dejaron su impronta en ciertos rasgos fonéticos del castellano, el cual no les tomó nombres de objetos de importancia cultural, porque el vasco no los poseía. El suministrarlos quedaría reservado a los árabes y a los franceses.

⁵⁰ Para mi limitado propósito, basta con referirme a lo dicho por Menéndez y Pelayo, *Historia de los heterodoxos españoles*, 1917, vol. II, cap. II.

⁵¹ *Historia de los heterodoxos*, vol. II, pág. 123.

⁵² Ramón de Abadal, *La batalla del adopcionismo*, Barcelona, 1949.

⁵³ Ver A. García Bellido, *La Península Ibérica*, 1953, pág. 100.

⁵⁴ La *Crónica Albeldense*, de hacia 880, dice que Alfonso III, "Sarrazenis inferens bellum, exercitus mouit, et Spaniam intrauit sub era 918... Almundar ...exercitu Spanie LXXX milia, a Corduba progressus, ad Zesaraugustam est profetus..." (edic. M. Gómez Moreno, en "Bol. Acad. de la Historia", 1932, págs. 605-606).

⁵⁵ Ver *Origen, ser y existir de los españoles*, Madrid, Taurus, 1959, pág. 3.

Capítulo VI

AL-ANDALUS COMO UNA CIRCUNSTANCIA CONSTITUTIVA DE LA VIDA ESPAÑOLA

EL PUNTO DE VISTA

Las confusiones que han hecho opaca y no transparente la idea acerca de la realidad del pueblo llamado "español" desde el siglo XIII, provienen inicialmente de no haberse tenido en cuenta que aquella realidad es inseparable del modo en que se intente aprehenderla. Ese modo ha de engranar en alguna forma con el modo de existir el fenómeno humano tema de nuestro análisis, y no sólo fundarse en abstracta fantasía y en el pío deseo del historiador. Pero el modo del fenómeno de vida, a su vez, no es nada obvio, y no se manifiesta a primera vista en el conjunto de hechos ahí al alcance del observador. Esos hechos existieron como expresión del vivir de otros hombres, de un vivir que el historiador percibe y valora desde el suyo propio, y del cual, en la forma que sea, se siente copartícipe. El físico o el naturalista no encuentran en su vida nada análogo a las peripecias del astro o de la planta, pero el historiador encuentra una correspondencia entre su existir y el de quienes expresaron el suyo como aspiración a alcanzar una meta, o como desmayo por no haberla logrado. Todo fenómeno humano, ajeno o propio, es reflejo de un motivo y apunta hacia un fin; en virtud de lo cual, el historiador enlaza con el pasado, además de por el conocimiento de lo que quiera que sea, por el sentimiento de que la vida pasada funciona como la suya, en cuanto vida.

En la meditación histórica el tema u objeto que nos sale al encuentro nos afecta en modo distinto a como la clorofila afecta al biólogo. Por el cual motivo el pasado humano no se ajusta, unívocamente, a cálculos y estadísticas, a no ser que se le despoje de su dimensión humana. La construcción histórica, cuando es algo más que esqueleto del pasado, o simple fantasmagoría, semeja a un cuadro con planos próximos y pers-

[175]

pectivas lejanas, en donde todo se armoniza en una conexión de valoraciones. El cuadro de mi símil aspira a persuadir, no a demostrar con razones rigurosas y unívocas. Las distinciones que establezco se fundan en diferencias de posición y de jerarquía dentro de la perspectiva panorámica que ofrezco al lector. Lo islámico instalado en el siglo VIII en la Hispania romano-visigoda aparecería como un tema de vida para quienes no eran musulmanes y hubieron de ajustarse a aquellas nuevas circunstancias. Su vivir desde entonces iría tejiéndose entre las demandas del presente creadas por hombres y credos extraños, y las exigencias de los hábitos propios y tradicionales. El Islam obligó a contemplar y a usar en una nueva perspectiva el tradicional modo de existir y el quehacer social de los habitantes del norte. A consecuencia de ello la obvia circunstancia de ser cristiano adquiría nueva posición y dimensión, pues desde ella habría que combatir o, en numerosos otros casos, que rendirse a una nueva y poderosa fe: o defenderse y atacar como cristiano, o convertirse a la religión de Mahoma. A partir de aquella época, la cuestión religiosa adquiriría una dimensión polémica, no *dentro* de ella misma, sino por su posición y función fronterizas respecto de un mundo no cristiano. La creencia desde entonces se haría tan sólida e incuestionable como la espada o la saeta que defendía a quienes hallaban en su fe religiosa su razón de existir social y política, un nombre común y agrupante para quienes desde Galicia al Pirineo aragonés se afirmaban frente al enemigo del sur.

Para darse cuenta de estas nuevas situaciones, basta comparar la rápida islamización de gran parte de la gente hispano-romano-goda con la lenta cristianización de la gente hispano-romana, con ritmo análogo al de otras provincias romanas (Italia, Galia). Fue la cristianización de los romanos un proceso pausado, unido a la progresiva infiltración de la jerarquía y administración romanas por los ministros y funcionarios de la Iglesia. A la postre, en el siglo IV, un cristiano ocupa el solio imperial. No hubo en el Imperio una frontera militar entre paganos y cristianos. O sea, que la situación iniciada en la Península desde el siglo VIII fue un fenómeno nuevo en la historia de Occidente. Las circunstancias geográficas, económicas y, en general, tradicionales, adquirieron desde entonces función y sentido diferentes. En el seno de la Hispania antes romano-goda, unida bajo un solo rey, comenzaron a germinar las varias Españas del futuro, a menudo en guerra unas con otras, aunque más tarde coincidentes en sentirse afines en un consenso de poseer la misma dimensión colectiva. Esas afinidades fueron a veces impuestas por circunstancias que armonizaban la conciencia de pertenecer a una colectividad próxima, y también a otra más lejana. Por ese motivo, extrínseco a la "esencia" del hombre, los asturianos, leoneses, castellanos, aragoneses, vascos y andaluces acabaron por sentirse españoles, provistos de análoga dimensión colectiva, no afectada por la diversidad de sus hábitos o modos de expresarse; porque el "estar en uno" de la persona es independiente del sentirse "existiendo con otros", sentidos como afines, en una perspectiva más amplia que la del lugar en donde se mora. Ese más allá colectivo, de conexiones sociales, acaba por incluirse en el área de la conciencia de uno mismo, y en eso consiste (no en ninguna recóndita psicología) el *sentirse español*, francés o italiano. Las gentes de lengua catalana o gallega llegaron a sentirse provistos de una doble dimensión colectiva, sin duda alguna; pero su caso no es como los antes mencionados. La zona portuguesa de Galicia, por el contrario, acabó por estar inclusa en un marco colectivo que excluía la españolidad.

De todo ello hablaré más adelante. Juzgué, sin embargo, tarea útil detenerme en este miradero, a fin de contemplar el pasado y otear el futuro. Dadas las confusas nociones aún reinantes sobre el pasado español era prudente insistir sobre ciertos fenómenos de vida colectiva, para contemplarlos desde puntos de vista diferentes, ya que la cuestión de ser o no ser español va ligada al hecho de la islamización de gran parte de la Península. A lo largo de la Reconquista, y como resultado de ella, surgieron esas zonas peninsulares en donde se sabía hablaban la misma lengua, o si la lengua no era la misma, la presión de los intereses comunes de tipo colectivo obligaba a hallar modos de entender y de ser entendido. Llegó un momento en la historia peninsular en que los reinos próximos a Castilla experimentaron la necesidad, la conveniencia o el placer de hablar o de escribir en castellano. En el siglo XVI escribieron espontáneamente obras literarias en castellano algunos catalanes y portugueses insignes (Boscán, Gil Vicente, Camoens), estos últimos antes de que Portugal estuviese unido políticamente a España.

Conviene examinar ahora qué aspectos de la vida islámica se hicieron visibles más tarde —como fuerza actuante y constituyente— en la que hoy llamamos y valoramos como española. Según ya hice ver en *España en su historia* (1948), la creencia religiosa desempeñó entre españoles una función peculiar, sin análogo en los otros pueblos cristianos de Occidente. Con más claridad persuasiva puedo decir hoy que la constitución del sistema de vida colectiva llamado español es inseparable del sistema de las tres castas de *creyentes* antes expuesto. Sin la acción de al-Andalus musulmán (conjugada con la de las aljamas hispano-hebreas), es inconcebible la magnificación de la creencia cristiana, su dimensión político-imperial en tiempo de los Reyes Católicos.

Los poetas del califa andalusí al-Hakam II, escribían en el siglo X:

Todos los testimonios anuncian que llevará sus banderas
hasta Bagdad, luego de pasar por Medina.

(Ibn Šujays.)

En Occidente ha salido el sol de un Califato
que ha de brillar con esplendor en los dos Orientes,
para que ahuyente con la luz de la ortodoxia las tinieblas infieles.

('Abd al-'Azis ibn-Husayn Quarawi.)

Sin esto, y sin lo demás que consuena con ello, ¿cómo se explicaría la
belicosidad, el exclusivismo político-religioso de la casta cristiana?

Estas y otras citas poéticas han sido aducidas por Emilio García
Gómez en su bella introducción a la *España musulmana* de E. Lévi-Provençal, Madrid, 1950, página XXVI. El ilustre arabista piensa con razón en Felipe II, aunque extrañamente dé como fundamento de esa manifiesta analogía "los substratos profundísimos del alma ibérica". Ya hace
años había yo mencionado un romance expresivo del sentimiento de imperialismo religioso existente en torno a Carlos V:

Ganadas las tres Armenias,
Arabia no ha de dejar,
Egipto, Siria, las Indias,
todas se le han de dar.

Y recientemente recordaba otro significativo romance inspirado por
el mismo estado de ánimo:

El gran Felipe II,
de España rey sublimado,
que la más parte del mundo...
Dios en gobierno le ha dado...
Pues en Japón y la China
se espera otro nuevo estado...
Del Oriente al Occidente
todo lo tiene abrazado...[1] *

Los anteriores textos, unidos a los que más tarde alegaré de los siglos XIII y XV, demuestran que el imperialismo, totalismo y proselitismo
religiosos de los cristianos españoles eran indisolubles del de los musulmanes y judíos, presentes en la vida peninsular desde hacía muchos siglos.
De lo que a ese respecto pensaran y sintieran los iberos nada sabemos.
Por otra parte, los iberos no servirían para explicar la especial religiosidad de los pueblos del Oriente, sobre todo el avance imperial de la
fe islámica desde la Meca hasta al-Andalus por el oeste, y hasta las
islas Filipinas por el este. De ahí debe partirse para entender lo poetizado

* Para las notas al capítulo VI véanse las páginas 223 a 229.

en torno a los califas de al-Andalus, que eran andalusíes y no andaluces. A esta luz y desde este punto de vista examinaré las conexiones entre musulmanes y cristianos en la Península.

EL AL-ANDALUS ISLAMIZADO Y
LAS ESPAÑAS CRISTIANAS

Llegaban a Hispania los musulmanes sostenidos por dos fuerzas eficacísimas: por el ímpetu de una religión recién nacida, expresión de cuanto podía anhelar el cuerpo y el alma del beduino, y por el éxito militar que, en menos de un siglo, los había hecho dueños de un inmenso imperio, desde Persia hasta Hispania. No venían como los bárbaros del siglo V, que no dejaban en Germania un centro político en donde respaldarse; los musulmanes progresaban elásticamente, sintiendo tras ellos la presencia de una capitalidad religiosa; incluso habían comenzado a absorber lo que permanecía vivo de la cultura griega, ya cristianizada, en Siria y Egipto. Aparte de eso, la literatura árabe del siglo VII, aunque pobre de ideas, podía ya expresar vivencias del sentir más íntimo en un riquísimo vocabulario. Del poeta Farazdaq (m. 732) decían los gramáticos que, sin él, "un tercio de la lengua árabe se habría perdido".[2]

Si el estrecho de Gibraltar se hubiera encontrado frente a Marsella, Francia hubiera conocido una historia muy distinta, no obstante estar regida por francos y no por visigodos. Pero esta observación es ociosa. Lo cierto es que la Hispania visigótica sucumbió, y lo que en el norte de la Península quedó de cristiandad no sometida, hubo de iniciar un curso histórico distinto del de los demás países occidentales. Muy pronto la resistencia cristiana se hizo sentir, y la morisma se vio forzada a iniciar una guerra de fronteras que no terminó sino a fines del siglo XV. El Islam fue incapaz de crear sistemas políticos firmes y fundados en algo más que consenso espiritual y caudillismo; el carácter totalmente religioso de la vida musulmana impidió crear formas seculares de convivencia. La fuerza de al-Andalus duró mientras hubo caudillos que electrizaran con victorias y deslumbraran con riquezas las masas heterogéneas gobernadas por los emires y los califas. Sometidos al Islam quedaron grandes masas de cristianos (los "mozárabes"), que continuaron viviendo al amparo de la tolerancia musulmana durante cuatro siglos, hasta que las invasiones de almorávides (1090) y de almohades (1146) —tribus fanáticas de Africa— terminaron con aquel pueblo, cristiano por la fe, y musulmán en cuanto a ciertas tendencias y disposiciones de su vida interior.[3] Por eso se llamaban a sí mismos "mozárabes", o sea, "arabizados".

La pugna entre moros y cristianos ocupa enteramente la historia peninsular hasta mediados del siglo XIII; Córdoba fue reconquistada en 1236; Valencia, en 1238; Sevilla, en 1248. Desde entonces se amortiguó el ímpetu de los cristianos, consumidos por luchas internas parecidas a las de los moros. Mucho antes que las "taifas" musulmanas del siglo XI (hubo un rey en Toledo; otro, en Zaragoza; otro, en Sevilla, y varios más) habían surgido las "taifas" entre cristianos (reinos de Aragón, de Navarra, de Castilla, de León). La Reconquista se arrastró perezosamente durante los siglos XIII, XIV y XV, hasta que Fernando e Isabel unificaron la Península (con excepción de Portugal), y lanzaron a un pueblo ya español —y ya orientalmente avezado al anhelo sin límites— a las empresas que todos conocen.

Sale de mi plan narrar hechos sabidos, y que el lector encontrará en los libros de R. Dozy, E. Lévi-Provençal, R. Menéndez Pidal, en la *Encyclopedia of Islam*, o en obras de vulgarización. Mi interés se dirige a aquellos aspectos de la vida peninsular expresivos de sus contactos con el Islam, no sólo para seguir la huella del Islam en la España cristiana, sino para llegar más bien a algún punto de vista eficaz respecto de la estructura del vivir español. Hasta hace unos veinticinco años, pensaba yo en términos de "materia" de civilización, y no de "forma" o disposición de vida. Todos habíamos creído que la España cristiana era un mundo ya dado y fijo sobre el cual caían palabras, literatura o instituciones musulmanas. Sólo después de haber enfocado la Edad Media como aspecto de una "situación de vida", comencé a percibir el sentido de lo islámico en aquella historia. La Edad Media española se me apareció entonces como la dinámica tarea de los grupos norteños para subsistir frente a un mundo superior en técnica y en pensamiento, pero no en firmeza personal, en arrojo,[4] en capacidad de mando y en expresividad épica. Los cristianos adoptaron multitud de cosas —objetos materiales e instituciones musulmanas—; pero no asimilaron sus actividades productoras, justamente porque tuvieron que orientarse hacia otra disposición de vida para oponerse y, finalmente, vencer a los moros. Para mí, lo que no hicieron los cristianos, cortados de la tradición visigoda y a causa de la especial situación vital en que les habían colocado los musulmanes, es también un efecto del Islam, en igual grado que lo son las palabras importadas del árabe. Del mismo modo, el sistema de valores que los cristianos desarrollaron (o no pudieron desarrollar) para oponerse eficazmente a sus enemigos, es algo funcional que cae también dentro del mismo proceso de vida. La gente cristiana que acabó por llamarse española, fue el resultado de la combinación de una actitud de sumisión y de maravilla frente a un enemigo superior, y del esfuerzo por superar esa misma posición de inferioridad. Estos versos del *Poema del Cid* contienen unas palabras del héroe altamente significativas:

¡Oíd a mí, Albar Fáñez e todos los cavalleros!
En este castiello grand aver avemos preso;
los moros yazen muertos, de bivos pocos veo.
Los moros e las moras vender non los podremos,
que los descabeçemos nada non ganaremos;
cojámoslos de dentro, *ca el señorío tenemos;*
posaremos en sus casas, e *dellos nos serviremos* (616-622).[5]

Ejercer el señorío y servirse de los moros, tal fue el programa consciente; porque en la subconsciencia fueron otros los fenómenos valorativos
que se hicieron presentes, según se irá viendo. Fue en este sentido decisivo el valor asignado a la propia creencia religiosa, al ímpetu personal
y a los hábitos de rústica pobreza. Observemos, desde dentro, tan delicado
problema histórico. Lo primero es tratar de no perder de vista su dimensión temporal —el contenido humano de un tiempo vivido, hasta
mediados del siglo XIII, en estado de guerra y en continua inquietud.
Contemplando el pasado desde el momento presente, cien años, doscientos años, se nos antojan un largo período, suficiente para que nazcan
y se enraícen nuevas costumbres, decisivas para la situación y los contenidos del hoy en que nos hallamos. Mas no solemos proceder así cuando
se contempla un largo período desde otro momento también pretérito.
Los siglos de la historia semimusulmana de España (711-1492) se miran
por muchos como un largo y enojoso intervalo, como una empresa bélica,
pausada y penosísima, tras la cual España vuelve a la normalidad, aunque con algunas cicatrices y retrasos. La cuestión, sin embargo, no ter-
minaría ahí, porque los moros no se fueron enteramente de España en
1492; permanecieron los moriscos, oficialmente súbditos del rey y cristianos, en realidad moros que conservaban su religión y sus costumbres,
y cuya presencia, según hemos de ver, no es desdeñable, económica, literaria y religiosamente. Tan moros eran, que el piadoso rey Felipe III decidió expulsarlos de sus reinos en 1609. ¿Se fueron por eso enteramente?
Parece que no, pues aún se perciben sus vestigios en la huerta de Murcia,
en Valencia y en Aragón.[6] De suerte que la presencia de moros y moriscos en España abarca, en realidad, más de nueve siglos. El término medio
de los doctos sabe que el eco del Islam perdura en los monumentos de
Córdoba, Granada, Sevilla, Toledo y otras ciudades menos importantes.
Menos conocida era la presencia de la arquitectura mudéjar en toda
Iberoamérica, no como imitación intencional del pasado, sino como expresión de la sensibilidad de ciertos artistas españoles, auténticamente
enlazados con formas seculares de arte, muy vivas entre los siglos XVI
y XVII en toda la América hispano-portuguesa. Causa fuerte impresión
contemplar las ilustraciones reunidas por Manuel Toussaint en su libro
Arte Mudéjar de América, México, 1946.[7] En el idioma existen, vivos
o anticuados, miles de vocablos árabes; la literatura se ha inspirado en

fuentes árabes, desde la *Disciplina clericalis* que en el siglo XII difundió 33 cuentos de procedencia oriental por la España cristiana y por Europa, hasta *El Criticón,* de Baltasar Gracián (siglo XVII), cuyo germen se halla en un relato conservado entre los moriscos aragoneses. Con ser todo ello muy importante, y con serlo también mucho la vasta bibliografía en torno a tal tema, nada de tipo "vital" se había iniciado hasta que Miguel Asín Palacios comenzó a bucear en la historia de la sensibilidad religiosa y a probar —según pienso— que la forma del misticismo del máximo místico, San Juan de la Cruz, es inexplicable fuera de la tradición mística sadilí conservada por los moriscos castellanos.

Esa para mí justa y fecunda sugestión de Asín,[8] se funda en la presencia de expresiones como "la noche" y "el día", el "aprieto" y la "anchura" con simbolismo místico; pero esa buena sugerencia ha sido desestimada por Paul Nwya.[9] Veamos, sin embargo, los hechos. Ciertas tendencias místicas, iniciadas en Persia, llegaron hasta al-Andalus y el norte de Africa. Una de esas formas de vida espiritual, la sadilí (fundada por el marroquí Abu-l-Hasan al-Sadilí), inspiró, según Asín, a algunos sutiles pensadores desde el siglo XIII al XV, uno de ellos Ibn ʿAbbād, nacido en Ronda en 1371. El principio fundamental de esta doctrina es la de ser "Dios inaccesible a la criatura; de la absoluta trascendencia del ser infinito, desnudo de toda analogía con el ser finito, infiérese que Dios no es nada de lo que podemos sentir, imaginar, pensar y querer... Todo cuanto el alma haga para llegar a Dios, lejos de ser medio adecuado y eficaz, será un impedimento..." El alma del místico pasa por estados de anchura *(bast* en árabe) o apretura *(qabd).* Dios acude en ayuda del alma apretada, y le envía el consuelo espiritual de sus favores, gracias y carismas; pero Dios la coloca luego en angosta apretura, "para que sólo en El busque su apoyo" (Asín, *Huellas del Islam,* págs. 249-250). Abu-l-Hasan al-Sadilí se sirve también de los símiles de la noche y el día, que luego convertirá San Juan de la Cruz en su "noche oscura del alma".

San Juan de la Cruz ha escrito: "El alma que pretende revelaciones peca venialmente por lo menos..., porque no hay necesidad de nada de eso... Muchos hay que andan a buscar en Dios su consuelo y gusto, y a que les conceda su Majestad consuelos y dones; mas los que pretenden agradar y darle algo a su costa (pospuesto su particular interés), son muy pocos."[10] La desnuda austeridad de la iglesia construida en las Batuecas por los inmediatos discípulos del Santo me sorprende en una época en que era solicitada la exuberancia ornamental, cuando en conexión con el mismo funcionamiento de una nueva forma de sociedad europea, surgían los estilos llamados barrocos.

Todo lo cual estaba a tono con la estructura del misticismo y del poetizar de quien, en 1591, murió en un monasterio de Ubeda más que duramente tratado por sus mismos hermanos de religión. El futuro santo había escrito en *Noche oscura del alma:* "Es imposible por vía y modo natural... poder conocer y sentir de las cosas divinas como ellas son, sino con la iluminación de esta mística teología" —o sea, con lo que Dios mismo, no el hombre, se digne hacer. Se comprende que algunos intentaran, aunque sin éxito, que la Inquisición condenara la doctrina sanjuanista [10 bis] por su semejanza con la de los iluminados o alumbrados, enlazadas también con antecedentes musulmanes. Leyendo esta única poesía se tiene la impresión de que Dios se entrega en la iluminación mística, mientras permanece cerrado e incomunicativo en las razones de quienes intentan explicarlo:

> Acaba de entregarte ya de vero, [Dios mío],
> No quieras enviarme
> De hoy más ya mensajero, [explicadores de tu infinitud],
> Que no saben [con sus razones] decirme lo que quiero.

En su comentario en prosa al *Cántico espiritual*, razona así Juan de la Cruz: "Porque todo lo que de Dios se puede en esta vida conocer, por mucho que sea, no es de vero, porque es conocimiento en parte y muy remoto." Angeles y hombres racionales, "danme a entender admirables cosas de gracia y misericordia tuya en las obras de tu Encarnación y verdades de fe que de ti me declaran",

> Y todos más me llagan,
> Y déjame muriendo
> Un *no sé qué que quedan* balbuciendo.

Esos tres *que, que, que* traducen bien la angustia producida por el balbuceo de quienes pretendían decir lo indecible —lo divino por la vía de los medios humanos.

Es comprensible que tan extremada postura llevase a olvidar el mundo de las cosas finitas, entre ellas lo que hay en la Iglesia de visible y terreno; la organización eclesiástica y las prácticas exteriores no fueron atacadas por San Juan de la Cruz, pero sí dejadas de mencionar, por carecer de función en la estructura de una obra de abismal belleza, y muy próxima a la región de los supremos y estremecedores silencios. No ocurren nunca en esta obra, ni siquiera en el epistolario del Santo poeta, las palabras, *papa, cardenal, obispo, canónigo, párroco, capellán, sacristán,* y muchas más que suelen encontrarse en escritos religiosos. Cinco veces habla de la *comunión,* y en tres de ellas reprueba la "sensualidad" y "gusto" que ocasiona, y el "comulgar muchas veces". Sorprende, como contraste, que los pasajes relativos a la *comunicación* directa con Dios ocupen diez páginas en las *Concordancias* de Fr. Luis de San José.

Muchos antes que San Juan de la Cruz, Bartolomé de Torres Naharro había poetizado en versos ágiles y de sencilla nitidez el difícil problema, para él insoluble, de la comunicación entre lo humano y lo divino; los loores a la Virgen María no podían, según Torres Naharro, alcanzar su inasequible propósito:

> Aquí me mandan loaros...,
> Señora y gloria de nos,
> donde para yo igualaros
> cumplía vos abaxaros,
> lo que no permita Dios...
> Ninguna lengua esmerada
> puede aquí ganar victoria;
> qu'el loor no vale nada,
> cuando a la cosa loada
> no le dan toda su gloria.

Parecería, al pronto, que el poeta se limita a insistir una vez más sobre el contraste entre la insignificancia humana y la grandeza de la divina Madre, sólo accesible a la de su divino Hijo. Pero Torres Naharro insiste en razonar la imposibilidad humana de loar a la Virgen, ya

> que del *humano saber*,
> a quien *sois o podéis ser,*
> *no hay ninguna proporción.*

Por consiguiente, la Virgen, como Madre de Dios, sólo podría ser loada por su Creador:

> "de aquel tan gran Hazedor
> de quien salió tal lavor,
> de aquél salga el alabança...;[11]
> que todo nuestro dezir,
> como somos pecadores, [es decir, seres humanos],
> es entrar y no salir,
> comenzar sin concluir,
> y al oro poner colores".

Por razones, por decir así "metafísicas", juzga inválida Torres Naharro la tradición secular de las laudes mariales. No se hace aquí distinción entre el saber de la fe y el de la razón, y parece más bien que el poeta se contenta con dejar abierto un problema que, en el caso de los sadilíes y de San Juan de la Cruz, fue resuelto en la forma ya conocida —en forma mística, no filosófica. No digo, quede bien claro, que Torres Naharro sea una "fuente" para San Juan de la Cruz, sino simplemente que en ciertos medios españoles, cuestiones como las planteadas por los sadilíes eran conocidas, o por lo menos, ecos de ellas eran perceptibles.

No se sabe nada acerca de los orígenes familiares de Torres Naharro, ni de los motivos que lo mantuvieron alejado de España. Su estilo mordaz, sus censuras de la vida eclesiástica en Roma, el modo "intelectual" de enfocar ciertas cuestiones, junto con otras circunstancias, parecen indicar que Torres Naharro fuese uno de tantos conversos del judaísmo que hallaron refugio en Italia. La victoria de La Motta, contra los venecianos, en 1513, le hace componer un salmo que comienza:

> Cantemos psalmos de gloria,
> *sepan que somos christianos,*
> conozcamos la victoria
> que nos da Dios por sus manos...

La exaltación de las hazañas españolas y de los grandes señores (aquí de don Ramón de Cardona), estaba muy en la tradición de los conversos, desde Juan de Mena. La poesía al hierro de la lanza de Longinos, comienza:

> Dios te salve *en Trinidad,*
> hierro de lança sagrado...,

lo cual era un rasgo de estilo defensivo, muy propio de conversos. (Según se verá oportunamente, lo primero que hicieron unos conversos en Barcelona, después de la destrucción de su aljama en 1391, fue mandar construir una capilla de la Santísima Trinidad.)

Hay además una *Exclamación de Nuestra Señora contra los judíos,* llena de dicterios, lo cual es también muy característico. En fin, en la escandalosa parodia de un concilio eclesiástico *(Concilio de los galanes y cortesanas de Roma, invocado por Cupido),* todavía aparece la frase tradicional usada para abarcar la totalidad de los españoles, de sus tres castas (ver, pág. 62):

> a quantos son amadores,
> nuestros siervos. servidores,
> *judíos, moros, christianos.*

Torres Naharro es un complejo escritor, interesado en dar una visión incisiva de la sociedad circunstante, preocupado por su posición dentro de esa sociedad, cuidadoso de no desvelar sus antecedentes personales, sutil de sensibilidad y de mente. Es innegable, además, que le interesó el problema de la relación entre lo humano y lo divino.

Retornemos a San Juan de la Cruz después de este breve desvío. Su obra no flotaba en el aire abstracto; estaba ligada a la vida española, muy peculiar y que es imposible eludir. El Padre Nwya, y antes de él Baruzi, han rechazado la idea de Asín, porque J. Baruzi, gran conocedor de la mística, no la situó "en su propia historia", en la realidad del vivir español. Los judíos, los moros y los cristianos seguían ahí, en alguna forma, todavía en el siglo XVI, y la comunicación existente entre ellos había ganado en grave profundidad lo que había perdido de vistosa exterioridad. Mi libro *De la edad conflictiva* lo pone bien en claro. El padre Nwya cree que el fraile Juan de la Cruz no habría podido conocer ningún reflejo de la tradición musulmana sino a través de algún otro fraile de origen morisco. En Granada, dice Nwya, sólo había un padre Juan Albotodo, célebre entre los moriscos; ahora bien, cuando llegó a Granada Juan de la Cruz, en 1581, el morisco padre Albotodo hacía tiempo que se había marchado (*loc. cit.*, pág. 130). De lo cual deduce arbitrariamente el P. Nwya, que Juan de la Cruz no tuvo ninguna posibilidad de conocer nada de la doctrina sadilí: "Dios es inaccesible a la criatura... Dios no es nada de lo que podemos sentir, imaginar, pensar y querer" (Asín, *loc. cit.*, pág. 249). O como dice Torres Naharro, pretender loar adecuadamente a la Virgen, que mora en el cielo junto con la Trinidad,

> "es entrar y no salir,
> començar sin concluir".

Pero esa doctrina rodaría entre algunos "judíos, moros o cristianos", oralmente, reducida a simples sentencias sin trasfondo filosófico ni teológico, como el *Romancero*, como el darse cuenta del sentido de la casta a que cada cual pertenecía. La resistencia a aceptar lo más sencillo en la realidad española frente a uno, se funda, en último término, en la ausencia de simpatía por todo lo semítico. Mas la verdad es que hubo musulmanes andalusís animados del anhelo de acceder a lo divino sin ninguna experiencia carismática, liberados de sensaciones y raptos corpóreos, de imágenes visibles de lo divino, y que los moriscos pululaban por España en el siglo XVI. Todo ello, sin embargo, queda muy lejos de la unidad única del arte de Juan de la Cruz. En él se hace sentir la sublime forma expresiva de una vida que supo poner volumen en lo no dimensional, ritmo de grácil huida en lo inerte, y seducción y desvanecimiento erótico en lo carente de todo asidero sensible.

Tampoco creo que pueda entenderse con sólo la tradición cristiana el misticismo corpóreo-espiritual de Santa Teresa, cuya ascendencia judaico-oriental está probada con documentos, según más adelante se verá. Es decir, que no puede prescindirse, al pensar sobre la realidad histórica de España, de esos novecientos años de entrelace cristiano-islámico-judaico.

Insistiendo ahora en la necesidad de mantener viva la percepción del tiempo histórico, no olvidemos que entre la llegada de los musulmanes y la producción de la primera obra literaria conocida, el *Poema del Cid*, median unos 430 años, durante los cuales la ocupación, el afán ineludible de los cristianos, fue tener que habérselas con los moros. El pasado visigótico y romano serviría para mantener viva la conciencia de no ser moros, y la idea de una futura unidad nacional; pero con recuerdos y anhelos no era fácil vencer a la muslemía dueña de casi toda la Península, y también a quienes no eran musulmanes. El rey de Asturias, Fruela I (757-768), tuvo que vencer y someter a los vascones, y también a los galaicos sublevados contra él *(Crónica de Alfonso III*, edic. García Villada, 1918, pág. 71). La pugna entre los reinos y condados cristianos fue intensa en los primeros siglos de la Reconquista, que se arrastró lentamente hasta el siglo xv por falta de unidad de propósito entre los cristianos. Pobres, divididos, sin más horizonte que el de la acción bélica, los cristianos habían contemplado a la morería, hasta el siglo xi, como un enemigo ultrapoderoso y con el cual las circunstancias forzaban a entenderse. Durante el siglo x, en el tercer siglo de la ocupación, Córdoba avasallaba en todas formas a los débiles estados del Norte. En 980, viendo cómo Almanzor llegaba victorioso hasta muy adentro de Castilla, salió a su encuentro "el rey de Navarra, Sancho Garcés, y le hizo ofrenda de su hija; Almanzor la aceptó gustoso, la tomó por mujer y ella islamizó, siendo entre las mujeres del ministro de las mejores en religión y en hermosura". En 993, el rey Bermudo II de León "envió su hija Teresa al caudillo musulmán, el cual la recibió por esclava, y después la emancipó para casarse con ella".[12] Antes de eso, 'Abd al-Rahmán III (m. 961) recibía una embajada cristiana en su palacio de Medina Azahra, prodigio maravilloso de arte y de grandeza. El camino de Córdoba hasta el palacio (unas tres millas) había sido recubierto de esteras; a lo largo de aquél se extendía una doble fila de soldados bajo cuyos sables cruzados hubieron de caminar los despavoridos embajadores. Al llegar al palacio, iban saliendo a su encuentro altos dignatarios vestidos de seda y brocado; los saludaban respetuosos creyendo que alguno de ellos fuera el califa. Mas éste se hallaba sentado en medio de un patio cubierto de arena, y vestido de toscas ropas, símbolo de sus costumbres ascéticas. En medio de terribles amenazas, los cristianos firmaron la paz impuesta por el soberano.[13] Hechos así no sorprenden en los tres primeros siglos de la dominación musulmana. Aparte de esto, moros y judíos arabizados eran exclusivos depositarios de la ciencia. Los cristianos pudientes se trasladaban a Córdoba a curarse sus dolencias, como durante el siglo xix los europeos y americanos acaudalados iban a Alemania. En lo esencial, el comercio y la técnica eran patrimonio de moros y judíos. Así pues, si el existir era cristiano, el subsistir y la posible prosperidad se lograban sometiéndose a los beneficios de la civilización dominante, superior no sólo por la fuerza de las armas.

Porque la guerra experimentó muy varias alternativas durante 500 años —un largo tiempo—, hasta que en 1212 los almohades de Africa sufrieron la decisiva derrota de las Navas de Tolosa. En 1248 se encontraban definitivamente en poder de los cristianos: Córdoba, Valencia, las islas Baleares y Sevilla. La inseguridad, los desalientos y los desaciertos políticos habían sido considerables en ambos lados. Ya dije antes (cap. II, pág. 33) cómo sentía 'Abd al-Rahmán III, el más poderoso califa de Córdoba; y el desaliento no sería menor después de la pérdida de Toledo en 1085. A la fe en la segura eternidad de lo prometido por Dios, correspondía la duda de lo firme y durable de las cosas terrenas, sin base ni agarraderos fijos. No pensemos, pues, que el problema en los primeros siglos de la Reconquista consistió en la sumisión de una "cultura" débil a una más fuerte, y nada más; con la adopción de cosas y maneras de vida árabes (externas e internas), el cristiano absorbía también duda e incertidumbre respecto de la vida terrena, y acabaría por desestimar lo hecho y pensado por quienes no eran de su casta.

La misma ciencia y pensamiento árabes, no obstante su volumen e importancia, nunca se secularizaron enteramente; fueron patrimonio de unos pocos sin contacto con lo hoy llamado pueblo u opinión pública. El último gran califa de Córdoba, al-Hakam II (961-976), llamado así por su afición a la ciencia, al final de su vida prefería la piedad a la sabiduría. Almanzor, al morir al-Hakam II, entregó a los alfaquíes (los teólogos) la mayor y mejor parte de la espléndida biblioteca califal, para que ellos la expurgaran y destruyeran con el fuego lo juzgado nocivo para la fe. Hubo así una constante oscilación entre la soberanía fuerte y prestigiosa y la debilidad anárquica, entre el saber inteligente y el rudo fanatismo. En la civilización musulmana el placer visual —adorno, colorido, espacios abiertos— fue más solicitado que la complacencia en las estructuras cerradas (compárese la mezquita de Córdoba con un templo griego o una catedral gótica). La diferente concepción de la realidad —que es ella y lo que el hombre hace con ella desde su morada de vida individual o colectiva—, esa concepción origina ciertas primarias características. Con la visualidad —tejidos de colorido y dibujos fascinantes—, el olfato se deleitaba en exquisitos perfumes. Toda manera de placer sensual e imaginativo importaba más que cualquier intento de estructurar la actividad vital en formas estables y cerradas (nótese la misma forma, predominantemente lineal y abierta, de la escritura árabe). La intensidad del goce o del triunfo ocasional —logrado a veces con derroche de inteligencia y de heroico esfuerzo— atraían más que los modos racionales de prever y organizar el futuro (recuérdese cómo ya en el año 1000 los reyes organizaban el devenir de la monarquía francesa, piedra angular para aquella nación). Al europeo de Occidente —hablando con inevitable generalidad— le interesó el existir "sustancialmente", sobre un firme subsuelo humano; al musulmán parece haberle interesado ante todo lo no encerrable en perfiles conclusos, lo no bien establecido sobre sí mismo. Porque sólo Alá sabía en qué consistía el ser de las cosas, y cuáles entre éstas eran factibles para el hombre.

Aunque desde el siglo XI comenzara lentamente a decaer el prestigio militar de los musulmanes, y la vida cristiana fuese ascendiendo gracias a su brío y a su dinamismo, no por eso menguaban los valores del al-Andalus ni la estima que le profesaban sus enemigos. El valor, azuzado por la fe en la institución regia (no sólo en un caudillo) y en la creencia religiosa, iba afirmando la única efectiva superioridad que permitiría al cristiano arrancarse las mil espinas anejas a un secular estado de vasallaje. Aunque no fue sólo el entusiasmo por Cristo lo que decidió las victorias a favor de los cristianos; más fuerte que el impulso evangélico fue, después de todo, la confianza en Santiago Matamoros, que, mágicamente, ayudaba a degollar muslimes. Mas lo decisivo sería, en último término, la coincidencia de la fe religiosa y de la fe en la pujanza de la propia casta, capaz por sí sola de adquirir señorío de riquezas, mando, nobleza y libertad, todo gracias al impulso y al coraje. La conciencia de la dimensión imperativa de la persona permitió ascender de la gleba al poderío, un poderío cuya meta fue la prestancia y la representación, más bien que crear cultura extrapersonal, útil para muchos.

De aquí que, no obstante las mayores victorias sobre el Islam, el castellano tuviera que rendirse y aceptar la superioridad de su enemigo, en cuanto a capacidad para servirse técnicamente de las posibilidades en torno a él. En 1248, las huestes del rey Fernando III conquistaron Sevilla, después de una lucha que demostró definitivamente la incapacidad militar de los ya decadentes musulmanes. Pero esas huestes victoriosas no pudieron reprimir su asombro ante la grandeza de la ciudad que se les rendía. Nunca habían poseído los cristianos nada semejante en cuanto a arte, esplendor económico, organización civil, técnica y florecimiento científico y literario:

"Quán grant la beltad et el alteza et la su grant nobleza [de la torre de la Giralda]... Et a otras noblezas muchas et grandes sin todas estas que dicho auemos." Llegaban a Sevilla mercaderías de todas partes: "de Tánjer, Ceuta, Túnez, Bugía, Alejandría, Génova, Portugal, Inglaterra,

Burdeos, Bayona, Sicilia, Gascuña, Cataluña, Aragón, et aun de Francia [del Norte]".[14]

A mediados del siglo XIII, la opulencia del puerto de Almería servía como término de referencia para calificar lo muy valioso económicamente, como más tarde las minas del Potosí, o el "tesoro de Venecia". El autor del *Libro de Alexandre* dice que la "cadera" (el trono) de Darío,

> "quánto podríe valer, preciar no lo sabría,
> no la podríe comprar el aver d'Almaría".

(Edic. Willis, copla 2595.)

Todavía en el siglo XIV era constante la lamentación de las cortes del reino por la pobreza de Castilla: "porque la tierra era muy yerma e muy pobre" (1307). "La tierra estaba muy pobre e menesterosa e despoblada" (1367). "Nuestros reinos eran menguados de ganados e de otras viandas" (1371). "Nuestros reinos están muy menesterosos" (1388).[15] La principal fuente de riqueza era la ganadería y la exportación de lana. La industria satisfacía las necesidades locales, y el comercio dependía en gran parte de importaciones del extranjero. Decaído el vigor de la casta musulmana, las posibilidades de futura grandeza yacían sobre todo en el ánimo de la casta dominante, y en lo creado gracias al original entrelace de los peculiares elementos cristiano-orientales con los derivados del contacto con la cristiandad europea. La literatura y el arte hasta el siglo XV ponen bien de manifiesto estas características de la civililización española en aquella época. El que en la faja mediterránea de Cataluña y Valencia las cosas fuesen algo distintas, no cambia nada a lo esencial del cuadro, porque a pesar de su mayor prosperidad, los cristianos de aquellas regiones se sirvieron en gran medida de moros y judíos para sus actividades culturales y técnicas.

Conviene insistir en el hecho, muy sabido, de que durante la Edad Media no hubo completa separación entre cristianos y musulmanes. Ya mencionamos a los mozárabes, los cristianos bilingües establecidos entre los musulmanes, que desde los primeros siglos emigraban a veces a tierras cristianas, y que se trasladaron en masa durante las invasiones de almorávides y almohades del siglo XII. Los mozárabes de Valencia emigraron a Castilla en 1102. En 1125, 10,000 mozárabes granadinos se expatriaron con las tropas aragonesas de Alfonso I que habían invadido aquel reino. En 1146 ocurrió otro éxodo de mozárabes sevillanos a tierras de Castilla,[16] y es seguro que tales desplazamientos habrían tenido lugar en otros casos no registrados por las crónicas. Hubo, además de esta clase social, la de los llamados "mudéjares", los moros que vivían como vasallos de los reyes cristianos, influidos por la tolerancia de los cuatro primeros siglos de islamismo, según luego veremos. A estos mudéjares se deben bellos monumentos, entre otros muchos la continuación del Alcázar de Sevilla y la Puerta del Sol de Toledo.[17] Hubo además los tránsfugas de una a otra religión: "muladíes", cristianos que islamizaban, y "tornadizos", moros que se volvían cristianos. Dicen las *Partidas* de Alfonso el Sabio (VII, 25, 8) que, a veces, hombres "de mala ventura e desesperados de todo bien, reniegan de la fe de N. S. Jesucristo, e tórnanse moros... por sabor de vivir a su guisa, o por pérdidas que les avienen". Dichos renegados perdían sus bienes y si eran aprehendidos, la vida. El mismo código legal habla de la vida difícil de los tornadizos (VII, 25, 3), lo cual reducía el número de las conversiones; muchos se hubieran hecho cristianos "si non por los abiltamientos e las deshonras que ven rescebir a los otros que se tornan cristianos, llamándolos tornadizos, e profaçándolos en otras muchas maneras malas e denuestos". Se ve, por consiguiente, que la convivencia de ambas creencias era fácil, mas no la apostasía dentro de ninguna de ellas.

Había, en fin, una quinta clase social, la de los "enaciados", a caballo entre ambas religiones, y que servían de espías a favor de su bilingüismo. Moraban en lugares fronterizos y a veces formaban pueblos enteros, lo mismo que hoy existen lugares especializados en el contrabandismo en todas las fronteras del mundo. Todavía subsiste en Extremadura un pueblo llamado "Puebla de Naciados".

SENTIDO DE LOS ANTERIORES HECHOS

Se ha escrito mucho sobre historia hispano-musulmana, aunque a pesar de ello continúa siendo confusa la idea de al-Andalus y de la conexión de sus habitantes con los llamados claramente españoles en el siglos XIII, no antes. Hay que fijar, por consiguiente, la identidad humana de quienes constituyen el tema de nuestro razonar; porque de otro modo, cuanto más se añada en materia de datos y noticias, menos entenderemos la condición y las dimensiones sociales de las personas objeto de nuestro estudio, es decir, su auténtica realidad humana.

No será posible ver claro en la historia medieval de la Península mientras distinguidos orientalistas, y quienes no son orientalistas, continúen escribiendo que la "*raza* española" permaneció siendo española por debajo de las gentes de *sangre* árabe. Escribía F. J. Simonet acerca de la población de Granada en el momento de su conquista (1492), que según unos embajadores aragoneses que en 1311 visitaron aquella ciudad, entonces vivían [allí] doscientas mil personas, y no se hallaban quinientos que fuesen *moros de naturaleza*, porque todos eran hijos o nietos de cristianos".[18] Simonet no se atrevió a escribir que el no ser "moro de naturaleza" implicara ser "español", sino de "naturaleza" cristiana, idea brumosa, inspirada en nociones hoy inválidas acerca de la realidad social de las personas. Partiendo de ahí, y pensando que la "sangre" y la "psicología" estructuran y caracterizan las colectividades humanas, un distinguido arabista ha escrito no hace mucho: "Esta masa inmensa [de descendientes de cristianos], sin cesar creciente por proliferación natural y con enorme capacidad para infiltrarse, mediante matrimonios, en todos los linajes, incluso en el de la familia reinante; esta muchedumbre de *buenos musulmanes*, pero de *españoles de raza*, obedientes por tanto a otra psicología y a otros instintos atávicos... es la que *da su verdadera fisonomía a la España musulmana*.." [19]

Los arabistas españoles aplican el mismo criterio de "españolización" a todo al-Andalus, sean las que fueren el número de generaciones que separan a los musulmanes de sus orígenes cristianos. Si moros de al-Andalus iban a guerrear a Marruecos, se les llama "españoles"; Ibn Hazam era "español", etc. De prevalecer este criterio, los musulmanes carecerían de clara personalidad histórica, y todos serían beréberes en Marruecos, egipcios junto al Nilo, etc., etc. Lo mismo acontecería al Imperio Romano, si tal idea fuera justa, que no lo es. Quienes adoptan la lengua, la religión y el sistema de jerarquías político-administraivas de una agrupación humana, se convierten en parte de ella, sea cual fuere la condición humana de sus abuelos. Los romano-godos se sumaron a la causa de los invasores en gran mayoría, adoptaron su lengua y su religión, circunstancia decisiva en el caso de los pueblos mahometanos, por el carácter absorbente y moldeador del islamismo. Los convertidos al mahometismo —según Lévi-Provençal— "fueron progresivamente perdiendo el sentimiento de su propio origen". Algunos "se hicieron forjar a precio de oro genealogías que les permitían pavonearse de una ascendencia árabe". En otros se reconocía su origen "por sus nombres, por sus apellidos claramente romanos, como ocurría con los Banu Angelino y los Banu Sabarico, de Sevilla". Un cronista árabe del siglo x, Ibn al-Qutiyya, o sea, "el hijo de la goda", se vanagloriaba de descender del rey Witiza; pero rápidamente se produjo tal mezcolanza étnica entre las poblaciones andalusíes, "que cada vez resultaba más difícil distinguir en ellas los elementos aborígenes de los extraños" (E. Lévi-Provençal, *España musulmana*, 1950, pág. 47). Además, aun cuando muchos musulmanes descendiesen de los reyes godos, ¿con qué derecho se les da el nombre de españoles? ¿Acaso lo eran los reyes godos? E Ibn al-Qutiyya se llamaba "hijo de la goda", no de la española, porque no las había entonces.

Al-Andalus se hace ininteligible al enfocarlo, no en su realidad central, sino como uno periferia de algo que no es él. Pese a la peculiaridad de al-Andalus, respecto de los otros países islámicos (Egipto lo era también respecto del Iraq y de Marruecos), era notable "el apego, muy respetuoso y en cierto modo filial, que al-Andalus conservó durante toda su existencia hacia el resto del mundo árabe y a lo genuino de su civilización. Este apego se manifestó, ante todo, en el terreno de la religión. Una vez islamizado, al-Andalus [20] se mostró resueltamente conservador... Hasta el final de su historia, el malikismo dominó al-Andalus, y [sus alfaquíes] se esforzaron, con ardor y sin desmayo, por demoler todos los intentos de difundir corrientes nuevas, por extirpar la herejía, por mantener una ortodoxia sumamente estricta... Esta tendencia conservadora se manifiesta en al-Andalus, no sólo en el campo de la religión. Basta examinarlo un poco de cerca, para descubrir, por lo menos hasta el siglo XII, lo arcaico de su vida social, conservada hasta hace poco en Marruecos, el heredero directo de la civilización andalusí... Gran número de instituciones musulmanas arcaicas han subsistido en al-Andalus, mientras en el resto del mundo árabe caían poco a poco en desuso".[21]

Ese era el mundo humano en donde existían los musulmanes de al-Andalus. El análisis de su sangre sería tarea para biólogos, pero no para historiadores. Ni los andalusíes eran españoles, ni sentían serlo, antes del siglo XIII, quienes combatían o fraternizaban con ellos en tierras musulmanas o cristianas. La *Crónica General*, en la parte compuesta en tiempo del rey Sancho IV, hace hablar a Alfonso VIII, rey de Castilla, antes de la batalla de las Navas; exhorta primero a "sus naturales", a los fijosdalgo de su reino y a los "omnes de armas" que combatirían a sus órdenes; luego se dirige a los venidos de otros reinos para ayudar en la batalla contra los almohades, prueba suprema después de quinientos años de pelea y convivencia con al-Andalus:

Desque los sus naturales ouo el rey don Alffonsso puesto en recabdo desta guisa, apartosse otro día con los de Aragón et portogaleses et gallegos et asturianos, essos que y uinieron, et díxoles assí el rey don Alffonsso: "Amigos, todos nos *somos espannoles*, et entraronnos los moros la tierra por fuerça et conquiriéronnosla, et en poco estidieron *los cristianos que a essa sazón eran* [¡quinientos años atrás!], que non fueron derraygados et echados della. (Edic. M. Pidal, pág. 693.)

Los "cristianos" de hacía cinco siglos —llamados así, y no godos— aparecen ahora como "españoles". La razón es que durante esos cinco siglos (711-1212) los cristianos habían necesitado ayuda, pues al principio se sentían débiles: "uiníen unos a otros et ayudávanse, et podían con los moros, ganando siempre tierra dellos, fasta que es la cosa uenida a aquello en que uedes que oy está. Et assaz oyestes todos el mal que a mí fizieron en la batalla de Alarcos".

He ahí el motivo de usar el rey Alfonso, para aunar política y moralmente a sus aliados, un calificativo secularizado y menos genérico que el tradicional de "cristianos", empleado para denominar agrupadamente a quienes se oponían a los moros. El recuerdo del desastre de Alarcos incitaba ahora a aragoneses y navarros a ligarse con los castellanos; las tierras ganadas durante más de un siglo estaban en riesgo de perderse, si se repetía lo acontecido en aquel siniestro y abrasante 19 de julio de 1195. El califa beréber, Abu Yūsuf Ya'qūb al-Mansūr, destrozó la hueste de los castellanos, y el mismo rey Alfonso estuvo a punto de caer prisionero. El castillo de Alarcos, al oeste de Ciudad Real, fue arrasado. Según don Rodrigo Jiménez de Rada, a quien sigue aquí la *Crónica General* (página 681), los reyes Alfonso IX de León y Sancho VII de Navarra "fizieron su enfinta de uenir en ayuda deste rey don Alffonsso a la batalla de Alarcos". Por si esto no bastara, "librado ya el roydo de la batalla, a pocos días después desso començaron aquellos dos reyes, el de León et el de Navarra, a guerrear et correr el regno de Castiella *como hueste de enemigos*. Más: el rey de León don Alffonsso puso su postura de amor con los aláraues, et tomó muchos dellos consigo et entró por el regno de Castiella... robando et destruyendo quanto fallaua" (pág. 682).

Sobre ese fondo se destaca y cobran sentido las palabras de Alfonso VIII en 1212: "todos nos somos españoles", dirigidas a los aragoneses y a los portugueses; a los gallegos y a los asturianos. Estos últimos habían acudido sin su rey Alfonso IX, el cual se sentía más leonés y enemigo de su rival castellano que "español". Justamente por no sentirse de veras españoles aquellos cristianos duró ocho siglos la Reconquista; pensar otra cosa implicaría admitir que los "españoles" habían vivido en guerra y enemistad ciudadanas durante ochocientos años, un gran absurdo. La realidad era que la figura trazada por las dimensiones colectivas de cada grupo carecía de perfil sostenido y bien concluso, no se ajustaba aún a ese modo de *estar* coexistiendo en recíproca ligazón con otros, ya evidente e ineludible en el siglo XVI, y que hoy llamamos "español". Esa modalidad de vida fue estructurándose lentamente, porque el objeto designado por aquella palabra afirmaba ante todo su realidad sobre una comunidad de creencia, incluso en aquella supercreencia en la cual, como dije (pág. 40), se aspiraba a hacer converger las tres castas de posibles españoles; iba además fraguándose aquella modalidad colectiva en la común tarea de combatir y conquistar, más bien que entrelazándose pacíficamente por medio de actividades de tipo secular (Uno de los principales estímulos para la "italianidad" fue la intensa atracción ejercida por ciertas cimas de belleza literaria y artística.)

En contraste con la insensibilidad "española" del rey de León en 1195 y 1212 (otros análogos casos podrían aducirse), aparece la reacción aragoneso-catalana del cronista Bernat Desclot, después de la victoria de las Navas de Tolosa. Los tres "reyes de España", narra Desclot, se volvieron a sus tierras, después de desbaratar a los sarracenos y de haber conquistado gran número de ciudades, villas y castillos: "E així com lo rey d'Aragó se'n tornava en Aragó, e él trobà cavalers francès e anglès e alamayns, e moltes d'altres gens qui venien a la batala; mas trop s'eren tardats, e vengren denant lo rey e demanaren-li del feyt dels sarraÿns com era ne com no. E él respòslos que no·ls calia anar pus a avant, que·ls sarraÿns eren estats desconfits e morts *pers los reys d'Espanya*" (cap. V). Por la misma fuerza de las circunstancias (la forma de morar, y de estarse haciendo, en la propia vida), la conciencia de españolidad alternativamente se afirmaba o se resquebrajaba. Nunca esas realidades han sido sólidas y desde siempre dadas: han sido problema de vida, no de geografía ni de biología, un problema que ahora presento abierto en sus términos, a fin de entender el pasado y de mirar hacia el porvenir.

Lévi-Provençal llamó la atención sobre la complejidad humana de al-Andalus, sin caer en la ingenuidad de referir todo el asunto a los celtíberos, aunque usando el término "español" impropiamente:

"Un español musulmán *(en mi lenguaje, un andalusí)* y un español cristiano *(es decir, un leonés, castellano o aragonés, en vías de llegar a ser lo hoy llamado español)* no eran entonces tan extraños uno a otro ni tan dispares como pudiera pensarse Desde temprano, ya se sabe, los reinos del norte tuvieron musulmanes entre sus súbditos; por su parte, la España musulmana *(es decir, al-Andalus)* siempre tuvo entre sus gentes gran proporción de elementos aborígenes que fielmente conservaron su cristianismo." No suele estudiarse, añade Lévi-Provençal, sino el desarrollo político de la Península durante la alta Edad Media; mientras sigue en penumbra, y quizá en la oscuridad, su problema humano.[22]

Las respuestas a esas inteligentes observaciones contribuirán a aclarar el pasado de la Península, si parten del supuesto de que moros y cristianos miraban hacia distintos horizontes (el Asia musulmana y la Europa cristiana), a la vez que se encontraban en situaciones confusas e inseguras, en un estado de indeterminación, de deficiencia. Al-Andalus no pudo conservar el Califato, ni fundir los elementos que le habían permitido alcanzar la cima de su prestigio. Desde el siglo XI, la cultura andalusí y su estructura política serán a la vez mantenidas y destrozadas por las irrupciones de los africanos. Mientras esto acontecía en el sur, el norte cristiano se abría de par en par a la penetración francesa, en relación, según haré ver, con las peregrinaciones a Santiago de Compostela. Los monjes de Cluny y del Cister invadieron las tierras y ciudades de Navarra, Castilla, León y Galicia, oficialmente para rectificar el rumbo de aquella subcristiandad europea, muy necesitada de dirección, según juzgaban los reyes y los grandes señores. La huella galicista fue intensa, pero los cristianos del norte no pudieron forjarse una cultura a tono con la cristiandad europea en filosofía, saberes y técnicas, precisamente a causa del sistema de las tres castas, cuyo análisis y valoración es el tema de esta obra mía Para mantenerse independientes, los reinos del norte necesitaban servirse de sus moros y de sus judíos —tan españoles y tan no españoles como lo eran los habitantes de los reinos cristianos en sus recíprocos contactos. Hay que tener presente esta totalidad de la vida peninsular, a fin de dotar de sentido los datos de su historia social y política (ver cap. VIII). Es preciso tener muy a la vista la irreductible unidad del fenómeno, si no queremos descarriar el juicio y malgastar tiempo y esfuerzo. Me imagino la situación de los reinos cristianos desde el siglo XI, cuando el hundimiento del Califato abría la esperanza a un mejor y más alto porvenir, como la de un arquitecto al que se le pusiera en el trance de optar entre cubrir su edificio para protegerlo contra la intemperie, o afirmarlo sobre sólidos cimientos para que no se derrumbe. La techumbre de mi símil era la cultura cristiano-europea; los cimientos corresponden al sistema de las tres castas. *Si* los reinos cristianos hubieran podido zafarse de moros y judíos en el siglo XI... Pero yo no construyo mi historia sobre fundamentos optativos, sino sobre muy sencillas realidades, bien acordadas con las ideas que las hacen perceptibles.

Hay, en efecto, que incorporar a la historia española la idea de haber sido imprecisos, durante siglos, los límites que separaban la conciencia social reducida (gallego, castellano, catalán, etc.) de la más amplia sentida luego como española. Los nombres —insistamos en ello— ya dicen bastante: "don Pascual Espaniol" (en 1161) y "don Espannol" (en 1212),[23] habrían sido llamados así (ellos o sus antepasados) por algún extranjero para quien "España" denominaba las tierras al sur del Pirineo, sin mayor precisión. *Espanesco,* en 996, significaba "moruno".[24] En esa época los cristianos de la zona musulmana se llamaban a sí mismos mozárabes, y los de las zonas cristianas eran gallegos, navarros, etc. Los no cristianos en los reinos cristianos eran moros y judíos, los cuales se encontraban en el mismo estado de conciencia fluctuante o elástica: individuos de una casta, de una aljama, de un reino; finalmente, de España. El judío Abrahán Senior, apadrinado en su bautizo por los Reyes Católicos, ¿no se sentiría plenamente español?

Esa fluctuación y elasticidad fueron correlato de la inseguridad creada por la separación de castas y de las inevitables armonías surgidas entre ellas. Desaparecidas "oficialmente" las diferencias religiosas, la tarea unificante, españolizante, dependió de los comunes quehaceres. Las empresas imperiales del siglo XVI contribuyeron a borrar los particularismos de las regiones. Pero es, con todo, muy de notar que quienes no fueran castellanos o leoneses no pudiesen ir legalmente a las Indias. El que *de hecho* los navarros, los aragoneses y los catalanes pasaran al Nuevo Mundo, y allá ocuparan cargos y honrosos oficios, no amengua el sentido exclusivista de las leyes, que todavía en el siglo XVI consideraban como extranjeros a quienes no fueran castellanos y leoneses.[25] Las leyes de Indias en el siglo XVI no se dieron para una población sentida como uniformemente española. El problematismo de *desde dónde y hasta dónde se era español* comenzó a manifestarse en la alta Edad Media, y aún no había desaparecido totalmente en los siglos XVI y XVII. Hay que tenerlo presente para entender el muy peculiar carácter de cualquier fenómeno de civilización española en la época de los reinos desunidos de la Edad Media, de las castas a medio armonizar, de las repúblicas desunidas de Hispanoamérica, y de los reflejos de todo ello a lo largo del siglo XX español.

La realidad a que refieren los nombres gentilicios se funda en la creencia sentida, por los inclusos en ellos, de estar los así nombrados más próximos entre sí, en cuanto a sus relaciones colectivas, que cualquiera otra clase de seres humanos. Los límites semánticos de tales designaciones se determinan axiológica más que lógicamente. En la Argentina, los gallegos y asturianos agrupados en sus Centros regionales, se sitúan socialmente como españoles al extender al máximo su dimensión colectiva. Para un español, un mexicano o un chileno aparecen como tales en una visión próxima; en una más amplia, son sentidos como hispanoamericanos, como más allegados a él que ninguna otra gente fuera de España. De ahí que para un español el término latinoamericano sea artificial.

La comunidad en cuanto a la dimensión colectiva es independiente de las simpatías, o de cualquier "afinidad electiva", o de la igualdad de soberanía política. Esa comunidad es más un valor que una realidad sustantiva —insisto en ello. De ahí su elasticidad, y también el hecho de que los nombres gentilicios aparezcan en una forma al ser "vividos" desde dentro, y de otra al ser observados desde fuera, reflexivamente. El irlandés radicado en Inglaterra será oficialmente británico, e irlandés en su fuero interno; y lo mismo acontece en los Estados Unidos. La dimensión estimativa y la sustantiva del nombre gentilicio se funden en una, cuando una nación absorbe totalmente las diferencias regionales (en Portugal, en Dinamarca y en otros casos análogos). En lo demás, la oscilación es inevitable, incluso en naciones compactas como Francia, en donde muchos alsacianos y bretones sienten su dimensión regional antes que la oficialmente nacional. Parecidas diferencias estimativas se encuentran en España, en Italia y en otros países.

El rey Alfonso VIII, la víspera de la famosa batalla, llamó "oficialmente" españoles a los asturianos y a los catalanes; ambas denominaciones eran reales y efectivas aunque en modo distinto. Tengámoslo en cuenta al penetrar en el dédalo de las denominaciones gentilicias de los habitantes de la Península en la época de las tres castas y de los varios reinos.

LOS MORISCOS

Terminada la dominación política de los musulmanes, quedó aún en España un número considerable de moriscos. Diré de ellos sólo lo necesario para mi propósito. Más de una vez se sublevaron, y los ejércitos de Felipe II tuvieron que luchar muy en serio para reducir a los rebeldes de la Alpujarra, al sur de Granada.[26] Como es sabido, la población morisca fue expulsada por Felipe III en 1609, con excepción de los que fuesen sacerdotes, frailes o monjas. Sobrevivió aquella desventurada raza al espíritu que había hecho posible la convivencia de cristianos, moros y judíos; desaparecido el modelo prestigioso de la tolerancia islámica, cristianos y moros no convergían en ningún vértice ideal, pues, según dije antes (pág. 40), hubo intentos de hacer converger las tres castas de creyentes en un mismo Dios misericordioso, lo mismo que en un mismo vértice político. Alfonso VI, en 1098 y en 1104, suscribía ciertos diplomas reales, tanto en latín como en árabe, como "rey de todos los reinos cristianos y paganos de España", como "emperador de las dos religiones" (Menéndez Pidal, *El imperio hispánico y los cinco reinos,* pág. 110).

El problema, como tantos otros en la vida española, era insoluble, y huelga discutir si los moriscos debieron o no ser lanzados fuera de su patria. Fueron, sin duda, un peligro político, y estaban en inteligencia con extranjeros enemigos de España, que comenzaba a sentirse débil; [27] tanto, que hubo que hacer venir los tercios de Italia, porque la fuerza disponible en el reino no bastaba para asegurarse contra los riesgos de la expulsión. La guerra de Granada, en 1568, "descubrió que no valen tanto nuestros españoles en su propia tierra cuanto transplantados en las ajenas".[28]

Eran los moriscos trabajadores e ingeniosos, y es lugar común lamentar el desastre que acarreó su alejamiento para la agricultura y la industria. Lo dijo ya Hurtado de Mendoza en palabras de bruñido acero: "La Alpujarra, estéril y áspera de suyo, sino donde hay vegas; pero con la industria de los moriscos —que ningún espacio de tierra dejan perder—, tratable y cultivada" (edic. cit., pág. 75). Sobresalía el morisco en tareas manuales, desdeñadas por los cristianos, y se hizo por ello tan útil como despreciable.

Pero el tema de los moriscos seguirá flotando en bruma histórica, mientras nos limitemos sólo a describir y a presentar aspectos exteriores de aquel desventurado pueblo. Un resentido escritor, fray Marcos de Guadalajara, que los conocía tan bien como cordialmente los odiaba, pensaba que la causa de la expulsión "no puede ser otra, sino que como éstos se han alçado con los oficios mecánicos, y con lo que es negociar, y assimismo con servir de peones y jornaleros; y todo esto lo hazen con mayor comodidad de los que compran, por ser ellos tan parcos y avarientos, que ni comen, ni beven, ni visten, vienen los christianos viejos (que *antes* [¿antes de qué?] ganavan de comer con sus trabajos) a quedar sin aver quien los conduzca ['los tome a jornal'], y si los conducen es por precio baxo, que no es posible sustentarse; y assí dexan sus tierras y se van perdidos".[29] El mismo escritor añade que "con su destierro baxó de precio el trigo, corren por mar y tierra libremente las mercaderías, navégase el mar sin tantos cuidados; con el temperamento ['favor'] del cielo es de más provecho y gusto la agricultura; sin temor de enemigos se hazen largas jornadas; gozan los caminantes de la hermosura de la Cruz Santísima; los pueblos donde habitavan están honrados con la compañía del Santísimo Sacramento de la Eucharistía; corre escogida moneda de bellón, oro y plata; celébranse las fiestas generalmente por toda España, y con aplauso; no saben nuestros enemigos los secretos della; estamos libres en nuestras costas y riberas de los insultos y robos africanos; cría nuestra España... abundancia de nuevos soldados; componénse con facilidad las inquietudes y diferencias; queda la tierra ya asegurada de prodiciones y levantamientos; vívese en ella en una fe cathólica apostólica romana; y finalmente, tenemos todos seguridad en nuestras casas" (cit. por Janer, pág. 169).

De ser esto cierto, una nueva Edad de Oro reinó en España después de expulsada la nefanda casta en 1609. Sabemos, desde luego, que lo dicho por fray Marcos era casi todo pura palabrería aunque el apasionamiento de uno y otro bando en aquel momento ha de ser incluido en la realidad total de nuestro tema. Los lamentos y los dicterios quieren decir que, hacia 1600, era ya imposible la convivencia normal de los cristianos viejos y de los moriscos. Todavía en 1497 los Reyes Católicos autorizaban a los moros expulsados por el rey de Portugal a que "podáis entrar, *estar* y venir en nuestros reinos y señoríos todo el tiempo que quisiéredes e por bien toviéredes; e se quisiéredes salir dellos, lo podades fazer".[30] Los moriscos continuaban estando en la situación de los mudéjares (aún llamaban así a los de Murcia), sólo que en un conjunto social ya roto por haber desaparecido la posibilidad de convivir en buena armonía con los cristianos, según acontecía en los siglos XII, XIII, XIV y XV. Fray Marcos de Guadalajara, o lo ignoraba o prefirió olvidarlo.[31] El cual ya no entendía que los moriscos continuaran apegados al ideal religioso que había hecho práctica e idealmente posible la coexistencia de las tres castas de creyentes: "Tenían por cierto que cada uno se podía salvar en la ley de Christo, [en la del] judío y [en la del] moro, guardándola cada uno fielmente" (Janer, *op. cit.*, pág. 169); precioso testimonio de cómo perduraba la situación espiritual creada hacía siglos. La esperanza de recobrar el poder político por fuerza de armas se había desvanecido, pero hubo aún ciertos moriscos granadinos a fines del siglo XVI que pensaron recobrar con ardides teológicos algo de las posiciones perdidas políticamente. Ese es, en efecto, el sentido de los textos apostólicos falsificados, y aparecidos al excavar el subsuelo de una torre en él, precisamente por eso, llamado luego Sacro Monte de Granada. Entre 1595 y 1597 fueron apareciendo, escritos en latín y en árabe, textos evangélicos en los cuales Cristianismo e Islam se sincretizaban extrañamente: "No hay otro Dios sino Dios y Jesús, espíritu de Dios." La referencia a la Trinidad era muy somera, a fin de hacer menos difícil para los musulmanes el aceptarla.[32] El Verbo Encarnado era "el Espíritu de Dios"; [33] pero no una de las personas de la Trinidad, con lo cual esta especial religión de los moriscos se acercaba al arrianismo.

Aunque los judíos no se mencionaran, el intento de aquel ingenuo fraude teológico era proponer un Dios aceptable para las tres creencias monoteístas. Personas avisadas y bien instruidas llamaron la atención sobre tan burdo engaño, aceptado como un mensaje divino por el arzobispo de Granada, don Pedro de Castro y Quiñones.[34]

La creencia en la autenticidad de los "libros" que unos sagaces moriscos habían ido enterrando en el llamado hoy Sacro Monte, arraigó en el clero granadino y en otros lugares. El sabio escriturario Benito Arias Montano (descendiente de judíos), optó por no comprometerse en pro ni en contra del hallazgo, juzgado por algunos manifiesta superchería. El asunto fue sometido a Roma, y los libros evangélico-arábigos fueron llevados allá en 1641, después de muchas dilaciones y resistencias. Pero la Iglesia no se pronunció definitivamente sobre el caso sino en 1682, al declarar Inocencio XI que se trataba de una ficción forjada "para ruina de la fe católica", y "que muchas cosas tienen resabios de mahometismo... conociéndose estar tomadas del *Alcorán* y de otros impurísimos libros mahometanos" (Godoy Alcántara, *op. cit.*, pág. 127). El cual comenta con buen tino que la sociedad española estaba "muy preocupada de lo sobrenatural y maravilloso, y poco o nada de las doctrinas". En Roma se decía que "la piedad de los españoles es indiscreta".

Menéndez y Pelayo enjuició estos hechos muy superficialmente al cerrar con esta frase el examen de un fenómeno de tamaño volumen:

"Así fracasó esta absurda tentativa de *reforma religiosa:* notable caso en la historia de las aberraciones y flaquezas del entendimiento humano." [35] Con lo cual nada adquiere realidad *en* su historia, sino en la bruma imprecisable y abstracta de "las aberraciones y flaquezas humanas"; es decir, en una vacuidad de sentido. La cuestión, en último término, presenta, por lo menos, tres aspectos: *uno,* un fondo último de voluntad de coexistencia (consciente-subconsciente) de ciertos musulmanes y de algunos cristianos españoles; Miguel de Luna y los moriscos que con él colaboraron en el fantástico engaño, además de su interés práctico, sentían ser aquel engaño *posible* dado el tradicional entrecruce de la espiritualidad de una religión con la de la otra. Que el tema no haya sido estudiado sino ocasional y fragmentariamente, no quiere decir que tales entrecruces no existieran: es tarea para ser proseguida por futuros orientalistas-hispanistas. Que era posible lo hace ver la fe ciega con que un arzobispo y muchos otros eclesiásticos aceptaron los famosos plomos —o como ciertos musulmanes rezaban el padrenuestro (ver antes página 40). *Otro* aspecto: la confiada receptibilidad para cuanto se suponía venido del más allá sobrenatural, fundado sobre más segura y eficaz realidad que lo sabido acerca del mundo de tejas abajo. Y, en fin, hay que tener presente un *último motivo,* de tipo social: la situación en que se hallaba la Colegiata del Sacro Monte de Granada después de declarar la Santa Sede que las famosas láminas de plomo, escritas en árabe, eran una ridícula farsa. No habían sido condenadas, en cambio, las láminas escritas en un latín bárbaro en las cuales se decía que, en aquel lugar, habían padecido martirio varios discípulos del apóstol Santiago, entre otros San Cecilio, pero con tantas "incongruencias y anacronismos, que su falsedad resaltaba desde las primeras líneas" (Menéndez y Pelayo, *loc. cit.,* pág. 344). Pero, a pesar de todo, y precisamente por ser así lo acontecido, los canónigos del Sacro Monte hicieron publicar, en 1741, una biografía del arzobispo don Pedro de Castro, titulada *Mystico ramillete histórico, chronólogico, panegírico, texido de las tres fragrantes flores del nobilíssimo antiguo origen, exemplaríssima vida y meritíssima fama,* del arzobispo fundador de aquella iglesia. Con tan importante publicación, en verdad delirante, se salvaba el carácter Sacro, tanto de aquel monte como de las reliquias conservadas en el templo fundado por el famoso Arzobispo. Según se dice en una advertencia al lector, titulada "Razón de la obra", "se ha de distinguir entre láminas [en árabe] y láminas [en latín] de las que allí se hallaron". Estas últimas "están calificadas con aprobación apostólica, permitidas y guardadas con las sagradas reliquias a que se refieren, en el altar mayor de la Iglesia Colegial del Sacro Monte. Otras, de peregrinos caracteres árabes y orientales, que contenían varios puntos dogmáticos y doctrinales, están prohibidas; ...por lo que con especial estudio tratamos de aquellas permitidas, *sin mezclarnos en nada* con estas prohibidas, y reservadas a el juizio de la Iglesia en el Archivo del Vaticano".

No era posible ni prudente "mezclarse" en el asunto de la autenticidad de las láminas, porque entonces hubiera sido necesario reconocer que todos aquellos documentos eran una trampa montada por algunos moriscos en momentos de angustia para su casta. Mas a la sombra de tal engaño había surgido algo muy real: un templo espléndido, intereses eclesiásticos de gran cuantía, y la fe de toda una ciudad en sus santos patronos. Ni la Santa Sede osó declarar apócrifas las inscripciones en plomo, en virtud de las cuales San Cecilio, patrón de Granada, había sido martirizado en un lugar llamado "sacro" a consecuencia precisamente de una invención morisca. La verdad de la vida es vista a través de prismas movedizos y de forma irregular; no es reductible a los abstractos juicios de la razón. La realidad de la historia no cabe en el marco cerrado por dos palabras: "es verdad, es mentira"; "es justo, es inicuo"; "es hermoso, es repelente"; "es esencial, es accidental", etc. La "verdad" de los exorcismos en árabe de don Pedro de Castro, del sincretismo religioso de los moriscos, de lo Sacro del monte en donde fue representada la farsa dramática de aquellas invenciones, esa verdad es inseparable de la realidad de la vida española, que es convivible, amable y padecible: no encerrable ni analizable en juicios que, en último término, trituran y destruyen lo que aspiro a mantener vivo.

LOS MORISCOS EN LA ESPAÑA DEL SIGLO XVI

Los cristianos habían dado fin al siempre inestable equilibrio de las tres castas, por ser los más fuertes; pero los moros continuaban existiendo —en forma ya muy decaída— como venían haciéndolo desde hacía largos siglos. Su artesanía y su gusto por las faenas agrícolas (amor por los árboles, por cuanto la tierra producía), tenía fundamento religioso. La persona no desmerecía por descender de quien trabajaba con sus manos. Hacer bien las cosas era deber moral muy subrayado por las leyes y ordenanzas sobre la buena conducta en la práctica de las artes y oficios.[36] Ibn 'Abdūn dice: "No se permitirá que nadie se las dé de maestro en cosa que no hace bien, particularmente en el arte médico... Dígase lo mismo del carpintero" *(op. cit.,* pág. 145). En unas *Leyes de moros,* escritas en castellano a comienzos del siglo XIV, se ordena que "los maestros de los menesteres son fiadores de fazer bien lo que les dan a fazer", y se dan minuciosas instrucciones sobre cómo se ha de segar el trigo, coger dátiles o sacar agua de los pozos.[37] En el siglo XII, Abén Alawanz escribió un tratado de agricultura, traducido al español en 1802; pero en obras de agricultura árabe se había inspirado el primer libro sobre ese tema publicado en castellano, la *Obra de agricultura,* de Gabriel Alonso de Herrera, Alcalá, 1513.[38]

Pero la economía y todo lo demás ha de situarse *en su* historia, pues de otro modo hablaremos de abstracciones sin sentido y no de fenómenos humanos. La expulsión de los moriscos fue provocada por algo más que intolerancia, competencia económica y torpeza gubernamental; hay más bien que tener presente la estructura de la vida española y su manera de funcionar, singularísima y sin análogo en cuanto a los valores creados y destruidos por ella.[39] Han de contemplarse los fenómenos humanos desde dentro de su realidad, para que la historia no se nos haga espectral, cuestión de cifras y brumas abstractas, quitándole a la vida su sentido como valor, aspiración, drama y novela. Los judíos y los moriscos existieron articulados en el conjunto de la vida total de los españoles; procuraron y soñaron alcanzar prestigio y poderío. La imagen que de sí mismos se habían formado (sin análogo, insisto, ni en Oriente ni en Occidente) se les hizo añicos, porque junto a ellos otra clase de gente vivía aspirando a *ser más,* y los judíos y los moros (luego moriscos) eran grave estorbo para tal finalidad. Felipe III, tataranieto de los Reyes Católicos, no veía ya sino peligros en la estancia de los moriscos dentro de sus reinos. Casi 300,000 [40] de aquéllos hubieron de salir por fuerza de la tierra que había sido suya, y que siempre habían soñado en recobrar, según luego oiremos decir a Abén Humeya (pág. 208). Mucho antes, en un texto aljamiado del siglo XV, se decía "que el tiempo se aserca... Se ensañará Allah... sobre ellos, los adoradores de la cruz, y prenderles an sus algos ['sus bienes'], y sus casas y sus muxeres..." [41] Fray Marcos de Guadalajara sabía que, al celebrar sus Pascuas, los moriscos "rogavan a Mahoma por los felices años de Sultán Muzlim para sujetar a los christianos... Después de un largo llanto y solloços que hazían sobre esto, salía el alfaquí diziéndoles: *Aconsolaos, amigos, con que esta tierra ha sido algún* ['en otro'] *tiempo de vosotros, y ha de bolver sin duda alguna"* (Janer, *op. cit.,* pág. 171). En un *Discurso antiguo en materia de moriscos,* que Janer (pág. 266) publicó sin citar su procedencia, se señala como máximo peligro "tener en las entrañas [de España] tantos enemigos de nuestra santa fee y enemigos nuestros particulares, que saben que sus antepasados han sido señores de la tierra en la cual ahora se ven esclavos y oprimidos de mil maneras". El autor de este mesurado *Discurso* censura la falta de interés en convertir a los moriscos: "Cuántos perlados y curas hay que, en lugar de pensar cazar almas, que es su profesión, piensan en plantar lechugas... y aplican el pensamiento, y lo que peor es, la sangre de Jesucristo, a sus deudos, y a sus casas y a sus gustos. Es imposible que nosotros convirtamos a los moriscos, sin amansarlos primero, y quitarles el temor, el odio y la enemistad que tienen con el nombre cristiano, pues el primer precepto de la Retórica es que, quien quiere persuadir, haga benévolo al auditorio... Hay también quien [h]a gastado muy muchos millares de ducados en otras obras pías, que si los hubiera gastado en la conversión de los moriscos de su diócesis de la manera arriba dicha, creo hubiera hecho harto más servicio a Dios y a S. M."

El sereno y buen sentido de las razones de este anónimo crítico (que he abreviado mucho), recuerda el estilo de ciertos erasmistas del siglo XVI. Aunque el momento no estaba ya para razonar mansamente. Los moriscos conspiraban con moros de allende, turcos y franceses, para acosar a un enemigo que creían débil y veían muy preocupado. Felipe III sabía de la conspiración morisca para invadir España como en tiempo de don Rodrigo; "agora —decían ellos— hay mucha menor gente con haberse consumido con la peste y guerra de Flandes; que si entonces no había armas y gente ejercitada en ellas, agora hay mucho menos, y de menos brío y valor". Esto es lo que fueron a decir a Muley Sidán, en Marruecos, "50 moriscos que se pasaron destos reinos a Berbería". El cual Muley Sidán les respondió, "que no podía dejar de procurar hacerse señor de los reinos que habían poseído sus pasados" (Janer, *op. cit.*, p. 275). En 11 de septiembre de 1609 comunicaba Felipe III a su Consejo que los moros de Berbería "traen también pláticas e inteligencias con hereges y otros príncipes que aborrecen la grandeza de nuestra monarquía... Y si estos y los demás enemigos nuestros cargan a un tiempo mismo, nos veremos en el peligro que se deja entender" (Janer, *op. cit.*, pág. 298). En agosto de aquel año había escrito el Rey al arzobispo de Valencia: que los moriscos aseguraban a los posibles invasores que hallarían en España, "ciento y cincuenta mil tan moros como los de Berbería, que les acudirán con sus personas y haciendas; representándoles para moverlos a ello, cuán faltos están estos reinos de gente militar, y cuán mal apercibidos de armas y municiones; y todos les han ofrecido de hacerlo" (*ibíd.*, página 332).

No es mi propósito exponer hechos ya conocidos, sino hacer ver cómo dos de las tres castas de España aún pugnaban por afirmar o recobrar su supremacía a principios del siglo XVII. La de los judíos era atacada en sus restos inquisitorialmente, a través de los cristianos nuevos de ascendencia judía, mientras los auténticos judíos españoles contribuían a empeorar la situación internacional de la España cristiana desde Turquía, Holanda y, más tarde, desde Inglaterra. En vista de todo lo cual, es poco fecundo históricamente insistir sobre si los moriscos tenían o no el monopolio de las faenas agrícolas y de artesanía en las zonas de su residencia. El personalismo de la casta cristiana se había agudizado a favor de la grandiosidad imperial, en un medio bastante escaso de bienestar económico, y socialmente paralizado. Las vías para subsistir sin oprimentes agobios se hallaban bloqueadas para quienes no fuesen señores terratenientes, o eclesiásticos. La Iglesia llegó a poseer casi la mitad del suelo cultivable de España (ver cap. VIII). Junto a estas clases poderosas económicamente (mansiones señoriales, templos esplendorosos), el resto de la casta victoriosa de los cristianos viejos se sentía angustiado. El hidalgo ocioso, tan lleno de presunción como falto de medios, es tema literario bien conocido en la literatura de los siglos XVI y XVII. Lo que había en cuanto a banca y gran comercio se hallaba en manos extranjeras, que canalizaban hacia el exterior el oro y la plata de México y del Perú. El indiano enriquecido se hizo despreciable. O sea, una vez más, que la economía es ante todo resultado de lo que la gente quiera y pueda hacer con ella (ver cap. VIII). Como decía Quevedo, en tiempos antiguos, "España, con legítimos dineros..., más quiso los turbantes que los ceros" (Epístola al conde-duque de San Lúcar).

El trabajo remunerador envilecía cada vez más, a medida que avanzaba el siglo XVI, porque atesorar dinero o negociar con él era cosa de moriscos y de cristianos nuevos de ascendencia judía. Los moriscos eran "tan industriosos, que con haber venido a Castilla (los expulsados de Granada) diez años ha (según afirma un cierto doctor Liébana) sin tener un palmo de tierra y haber sido los años estériles, están todos validos, y muchos ricos, en [tal] proporción que, de aquí a veinte años, se puede esperar que los servirán los naturales" (Janer, op. cit., pág. 272).[42] Ese es el nudo de la cuestión: cómo se conduce la gente en y desde la intimidad de su morada de vida; en nuestro caso, en vista de su conciencia de casta. Escribía el Comendador Mayor de León al Rey, en 28 de agosto de 1609: "Aunque según la mala maña que los cristianos viejos se dan a la cultura ['labranza de la tierra'], habrá trabajo en poblar lo que se despoblare, todavía es de mucho mayor consideración el quitar la apostasía y heregía desta gente de que nuestro Señor es tan deservido, y el asegurarse del peligro en que con ella se está" (Janer, op. cit., página 282). El rey apostilló al margen: "He visto todo esto que está muy bien advertido." Tal era la auténtica jerarquía de valoraciones que determinaba el funcionamiento de la vida dentro de la casta cristiano-vieja; es decir, de lo que llegó a ser por fin y totalmente "lo español". De poco servía que "una señora de título, que es muy honrada mujer, llorando mucho" fuese a gimotearle al arzobispo de Valencia, porque la ida de los moriscos "era total perdición de su casa", e imposibilitaba "la población de sus lugares" (Janer, op. cit., pág. 305).

No es, pues, ninguna leyenda el que el trabajo manual y la artesanía significaran y valieran para el morisco mucho más que para el cristiano viejo. Porque no se trata de cifras y estadísticas (historia espectral y esquelética), sino del *hecho* de hacia dónde se orientaban las inclinaciones y las valoraciones. Si el morisco hubiese trabajado para el cristiano como el indio de México y del Perú, otra habría sido la vida española. Pero la tradición, la conciencia del prestigio islámico, permitieron al morisco, no obstante su decadencia, labrarse una vida propia y en cierto modo independiente en cuanto a la economía y a la práctica más o menos clara de su religión. Ni comían cerdo, ni bebían vino. Contra eso servía de poco la "dimensión imperativa" de la casta cristiana. Los moriscos no estaban aislados como el indio de América, pues contaban con el Islam africano y turco, y con el odio francés hacia la monarquía española.

El morisco se apoyaba en una tradición de actividad económica de que carecía el cristiano. Las Cortes de 1582 llamaban la atención de Felipe II sobre el número creciente de moriscos en el reino de Granada, y sobre el hecho de estar "apoderados de todos los tratos y contratos, mayormente en los mantenimientos, que es el crysol en donde se funde la moneda; porque la recogen y esconden al tiempo de las cosechas... Que para mejor usar dello se han hecho tenderos, panaderos, carniceros, taberneros y aguadores; con lo cual recogen y esconden assí mismo todo el dinero. Que ninguno dellos compra ni tiene bienes raíces, y con esto están tan ricos y poderosos".[43] Trabajar, ganar dinero y atesorarlo aparece aquí como grave culpa, por no saber hacerlo entonces el cristiano tan eficazmente como el morisco. Antes de ser España un vasto imperio, el morisco hacía todo eso para servir al cristiano, que no lo forzaba a cambiar de religión, de lengua y de costumbres —esa era la radical diferencia. Después de la toma de Granada, el cristiano pretendía continuar sirviéndose del moro (según decía el Cid del Poema), aunque vaciándole la vida de todo contenido propio, de todo estímulo alentador. El marqués de Comares se hacía reparar en el siglo XVI un castillo suyo en las Alpujarras, como el Cid en las tierras que conquistaba en el siglo XI: Ordenó "a los moriscos que reparasen los muros, los cuales lo hicieron dando peones y bestias que trabajasen en traer materiales, por manera que en poco tiempo la puso en defensa [la fortaleza]... Había entre aquellos serranos muchos hombres de buen entendimiento, que disimulando su negocio, mostraban estar llanos en el cumplimiento de las premáticas [del rey contra ellos], aunque les fatigaba demasiadamente lo de la lengua", o sea, la prohibición de hablar árabe.[44] Se pretendía el absurdo de que el morisco dejara de ser moro, y que a la vez funcionara dentro de la vida española como cuando era mudéjar.

Es inoperante achacar a la inepcia política del duque de Lerma la radical y violenta solución del problema morisco. Una vez que el cristiano viejo adoptó la tradición semítica de fundir el Estado con una creencia religiosa, nada cabía hacer. Las exigencias terrenas habían de subordinarse a las de la fe; y en la de los católicos españoles no quedaba lugar para la santificación del trabajo productivo. Por otra parte, la dimensión imperativa e imperial de la casta triunfante hacía imposible aceptar la valorización del trabajo según hacían las dos castas vencidas y, a la postre, eliminadas —ni tampoco era factible copiar intelectual y artificialmente la idea protestante de ser el trabajo manual tarea grata a Dios, como, según diré, proponía el jesuita Pedro de Guzmán. La religión se había hecho consustancial con el Estado, y en ella se afirmaban quienes habían extendido el poder del Rey por muchas zonas del mundo nuevo y por algunas del viejo. Dejando a un lado las esenciales diferencias dogmáticas, los frailes y los obispos que orientaban y decidían en último término la política de Felipe III (como antes la de Felipe II), semejaban a los alfaquís de al-Hakam II, o a los rabís que en Amsterdam condenaban a Benito Spinoza a una especie de muerte civil. El Imperio Español tomaba el aspecto de una inmensa aljama.

Las propuestas de soluciones humanas para el conflicto planteado por los moriscos —las hubo sin duda— eran quiméricas. De hecho la jornada de los expulsados hasta los lugares de su exilio fue una sucesión de crímenes, a despecho de cuanto, piadosamente, había ordenado Felipe III.[45] Pero no todo lo escrito sobre ellos estuvo inspirado por incomprensión y total ausencia de caridad. La más humana descripción de sus trabajos y aptitudes se halla en la *Historia de Plasencia*, de fray Alonso Fernández: "Ejercitábanse en cultivar huertas, viviendo apartados del comercio de los cristianos viejos, sin querer admitir testigos de su vida. Otros se ocupaban en cosas de mercancía. Tenían tiendas de cosas de comer en los mejores puestos de las ciudades y villas, viviendo la mayor parte de ellos por su mano. Otros se empleaban en oficios mecánicos: caldereros, herreros, alpargateros, jaboneros y arrieros. En lo que convenían era en pagar de buena gana las gabelas y pedidos, y en ser templados en su vestir y comida... No daban lugar a que los suyos mendigasen; todos tenían oficio y se ocupaban en algo" (Janer, pág. 162).[46] Se propagaban abundantemente, "porque ninguno seguía el estado anejo a esterilidad de generación carnal, poniéndose fraile, ni clérigo, ni monja... Todos se casaban, pobres y ricos, sanos y cojos... Y lo peor era que algunos cristianos viejos, aun presumiendo algo de hidalgos, por nonada de intereses, se casaban con moriscas y maculaban lo poco limpio de su linaje".[47] Frase poco clara, aunque interesante, porque ¿cómo podía ser poco limpio de linaje un cristiano viejo con presunción de hidalguía? Se transparenta ahí, inconscientemente, el recelo entonces tan común de que, incluso quienes alardeaban de cristiandad vieja e hidalguía, si no eran labriegos, no estaban exentos de sospecha. Y el casar con morisca, hecho nada insólito, revelaba tener poco que perder en materia de limpieza. (Ver mi libro *De la Edad Conflictiva*, 1961, págs. 177, 206.) En cuanto a sus costumbres y carácter, "eran muy amigos de burlerías, cuentos, berlandinas, y sobre todo amicísimos (y así tenían comúnmente gaitas, sonajas, adufes) de bailas, danzas, solaces, cantarcillos, albadas... Eran dados a oficios de poco trabajo [entiéndase, 'que necesitaban más habilidad que esfuerzo violento']: tejedores, sastres, sogueros, esparteñeros, olleros, zapateros, albéitares, colchoneros, hortelanos, recueros revendedores de aceite, etc." (Janer, pág. 159).[48]

En suma, la relación entre moriscos y cristianos recordaba aún la de la Edad Media, con la diferencia de que la cultura literaria y científica de los moriscos ya no poseía ningún Averroes o Ibn Hazam, y sus escritos, conservados en la literatura aljamiada, carecen de especial valor. Los cristianos viejos y nuevos los dominaban en cultura y en rango. De todas suertes, el número de libros escritos entre 1610 y 1613 con motivo de su expulsión (unos veinte, entre impresos y manuscritos) demuestra lo mucho que tal suceso importaba a la opinión pública. Se habían usado la persuasión y la violencia, y a pesar de ello aquella casta era imposible de asimilar. Los moriscos se sentían tan españoles como los cristianos viejos, y fundaban su conciencia de nación en un pasado glorioso.[49] Sus virtudes de trabajo y la riqueza que aquéllas significaban fueron sacrificadas por la monarquía española, para la cual riqueza y bienestar nada valían frente al honor nacional, fundado sobre la unidad religiosa y el indiscutible señorío del poder regio, según ya se ha visto. Pactos y arreglos con infieles eran cosa de tiempos ya pasados; los moriscos, en último término, resultaban ser un irremediable anacronismo. En forma más limitada y humilde que en 1100, el moro seguía trabajando y creando riqueza a comienzos del siglo XVII; y el cristiano seguía señoreándolo, muy consciente de su superioridad personal.

En tiempos de Carlos V, España se sentía fuerte, y un resto de flexibilidad aún permitía conllevar la carga legada por la tradición. En la época de Felipe II, la convivencia entre cristianos viejos y nuevos se hizo cada vez más difícil; arreció la intolerancia hacia los moriscos, y éstos se alzaron en armas al percibir, con fino olfato, que el Imperio Español caminaba en declive. Abén Humeya, en la arenga antes citada, se expresaba así: "A mí no me importa el extendido imperio de España porque, creedme, que los estados cuando han llegado al punto de la grandeza, es forzoso que declinen. Las grandes fuerzas las quebranta el regalo, la voluptuosidad y el deleite que acompañan a la prosperidad... Pues nosotros no somos banda de ladrones, sino un reino; ni España menor en vicios a Roma." La verdad es que Felipe II necesitó de toda su fuerza para vencer a los moriscos de la serranía granadina, cuyas partidas, mal armadas, tuvieron que ser reducidas, después de tres años de lucha, nada menos que por don Juan de Austria, luego de haber fracasado otros ilustres generales.

Aquella guerra civil y la final expulsión de la raza irreductible fueron lo que tenían que ser, dados los términos del problema en litigio. El morisco, sin embargo, seguía sintiéndose español: "Doquiera que estamos lloramos por España, que, en fin, nacimos en ella y es nuestra patria natural... Agora conozco y experimento lo que suele decirse, que es dulce el amor de la patria." Así hablaba en el *Quijote* (II, 54) el morisco desterrado. Lo cual engranaba con lo sentido por almas cristianas de temple exquisito. Fray Hernando de Talavera, el primer arzobispo de Granada, pensaba que para que los moriscos y los demás españoles fueran todos buenos cristianos, "habían de tomar ellos de nuestra fe, y nosotros de *sus buenas obras*".[50] No era eso sentimentalismo ocasional y político, puesto que en 1638 el historiador Bermúdez de la Pedraza notaba que si entre los moriscos "faltaba la fe y abundaba el bautismo", era igualmente cierto que "tenían *buenas obras morales*, mucha verdad en tratos y contratos, gran caridad con sus pobres; pocos ociosos, todos trabajadores" (Longás, *op. cit.*, pág. 52).

He ahí un conflicto más en un tiempo radicalmente "conflictivo", que acabaría por hallar expresión en los llamados estilos barrocos. No cabe, pues, simplificar con exceso la cuestión y reducirla al hecho de que la intolerancia española arrolló la obstinación musulmana, rebelde a la unidad religiosa impuesta por la casta cristiana, siendo así que lo decisivo fue el choque entre razón y vida, choque del cual tenían conciencia quienes soñaban idealmente en armonizar la "fe sin obras" de los cristianos viejos y las "obras sin fe" de sus adversarios. Desligadas ambas, la catástrofe social era inevitable. Notaba el jesuita Pedro de Guzmán, en 1614, que ciertos herejes protestantes debían la "felicidad" de sus estados a la práctica del trabajo —de las obras— como virtud social y constructiva.[51] Siempre, en un modo u otro, se supo y se *sintió* en España lo que sería bien hacer, aunque fuese imposible realizarlo. Y ese dualismo polémico entre conciencia y conducta es justamente la premisa de donde deriva la calidad permanente y universal de la civilización española —"vivir desviviéndose", *una* de cuyas expresiones es la literatura del llamado Siglo de Oro. Lo cual, repetiré al paso, no es primitivismo, ya que los pueblos primitivos no hacen un problema de su propia existencia.

Durante el siglo XVI bastantes señores aragoneses aceptaban con enojo la presión inquisitorial contra los moriscos,[52] principales sostenedores de la agricultura: "Como los señores no tienen otras rentas más principales de que puedan vivir y sustentar sus casas y estados, sienten mucho que la Inquisición castigue sus vasallos, o en hacienda o en personas, de donde han muchas quejas injustas del Oficio [de la Inquisición] y de los que están en él." Así escribe un inquisidor de Zaragoza a la Suprema de Madrid, en 1553. Más tarde, en 1569, nada menos que el Almirante de Aragón, don Sancho de Cardona, fue procesado por el Santo Oficio a causa de su excesiva tolerancia hacia los moriscos, a quienes hizo incluso reedificar una mezquita. Le atribuyeron el propósito de acudir al papa y hasta al sultán de Turquía en protesta por el bautismo forzado impuesto a los moriscos valencianos.[53] Mas del mismo modo que no era dable el engranaje de la fe sin obras con las obras sin fe, tampoco era posible la armonía en el plano de los intereses económicos, ya que las "cosas" de este mundo, las tangibles e intercambiables, nunca fueron decisivas en la "morada" en donde, en última instancia, la persona decidía mirando hacia dentro de sí, y no hacia fuera.

Los rectores de la vida pública no podían ver entonces en el morisco sino una voluntad rebelde; no existía un campo común de actividades e intereses en que se enlazaran el amor por España de los moriscos y la estima que por ellos sentían algunas almas de temple delicado. El conflicto se convirtió en pugna de voluntades aferradas a su afán de preeminencia castiza, desintegradas de las exigencias del mundo exterior, neutro, que pertenece a todos, pero no totalmente a nadie. El resultado de esa pugna de nudas voluntades no podía ser sino el aniquilamiento de uno de los bandos, sin compromiso posible. Los señores de Aragón fueron arrollados, y sus campos, por largo tiempo, cayeron en miseria. Yo vería un residuo del enojo aragonés hacia el poder central de Castilla en el hecho de que durante el siglo XVII las imprentas aragonesas fueron un asilo para libros amargos, satíricos, en que el orden existente no salía muy bien parado. Las primeras ediciones de las obras más mordaces y corrosivas de Quevedo aparecen en el reino de Aragón, no en Castilla. La política unificadora de Felipe II, contraria a los fueros de Aragón, y la expulsión de los moriscos, contribuyeron a estremecer la precaria solidaridad entre los distintos reinos de España. Cataluña, con muy pocos moriscos, se mantuvo al margen de la cuestión.

Creo que ahora puede calcularse la distancia que media entre la expulsión de los moriscos en 1609, y la de los judíos en 1493. Aquéllos habían quedado reducidos al ejercicio de menesteres prácticos, muy útiles aunque sin prestigio, y ello explica los ataques y las alabanzas antes mencionados; éstos humillaban con su superioridad intelectual y administrativa, el pueblo nunca los estimó y nadie, en realidad, tuvo valor para defenderlos abiertamente después de su expulsión. Sólo los reyes y las clases más altas aceptaron sin desdoro sus indispensables servicios [54] Su función social fue distinta de la de los moriscos, en el peor caso pe ias utilísimos e incluso divertidos, encajados desde hacía siglos en la vida nacional. No obstante su sospechosa fe, desafiaron por más de un siglo las severidades de la Inquisición, gozaron de fuertes protecciones, sedujeron a más de un cristiano viejo con su sabrosa sensualidad, con su ingenio para reunir dinero; incluso es perceptible su presencia en el caso de los alumbrados y en algún aspecto del misticismo de San Juan de la Cruz; a través de vías mal conocidas penetraron en la literatura de los siglos XVI y XVII temas y formas expresivas de tradición árabe. Los amparaba una costumbre multisecular, porque zonas importantes del alma hispánica habían sido conquistadas por el Islam en la forma que hemos de ir viendo. El ciclo que comienza en el siglo VIII con los cristianos mozárabes sometidos a los musulmanes, se cierra en el XVII con los moriscos sometidos y al fin expulsados por los teócratas de una España cansada y abrumada bajo la mole de su imperio.

Con esos 900 años desplegados a nuestra vista, es imposible prescindir de la presencia y entrelace de las tres castas de creyentes al intentar dar razón de por qué es como es la tan peculiar existencia y civilización de los españoles. E intentaré tenerlo en cuenta como una forma explicativa de la historia, más bien que como un contenido factual. Porque España no fue algo que poseyera una existencia propia, fija, sobre la cual cayese la "influencia" ocasional del Islam, como una "moda" o un resultado de la vida de "aquellos tiempos". La España cristiana "se hizo" mientras incorporaba e injertaba en su vida, aquello que le forzaba a hacer su enlace con la muslemía y con la judería.

No pienso ni por un momento analizar en detalle las civilizaciones musulmana, judaica y cristiana en la España medieval. Aspiro sólo a explicarme cómo se formó el modo de vida llamado español por quienes, durante nueve siglos, enlazaron socialmente sus castas en forma singularísima.

EL ISLAM Y LA LENGUA ESPAÑOLA

Los vocablos de origen arábigo interesan ahora, más bien que como "elementos" o componentes lingüísticos, como reflejo de una importante presencia humana, muy manifiesta en el curso adoptado por la vida colectiva de quienes, más tarde, fueron llamados españoles. Al igual de las otras hablas románicas, el castellano fue en sus comienzos una forma de latín rústico, hablado por gentes no afectadas por el prestigio de quienes poseían alguna cultura —pocos en la época visigótica, y muchos menos entre los siglos VIII y X. Además de palabras latinas, quedaban en aquel dialecto algunas de origen griego, germánico o prelatino, ya sin el menor enlace con las circunstancias humanas que habían determinado su adopción. La lengua hablada mantuvo algunos vocablos de la lengua escrita gracias a la acción de los eclesiásticos y de los pocos que sabían escribir; por eso *epístola* no suena *ebicha*, ni evangelio, *vañijo*. De todos modos, quienes hablaban los dialectos románicos ya no los asociaban con el ambiente y los modos de vida romanos; ni quienes decían *robar, luva, guardia* o *Gontruda*, relacionaban esas palabras con los godos. Las palabras de origen árabe, por el contrario, podían ser referidas a los moros, a los mozárabes y a sus costumbres —como hoy se sabe que *football* es inglés, lo mismo que el juego así nombrado. Una carta-puebla otorgada a los moros del Valle de Uxo, por Jaime I de Aragón, en 1250, y escrita por mandato suyo por "Salamó fill de Alquizten", comenzaba con la frase: "En nom de Deu tot piados e misericordios",[55] porque así acostumbraban hacer los musulmanes. Los textos latino y castellano del epitafio de Fernando III, antes citado (pág. 38), usan la misma acumulación de adjetivos laudatorios que hay en misivas árabes dirigidas a personas ilustres. Un rey de Marruecos escribía así a Jaime II de Aragón en 1308: "Al rey alt, lo exelsat, lo honrat, lo preciat, lo noble, lo precios, lo be costumat, don Jayme, rey d'Aragón."[56]

El vocabulario de la edificación era en buena parte árabe, porque moros eran quienes solían hacer casas y castillos. Y así en bastantes otros casos. Comparable, si bien en menor escala, a la adopción de las palabras árabes, es el caso de los galicismos entre los siglos XI y XIII, entrados más por vía oral que por obra de la literatura. Quienes comenzaron a llamar *deán* al *decano* y *chantre* al *cantor*, o *jardín* al *huerto* y *chimenea* a la *camena*,[57] lo hacían por oírlo decir así a los franceses que andaban por allá. Es decir, que tanto los arabismos como los galicismos hacen perceptible la acción de algunas de las fuerzas sociales que contribuían a labrar y moldear la compleja figura de la futura vida española, incomprensible si sólo se tiene en cuenta la tradición romano-visigótica. Los arabismos y los galicismos expresaban modos de inexcusable convivencia. Las gentes de habla románica (o vasca) no sumergidas por la inundación islámica, aparecen desde el siglo XI como tres, cuatro o cinco reinos cristianos, con una población integrada por cristianos, por mudéjares y por judíos, muy arabizados estos últimos lingüística y culturalmente. Estas dos últimas castas se orientaban, como era natural, hacia el sur andalusí, pues de allá procedía lo que las hacía valiosas e indispensables para los cristianos. Estos, a su vez, gravitaban hacia al-Andalus y hacia la Europa cristiana; el horizonte europeo era, para castellanos y leoneses, sobre todo el de Francia; Aragón y Cataluña se orientaban, además, hacia las ciudades italianas, principalmente las repúblicas marineras. De Europa se solicitaba lo que no existía en la deficiente tradición romana de los reinos cristianos, cuya literatura original en lengua latina fue muy exigua en comparación con las de Italia, Francia e Inglaterra.

Observemos desde tales puntos de vista algunos aspectos de la acción social del Islam en el lenguaje, en las costumbres e incluso en la literatura, según se verá en el tomo II.

Numerosos vocablos árabes se encuentran en el español y el portugués (en menor cantidad en catalán) como reflejo de ineludibles necesidades, lo mismo que el latín tuvo que aceptar también millares de palabras griegas.[58] Muchos arabismos perduran en la lengua literaria y dialectal.[59] La estructura gramatical no fue afectada por el árabe, aunque a veces aparezcan giros sintácticos en obras literarias traducidas de aquella lengua.[60] Pero por fuerte que fuese aquella presión lingüística, la estructura de las lenguas peninsulares de origen latino continuó siendo románica. Si toda la Península hubiera sido anegada por la dominación musulmana, como lo fue Inglaterra por los normandos, entonces la estructura de la lengua se habría alterado profundamente; pero los cristianos adoptaron las palabras árabes porque convivían con los musulmanes y los judíos, y no por la presión de ningún dominador. Los ingleses tuvieron que decir *veal* y *beef* porque los señores que mandaban en las ciudades hablaban así y a ellos había que venderles la carne. El elemento normando en inglés fue en gran parte resultado de una imposición; el elemento árabe en el romance peninsular se debió a la necesidad de llenar deficiencias. Las adopciones de léxico se refieren a muy varias zonas de la vida: agricultura, construcción de edificios, artes y oficios, comercio, administración pública, ciencias, guerra. Hay, además, que tener muy presente que los vocablos árabes podían ser debidos tanto a las actividades de los mozárabes y musulmanes como a la de los judíos, cuya lengua de civilización en la Península fue el árabe, por lo menos hasta el siglo XIII. El romance hablado por los judíos estaba lleno de voces árabes.

Ya es significativo que *tarea, tarefa* (en portugués) sean árabes. Los *alarifes* planeaban las casas y los *albañiles* las construían; [61] son arabismos: *adobe, alcázar, alcoba, zaquizamí, alhacena, azulejo, azotea, baldosa, zaguán, aldaba, alféizar*, etc., etc.; la gran técnica en el manejo del agua aparece en *acequia, aljibe* (que adoptó el francés con la forma *ogive*), *alberca*, y en multitud de otras palabras. Porque los sastres eran muy a menudo judíos, se llamaron aquéllos *alfayates*.[62] Los barberos se llamaban *alfajemes*; las mercancías eran transportadas por *arrieros* y *recueros*; se vendían en los *zocos* y *azoguejos*, en *almacenes, alhóndigas* y *almonedas*; pagaban derechos en la *aduana*, se pesaban y medían por *arrobas, arreldes, quintales, adarmes, fanegas, almudes, celemines, cahíces, azumbres,* que inspeccionaba el *zabazoque* y el *almotacén*; el *almoja-*

rife percibía los impuestos, que se pagaban en *maravedíes*, o en *meticales*.
Ciudades y castillos estaban regidos por *alcaldes, alcaides, zalmedinas* y
alguaciles. Se hacían las cuentas con *cifras y guarismos*, o con *álgebra*;
los *alquimistas* destilaban el *alcohol* en sus *alambiques* y *alquitaras*, o
preparaban *álcalis, elixires* y *jarabes*, que ponían en *redomas*. Las ciudades constaban de *barrios* y *arrabales*, y la gente comía *azúcar, arroz,
naranjas, limones, berenjenas, zanahorias, albaricoques, sandías, altra-
muces, toronjas, alcachofas, alcauciles, albérchigos, alfóncigos, albóndi-
gas, escabeche, alfajores* y muchas otras cosas con nombre árabe. Las
plantas mencionadas antes se cultivan en tierras de regadío, y como en
España llueve poco (excepto en la región del Norte), el riego necesita
mucho trabajo, y arte para canalizar y distribuir el agua, en lo cual sobre-
salieron los moros, pues necesitaban el agua para lavarse el cuerpo y
para fertilizar la tierra, y por eso perduran los nombres árabes y no
los de la tradición romana. He citado antes *alberca, aljibe, acequia*, pero
el vocabulario relativo al riego del campo es muy amplio: *noria, arcaduz,
azuda, almatriche, alcantarilla, atarjea, atanor, alcorque*, etc.

Los nombres de prendas de vestir llenarían bastante espacio: *Alba-
nega*, 'cofia para recoger el pelo'; *alcandora*, 'especie de camisa'; *almaizar*, 'toca de gasa'; *almalafa*, 'manto largo'; *alfareme*, 'toca para
cubrir la cabeza'; *marlota*, 'saya'; *albornoz, almejía*, 'manto corto';
jubón, alpargata (derivado del árabe, aunque la palabra árabe proceda
de otra prelatina), *zaragüelles*, etc. Algunas de estas prendas figuraban
en el guardarropa de la duquesa de Alburquerque, en 1479, según el
inventario que en seguida citaré.

Nótese que no he mencionado el vocabulario militar (*adalid, alga-
rada, rebato*, etc.)[63] ni el relativo a la industria y manufactura de objetos (*almazara, aceña, alfiler, argolla, ajorca, tabaque, adarga, azagaya,
azafate*, etc.). De lo que sabemos resulta que no basta con decir que
los cristianos adoptaron nombres de cosas, o sufrieron "influencias",
porque lo que esas palabras descubren es el espacio que en la vida cristiana ocupaba la civilización islámica. Se trata de la proyección de cierto tipo de vida para el cual eran importantes el cultivo y el culto de la
tierra madre, la apetencia de placeres físicos y estéticos, y el ejercicio
de la guerra. La técnica árabe contribuía al lujo de la clase alta, como
puede verse si nos asomamos un poco a la intimidad de aquella vida.
Entre los bienes dejados por doña Mencía Enríquez, duquesa de Alburquerque, fallecida en 1479, había estos objetos de manufactura árabe:
"Dos camisas *de Almería*. Una *almalafa* morada, de seda e oro. Un *alfareme* de treze varas y media, con unos vivos blancos e de oro e carmesí. Un *almaizar* morisco blanco, con guarnición de *carmesí*, orillas
verdes oscuras. Una arqueta con una poma de *almisque*. Una buxeta con

cierta *algalia*. Una *marlota* de carmesí raso, guarnecida de perlas e *aljófar*. Unas faldillas de *aseituní* azul con bordes de raso carmesí. Dos *guadamecires*, el uno azul e blanco y el otro azul e colorado. Una *almarraxica* ['almarraja, una vasija para perfume'] de oro esmaltada. Unos *alcorques* chiquitos del señor don García ['chanclos con suela de corcho']. Un *almofrej* ['funda para la cama de camino']. Dose *alhombras*" (ver A. Rodríguez Villa, *Bosquejo biográfico de don Beltrán de la Cueva*, 1881, págs. 239-245). O véase todo lo que Alfonso V de Aragón pide al rey de Granada Mohamed VIII, en 1418, "para juego de cañas a la jineta", publicado por A. Giménez Soler, en el *Boletín de la Academia de Buenas Letras de Barcelona*, 1907, IV, página 369. Si se hiciera un cabal estudio de la vida privada de los españoles en el pasado, la aportación árabe aparecería con la debida amplitud.

El cristiano de los primeros siglos de la Reconquista (un muy largo período) se dejó arrastrar por los aspectos prácticos de la vida musulmana; no adoptó, en cambio, la ciencia y la filosofía de los árabes, tan florecientes entre los siglos x y xii, por motivos que el lector irá viendo. Su gran tarea fue repoblar las tierras desiertas más allá de la línea fronteriza y adelantar su avance lo más posible. El cristiano vivía dentro de su cristianismo, y sólo empleó palabras religiosas árabes para referirse a la religión de los musulmanes *(alquibla, azalá, almuédano)*; en cuanto a la ciencia, Alfonso el *Sabio* adoptó muchos nombres de estrellas (por ejemplo, *Betelgeuse, Aldebarán).*[64] Deben añadirse algunos adjetivos, tales como *jarifo* 'vistoso', *zahareño, rahez, mezquino*, entre otros.

Son árabes los nombres de ciertas enfermedades: *alferecía, almorranas, jaqueca, rija, zaratán*, entre otros; los de algunos vicios y virtudes: *gandul, aleve, hazaña* (ver *Diccionario* de Corominas). La alegría por una buena nueva se expresaba con: ¡*albricias!*, el entusiasmo con ¡*olé!*, el deseo con ¡*ojalá!*, etc. No es mi propósito registrar todos los vocablos de origen árabe, extendidos por la Península.[65]

Cuando se reúna y analice la totalidad de los elementos orientales, será posible descubrir fenómenos aún no tenidos en cuenta. Un aspecto que apenas comienza a ser observado es el de las seudomorfosis, o sea, los paralelismos expresivos, determinados por haber adoptado los cristianos ciertas vivencias lingüísticas del árabe. Nos encontramos entonces con fenómenos de simpatía estimativa, y no sólo de palabras importadas con los objetos que mencionan. Es, por lo mismo, conveniente citar algunos casos de cruce semántico entre el árabe y el español. Son a veces difíciles de determinar, porque las palabras parecen plenamente explicables dentro de la tradición latino-románica; pero en algunas de ellas conviven el sentido latino y el árabe, así como en la puerta de la catedral de Baeza, cuya fotografía publico más adelante, se armonizan el estilo gótico y el morisco.

Tal es el caso de *poridad* en el sentido de 'secreto'. Usóse abundantemente esta palabra en textos españoles y portugueses de la Edad Media con el sentido de 'secreto, reserva': "en poridad fablar" *(Poema del Cid*, 104). "Sabe el estado de sus amigos e su poridat" *(Calila e Dimna*, edic. Alemany, pág. 65). "Toda la poridat fué luego descobrilla" *(Libro de Buen Amor*, 921). Los ejemplos son muy frecuentes, y basta con los anteriores de los siglos XII, XIII y XIV. Todavía en el *Arte para ligeramente saber la lengua aráviga*, de Pedro de Alcalá, Granada, 1505, aparece "poridad o secreto". La misma forma figura en el *Amadís*, y hay que llegar a casi un siglo más tarde para que se generalice la forma con *u*: "El tiempo que descubre las *puridades*" (Mariana, *Historia de España*, lib. 14, cap. 16). La expresión "en puridad", "claramente, sin rodeos" ("hablando en puridad"), conserva un eco del sentido antiguo: "con lealtad, con franqueza, sin trampa".[69]

Decir que *poridad* es el latín "puritatem" es sólo una verdad a medias, dada la diferencia de sentido entre "pureza" y "secreto". El "cargo de secretario de la poridad del rey" no se entiende si lo referimos a "pureza". Ninguna lengua románica extrapeninsular ayuda a salir del paso. El verbo *jalaṣa* 'fue puro', tiene derivados que significan 'sinceridad, amistad' *(joluṣ)*; 'amigo sincero' *(mojliṣ)*; 'obrar sinceramente' *(jālaṣa)*; 'pureza' *(jalāṣ)*. Ver Dozy, *Supplément*.

La pura amistad tiene para el islámico valor considerable. El árabe poseía otros vocablos para significar "secreto", mas por lo visto lo que, en este caso, prevaleció en la conversación (porque se trata de un proceso oral) fue el identificar el secreto, la *poridad*, con la pureza de amistad,[70] lo que es a la vez muy islámico y muy español. En el ambiente latino-románico era el secreto una realidad objetivada, resultado de poner aparte *(secernere)*; era lo separado *(secretum)*; para el árabe el secreto iba relacionado con obrar sincera, íntima, lealmente con alguien; era lo vital, una cuestión personal dependiente de la amistad. En esto el alma de España se separa ——para su bien y para su mal— del mundo de Occidente.

Al centro de ese problema histórico nos lleva el que *poridad* sea un reflejo árabe. Se lee en *Calila e Dimna* que daña a su propia vida "el que dize su *poridat* al *mesturero* ['delator, calumniador'] que sabe que non gela terná" (pág. 388).[71] *Poridad* llevaba implícito, con la idea de secreto, la conciencia de que el amigo sea digno de esa prueba de amistad. Supremo valor para el árabe era la estima de la persona humana. A diferencia del cristiano asceta, descrito en el *De contemptu mundi*, el árabe de que aquí tratamos era "la más noble criatura et la mejor que en este mundo sea" *(Calila e Dimna,* pág. 51). No se vive en el trato razonable de las cosas, sino sintiéndose anclado en los anhelos del propio corazón, en la *poridad* de uno mismo y en la del amigo o la amada fiel. La *poridad* posee un "dentro" cordial y un "fuera" social: "Secretario de la poridad del rey." Tenía que ser así porque el corazón es, técnica y no sólo metafóricamente, la sede de la religión y de la moral. Baste recordar el tratado de teología místico-moral *Deberes del corazón,* del judío español del siglo x, Ibn Paquda, relacionado con la tan conocida mística cordial del Islam.[72]

Otro caso de coincidencia hispano-arábiga se halla en algunos sentidos de *correr.* Dice el *Poema del Cid:* "Davan sus corredores" (1159), 'despachaban soldados que hiciesen correrías'. Menéndez Pidal nota que esa curiosa acepción de *corredor* dura hasta el siglo XVI, aunque no la explica; cosa posible si tomamos *corredor* como traducción de *almogávar,* árabe *mogāwir,* 'depredador a caballo' y 'corredor', derivado de *gāwara* 'correr', y también 'depredar', doble sentido que se inyecta en la palabra española.

Dice Tirso de Molina en los *Cigarrales de Toledo,*[73] que una bellísima dama toledana "mostraba en los *aceros* con que dormía que era aquel el primer tercio de su sueño"; y nuevamente nos preguntamos cómo es posible que *aceros* signifique 'energía, fuerza', según tan a menudo ocurre en la lengua del siglo XVII; y también, 'filos bien aguzados de un arma blanca': "Los *aceros* finísimos" de unos cuchillos, dice Lope de Vega *(Pastores de Belén,* libro 2). La razón de ello es que en árabe *dokra* significa 'acero de la espada' y también 'agudeza del filo', y además 'vehemencia y fuerza del ánimo'. El mismo tema de donde sale *dokra* forma palabras como *dakar* 'fuerte, valiente, ardoroso', y *madkīr* 'testiculi'. Cosa análoga ocurre a la palabra que significa 'hierro', *hadīd,* con cuyo tema enlaza *hadd* 'filo de la espada' y *hidda,* 'agudeza, vehemencia, fuerza'. *Aceros* es, por tanto, un arabismo.

Otro caso de arabismo hallamos en alguna acepción de la palabra *vergüenza,* difícil de encajar en la tradición románica: "En la delantera o en la zaga... debe poner... los más esforzados, et homes más de *vergüenza* et más sabidores."[74] "Et aquestas pocas de compañas que avían fincado con el Rey eran caballeros et escuderos, et otros que el rey avía criado en la su casa et en la su merced; pero eran todos omes de buenos corazones, et en quien *avía vergüenza*".[75] El sentido de *vergüenza* es aquí 'honor, lealtad', una virtud activa, eficiente, y no un sentimiento refrenante (pudor, turbación o respeto inhibitorio). Tal matiz no cabe en el concepto de "vergüenza" en otras lenguas románicas, pues carece de sentido decir "un homme de honte" o "un uomo di vergogna". Creo posible entonces, que *vergüenza* 'pundonor, lealtad', contenga una inyección de sentido árabe. Pedro de Alcalá, cuyo vocabulario refleja el árabe que se hablaba en al-Andalus,[76] nota: "vergüença: *aar*; vergüença con infamia: *aar*", lo cual es nombre de una institución descrita por E. Westermack;[77] los moros llaman '*ār* a la muy especial obligación en que una persona se halla respecto de otra. "Estoy en el '*ār* de Dios o en tu '*ār*" quiere decir que un hombre tiene que ayudarme, y si no lo hace, está en peligro de pasarlo mal. También se designa con esa palabra el acto por el cual una persona se coloca en la obligación de ayudar a otra: *hādā la* '*ār* '*alcyka*, 'esto es '*ār* sobre ti'. Lo cual conviene perfectamente con el texto de la Crónica citada, pues "en quien avía vergüenza" es traducción de "en quien había '*ār*". El '*ār* lleva consigo la transferencia de una maldición condicional: si no haces lo que yo deseo, puedes morir, o pasarte algo muy malo. En el texto citado hemos visto que la Crónica explica los motivos por los cuales era de esperar que los pocos caballeros que estaban con el Rey tuviesen *vergüenza*, o sea '*ār*.[78]

Aunque más verosímil que esta explicación tal vez sea la que me sugiere James T. Monroe. En árabe *ḥayaya* significa 'vivir, conservar la vida, tener vergüenza'. El derivado *moḥayyat* tiene el sentido de 'protección, el hecho de tener vergüenza'. El historiador del siglo ix Ibn-Qutaybah habla del noble que "defiende al vasallo y al compañero con su *moḥayyati*", o sea, con 'su protección' y con 'su vergüenza'. Por una u otra vía se llega a la conclusión de que el sentido activo de "vergüenza" no es románico.

Hay *una expresión* española que es *de origen alcoránico* y seguramente encontrará otras quien coteje atentamente el libro santo del Islam con dichos y proverbios españoles. Se dice de alguien que "es un burro cargado de ciencia" para expresar que, por mucho que sepa, su valor intelectual y humano es mínimo. Una vez más se refleja aquí el afán de "integración", el ideal de conciencia entre el existir y el hacer de la persona, lo de dentro y lo de fuera. En el siglo xvii, escribe Alonso Núñez de Castro: "lo confirmaron en Madrid llamándole asno cargado de letras".[79] El diccionario define "burro o asno cargado de letras", 'erudito de cortos alcances'. No se ve justificación para tan extravagante metáfora, ni cómo una realidad inmaterial (letras o ciencias), pueda colocarse sobre la tosca y tangible materialidad de un asno. Mas si vamos a una zona arcaica del idioma, se empieza a ver más claro; en portugués corre la humorada de que "um burro carregado de livros é um doutor", y eso ya empieza a adquirir sentido; el cual se esclarece plenamente leyendo el Alcorán (62: 5):[80] "Quienes fueron cargados con la Torah y no la observaron, semejan al asno que lleva libros". Mahoma censura a los judíos por no cumplir los preceptos de la Biblia, no obstante conocerlos; esa incongruencia, que rompe la conexión del saber con la conducta, se expresa en una imagen que podía tener sentido en donde el burro fuera medio de transporte. Más tarde, en esa metáfora (lanzada por alguien que conocería el texto alcoránico), se sustituyeron los libros por letras o ciencia, y quedó así convertida en algo poco inteligible.[81]

Lo efectivo de la larga dominación musulmana se refleja, además, en los nombres geográficos y de lugar: *Trafalgar,* 'cabo blanco'; *Guadalquivir,* 'el río grande'; *Guadarrama,* 'río de la arena'; *Albufera,* 'la laguna', etc. Una lista de nombres geográficos y de lugar se encuentra en la obra de Miguel Asín, *Contribución a la toponimia árabe de España,* 1940, que aunque utilísima dista de ser completa. Falta, por ejemplo, *Andalucía,* que en el siglo XIV aún conservaba el artículo árabe: "el rey al Andalucía".[82] Ibn Baṭṭūṭah, el célebre viajero tangerino del siglo XIV, llama indistintamente *al-Andalus* o *al-Andalusiyya* la zona musulmana de la Península. Si algún día se catalogaran cuidadosamente los nombres de pueblos y los de la toponimia menor, aparecería en todo su alcance la extensión y ahincamiento de la dominación musulmana en la tierra de los futuros españoles. Una comparación con la toponimia germánica —abundante en Galicia y en otras zonas— permitiría comprender el distinto carácter de las huellas suevas y visigóticas en el suelo de Hispania.[83] Ningún río, monte, cabo o laguna tiene hoy nombre germánico.

Estos fenómenos lingüísticos no son traídos aquí como curiosidades interesantes, ni como datos filológicos. Mi finalidad es hacer visible la amplitud de los contactos entre la sociedad islámica y la cristiana, para de ese modo no sorprendernos más tarde al observar la acción de la presencia musulmana en zonas más profundas de la vida tales como la expresión literaria o el funcionamiento social de la religión. Si el cristiano invocaba al Dios musulmán al decir: ¡ojalá! y ¡olé!, también seguía el modelo árabe al decir palabrotas como *carajo* y *leche,*[84] o al usar *padres* como plural de padre y madre, o al decir *huevos* por 'testículos',[85] o *grandes* en "grandes de España".[86] Los "grandes de España", que aparecen como una institución en el siglo XVI, están ya mencionados en la literatura del siglo XIII: "Ell rey mismo non fallara ninguno de los *grandes omnes* de Castiella que al peligro de aquel logar [de Calatrava] se atroviesse a parar" *(Crónica General,* pág. 666 *b).*

HIJODALGO

Si no hubiéramos sido educados en la fabulosa creencia de que los españoles eran seres eternos, o por lo menos tan remotos como los habitantes de la cueva de Altamira, los nueve siglos de convivencia belicosa o pacífica con los musulmanes no habrían sido sentidos como episódicos, como exteriores a la estructura de vida de los pueblos peninsulares. Entonces no habría sorprendido el hecho de que *hijo d'algo* no sea explicable dentro del marco latino-románico.[87]

Los hijos de los grandes señores visigodos para quienes Isidoro de Híspalis escribió un tratado de educación (*institutionum disciplinae*, ver antes pág. 161), no eran hijos de bienes ni de abstracciones morales. San Isidoro, según dije, se refiere al medio en que nacieron, pero no los hace hijos de él: "La calidad de los bienes entre los cuales han nacido ha de brillar en su modo de comportarse más que en el rango social que ocupan" ("Bonorum natalium indolem non tam dignitate magis quam moribus animi debere clarescere", pág. 557 de la edic. de Anspach). La forma "filial" de designar la condición o cualidad de una persona es semítica; es decir, tanto hebrea como árabe. El hombre rico, en árabe, es el "hijo de la riqueza", y siguiendo ese modelo, se dijo en castellano *hi de malicias* 'malicioso', y en catalán, *fill de caritat*, por 'caritativo' (J. Corominas, *Diccionario*, s. v. *Hijo*). Estos casos de generación de lo concreto por lo abstracto, por algo transcendente que actúa como principio creador, es por supuesto distinto de *hi de puta* (francés *fils de putain*), en donde empíricamente se comprueba el paso al hijo del deshonor social de la madre —se trata de un hecho, de una generación biológica, no de un proceso inmaterial. Aun en el caso de objetos materiales, el árabe interpreta la relación entre ambos en una forma para nosotros metafórica, y que para él no lo es. T. E. Lawrence cuenta en *Seven Pillars of Wisdom*, que cuando llegaron las primeras bicicletas a Arabia las llamaban "hijas del automóvil".[87 a] En hebreo dicen "hijo del arco" por flecha; en árabe a veces llaman al ladrón "hijo de la noche", lo mismo que lo efímero es el "hijo del día". Todo lo cual es algo más que hechos lingüísticos, pues va ligado a una concepción de la realidad de las cosas y del hombre distinta de la occidental. Para el oriental la existencia de los seres, o está fundada en un proceso de creación que garantiza su realidad, o en la misma virtud inmanente del objeto que sea, la cual providencialmente le hace ser como es y valer lo que vale. En último término hay una acción divina que garantiza el ser y el valer de la realidad desde dentro o desde fuera de ella —con un dentro y un fuera que, según haré ver más adelante, siempre son reversibles. De ahí la constante invocación de la palabra revelada por Dios; y de ahí la necesidad de esas "filiaciones", o "paternidades" —infinitos hilos que, de abajo a arriba y de ahora a antes, conducen al designio primario que hace de toda realidad algo condicionado y transeúnte. O en otro caso, se es o se existe "porque sí", nunca "en sí".

La mente occidental tomó frente al mundo una actitud diríamos de desconfianza: nada está justificado de antemano, y las realidades y las estimaciones dependerían más de lo que el hombre se inventara con su mente e incorporara a su vida, que de lo existente y ya dado en ella. La civilización del hombre occidental ha sido el resultado del debate entre el espíritu ya encarnado en él y el examen crítico de los merecimientos a que cada uno se juzga acreedor. Usando esta luz para acercarnos al tema de cómo fue expresada la condición nobiliaria de las personas, se verá en seguida la diferencia entre lo occidental y lo oriental. De un lado aparecen los nombres expresivos de acciones objetivadas: *barón*, era, entre germanos, el hombre libre bueno para la pelea; el *conde*, de *comes*, 'el que va con uno', el que acompañaba al rey en su palacio y en la batalla; *duque*, de *dux* (a través del francés *duc)*, era el que guiaba como jefe y adalid; *marqués* (del provenzal), era algo así como el adelantado de la frontera o marca; *ricohombre*, con nobleza mayor que la del infanzón y el hidalgo, parece haber entrado en Castilla a través de Navarra, y provenir en último término de Francia (ver Menéndez Pidal, *Vocabulario del Cantar de Mío Cid*, pág. 829).

En todos esos casos la nobleza, el haberse elevado por encima de las gentes del común, se debía a la calidad de lo hecho por la persona, o a la riqueza que le permitía hacerlo. En otros, la nobleza fue resultado de virtudes advenidas y, diríamos, meramente existenciales. El *infanzón* fue, en su origen, el hijo de padres nobles; en un documento de 1093, citado por Menéndez Pidal *(Vocabulario* del "P. del Cid", pág. 719), se les designa como combatientes (mílites) "non infimis parentibus ortos, sed nobiles genere necnon et potestate, qui vulgari lingua *infanzones* dicuntur". Esta palabra se conecta con *infante* 'hijo de padre noble', como en "Infantes de Carrión", y también con *infante* 'hijo de rey'. Y todo ello tiene que ver con que en árabe, *al-walad* 'el hijo' denomine sin más al heredero del trono (ver Dozy, *Supplément aux Dictionnaires arabes*). Nada significa en contra de esto el que en francés antiguo se llamara *enfant* al "jeune homme noble", pues los Pirineos no fueron entre los siglos X y XII barrera para la difusión de los hispano-orientalismos —*aljibe* se volvió *ogive* en francés.

Vengamos ahora a *fijo d'algo*. La más cabal definición es la dada en las *Partidas:* "Et porque estos [*fijosdalgo*] fueron escogidos de *buenos logares* et *algo*, que quiere tanto decir en lenguaje como 'bien', por eso los llamaron *fijosdalgo*, que muestra atanto como *fijos de bien*... Los fijosdalgo deben ser escogidos que vengan de derecho linaje de padre et de abuelo..." (II, 21, 2). Esta definición, o más bien descripción, es bastante confusa para una mente occidental. Como siempre que se proponen nuevas vías las soluciones propuestas pueden ser más o menos acertadas, yo' seguí mal camino en *España en su historia,* al querer orientalizar la palabra *algo* 'bien material o moral', en vez de limitarme a probar el orientalismo de la conexión entre los sentidos de *algo* e *hijo.* Nada impide, en efecto, que el latín *aliquod* haya pasado de un sentido indeterminado a otros muy definidos.[88] También *aquel, aquello* y *aquello otro,* lo mismo que *al,* adquirieron significaciones muy concretas ("tener mucho *aquél*", "*quillotro, quillotrar*", "lo *al*" 'acto carnal', etc.).

En la formación de *fijo d'algo* intervinieron circunstancias tanto árabes como hebreas,[89] cosa perfectamente explicable para el familiarizado con la peculiar contextura de la vida española. Los *fijos d'algo,* según dicen las *Partidas,* procedían de "buenos logares", y eran *fijos de bien;* es decir, de *algo,* en el doble sentido de bien material y bien espiritual. A estos "hijos de bien" los llama Gutierre Díez de Games, en el siglo xv, "hombres de bien".[90] Esos son "los buenos" del refrán "allégate a los buenos y serás uno de ellos", un proyecto de vida ironizado en el *Lazarillo de Tormes.* A esos "buenos" debe corresponder la expresión hebrea *ben tovim* 'hijo de los buenos', a la vez que 'de bienes'.[91] En un texto del *Midrash Rabbah,* que alego en el antes citado artículo mío (pág. 13), Israel aparece simbolizado en una mujer de noble familia, como "una *bat tovim* y una *bat genosim*", es decir, como 'hija de buenos, de bienes, y de noble linaje'. Pues bien, en la misma forma se expresa el hecho de ser de noble ascendencia en dos textos (de 985 y de 1020), en donde por vez primera aparece la idea del fijo d'algo: "filii bene natorum". Esa forma de expresión parece a Menéndez Pidal "extraña" *(Vocabulario* del "P. del Cid", pág. 691).

Los *benē tovim* 'hijos de bienes o de buenos' formaban entre hebreos una institución, una clase nobiliaria, a la cual aluden el *Talmud* y los comentarios bíblicos del *Midrash Rabbah.* Mas, aparte de eso, es posible que la nobleza proyectada originalmente sobre la persona por circunstancias exteriores a ella (buenos ascendientes, buenos lugares, buenas cosas) hubiera hallado expresión en *fijo d'algo* a causa de modelos, no sólo hebreos, sino también árabes. De una parte, "los buenos" en el sentido de 'nobles' aparecen en calcos de *benē tovim,* según hace ver este texto del converso doctor Francisco de Villalobos: "Si un [pobre acemilero] se pone a derivar su linaje, no se hallará que desciendan por línea recta menos que de limpia sangre, y traen por refrán que muchos *hijos de buenos* andan de aquel arte, y que aunque le ven con sayo rasgado, no por eso lo han de ultrajar." [92] El mismo sentido tiene *buenos* en refranes como "allégate a los *buenos* y serás uno de ellos". En *Guzmán de Alfarache* (II, III, v), dice Mateo Alemán que el suegro de su personaje, "aunque mesonero, era un buen hombre", porque no todos roban a sus huéspedes; "y si algo de esto hay, no tienen ellos la culpa, ni se debe presumir esto de mi gente, por ser como eran, todos *de los buenos de la Montaña, hidalgos* como el Cid, salvo que por desgracias y pobrezas vinieron en aquel trato". En la Montaña se incluía, además de Santander, el norte de Burgos y las Provincias Vascongadas; por creer el pueblo que allá no había habido moros ni judíos, se juzgaba que la casta cristiana procedente de aquella región estaba limpia de toda mácula: "Aunque seamos zapateros de viejo, en siendo montañeses, todos somos hidalgos" (L. Vélez de Guevara, *El diablo cojuelo*, tranco V). Pero al llamarlos *"los buenos* de la Montaña" no se hacía sino calcar el hebreo *tovei*, de cuyo genitivo *tovim* procedía ese modo de llamarse hidalgos: *benē tovim*.

Porque si *tovei ha-ir* dicen en hebreo a 'los *buenos*, los dirigentes de la ciudad', este evidente hebraísmo se cruzó con calcos de expresiones árabes idénticas a *benē tovim* en cuanto al sentido. En árabe *niʿmat* significa 'riqueza, ganado, gracia, favor'.[93] Uno de los títulos dados al soberano, es en efecto, *wa-liyy-alnniʿam* 'el benefactor'; y como se dice en *Calila e Dimna* (edición citada, pág. 49), el rey es llamado "fazedor d'algo a sus pueblos". Ese *algo (niʿmat)* que el rey dispensa a su pueblo, es también *niʿmat allah* 'gracia de Dios', y de todo ese bien, de esa gracia y de ese favor es hijo el *fijo d'algo*, cuya persona queda penetrada y nimbada de nobleza, merced a la cual goza de exenciones y privilegios —lo mismo que los "hijos de los buenos", los *benē tovim*.[94]

En exacta correspondencia con "fijos d'algo" hay en árabe *awlād niʿmati* 'hijos de bien'. En el cuento de "Ghanim bin Ayyub", en las *Mil y una noches* (al final de la noche 43), cuando el árabe dice *awlād niʿmati* 'hijos de bien', Burton traduce "they are *people of condition* and show signs of former opulence". Es decir, que *awlād niʿmati* es algo como 'gente rica' y, por extensión, 'de buena familia'. No formaban, sin embargo, una clase social como los *benē tovim* hebreos. En *fijo d'algo*, por consiguiente, la palabra y la institución nombrada en ella nos brindan un ejemplo característico de la íntima trabazón que, allá por el siglo X, constituía la auténtica realidad creada por lo convivencia cristiano-islámico-judaica. La persona se erguía sobre el común nivel social levantado por la virtud paternal que la prohijaba, como ungida por una gracia que al realzarla la magnificaba, la hacía grande, *grande de España*, como *akābira ad-daulati* 'los grandes hombres del reino', "los grandes omnes de Castiella" (ver antes pág. 219).

NOTAS

[1] Ver *De la edad conflictiva*, Madrid, 1961, pág. 76.
[2] Véase Farázdaq, *Divan*, trad. francesa de R. Boucher, París, 1870.
[3] Ver R. Menéndez Pidal, *Orígenes del español*, págs. 445-449.

⁴ Para la flojera combativa de las tropas del califato omeya, ver E. García Gómez, "Introducción" a la *España musulmana*, de Lévi-Provençal, pág. XXIX.

⁵ Hay interesantes datos acerca de la agricultura e industria de los árabes en España en el estudio de César E. Dubler, *Über das Wirtschaftsleben auf der iberischen Halbinsel vom XI. zum XIII. Jahrhundert*, E. Droz, Ginebra, 1943, págs. 28-66.

⁶ Ver F. Fernández y González, "De los moriscos que permanecieron en España después de la expulsión decretada por Felipe III", en *Revista de España*, 1871, XIX y XX. "Manifestación de los hijos de moriscos que quedaron en Onteniente", 1611, publ. por V. Castañeda, *Bol. Acad. Hist.*, 1923, LXXXII, 421-427. El famoso Tribunal de Aguas *(Cort de la Seo)* en la vega de Valencia es claramente una supervivencia musulmana. Sobre su funcionamiento, ver Joaquín Costa, *Colectivismo agrario*, 1915, págs. 552 y ss.

⁷ Leopoldo Torres Balbás *(Al-Andalus*, 1948, XIII, 250) no considera mudéjares diecisiete de los edificios o detalles entre los 109 reproducidos por Manuel Toussaint. Sea como fuere, la presencia del arte de origen musulmán en Hispanoamérica es indudable.

⁸ *Huellas del Islam*, 1941, págs. 237-304. Además de la correspondencia de ciertas expresiones, son importantes las analogías doctrinales: "Para lograr la unión con Dios, hay que renunciar a todo lo que no es Dios" (pág. 249). De ahí el rechazo de todo lo sensible, y la busca del "vacío", de la "desnudez" y de toda apetencia sensual, en que coinciden San Juan de la Cruz y la escuela sadilí, de que fue alto representante Ibn 'Abbād de Ronda, en el siglo XIV.

⁹ *Ibn 'Abbād de Ronda et Jean de la Croix*, en "Al-Andalus", 1957, XXII, 113-130.

¹⁰ Las citas en Asín, *Islam cristianizado*, pág. 212.

¹⁰ ᵇⁱˢ *Obras de San Juan de la Cruz*, edit. por el P. Silverio de Santa Teresa, I, 1929, págs. 218-228.

¹¹ Torres Naharro volvió aquí a lo divino un tema de poesía cortesana, tratado también por Diego de San Pedro. Se excusa éste de loar a una hermosa dama, cuya belleza excedía a las posibilidades expresivas del poeta:

"que para bien acertar,
avíe d'estar
otra lengua en mi deseo.
E pues saber me negó,
quien a vos os satisfizo,
a la mi fe, digo yo,
qu'os alabe quien os hizo".

(Obras, edic. de S. Gili y Gaya, 1950, pág. 221.)

Lo que en Diego de San Pedro es limitación personal del poeta, se vuelve en Torres Naharro desproporción entre lo finito humano y lo infinito divino. Con lo cual el tema de cancionero adquiere un sentido completamente nuevo, ideológica y artísticamente: lo que en los versos de San Pedro es tono apagado y monocorde, se orquesta ahora en rica polifonía, en la que un mismo motivo —la imposibilidad de expresarse— *se expresa* en rítmicos movimientos sin rumbo y sin salida: "es entrar y no salir, / comenzar sin concluir...".

¹² R. Menéndez Pidal, *Historia y epopeya*, pág. 19.

¹³ E. Lévi-Provençal, *L'Espagne musulmane au Xᵉ siècle*, pág. 49.

¹⁴ *Crónica general*, págs. 768-769. La vida sevillana, un siglo antes de ser conquistada, nos es conocida gracias al curioso libro *Sevilla a comienzos del siglo XII*, de Ibn 'Abdūn, traducido por E. Lévi-Provençal y E. García Gómez, Madrid, 1948. El libro es a la vez una colección de ordenanzas municipales, un catecismo de moral e higiene públicas, y una descripción de abusos y corrupciones. Parece, a veces, como si la ciudad confesara sus culpas. El tono inteligente, y a la vez familiar e íntimo (propio de los musulmanes), descubre el alto nivel de cultura ciudadana a que había llegado al-Andalus. He aquí unas muestras: "El príncipe ha de prescribir que se dé el mayor impulso a la agricultura, la cual debe ser alentada, así como los labradores que han de ser tratados con benevolencia y protegidos en sus labores" (pág. 42). "No deben venderse a judíos ni cristianos libros de ciencia, salvo los que traten de su ley, porque luego *traducen los libros científicos* y se los atribuyen a los suyos y a sus obispos, siendo así que se trata de obras musulmanas" (pág. 173). "Sería menester suprimir a los abogados, pues su actividad es motivo de que el dinero de la gente se gaste en vano... Pero si no hubiera otro remedio que mantenerlos, que sean los menos posibles" (pág. 61). "Las hortalizas, como lechugas, achicorias, zanahorias, etc., no deberán ser lavadas en las albercas ni en los estanques de los huertos, que no hay seguridad de que estén limpios, sino en el río donde el agua es más clara y pura" (pág. 132); etc. Como se ve, la traducción de los libros científicos no se limitaba a la llamada "Escuela de traductores de Toledo". Había iglesias cristianas en Sevilla, que el autor presenta como lugares de inmoralidad (pág. 150); mu-

sulmanes y cristianos se reprochaban mutuamente los mismos, vicios; ver además I. de las Cajigas, *Sevilla almohade y últimos años de su vida musulmana*, Instituto de Estudios Africanos, Madrid, 1951, interesante para conocer el desconcierto político y militar de Sevilla en los años que precedieron a la conquista de Fernando III. El autor, partidario de la fe en la España eterna, cree, con todo, que ni los visigodos ni los musulmanes "realizaron ninguna gran reforma urbana que modificase sensiblemente [es decir, "perceptiblemente"] la fisonomía de la ya entonces milenaria Híspalis" (pág. 11). La obra de Ibn 'Abdūn, antes citada, hace ver que *el estilo* en que aparece descrita la vida de la Sevilla islámica, no cabe en la forma expresiva de los romanos o de los visigodos.

[15] *Ap.* Ramón Carande, en *Anuario de Historia del Derecho*, 1925, II, 267.

[16] Ver R. Menéndez Pidal, *Orígenes del español*, págs. 445-446.

[17] Ver F. Fernández y González, *Estado social y político de los mudéjares de Castilla*, 1866; N. Esténaga, "Condición social de los mudéjares en Toledo", en *Boletín de la R. Academia de Bellas Artes de Toledo*, 1924, VI, 5-27. Además: I. de las Cajigas, *Los mozárabes*, I (1947), II (1948). Del mismo autor: *Los mudéjares*, I (1948), II (1949), Madrid, Instituto de Estudios Africanos.

[18] *Historia de los mozárabes de España*, 1897, pág. 787.

[19] E. García Gómez, "Introducción" a la *España musulmana*, de Lévi-Provençal, página XIX.

[20] Influido por el hábito abusivo de llamar "España" a al-Andalus, Lévi-Provençal escribe en este caso, "l'Espagne".

[21] Lévi-Provençal, *Le rôle spirituel de l'Espagne [?] musulmane*, en *Islam d'Occident*, París, 1948, págs. 310-311.

[22] *Islam d'Occident*, pág. 161.

[23] Ver V. Oelschläger, *A Medieval Spanish Word-List*, pág. 84.

[24] Ver M. Gómez Moreno, *Iglesias mozárabes*, pág. 342.

[25] Ver sobre esto las discretas observaciones de Salvador de Madariaga, *Cuadro histórico de las Indias*, 1950, pág. 106. No creo, sin embargo, enteramente justo su aserto de que "si no fueron más catalanes al Nuevo Mundo durante los dos primeros siglos, fue sencillamente porque no quisieron ir" (pág. 107).

[26] En la *Guerra de Granada*, de don Diego Hurtado de Mendoza, se describe la lucha entre 1568 y 1571 con plena conciencia de ser aquélla una guerra civil de "españoles contra españoles" *(Bib. Aut. Esp.*, XXI, 73). Los moriscos de Granada fueron dispersados por lejanos lugares: "Fue salida de harta compasión para quien los vió acomodados y regalados en sus casas; muchos murieron por los caminos, de trabajo, de cansancio, de pesar, de hambre; a hierro, por mano de los mismos que los habían de guardar; robados, vendidos por cautivos" *(ibíd.*, pág. 92). Luis del Mármol narró en detalle la revuelta granadina en *Rebelión y castigo de los moriscos de Granada.*

[27] Véase antes pág. 65, y Juan Reglá, *La cuestión morisca... en tiempo de Felipe II*, en "Estudios de Historia Moderna", III (1953).

[28] Fray Marcos de Guadalajara y Xavier, *Memorable expulsión... de los moriscos*, Pamplona, 1613, fol. 79 v.

[29] *Memorable expulsión y justíssimo destierro de los moriscos de España*, Pamplona, 163 (citado por J. Caro Baroja, *Los Moriscos*, pág. 219).

[30] Cit. por H. Ch. Lea, *The Moriscos*, 1901, pág. 404.

[31] Como un ejemplo entre muchos, he aquí cómo Pedro II de Aragón, en 1286, se dirigía a los mudéjares de Valencia cuyo auxilio necesitaba: "Tenemos guerra con los franceses, según habréis oído, y nos hacen falta vuestros servicios y el de otros fieles vasallos nuestros ('et dels altres feels nostres'). Os enviamos a nuestro fiel alfaquí don Samuel, y os rogamos que, de las aljamas que el dicho alfaquí elegirá, nos enviéis ballesteros y lanceros bien dispuestos y arreglados; les daremos buena soldada, y además pensamos hacerles bien y merced, a fin de que queden satisfechos" *(Docs. inéd. del Archivo de la Corona de Aragón*, publ. por P. de Bofarull, VI, 196). En 1115 el rey Alfonso I de Aragón ordenaba que no se forzara a los mudéjares de Tudela a combatir "contra moros ni contra cristianos" (Janer, *op. cit.*, pág. 184). No se pensaba entonces que los moros "fueran cobardes y afeminados, como lo pedía el flaco empleo de su vida y el afeminado modo de criarse" (Pedro Aznar de Cardona, en Janer, *Condición social de los moriscos*, 1857, pág. 159), olvidando cuánto había costado dominar la fiereza de los moriscos alpujarreños.

[32] Para toda esta cuestión, ver J. Godoy Alcántara, *Historia crítica de los falsos cronicones*, Madrid, 1868, págs. 44-128. Esta obra destaca en su tiempo por la clara sobriedad con que el autor razona, y por la ausencia de empalagosa retórica, tan frecuente entonces.

[33] Lo que el Alcorán dice en realidad (IV:169), es que el Mesías, Jesús, es la

Palabra que Dios hizo llegar a María, "y un Espíritu procedente de sí mismo"; es decir, un Ser dotado de Espíritu.

[34] Este santo e ingenuo varón llegó a hacer suya la "doctrina" de aquellos textos "evangélicos", escritos en árabe sobre láminas de plomo. Lo sé gracias a una anécdota referida por un capellán del arzobispo, Gregorio de Morillo: "En su presencia, el año de 1603, llevaron al Sacro Monte por espacio de nueve días una endemoniada, y estavan los demonios rebeldes, y no salían, aunque le avían dicho mil Evangelios; y que el Arçobispo fue allá, y con el 'Libro de la Nómina de Santiago' le hizo la señal de la Cruz desde la frente hasta el pecho, diziendo en lengua árabe: *Non est Deus, nisi Deus Jesus, Spiritus Dei*, y desampararon los enemigos, dando terribles aullidos, aquel cuerpo" (apud F. Rodríguez Marín, *Pedro Espinosa*, Madrid, 1907, pág 81, que lo toma de un escrito del doctor Barahona Miranda, canónigo del Sacro Monte de Granada). Instrumento para tal milagro fue uno de aquellos libros plúmbeos, forjados por los moriscos, y cuyo título es *Oración y defensorio de Santiago, hijo de Xamech Zebedeo*, cuyo final es: "Este es el signo que fue escrito con luz esplendente en las espaldas de Jesús, hijo de María, espíritu de Dios fiel, y que defiende de toda adversidad, enfermedad, accidente, demencia y *demonios* a los que los llevaren consigo, y es así: 'No hay Dios sino Dios, Jesús espíritu de Dios, verdad manifestada, certidumbre fiel.'" ('En Godoy Alcántara, pág. 53.) Así pues, aquella fe sincretizada de Cristianismo e Islam se había hecho eficaz en el ánimo de un ilustre arzobispo.

[35] *Historia de los heterodoxos españoles*, t. V, 1928, pág. 348.

[36] Ver E. Lévi-Provençal, *Un manuel hispanique de ḥisba* (Sur la surveillance des corporations et la répression de fraudes en Espagne musulmane), París, 1931. Otro tratado de esa clase es el ya mencionado de Ibn 'Abdūn, *Sevilla a comienzos del siglo XII*, edit. por E. Lévi-Provençal y E. García Gómez, Madrid 1948.

[37] *Tratados de legislación musulmana*, publ. por la R. Academia de la Historia, 1853, pág. 112.

[38] Para una visión de conjunto de la economía de al-Andalus, ver J. Vicens Vives, *Historia económica de España*, 1959, págs. 98-115.

[39] F. Braudel piensa que la expulsión de los judíos en 1492 fue debida "a estar superpoblada la Europa meridional", sin tener en cuenta la larga y ya conocida gestación de aquel hecho complejísimo (*La Méditerranée... à l'époque de Philippe II*, 1949, pág. 357). La intolerancia cristiana no era en España "fille du nombre" (*loc. cit.*, p. 598); la intolerancia no es una entidad fija, históricamente válida. La tolerancia fue expresión de un estado de mutuas necesidades, de la capacidad de cada grupo social para desarrollar unas u otras actividades, de cómo se sentía estar existiendo cada uno de ellos. Tan en minoría estaban los judíos ante de 1391 (al comienzo de las graves persecuciones) como los moriscos antes de 1609.

[40] El número exacto era, al parecer, 272,140, según Henri Lapeyre, *Géographie de l'Espagne morisque*, 1959, pág. 205. Francisco Cascales, en sus *Discursos históricos de la ciudad de Murcia*, 1621, ya había dado la cifra muy aproximada de 270,000, "según verdadera relación de la Secretaría de Estado" (Lapeyre, *op. cit.*, pág. 206). Pero la cuestión morisca, antes que cuestión de guarismos, es fenómeno humano vivo, y está vitalmente conectado con otros.

[41] *Tratados de legislación musulmana*, pág. 403.

[42] Escribía Henrique Cock, archero de la guardia de Felipe II, que Torrellas (Zaragoza) estaba "todo poblado de moriscos, como otros muchos desta comarca, porque tiene mucho regadío. Házese en Torrellas mucha obra de bufetes y escritorios y caxitas de diferentes maderas de color, encaxadas de labor sobre tabla de nogal" (*Jornada de Tarazona hecha por Felipe II en 1592*, edit. por A. Morel-Fatio y A. Rodríguez Villa, Madrid, 1879, pág. 77).

[43] Janer, *op. cit.*, pág. 270; J. Caro Baroja, *op. cit.*, pág. 222.

[44] Luis del Mármol, *Rebelión y castigo de los moriscos*, Bib. Aut. Esp., XXI, 264.

[45] Janer, *op. cit.*, trae documentos sobre los asesinatos, violaciones de mujeres y robos de que fueron víctimas los desventurados moriscos (pág. 307, 308, 311).

[46] La bibliografía sobre los moriscos fue abundante y pasional en el momento de la expulsión, y todavía tomaron partido al discutirla los eruditos del siglo XIX. Ya he citado a Florencio Janer, *Condición social de los moriscos*, 1857, libro mediocre, pero con citas de textos importantes (es favorable a los moriscos). P. Boronat y Barrachina, *Los moriscos españoles y su expulsión*, 1901 (dos volúmenes de documentada polémica para justificar la expulsión). El señor Boronat cree que la grandeza de los árabes (para él no muy evidente) se debió a España: "¿Qué trajeron de Africa los invasores del siglo VIII? ¿Qué han hecho prosperar en Africa cuando regresaron de aquí?" (II, 350). Lo cual es un sofisma histórico. Los árabes llegaron en al-Andalus a una cima de su historia cuando el Islam florecía en otras partes; cayeron en ruina luego, lo mismo que en Siria, Egipto, etc. La forma de la vida morisca venía integrada desde hacía siglos en una convivencia islámico-cristiana, y en 1600 hacían más o

menos lo mismo que antes; en Africa, sin la tierra y el mercado cristiano, ya no eran ellos mismos.

[47] Así Pedro Aznar de Cardona, *Expulsión justificada de los moriscos españoles*, 1612 *(ap.* Janer, pág. 161). De aquí debe provenir lo que Cervantes dice de los moriscos en *Persiles y Segismunda:* a sus familias "no las esquilman las religiones... todos se casan, todos o los más engendran". (Ver mi libro *El pensamiento de Cervantes*, pág. 294.)

[48] Son árabes *aduje*, "pandero", *albéitar*, "veterinario", *recua, aceite*. Tuvieron antiguamente nombre árabe, y en parte lo conservan, *sastre (alfayate), ollero (alcaller, alfarero)*. Desde otro punto de vista, *burlería* es el origen de *bulería*, que no traen los diccionarios, aunque es una forma muy conocida del cante flamenco; los moriscos eran, como vemos, muy amigos del canto y del baile, y orientales son también *zambra* y *zarabanda*. Con bailes, músicas y regocijo habían recibido los moros a los reyes durante siglos. (Ver pág. 63.)

[49] "¿Sabes que estamos en España, y que poseemos esta tierra ha 900 años?" Así hablaba don Fernando de Válor (Abén Humeya) antes de desencadenar la rebelión de 1568. (Ver don Antonio de Fuenmayor, *Vida y hechos de Pío V*, 1595, apud Janer, pág. 144.)

[50] Según Bermúdez de la Pedraza, en *Antigüedades y excelencias de Granada*, folio 91, citado por P. Longás, *Vida religiosa de los moriscos*, Madrid, 1915, pág. 75.

[51] "En muchos reinos, no sólo de fieles, sino aun de infieles y de herejes (como los de la Rochela), tienen sus gobernadores singularísimo cuidado y atención en que en sus repúblicas no haya ociosos, como cosa en que consiste gran parte de su felicidad" *(Bienes del honesto trabajo*, Madrid, 1614, págs. 119-120).

[52] Ya en 1508 había prohibido Fernando el Católico que los moros de Cataluña fueran forzados a convertirse. La protesta contra las violencias de la Inquisición había partido del virrey duque de Cardona y de otros señores cuyas tierras eran labradas por vasallos moros. Creo que debe ser ésta una de las últimas veces en que resuenan todavía las ideas de tolerancia que analizo en el capítulo XI: "A ninguno se debe hacer fuerza para que se convierta a nuestra sancta fé católica y sea baptizado, pues dello es a Dios servido sino cuando la conversión viene de puro corazón y voluntad" (Archivo de Simancas, Inquisición, Libro 926, fol. 76, *apud* Henry Charles Lea, *The Moriscos of Spain: their Conversion and Expulsion*, Londres, 1901, pág. 407).

[53] Ver Longas, *ob. cit.*, pág. 57.

[54] Véase el capítulo XIII, y mi libro *De la edad conflictiva*, Madrid, 1961.

[55] *Col. Docums. Inéditos para la Hist. de España*, XVIII, 42.

[56] Ver A. Giménez Soler, *La corona de Aragón y Granada*, en "Bol. Acad. de Buenas Letras de Barcelona", 1905, III, 344. Otro documento comienza así: "Al rey alt e noble e honrat e poderos e verdader e nomenat lo rey de veritat, don Jayme, rey de Aragón" *(ibíd.*, 1907, IV, 54).

[57] "Todo omne que fragua fezier o caminada *(var.* camena) en el castannal, peche VI moravedis" *(Fuero de Salamanca*, edic. Onis-Castro, pág. 111).

[58] El término usado en lingüística, "préstamo, borrowed word, emprunt", no es exacto, porque estas palabras son algo adquirido que nunca se devuelve. Habría que decir "adopciones o importaciones lingüísticas".

[59] Después del latino, el vocabulario árabe es el más importante en el español: más de cuatro mil palabras, incluyendo formaciones derivadas (Rafael Lapesa, *Historia de la lengua española*, 1960, pág. 97). No existe un repertorio completo de las palabras iberorrománicas de origen oriental. Ver Dozy et Engelmann, *Glossaire des mots espagnols et portugais, dérivés de l'arabe*, 1869. L. Eguílaz, *Glosario etimológico de las palabras españolas de origen oriental*, 1886. P. Ravaise, "Les mots arabes et hispano-morisques du «Don Quichotte»", *Revue de Linguistique*, 1907-1914. J. Corominas, "Mots catalans d'origen arabic", en *Butlletí de Dialectologia Catalana*, 1936, XXIV, 1-81. Es importante en este punto, A. Steiger, *Fonética del hispano-árabe*, 1932, con abundante bibliografía. José Pedro Machado, "Alguns vocabulos de origem árabe y comentarios a alguns arabismos [del Diccionario de Antenor Nascentes], en *Boletim de Filologia*, Lisboa, 1940, VI, 1-33, 225-238. E. K. Neuvonen, *Los arabismos del español en el siglo XIII*, Helsinki, 1941. R. Lapesa, *Historia de la lengua española*, Madrid, 1960, págs. 95-110.

[60] Ver Alvaro Galmés de Fuentes, *Influencias sintácticas y estilísticas del árabe en la prosa medieval castellana*, Madrid, 1956. El autor estudia especialmente las versiones de *Calila e Dimna*, y hace referencia a la *Crónica General*. Observa justamente el señor Galmés que el arabismo sintáctico refleja "una intencionalidad, más o menos expresa, de dejarse influir", motivada "por el prestigio de una cultura superior" (pág. 219).

[61] En las cuentas del Ayuntamiento de Sevilla, siglo y medio después de haber sido conquistada la ciudad, leemos que en 1393 "tomaron a destajo para fazer esta dicha obra de *albañería* [se trataba de una conducción de agua], dos *moros albañíes*, et fizieron la dicha *alcantarilla*... Et otro si tomaron a destajos estos dichos maestros todos los sobrearcos que

se avían de fazer de nuevo". Para su trabajo usaban *aceite y azulaca* —dos palabras árabes. (Texto publicado por R. Carande en *Archivo de Historia del Derecho Español*, 1925, II, 399.) Aún hacían falta "maestros" moros en el Burgos del siglo xv; he aquí algunos datos que encuentro en L. Serrano, *Los conversos D. Pablo de Santamaría y D. Alonso de Cartagena*, Madrid, 1942. Tres técnicos moros informan en 1429 sobre la mala calidad del "material de ingenios y armas depositado en el castillo de Burgos" (pág. 73). En el mismo año unos moros aparecen abasteciendo de harina el ejército real, y le suministran carpinteros (pág. 95). Se contrata con arquitectos y obreros moros la construcción de casas para el cabildo catedral en 1379, 1398, 1435, 1436, etc. (pág. 257). Seguía realizándose el programa formulado en el *Poema del Cid:* "posaremos en sus casas, e dellos nos serviremos".

    62   Como el portugués es aún más tradicional que el español, perduran en su lengua palabras árabes que en español fueron reemplazadas por otras románicas. Todavía se dice *alfaiate* en portugués, y también *alface* "lechuga", *ceroulas* "calzoncillos" (en español antiguo *zaragüelles*), etc.

    63   El portugués *arraial*, deriva del árabe *arŷâl*, 'gran conjunto de bestias, ejército'. *Arŷâl* es plural de *riŷl*, 'pie, pata trasera de un animal'. Parece, pues, que la acepción de *arŷâl*, 'manada de toros o vacas', es anterior a la de "ejército". Con sentido más amplio dicen en portugués: "campos cheios de pacificos arrayaes de gente" *(Diccion,* de Moraes).

    64   Ver O. J. Tallgren, "Los nombres árabes de las estrellas y la transcripción alfonsina", en *Homenaje a Menéndez Pidal*, II, 633-718.

    65   Para arabismos en el aragonés pirenaico, ver J. Corominas, en *Nueva Rev. de Filología Hispánica*, 1958, XII, 69.

    66   E. W. Lane, *An Arabic-English Lexicon*, I, 835.

    67   J. Lerchundi, *Vocabulario español-arábigo*, 1933, pág. 768.

    68   Edición de D. E. Grokenberger, Lisboa, 1947, págs. 10-11.

    69   En portugués hay también *poridade:* "Poridade vos terrei" *(Cantigas de amigo,* edic. J. J. Nunes, II, 231), junto a *puridade:* "Se preguntar quiserdes, / en vossa *puridade* / saberedes, amigo, / que vos digo verdade" *(ibid.,* II, 294). Nunes traduce: "na vossa consciência", lo cual prueba que se sentía *puridade* como un fenómeno de vida interior, espiritual. Puede ser que la forma con *u* sea debida a reacción culta, o que se destacara la noción de "puro" al expresar algo distinto de "secreto". En *El sacrificio de la misa*, Berceo usa *puridad* por ver en esa palabra su forma latina: "Buena es de saber esta tal *puridad*" (edic. Solalinde, 213). Posteriormente el portugués usa ya *puridad*. Todavía en 1666 se publica el *Epitome das excellencias da dignidade do ministro da puridade*, de fray Francisco do Sanṭíssimo Sacramento.

    70   *Poridad* ocurre en *Calila e Dimna*. obra traducida del árabe en el siglo XIII: "Sabe el estado de sus amigos e ṣu poridat" (pág. 65), es en árabe: "arafa bāṭina amri ṣāḥi-bibi bima yaẓharu minhu", o sea "conoció lo interior (bāṭin) del asunto de sus amigos por lo que parece en éste" (edic. L. Cheikho, Beirut, 1923, pág. 68). *Poridad* traduce, por tanto, "lo interior, lo íntimo", algo que no es precisamente lo "secreto" en románico, y que se aproxima, en cambio, a *jālasa*, 'amistad íntima, pureza'. Estamos siempre con un "fuera" que corresponde a un "dentro", y viceversa.

    71   Era frecuente asociar ambas palabras. Hablando de los escribanos dicen las *Partidas:* "Ca maguer el rey e el chanceler e el notario mande fazer las cartas en poridad, con todo esso, si ellos mestureros fuessen, non se podría guardar de su daño" (II, 9, 8).

    72   *Duties of the Heart*, trad. M. Hyamson, Nueva York, 1925.

    73   Edic. V. Said Armesto, pág. 35.

    74   Don Juan Manuel, "Libro de los Estados", *Bib. Aut. Esp.*, LI, 320 *a.*

    75   "Crónica de Alfonso XI", *Bib. Aut. Esp.*, LXVI, 327 *a.*

    76   *Arte para ligeramente saber la lengua arábiga*, Granada, 1505.

    77   "L-ʿÂr, or the transference of conditional curses in Moroco, en *Anthropological Essays presented to E. B. Taylor*, Oxford, 1907, pág. 365.

    78   El citado estudio de E. Westermack permite además entender algo que siempre nos resultó extraño en la leyenda de los *Siete Infantes de Lara*. Doña Lambra mandó a uno de sus criados que llenara de sangre un cohombro, y lo arrojara contra uno de los Infantes; así lo hizo, "et ensuziol todo con la sangre". Irritados por tan deshonrosa ofensa, los Infantes mataron al criado, no obstante haberse refugiado bajo el manto de su señora, la cual quedó a su vez cubierta de sangre. Tales violencias determinan las venganzas subsiguientes. Dice Menéndez Pidal *(Infantes de Lara*, pág. 6): "No conozco otro ejemplo de esa singular afrenta." Pero observa Westermack (pág. 365) que entre todos los medios transmisores de maldiciones, ninguno es más eficaz que la sangre, porque en ésta yacen poderes sobrenaturales. Se cree en Marruecos que la sangre vertida contiene ŷunūn, 'malos espíritus'. Sin duda por ese motivo la maligna doña Lambra mandó ensuciar con sangre al infante Gonzalo González, el

menor de ellos y el más querido de su madre doña Sancha, a quien tanto odiaba aquélla. Son también seudomorfosis árabes el sentido de *plata* "argentum" (v. Paul Aebischer, *"Argentum" et "plata" en ibéro-roman*, en "Mélanges de linguistique offerts à Albert Dauzat", París, 1951), y *adelantado*, en el sentido de "adelantado de la frontera" (v. H. L. A. van Wijk, *El calco árabe en esp. "adelantado"*, port. *"adiantado"*, en "Neophilologus", 1951, págs. 91-94).

[79] Ver *Diccionario histórico de la Academia Española*, s. v. *asno*.

[80] Debo esta referencia al profesor G. L. Della Vida.

[81] Hay otras referencias a lo mismo en la literatura árabe: "Un poeta ha dicho de quienes coleccionan libros sin nunca sacar provecho de lo que contienen: "Acémilas cargadas para el viaje, que conocen la utilidad de su carga tanto como un camello." (Masudi, *Les Prairies d'Or*, trad. C. Barbier de Meynard, III, 138.) En España el burro transportaba los libros de los estudiantes; Ignacio de Loyola partió de Salamanca para Barcelona, "a pie, llevando un asnillo delante, cargado de libros". (P. de Rivadeneira, *Vida de Ignacio de Loyola*, I, XVL)

[82] *Crónica del rey don Pedro*, Bibl. Aut. Esp., LVI, 439 a.

[83] Ver Gerog Sachs, *Die germanischen Ortsnamen in Spanien und Portugal*, Jena, 1932.

[84] Ver M. L. Wagner en *Volkstum und Kultur der Romanen*, 1933, VI, 23.

[85] "Bayzatán" (the two eggs) a *double entendre* who has given rise to many tales" (nota de R. F. Burton en su traducción de *The Book of the Thousand Nights and a Night*, 1885, II, pág. 55).

[86] James T. Monroe me dice que Burton traduce *akābir ad-daulati* "los grandes hombres del Estado" como "grandees", en la frase: "and the king called together his grandees". El *Arabic English Dictionary* de J. G. Hava, trae, en efecto, *al-akābir* "the chief men, the leaders, the nobility".

[87] Lo semítico de la forma lingüística *hijo-de-algo*, según sugerí en redacciones anteriores de esta obra, ha sido admitido por J. Coromiñas en su *Diccionario etimológico*, y por Rafael Lapesa, *Historia de la lengua española*, 1960, pág. 109.

[87 a] "Bicycles they called... the children of cars, which themselves were sons and daughters of trains" (edic. Doubleday. Nueva York, 1935, pág. 172).

[88] Donde la Biblia dice "ut faciam cum eo misericordiam Dei" *(Regun.*, II, 9, 3), la traducción del siglo XIII vierte: "a quien fiziesse yo algo", es decir, "merced, bondad". El mismo sentido tiene en los siguientes pasajes: "El rey... fazedor d'algo a sus pueblos" *(Calila y Dimna*, edic. Academia Española, pág. 49): "Yurámosle todos que uos fiziéssemos algo" *(Crónica general*, 506 b, 6). Lo mismo en portugués: "E esto vos damos por muito d'algo e d'amor que sempre recebemos de vos... Com obrigaçāo de fazerdes algo e melhoramento em essa nossa heredade" *(Elucidario de Santa Rosa)*.

[89] Ver mi artículo *"Hijodalgo": Un injerto semítico en la vida española*, en "Papeles de Son Armadans", Madrid-Palma de Mallorca, enero, 1960, págs. 9-21.

[90] Ver mi *Origen, ser y existir de los españoles*, pág. III.

[91] *Tovim* es plural de *tov* 'bueno, hermoso, eximio, sobresaliente; riquezas, bienes, felicidad, salud' (E. F. Leopold, *Lexicon hebraicum*, Leipzig, 1910).

[92] *Los problemas de Villalobos*, Bibl. Aut. Esp., XXXVI, pág. 425.

[93] Me llama la atención sobre ello el joven arabista James T. Monroe, cuya ayuda en este punto ha sido muy eficaz.

[94] La hidalguía era concebida hace siglos como un *espíritu* que se infundía en la persona, y que podía irse lo mismo que había venido. Dice el *Fuero Viejo de Castiella:* "Façaña de Castiella es: Que la Dueña Fijadalgo, que casare con labrador, que sean pecheros los suos *algos* ['que paguen contribución sus bienes']; pero se tornarán los bienes esentos después de la muerte de suo marido; e deve tomar a cuestas la Dueña una albarda, e deve ir sobre la fuesa de suo marido, e deve dezir tres veces, dando con el canto de la albarda sobre la fuesa: 'Villano, toma tu villanía; da a mí mia fidalguía' " (Libro I, tít. V, xvii). Para otro caso análogo de perder y recobrar nobleza el hijodalgo, ver 1, tít. V, xvi). Este evidente carácter mágico de la hidalguía y el orientalismo de su origen se complementan mutuamente.

Capítulo VII

REFLEJOS INMEDIATOS Y REMOTOS DE LA ACCION DEL ISLAM EN LA VIDA ESPAÑOLA

No han sido debidamente observadas e interpretadas ciertas maneras de vivir y de hablar españolas que carecen de sentido al ser privadas de su marco islámico. Para mi propósito es indiferente que tales usos se encuentren también en otros países tocados por la civilización oriental (Bizancio, India, Rusia, etc.), puesto que no me interesa el folklore, sino hacer visibles los efectos de 900 años de contextura cristiano-islámica en los modos de vida de los pueblos hispánicos. Para este objeto es igualmente indiferente el que los musulmanes de al-Andalus debieran algunas de sus costumbres a Bizancio, a Persia o a cualquier otro pueblo. Los usos de los cristianos españoles en los primeros siglos de la Reconquista eran vivo reflejo del prestigio musulmán, que a veces "deprimía y humillaba" (Menéndez Pidal), aunque a pesar de todo forzaba a una inconsciente imitación, incluso después de haberse desvanecido el esplendor político y militar de la morisma.

Pueblecitos de Castilla, en donde muy pocos hoy se bañarán con agua caliente, poseían *baños públicos* en el siglo XIII; sobre ello nos informan los fueros municipales. El de Zorita (Guadalajara) dispone que "viri eant ad communem balneum in die martis, et in die jovis, et in die sabbati. Mulieres eant in die lune, et in die mercuri. Iudei eant in die veneris, et in die dominica. Et nemo det sive sit mulier, sive vir, pro introitu balnei nisi obolum tantum".[1] * "El sennor ['el dueño del baño'] abonde a los vannadores de aquellas cosas que les fueren menester, assi como de agua et de otras cosas que y son menester... Aquel que de las vasías del vanno alguna cosa tomare, cortenle el una oreja" (*ibíd.*, página 69). El mismo texto se encuentra en el Fuero de Cuenca. El de Brihuega (Guadalajara) hace la observación de que "ninno ni sirvient ni sirvienta que levaren, non paguen nada".[2] Incluso un pueblo insignificante

* Para las notas al capítulo VII véanse las págs. 271 a 275.

como Usagre (Badajoz), poseía su baño: "Las mulieres entren en banno die dominica, et in die martis, et in die iovis; et los barones en los otros dias." Se permitía que quien fuera a bañarse llevara hasta tres sirvientes, entre ellos "uno que los lave".[3] En estos fueros suele mandarse que el dueño del baño provea a los bañistas de agua caliente, jabón y toallas. Los baños fueron cayendo en desuso entre los cristianos, y desde 1526 se procuró suprimir los de los moriscos; la medida no se llevó a efecto hasta 1576, como un castigo por la rebelión de 1568, cuando se les prohibió practicar sus costumbres. Uno de ellos, un caballero llamado Francisco Núñez Muley, replicó así al mandato regio: "Formáronse los baños para limpieza de los cuerpos, y decir que se juntan allí las mujeres con los hombres, es cosa de no creer, porque donde acuden tantas, nada habría secreto... Baños hubo siempre en el mundo *por todas las provincias*, y si en algún tiempo se quitaron de Castilla, fué porque *debilitaba las fuerzas y los ánimos de los hombres para la guerra*. Los naturales de este reino de Granada no han de pelear, ni las mujeres han menester tener fuerzas, sino andar limpias; si allí no se lavan (en los arroyos y fuentes y ríos, ni en sus casas tampoco lo pueden hacer, que les está prohibido), ¿dónde se han de ir a lavar?" En 1567 tuvo lugar una solemne ceremonia y fueron derribados "todos los baños artificiales" que había en Granada.[4] La gente olvidó la costumbre de lavarse a menudo, en España lo mismo que en Europa, hasta bien entrado el siglo XIX.[5]

Pienso que también sea imitación musulmana el *lavado ritual de los muertos*. En el *Poema de Fernán González* (hacia 1250), el conde castellano hizo lavar solemnemente el cadáver de su enemigo el conde de Tolosa:

lavol e vestiol de un iamete preçado (v. 373).

La *Crónica General* refiere que el conde Fernán González "desarmó él mismo con su mano al conde de Tolosa, allí do yazie muerto, et fizol bannar" (pág. 399 *a*).[6] En una versión en aljamiado hebraico de la historia de José, se dice que:

Yoçef su mandamiento fizo muy priado,
Fizo vannar al muerto, luego fué pimentado.

Y lo mismo se lee en la *General Estoria*, de Alfonso el Sabio: "Et ellos vannáronle muy bien, e desí balsamáronle" (pág. 256). Pedro Comestor creía que se trataba de una costumbre pagana, un "mos ethnicorum"; el señor González Llubera piensa que la costumbre es rabínica.[7] Desde luego que muchas de las costumbres que voy analizando existían también entre los hebreos españoles, muy penetrados por la vida musulmana.

La costumbre de *cubrirse el rostro las mujeres,* no ha mucho que se practicaba en Mojácar (Almería), en Tarifa (Cádiz), en algunas ciudades peruanas, e imagino que en otros lugares hispánicos. En la Argentina llaman *tapado* el abrigo de las mujeres, palabra que procede del "manto tapado", mencionado por Tirso de Molina en *El Burlador de Sevilla* (II, 101), y con el cual se cubrían aquéllas el rostro y la cabeza.[8] Multitud de comedias del siglo XVII contienen situaciones a base de andar las mujeres con la cara cubierta ("¡Oh tapada a lo morisco!", escribe Tirso de Molina en *El amor médico).* Es decir, que las cristianas seguían haciendo lo que se había prohibido a las moriscas un siglo antes: "Pues querer que las mujeres anden descubiertas las caras, ¿qué es sino dar ocasión a que los hombres vengan a pecar, viendo la hermosura de quien suelen aficionarse?" [9] Las leyes prohibitivas no significan en muchos casos que se deje de hacer lo prohibido por ellas.

Reminiscencia moruna ha sido el *sentarse las mujeres en el suelo,* cosa que ha debido hacerse en España hasta el siglo XVIII. El estrado, una tarima casi al nivel del suelo y recubierta de una alfombra y de almohadones, era el lugar propio para sentarse las mujeres. Leemos en un texto de comienzos del siglo XIV: "la dueña entendió que era rey, e levantóse a él, e fué por le besar las manos. El rey non quiso, e fuése sentar con ella al su estrado".[10] Así vivía aún a comienzos del siglo XIX la familia de don Domingo Sarmiento en San Juan (Argentina), según refiere aquél en *Recuerdos de provincia.* Cervantes sabía, por propia experiencia, que el estrado en que se sentaban las señoras era un hábito oriental: "un estrado de más almohadas de velludo que tuvieron moros" *(Quijote,* II, 5). Sancho Panza aspira a que su mujer se siente en la iglesia "sobre *alcatifas, almohadas y arambeles" (ibíd.)* —tres vocablos árabes. Por eso sigue llamándose "estrado" el sofá y los sillones de la sala de recibir, y por el mismo motivo, a la ceremonia de "cubrirse" los grandes en la corte de España, correspondía el "tomar la almohada" las damas de palacio.

Multitud de *cortesías* sólo adquieren sentido cuando las examinamos a esta luz islámica. Al mostrar a una persona amiga un objeto de valor, si aquélla lo elogia, lo correcto es decir: "Está a su disposición." Ha acontecido a veces que un extranjero, ignorante de que esas palabras son un rito verbal, preguntara si de veras le ofrecían el objeto valioso, y eso ha creado más de una situación embarazosa. Cuenta el *Poema del Cid* que el rey Alfonso VI hizo el elogio del caballo del Cid y de su jinete: "esse cavallo que tanto bien oí dezir...; que en todas nuestras tierras non ha tan buen varón" (v. 3.510). A lo cual respondió el héroe con cortesía musulmana, hecha ya hispánica: "Yo vos lo do en don; mandédesle tomar, señor" (v. 3.115). Como era de rigor, en el siglo XI y hoy, el rey no acepta el regalo: "D'esto non he sabor."

Los musulmanes siguen usando hoy esas fórmulas de ofrecimiento puramente ritual de lo que poseen, fórmulas que han tenido que restringir a veces cuando el interlocutor era extranjero; es al menos lo que aconteció en el Marruecos francés.[11]

Es musulmana la costumbre de decir: *ésta es su casa*, a quien la visita por primera vez. Al marcharse el visitante se le dice: "Ya sabe que ha tomado posesión de su casa." En portugués se dice: "Disponha da casa como se fosse sua, é uma casa a sua disposição." En catalán: "Ha press possessió de casa seva." Todo ello es herencia árabe: *albayt baytak*, 'esta casa es tu casa', y los extranjeros se quedan asombrados al oír en Lisboa, Madrid o Barcelona que la casa que visitan por vez primera les pertenece.

Al ir a comer o beber delante de alguien que, por el motivo o la situación que sea, no va a participar de la comida o de la bebida, lo correcto es decir: "*¿Usted gusta?*" En pueblos andaluces, a alguien que pasa junto a quienes están comiendo, se le dice: "¡Venga usted a comer!" Nadie acepta, por supuesto. En portugués se dirá: "Você é servido", o "¿Quer fazer-me companhia?" En Galicia: "Quédese con nosco." En catalán: "Sou servit?" Las respuestas son: "Que aproveche", o "De salud sirva", según las regiones, la clase social, etc. En portugués se responde: "Bom proveito." En las grandes ciudades, o entre quienes han adquirido costumbres extranjeras, tales usos no viven con la misma intensidad que entre aldeanos. En Italia, por los motivos antes dichos, se encuentra también un reflejo de la época española en la expresión "Vuol favorire?", que se oye, por ejemplo, en los trenes, cuando alguien se pone a comer ante otros viajeros. Así acontece en todo el mundo musulmán.

Es muy frecuente oír "*si Dios quiere*", o "si quiere Dios": "Hasta mañana, si Dios quiere", "A ver si quiere Dios que llueva", etc. Parece, al pronto, que tal frase procede de la piedad o religiosidad católica, tan profunda en España, aunque la presencia de *ojalá, wa šā a-l-lāh*, 'y quiera Dios', nos hace ver su origen. Se trata de otra seudomorfosis (como *almogávar* —corredor), que hoy aparece ya con sentido cristiano.[12] La prueba de ello es que no se puede traducir literalmente a ninguna otra lengua europea, la expresión "Hasta mañana, si Dios quiere", que para multitud de españoles es tan natural. Me parece que los españoles usan o han usado el nombre de Dios más que los otros pueblos románicos; compárese el artículo *Dios* en el Diccionario de la Academia Española con el correspondiente del Diccionario francés de Littré, y se entenderá lo que quiero decir. Creo que, en muchos casos, tras el Dios cristiano vibra el eco del

Allah muslímico, presente hasta en la interjección ¡olé! (wa-l-lāh, 'por Dios') con que se anima a bailadoras y toreros.

Unido a lo anterior se encuentra la presencia de *saludos* y de *fórmulas de respeto* que incluyen el nombre de Dios. En el siglo XIII decían los mozárabes: "que Deus defenda, que Dios mantenga", y comenta Menéndez Pidal: "Cierto que esta costumbre puede ser más general que la influencia mozárabe, pues hasta hoy conservamos algún rastro de ella en la frase «que Dios guarde» cuando se nombra oficialmente al rey." [13] Parece como si el gran lingüista no encontrara suficiente la influencia musulmana para explicar a la vez la costumbre moderna y la mozárabe. La cuestión se aclara al pensar que "Dios guarde" fue una fórmula general de origen musulmán, de lo cual quedan restos en la cancillería regia, y en el saludo de los campesinos andaluces: "Dios guarde a ustedes, caballeros", según he oído decir en la provincia de Granada, región de lenguaje muy arcaico. La misma fuente tiene "Dios mantenga", que en el siglo XVI era ya mirado como propio de rústicos, y por eso molestaba tanto al puntilloso Escudero del *Lazarillo de Tormes*.[14] Todavía dicen hoy los campesinos andaluces: "A la paz de Dios", que suena, desde luego, como el eclesiástico "Pax Domini sit vobiscum", pero que es calco (y a la vez réplica) del árabe *al-salām 'alayk* 'la paz sea contigo'.

Sólo en España se ha conservado como fórmula epistolar el *besar la mano, besar los pies*, esto último tratándose de señoras. Todavía a comienzos del siglo XX las señoras despedían a los caballeros diciendo: "beso a usted la mano", y el señor correspondía con un "a los pies de usted, señora". Mariano José de Larra aún conocía la costumbre tradicional de besar el hijo la mano de su padre: "Andaba siempre señor padre, que entonces no se llamaba *papá*, con la mano más besada que reliquia vieja." *(El casarse pronto y mal.)* Mas también entre musulmanes un hijo terminará una carta dirigida a su padre con la fórmula "después de haber besado vuestra respetable mano".[15] Don Luis de Requesens suscribe así una carta a Felipe II en 1566: "De V. M. hechura, vasallo y criado que sus muy reales pies y manos besa." [16] En el teatro español del siglo XVII es usual la fórmula "dadme los pies", cuando el inferior quiere mostrar su gratitud reverente al rey: "Dadme, gran señor, los pies." En el *Quijote* (II, 16), Sancho Panza *"besó los pies una y muchas veces"* a don Diego de Miranda, cosa que ha parecido tan normal a los comentaristas, que la dejan sin explicar. Ya en el *Poema del Cid*, el héroe intenta en una ocasión besar los pies del rey Alfonso VI, y éste no lo permite: "Besad las manos, ca los pies no." [17] Cuando Blanquerna (en la obra del mismo nombre de Raimundo Lulio) se despide de su padre para ir a vivir como un anacoreta, "de agenollons, besà les mans el·s peus a son pare." [18] El que esa costumbre hubiera sido aprendida por los musulmanes en contacto con Bizancio, o con otra civilización, es ahora indiferente. Lo que importa es notar que los españoles cristianos la han tomado de los hispano-musulmanes. La fórmula de vasallaje —besar la mano— no tiene relación con el feudalismo europeo,[19] sino con la vida islámica. Cuán normal era entre los árabes el besar la mano como señal de sumisión, y homenaje se ve en este pasaje de Ibn Darrāŷ, muerto en 1030: "Tú me haces temer la longitud del viaje; pero éste es digno de hacerse sólo para besar la mano del Āmirī" (en Al-Šaqundī, *Elogio del Andalus,* trad. E. García Gómez, pág. 61).[20]

No sé si *besar el pan* al recogerlo del suelo es una influencia cristiana dentro del Islam, o al contrario. Cuando en Andalucía cae un trozo de pan al suelo, lo recogen y lo besan diciendo que "es pan de Dios". Los moros hacen y dicen lo mismo: *'āyš Allāh,* 'pan de Dios'. Lo que sí es evidentemente moruno es el excusarse de dar limosna a un mendigo diciendo *"perdone por Dios,* Dios lo ampare, lo socorra, lo ayude", etc., lo que equivale al árabe: "Dios te dé, te ayude, te sostenga, te contente." [21]

Es difícil no referir a la vida cristiano-musulmana de la Edad Media las formas clamorosas y espectaculares de pedir limosna, aún observables en España, sobre todo en el Sur: "¡Dios les conserve la vista!", dirá el ciego; es frecuente que hagan referencia a la santidad del día, sobre todo en Jueves y Viernes Santo, en la fiesta del patrón del pueblo, etc. Quevedo en *El Buscón* habla de oraciones hechas para excitar la caridad; los mendigos impedidos aluden al "aire corruto" y a "la hora menguada" en que sufrieron el accidente que les privó de la salud. El Arcipreste de Hita compuso cantares "de los que dicen los ciegos" (copla 1.514), los cuales formaban una importante institución social, lo mismo que en el Egipto del siglo XIX, descrito por Lane. Cita éste muchas exclamaciones de mendigos, que en forma semejante hemos oído en España: "O Exciter of compassion! O Lord! For the sake of God! O ye charitable! I am seeking from my Lord a cake of bread!" (Lane, II, 23).

Las *bendiciones* y *maldiciones* [22] (ver pág. 218), tan numerosas y expresivas, han de tener también mucha base oriental. En español (y también en italiano), para elogiar la belleza de una mujer, el pueblo bajo bendice a "la madre que te parió". Y he aquí que encuentro que el califa Al-Mansūr (en Bagdad) dijo a alguien: "Sea para Dios la madre que te parió." [23]

La lista de hechos análogos podría aumentarse, y fácilmente lo hará quien se lo proponga. Pero mi finalidad es simplemente abrir perspectivas que hagan visibles la forma y el peculiar valor de la vida y de la civilización españolas. Las palabras y frases antes mencionadas sacan a luz aspectos de la vida campesina y ciudadana, hacen perceptible el afán diario de quienes compran y venden, acarrean mercaderías, edifican moradas; o de los aristócratas poseedores de objetos y vestidos preciosos, de uso doméstico o para fines deportivos. La utilidad práctica y el goce estético hacían deseable y necesaria la tarea del moro; así fue posible para la casta cristiana desenvolver su capacidad de expansión y de dominio, y llegar un día a organizar política y jurídicamente inmensas zonas del planeta. Sin tratar de establecer paralelismos históricos, siempre incorrectos, los cristianos se sirvieron de los moros y de los judíos, los incorporaron al funcionamiento de su vivir, en cierto modo como los romanos injertaron sobre su latinismo de agricultores, a la vez guerreros y juristas, el saber y el arte de los griegos y las concepciones religiosas del Oriente. Sin Grecia y el Oriente, Roma es tan incomprensible como España sin la convivencia de sus tres castas.[24] La institución imperial vino de Oriente.

Roma funcionó como un conjunto humano latino-helénico-oriental en tanto que pueblo de dimensiones universales. De ahí que me parezca incomprensible, o infantil, la pregunta de quienes (a veces de buena fe) desearían saber *qué* es propiamente *lo español*, una vez descartado el enojoso pegadizo de los moros y los judíos.

Hubo en España simbiosis lingüísticas y también espirituales. Los reyes y las personas reales se enterraban cristianamente con vestiduras moriscas, según se ve en el panteón de las Huelgas de Burgos estudiado por M. Gómez Moreno. El primitivo edificio del monasterio de El Paular (en la Sierra de Guadarrama) fue mandado construir por Juan II de Castilla hacia 1440; pero "se halla en los asientos del monasterio que el principal arquitecto fue un moro de Segovia llamado Abderramén, que debió de llegar a muy viejo, hallándose memoria de él por espacio de un gran número de años".[25]

Y lo mismo que el moro Abderramén se injiere en la construcción de un templo para cartujos, la mora Moraima se vuelve tema de un romance cuya forma y existencia como género literario expresan el alma épica de Castilla, ya muy vuelta a lo lírico en el siglo xv:

Yo me era mora Moraima,
morilla de un bel catar;
cristiano vino a mi puerta,
cuitada, por me engañar.

Las almas y los cuerpos de cristianos y moras venían uniéndose desde hacía siglos; y ahora en el siglo xv, cuando el moro ya no aparecía como grave amenaza, la poesía expresaba oralmente, en ritmo y melodía a todos accesibles, la delicia y el riesgo de amor para los cuerpos y para las almas. Alonso Alvarez de Villasandino (muerto hacia 1427) estructuró en belleza, para siempre, uno de esos sueños de ventura por los cuales se juega el hombre su eternidad:

> Quien de linda se enamora,
> atender deve perdón
> en caso que sea mora...
> Linda rosa muy suave
> vi plantada en un vergel,
> puesta so secreta llave,
> de la linia de Ismael...
> Mahomad el atrevido
> ordenó que fuese tal,
> de aseo noble, complido,
> albos pechos de cristal:
> de alabasto muy broñido
> debié ser con grant razón
> lo que cubre su alcandora...
> Por aver tal gasajado,
> yo pornía en condición
> la mi alma pecadora.[26]

En este siglo, cuando se inicia la gran poesía lírica en castellano, brotan los cantares anónimos de tema morisco, algunos de los cuales nada impide pensar que hubiesen sido compuestos por moriscos; muchos de ellos estaban tan olvidados de su lengua, que en 1462 el alfaquí mayor de Segovia tuvo que redactar en castellano la *Suma de los principales mandamientos* de la ley alcoránica.[27]

En el breve cantar que a continuación transcribo se combina la aparente ingenuidad de su forma con un arte muy calculado. El ritmo ternario —ir, no hallar, tornar— va graduando el paso de la nota alta y clara de los tres lindos nombres, a lo sombrío de la honda melancolía: "tan garridas... y las colores perdidas". Las tres deliciosas morillas, cada una de ellas, con su nombre tintineante —Aiša, Fátima, Marién—, se confunden en el acorde final de su unánime desdicha. El mundo todo se había resumido en unas olivas, y ya no están, se fueron con los vivos tonos de unas mejillas en flor:

> Tres morillas me enamoran
> en Jaén:
> Axa y Fátima y Marién.
> Tres morillas tan garridas
> iban a coger olivas,
> y hallábanlas cogidas,
> en Jaén:
> Axa y Fátima y Marién.
> Y hallábanlas cogidas,
> y tornaban desmaídas
> y las colores perdidas
> en Jaén:
> Axa y Fátima y Marién.

Estas y otras muchas cosas como ellas integran la historia no narrable ni documentable; ellas compensan de todas las fallas de lo que se fue, de lo que no pudo ser. Pero el "sentir" nadie nos lo puede quitar, porque él es nuestro y nos acompaña, y es más que todo eso otro, tan grande y poderoso, pero que tantas veces nos deja en soledad desolada.

Durante el reinado de Enrique IV (1454-1474) había moriscos y judíos en la corte, y algunos ponían en relación su presencia y la incredulidad de ciertos cortesanos. Algunos prelados y ricoshombres dirigieron al rey una protesta insolente: "Es muy notorio en vuestra corte haber personas, en vuestro palacio e cerca de vuestra persona, infieles, enemigos de nuestra santa fe católica; e otras, aunque cristianas por nombre, muy sospechosas en la fe, en especial que *creen e dizen e afirman que otro mundo non haya, si non nascer e morir como bestias.*" [28]

El viajero checo barón de Rozmithal visitó Castilla hacia la mitad del siglo XV, e hizo consignar en su diario curiosas noticias acerca de la vida que observaba. Los usos moriscos se habían infiltrado en la vida privada; mejor dicho, esos usos llevaban siglos siendo españoles, pero las gentes del siglo XV han escrito sobre ello, porque en aquel tiempo ya se prestaba atención a lo que acontecía en torno al escritor, a lo contemporáneo, a la situación vital del hombre en un tiempo y espacio dados. Veamos ahora el Diario del barón de Rozmithal: "En Burgos reside ahora un poderoso conde, que llevó a su palacio a mi señor" (quien escribe es un secretario del barón) "y a sus compañeros; acudieron también hermosas doncellas y señoras ricamente ataviadas a la usanza morisca, las cuales *en toda su traza, y en sus comidas y bebidas, siguen dicha usanza.* Unas y otras bailaban danzas muy lindas al estilo morisco, y todas eran morenas, de ojos negros. Comían y bebían muy poco, saludaban alegres a mi señor, y eran muy amables con los tudescos." [29]

Si esto acontecía en Burgos, en donde no había moros desde el siglo X, puede imaginarse cuán vivas estarían las costumbres moriscas en zonas reconquistadas más recientemente. Desde luego es manifiesto que en la primera mitad del siglo XV se produjo un aumento de riqueza en Castilla, y el lujo en los vestidos y en las costumbres fomentó los usos moriscos que, desde hacía más de 500 años, venían representando un ideal de riqueza y de distinción. El favorito de Enrique IV, Miguel Lucas de Iranzo, cabalgaba "a la *jineta*, con *aljuba* morisca de seda de muchos colores". [30]

Las costumbres musulmanas no fueron moda ocasional, algo superpuesto a la vida cristiana, aceptado como una concesión elegante de los vencedores hacia los vencidos. Esto último es lo que explica el favor de que goza en el Oeste norteamericano el estilo colonial español en la arquitectura y en otras formas de civilización. Mas no era eso lo que ocurría en España, en donde la acción de la vida musulmana continuó estando presente durante los siglos XVI y XVII, según se ha visto —para citar un importante ejemplo— en el caso de los plomos del Sacro Monte de Granada.

No es mi propósito tratar en detalle del tema morisco en la literatura, sino simplemente señalar la significación de su presencia. Por lo demás, esta cuestión ha sido objeto de un reciente estudio, claro y comprensivo.[31] Análoga observación haré acerca de la huella del arte islámico en el de la casta cristiana. Baste, para mi finalidad, aludir al libro de O. F. L. Hagen, *Patterns and Principles of Spanish Art* (University of Wisconsin Studies, 1936), en cuya página 34 se dice: "As far as Spanish ornamentation can be reduced to abstract linear motives and color patterns, its fundamental scheme is best recognized in walls adorned with colored tiles, so-called *azulejos*. The habit of sealing the walls of houses or courtyards with glazed tiles originated in ancient Mesopotamia... The age-old Oriental habit was bequethed from the Sumerians to the Assyrians, thence to the Persians and the Moslems who carried it to Spain. Here we are at the roots of Spanish decorative imagination. Without the Oriental tradition there would not be any glazed tiles in Spain and without them, I dare say, neither the particular character of Spanish ornamentation nor the particular color-taste would have come to what it is."

Me falta competencia para medir el alcance de esta idea del profesor Hagen, quien ve presencia oriental incluso "into the surface-pattern of a Spanish painting —no matter whether this be a Primitive, an El Greco, or a Velázquez". Creo que Juan Antonio Gaya Nuño (de Madrid), un eminente historiador del arte español, piensa tratar de ciertos fenómenos de orientalismo en la arquitectura cristiana de España.

ACCION RELIGIOSA DEL ISLAM

En ningún país católico desplaza la religión mayor volumen social que en España y en las naciones hispano-portuguesas, y la verdad es que la creencia religiosa nunca ha sido sustituida por nada que le sea equiparable en extensión y fuerza. No quiere esto decir que la mayoría de los hispanos piense que ha de vivir conforme a normas cristianas, ni que la religión llene el ámbito de la expresión literaria y didáctica, como en 1700. Han desaparecido las cúpulas de la trascendencia bajo las cuales todos cabían y se sentían protegidos, y con la trascendencia se fue también el puro prestigio de los valores encarnados en ella. Mas, no obstante todo esto, al mismo tiempo que todo esto, la religión del español, del portugués y del iberoamericano es algo que sigue ahí, como realidad permanente e infrangible, aunque sólo aparezca y nos demos cuenta de su tremenda existencia cuando alguien pretende suprimirla. Nada tiene que ver con ello el que los hispanos estén convencidos, en su gran mayoría, de que la Iglesia hispánica no encarna ya valores como los de antaño en artes y letras. Mas la prueba de que la religión está ahí, en la forma que sea, es que todo intento de combatirla o silenciarla desencadena catástrofes. México, España y otros pueblos hispanos han escrito con raudales de sangre este capítulo de su historia. La gente hispanolusitana vive aún en un mundo no racional, sin autonomía terrena, sin fundamento en objetividades *creadas originalmente* por el hombre hispano. La huella islámico-judaica ha de ser tenida en cuenta y hay que reconocerlo, sin acrimonia y sin melancolía.

Algunas de las más importantes creaciones de la civilización española durante los siglos XVI y XVII, e incluso durante el XVIII, son meros aspectos de la singularísima religiosidad de ese pueblo. Lo más visible son los bellísimos templos y obras religiosas de arte en España y en lo que fue su imperio, bastante por sí solos para dignificar una cultura. Frailes, monjas o clérigos fueron muchas de las figuras universales de las letras españolas: Fernando de Herrera, Juan de Avila (cuyas obras inspiraban en el siglo XVII al jansenista Antoine Arnauld), Juan de la Cruz, Teresa de Jesús, Luis de Granada, Luis de León, Francisco de Vitoria, Francisco Suárez, Juan de Mariana, Lope de Vega, Calderón, Tirso de Molina, Gracián, Sor Juana Inés de la Cruz, Feijoo. La historia hispana es, en lo esencial, la historia de una creencia y de una sensibilidad religiosas y, a la vez, de la grandeza, de la miseria y de la parálisis provocadas por ellas. Entre los siglos XII y XVI —no obstante Gonzalo de Berceo y el arcipreste Juan Ruiz— la literatura ofrece aspecto menos eclesiástico que desde la mitad del siglo XVI en adelante. La reducción del pueblo español a una sola casta, cuyo carácter ya conocemos, explica el predominio creciente de la religión en todos los sectores de la vida cultural.

La casta cristiana vivió su religión con todas sus consecuencias, sabiendo en cada momento lo que arriesgaba en tal juego con el destino, un juego mucho más riguroso y obstinado que el de muchos romanos pontífices, los cuales guerrearon para defender sus intereses temporales, y no arruinaron ni despoblaron sus estados en sus luchas contra herejes e infieles, según hizo España. La religión fue para ciertos papas un negocio político, mundano, una inteligente burocracia, una sutil dogmática sin calor de corazón, y una maravillosa "secularidad", lo que no se dice en son de crítica o vilipendio, enteramente ausentes de mi ánimo.[32] Roma luchó en Lepanto (1571) a las órdenes de un príncipe español, don Juan de Austria. Pero en 1611, el duque de Osuna, virrey de España en Sicilia, cubría de dicterios al papa porque sus galeras venían a cargar seda en Mesina, y se negaban a combatir al turco cuando la flota española se aprestaba a hacerlo (véase mi libro *Santa Teresa*, págs. 245-246). Ya el genial Maquiavelo había escrito que "quelli popoli che sono più propinqui alla Chiesa romana, capo della religione nostra, hanno meno religione" *(Discorso sopra la prima deca de Tito Livio,* I, 12). La religión de la Roma pontificia no fue cerradamente "castiza".

La Reforma desvió el interés religioso hacia la conducta y la eficacia social del hombre; pero con ello cerró la vía al soliloquio emotivo del alma con Dios. La religión de la Reforma acabó por convertirse en una teología aplicada a la vida práctica, con miras a frenar cualquier actitud de la persona tendiente a romper sus enlaces sociales. Francia es sin duda un país católico, aunque ha hecho que su catolicismo se vaya infiltrando de cuanta sustancia útil para él ha ido hallando en el racionalismo de sus enemigos; pudo de este modo formarse en Francia el catolicismo esclarecido del "Institut Catholique" de París, junto al de sus masas rurales. Desde fines del siglo XVI el catolicismo francés se puso al servicio del Estado nacional que personificaban sus reyes,[33] y al margen de aquel catolicismo fue surgiendo un mundo racionalizado, excéntrico a la religión. Ya en el siglo XVI la Francia culta miraba el teatro religioso como una antigualla intolerable, suprimida, al fin, por el Parlamento en 1548. En España, esa misma clase de espectáculos perduró hasta 1765, época en que la presión intelectualista del extranjero obligó a reaccionar contra las tendencia del pueblo.

La religión española, por consiguiente, está basada en un catolicismo muy distinto del de Roma y Francia —para no hablar del norteamericano. Es una forma de creencia característica de España, sólo inteligible dentro de la peculiar disposición "castiza" de su historia. La religión española —como su lengua, sus instituciones, su escasa capacidad para la ciencia objetiva, su desborde expresivo y su personalismo integral— ha de ser referida a los 900 años de entrelace cristiano-islámico-judaico. La teocracia hispánica, la imposibilidad de organizar a España o a Hispano-América como un Estado puramente legal, afirmado en intereses objetivos y no en magias personales, son expresión del funcionamiento, de la disposición y de los límites de su "morada vital".

Como institución social, la Iglesia española es algo que nadie ni nada han conseguido suprimir o reemplazar, lo cual, después de todo, sería normal, porque otras religiones siguen igualmente existiendo en los demás países, y no hay para qué lamentarlo. Pero lo peculiar de España no es eso, sino que la Iglesia sigue siendo en ella un poder erigido frente al Estado, en una forma que no conocieron ni Francia ni Italia, los otros grandes países católicos.[34] Como nación incluida en el círculo de la cultura occidental, España ha poseído un Estado; éste, sin embargo, ha vivido, aun en época reciente, como un co-poder junto a la Iglesia, la cual todavía conserva el recuerdo de la época en que España estuvo gobernada inquisitorialmente. Los intentos para prescindir del poder eclesiástico han tenido sólo pasajero y superficial efecto. Privada de sus bienes en 1836, la Iglesia consiguió, a través de las órdenes religiosas, adquirir un considerable poder económico y ejercer una influencia amplísima por medio de sus centros de enseñanza. Es inútil acudir a explicaciones de tipo externo para un hecho de tal alcance; lo que acontece en realidad es que las masas siguen inspirándose en una creencia estática e inmutable, y no en realidades objetivas gobernadas por el juego de las acciones y de los intereses humanos. Los capitalistas españoles preferían guardar su dinero en las cuentas corrientes o invertirlo en papel del Estado, en vez de arriesgarlo en empresas de tipo industrial. Las grandes industrias, las minas más ricas y muchos ferrocarriles pertenecían a empresas extranjeras. En 1935 había en España 17,000 técnicos extranjeros. Apatismo quietista, creencia y no ataque cognoscitivo de la realidad. Anteriormente he citado la expresión de origen islámico "si Dios quiere", a la que debe añadirse en este momento, "está de Dios, estaba de Dios", arraigada en las entrañas del pueblo, y usada a cada paso.[35]

Junto a la quietista apatía de muchos pudientes (de tan secular arraigo) aparece el mesianismo de la masa popular brotado del mismo tronco. Entre las creencias populares, el anarquismo —tan opuesto a la legalidad de tipo occidental como por otros motivos lo son ciertos fanáticos también muy hispánicos— ha gozado de numerosos adeptos. Estas tendencias, bajo el disfraz de ideologías extranjeras, han acabado de desgarrar el alma de España en la atroz contienda de los años 1936 a 1939. El español no piensa que es un miembro de la colectividad nacional, ni que la marcha y el destino de ésta dependen de lo que hagan todos y cada uno de los individuos; espera que las cosas acontezcan, o que surja algún adalid de dotes taumatúrgicas. El pueblo que ha luchado contra el fascismo creía, de buena fe, en numerosos casos, que estaba entregando su vida por una causa universal, y que el sacrificio de las pobres masas españolas determinaría un cambio en el curso de la historia. Lo cual no es nuevo, porque a fines del siglo xv las masas españolas creyeron que los Reyes Católicos habían sido enviados por Dios para instaurar la felicidad sobre la tierra, y para concluir con la tiranía de todos los poderosos. Algunos pensadores del Renacimiento escribieron utopías, pero los españoles han dado su sangre por tales sueños en más de una ocasión, borrando así el confín entre lo posible y lo imposible, lo real y lo imaginado. (Más sobre este tema central en el cap. VIII.)

Se dirá que en toda sociedad humana ha acontecido algo semejante; mas la capital diferencia entre los españoles y los demás pueblos occidentales es que la historia de éstos no sólo está integrada por personas que ilusionen o desencanten (Cromwell, Napoleón, etc), sino también por actividades extrapersonales (economía, concepciones políticas dotadas de originalidad, mutaciones científicas o industriales, etc.). Hechos de este tipo son escasos en la historia hispana, e influyeron levemente en ella, siempre como importación del exterior, no como innovación suscitada desde dentro: lo "personal" contrasta llamativamente con cualquier idea o plan sólo fundados en su "razonabilidad" y en el sano intento de hacerlos útiles y válidos para todos.

La historia aparece como un alternado proceso de ilusiones y desencantos, forjados por la fe o el desengaño en torno a los jefes de la nación, inspirados por el mesianismo o el "anticristismo", por la exaltación del ídolo o por el vituperio del culpable. Desde lo profundo de la Edad Media hasta el siglo XIX ha estado la literatura ocupándose de Rodrigo, el último rey godo, y del traidor Julián que abrió las puertas de España a la muslemía para vengar el atropello de su hija por el libidinoso rey. A ambos se les achacaba la culpa de la ruina de España, y sobre el rey nefasto acumuló la leyenda venganzas exquisitas. Unos siglos más tarde, se forjó otra explicación "personal" para el curso de la historia. En 1497 murió el príncipe don Juan, el único hijo varón de los Reyes Católicos, y a tal desdicha ha venido atribuyéndose el curso torcido de la historia posterior, debido, se dice, a los reyes de la casa de Austria. En otro sentido, el personalismo trascendente puede ejemplificarse con el entusiasmo del pueblo español por el rey Fernando VII (que felicitaba a Napoleón por sus victorias contra los españoles), a quien llamaban nada menos que "el Deseado", por puro placer mesianista, puesto que el monarca era el ser más bellaco y perverso que podía concebirse; y sin embargo de ello, sirvió de incentivo a las masas españolas para unirse y luchar contra los ejércitos napoleónicos (1808-1814). El esplendor cultural de España durante el siglo XVIII se atribuye a Carlos III, cuyo único mérito fue no perturbar la obra constructora de un grupo de aristócratas, ganados a la causa del intelectualismo. ¿En qué país católico hay nada semejante a las procesiones de Sevilla en Semana Santa? Las imágenes rivalizan en lujo y esplendor, y las cofradías encargadas de cada una de ellas entablan una "guerra psicológica", sentimental, con las agrupaciones rivales. Entre quienes llevan esas imágenes, en tan espectaculares y dramáticas procesiones, hay hombres del pueblo que, como pueblo, pueden ser anarquistas (a veces lo son) que sueñan con arrasar la estructura social y con ella la Iglesia; pero como portadores de "su" imagen (el Jesús del Gran Poder, la Virgen de la

Macarena, etc.) son capaces de matarse en defensa del honor y de la supremacía de aquellas esculturas. Suele explicarse frívolamente tal hecho acudiendo a la "superstición" del pueblo, lo cual no sirve para nada, porque tanta superstición como en España hay en el sur de Italia, en Polonia o en la creencia inglesa en duendes, y allá no acontece nada comparable. El supersticioso lo es movido por el daño o provecho que fuerzas incognoscibles e indominables puedan causarle; el portador de la imagen sevillana se encarna en su "superstición", la convierte en sustancia de su mismo vivir y sufre por ella trabajos y penalidades. No pienso, huelga decirlo, que muchos de los "católicos" que intervienen en las procesiones de Sevilla crean y aprueben cuanto manda creer la Iglesia, entre otras razones porque lo ignoran. Lo que importa es que la persona se incluye en un halo de trascendencia, en el "suyo", que se convierte en su "más allá", algo así como un paracaidista que constantemente estuviera suspendido en el aire. Se vive confiando en algo que está y acontece fuera de lo que uno hace. Se vive de lo que da la tierra, como generosa "alma mater". Cuando los productos de ésta no son fáciles de lograr, entonces se recurre al capital o a la técnica del extranjero. Por eso en los países hispánicos las grandes industrias, las minas y los pozos de petróleo muy a menudo necesitan la ayuda de técnicos extranjeros. Es también frecuente que se viva de la mágica munificencia del Estado, sin preocuparse demasiado de lo eficaz de la función que se realice. Se flota dentro de la creencia en el providencialismo del Estado, lo mismo que dentro de la peculiar creencia religiosa antes aludida. En uno y en otro caso, la persona se encierra dentro de sí misma, en su fe y en su esperanza (lo que tiene poco que ver con lo que el vulgo pensante llama individualismo).[36] El hispano, encerrado en sí, con los ojos en cada uno de esos "más allá", vive expresando su intimidad, presentando y representando su existencia, cual un retablo de su propio existir, en gestos, en palabras, en actitudes —a veces en un arte prodigioso, o en rasgos de bella y abnegada moralidad. Lo que no es eso —repito—, es o ha sido importado de otros pueblos; aunque tampoco es imposible que el español cree ciencia original basándose en lo que importa. Pero lo usual, lo básico, es lo otro.

Una manera de vida así estructurada ha de defender su especial forma de trascendencia religiosa, con las uñas y con los dientes, y ha de oponerse a todo intento de crear formas de Estado fundadas en razones "neutras" y tendientes a hacer posible y convivible la existencia de todos los españoles. De ahí que los Estados hispánicos se encuentren minados por la ineficacia y la inmoralidad, y no hayan podido ser nunca regidos por normas cívico-religiosas, objetivas e iguales para todos. La religión hispánica es una creencia personalizada, y no una norma para la persona. Pero el hombre hispano es capaz de matar y matarse en defensa de "su" religión, de aquel mundo suyo, en el cual reinan su voluntad, su sueño y su capricho. Se sentiría perdido en un mundo de veras regido por leyes que él cree no podría infleccionar con su voluntad. Para que tal mundo no surja, es capaz de cometer los crímenes y las crueldades más horrendas, incompatibles con el más elemental cristianismo. Vista a esta luz, la Guerra Civil (1936-1939) ha sido la lucha entre la vieja religiosidad de la "casta", petrificada por los siglos, y un ensayo de nueva religiosidad, de creación de otra órbita trascendente, vaga y nubosa, en la cual se combinara el "me da la gana" español con un proyecto utópico de felicidad universal. Lo restante —fascismo, comunismo— son sistemas importados, a fin de colmar los vacíos creados por el predominio —en último análisis semítico— de la creencia. Al verse privados los españoles de la techumbre de la Monarquía en 1931, ningún grupo o partido tuvo fuerza y maña suficientes para encauzar la vida pública, en tal forma que fuera posible la convivencia interior y la armonía con las naciones de tipo democrático. Las masas estaban divididas, y en general pretendían dirigir confusamente más bien que ser guiadas. La República, además, fue atacada por quienes se resistían a aceptar ningún cambio económico o religioso. Las masas populares, por su lado, organizadas o no en partidos, de hecho eran anarquistas, y sólo se interesaban en mutaciones súbitas y mesiánicas. Quienes pensaban o sentían de otro modo, eran pocos y carecían de medios para hacerse obedecer. A la postre la situación comenzaba a parecerse a la de una plaza de toros en donde el público, y no los toreros, pretendiese lidiar el toro. Lo que llamo anarquismo era tanto derechista como izquierdista. Con lo cual se produjo un vacío de poder que, por supuesto, no podía llenar ningún sistema de vida democrática venido del exterior. La democracia nunca fue exportable, pues descansa sobre hábitos de comportarse ordenada y mancomunadamente, sobre mutuas concesiones y esforzados quehaceres con miras al interés de todos, sobre recíprocas tolerancias. La total democracia no existe en ninguna parte: es una idea que hay que perseguir constantemente con miras a acercarse a ella lo más posible. Los regímenes de violencia llenan, en cambio, todos los puntos del espacio social, son omnipresentes. Poseen, para colmo, fórmulas y dispositivos fácilmente exportables, que caen como un yugo sobre las naciones, o están al alcance de pueblos en estado de vacuidad política, sin formas de gobierno viables nacional e internacionalmente.[37]

Aludo a hechos de historia política a causa de su enlace, remoto aunque inequívoco, con los modos de haberse contituido la existencia de los españoles. Recordemos que quienes combatían con los musulmanes se dieron a sí mismos, como nombre étnico, el de "cristianos" (pág. 29). La compenetración con la morisma en los siglos subsiguientes se refleja en los múltiples fenómenos que el lector ya conoce y en otros que irá viendo. Lo cual no significa, como es obvio, que los españoles fuesen, ni totalmente viviesen, como los moros, sino que para destacarse frente a ellos acentuaban, sacaban a primer plano, lo que más los caracterizaba *como no moros*, a saber, su religión. Todo el conglomerado de árabes, beréberes, renegados, esclavos, etc., se unificaba en la comunidad de una misma fe; y del mismo modo, el lazo que ataba prietamente a leoneses, castellanos y aragoneses era su cristianismo. Políticamente divididos, muy a menudo guerreando entre ellos, la religión los hacía unos, los "nacionalizaba" espiritualmente. Todavía perduran como espectáculo popular las peleas entre "moros y cristianos" (en Mallorca y en otros lugares), no entre "moros y españoles".

El modelo para la estructuración colectiva no fue ni el visigodo, ni el francés, ni el inglés, en los cuales la dimensión política predominaba sobre la religiosa. La base de la nación fue la circunstancia de haber nacido la persona dentro de la casta religiosa a la que pertenecía cada uno de los tres grupos de creyentes. Por eso se dice aún en español "ser ciego *de nación*"; es decir, de nacimiento. Don Fernando de Válor fue elegido rey de los moriscos sublevados en la Alpujarra por ser "rey de su nación", dice Hurtado de Mendoza en la *Guerra de Granada*, una guerra, según él, de "españoles contra españoles" (Bibl. Aut. Esp., XXI, 74, 73). La nación iba determinada por la creencia, mientras en Francia *nation* refería a la tierra en donde se había nacido. Las "quatre nations" en la antigua Universidad de París designaban a los estudiantes de Francia, Picardía, Normandía y Germania. En el proceso inquisitorial contra el canónigo y converso Antonio Homem, que judaizó, se dice que andaba muchas veces "em companhia de pessoas de sua *nação*", o sea, de judíos,[38] como si se dijera "de su *casta*". Cuando Lorenzo Escudero, un sevillano, quiso hacerse judío en Amsterdam en 1658, decían los rabinos que no sabían fuese el tal "de *casta* de judíos".[39] Hubo, por tanto, "naciones" dentro de los reinos españoles antes de que éstos constituyeran una "nación" en sentido geográfico o político. Y he de insistir —por ser tema central para quienes tratan de entender a los españoles— en el hecho de haber sido la *función* política de la religión calco de la función que el mahometismo y el mosaísmo desempeñaban para los moros y los judíos —un calco semítico en el mismo sentido que lo fueron los *hijosdalgo*, los *hijos de buenos* y el nombre de los *grandes* de España. El carácter político-sacro de la institución regia en tiempo de Felipe II hace ver bien claro que el espíritu califal se había deslizado en ella, en modo semejante a como el halo sobrenatural de los emperadores de Persia y de los faraones se reflejaba en el carácter divino de los emperadores romanos ("numen imperatorum"). Los historiadores hablan en abstracto de la monarquía de "derecho divino", pero otro era el sentir de la gente expresado en el *Romancero:*

> "El gran Felipe Segundo
> de España rey sublimado,
> que la más parte del mundo...
> *Dios en gobierno le ha dado...,*
> y así nuestro rey invicto
> quiere estar siempre ocupado
> en sembrar por todo el orbe
> el Evangelio sagrado..." [40]

Así se explica el extraño texto del epitafio de los Reyes Católicos (ver cap. V, pág. 169), en el cual para nada se rememora la grandiosa obra política de aquellos monarcas; sólo se dice que aplastaron a los moros y a los judíos, a las dos castas, ya para entonces un objeto de odio o de desprecio. La de los cristianos sobresalía sobre las otras dos, después de las asombrosas empresas en el Viejo y en el Nuevo Mundo. Pero esas empresas se silencian en el epitafio; están latentes como base invisible sobre la cual se yergue, prestigiosa y desafiante, la monumentalidad de la casta vencedora.

Otros aspectos de la acción, hasta ahora poco o nada visible, de la vida islámica sobre la cristiana, irán apareciendo a lo largo de esta obra. Los cristianos conquistaban, e inconscientemente se dejaban conquistar. Los musulmanes eran, en otra forma, tan mesiánicos como los judíos. Aunque según la ortodoxia musulmana Mahoma fuera el último profeta, inspirado por Dios, no por eso el muslim dejó ni deja de animar su quietismo espiritual con el anhelo esperanzado de un Mesías-Mahdi.[41] Mas junto con la actitud de "huida del mundo" en quienes todo lo aguardan de Dios y no de las cosas perecederas que nos rodean, el Islam estima altamente cuanto existe, empezando por el hombre, por ser obra de Dios. Así dice *Calila e Dimna* en la versión española (ver edic. Solalinde, 1917, pág. 17), que el hombre es "la más noble criatura et la mejor que en este mundo sea". Por este camino se llegaba a valorar el hombre por lo que en él ya puso Dios, lo cual es muy diferente del valor que los racionalistas confirieron al hombre como ser capaz de penetrar mediante el esfuerzo de su mente en la esencia del universo, mantenida secreta por Dios —durante seis mil años, decía Keplero. O sea, que el esperarlo todo de mercedes divinas por sentirse "hijo de Dios", y el valorarse intensamente a sí mismo, esos rasgos tan españoles, yo no digo que tengan una motivación exclusivamente oriental, pero sí creo que hallaron en aquellos contactos seculares un medio muy propicio para hacerse predominantes. El mesianismo y la estimación propia podrán ser universales; pero cuando encontramos muy realzadas esas modalidades de conducta, y no suficientemente contrastadas por otras para neutralizarlas, entonces es lícito atribuir carácter especificado a esas situaciones de vida.

Estoy operando sobre la evidencia de no haber vivido los españoles sus creencias religiosas como los italianos, los franceses, los ingleses, los alemanes y los escandinavos —no hace falta mucho saber histórico para percibirlo. Fuera de España hubo un "más allá" y también un "más acá". Italia estructuró su vida sobre estímulos esencialmente mundanos (comercio, lujo, técnica, arte, mente inquisitiva, escaso ardor combativo, sensualidad, falta de espíritu nacional y, por tanto, de poesía épica, etcétera); la religión no fue estímulo estructurante de su historia, a menudo un teatro de lucha para extranjeros codiciosos de la riqueza de su suelo y de su industria, y de lo creado por la inteligencia y el arte italianos. Francia se estructuró merced a la fuerza centrípeta de la capital de sus reyes, cuya dinastía (inyectada de divinas virtudes, según luego veremos) sirvió de columna vertebral a aquel país. Inglaterra, Alemania y las otras naciones de la Europa occidental, en uno u otro modo, edificaron su existencia sobre cimientos terrenos; mas España descansa sobre fundamentos "divinales", como tan bien lo ha dicho antes don Alonso de Cartagena (pág. 85) al distinguir los motivos de las guerras castellanas de aquellas "otras causas" que hicieron guerrear a los ingleses. La historia de España es, en su base, *divinal*, y sólo entregándonos plenamente a esa evidencia, conseguiremos entender esta historia. Desde el siglo IX al XVII el eje de la vida hispano-cristiana, en lo que tuvo de afirmativo, original y grandioso, fue una creencia ultraterrena, surgida como réplica heroica a otras creencias enemigas, bajo las cuales acabó por desaparecer la Hispania de la época visigótica.

CREENCIA Y CONFIANZA EN LA VIRTUD Y SUFICIENCIA INSITAS DE LA PERSONA

Bien afirmados sobre el conocimiento de la situación de la casta cristiana —dimensión política y social, fundamento del valor de la persona en el hecho de ser cristiano—, es esperable que pueda proponer un sentido plausible para las formas más características de comportarse los españoles con posterioridad al siglo XVI. El español —todos dicen— es "individualista", rebelde a la autoridad, inclinado a hacer lo que "le da la gana",[42] pronto a encarnarse entusiásticamente en doctrinas anarquistas —nunca inventadas por él— que anden por ahí. Pero el mero análisis psicológico o la calificación moral (o incluso la alta valoración) de tan manifiesto fenómeno dejan en tiniebla el motivo de su existencia, el de la complacencia y ufanía en así existir. Es útil, sin duda alguna, ampliar nuestra observación y decir cómo se nos aparece; aunque al fin y al cabo lo decisivo de la tarea histórica consistirá en procurar hacer patentes los supuestos y conexiones humanas, histórico-sociales, que hagan comprensible lo que todavía no lo es. El fenómeno de la creencia, de su función organizadora, o sea, de hacer funcionar social y políticamente como cristianos (entreverados con moros y judíos) a quienes antes existían de acuerdo con otras dimensiones político-sociales, ha de contribuir sin duda a poner claridad en lo que hasta ahora aparece confuso e inexplicado. Pero antes será conveniente ensanchar el panorama de nuestra visión.

Contigua a la manera de vida llamada moderna, la existencia de los pueblos hispanos aparece como un acantilado contra el cual rompiera, sin afectarlo grandemente, el mar de la historia europea posterior al siglo XVI. Lo singular de tal situación es que los hispanos ni se amoldaron a los usos de fuera, ni se resignaron tampoco a permanecer tranquilos en su peculiaridad; yuxtapusieron a sus habituales maneras de vida ciertas ideas y técnicas extranjeras, y a la vez se defendieron de cualquier intento de extranjerización. España fue atacada desde el siglo XVI en toda posible forma, y siempre sostuvo su derecho a vivir al margen de la Europa científica e industrializada, con la misma tenacidad que Don Quijote protegía su quijotismo frente a todos los curas, barberos, bachilleres y canónigos de la racionalidad.

La posición adoptada hubo de hacerse pertinaz, por serlo la base sobre que se afirmaba la conciencia de la casta cristiana.[43] Así pues, por los motivos explicados en la nota anterior, los habitantes del Imperio español no se unieron unos con otros mediante intereses económicos e intelectuales, sino en haces de líneas ascendentes que convergían en una creencia —en el caudillo, en el rey, en la grandeza y belleza artísticas, en Dios. Ni en España ni en Hispanoamérica se entrelazaron las regiones en una red de tareas, complementarias unas de otras; es por tanto un hecho "históricamente" normal el que haya separatismo en España y en Hispanoamérica. Las regiones permanecieron unidas a través de la fe monárquica, o mediante una fuerza exterior sobrepuesta a ellas, pero no por el hecho de una tarea común que llevar a cabo.

Se dirá, no obstante, que la Hispania de hoy no es como la del siglo XVI ni la del siglo XVIII, pues hay ahora trenes, telégrafos, automóviles, diputados, senadores, aviones, vitaminas, etc. Mas todo eso fue importado, como lo fueron en el siglo XVII multitud de cosas que entonces aparecían como novedades: "Sacándose de España lanas, vino, aceite, oro y plata, con otros frutos de *valor intrínseco*, se traen a ella angeos, hilo, espejuelos, alfileres, tinteros, cuentas de vidrio, trompas de París, flautas, silbatos y muñecas, con otras mil impertinencias, que despreciarían las más bárbaras naciones de Etiopía." [44] La situación en los siglos anteriores había sido esencialmente la misma, con la diferencia de que los productores de cosas habían sido los moros y judíos de quienes ya *se servía* el Cid en el siglo XI. Los cristianos, entonces como luego, vivieron encastillados en el "valor intrínseco" de su tierra y de sus personas, y así la postura interior de la casta cristiana resulta ser formalmente la misma en el siglo X y en el XIX: adopciones musulmanas entonces, e importaciones europeas luego. Cuando Unamuno, en 1909, profirió su tan discutida exclamación: "¡Que inventen ellos!", hablaba desde el fondo de la historia "castiza", de una historia interesada en promover, desde una posición fija y desde un afán de eternidad, una serie de cambios de decoración, que no afectaban a la capacidad de mutación de aquella historia. La simultaneidad de lo permanente auténtico y de lo cambiante yuxtapuesto, ha dado justificado motivo a la ilusión de que existían dos Españas. Basta, sin embargo, con pensar que ese fenómeno viene manifestándose desde hace unos mil años para darse cuenta de lo infundado de tal supuesto.

Toda innovación de alguna importancia no fundada en el propósito de ampliar la dimensión imperativa de la persona, y de expresar lo que ésta es y siente, fue en su raíz siempre originada fuera de la casta cristiana, aunque la voluntad de adoptar tales mutaciones partiera siempre de ella. Fueron queridas y solicitadas (según en esta obra se verá) estas "cosas": los cluniacenses en el siglo XI, los cistercienses en el XII, los judíos hasta fines del siglo XV, los moros hasta 1609, el erasmismo en el siglo XVI, el italianismo literario en la misma época, las técnicas italianas (marina, comercio, industria) desde mucho antes, ideas e instituciones francesas desde fines del siglo XVII, las ciencias y las técnicas de toda Europa en el XVIII y en el XIX, la filosofía alemana en el XIX (krausismo) y en el XX (vitalismo histórico, fenomenología, etc.). Considero ya una abstracción inadmisible repetir que España ha sido una encrucijada para las "culturas" del mundo, en donde fenicios, romanos, godos, moros, etc., se han encontrado y fundido con los naturales del país. Semejante enfoque implica confusionismo en cuanto al concepto de historia, y en último término, caos mental, que nos priva de la visión de un *sujeto*, de un centro inteligible al que referir ese aluvión de sucesos e "influencias".

Los cristianos medievales se decidieron a practicar y a codificar la tolerancia, a tener órdenes militares, a fundar escuelas como los Estudios de Palencia, al mismo tiempo que desestimaron muchas cosas que podían haber tenido y no tuvieron (por ejemplo, literatura en latín como la de Europa, filosofía, etc.). El que tales decisiones fueran impuestas por circunstancias ineludibles, no impide admitir la existencia de una voluntad constante, lo mismo que no excluimos la presencia de un hábil piloto en el navío, paralizado por calmas o azotado por tormentas. Las decisiones no partieron siempre de las mismas zonas del cuerpo social, y una historia particularizada de España tendría que poner bien de manifiesto cuáles fueron los promotores de las iniciativas. En el caso de los judíos —según se verá en el tomo II—, su expulsión fue debida a las gentes de abajo y no a las de arriba, pues éstas sostuvieron a aquella casta, contra viento y marea, hasta el año 1492. En los siglos XV y XVI, los cristianos nuevos de procedencia judaica siguieron direcciones opuestas —de alta cultura o inquisitoriales—, pues aparecen tanto en el lado esclarecido como en el tenebroso. Más eficaz, por tanto, que hablar de encrucijadas de cultura sería entender la creación de los valores hispanos como un resultado del conflicto entre las opuestas castas: el ámbito de la casta dominante, o se angostaba, o intentaba salir a respirar otros aires.

Ese polarismo de la actividad vital de los españoles cristianos —una en su raíz— sigue siendo patente en la cultura y en la plebeyez del siglo XVIII (Moratín, los Caballeritos de Azcoitia y los Majos de don Ramón de la Cruz), y en el siglo XIX (los afrancesados, en quienes revive el espíritu de Sancho el Mayor de Navarra y de Alfonso VI, que afrancesaron la Iglesia de los reinos cristianos; los guerrilleros de la Independencia, tan adversos a Francia como Bernardo del Carpio). Costó luego dos sangrientas guerras civiles instaurar algo que semejara un régimen constitucional. Más adelante, España siguió importando y superponiéndose exterioridades juzgadas necesarias por algunos, no satisfechos con la vida inmutable de la España "uniévica". Vinieron así el socialismo, el comunismo, el fascismo, o la sustitución de la creencia tradicional por el librepensamiento de cuño francés, iniciado a fines del siglo XVIII. A mediados del siglo XX, lo que sigue ofreciendo aire tradicionalmente hispano sería el monarquismo, el absolutismo de la creencia religiosa, y el anarco-sindicalismo (de que más adelante hablaré), empeñado en estructurar al país como un conglomerado de unidades humanas, sin necesidad de ningún Estado, en donde se haga real el sueño de la virtud espontánea, instaurado por la violencia (ver cap. VIII).

EL PRETENDIDO INDIVIDUALISMO

A comienzos del siglo XVII escribía Pedro Fernández de Navarrete: "Ha enseñado la experiencia que en España dura poquísimo tiempo la observancia de pragmáticas y leyes reformatorias, porque cualquier hombre *particular* hace pundonor de contravenirlas, juzgando por acto positivo de nobleza el no sujetarse a leyes." [45] A fines del siglo XIX ponía Galdós en boca de uno de sus personajes: "Lo que la Hacienda llama suyo no es suyo, sino de la Nación, es decir, de Juan *Particular*; y burlar a la Hacienda es devolver a Juan Particular lo que le pertenece." [46]

En los textos anteriores, *particular* implica carencia de dimensión o de enlaces sociales. Modernamente se ha llamado "individualismo" al modo en que el español se conduce en su vida, con lo cual se cae en vagas imprecisiones. Todo hombre es un individuo que, en una u otra forma, individualiza su vida, sin romper nunca el enlace con la de sus semejantes. Lo que separa y caracteriza a los pueblos no es su individualidad singular o colectiva, nunca ausente, sino el contenido de valor que en ella se ponga. Casos de extremo individualismo se hallan fuera de España en gran abundancia, valga como ejemplo el a la vez admirable y repugnante de Oscar Wilde: "I am far more of an individualist than I ever was. Nothing seems to me of the smallest value except what one gets out of one self. My nature is seeking a fresh mode of self realization..." *(De profundis).*

Oscar Wilde aspiró a labrarse su vida y a expresarla en símbolos, como un artista concibe la realización de su obra en un estilo singular y suyo. La validez de lo que aquél cree dependerá de que el valor de su creación posea un sentido para los demás; su individualismo es así momento y condición para obtener un resultado nada individual —la objetividad social de su obra.

Cuando se tilda al español de individualista no suele pensarse en el individualismo artístico y creador. Individualista ha sido el británico partidario de la libre concurrencia, del libre cambio y de la diferenciación de las actividades laboriosas. Tratándose de españoles se piensa más bien en su insumisión rebelde a cualquier norma, sin intento de hacer prevalecer una norma distinta; es decir, se piensa en un separatismo de la persona. El lenguaje contribuye entonces a perpetuar un equívoco y a empañar la visión de la realidad. Sería más correcto hablar de apartado retraimiento y de escaso interés por el mundo en torno, bien reflejados en la escasa participación de los hispanos en la exploración de las culturas de otros pueblos, incluso de aquellos dominados antaño por España y Portugal. Lo más característico de la vida hispana se sitúa entre su inercia retraída y el salto voluntarioso en que la persona saca a luz lo que en el fondo de ella yace de valor o de insignificancia, como en un teatro de sí misma. Como ejemplos visibles de tamaño contraste valdrían el labriego y el conquistador; la insensibilidad ante la situación política y social, y los pronunciamientos o sacudidas de la masa ciega que todo lo destrozan; apatía para transformar en riqueza los recursos naturales, y uso de los bienes públicos como si fueran propios; maneras de vida arcaica e inmóvil, y adopción súbita de modernidades extranjeras. La luz eléctrica, la máquina de escribir y la pluma estilográfica se popularizaron en España con más rapidez que en Francia· Manifestación de tan agudo contraste, en términos de superlativo valor humano, serían el adentramiento poético de San Juan de la Cruz o el del quietista Miguel de Molinos, y la expresión de la realidad en el arte de Quevedo, Góngora o Goya en una sucesión de embestidas audaces.

Unamuno ilustra la cuestión del llamado individualismo español, más que con su pensamiento, con este escueto análisis de sí mismo: "De las tiranías todas, la más odiosa me es la de las ideas... [En cambio] no protesto nunca cuando alguien se declara superior a mí; espero tranquilamente que me lo pruebe con hechos; espero y deseo que trate de gobernarme y pisarme; y si lo consigue, se lo agradezco, porque me ha probado que es mi superior, y ha venido en ayuda de mi inferioridad" ("La ideocracia. Más sobre la crisis del patriotismo", en *Ensayos).* Las personas se sienten entonces como radios dependientes del centro de otra persona; cuando esos radios son numerosos, surge el círculo del caudillismo dictatorial —a veces patriarcal—, forma política muy expresiva de la estructura de vida hispano-portuguesa, dentro de la cual, *velis nolis,* queda poco margen para la individualidad ciudadana, tan poco como dentro de la creencia religiosa. Nunca ha prosperado en España una nueva forma de doctrina religiosa, ni se le ha ocurrido a nadie inventarla. Quien únicamente hizo ademán de ello fue la casta judía, a través de intentos que culminaron en el pensamiento filosófico-religioso de Benito Espinosa (Spinoza), sin posible efecto en España.

Resumiendo lo anterior, se llegaría a estos resultados: el español se desindividualiza y disciplina al ingresar en la comunidad creada por la fe en Dios o en el poder de otra persona; o se individualiza al llevar a cabo acciones y creaciones valiosas que le prestan una personalidad individual tan rica en calidades como la de cualquier otro europeo (los ejemplos irían desde Fernán González y el Cid, en los siglos x y xi, hasta Ramón y Cajal y Manuel de Falla en el xx). Frente a eso, el llamado individualismo español, el hosco rechazo de las ideas y de las normas, consistiría en una oquedad vital, en una actitud vacía de todo contenido *individualizable,* o sea, en el "no me da la gana" español, sin posible apelación. Unamuno, que no planteó este problema como ahora lo hago, ha hecho observaciones que me son útiles: "Lo que no se comprende es que una persona sin hablar, ni escribir, ni pintar, ni esculpir, ni tocar música, ni negociar asuntos, *ni hacer cosa alguna*, espere a que por un solo acto de presencia se le dipute por hombre de extraordinario mérito y de sobresaliente talento. Y, sin embargo, se conocen aquí en España —no sé si fuera de ella— no pocos ejemplares de esta curiosísima ocurrencia". *(El individualismo español.)*

Lo observado por Unamuno y por otros no se comprende, en efecto, si se busca una motivación lógica al absurdo de arrogarse méritos del todo inexistentes. Ni cabe reconocer simplemente que en ello se concrete un abstracto esquema psicológico. La verdad es que en muchos españoles perdura el gesto espectacular de la casta antaño triunfante, ya sin conexiones reales.[47] El español ha conservado a veces maneras íntimas y exteriores propias del tiempo en que se sentía miembro de una casta imperial, consciente de su innato mérito y de la virtud operante de su mera presencia. Esto ya no se entiende en un mundo tecnificado con el cual el español vivió siempre a destono; se ha borrado ya la perspectiva —incluso para Unamuno— de la eficacia de una espada sostenida por el esfuerzo personal, por la fe, y respaldada por el arte de quienes sabían mandar. No puede olvidarse que el español comenzó a tener conciencia del poder imperial de su pueblo mucho antes de descubrirse América; la conquista del reino de Nápoles por Alfonso de Aragón, seguida a fines del siglo xv de la toma de Granada; las victorias del Gran Capitán; los descubrimientos ultramarinos, y el advenimiento de Carlos V, confirmaban la creencia de estar España predestinada a ser el centro rector de la política del mundo. La voluntad de señorío se realizaba en el Imperio, como el ala del pájaro y el aire en torno se aúnan sin resto en la acción de volar. Español e imperante también acabaron por integrarse en unidad. No es, pues, que España, una abstracta entidad nacional, poseyese un imperio; sino que España daba imperialmente la nota máxima de su posibilidad, de su "vividura", a la vez que el Imperio se encarnaba en hispanidad —tangiblemente en carne y sangre españolas, y en sus mismas creencias. No cabe entender e historiar a España sin revivir el estado de ánimo de quienes sabían que el estandarte real flotaba desde Amberes a Sicilia, y desde San Agustín de Florida y Santa Fe de Nuevo México hasta la Argentina, Chile y las Filipinas. Tan titánico esfuerzo, sin precedente entonces, aún se refleja en el bello prestigio de un gran número de fortalezas, templos y palacios, y en millones de gentes moldeadas vitalmente según el patrón español, sea cual fueren la simpatía o animosidad que su pasado español les inspiren.[48]

Una historia con sentido de la inmensa expansión hispánica haría ver cómo, a su mismo ritmo, la forma de vida forjada durante la Reconquista fue acentuando sus rasgos. Sin darse cuenta de ello, el español, afirmado en su convicción de ser de mejor casta —gran señor o desharrapado, obtuso o inteligente—, continuó cultivando en su alma la oquedad de un desvanecido imperio, el ensueño de que la persona, por el simple hecho de existir, ya lo es todo. Así se entiende el que unos cuantos ingenuos hayan creído recientemente poseer un imperio, no más que por lanzar al aire dos mágicas palabras: "España imperial." La persona lo es y lo puede todo, y no necesita sino de sí misma. "Que inventen *ellos*", decía Unamuno; y un personaje en una novela de Baroja exclama: "¡Que hubiera diez hombres de talento y de iniciativa, y la revolución está hecha!" También estaba persuadido Don Quijote de que la "bajada" del turco se detendría lanzando a su encuentro unos cuantos caballeros andantes. Pero aun en 1686, con una monarquía exangüe y dilacerada por Luis XIV, los españoles aún contribuían, en la forma que les era dable, a librar de turcos la ciudad de Budapest.[49]

No sigamos llamando individualismo al rebelde y confiado apartamiento; más bien convendría enfocar como "absolutismo personal" esa extraña y a veces espléndida manera de existir. "En mi hambre mando yo", respondió un español muy pobre a quien le ofrecía dinero por votar a un diputado no de su gusto. Lo cual no es estoicismo ni senequismo, pues ese mismo español, dueño de su hambre, puede entregarse a la furia instintiva cuando el imperialismo de su persona así lo quiere. La abstracta razón de los estoicos o de los códigos legales no agradan mucho al español, cuyas *ideas sobre la justicia* confirmarían lo que vengo diciendo. Leyes y jueces no tienen en cuenta la compleja y oscilante situación del hombre: "el alma han olvidado, de ella han pocos dolores", decía Pero López de Ayala en el siglo XIV. El juez, para ser grato al español, debería ser como los *daímones* superhumanos de que habla Platón en *Las Leyes* (IV, 713). El español desea una justicia fundada en estimaciones valorativas, no en principios firmes y racionalmente deducidos. No es, por consiguiente, un azar que el casuismo fuera inventado por jesuitas españoles, ni que el francés Pascal no viese en él sino perversa inmoralidad. Las leyes escritas es lo que el español teme y desdeña: "¡Veinte capítulos fallo para vos empesçer, e non fallo más de uno con que vos pueda acorrer!", dice un abogado al sin ventura pleiteante en el *Rimado de palacio*, de Pero López de Ayala. Según Juan de Mena (1411-1456), la justicia consiste en "çient mill engaños, maliçias e artes"; los textos legales, con "más opiniones que uvas en çesto", dan motivo a las trapacerías de jueces y abogados. De ahí que la "tierra de moros" sirva de refugio al anhelo de una justicia justa; entre ellos, un mismo juez despacha los asuntos civiles y criminales, inspirándose, no en leyes, sino en "discreçión y buena doctrina". También Cervantes añora más de una vez aquella justicia moruna, no obstante su larga cautividad en Argel: "Entre aquellos bárbaros, *si lo son en esto,* el cadí es el juez competente de todas las causas, que las abrevia en la uña y las sentencia en un soplo, sin que haya apelación de su sentencia para otro tribunal" *(El amante liberal).* El elogio de la justicia musulmana significaba un momentáneo abrirse hacia las posibilidades de otra casta, una protesta contra la sumisión a leyes sin vigencia ni para jueces ni por litigantes. Cervantes, Quevedo y Gracián expresan insistentemente su desestima de la justicia; Gracián dice que el juez destierra a los ladrones "por quedar él solo" *(Criticón,* II, 7). En 1903 escribía Miguel de Unamuno: "Cada vez que en España se habla de programas de gobierno hay que echarse a temblar, y en cuanto se nos habla de aplicar tal o cual idea, hay que ponerse en salvo. Es preferible la aplicación de eso que se llama el "leal saber y entender" de tal o cual juez, *sea cual fuere su cultura,* porque ese saber y entender, cuando es de veras leal, suele ser expresión de un hombre entero y verdadero, y no de un ente de razón" *(Sobre el fulanismo).* Unamuno coincidía con lo escrito por Juan de Mena cuatro siglos antes.[50]

La misma línea de seculares desprecios por la justicia oficial, de leyes escritas, seguía Joaquín Costa, el gran agitador de la conciencia española a fines del siglo XIX. Las instituciones jurídicas fundadas en una tradición oral son, según él, perfectas: "Las comunidades de aguas [para regular la distribución justa de las aguas entre los campesinos] no son en ningún caso profesionales, ni *superiores* en dignidad y en posición social a los administrados; por punto general, desempeñan aquel oficio hombres del campo... elegidos por sufragio de todos los regantes... No guardan sus estrados porteros, alguaciles, fuerza pública; no se disfrazan con toga...; no se rodean del grotesco aparato congolés con que tan a menudo la justicia oficial... encubre sus maldades, sus negligencias y su ignorancia. *El procedimiento es oral, sumarísimo, público y gratuito...* Su jurisdicción no es obligatoria, sino voluntaria." Si algún regante no quiere comparecer, "entonces las diligencias son remitidas al juez de primera instancia. Como supondrá cualquiera, los casos en que esto sucede son rarísimos: entre la justicia rápida, gratuita, humana, honrada... y la justicia de birrete, formularia, tenebrosa, ofensiva en sus maneras, expoliadora en sus procedimientos... y enseñada en todo género de prevaricación, sólo dementes caídos de otro astro podrían vacilar" *(Colectivismo agrario en España,* 1915, págs. 542-543).

Costa, Unamuno y los otros enemigos de la autoridad organizada, creían en la "virtud ínsita de la persona", por el mero hecho de existir ésta. La justicia de los incultos era más justa para ellos que la de los letrados, en todo lo cual se acordaban con Santa Teresa, desdeñosa de quienes "todo el señorío ponen en *autoridades postizas*"; la futura santa prefería, naturalmente, la justicia divina: "¡Oh, Rey de gloria, cómo no es vuestro reino armado de palillos, pues no tiene fin!" El rey de carne y hueso necesita rodearse de compañía y de aparato, pues de otro modo no se sabría que es rey, "y ansí es razón tenga *estas autoridades postizas*". (*Libro de la vida*, cap. 37.) Teresa y todos los españoles que han sentido como ella no encontraban en la sociedad en torno destellos de la perfección divina, sino deficiencia y maldad. Lo único hacedero, por consiguiente, era dejarse enteramente llevar por la mano de Dios, según hicieron los místicos; o esforzarse por hallar algo genuinamente justo en instituciones sociales, nacidas entre gentes rústicas, no corrompidas por las malas mañas del hombre de la ciudad. Costa y Unamuno, huelga decirlo, construyeron sus utopias con materiales rousseaunianos y postrománticos; mas al proceder así venían a coincidir con antiguos modos de sentir españoles, originados en la tensión creada por el conflicto entre la ley interior de la creencia (se *era* cristiano, moro o judío) y la faz exterior de aquella ley. Es decir, que la existencia en un medio simultáneamente regido por tres leyes divinas, dificultaba el gobernarse según modos legales razonablemente humanos. Las costumbres tradicionales, en último término, nacidas de acuerdos ocasionales y espontáneos, eran más respetables que las leyes escritas.

Ya se ha visto cuánto atraía la justicia musulmana a quienes la contemplaban desde fuera de su ámbito, por su carácter oral, simple y autónomo. Los moros y judíos, por otra parte, no hacían distinción entre ley religiosa y ley civil; la casta cristiana, en cambio, se regía por la ley eclesiástica (diezmos, primicias, etc.), y según una tradición jurídica de carácter secular, heredada de Roma o de abolengo germánico. Pero en cuanto el cristiano adquiría conciencia de estar existiendo en un medio social, se veía rodeado de mudéjares y judíos, con los cuales, en un modo u otro, tenía que contar. Esa situación no es eludible, si queremos entender cómo y hacia dónde discurrieron los cauces de la vida interior y exterior de los españoles. El cristiano se definía y afirmaba dentro del espacio social de su creencia; convivía, a veces de buena, a veces de mala gana, con la gente de las otras creencias. Se sentía mejor y por encima de las otras castas, porque el rey y los señores eran cristianos, y mandaban sobre aquéllas. La Iglesia, además, era poderosa, sin duda alguna. Pero si descendemos a la vida menuda de cada día, las situaciones no aparecían tan claras en cuanto a saber quién, en efecto, estaba mandando. Para penetrar en aquella vida —fundamento de ésta en que ahora nos hallamos— la lengua hace funciones de un muy veraz cronista. Si un cargo o función pública no tenían nombre castellano, portugués o catalán, sino árabe, eso significa que tales cargos o funciones estuvieron originariamente en manos de moros o de judíos. El cristiano a veces sentiría que *la ley* era aplicada, o incluso reglamentada, por gentes que no eran de *su ley*. Y ese estado de ánimo, durante siglos vigente, ha de ser incorporado a nuestra visión de la historia de los españoles, a fin de no descarriarnos.

Pagar tributos, pechar (que es lo que hacían los pecheros), era obligación muy pesada para el no hidalgo. Ahora bien, *"almoxarife* es palabra de arábigo, que quiere decir tanto como oficial que ha de recaudar los derechos de la tierra por el rey" *(Partidas,* 2, 9, 25). El súbdito pagaba al *almojarife,* y el rey percibía las *alcabalas,* que gravaban las ventas y las permutas. El *alamín* y el *almotacén* contrastaban los pesos y medidas. Dos importantes vocablos en la administración de justicia son *alcalde* 'juez' y *alguacil* 'el que ejecutaba las órdenes del tribunal y metía en la cárcel a los delincuentes'. El *alcaide* mandaba en el castillo; el *almirante,* en las naves; el *almocadén* guardaba la frontera, y de ese nombre es traducción el de "adelantado" de la frontera.

Aparte de eso, para redimir cautivos había que enviar un *alfaqueque,* y a depredar la tierra enemiga iban los *almogávares,* guiados por un *adalid.* Por otra parte, si las tareas y funciones islámico-judaicas llenaban una zona muy importante e inmediata en la vida cristiana, tampoco en el momento de la muerte desaparecían aquéllas: *ataúd* es palabra árabe (en portugués *ataúde;* en catalán, *taüt).* Los supervivientes necesitaban un *albacea* para dividir legalmente la herencia; no es que no hubiera palabras romances para designarlo *(cabezalero, testamentario, mansesor),* sino que, por motivos ignorados, quienes se llamaban *albaceas* acabaron por desalojar a quienes se llamaban de otro modo.

El cristiano, durante largos siglos, se sentiría más a gusto y más seguro ejerciendo autoridad que respetándola; atendería más a su interés en ser de "los buenos" y "fijosdalgos" —es decir, en saberse realzado por dentro—, más bien que a compaginar ese su interés con el de quienes mandaban en torno a él. La vida del cristiano, para moverse con soltura buscaba, no la actividad sedentaria en la cual se encontraba muy mediatizado por las otras castas, sino el salir al campo libre y abierto de la aventura militar, en la cual dominaba en ganancia y prestigio a sus rivales de las otras *leyes.* Disciplinado en el combate, no tenía hábito de serlo dentro del recinto de su ciudad, como hombre simplemente "civil". Porque, incluso en la esfera misma de lo espiritual, se preguntaría uno cómo sería la postura íntima de quienes en los siglos XI y XII veían ocupados los templos y monasterios cristianos por tanta gente extraña, francesa casi toda, cuyos nombres acabaron por predominar sobre los nativos, como antes hemos visto acontecía con los arábigos. La in-

vasión espiritual de las órdenes de Cluny y del Cister, de que luego trataré, motivaron la introducción de *monje, monja* y *fraile*. Quedó así descartado el castellano *mónago*, que sobrevivió en *monaguesa*, 'barragana
de clérigo', y en *monaguillo, monacillo*. Cargos significativos de autoridad eclesiástica, como *deán* y *arcipreste*, ya tenían esos nombres franceses, entre los siglos XII y XIII.

Insisto en que las fuentes de riqueza y de prestigio, metas primarias para la inmensa mayoría de las personas, yacían ocultas en la lejanía, más allá del perímetro ciudadano. Así como en Italia el tráfico
comercial llevaba lejos y revertía más tarde en el engrandecimiento de
la ciudad (Amalfi, Génova, Venecia, etc.), en Castilla el hombre se lanzó a la proeza esforzada para magnificar su nombre, su prestigio personal y su hidalguía. Lo dijo de una vez el Arcipreste de Hita en un verso
que siempre es grato recordar:

"Con buen servicio vencen caballeros de España."

En lugar de sentirse un complemento de su ciudad como los italianos (los Médicis en Florencia), los españoles prefirieron anexionarse ciudades, inventárselas como halos de sus personas, dentro del cual reinara
su autoridad, ya que dentro de casa ninguna otra parecía bastante respetable. Tenerlo presente es de primaria importancia para hacerse cargo
del sentido de la Reconquista y de la constitución del Imperio, tan distinta de la expansión romana. Porque los romanos iban expandiendo el
prestigio augustal del emperador, mientras que el español aspiraba a
eternizar su nombre, o el de su ciudad originaria, o el de sus circunstancias personales. El caso de las islas *Filipinas* (por Felipe II) no es frecuente, no es en todo caso comparable al área desplazada por el prestigio
"augustal" en Roma: *Augusta* (Aosta), *Caesar Augusta, Bracara Augusta, Augustodunum* (Autun), *Lucus Augusti* (Lugo), etc., etc.

Los castellanos que avanzaban hacia el Sur, entre los siglos XI
y XII, dieron a menudo el nombre de sus propias personas a los lugares
que iban repoblando: *Gomecello*, o sea, Gómez Tello (Salamanca); *Gómez Sarracín* (Segovia). En Cuenca hay *Martín Miguel, Sanchonuño,
Urraca Miguel, Diego Alvaro*, y numerosos más ejemplos que me señala
Rafael Lapesa. "Abundan extraordinariamente en la cuenca sur del
Duero, poblada hacia 1088", me comunicó mi maestro R. Menéndez
Pidal. No se produjo un fenómeno análogo en los otros países románicos;
y si hoy día acontece ocasionalmente que en los Estados Unidos, o en
otra parte, surjan pueblos con nombres de personas actuales, tal fenómeno posee diferente sentido; la forma de vida de la persona cuyo
nombre se hace topónimo, y el lugar que ese hecho ocupa dentro de la

contextura de su mansión vital, son muy otros. Los repobladores castellanos tuvieron más presente sus propios nombres que la naturaleza del
terreno, o cualquiera otra objetiva circunstancia. El sentido que doy a
estos hechos se confirma con lo acontecido durante la expansión imperial
de los españoles. Los ingleses u holandeses que llamaban *New-* a muchos
lugares de América, reflejaban la creencia puritana de haber llegado a
un mundo *nuevo*, libre de la vieja opresión espiritual; *Newark* significó
"Nueva Arca de la Alianza". En este caso, la creencia religiosa y el *New*
que la expresa poseen carácter genéricos y no están personalizadas ni
concretizadas. En contraste con eso, Bartolomé Colón llamó *Santo Domingo* a la ciudad fundada por él, "porque llegó allí un domingo, fiesta
de Santo Domingo, y su padre se llamaba Domingo; assí que concurrieron
tres causas para llamarlo assí", dice el Inca Garcilaso. "La ciudad de
Cartagena llamaron assí por su buen puerto, que, por semejarse mucho
al de Cartagena, dixeron los que primero lo vieron: 'Este puerto es tan
bueno como el de Cartagena'." *(Comentarios reales*, ed. Rosenblat, I,
24-25). La ciudad de *Osorno*, en Chile, debió su nombre a que la madre
del fundador, don García de Mendoza, era condesa de Osorno; el granadino Jiménez de Quesada recordaba a su *Santa Fe*, junto a Granada,
al fundar a *Santa Fe de Bogotá;* los españoles de Córdoba, la andaluza,
llamaban *Córdoba* a las ciudades situadas al pie de una montaña, como
lo estaba la suya. Precisa el Inca Garcilaso que no prosperó el intento
de llamar *Nueva Toledo* al *Cuzco*, "por la impropiedad del nombre,
porque el Cuzco no tiene río que la ciña como a Toledo, ni le asemeja
en el sitio", etc. *(Ibíd.*, II, 101). En este y en numerosos otros casos,
los topónimos son reflejo de una vivencia afectiva, ante el lugar concreto a que se daba nombre. Así nacieron nombres expresivos de la
personal devoción religiosa del nombrante: Sierra de la *Sangre de
Cristo*, río de la *Madre de Dios*, etc.; o de la creencia acerca de como
fuesen la naturaleza o las gentes descubiertas: *Amazonas, Argentina*, etcétera. En todos estos casos los nombres expresaban circunstancias personales, directa o indirectamente.

No deja de ser curioso que también en la España árabe abundaran
los nombres de lugar formados con nombres de persona. Miguel Asín se
pregunta cómo pueda explicarse "esta plétora de nombres propios en la
toponimia árabe de España. El apego a la tierra, la profunda raigambre
del derecho de propiedad, achaque común de todas las razas y pueblos,
no nos daría plena explicación de un fenómeno que, como éste, es tan
privativo de nuestro suelo".[51] Asín intenta explicar tal fenómeno como
un resultado de haber sido distribuida parte de la propiedad territorial
de España entre los musulmanes que la conquistaron en el siglo VIII. Pero
como la misma cosa se encuentra en el Asia musulmana, habría que

pensar, más bien, en formas de expresivismo "autobiográfico", tan frecuentes en el musulmán como en el español.

Resultaría entonces de cuanto antecede que el español sólo se siente unido a otras personas cuando éstas valen para él como una magnificación de la suya, y no por representar ideas con validez universal.[52] El español no ha solido (no digo que no pueda hacerlo) aceptar planes de vida colectiva basados en esfuerzo continuado y en buen sentido; se ha entregado, en cambio, a quienes le han propuesto proyectos utópicos, porque, sin preguntarse por su posibilidad, ha *creído* en ellos: cambios mágicos de la sociedad, un nuevo imperio mundial, etc. Se miró, en cambio, un "acto positivo de nobleza el no sujetarse a leyes" (Fernández de Navarrete).

La persona no sale de sí misma, y aspira a atraer a ella cuanto existe en torno. La única vida social en que de veras cree y en la cual participa está fundada en coincidencias emotivas, sin fondo de ideas o tareas despersonalizadas. De ahí las agrupaciones cuyo centro de enlace es un caudillo, el cacique local o una común esperanza mesiánica. No se aúnan, en cambio, los españoles para la anónima y fría labor de hacer más cómoda y más fecunda la vida de sus ciudades. Ganivet escribía en 1896 haber visto en Europa "antiguas ciudades libres", y le encantaba "su concepción familiar de todo cuanto está dentro de los muros, como si éstos fueran como los de una sola casa, [así como] la fe y confianza del ciudadano en su ciudad". Pero Granada, la hermosa ciudad que tanto amó, "¿qué ha de hacer más que implorar al Gobierno, si carece de recursos? Si se dirigiera a sus mismos habitantes, ¿a quién inspiraría confianza? Poca se tiene en el Estado; pero en la Ciudad, ninguna." (*Granada la bella.*)

Historia

Ahora bien: el historiador necesita estructurar vitalmente los hechos, además de notarlos y valorarlos como unidades aisladas o sucesivas. Se llega así a la conclusión importante de que la historia de un pueblo no puede construirse según patrones universales y abstractos. La de España adquiere sentido al ser concebida, no como un conjunto de cultura objetivamente organizada, sino, por decirlo así, como un inmenso archipiélago de grandes figuras individuales y colectivas que han creado pocos valores extrapersonales o secularmente sociales (ciencia, economía, etc.) —héroes, reyes, santos, caudillos religiosos, grandes señores, poetas (en prosa o en verso), artistas, guerrilleros, militares alzados, y cuanto se quiera en esta dirección. Personas y entidades emergen de un fondo colectivo quieto y a la vez anhelante de esperanza y promesa, en este mundo o en el otro. Cada persona y cada generación sienten llegar "de nuevo" al mundo, cuando se deciden a salir de su intemporal quietud. Decía Baltasar Gracián, que: "España se está hoy del mismo modo que

Dios la crió, sin haberla mejorado en cosa sus moradores." Quevedo escribió algo que no reflejaba la situación intelectual de la Europa contemporánea, y que se ajustaba rigurosamente a la de España: "Pocos son los que hoy estudian algo por sí y por la razón, y deben a la experiencia alguna verdad; que cautivos en las cosas naturales de la autoridad de los griegos y latinos, *no nos preciamos sino de creer* lo que dijeron; y así, merecen los modernos nombre de *creyentes* como los antiguos de doctos" *(La cuna y la sepultura,* 1634, cap. IV).[53] Quevedo, como sus compatriotas, está incurso en la censura que formula; gran innovador como artista, nada innovó en el terreno del pensamiento o de la ciencia. En los siglos XIX y XX ha sido usual decir que en España "todo está por hacer". Las generaciones no se han legado unas a otras una tradición de tareas y de propósitos, si se prescinde de la creencia que inmoviliza y del arte de expresar la conciencia de seguir existiendo. Aun así, ya se ha visto cómo algunos han considerado los trescientos años últimos como un período de poco valor en la vida española. Hecha imposible la fusión de la casta de los cristianos nuevos con la de los viejos en el siglo XVI, los espacios vacíos entre una y otra generación han solido llenarse con la cultura de otros países, con lo que "ellos inventaron", según diría Unamuno. Hay, sí, una tradición literaria, es decir, una expresión de la conciencia absoluta de la persona, de su estancia en sí misma y en su mundo de sentimientos, de angustias y de esperanzas. Desde Lope de Vega puede contemplarse todo el pasado de la casta cristiana, continuado luego en el romanticismo y en la poesía actual. Partiendo de Ganivet, Unamuno, o de Antonio Machado, cabe ir hacia atrás, siglos arriba, para oír una y otra vez las voces ilustres y preocupadas de que son, ellos, eco magnífico. En cambio, es inútil buscar antecedentes españoles a la filología de Menéndez Pidal, o a la histología de Ramón y Cajal. Y si la historia es así, ¿por qué no ha de escribirse *así* la historia?

Mi historia a base de varones ilustres, de héroes, de antihéroes, de santos, de apóstoles, de mártires, o de necios encumbrados, hallaría un asidero tradicional en las *Generaciones y semblanzas,* de Fernán Pérez de Guzmán, en ciertas autobiografías y en algunas páginas de Quevedo. Muchos españoles hicieron con sus vidas, y con otras inclusas en las suyas, lo que el artista labra con la expresión verbal o pictórica. Mas ¿cómo articular en un sistema histórico esas estrellas de máxima o mediana magnitud? No obstante su dificultad sería bueno intentarlo, dejando al margen, por el momento, las artificiosas nociones de Edad Media, de Renacimiento, Barroco, etc. Sobre todo, sería urgente trazar una clara separación entre los continuados valores de esta historia y la discontinua cultura científica, política o económica motivada por el "vivir desviviéndose", por el conflicto entre el afán personal de "lo absoluto" y la idea de que tal absoluto lleva, a la postre, a la parálisis.

SEAMOS DUEÑOS Y NO SIERVOS DE NUESTRA PROPIA HISTORIA

Cuanto de bueno y de malo ha acontecido a los españoles enlaza, en un último análisis, con el hecho de haber tenido que hacer frente, quienes aún no eran españoles, a las desastrosas circunstancias creadas por la ocupación musulmana de la tierra de Hispania —un país romano-visigótico. Aquel abrumador acontecimiento obligó a adoptar nuevas actitudes colectivas, a la larga estabilizadas como habituales. Entonces comenzaron a dibujarse los horizontes humanos, a la vez claros y cortos de perspectiva, ante los cuales fue estructurándose el sistema de castas ya suficientemente conocido. Ese secular proceso dio ocasión a que la casta cristiana afirmara su existencia en virtud de circunstancias contra las cuales tenía al mismo tiempo que reaccionar; los cristianos convivían y se "desvivían" al entrelazarse con moros y judíos. Más en ese "desvivirse", en ese afán de escapar a la inevitable situación de cada día, aparece el elemento de *voluntariedad* y no de fatalidad de la vida española. A la postre, los Reyes Católicos, y gran parte de su pueblo, *quisieron* acabar con los judíos y con los moros. Más tarde, en 1609, Felipe III y muchos españoles *quisieron* suprimir los últimos restos de morería existentes en España. Simultáneamente con tales acontecimientos, un gran número de españoles decidió, *prefirió*, no cultivar tareas intelectuales y técnicas a fin de no ser tildados de judíos. Esos estados de ánimo y las situaciones surgidas a causa de ellos no fueron resultado de ningún fatídico destino, de ninguna bio-psicología condicionada por los remotos iberos y por los aún más lejanos habitantes neolíticos de la Península; ni por su clima o geografía.

El panorama histórico va dibujándose ahora con mayor claridad; en él todo acabará por ser explicado y entendido mediante plausibles razones, sin tener que recurrir a circunstancias accidentales o a determinismos psicológicos (la sobriedad, la envidia, la exaltación pasional, etc.). Aunque sea evidente que las circunstancias sobrevenidas pueden afectar profundamente al curso del proceso vital, la acción de las preferencias, la receptividad a ideas, sugestiones y ejemplos de nuevo tipo, pueden mudar el curso de la vida individual, e incluso inducirnos a "amueblar" en forma algo distinta los interiores de nuestra morada vital, a realizar actos colectivos provistos de una u otra dimensión de valor.

No creo que la historia sea "maestra de la vida", según ha solido decirse en el siglo XIX; pero es indudable que en la medida que sea posible planear el futuro de un pueblo, o ejercer alguna influencia para mejorar lo en él a todas luces imperfecto, esas tareas se dificultan aún mucho más, si los capaces de acometerlas no poseen clara noticia de cómo ha sido y por qué es como es el pueblo cuyos modos de vida se aspira a modificar. Mientras el pasado de los españoles siga estando envuelto en tinieblas fabulosas, cuanto se les diga acerca de su *ser* y de sus posibilidades, sencillamente carecerá de sentido. Porque si el futuro sólo es enfocable como realidad archiproblemática, el presente y el pasado desde donde se parta al formular cualquier proyecto, no han de ser totalmente brumosos. El pueblo español ha sido, entre los europeos, el más criticado, censurado, lamentado y aconsejado. Insisto en ser asombroso el que, en el siglo XX, personas de indudable eminencia hayan considerado los últimos trescientos o cuatrocientos años como un factor negativo. En ciertas prédicas políticas de hace unos treinta años, se decía que, lo único discreto, sería aplicar al pasado de España, desde 1930 para atrás, el criterio de "borrón y cuenta nueva". Lo cual es tan monstruoso como infantil. Siendo así, si el pasado visto desde ahora va a ser como el existente para Fernán Pérez de Guzmán en el siglo XV, una "historia triste y llorosa", cada generación irá legando a la siguiente una herencia de miopías y de incoherentes proposiciones —que es lo que ha venido aconteciendo.

Los más esclarecidos y mejor intencionados han preferido taparse los ojos, y no responder razonablemente a la pregunta de cómo y por qué los españoles, desde fines del siglo XVI, se situaron culturalmente —en pensamiento, en ciencia, en técnica— a la cola de Europa. La respuesta la tenemos ya, gracias a una operación de desvelamiento histórico, que, por dolorosa que parezca a muchos, había que practicar, si de veras se aspira a que el mundo hispánico escape en el futuro a las consecuencias de la situación voluntariamente creada en el siglo XVI —y no de ninguna fatalidad. Los españoles de casta cristiana hicieron voto de ignorancia: identificaron la dignidad personal con la total quietud de la mente. Cuando no era así, quien se planteaba el problema era casi seguramente un español de ascendencia judía: "los bienaventurados conocerán en la futura vida celestial estos aspectos y leyes de la naturaleza, y de tal conocimiento recibirán sumo placer... Conocerán cosas mucho mayores y más recónditas: esto es, las causas de todo cuanto hay en las tierras y los principios interiores y propios de cada cosa... cuyas *causas y leyes*, por ser muy ocultas, tanto mayor gozo procurarán al ser conocidas". Esto lo escribía en latín fray Luis de León,[54] un cristiano nuevo que fue a purgar en la cárcel inquisitorial la excesiva curiosidad de su intelecto. El padre Juan de Mariana escribiría más tarde en latín,[55] que, con aquel ejemplo, "era fatal que se amortiguaran los afanes de muchos hombres distinguidos, y que se debilitaran y acabaran sus fuerzas". La cuestión de si hubo o no ciencia española, y de si los sabios fueron perseguidos por la Inquisición o no, fue mal planteada por los contradictores de Menéndez y Pelayo hace ya casi un siglo. Hubo ciencia, afán e intentos de llevarla adelante —tenía razón Menéndez y Pelayo. Pero los más eximios representantes de aquella ciencia van resultando ser, casi siempre, españoles de ascendencia hebrea: Vives, Francisco de Vitoria, Gómez Pereira, el matemático Pedro Núñez, etc. Si por azar damos con un texto expresivo de algún afán intelectual, el autor es un converso; ejemplo de ello, Pedro de Medina, uno de los conversos protegidos por el duque de Medina Sidonia,[56] y autor del *Libro de grandezas y cosas memorables de España*, Sevilla, 1549, en donde se muestra muy ufano de su saber cosmográfico:

"Cosa es admirable que con un instrumento redondo, del tamaño de un palmo, que se llama astrolabio, se mida la redondez del cielo, siendo tan grande, que el entendimiento del hombre no lo puede alcanzar ni aun imaginar; y que con este instrumento se tome el altura del sol, pasándolo por muy sutil lugar, siendo mayor muchas veces que toda la tierra y la mar, y que con esto se sepa cuánto está el sol cada día allegado o apartado de nos en cualquier lugar que el hombre esté" (pág. 95 de la edición de 1944).

El español cristiano viejo no se hizo "hidalgamente", intelectualmente, haragán por deseo de comodidad, sino por una exigencia tan espiritual (no importa que esto parezca chiste) como la del calvinista que laboraba técnicamente con sus manos a fin de hacerse grato a Dios. Quien no entienda esto, es mejor (según digo en otros lugares de esta obra) que renuncie a la comprensión de la historia española posterior al siglo XVI. Ahora bien, ya no hay cristianos viejos ni nuevos, ni imperios cuya sobrehumana conquista confiera ventaja estimativa a una casta sobre otra rival; ya no hay hidalgos ni "hijos de buenos" cuya genealogía valga la pena espulgar para que el labriego resentido se enfrente contra el señor noble o el hombre sabio. Todo eso pasó y dejó en la historia de la civilización española huellas tan positivas como negativas, y pasó porque se quiso que pasara. Desvanecido aquel fondo, el pueblo español del siglo XIX —tan menesteroso de cultura, con esa dejadez quietista que con inolvidables trazos describieron Galdós, Unamuno, Azorín, y antes de ellos, Jovellanos— se me aparece como la figura de un esgrimidor, ya sin espada, que continuase agitando sus brazos y *sus palabras*, con la misma vehemencia de quien cruza su acero con el de un adversario ya inexistente. Si ya no hay castas, si somos simplemente españoles, ¿por qué no dirigir la voluntad, constructivamente, hacia la periferia de la persona y no hacia sus centros irreductibles? El culto de la propia personalidad por la personalidad hizo posible un imperio que ya no existe, y acarreó miserias que por obvias y existentes es mejor silenciar. Quienes de veras intenten construirse un futuro más sugestivo, han de partir de lo que auténticamente fue, de lo construido, y de lo tan voluntariosamente deshecho. En la morada vital de los españoles siguen habitando la voluntad de antaño y el ansia de futuros, y con ello, el sentimiento de que hoy, como nunca antes, el ser hombre no es tarea fácil y descuidable. Mas, por el momento, sigamos observando el *sí* y el *no* del pasado, que es mi tarea. Lo demás corresponde a los versados en el diestro manejo de las multitudes humanas.

HIDALGUISMO

El lector ya sabe bastante acerca del carácter originariamente semítico, y en último término "mágico", de la filiación implícita en los antiguos nombres *fijos d'algo y fijos de buenos* (págs. 209-220).

La casta cristiana estructuró su vida como un combatiente vencedor, e ingresó en su historia con la peligrosa seguridad de serle posible escalar de golpe cimas muy excelsas. Ya en el año 1000 empezaba a sentir el castellano que de veras "le podía" al moro, y que la Córdoba maravillosa estaba al alcance de su espada; la conquista de Toledo y la de Valencia (aunque temporal esta última) confirmaron en el siglo XI su sentimiento de superioridad, basada en la conciencia de su "valor sustancial".

Tal estado de ánimo predispuso a adoptar cuanto contribuyese a fomentarlo, aunque procediera del campo enemigo. Se explica así que penetrasen en el lenguaje maneras árabes de expresar lo que la persona valía *(fijodalgo)*, o lo que hubiese de bueno en sus acciones: *fazaña* 'acción virtuosa, hazaña'. Esta palabra procede del árabe *hásana*, 'buena generosidad'.[57] *Fijodalgo*, *fazaña*, junto a "grandes (hombres, *de España*", dan testimonio de la impresión de superioridad que, hace mil años, dejaba el musulmán sobre su rival cristiano. Fue más tarde éste sintiéndose cada vez más superior, y de ahí es preciso arrancar para comprender el desmesurado afán de hidalguía y el sentimiento de casta preferida de Dios, que acabó por adueñarse de él, y a convencerlo de que sólo el esfuerzo bélico y el ejercicio de la autoridad eran estimables. Comenzaré citando textos que nos pongan en contacto con la realidad de la vida diaria.

En un pregón echado en Valencia, en 1410, contra los blasfemos que "entzutzexen lurs boques e lengues, dients mal de Deu e de la Verge Marie", se condenaba a los plebeyos a ser azotados en público y a ser expuestos en la picota; "empero si serà *persona honrada que no faes faena de ses mans*, que pach de pena L morabetins d'or".[58] Una concepción abstracta de la historia contemplaría tal idea como un "tema" o "tópico", y lo relacionaría con el desprecio de Platón por el trabajo corporal y su desestima de las artes, que luego reaparece en la Edad Media: "Opus humanum, quod natura non est, sed imitatur naturam, moechanichum, i. e. adulterinum vocatur." [59] Sería inútil ahora escribir un estudio sobre el desprecio por el trabajo a través de los tiempos: tenemos en realidad ante nosotros una casta de gente que articuló su vivir sobre la "imposibilidad" vital de trabajar en faenas juzgadas deshonrosas: "Siempre me has tenido ocupada en cosas viles de tu mecánico officio", dice el alma al cuerpo en los *Diálogos de la fantástica filosofía de los tres en uno*.[60] El autor pudo tomar su idea en un repertorio de "loci communes" de la Edad Media, pero aquélla posee un sentido peculiarmente español, pues implica exaltada valoración de lo que no era trabajo mecánico, o sea, del *valor sustancial* de la persona.[61]

Aquel valor no era solamente ánimo, valentía o brío, predicados como cualidades de la persona, sino su sustancia, lo que la hacía entera y le daba por tanto "entereza", lo que hacía ser al hombre "de una pieza", conceptos muy hispánicos.[62] El español fue el único ejemplo, en la historia occidental, de un propósito de vida fundado en la idea de que el único digno oficio para un hombre era ser hombre, y nada más. Cuando Pedro Crespo confió a su hijo al general don Lope de Figueroa, lo hizo en virtud de este razonamiento:

> ¿Qué había de hacer conmigo,
> sino ser toda su vida
> un holgazán, un perdido?
> Váyase a servir al rey.[63]

En ningún país de Europa se estigmatizó tanto el trabajo manual, que no fue reconocido como digno por las leyes antes de Carlos III, en el siglo XVIII, tras la invasión de ideas racionalistas venidas del extranjero, y que sólo afectaron a la epidermis de la vida española. Es cierto, sin embargo, que la creencia en el "valor sustancial" siempre estuvo sacudida por la angustia de quienes se hallaban encajonados en su conciencia de casta, y en la no menor de quienes notaban los graves riesgos de aquel exclusivismo. Escribía el licenciado Pedro Fernández de Navarrete: "De otras muchas personas de inferior jerarquía se ha llenado esta corte, que son lacayos, cocheros, mozos de sillas, aguadores, suplicacioneros ['vendedores de barquillos'], esportilleros y abridores de cuellos. El daño que se sigue de que éstos desamparen el trabajo del campo queda ponderado... Con la introducción de esta no muy antigua ocupación se ha comenzado a usar, que si un criado compra un real de fruta, ha de dar medio al esportillero que se la lleva, *vanidad y gasto sólo admitido en la corte de España.*" [64] Lo cual guarda relación con esto otro: "Apenas llega un mercader, un oficial ['obrero'] o labrador a tener con qué fundar un vínculo de 500 ducados de renta en juros ['papel del Estado' diríamos hoy], cuando luego los vincula para el hijo mayor, con lo cual, no sólo éste, sino todos los demás hermanos se avergüenzan de ocuparse en los menesteres humildes en que ganó aquella hacienda", pues "los que no son nobles, aspiran a ennoblecerse, y los que lo son, a subir a mayores puestos" *(edic. cit.,* págs. 473, 475).

Ya en 1541 había en Castilla y León 781,582 vecinos pecheros y 108,358 hidalgos; es decir, un 13% de las familias del reino no pagaba impuesto ni, por lo común, realizaba trabajo de ninguna clase.[65] Pero algunos observaban que no podía "conservarse bien una república que toda sea de nobles, porque para que con recíprocos socorros se ayuden unos a otros, es forzoso tenga cabeza que gobierne, sacerdotes que oren, consejeros que aconsejen, jueces que juzguen, nobles que autoricen ['que irradien prestigio'], soldados que defiendan, labradores que cultiven, mercaderes que contraten y artífices que cuiden de lo mecánico".[66] Estas dos últimas clases de actividades habían sido justamente las propias de moros y judíos.

Los españoles venidos a las Indias, como era esperable, implantaron y perpetuaron allá su estilo de vida. Los habitantes de Buenos Aires en 1590, escribían desesperados a Felipe II, y se lamentaban de la pobreza de la tierra argentina (que para ingleses puritanos hubiera sido un paraíso), porque no es la tierra quien hace al hombre, sino al revés, sin que yo niegue la importancia de las condiciones naturales y del momento histórico. En la Argentina no había oro ni plata, ni ciudades como en México y en el Perú, y el español, sin estima por la tarea comercial o técnica, no supo entonces qué hacerse: "Quedamos tan pobres y necesitados que no se puede encarecer más, de que certificamos que *aramos y cavamos con nuestras manos*... Padecen tanta necesidad, que la agua que beben del río, *la traen sus propias mujeres e hijos*... Mujeres españolas, nobles y de calidad, por su mucha pobreza *han ido a traer a cuesta* el agua que han de beber." El guardián del convento de San Francisco, autor de esta carta, confirma, compungido, "que los vecinos y moradores hazen sus labores y [cuidan sus] ganados *por sus propias manos*, porque él lo ha visto ser y passar assí, lo cual es cosa de mucha lástima; los dichos vecinos se sirven [ellos mismos], como si fuera en la mínima aldea de España".[67]

No conozco documento más significativo ni que haga más inteligible la historia de Hispanoamérica y sus contrastes con la América no hispánica. El español cristiano bajaba a las regiones del Plata en el siglo XVI, lo mismo que en los siglos X y XI se había extendido hacia el sur de la Península, a fin de ganar honra y mantener señorío.[68] Como en Buenos Aires no había moros ni judíos de quienes pudieran servirse, y los indios huían raudos pampa adelante, la futura Argentina se encontró hasta hace menos de un siglo en situación bastante mísera. Las casas de Buenos Aires, en una región sin rocas ni piedras, fueron chozas de adobe, recubiertas de paja, pues sólo tal albañilería supo practicar el conquistador sin riqueza y sin vasallos que señorear. Todavía en 1852, la futura gran ciudad era un aldeón pestilente; "osamentas de bueyes y caballos yacían en el barro, en medio de la calle; incluso ante las puertas de algunas casas veíanse restos putrefactos de animales".[69]

Mas ya para entonces circulaba por América y Europa el espléndido *Facundo* del argentino Sarmiento, pues para aquel trabajo de integración y expresión personales no era preciso el *vil* trabajo de las manos. El cual Sarmiento propondría luego, para remediar los males de su tierra, un programa análogo al propuesto por el licenciado Fernández de Navarrete en 1626: traer gente de fuera, hacer que trabajaran otros, convidando con privilegio a los forasteros, "abriendo ríos navegables y sacando acequias para los regadíos... Los hijos de éstos, a segunda generación serían españoles; con que se poblaría España, que es el fin a que mira este discurso" (pág. 478). Incluso —añadía Fernández de Navarrete— debían traerse negros "para beneficiar algunas minas de las muchas y abundantes que España tiene", los cuales negros, "a segunda o tercera generación serían blancos, y cuando no lo fuesen, no importara, siendo aptos al trabajo y cultura de la tierra" (pág. 482). Esto último es lo que aconteció en el Brasil.

A primera vista, el programa parece como un intento de rectificar el curso de la historia hispánica, cuando en verdad en el fondo se trata de lo contrario; Fernández de Navarrete confía, muy españolamente, en que *otro* y no *uno* haga las cosas, y achacar a los *otros* y no a *nosotros* lo que está aconteciendo. La crítica negativa de Fernández de Navarrete y sus lamentaciones por la pobreza y despoblación de la tierra, pudieran haber sido hechas por cualquier partidario de la "ilustración", con la sola diferencia de que el autor no tiene la menor sospecha de que el vacío de cosas entonces sentido era inseparable del mismo rumbo de la vida española. Las soluciones propuestas significaban yuxtaposiciones mecánicas: adición de gentes que hicieran lo que habían venido haciendo moros y judíos, sin que la casta dominante dejara de serlo. Que lo que se echaba de menos era la presencia de aquellas otras castas, se ve en este utópico y retrospectivo anhelo: "Me persuado a que si antes que éstos [moros y judíos] hubieran llegado *a la desesperación* que les puso en tan malos pensamientos, se hubiera buscado forma de admitirlos a alguna parte de honores, sin tenerlos en la nota y señal de infamia, fuera posible que *por la puerta del honor* hubieran entrado al templo de la virtud, y al gremio y obediencia de la Iglesia católica" (pág. 466). La ignorancia de su propia historia, y la candidez racionalista de semejante aserto, quedan bien patentes. Fernández de Navarrete también soñaba en una utópica casta única, sin pensar que si los moros y los judíos hubieran llegado a tener conciencia de su "valor sustancial" (ver nota 61), habrían dejado de hacer el trabajo cuya falta arruinaba a España.

En suma, este tratado es de indispensable lectura,[70] no sólo por lo que propone, sino por reflejar la angustia de quien sabe que es como es, y desearía ser de otro modo. Fernández de Navarrete semeja al loco de la Casa del Nuncio *(Quijote,* II, 1), dado por sano, y que al salir declaraba a uno de sus compañeros: "Si él es Júpiter, y no quisiera llover, yo, que soy Neptuno... lloveré todas las veces que se me antojare." Según aquel consejero del rey, las letras "suelen engendrar una cierta melancolía que molifica el ánimo, oponiéndose a la alegre precipitación con que se intentan peligrosas hazañas, *sin que el discurrir en ellas* engendre detención. Y por eso a la diosa de las ciencias la llamaron "Minerva, *quasi minuens nervos",* porque las provincias que se dan con demasía al deleite de las ciencias, olvidan con facilidad el ejercicio de las armas, de que se tiene en España suficientes ejemplos, *pues todo el tiempo que duró el echar de sí el pesado yugo de los sarracenos estuvo ruda y falta de letras,* para cuyo remedio fundaron los reyes las universidades y colegios" (pág. 542) —como importación extranjera, habría que añadir.

Darían lugar a análogas observaciones las obras de don Diego de Saavedra Fajardo, representante de España en la conferencia preparatoria de la paz en Westfalia (1648), un escritor tan viajado y leído como versado en lenguas extranjeras. Lamenta también el daño y pobreza sufridos por su patria, y al pronto esperaríamos hallar en él un europeizante decidido a romper las formas de la vida tradicional. Nada de eso. Don Diego siente como un español del siglo X, cuando llega la hora de enfrentarse con las cuestiones decisivas. Su mundo es el de la creencia: "El señor don Juan de Austria mandó bordar en sus banderas la cruz y este mote: 'Con estas armas vencí a los turcos; con ellas espero vencer los herejes'... Yo me valgo de ellas y del estandarte de Constantino para... significar a los príncipes la confianza con que deben arbolar contra sus enemigos el estandarte de la religión... Al lado de este estandarte asistirán espíritus divinos; *dos sobre caballos blancos* se vieron peleando en la vanguardia cuando junto a Simancas venció el rey don Ramiro el Segundo a los moros... En la batalla de Mérida, en tiempo del rey don Alonso el Noveno, se apareció aquel divino rayo, hijo del trueno, Santiago, patrón de España (ver cap. IX), guiando los escuadrones con el acero tinto en sangre." [71]

NOTAS

[1] *Fuero de Zorita de los Canes*, edic. R. de Ureña, págs. 67-68. Para una mención mas completa de las referencias a los baños públicos en los fueros municipales, véase A. Ruiz-Moreno, *Cuadernos de Historia de España*, Buenos Aires, 1945, III, 152-157. Según un geógrafo árabe del siglo XI (Bakrī), los gallegos (llamaban gallegos a los cristianos del norte) "ne se nettoient et ne se lavent qu'une ou deux fois dans l'année avec de l'eau froide... Ils prétendent que grâce à la crasse, due à leur transpiration, qui les recouvre, leurs corps se maintiennent en bonne forme physique". (Al-Himyarī, *La Péninsule Ibérique au Moyen-Age*, trad. de E. Lévi-Provençal, Leyden, 1938, pág. 83.)

[2] *Fuero de Brihuega*, edic. J. Catalina, pág. 162.

[3] *Fuero de Usagre*, edic. A. Bonilla, pág. 48.

[4] Luis del Mármol, "Rebelión y castigo de los moriscos", *Bib. Aut. Esp.*, XXI, 161, 162, 164.

[5] Aunque los baños existiesen a veces en Hispania como tradición romano-visigoda antes de la llegada de los musulmanes (es probable que así fuera), su presencia entre los cristianos de las tierras reconquistadas era reflejo de usos musulmanes. Cuando en 1086 pereció en la batalla de Zalaca el infante Sancho, hijo de Alfonso VI, el rey preguntó a sus sabios por qué se había debilitado el esfuerzo bélico de sus caballeros; "respondiéronle ellos que porque entravan mucho a menudo en los bannos et se davan mucho a los vicios. El rey fizo entonces derribar todos los bannos de su regno" *(Crónica General,* pág. 555). No todos los baños serían derribados, y probablemente se trata de una leyenda. Queda, de todos modos, la idea de ser los baños, muy practicados por los moros, una causa de debilidad y un vicio; de haberse creído ser el baño una costumbre tradicionalmente cristiana, no se hubiera pensado así. La realidad de algo en el pasado o en el presente depende del contexto de vida dentro del cual exista: *albaricoque* es un arabismo, aunque en último término derive del latín *praecox (malum praecox).*

[6] Sobre el lavado ritual entre los musulmanes hay muchas referencias en El-Bokhâri, *Les traditions islamiques,* trad. O. Houdas et W. Marçais, 1900, I, páginas 405 y sigs.: "L'Envoyé de Dieu entra chez nous pendant que nous lavions le corps de sa fille. Il nous dit alors: «Lavez-là trois fois ou cinq fois... Commencez par les membres du côté droit et par les parties du corps que l'on lave dans l'ablution»."

[7] Ver I. González Llubera, *Coplas de Yoçef,* págs. 19 y 42. Antonio de Guevara, obispo de Mondoñedo, conocía bien las costumbres de los moriscos y judíos. Menciona algunas de ellas en las *Constituciones sinodales,* que dio a aquella diócesis gallega en 1541 (en R. Costes, *Antonio de Guevara. Sa vie,* Burdeos, 1925, págs. 57 y sigs.). "Algunas personas que no sienten bien de la fe, a la hora que un hombre expira y muere, le lavan todo el cuerpo pensando que le lavan los pecados; y más allende esto, raen las barbas, las cuales después guardan para hacer hechizos; y como esto sea rito judaico, y aun morisco, descomulgamos a todas las personas que de aquí adelante esto hicieren... Muchos hombres y mujeres tienen por costumbre, el tiempo que hace relámpagos y truena, de tomar las sartenes y las trébedes hacia el cielo, teniendo por cierto que con aquello se mitiga el trueno y el relámpago. Y como esto sea superstición morisca, ordenamos y mandamos que nadie de aquí delante ose tal hacer..."

[8] Ver L. Pfandl, *Introducción al Siglo de Oro,* pág. 273.

[9] Luis del Mármol, *loc. cit.,* pág. 165.

[10] *El libro de Caballero Cifar,* edic. Wagner, pág. 100.

[11] Como consecuencia del largo dominio español sobre Italia, algunas de estas costumbres hispanoislámicas acabaron por ser adoptadas, sobre todo en el antiguo reino de Nápoles, que fue español durante más de dos siglos. Cuando el rey Víctor Manuel visitaba, en 1860, el nuevamente anexionado reino de Nápoles, se cuenta que las madres mostraban sus hijos al nuevo soberano, el cual se deshacía en elogios de la belleza de sus pequeños súbditos; a lo que contestaban las madres, transidas de entusiamo: "¡Son vuestros, Señor!" El origen árabe de algunos de los usos que mencionó ha sido notado ya. Para "besar manos y pies", ver G. Rittwagen, *De filología hispano-arábiga,* 1909, pág. 57. "Está a su disposición" y "venga a hacer penitencia con nosotros" ha sido observado por M. L. Wagner, en *Volkstum u. Kultur der Romanen,* 1930, III, 115-116.

[12] Confirma tal filiación el relato morisco sobre las gentes de Gog y Magog, referido por F. Guillén Robles, *Leyendas de José, hijo de Jacob y de Alejandro Magno, sacadas de*

dos manuscritos moriscos de la Biblioteca Nacional de Madrid. Zaragoza, 1888, pág. 53. Esas gentes malditas, encerradas por Alejandro tras murallas de hierro, "lamen sin cesar con sus lenguas más ásperas que limas, el muro; a veces les falta sólo una endeble capa para horadarlo, y lo dejan para el día siguiente, diciendo: —Mañana traspasaremos este dique. Pero como no añaden «si Dios quiere», cuando vuelven con la luz del alba a trabajar en él, le encuentran de igual espesor que cuando comenzaron; sólo en el día determinado por Allah, cuando, conocido su yerro, añadan «si Dios quiere», romperán la férrea barrera..."

[13] *Orígenes del español,* pág. 460.

[14] Ver mi "Perspectiva de la novela picaresca", en *Revista de la Biblioteca, Archivo y Museo,* Madrid, 1935, II, 138 y sigs.

[15] *Ba'da taqbīli aydīkum al-girām.* Dice E. W. Lane: "It is a common custom for a man to kiss the hand of a superior... To testify abject submission, in craving pardon for an offence, or begging any favor of a superior, not unfrequently the feet are kissed instead of the hand. The son kisses the hand of the father" *(Manners and Customs of the Modern Egyptians,* Londres, 1836, I, 252).

[16] Expuesta en el museo de la Hispanic Society de Nueva York.

[17] Verso 2.028. R. Menéndez Pidal, *Cantar de Mio Cid,* págs. 507-508, cita numerosos ejemplos de tal uso, pero no alude a su origen musulmán.

[18] *Evast e Blanquerna,* Barcelona, 1935, pág. 84.

[19] Dice Rabí Arragel, a comienzos del siglo xv: "Raby Abraham [Ben Ezra] dize que era costumbre en aquel tiempo que el sojebto ponía la mano, e el señor se la sentaba en somo, dando el uno a entender sojibción, e el otro, señorío: e aun dize que esto se acostumbra fazer oy día en tierra de las Indias." *(Biblia de Arragel,* edición del duque de Alba, I, 133.)

[20] El besar la mano en señal de respeto fue practicado también por los hebreos españoles. En las *Coplas de Yoçef,* escritas en español con caracteres hebreos, se dice:

> *A reçebir saliera a su padre honrado,*
> *La mano le pidiera, luego la ovo besado.*

(Edic. I. González Llubera, pág. 7.)

[21] *Allāh yu'tīka* (en árabe vulgar: *Allāh ya'tik).* Ver J. Ostrup, *Orientalske Hoflighedsformer,* Copenhage, 1927, pág. 76. Cf. además E. W. Lane, *loc. cit.,* II, 23.

[22] La tendencia a maldecir de Dios es más frecuente y más violenta en España que en otros países de Occidente. En *The Jewish Encyclopedia,* s. v. "Cursing", se dice que "The Orientals have an ineradicable proneness to curse God... on the slightest provocation in daily life".

[23] Ver Gerardo Meloni, *Saggi di Filologia Semitica,* Roma, 1913, pág. 145; refiere a Tabarī, III, 413, 1.

[24] La historia de Roma está mejor conocida que la de España, y basta con la somera referencia que acabo de hacer. Recuérdese que en Roma llamaban *armeniacum* al albaricoque, *faba Judaea* o *Syriaca* a las alubias, *persicum* al melocotón, etc.

[25] Antonio Ponz, *Viaje de España,* 1784. Cito por la edición Aguilar, Madrid, 1947, pág. 881.

[26] Ver *Poesía española* (Edad Media), edic. Dámaso Alonso. Buenos Aires, Editorial Losada, 1942, págs. 175-176.

[27] Ver *Memorial histórico español,* 1853, V.

[28] Ver A. Paz y Melia, *El cronista Alonso de Palencia,* pág. 61. Ignoro el fundamento de esa acusación, que alude tanto a moriscos como a judíos conversos; es, sin embargo, posible que en el campo judío hubiese manifestaciones del racionalismo que luego se manifiesta entre los judíos de la emigración. Los inspiradores de Spinoza fueron conversos españoles. Como ejemplo de tal fenómeno vale *La Celestina* —un tema no para este momento.

[29] Edición de *Libros de antaño,* VIII, 162.

[30] *Memorial histórico español,* VIII, 262. *Jineta* es un modo de cabalgar, imitado de los moros, con los estribos cortos y las piernas encogidas; es palabra árabe, lo mismo que *jinete* (ver A. Steiger, *Fonética del hispano-árabe,* pág. 146). La tribu africana de los "Zanata" proporcionaba a los reyes moros sus mejores "jinetes", palabra que se impuso al castellano, portugués y catalán, a favor del hecho de que caballero pasó a significar "miembro de la clase nobiliaria". El francés resolvió el problema con *cavalier* junto a *chevalier*; pero el español se encontró con el hecho vivido de que los que cabalgaban más y mejor eran los *jinetes* moros, y siguió usando la palabra como cosa propia. *Aljuba* es también palabra árabe; de ahí procede *jubón.*

[31] María Soledad Carrasco Urgoiti, *El moro de Granada en la literatura,* Madrid, 1956.

[32] Al tomar la inteligencia y el culto de la belleza como bases de la vida religiosa en

Italia no pongo en ello ningún acento peyorativo, sino sencillamente afirmativo. Justamente por ser así consiguió Italia humanizar a la tosca Europa del siglo XVI, que sin Italia habría mantenido su tono medieval. Ni el escepticismo intelectualista de Jean de Meun ni el lirismo de Provenza (bueno para exquisitos y solitarios) podían desplazar el eje de la "situación vital" de la llamada Edad Media. Italia preparó el "inyectable" que hizo virar en redondo la mente europea, por haber humanizado, "secularizado", lo divino sin romper con ella. La Roma de los papas halló el común denominador para el hombre griego y el hombre moderno, tendió el puente entre las tendencias hasta entonces "ilegales" y la fe, y dejó a los "herejes" la ilusión de que eran ellos quienes cambiaban el curso de la historia. Pero sin la "vida" secular de la Italia del siglo XV, las herejías (tan viejas como el cristianismo) habrían quedado reducidas a ensayos infecundos, algo así como el anarquismo del siglo XIX, con muchos adeptos, con muchos mártires, pero sin trascendencia efectiva. Roma ofreció a Lutero tantos motivos para renegar de ella, como posibilidades para afirmar el valor puramente humano del hombre.

33 La espléndida oración fúnebre de San Francisco de Sales en honor del duque de Mercoeur (1602) es el discurso de un político y de un cortesano, que atiende más a las conveniencias humanas que a lo divino a todo riesgo, que no cree ya que los valores terrenos son polvo mísero, olvidable y desdeñable: "Je connois bien que mon office n'est pas maintenant (et je vous supplie, Messieurs, de ne les pas desirer de moi) de vous representer les raysons que nous avons eu de regretter et plaindre... Soit donc que je jette les yeux sur son bien pour nous consoler ou sur notre mal pour nous affliger, je ne puys eschapper de l'abisme de ses vertues infinies, dont la grandeur et l'esclat est insupportable a la faiblesse de mes yeux... En ceste ocasion, que j'estime aussi digne d'une grande eloquence qu'aucune autre qui se soit presentee en ce siècle: en ceste assemblee, qui est presque toute la fleur de ce grand royaume; [predica en Notre Dame, ante la corte de Francia] et en ce lieu, auquel *mille beaux esprits* eussent ambitieusement recherché de faire paroistre tout leur art et leur science de bien dire, etc." *(Oeuvres de Saint François de Sales,* Annecy, VII, 401-402.) Todo el sermón es un cántico a la gloria del difunto como héroe de la causa imperial de Francia. Cuán distinto todo ello de una oración fúnebre a la muerte de Felipe II (1598), que citaré en otro momento, en la cual el predicador presenta al rey como un ajusticiado por el crimen de ser mortal y pecador, y señala al catafalco como si fuera un simbólico cadalso.

34 El carácter insolidario del Estado civil que, a principios del siglo XX, ofrecía la Iglesia, se observa en una censura de la Biblioteca de la Catedral de Toledo hecha en un libro de pura erudición y por un autor que luego, en política, figuró en lo que podría llamarse las extremas derechas: "En la actualidad (lo digo para vergüenza del Cabildo y de la cultura eclesiástica española), es punto menos que imposible penetrar en la Biblioteca del Cabildo referido, el cual, cumpliendo la misión del perro del hortelano, ni trabaja ni deja trabajar en ella a los demás... A consecuencia de las bienhechoras órdenes del Gobierno revolucionario de 1868, el señor Octavio de Toledo fue a esa localidad, y en pocos días redactó, entre graves peligros, la parte de "Catálogo" que recientemente ha publicado la *Revista de Archivos*. Es seguro que entre los preciosos códices que figuran en dicha Biblioteca (cuyo contenido debería trasladarse, *con* o *sin derecho*, en bien de la cultura, a la Biblioteca Nacional de Madrid), hay muchos que encierran trabajos de los traductores toledanos" (A. Bonilla y San Martín, *Historia de la filosofía española*, 1908, pág. 322). He omitido parte del violento ataque del señor Bonilla, el cual, como se ve, proponía que el Estado se apoderara, aunque no tuviera derecho a hacerlo, de una propiedad valiosa de la Iglesia, por ignorar ésta su importancia y ser incapaz de administrarla. He aquí uno de los innumerables ejemplos de lo que llamaría ilegalidad recíproca en las relaciones entre Iglesia y Estado, y cuyo desenlace trágico ha sido la Guerra Civil de 1936.

35 Un cantar popular dice:

¿Quieres vivir sin afanes?
Deja la bola rodar,
que lo que fuere de Dios,
a las manos se vendrá.

(F. Rodríguez Marín, *Cantos populares*, IV, 143.)

36 Trato del, para mí, seudoindividualismo español en el capítulo VIII.
37 Insisto sobre este tema en el capítulo VIII.
38 Ver Antonio Baião, *Episódios dramáticos da Inquisição Portuguesa*, 1919, I, pág. 108.
39 Ver I. S. Révah, *Spinoza et Juan de Prado*, 1959, pág. 62.
40 Bibl. Aut. Esp., XVI, 189.
41 Ver E. Bloch, *Le messianisme dans l'hétérodoxie musulmane*, París, 1903.
42 *Gana* expresa el aspecto "vivencial" de *voluntad;* como *honra*, el de *honor;* como

18

grandioso, el de *grande*; como *estar* (en muchos casos), el de *ser*; etc. La noción de "vivencial" me parece debiera incorporarse al vocabulario lingüístico.

[43] No repetiré aquí lo minuciosamente demostrado en mi libro *De la edad conflictiva: El drama de la honra*, Madrid, 1961: cualquier ejercicio intelectual o trabajo técnico se consideraban menesteres propios de la casta judía, y por consiguiente, deshonrosos. Esto aclara, por fin, uno de los aspectos más confusos y discutidos de la historia de todos los pueblos hispánicos.

[44] Pedro Fernández de Navarrete, *Conservación de Monarquías*, en Bibl. Aut. Esp., XXV, 533.

[45] *Conservación de monarquías*, Bibl. Aut. Esp., XXV, 529.

[46] "Fortunata y Jacinta", *Obras completas*, 1942, pág. 36.

[47] En *La prisonnière*, de Marcel Proust, Albertine responde a cuento de todo: "C'est vrai? C'est bien vrai?", incluso cuando le dicen: "Il pleut". La linda muchacha producía "l'étrange impression d'une créature qui ne peut se rendre compte des choses par elle-même." La verdad es que Albertine había contraído aquel irreprimible hábito en la época de su precoz belleza, cuando, segura de fascinar a todo interlocutor, respondía a frases como: "Vous savez que je n'ai jamais trouvé une personne aussi jolie que vous", con un dubitativo 'C'est vrai?', encubridor de su nada dudosa complacencia.

[48] El Arco de Triunfo de Alfonso de Aragón, en el Castel Nuovo de Nápoles, fue obra de artistas italianos; arcos triunfales no se habían alzado en Italia desde el tiempo de los emperadores, y éste no habría existido sin la voluntad del rey de tener un "triunfo romano", después de su entrada en Nápoles el 2 de junio de 1447 —"ALFONSUS REX HISPANUS SICULUS ITALICUS PIUS CLEMENS INVICTUS". El arco triunfal, para ser auténtico, necesita el arco y el triunfo que pase bajo él—, arte y vida. Fue labrado entre 1452 y 1468 por Pietro Martino y Francesco Laurana (V. Ricardo Filangieri, en *Dedalo*, Milán, 1932, XII, 439).

[49] *Diario puntual de quanto ha pasado en el famoso sitio de Buda; y relación cumplida de su presa por assalto el día 2 de setiembre del año presente 1686*. Madrid, Melchor Alvarez, 1686. En el ejército del duque de Lorena figuraban españoles, y el exhausto tesoro de Carlos II dio una fuerte suma para aquella honrosa empresa, por motivos de prestigio imperial.

[50] Conozco lo que Rabelais, Montaigne y otros han escrito sobre la justicia de los jueces y las excelencias de una justicia espontánea y libre. Nada de eso forma parte de un sistema de "absolutismo personal", auténticamente, como en el caso de los españoles, quienes al hablar de la justicia lo hacen desde sus vidas, no desde sus pensamientos razonantes.

[51] M. Asín Palacios, *Contribución a la toponimia árabe de España*, pág. 35. Una comparación con la toponimia romana y visigótica haría ver la peculiaridad de la islámica y de la castellana.

[52] Este hecho ha sido notado a menudo, aunque sin encajarlo dentro de la total estructura de la vida española. Ganivet observaba en 1896 cómo fracasaban las sociedades seculares y cómo prosperaban las comunidades religiosas: "Somos refractarios a la asociación, y de hecho cuantas sociedades fundamos naufragan al poco tiempo; y sin embargo, somos el país de las comunidades religiosas... Comprendemos y practicamos la comunidad de bienes con un fin ideal; pero no sabemos asociar capitales, para hacerlos prosperar. Nos rebelamos contra toda autoridad y organización, y luego, voluntariamente nos despojamos de nuestra personalidad civil y aceptamos la más dura esclavitud" (*Granada la bella*). Ganivet atribuía a misticismo (según él, "sensualidad refrenada por la virtud y por la miseria") esta extraña manera de vida.

[53] Ignoraba, por lo visto, lo hecho en el siglo XVI por algunos españoles, de los cuales he de hablar cuando sea oportuno.

[54] Cita el texto, para otros fines, Rafael Lapesa, *Las odas de Fray Luis de León*, en "Homenaje a Dámaso Alonso", II, pág. 312.

[55] Ver *De la edad conflictiva*, 1961, págs. 168-169.

[56] Dato de Claudio Guillén.

[57] J. Corominas, *Diccionario etimológico*. Nótese que el ár. *hásana* no significaba "proeza"; pero el cristiano la relacionó con *hacer*.

[58] F. Danvila, en *Boletín Acad. Historia*, 1886, VIII, 388.

[59] Hugo de San Víctor, en *Patrologia*, vol. 176, col. 747 (ap. E. R. Curtius, en "Zeitschift für Romanische Philologie", LVIII, 23). Escribía con gran sentido Joseph Conrad: "The value of a sentence is in the personality which utters it, for nothing new can be said by man or woman" (*Nostromo*, pág. 200).

[60] Por don Francisco Miranda Villafañe, Salamanca, 1583, fol. 21 r.

[61] Escribía don Artal de Alagón, conde de Sástago: "Yo no pretendo condenar todos los combates particulares, ni desanimar a los hombres a conservar su honra, y a no responder y volver por la de Dios y por la propia, de la manera que se deve...; antes querría animarlos y ponerles brío para ello, de que entiendo ay más necesidad que no de enfriarles la sangre,

que lo está tanto, que es lástima ver cuán caído está el *valor sustancial* en los hombres en quien avría de estar muy *entero*". *(Concordia de las leyes divinas y humanas,* Madrid, 1593, fol. 126 *r).*

[62] Se trata de algo distinto de la "integridad moral", que mantiene intactos los principios morales en que se apoya la conducta. La idea de "entereza" refiere a algo que implica ánimo y valor activos, y deja en sombra todo lo demás.

[63] Calderón, *El alcalde de Zalamea,* II, versos 765-768.

[64] *Conservación de monarquías,* 1626, discurso XXVI (Bib. Aut. Esp., XXV, 504, *b).*

[65] *Relación de los vecinos no pecheros que hay en las 18 provincias del reino para el repartimiento del servicio de 1541, y de los hidalgos que se presupone podrá haber en cada una de las dichas provincias,* en "Colección de documentos inéditos para la historia de España", 1848, XIII, 521-528.

[66] Fernández de Navarrete, *Conservación de monarquías,* edic. cit., pág. 472.

[67] Emilio A. Coni, *Agricultura, comercio e industria coloniales,* Buenos Aires, 1941, pág. 15.

[68] No ignoro la importancia de la emigración a las Indias de muchos cristianos nuevos (de casta judía o morisca), pero ese es un tema insuficientemente conocido en el que no puedo ahora entrar.

[69] Rafael Alberto Arrieta, *Centuria porteña,* Buenos Aires, 1944, pág. 37.

[70] Hasta se propone en él la creación de escuelas de marina, "con que se excusaría España para estos ministerios de naciones ['gentes'] extranjeras, que por serlo, y sin obligaciones ni prendas de fe ni de amor, están expuestas a emprender cualquier traición" (página 542). La obra de Fernández de Navarrete debería ser meditada por cuantos entienden en el gobierno de los pueblos hispano-portugueses, todos iguales a este respecto. En el siglo XX (lo mismo que en el XVII o en el XII) ningún país hispano-portugués es capaz de fabricarse sus propios barcos sin ayuda extranjera.

[71] *Idea de un príncipe político-cristiano, representada en cien empresas,* empresa XXVI.

Capítulo VIII

EN BUSCA DE UN MEJOR ORDEN SOCIAL: ANHELOS Y REALIDADES

ANARQUISMO

La utópica visión de una sociedad organizada políticamente sin la acción coactiva del Estado (Bakunin, Kropotkin, Reclus, etc.), encontró apasionados seguidores entre campesinos y obreros de España, sobre todo en las regiones del sur y del este. Aquella ingenua y mesiánica fe [1] * guarda cierta relación (en tanto que pensamiento jurídico-social) con las doctrinas de eminentes sociólogos y juristas de fines del siglo XIX, de ánimo nada revolucionario, y sin ninguna conexión con las violencias del anarquismo "práctico". La violencia (asesinato de Cánovas del Castillo, en 1897; bombas en Barcelona y en Madrid) fue obra o inspiración de anarquistas extranjeros, como aquellos que en Europa atentaron contra la vida de varios soberanos y jefes de Estado. Hay que hacer, en efecto, una tajante distinción entre el anarquismo organizado como movimiento político (el anarco-sindicalismo) y ciertos modos de pensar españoles, presentes en su tradición desde hace mucho. Pero el que adquirieran actualidad a fines del siglo pasado, se debió sin duda al florecimiento de las ideas anárquicas, sobre todo en Francia, Alemania y Rusia.[2]

Los españoles han expresado en muchos modos su proclividad anárquica sin sospechar que lo fuera, antes de haber tomado forma las doctrinas políticas o sociales así llamadas. Ese y no otro es el aspecto de la cuestión que ahora interesa, pues ahí viene a parar, en último término, lo expuesto en el anterior capítulo respecto de la autosuficiencia (pág. 248), el pretendido individualismo (pág. 252), la idea de una justicia sin ley escrita (pág. 255) y el hidalguismo como honrosa autonomía de la persona (pág. 266), que incitaba a mostrarla incluso ostentosamente.[3] En vista de todo ello, y sin perder de vista los enlaces con la contextu-

---

* Para las notas al capítulo VIII véanse las págs. 319 a 325.

ra "castiza", convendrá ahora situar en su propia morada de vida el anhelo de regular la vida colectiva sin las trabas de obligaciones ni sanciones estatales —como una estrella, pudiendo lo que se quiere, como dice Juan Martí en la precedente nota.

El fascismo y el comunismo, el socialismo y el régimen constitucional, fueron inyectados en la sociedad española como resultado de inspiraciones venidas de fuera; el anarquismo fue, por el contrario, emanación y expresión de la estructura, de la situación y del funcionamiento de la vida social de los españoles. La orientación política se polarizaba, o hacia el halo mágico de la monarquía de derecho divino, o hacia el centro imperativo de la propia persona. La "gracia" emanada del rey sólo era comparable a la dispensada por Dios: "Había que ganar su gracia como la de Dios mismo, y si se perdía, no había nada que hacer, fuera de resignarse." [4] Así era, en efecto, aunque la conciencia de existir sostenido por una gracia transcendente, debe complementarse con la fe en la "gracia" emanada de la propia persona, sobre todo cuando ésta se sentía vacía de otros contenidos. La alternativa era: o Dios y el rey, o mi conciencia, por falta de puntos de apoyo entre ambos extremos. La obediencia a la palabra de Dios y a la del rey nunca fue rehusada, por supuesto; bajo ellas se aunaron en una creencia el español blanco y el indio, y así fueron posibles la constitución y estabilidad del Imperio Español. Su desmembramiento en numerosas parcelas fue indirecta consecuencia de los mismos motivos, pues al desaparecer la autoridad real después de la invasión francesa en 1808, se hizo patente la falta de cohesión de los dominios de la corona en el continente americano. Los virreinatos carecían de tareas comunes, y las repúblicas que muy luego surgieron ningún empeño tuvieron en creárselas. Los grupos surgidos se habían formado en torno a caudillos capaces de hacerse obedecer por quienes se inclinaban ante el prestigio de una voz y de una mirada imperiosas. Las distancias y las montañas son una excusa dada para explicar la fragmentación de Hispanoamérica, por quienes olvidan que los Incas habían mantenido en compacta unidad un territorio hoy fragmentado en tres naciones.

Es el caudillo, sin más ley que la de su fuerza o maña personal, el que organiza partidas, pronunciamientos en España y montoneras y cuartelazos en Iberoamérica, manda y se hace obedecer, afirmado en la "gracia" proyectada sobre sus secuaces; fascina y aoja a los habituados desde hace siglos a dejarse llevar por la virtud de la gracia venida de arriba, y no por "conveniencias" horizontales, visibles y de continuo puestas a prueba.

Esto último no aconteció a los españoles, por haberse fundado su estructura social y nacional bajo la primacía de la creencia y no de la conveniencia. Ese es el motivo de nunca haber habido revoluciones sino revueltas y desmanes caóticos, sin bien coordinadas finalidades. Cuando termina el período de caos, la situación continúa siendo la misma o peor que antes. Este hecho es de sobra conocido, aunque la razón de ser así nunca se haya puesto bien en claro. Una revolución es como una operación quirúrgica *practicada por primera vez*, no descrita en los libros, resultado de un invento originalísimo en cuanto a su método y a su propósito, sangrienta con sangre vertida por quien sabe restañarla —y sabe hacer sanar al paciente, a todo un pueblo. Quienes no sean capaces de manejar tal bisturí, es mejor que se queden quietos.

Cuando los españoles cristianos decidieron hacia el año 1500 que las castas judías y mora no eran tan españolas como la suya,[5] no lo hicieron para deshacerse de los lazos que a ellos los ligaban (confundir su identidad nacional con su identidad religiosa), sino para adentrárselos aún más en el meollo de su vida. En otros países católicos (incluso en Italia), la política, la administración pública, la cultura intelectual, el comercio, la industria, etc., eran actividades separadas de la religión y no antagónicas respecto de ella. Pero la casta cristiano-española incurrió en el funesto error de desprestigiar y de rechazar las ocupaciones usuales de moros y judíos, en lugar de apropiárselas (algo así como destruir las casas y bienes de los conquistados o expulsados, en vez de aprovecharse de ellos). Fue, en cambio, potenciado al máximo el hábito de ser regida la vida ciudadana, en última instancia, por los eclesiásticos, lo mismo que los moros lo eran por sus alfaquís y los judíos por sus rabinos. De ahí la Inquisición y su absoluto imperio sobre la sociedad española desde fines del siglo XV. Por no haberse visto claro en este punto y no haberse deducido de ello sus encadenadas consecuencias, es la historiografía española el enredo y trabalenguas que aún nos abruma.

Desde el bien orientado miradero de que ahora disponemos, se percibe con claridad la amplia dimensión de la crisis sufrida por el pueblo español a comienzos del siglo XVI. Se puso en cuestión si había que ahincarse en el "casticismo" de la creencia *reforzada*, o tomar, por el contrario, direcciones de vida de carácter secular. Los dos intentos para lograr esta última finalidad fallaron totalmente: la guerra civil de las Comunidades (1521), de que más adelante diré una palabra, y el movimiento erasmista. Como justamente dice J. F. Montesinos, el rasgo común que asocia a Alfonso de Valdés y a los agentes de Carlos V en Italia, "es la esperanza de que sea el Emperador, la potestad secular, no la eclesiástica, la que configure y estructure definitivamente el mundo católico".[6]

Pero lo que a los erasmistas urgía (muchos de ellos conversos, como lo era Alfonso de Valdés), no era transformar la estructura de Europa, sino la de España, para escapar a la opresión inquisitorial y conseguir mayor libertad ciudadana, reducidísima después del fracaso de las Comunidades. Alfonso de Valdés llevaba al extremo la espiritualidad erasmista, y soñaba en una iglesia sin ningún signo visible de serlo: "Haviendo muchos buenos cristianos, dondequiera que dos o tres estoviessen ayuntados, en su nombre [de Cristo], sería una iglesia" *(op. cit.,* página 170). "Si [el Emperador] de esta vez reforma la Iglesia, pues todos ya conocen quánto es menester..., dezirse ha hasta la fin del mundo, que Jesu Cristo formó la Iglesia y el Emperador Carlos Quinto la restauró... El Emperador es muy buen cristiano y prudente, y tiene personas muy sabias en su consejo. Yo espero que él lo proveerá todo a gloria de Dios y a bien de la cristiandad" *(op. cit.,* pág. 222).

Lope de Soria, embajador de Carlos V, escribía de Génova en 1526: "todo el daño que V. M. pueda hacer a Su Santidad parece que será lícito hacer, considerada su ingratitud y el poco respeto que tiene al servicio de Dios y bien de los cristianos". Según este embajador, el Papa debía sólo "tentar a lo espiritual y dexar lo temporal a César".[7] Era el mismo lenguaje que Carlomagno había usado con el Pontífice en el siglo VIII.

A la sombra del poder imperial del César y del espiritual de Erasmo, algunos conversos soñaron en manejar el reino desde la corte, como siglos atrás lo habían hecho sus antepasados en la de Alfonso X. Aunque en este momento ya no regían los principios de la tolerancia reflejada en el epitafio de Fernando el Santo (ver pág. 39); la posibilidad de convivir dependía de que pudieran ser cambiados, trastornados, los mismos fundamentos de los criterios de autoridad. Se pretendía, ilusoriamente, crear un nuevo régimen de justa legalidad, cimentar sobre razones humanas y objetivadas la vigente justicia de tipo divino y *castizo.*

Joaquín Costa, Francisco Giner de los Ríos, Pedro Dorado Montero, y otros eminentes escritores de fines del siglo XIX, se sorprendían al ir encontrando antecedentes de las modernas doctrinas libertarias en escritores del siglo XVI. Como no se conocía del pasado español, sino lo escrito con fines polémicos (laudar o denostar), es explicable que aquellas ideas, adversas a la autoridad del Estado y exaltadoras de la espontaneidad y "legalidad" de las decisiones íntimas de la persona, quedaran flotando como abstracciones que aparecían ahí y nada más. No se tenía en cuenta la agónica realidad de la cual aquellas ideas eran expresión y explosión. Se hablaba bien o mal del Santo Oficio, pero se cerraban los ojos y la mente a lo significado e implicado por aquella monstruosidad —una intolerable y crónica situación. De una parte, el cristiano viejo ya no aguantaba la autoridad del cristiano nuevo; muchos de ellos encumbrados hasta los más altos puestos en la corte de los Reyes Católicos. Los cristianos nuevos, por su lado, no respetaban la autoridad de quienes sometían a los de su casta a infamias y suplicios insufribles, y los tenían en agonía y desesperación sin posible salida.[8]

El espectáculo descrito en la nota anterior fue repetido en muchos lugares, y son conocidas las reacciones que provocaban a través de los capaces de ponerlas por escrito. El poeta Juan Alvarez Gato lamentó en un tratadito el atentado contra Fernando el Católico en Barcelona, en 1492, y aprovechó la ocasión para decir que, con aquel crimen que todos lamentaban, Dios advertía a los Reyes para que estuviesen "aperçebidos, y aparejadas sus reales conçiencias haziendo a menudo cuenta con ellas y conjugación de *algunas nigligençias para que las* purifiquen y esclarezcan cada día más". Y añade: "También paresçe que lo hazes, Señor, porque desde su humildad se acuerden que, en esta miserable vida, *todos tienen nesçesidad unos de otros, grandes y chicos.*" [9] La sociedad se escindía; a la clase que hoy llamaríamos "media", de nada le servía que se hubiese hecho cristiana: se encontraba aplastada entre el rencor de los de abajo y el sadismo de los de arriba. El cronista Gonzalo de Ayora, converso, formado en Italia, y que intervino en la guerra de las Comunidades como tantos otros de su casta, dirigió un "Razonamiento" al Rey Católico en 1507 contra la conducta del inquisidor Rodríguez Lucero, cuyas son estas frases: mediante amenazas, torturas y halagos lograban falsos testimonios contra "personas ricas y constituidas en oficios y denidades ['dignidades']..., atormentavan a las mugeres desnudas por más las avergonçar; e deshonrraron a muchas..." [10]

Este es el clima social y moral de fines del siglo xv y de comienzos del xvi en donde se incuba el ideario hoy llamado anarquista. Ya en 1492 escribía Juan Alvarez Gato, con motivo del atentado contra el Rey Católico: "No ay estado ni persona segura, grande ni chico; que todo es *peligro y batalla quanto ay sobre la tierra,* y que no está la felicidad en poderío humano." [11] Lo cual parece dotar de sentido vivo la frase retórica puesta por Fernando de Rojas al frente de *La Celestina:* "Todas las cosas ser criadas a manera de contienda e batalla..." Hay otras, en cambio, que diríamos anticipan las "autoridades postizas" de Santa Teresa (pág. 257): Dios es un Señor "que nunca le rogaréis que no os oya, que non huirá la cara de vos, ni se os retraerá, nin le avéis menester templar, *ni es de barro como éstos*".[12]

Las últimas frases del poeta Alvarez Gato son significativas en alto grado. Expresan que el ánimo del converso se replegaba defensivamente; estaban aquéllos convencidos de ser justa su causa e injusto el tratamiento que recibían de la sociedad, que era tan suya como de los cristianos viejos. Una de las salidas posibles para tan amarga situación era, entre otras, huir ascéticamente del mundo y alumbrarse el alma con el destello de justicia, inmanente en la conciencia de uno mismo. En los genialmente dotados, se tensó hasta el paroxismo la busca de Dios, sin las fallas de los señores "de barro", o de las "autoridades postizas", con las cuales Teresa de Jesús andaba en pleitos ante el tribunal de su propia intimidad, tribunal también muy competente para el otro desesperado que editó sus obras en 1588, fray Luis de León, un "libertario" espiritual, según Joaquín Costa.

El adentramiento en la propia alma se intensificó en razón directa de las presiones ejercidas sobre ella, no genéricas e indeterminadas, sino muy concretas y claramente expresadas, según veremos al tratar de Luis de León, y hacen ver multitud de hechos y documentos antes y después de él. El adentramiento personal es solidario de las arremetidas contra la sociedad y contra los príncipes que ejercían autoridad oprimente sobre ella. Dice el cristiano nuevo y erasmista Alfonso de Valdés: "¿Entendéis vos que los príncipes tienen el mesmo señorío sobre sus súbditos que vos sobre vuestra mula?... Las bestias son criadas para el servicio del hombre, y el hombre *para el servicio de sólo Dios... El buen príncipe, sin tener respecto a su interesse particular, será obligado a procurar solamente el bien del pueblo, pues fue instituido por su causa.*" [13]

Hoy no cabe ya dudar de que la espiritualidad de los erasmistas españoles continuaba la de los conversos del siglo xv, buscadores de la callada soledad del corazón, sólo a Dios manifiesto: "Dios entiende la habla del corazón *que es una a todos los omnes* y a todos los ángeles. *Todos hablamos en la voluntad un lenguaje,* y non más, por el cual entendemos a nos mesmos. Este entiende Dios y no el de los labios" (Juan de Lucena, *Carta exhortatoria a las letras*).[14] En ese "una a todos los omnes" se oye el clamor por la unidad justa, lograda desde dentro, ya que toda exterioridad —la de la ley, la de los príncipes, la de las masas rencorosas— no ofrecía garantía de justicia.

En suma, la literatura espiritual (desde la mística a la pastoril) lo mismo que la agresiva (el teatro de la primera mitad del siglo xvi, la picaresca), son brotes de un mismo tronco, de una misma situación humana. Oscurecida la claridad de la ley (la de la Iglesia, la del Estado), la única luz era la interior, la de los *alumbrados* directamente por Dios. El que la secta de los alumbrados tenga raigambre musulmana (como creo que justamente pensaba Miguel Asín), es tan significativo para mí, como el hecho de haberse intensificado aquel fenómeno en el siglo xvi.

Los alumbrados o iluminados eran también fugitivos hacia el puerto seguro de las propias almas. Que moriscos y conversos del judaísmo se interesaran en aquel modo de espiritualidad religiosa (conexa con el erasmismo, como ha hecho ver Marcel Bataillon), recibe inversa corroboración en el sorprendente hecho de que un cristiano nuevo de origen morisco, se sintiera inclinado hacia el judaísmo después de leer las obras de fray Luis de Granada, en las cuales la Inquisición había observado manifestaciones de iluminismo. Un Lorenzo Escudero, comediante sevillano, "y que no era sino morisco, hijo o descendiente de moro", se marchó a Amsterdam en 1658 a fin de convertirse al judaísmo, "dando por raçón que el aber leydo en los libros de fray Luis de Granada le havía hecho judío, y que lo que deseaba era hacer su salvación".[15] Este mundo español de las tres castas es a veces tan imprevisible como insondable.

Las ideas que a algunos escritores modernos sonaban a anarquismo, han de ser repuestas en su propia contextura de vida; son incomprensibles sin tener presente la posición social de los cristianos viejos y la de los conversos, los palos de ciego de la Inquisición y la reacción contra ellos, el fomento de la perversidad entre el vulgo desorientado,[16] la exaltación de la espiritualidad religiosa y del iluminismo evangélico. Juan Alvarez Gato, contemporáneo de Enrique IV y de los Reyes Católicos, conocía la existencia de "ciertos devotos que llamaban ya *alumbrados*" (F. Márquez, *op. cit.*, pág. 280): "¡Qué vergüença para los *alumbrados* de la doctrina evangélica, que sabemos que siguiéndola no solamente pasaremos este cortillo vuelo en paz, mas que, siguiéndola, gozaremos de la vida eterna!" De lo cual, y de lo antes dicho, se deduce que el movimiento erasmista y la llamada prerreforma española, se fundaban más en las especiales circunstancias españolas que en paralelismos europeos.

Situarnos como hemos hecho en el centro de los más angustiosos conflictos de fines del siglo XV y comienzos del XVI, era exigencia previa para darse cuenta del sentido "libertario" de algunos juicios expresados en las obras de muy graves autores. Entre éstos ha sido muy notado fray Luis de León, del cual decía Joaquín Costa:

"El ideal de fray Luis es una sociedad sin Estado, o más bien un Estado que diríamos, a la moderna, "libertario", en que la gracia divina, alumbrando interiormente las almas, hiciera veces de leyes, y donde el oficio de gobernante fuese como el del pastor."[17]

Luis de León, comentando el nombre "Pastor" dado a Cristo en la Sagrada Escritura (*Nombres de Cristo*, lib. I), dice que "su govierno no consiste en dar leyes ni en poner mandamientos, sino en apacentar y alimentar a los que govierna... En cada tiempo y en cada ocasión ordena su govierno conforme al caso particular del que rige... Por lo cual su govierno es govierno estremadamente perfecto; porque, como dize Platón, no es la mejor governación la de leyes escritas... La perfecta governación es de ley biva..., de manera que la ley sea el bueno y sano juizio del que govierna, que se ajusta siempre con lo particular de aquel a quien rige (*República*, libro IV)".[18]

Si Luis de León no hubiera pasado de aquí, sus juicios podrían explicarse como eco de doctrinas platónicas, y lo "libertario" de su pensamiento sería tema para la llamada "historia de ideas".[19] Pero Luis de León no trata de esta cuestión sólo por motivos teóricos y de "Cristolatría"; el tema de la ley y de la justicia tiene aquí una dimensión vital, autobiográfica, y adquiere sentido al coordinarlo con otros lugares de los *Nombres de Cristo.* "Cristo —dice Luis de León— ordenó su reinado a nuestro provecho...; mas estos [reyes] que agora nos mandan, reinan para sí". Y como no han "hecho experiencia en sí de lo que duele la aflicción y pobreza", ponen "sobre sus súbditos... pesadíssimos yugos..., leyes rigurosas", que hacen aplicar con "crueldad y rigor". El cerco de la angustia se va estrechando, y va apareciendo lo que en verdad motiva hablar de la ley y de lo justo: ¿cómo han de ser "las condiciones de los que en este reino son súbditos? Y, a la verdad, casi todas ellas se reducen a ésta, que es ser generosos y nobles todos, *y de un mismo linaje".* He ahí el problema, la dolida llaga que hace clamar a muchos españoles de primera clase, en 1583, lo mismo que cien años antes. Ese es el centro de angustia del que irradian las llamadas teorías "libertarias". Los cristianos nuevos venían blandiendo defensivamente, desde el siglo XV, el argumento de no hacer Dios diferençia entre unos y otros cristianos: "Acerca de Cristo Jesú —recuerda fray Luis—, ni es de estimar la circunscisión ni el prepucio, sino la criatura nueva *(Gálatas, 6, 15)".* Gran nobleza es la de este reino de Cristo, "adonde ningún vasallo es ni vil en linaje, ni afrentado por condición, ni menos bien nacido el uno que el otro. Y paréceme a mí que esto es ser rey *propia y honradamente, no tener vasallos viles y afrentados".* Cautelosamente atenúa este tan radical juicio uno de los interlocutores, porque "conviene a las vezes maltratar una parte [del reino] para que las demás no se pierdan. Y assí, cuanto a esto, no son dignos de reprehensión nuestros príncipes" —subentiéndase, por dejar a la Inquisición perseguirnos a nosotros los cristianos de ascendencia judaica. Mas Sabino, replica vivamente: "No los reprehendo yo agora, sino duélome de su condición, que por esa necessidad que, Juliano, dezís, *vienen a ser forçosamente señores de vassallos ruines y viles."* El tono de fray Luis se va alzando; será, tal vez, necesario, continúa Sabino, que los reyes autoricen tamañas crueldades: "Pero si hay algunos príncipes... que les parece que son señores cuando hallan mejor orden, no sólo para afrentar a los suyos, sino también para que vaya cundiendo *por muchas generaciones su afrenta y que nunca se acabe,* de éstos, Juliano, ¿qué me diréis?

"—¿Qué? —respondió Juliano—. Que ninguna cosa son menos que reyes. Lo uno, porque el fin adonde se endereça su oficio es hazer a sus vassallos bienaventurados, con lo cual se encuentra por maravillosa manera *el hazerlos apocados y viles.* Y... a sí mismos se hazen daño y se apocan. Porque, si son cabeças, ¿qué honra es ser *cabeça de un cuerpo disforme y vil?* Y si son pastores, ¿qué les vale *un ganado roñoso?*... Así no es possible que se añade con paz el reino *cuyas partes están tan opuestas y diferenciadas, unas con mucha honra y otras con señalada afrenta*... El reino adonde muchas *órdenes y suertes de hombres y muchas casas particulares* están como sentidas y heridas,[20] y adonde la diferencia, que por estas causas pone la fortuna y LAS LEYES, no permite que se mezclen y se concierten bien unas con otras, está sujeto a enfermar *y a venir a las armas* con cualquiera razón que se ofrece... Por razón de la flaqueza del hombre y de su encendida inclinación a lo malo, *las leyes,* por la mayor parte, *traen consigo un inconveniente muy grande:* que siendo la intención de los que las establecen... retraer al hombre de lo malo e induzirle a lo bueno, resulta lo contrario a las vezes, y el ser vedada una cosa, despierta el apetito de ella." Por eso dice San Pablo *(Romanos,* 5, 20), que "el hazer y dar leyes es muchas vezes ocasión de que se quebranten las leyes".

Cristo usó con los suyos una nueva y extraña ley, "no solamente enseñándoles a ser buenos..., mas de hecho *haziéndolos buenos,* lo que ninguno otro rey ni legislador pudo jamás hazer". Hay, por consiguiente, dos clases de leyes: unas "hablan con el entendimiento y le dan luz en lo que conforme a razón se deve o hazer o no hazer..."; otras, aficionan e inclinan la voluntad a "lo que merece ser apetecido por bueno... *La primera ley consiste en mandamientos y reglas; la segunda, en una salud y cualidad celestial.*[21] (Lo cual aclara y confirma lo dicho en el cap. VII, pág. 264).

Fray Luis prefiere la ley de gracia, la inspirada por Dios, porque las otras, o están corrompidas, o corrompen a la sociedad al ser aplicadas. Mucho antes que fray Luis, había escrito Alfonso de Valdés (también cristiano nuevo y erasmista): "Llamámonos cristianos y vivimos peor que turcos y que brutos animales. Si nos parece que esta doctrina cristiana es alguna burlería, ¿por qué no la dexamos del todo?... Mas pues conocemos ser verdadera..., ¿por qué vivimos *como si entre nosotros no hubiese fe ni ley?*"[22] Pero Alfonso de Valdés estaba más preocupado por la conducta de los papas, que por lo que en torno suyo acontecía en España. Fray Luis, después de un largo siglo de Inquisición, contemplaba el doloroso desgarro de la sociedad española; su proceso y el de sus compañeros, autorizado en leyes inicuas, le llevó a trazar el esquema de la vida contemporánea en palabras de una violencia no igualada por nadie en aquella época: "vasallos viles y afrentados, vasallos ruines y viles, generaciones de afrenta que nunca se acaba, vasallos apocados y viles, un cuerpo social deforme y vil, un ganado roñoso". Algunas clases de ocupaciones, ciertas profesiones ("órdenes y suertes de hombres") están "sentidas y heridas", el trabajo intelectual y técnico; y luego las familias, "muchas casas particulares". Leyes perversas impiden "que se mezclen y se concierten bien unas con otras". Nunca fue enjuiciada la vida en tiempo de Felipe II en modo tan directo y amargo: las leyes cristianas no se cumplían; y las del Estado, al encizañar las castas confundiendo los valores morales y ciudadanos con los genealógicos, creaban una sociedad "ruin, vil, afrentada, roñosa", y desesperada, añado yo. La alusión "a *venir a las armas* con cualquier razón que se ofrece" es clara referencia a la situación de los moriscos.

Si se conecta lo escrito por fray Luis de León con mi libro *De la edad conflictiva*, será fácil percibir el sentido de los textos hasta ahora considerados como precursores de las ideas anarquistas del siglo XIX. Mas la verdad es que el español no era anarquista, ni podía sospechar lo que tal forma de vida político-social significara. Lo acontecido, en verdad, fue, que muchos españoles dotados de cultura y sensibilidad suficiente para poner en palabras lo que les aguijoneaba el alma, se recogieron en soledad dentro de sí mismos, cada uno *alumbrándose* a sí mismo con la luz a él asequible, y a esa luz sacaban razones para renegar de la *ley* visible e inmediata, y anhelaban otras formas de mejor legalidad: la de Cristo, ante todo; pero también la de la justicia musulmana, la de los alumbrados musulmanes, la de la utopía espiritual de Erasmo o la social de Tomás Moro, aplicada por el obispo Zumárraga y por Vasco de Quiroga en la Nueva España. La "huida del mundo" no era una idea de "aquel tiempo", sino una reacción contra la imposibilidad de convivir las castas de españoles entre ellas. Es así perfectamente llano que las formas expresivas de tal angustia surgieran entre los individuos más inteligentes de las castas oprimidas. Ha de tenerse además en cuenta, al llegar a este punto, el fantástico intento de sincretismo cristiano-islámico planeado por unos moriscos de Granada, y en el cual tan beatíficamente creía el arzobispo don Pedro de Castro (ver antes pág. 200).

En suma, han de distinguirse las reacciones contra la ley de origen platónico,[23] de las provocadas por cuanto en efecto acaecía en torno a quienes se rebelaban contra una legalidad sentida como inicua, y que incitaba a la desobediencia y a soñar en otros modos de ser regidos los hombres. Este fenómeno, a su vez, se malentiende si decimos que siempre y en todo lugar los oprimidos trataron de rebelarse contra la tiranía; porque en la España del siglo XVI se daba la circunstancia de que, entre los vejados por las malas leyes (los estatutos de limpieza de sangre y, antes de ellos, las premáticas contra los judíos, la inobservancia de las capitulaciones de Granada,[24] la misma *ley* inquisitorial) se encontraban muchos doctos e inteligentes españoles capaces de razonar sobre los motivos de su agónica situación. Luis Vives ciertamente se inspiró en Platón e Isócrates al pensar que "sin leyes se vive bien con corrección y compostura de costumbres", cuando "los niños se acostumbran a tomar gusto en las cosas buenas y aversión de las malas".[25] Pero el Vives que pensaba que "donde los hombres han hecho del amor al bien y del odio al mal una segunda naturaleza, no hacen falta las leyes para vivir recta y ordenadamente", es el mismo que dedica su obra *De pacificatione* a don Alonso Manrique, arzobispo de Sevilla e Inquisidor general, con estas palabras: "Cosa de maravilla es que sea tan ancha la permisión dada al juez, que no carece de pasiones humanas, o al acusador, a quien hartas veces impelen a la calumnia el odio encubierto, la esperanza inconfesable o alguna otra inclinación aviesa." [26] Vives, cuya familia fue, o quemada o despojada de sus bienes por el Santo Oficio, hablaba de la corrupción de sus procedimientos judiciales como de asunto que le llegaba al alma.

Otro precursor de las doctrinas libertarias es fray Alonso de Castrillo, fraile de la Merced, autor de un *Tratado de república*, Burgos, 1521. Fray Alonso intervino en la guerra de las Comunidades, tan ligada a la causa de los conversos, pues una de las peticiones de los comuneros era que fuese modificada la legislación inquisitorial; juzgaba el autor que los comuneros, en un principio, pedían "muy justa justicia", aunque censura la violencia subversiva con que la reclamaban. El autor oscila, cosa explicable, entre afirmar que sin rey "no ay república pacífica", y sostener (quizá con más espontaneidad) que la obediencia "fue introducida *más por fuerza de ley positiva, que por natural justicia*" (cap. VI); e insiste en que "salva la obediencia de los hijos a los padres y el acatamiento de los menores a los mayores en edad, *toda la otra obediencia es por natura injusta, porque todos nacimos iguales y libres*" (cap. 22).[27]

Fray Alonso de Castrillo, obligado por voto a obedecer en lo espiritual, se rebela contra toda otra obediencia. Es cierto que lo hace después de la rebelión de las Comunidades y de haber fracasado en ellas como mediador, y en un libro calificado con razón de "criptopolítico" por E. Tierno Galván.

Aquel conflicto fue provocado, según él, por "hombres peregrinos y extranjeros, enemigos de nuestra República y de nuestro pueblo" (prólogo). La alusión a los rapaces cortesanos de Carlos I es muy directa; con sus atropellos incitaron "a dañar, a quemar las casas, no tanto con celo de la justicia, como con codicia del robo; y como hombres *cansados de obedecer*, por el camino de las novedades ['de la revuelta'] desean subir a ser iguales con los mayores, que ninguna cosa puede ser tan poderosa para la perdición de los hombres como la igualdad de los hombres. Y levantados ya los escándalos, esos dicen '¡mueran!', que entienden de huir primero".

Las Comunidades tomaron las armas para ordenar lo sentido como mal gobierno, y dieron en seguida origen a un caos sin forma y sin rumbo. Muy densa de sentido está la frase "cansados de obedecer", antes subrayada. La falta de justicia justa era un mal crónico e inevitable dado el sistema de las castas; y hay que aceptar tal realidad sin embrollar con el "fue" el "debió ser", porque de otro modo la historia se queda sin objeto historiable, o el historiador toma la posición del rebelde o del tirano. La vida española se "desvivía" a sí misma y fue insegura, justamente por no haberse creado los españoles un sistema social de eficaces obediencias, sea por pacífico acuerdo o por una auténtica revolución. Por no haber acontecido lo uno ni lo otro, la situación social llegó a ser la descrita por fray Luis de León. La casta cristiana pretendió que las otras dos se "encastaran" con ella mediante la acción mágica del agua bautismal, y que de la noche a la mañana judíos y moros fueran creyentes y fieles observantes de la relígión de la casta más poderosa. La cuestión fue nítidamente expuesta por Francisco de Cáceres, un judío que retornó a España en 1500, y cayó en manos de la Inquisición:

"Si el rey, nuestro señor, mandase a los cristianos que se tornasen judíos, o se fuesen de sus reinos, algunos se tornarían judíos, e otros se irían; e los [cristianos] que se fuesen, desque se viesen perdidos, tornarseían judíos por volver a su naturaleza ['a su lugar de origen'], e serían cristianos, e rezarían como cristianos, e engañarían al mundo; pensarían que eran judíos, e de dentro, en el corazón e voluntad, serían cristianos." [28]

Los moriscos, por su lado, pensarían y dirían lo mismo. No pudo así crearse una justicia socialmente justa, sino razones y criterios pragmáticos y de fuerza, cuyo peor defecto consistía en pretender ser justos y santos. Así surgían las actitudes "escindidas" de Luis de León o de Juan de Avila, ambos conversos. Este último consideraba pecado conservar odio hacia los penitenciados por el Santo Oficio y "no considerar a los tales como prójimos" [29]

Abusos, ilegalidades y tropelías eran tan frecuentes fuera como dentro de España —sin duda alguna. Mas lo peculiar en nuestro caso era la pérdida de la noción de lo justo y lo injusto, y la total desorientación en cuanto a los fundamentos de la "obediencia". Resultado de esta crónica situación fue la falta de respeto por la ley y por quienes la administraban, fueran estos cristianos, judíos o conversos. La única forma de justicia que dio motivo a ilusorias añoranzas fue la de los moros (pág. 255). En el siglo XVI, las más justas pretensiones trataban de abrirse camino a través de la corrupción y el cohecho. Escribía Carlos V al papa León X, en 1519, que los conversos habían ofrecido a Fernando el Católico, "mi señor y agüelo que aya gloria", 300,000 ducados a fin de librar de los sambenitos a los penitenciados por la Inquisición, y de que fuesen quitados los que había en las iglesias. De nada sirvió que los "de su linaje" (los conversos del judaísmo) dijesen "que les fue fecho *agravio e sinjusticia*", y que intentaran librarse "del *recelo y temor con que biven*". El Emperador se oponía violentamente a que el papa diese una bula para modificar el procedimiento inquisitorial, "siendo el secreto, como lo es, la fuerza del Santo Oficio".[30] Los conversos, igual que los moriscos, pedían que en la Inquisición "los testigos y cárceles sean públicos", para que los jueces no vean en secreto "doncellas y casadas de buenos justos".[31]

Pero si el poder real era sordo a las demandas de los perseguidos y martirizados por la Inquisición, no era menor la acción anárquica de los conversos, firmemente atrincherados en gran número de concejos municipales. Lo dicen sin ninguna atenuación en sus crónicas los conversos Alonso de Palencia y Mosén Diego de Valera. En Córdoba, los cristianos nuevos, "extraordinariamente enriquecidos por raras artes, y luego ensoberbecidos y aspirando con insolente arrogancia a disponer de los cargos públicos, después que por dinero y fuera de toda regla habían logrado la orden de caballería hombres de baja extracción", suscitaban "revueltas y bandos los que antes jamás se atrevían al más insignificante movimiento de libertad". Con la ayuda de don Alonso de Aguilar, "a quien suministraban recursos en las urgencias de gastos extraordinarios y grandes salarios de las tropas, habían alistado con su favor 300 caballos bien armados, y arrojándose a mayor osadía, no se recataban de emplear a su talante ceremonias judaicas". El obispo de Córdoba, por su parte, "con el aumento de los honores, su vida y costumbres empezaron a degenerar en la vejez", y terminó siendo expulsado de su diócesis (A de Palencia, *Crónica de Enrique IV*, traducción de A. Paz y Melia, III, 108-109).[32] La crónica de Diego de Valera, igualmente citada por Márquez, refuerza la impresión de que los cristianos nuevos oprimían a los viejos en los modos más varios. Creo inválida la explicación usual de ser estos y otros desórdenes una consecuencia de la mala gobernación del rey Enrique IV, o reflejos del llamado por Huizinga, "otoño de la Edad Media". El caos social del siglo xv iba estrechamente unido a los encontrados intereses de las castas en pugna, una pugna que, de hecho, se traducía en la enemiga del pueblo bajo contra la burguesía ciudadana, capacitada por su cultura, su poder económico, su eficacia administrativa y técnica, e irremediablemente hispano-judaica.

La situación de los concejos municipales no varió mucho durante el reinado de los Reyes Católicos, ni siquiera en el siglo xvi. Como dice F. Márquez en su citado artículo (pág. 539), "el ingenio de los conversos saltaba casi siempre por encima de toda clase de medidas restrictivas". Todo lo cual guarda relación con el complejo fenómeno de las Comunidades; complejo, porque en aquella turbulencia se confundían en un mismo estallido los intereses y las pasiones, tanto de los causantes como de las víctimas de un estado crónico de ilegalidad. Es razonable afirmar que los conversos incitaron y ayudaron a la revuelta cuanto estuvo en su mano. Entre las peticiones de los comuneros, figuraban éstas:

"Que en la Inquisición se diera cierta orden como el servicio y honra de Dios se mirase.

"Pedían más: que las personas particulares destos reinos que estaban agraviadas, fuesen oídas y desagraviadas." [33]

Comenta Pero Mejía, que "en lo tocante a la Inquisición yo no he podido saber lo que pedían" (pág. 370); pero hoy sí se sabe, gracias a las instrucciones del Emperador antes citadas (pág. 287): que el Santo Oficio procediera abiertamente y no en secreto, y que se quitaran los sambenitos. Se sabe de cierto que judíos ricos dieron gran suma de dinero a Juan de Padilla, cabeza de la comunidad toledana, para que ayudara en lo del Santo Oficio, cosa a la que dicen se negó Padilla, aunque aceptó los escudos de oro.[34] Según Pero Mejía, "a los más de los regidores [de las ciudades] les parecía bien "la sublevación contra la política seguida por el Emperador" (pág. 368); como muchos de aquéllos eran cristianos nuevos, la causa de las libertades municipales se confunde con el interés de los conversos en mantener dentro de ellas su poder, a menudo abusivo y anarquizante.

Si claro y justificado en cuanto a sus motivos, el movimiento de las Comunidades fue caótico en cuanto a la formulación de sus fines y a la busca de medios que hicieran realizables sus propósitos. El poder económico estaba en unas manos, y la energía bélica y dirigente en otras. Se vio a la postre que en Castilla sólo la autoridad real y los nobles a su servicio poseían auténtica capacidad de mando. Un detalle referido por Alonso de Santa Cruz (un converso) es bien revelador de la impericia de los jefes comuneros, que salieron de Torre de Lobatón (Valladolid) para ser deshechos en Villalar el 23 de abril de 1521: "De todo esto (de sus dificultades económicas) ellos tenían la culpa, porque hallaron en Torre de Lobatón 20,000 fanegas de trigo y más de 30,000 cántaras de vino, todo lo cual destrozaron en dos meses, porque los soldados, por un par de gallinas, daban una cuba de vino; y una carga de trigo trocaban por un par de ansarones." [35]

Las Comunidades fueron un zurcido mal hecho de propósitos encontrados: promover justas reformas tributarias y administrativas; supresión de las injerencias oprimentes de Chièvres y los suyos; intento quimérico de hacer de algunas ciudades de Castilla entidades políticas como las de Italia; [36] ilusión hispano-judaica de escapar a la sin duda inicua garra inquisitorial; anhelos de satisfacer inconexas ambiciones. Las Comunidades fueron además ocasión para que se revelaran algunos modos de pensar y sentir individuales, que las circunstancias no permitían manifestarse; entre los profesores de la Universidad de Alcalá, comuneros en su mayoría, florecían el utopismo y el mesianismo tan característico de los círculos erasmistas y de los cristianos nuevos. El célebre humanista Hernán Núñez, llamado el Comendador griego, y entusiasta comunero, decía "que se iría a tornar moro, si dentro de un año no viese abatido[s] a los grandes, e que no oviesse ninguno que tuviese de cien mil maravedís arriba de renta".[37]

"*Cansados de obedecer*", como decía fray Alonso de Castrillo, grupos de castellanos, sin enlace entre sí, pensaron poder subvertir las jerarquías vigentes. Pero los castellanos se habían constituido como Estado y como centro de la futura monarquía española, gracias al poder imperativo de quienes consiguieron superar las divergencias de castas, y sus conflictivas jerarquías espirituales. Lo que en ello hubiese habido de opresión tiránica, no viene ahora al caso; [38] pero era simplemente fantástico que en 1520 unos miles de castellanos creyeran hacedero ordenar sus vidas de acuerdo con sus intereses horizontales; economía, cooperación artesana, administración municipal autónoma. Estos planos de coincidencia no se ensamblaban entre sí, ante todo por los contrapuestos intereses de las castas: Juan de Padilla, un *negro* para los cristianos nuevos, apetecía el oro bien sonante de éstos, pero se negaba a dar ningún paso en cuanto a la reforma del procedimiento inquisitorial. Otro obstáculo era, además, que las unidades "celulares" de los concejos no formaban "tejido" con las próximas a ellas. Ese sueño español de constituirse en Estado (o en no-Estado) a través de fraccionamientos *sui juris*, puede ser eficaz (suponiendo que lo sea) localmente, pero no más allá de los límites concejiles. Además, por lo sabido acerca del funcionamiento interior de los concejos,[39] la convivencia dentro de ellos distaba de ser perfecta.[40] La autoridad unificante era, a la postre, la del poder real y la de quienes lo representaban en Castilla, quienes *entonces* auténticamente encarnaban el poder imperativo y organizador del naciente Imperio: el almirante don Fadrique Enríquez y el condestable don Íñigo de Velasco. Los comuneros carecían de capacidad aglutinante, y al fin y al cabo tenía razón el verboso, cínico y, a veces, clarividente, fray Antonio de Guevara: "No sé yo cómo queréis reformar el reino, pues con todo vuestro favor no hay súbdito que reconozca prelado..., ni hay vasallo que guarde lealtad...: por manera que, so color de libertad, *vive cada cual a su voluntad.*" (*Epístolas*, edic. cit., pág. 150).

Las Comunidades expresaron violentamente el descontento de los castellanos frente al modo de ser gobernados al comienzo de la dinastía de los Habsburgos. Dominada aquella sublevación, lo mismo que la de las Germanías valencianas (de carácter aún más popular y desordenado), la protesta o el recelo contra la falta de justicia y de razonabilidad de las leyes continuó manifestándose tanto en obras de carácter literario (por ejemplo, la picaresca) como en tratados de índole jurídica y sociológica. Un contemporáneo de fray Luis de León, el doctor Tomás Cerdán de Tallada, afirma ser cosa averiguada que "las buenas leyes nacieron de las malas costumbres de los hombres, que, a no haberlas, y vivir todos bien, *y a tener las repúblicas con orden y con concierto y debajo de buena administración, cosa superflua serían las leyes*".[41] Añade que las "demasiadas leyes" multiplican los pleitos.

Joaquín Costa —que, sin ser anarquista, se acercaba en algunos casos a aquella doctrina— escribía en 1901: En España "podrían vivir ordenadamente los hombres en sociedad sin comercio apenas con las leyes: libres, por tanto, de la necesidad de conocerlas; y sin que por ello, dicho se está, hubieran de chocarse entre sí las múltiples esferas individuales, ni dejaran de formar juntas —como antes y como siempre—, municipio, nación, Estado".[42]

Un régimen de buenas costumbres haría innecesaria la obra del legislador; Costa llamó la atención sobre muchas de aquéllas —la del tribunal de las aguas, por ejemplo, ya antes mencionado—; pero, sobre todo, reforzó su doctrina con la de varios juristas españoles. Opinaban éstos que "el legislador promulga las leyes, tácitamente, *ad referendum*"; Costa alega textos de Diego de Covarrubias, Martín de Azpilcueta, Juan de Caramuel (éste sostenía "que la aceptación de la ley por los súbditos ha de ser libre") y de Gregorio de Valencia ("el príncipe no puede decretar leyes sino con la condición de que el pueblo las acepte"), etc.[43]

Los pensadores modernos buscaban, en el XIX, el apoyo de los del siglo XVI: de Luis Vives, de Luis de León y de muchos otros. Sin tener clara noticia de cómo fuese interiormente, en el siglo XVI, la situación de los españoles conscientes de sus vidas, Francisco Giner intuyó en una frase clara y precisa el motivo ideal de coincidencia entre los modernos y los antiguos: "El poder coactivo parece, de día en día, perder la posición especial que había tenido desde Thomasius hasta Kant...; se ha empezado a volver los ojos hacia otras garantías más sólidas: sobre todo *hacia el hombre interior*, la disposición del espíritu, los motivos de la conducta, y, por tanto, hacia esa educación contemporánea, cuyos grandes trazos acabamos de bosquejar."[44]

Ya sé que la forma y los contenidos morales del *hombre interior* no eran en el siglo XIX como en el XVI, aunque en una y otra época convenían en servir de norte y de acogedora orilla para muchos náufragos sin otra esperanza de salvación. El *hombre interior*, iluminado por la gracia divina, fortaleció a los exteriormente oprimidos, fue el primer peldaño en la escala mística de la liberación.[45]

En mi libro *Aspectos del vivir hispánico*, 1949, pág. 25 y sigs., tracé un bosquejo de las esperanzas mesiánicas que estremecían el ánimo de varios escritores del siglo XV: "El nacimiento del príncipe don Juan, «el deseado de las gentes», se comparaba con el de San Juan. El Bachiller Palma, en estilo propio de conversos..., se expresa en formas de espiritualidad paulina". La libertad espiritual —la redención religiosa— se confundía con la libertad secular. El cronista Enríquez del Castillo escribía a la reina Isabel que Jesu Cristo vino a librarnos también de "la tirana servidumbre del mundo, para que ninguno sin cotidiano mantenimiento pueda ser compelido a servir". Lucas Fernández dice en una égloga, que "el mundo es ya librado de tributo, y restaurado". Fray Francisco de Osuna afirma en su *Abecedario espiritual* (tan expurgado por la Inquisición), que la gracia del Espíritu Santo "se comunica más a los viles e menospreciados, que no a los presumptuosos e altivos". Como digo en la página 35 de mi citado libro: este "cristianismo interior, espiritual, es análogo al de los [futuros] erasmistas".

El sueño de una mesiánica redención, tan visible y tangible como espiritual, se expresa a veces con frenesí en estos escritores, unos profanos y otros religiosos. Que esta idea floreciese intensamente entre conversos es cosa natural, dada la coincidencia existente entre "redención" y "liberación de los pueblos" para algunos místicos judíos: "La redención tenía un contenido tanto político como histórico. La esperanza de liberarse los pueblos de sus yugos y de salir a una nueva libertad era un estímulo que actuaba con enorme y poderosa eficacia sobre la idea mesiánica." [46]

La situación en España se hizo muy compleja y no es fácil de entender a primera vista, por haber confluido las corrientes de espiritualidad (tanto las europeas como las orientales) en la misma zona polémica en donde se entrechocaban las castas adversas. De esas posiciones íntimas muy poco trascendió al exterior; no surgieron nuevos modos de creencia religiosa, ni se modificó visiblemente la estructura política o social. Cabría mencionar, a lo sumo, el fracasado y confuso intento de las Comunidades; o aquel proyecto de fray Juan de Zumárraga y del obispo Vasco de Quiroga de hacer vivir a los indios de Michoacán de acuerdo con las normas trazadas por Tomás Moro en su *Utopía*,[47] y retornar así a la incorrupta pureza de la Edad de Oro. Todo, a la postre, se tradujo en un enriquecimiento de las posibilidades dramáticas, poéticas y novelísticas del "hombre interior", como resultado de la tensión conflictiva de la existencia española. Al darnos cuenta de ello se hacen comprensibles el amplio radio y la profundidad de la literatura del siglo XVI, encuadrada por *La Celestina*, el *Quijote*, el teatro de Lope de Vega y la mística de San Juan de la Cruz.

LO ESPAÑOL DEL ANARQUISMO

Conviene hacer un alto para orientarnos y no perdernos. Cuanto precede guarda alguna relación con los movimientos ideológicos y sociales llamados "anarquismo" en el siglo XIX; pero esa relación es como la existente entre un salto de agua y el canal y la turbina que industrializan su potencial de fuerza. El paso de lo uno a lo otro nunca fue dado por los españoles; y es por tanto muy esperable que, en este caso, no transformaran en objetivadas *ideas* anárquicas sus anhelos de *redención terrena*, su animadversión hacia las leyes y sus sueños mesiánicos de una vida colectiva justa y no coaccionada. Aplicando a mi caso la milenaria distinción entre "materia" y "forma", observo que los españoles poseyeron la primera, sin nunca llegar a inventarse la segunda. Recordemos a los comuneros antes citados reducidos a trocar los productos que poseían en tanta abundancia, en vez de servirse de ellos según formas de economía menos primitivas.

Acontece al "anarquismo" español lo que al pretendido romanticismo de su literatura y de sus costumbres que *para llegar a serlo* necesitó ser visto desde la filosofía de Rousseau, Schelling, etc. O sea, que llamar el pasado español, en cualquiera de sus momentos, anarquista, liberal o romántico, es inexacta ingenuidad en que todos podemos caer. Las modalidades de la existencia española se ahondaban en la conciencia del "hombre interior" (espiritualismo de los conversos, erasmismo importado, complacencia en la soledad, quietismo de Miguel de Molinos, etc.); o la tensión angustiada del hombre interior se disparaba exteriormente contra el espectáculo de una sociedad rota, sin justas armonías entre lo individual y lo colectivo, entre las situaciones íntimas y las fuerzas trascendentes en que aquéllas se sostenían. De ahí las reiteradas protestas contra las leyes, contra quienes las mal aplicaban, e incluso contra Dios en momentos de exasperación; pero de ahí, también, las posibilidades y riquezas de la expresión literaria, inexplicable si sólo se tiene en cuenta la Edad Media, los temas antiguos o contemporáneos, el Renacimiento, las épocas de transición y cosas parecidas, con que a veces jugamos a hacer "solitarios" históricos.

UNA ECONOMIA EXENTA DE LEYES Y LIMPIA DE SANGRE

Las doctrinas anarquistas del siglo XIX cayeron sobre un suelo humano bien dispuesto para recibirlas. El Estado español nunca había poseído fuerte trabazón interior; estaba integrado por reinos y virreinatos que convergían en el vértice de la institución real, y dentro de los cuales era crónica costumbre calificar de injustas o deficientes las leyes y las autoridades que las aplicaban. (Las leyes de Indias tuvieron valor más teórico que práctico.) Las circunstancias de la vida española en los siglos XVII y XVIII no habían contribuido ciertamente a modificar los juicios emitidos por Luis de León, Quevedo y tantos otros.[48] La reforma agraria proyectada por el conde de Aranda en la segunda mitad del siglo XVIII, "en consideración a la notable decadencia que padece la labranza en estos reinos", no pudo llevarse a efecto.[49]

Ahora bien, junto a la censura de las malas leyes o de su mala aplicación, es hora de preguntarse por los motivos de haberse convertido España en un país de economía sobre todo agrícola, en donde la artesanía y la industria tradicionales habían caído casi en completo desuso. Conviene oír acerca de esto, además de a los críticos de los malos o impotentes gobiernos, a quienes desde el siglo XVI venían previendo la ruina económica de España. Se verá, entonces, que no basta con hablar en términos genéricos, y aplicar a España criterios vigentes en la Europa contemporánea. Se dice, por ejemplo, que la pobreza del Estado y de la clase baja era debida a "una burguesía arruinada por sus propias empresas y a una aristocracia inactiva, pero en auge, [que] habían marcado funestamente la mentalidad de las clases trabajadoras".[50]

Yo preferiría enfocar la historia económica de España hacia la condición y función sociales de las personas, antes que hacia los conceptos genéricos de burguesía, aristocracia y trabajadores, que en el caso de los españoles del siglo XVII —época a la que se refiere Vicens Vives— no son muy útiles. La economía española estaba tan anclada en la casta y en las creencias de las personas, como lo estaban la literatura, el arte, la política y todo lo restante. La producción y el uso de la riqueza dependían ante todo de la conciencia de la propia dignidad personal, de la honra-opinión. El enriquecido en las Indias volvía a España, y era menospreciado; aún hoy se les llama "indianos" en el norte de España.[51] Es decir, que lo primero que debemos hacer al enfrentarnos con el problema de la riqueza o pobreza españolas, es averiguar qué significaba y valía la riqueza y la pobreza en el interior de la morada vital del español. Muchos prefirieron perecer de hambre a desmerecer en la opinión de sus convecinos, o sea, a no "mantener honra". Cervantes refiere —e ironiza— el caso de quienes preferían caer prisioneros de los piratas berberiscos, más bien que ponerse a remar para que su galera navegara más rápida:

> "que asir en un trance el remo,
> les parece que es deshonra".[52]

Los patrones europeos no sirven para conocer y entender la economía de los españoles. Todos aspiraban en el siglo XVII a hacer sentir que pertenecían (o a simular que pertenecían) a la casta de los elegidos, de los cristianos viejos, de los no judíos. Aún en el siglo XIX, Simón Bolívar, alardeaba de su "sangre limpia". Vulgarmente se habla del orgullo de los españoles, como si ese rasgo psíquico les viniera de los celtíberos; en realidad era el gesto altanero de los pertenecientes a la casta triunfante al esforzarse para no ser confundidos con los no limpios de sangre. El linaje puro se afirmaba, positivamente, con las informaciones de limpieza de sangre; y negativamente, al abstenerse de todo interés por las tareas juzgadas características de judíos y de moros, o al demostrar que los antepasados habían sido incultos labriegos. En el grado más alto de la sociedad se encontraban los eclesiásticos; dentro de ellos, el clero regular poseía de hecho más fuerza y poder económico que el secular, y hacia él se canalizaron las apetencias de los interesados en vivir con sosiego espiritual y seguridad económica; los que no seguían esa ruta y no poseían oficios reales, se encaminaban a las Indias, y se hacía así efectivo el dicho, ya mencionado, de "Iglesia, o mar, o casa real".

Reducida España a una economía de labranza de tierras, éstas fueron concentrándose cada vez más en manos señoriales, y sobre todo eclesiásticas. La Universidad de Toledo informa al rey, hacia 1618:

"No habiendo la mitad de gente que solía, hay doblados religiosos, clérigos y estudiantes de gramática, *porque no hallan ya otros modos de vivir ni de poderse sustentar*. La razón fundamental es porque, hasta pocos años ha, el nervio y cuerpo de la república era de oficiales, como se fabricaba tanto para España, toda Europa y todas las Indias, y un oficial casaba su hija con un mozo pobre, pero que tuviese su oficio, con que ganaba tan de ordinario su comida, que parecía renta...; y ahora, viendo que nadie gana un real, *no quieren enlodar sus hijas ni hijos*, tratan de que estudien (porque ven ricos a todos los eclesiásticos), que sean monjas, religiosos, clérigos..." [53]

Este anónimo informe pudiera tacharse de inexacto o de apasionado, si otros testimonios no confirmaran ser esa la impresión general de quienes observaban el alarmante estado económico del reino. El antes citado Fernández de Navarrete llama la atención sobre el hecho de "que estando España tan falta de gente para la cultura de las tierras y para el ejercicio de las artes y oficios, tiene en doscientas leguas de longitud y latitud más de nueve mil conventos, sin los monasterios de monjas que es otro grande número" *(op. cit.*, pág. 540). Gil González Dávila afirma en su *Historia de Felipe III* que "solamente de las órdenes de San Francisco y Santo Domingo había en España 32,000 frailes" *(apud* Amezúa, *op. cit.*, pág. 208).

Pero las quejas acerca de la sobreabundancia de órdenes religiosas y sus exenciones tributarias habían comenzado ya un siglo antes. Las Cortes de 1523 (en Valladolid) advierten que, "segund lo que compran las iglesias e monasterios, y donaciones y mandas que se les hazen, en pocos años podía ser suya la más hazienda del reino"; proponen que se pida al Papa que prohiba a iglesias y monasterios adquirir bienes raíces, a lo que el Emperador contestó: "que se haga ansy..., e ya avemos escrito a Su Santidad para que lo confirme" *(ibídem,* pág. 215). Nada se hizo, porque la Santa Sede nunca lo consintió, y los reyes en realidad regían a España a través de un Estado semieclesiástico, y era impensable que reaccionaran contra los mismos principios sobre los cuales se afirmaba su autoridad. La Iglesia constituía un Estado dentro del Estado secular, sin que el uno ni el otro nunca llegaran a serlo de veras, ni España adquiriera enteramente la forma de un Estado occidental. El clamor de los procuradores en las Cortes caía en el vacío; en las de 1566, la respuesta de Felipe II fue que no convenía "por agora hazer novedad ni otra declaración". Cristóbal Pérez de Herrera —un médico que, en el lenguaje de hoy, llamaríamos un "sociólogo"— solicita, en las Cortes de 1617, "que se mire cómo se remediará no entren en religión o se hagan clérigos tanto número de gente ordinaria, hijos de labradores y de oficiales mecánicos que, dejando las obligaciones y menisterios de sus padres, estudian o se hacen religiosos o se ordenan" *(ibídem,* pág. 218). En esas mismas Cortes manifestaba Jerónimo de Cañizares, procurador de Guadalajara, que "los vasallos se pierden haciéndose frailes y clérigos, *y las haciendas que nacieron con obligación de pechar a S. M., se van incorporando a la iglesia,* con color [54] de los frailes y clérigos, y si no se remedia, dentro de muy pocos años no ha de tener S. M. ni quien le sirva". Un regidor de Toledo, Gerónimo de Zevallos, escribe en su libro *Arte real para el buen govierno de los reyes y príncipes* —Toledo, 1623—, que la excesiva acumulación de bienes en manos de la Iglesia, es mal tan grande, "que si no se trata de la medicina destos daños, se ha de perder de todo punto esta monarquía, pues [ese daño] es como una carcoma, que, por pequeña que sea, al fin deshace un madero" (fols. 122-135). El arzobispo don Gaspar de Criales, escribía a Felipe IV en 1646 que en las órdenes religiosas ingresaban "los hombres más valientes, más sanos, más gallardos, los de mejores rostros y los de mejor ingenio y habilidad, sin haber entre ellos un cojo, ni apenas un pequeño, ni feo, torpe ni ignorante"; quedan en el siglo "la hez y horrura de los hombres". El franciscano fray Luis de Miranda dice en un *Memorial* dirigido al rey, que hay "muchedumbre de hacienda que, *de secular se va convirtiendo en eclesiástica";* de la abundancia de frailes procede "la grande falta de gente que hay en nuestra España para el comercio..., y que no haya quien labre las tierras, cultive las viñas y heredades, *por haberse acogido a sagrado* (como dicen) *los que podían trabajar;* unos, sin letras, para legos y donados; y otros, por ventura con muy pocas para ser eclesiásticos..., todo *para tener por este camino una vida honrada*... De aquí viene que *todo el peso de los pechos y alcabalas viene a cargar sobre los flacos hombros de los pobres,* tristes y miserables labradores, que no pudiendo ya con él, dan con la carga en el suelo, dejan y desamparan sus tierras y heredades, como por experiencia se ve, que los lugares están casi todos despoblados y desiertos"; tres cuartas partes de la tierra, hacia 1625, estaban sin cultivar, según este franciscano, con lo cual la "monarquía de nuestra España, por horas y momentos se va consumiendo y acabando, y moralmente hablando, es imposible que dure, si con suma presteza y diligencia no se acude... al remedio de sus muy grandes daños" *(apud* Amezúa, *op. cit.,* págs. 210-213).

Los procuradores de las ciudades en las Cortes, los religiosos desde sus conventos y algunos escritores (directa o irónicamente) coincidían en sus juicios acerca de los males que la exuberancia monacal significaba para la economía y el buen gobierno del reino. Mateo Alemán —en su estilo moralizante, insistente y abultado— equipara a Judas el traidor, a "todo aquel que tratare de ordenarse de misa o meterse fraile, sólo puesta la mira en tener que comer, o que vestir o gastar... Dios es el que ha de llamar, y el que ungió a David; él es quien elige sacerdotes... No piensen los padres que, por dar de comer a sus hijos, los han de hacer de la Iglesia".[55] Otro es el tono de Lope de Vega, en una carta íntima al duque de Sessa (hacia 1617): "Los frailes son los más discretos hombres del mundo: no van a la guerra, *no pagan millones,*[56] gozan lo mejor y danles dineros...; ellos hacen hijos y otros los crían... Esto es cuanto a los malos; santos hay muchos..."[57]

Cervantes, en *El licenciado Vidriera,* pone frente a frente la crítica popular y la muy irónica del Licenciado; al ver pasar un fraile muy gordo, dice alguien: "De ético no se puede mover el padre", a lo que replica Vidriera: "Nadie se olvide de lo que dice el Espíritu Santo: *Nolite tangere Christos meos*... Las religiones ['las órdenes religiosas'] son los Aranjueces del cielo, cuyos frutos se ponen en la mesa de Dios." En lo cual no me interesa sino hacer resaltar el rasgo común que aúna todos los juicios críticos acerca de las órdenes religiosas en los siglos XVI y XVII: gozaban de bienestar económico en medio de una sociedad depauperada; disfrutaban de los mismos privilegios financieros de los nobles e hidalgos en cuanto a no pagar impuestos al Estado; la altura de su rango los hacía intangibles, pues constituían una jurisdicción exenta respecto del Estado y, en cierto modo, también respecto de la Iglesia secular.

La figura de la realidad económica de España en el siglo XVII va apareciendo con trazos y matices vivísimos, y anticipa lo que más tarde había de acontecer. Se agotaba el caudal de las fuentes de riqueza, y la propiedad territorial se estancaba sin producir beneficios ni para el pueblo —fuera de la famosa "sopa boba"— [58] ni para el Estado, cuyas necesidades seculares quedaban desatendidas. Los no frailes contemplaban pasivamente cómo el oro y la plata de las Indias cruzaban España sin posar en ella, a fin de pagar deudas y la importación de objetos indispensables. La riqueza valía como atributo institucional de la nobleza y de la Iglesia, no como expresión de la actividad productiva de los individuos, a quienes el ser ricos, y sólo ricos, servía de baldón.

En la comedia de Lope de Vega, *La pobreza estimada* (anterior a 1604), dos galanes aspiran a la mano de Dorotea: uno, Leonido, hidalgo pobre; otro, Ricardo, muy rico y de ascendencia judía:

> *"Leonido:* ¿Es mal nacido Ricardo?
> *Felisardo:* Es confeso y confesado
> por boca de San Benito..."* [59]

Leonido, temeroso de que Dorotea prefiera al cristiano nuevo, dice que trocaría su ejecutoria de hidalguía *por la rica infamia suya;* pero su amigo Felisardo replica que Ricardo daría su herencia y ."mil cargas de Doroteas" a cambio de tener sangre limpia. Dorotea, naturalmente, termina casándose con el hidalgo pobre. Lo digno de nota (no interesa en este momento el análisis literario de la comedia) es que Lope de Vega, tan al tanto de la situación y de los sentimientos de la sociedad española, hiciera coincidir el ser rico con el hecho de pertenecer a la casta hispano-judía. Ricardo, al saber que Dorotea está pobrísima, intenta hacerse persona grata mediante una bolsa de escudos de oro, que le hace llegar por medio del criado de Leonido y de este mensaje: "Tu esposo te ha dejado por pobre... Sírvete de eso, y pide lo que hubieres menester en su ausencia, porque él te goce, y yo lo pague". Dorotea reacciona con encendida indignación:

> "Yo os haré, infame, matar.
> Salid fuera, y al *hebreo,*
> el dinero en que vendido
> habéis por delito feo
> a vuestro señor Leonido,
> le volved..." (pág. 158 *a, b*).

Lope de Vega hace ver, con fuerza emotiva, que el dinero del español de casta hebrea no le sirve ni para dignificarse socialmente, ni para llegar al corazón de una linda valenciana. La fuente de esta obra es un cuento del *Conde Lucanor* inspirado en la leyenda del sultán Saladino,[60] y en el cual don Juan Manuel personifica en el amante preferido el ideal castellano del "hombre en sí", sin oponerlo a ningún otro. Ese "hombre en sí", columna vertebral de la vida y de la historia españolas, aparece ahora como un hidalgo cristiano viejo, y enfrentado polémicamente con un cristiano nuevo —como pobreza honrada contra riqueza vil, vil por no aparecer como atributo de la clase nobiliaria o de la eclesiástica, o sea, por no estar institucionalizada.

La economía española no dependió, decisivamente, ni de circunstancias naturales, ni de ninguna coyuntura histórica (el oro de las Indias, el comercio en el Mediterráneo, etc.). La economía española gravitó hacia el modo en que el español valorizó la riqueza: por eso fue posible a las órdenes religiosas adueñarse de tan enorme cantidad de tierra productiva. Ramón Carande ha hablado acertadamente de una "economía a lo divino",[61] lo cual me recuerda el carácter "divinal" que don Alonso de Cartagena asignaba a las guerras españolas, para "ensalçamiento de la fe ιathólica".[62] Tiene además razón Carande en afirmar que no es "sorprendente que la querencia andariega [propia] del pastor nómada, del místico y del soldado, dado su predominio", no hiciera echar de menos "los frenos de una ordenación económica sistemática y fecunda" (página 48); aunque creo, a pesar de todo, que el centro del problema ha de buscarse en la condición *interior* de la persona cristiana, y en la necesidad de afirmarse ésta polémicamente frente a la hispano-judía, cuya valoración económica de la vida era *sentida* como opuesta a la suya. Nos lo acaba de decir Lope de Vega, y en el siglo XV expresaba la misma valoración de la vida don Alonso de Cartagena: "Los castellanos no acostumbraron tener en mucho las riquezas, mas la virtud" (ver antes pág. 84). Don Alonso, nacido judío, obispo de Burgos y embajador ahora del rey de Castilla, se hace portavoz del sentir de la casta cristiana, por motivos obvios, que no niego dejaran de ser sinceros. La conciencia de la religión y la de la casta se unificaban de tal modo, que el cristiano nuevo se hacía a veces clérigo e incluso inquisidor —o retornaba al judaísmo cuando el "hombre interior" le empujaba hacia su casta nativa más bien que hacia su creencia adoptada.

Por ser como fueron, y no en otra forma, los juicios acerca del valor de la riqueza, todo aquel alud de quejas y de razonamientos caído sobre las órdenes monásticas en los siglos XVI y XVIII, no pasó de ser puro *flatus vocis* y gesticulación sin ninguna efectividad. La plétora de frailes era expresión del poderío de la casta que había conseguido alzarse hasta las cimas de un imperio mundial. Los frailes eran hidalgos a lo divino, que positivamente contribuyeron a la organización del imperio en tierras remotas, y a conservar la vida de los indios americanos.[63]

Pretender que en España hubiese habido menos frailes significa no conocer la estructura y los rumbos de aquellas gentes; los frailes fueron en España algo comparable a los funcionarios públicos en los Estados Unidos, que sobreabundan, con daño para el cultivo de los campos, y son a veces acusados de corrupción. El Imperio Español era una institución religiosa y religioso era también el horizonte de las inteligencias: frente a él se sentía vivir la persona encerrada en sí misma, en apartado hermetismo, con plena conciencia, al mismo tiempo, de que la vida religiosa asfixiaba la vida secular —una vida secular que nadie concibió en España como válida por sí sola, como una organización de estímulos humanos racional y razonable. Los críticos de los frailes no habrían sabido qué hacerse en un país sin frailes; como auténticos españoles, los frailes que censuraban a sus cofrades hubieran querido ser ellos los únicos frailes. Si en virtud de alguna arte mágica el patrimonio de la Iglesia hubiese sido desamortizado en el siglo XVII, el Estado no habría sabido cómo aprovecharse de él. Hombres y mujeres afluían en cantidad crecida a monasterios y conventos, porque las gentes —la mayoría de ellas al menos— ruedan por el declive que su misma historia les va preparando. Los procuradores en las Cortes y todos los demás que clamaban y lanzaban arbitrios contra la superabundancia de frailes y monjas, se lamentaban de la gustosa dolencia de su mismo vivir-desvivirse. Quien no me entienda, mejor es que renuncie a entender el pasado de los españoles.

Los mismos impulsos, preferencias y virtudes que hicieron posible al español (o al portugués) extender y mantener su imperio en Italia, Flandes, América, Africa, Asia y Oceanía, le impedían inventarse y poner en práctica en España formas de economía semejantes a las de los países cristiano-occidentales. Lo primero que habrían tenido que hacer quienes alzaban su voz contra los frailes superabundantes, era poner en paréntesis el principio que orientaba su conducta: "¡Oh, qué mucho lo de allá! ¡Oh, qué poco lo de acá!" [64] Los otros cristianos de Europa prefirieron decir "mucho" en ambos casos.

Me parece que mis anteriores juicios hallan confirmación en el hecho de haber sido casi nulo el beneficio que la Hacienda Pública obtuvo con la desamortización de los bienes eclesiásticos y la supresión de las órdenes religiosas en 1836, y con las insensatas matanzas de frailes en julio de 1835. Lamentarse, despojar y destruir no llenan los vacíos creados por la ausencia de pensamiento y de trabajo inteligente, mesurado y eficaz. La Revolución francesa y la soviética destruyeron regímenes antiguos, con la mira puesta en el plano (no me interesa ahora si bueno o malo) de la nueva construcción que iba a ocupar el lugar de aquéllos. Pero en España se enfocó la crítica o el ataque de las estructuras económicas juzgadas nocivas, pensando en su valor como botín. Los hábitos de pueblo andariego contraídos durante los siglos de la Reconquista, impulsaban al español a aprovecharse de la riqueza minera y agrícola de las Indias, sirviéndose del trabajo de los indígenas, como antes en los reinos cristianos, de la labor de los moros o de los moriscos; pero no aprendió por eso a beneficiarse, inventivamente, de las posibilidades de su propia tierra, abandonadas en general a la competente codicia de los extranjeros. Las juventudes del futuro que tal vez lean estas páginas, deberían entablar un reposado diálogo con su "hombre interior" al enfrentarse con las complejidades económicas que, aún por mucho tiempo, han de seguir asaeteando el cuerpo y el alma de los españoles.

ANARQUISMOS MODERNOS

Las actitudes antiautoritarias y antilegalistas de los siglos XVI y XVII se conjugaron con las doctrinas anarquistas venidas de Europa en el siglo XIX, ante todo por el incómodo desacuerdo entre las necesidades de los más de los españoles y la inepta acción del Estado para satisfacerlas.[65] Se buscó en el hombre interior lo que el medio social no proveía, en forma algo semejante a la de Luis de León y otros conversos erasmistas en el siglo XVI. No fue accidente inexplicable que don Francisco Pi y Margall, futuro presidente de la efímera República de 1873, prologara veinte años antes las obras de San Juan de la Cruz, y se expresase en estos términos: "Hoy que nos rebelamos contra toda autoridad, y creemos que sólo en nuestro *yo* existe la fuente de toda certidumbre y todo derecho." [66] Ese *yo* era, por supuesto, el de la filosofía racionalista y romántica, y de él no tuvieron la menor sospecha los místicos del siglo XVI; pero Pi y Margall —lector de Hegel y de las *Paroles d'un croyant*, de Lamennais— pensaba que Jesucristo debía ser considerado como "un reformador en el orden religioso y en el orden social". San Juan de la Cruz le interesó por haber expresado "su propia individualidad", por no haber tenido que "recurrir más que a sí mismo". Y "como estamos en un período de revoluciones sociales, de revoluciones que, tarde o temprano, han de acabar con la hidra de la inmoralidad y la injusticia", la poesía ha de hacer oír su voz (pág. XVI). En el siglo XIX, como en el XVII, se clamaba contra los males, y se buscaba el remedio contra ellos en la intimidad del *yo*, o en el advenimiento de alguna mesiánica solución.

Junto a esta circunstancia negativa (descontento y malestar tan expresados más tarde en la obra de Galdós y en la de los escritores del 98), se buscó un punto de apoyo para la reforma social de España en el ejemplo de ciertas instituciones que venían funcionando consuetudinariamente, sin ingerencia del Estado y sin coacción de la ley. Joaquín Costa [67] sabía que en las Provincias Vascongadas rige la costumbre de que los colonos transmitan las tierras que cultivan a sus hijos, y ningún propietario se atreve a romper tal costumbre, aunque legalmente podría hacerlo. Este y numerosos otros hechos demuestran que, *"sin salir de nosotros mismos,* nos encontramos con todo ese mundo del derecho individual inmanente..., de que nosotros, y nadie más que nosotros, somos soberanos y dueños; nosotros los únicos responsables, pero también los únicos jueces"* (pág. 20); porque "el derecho es un orden de libertad: la coacción no es derecho" (pág. 19), tanto en el terreno individual como en el social. En otra obra, ya antes citada, *El colectivismo agrario,* se describen instituciones en las cuales se integran, jurídica y moralmente, las finalidades económicas y el esfuerzo de la persona para lograrlas; en esas instituciones consuetudinarias, las tierras benefician a quienes las cultivan, y no al propietario ocioso que percibe la renta. Un caso entre muchos es el de "las senaras concejiles", ciertas porciones de tierra que "labran las gentes del campo congregadas, poniendo unos las manos, otros los arados y demás alpatanas ['aperos'], regularmente en días de fiesta" (pág. 310). Estos casos de cultivo libre y cooperativo servirían de excelente ejemplo a los modernos anarcosindicalistas españoles. Costa menciona la obra de Martín González de Cellórigo *(Memorial de la política necesaria, y útil restauración de España,* 1600), libro que hoy se consideraría subversivo, dedicado a Felipe III, en el que se dice, que ya basta que la "gente pobre" pague el diezmo debido a Dios, sin tener que pagar además, *"otro muy mayor a los dueños de la heredad;* tras lo cual se les siguen innumerables obligaciones..., demás de los pechos, cargas reales y personales". (Costa, *op. cit.,* pág. 85).

En diferentes lugares de España hubo, o había, casos de explotación colectiva de la tierra, de comunidades para el uso de las aguas de regadío, de trabajo en común en beneficio de la cofradía o hermandad a la que el trabajador pertenecía. Es decir, que junto al sistema vigente de propiedad establecido por el código civil, igual para todos, continuaban existiendo formas particulares de poseer y disfrutar la tierra sancionadas por costumbres no escritas. En tales casos el Estado y sus abstractas leyes se hacían innecesarios —una situación ideal para ciertos españoles secularmente "cansados de obedecer", como en 1521 había escrito fray Alonso de Castrillo.

Ahora bien, cuanto Joaquín Costa y otros han alegado a favor de un régimen cooperativo de posesión y disfrute de la tierra, independiente del Estado y de leyes escritas, todo ello guarda relación con el anarcosindicalismo español; hay asimismo que tener presente los contactos directos de algunos propagandistas y agitadores con ciertas doctrinas anarquizantes del siglo XIX en Europa. Uno de los más famosos y más venerados hoy por los anarquistas españoles, fue Fermín Salvochea, educado en Iglaterra, en donde conoció los escritos de Robert Owen, cuyo agnosticismo y socialismo cooperativo divulgó en España en la segunda mitad del siglo XIX.[68] Mas no obstante ser todo esto así, la fervorosa aceptación del credo anarquista por muchos campesinos y obreros no es sólo consecuencia de un convencimiento intelectual, ni de adhesión a sistemas políticos vigentes en algún lugar del planeta. Si el comunismo no hubiera triunfado en Rusia, ¿qué fuerza tendría hoy el comunismo europeo? Pero el anarcosindicalista no necesita referirse a ningún ejemplo vigente, porque su actitud política no descansa sobre ningún dogma o modelo, como el comunismo, cuyo "Evangelio" fue escrito por Marx y Engels, y cuya "Iglesia" dogmatiza desde Moscú; el anarcosindicalista es un creyente que ama la figura proyectada por su alma, como Don Quijote ama a Dulcinea, y se subleva cuando alguien le pide que muestre su retrato, aunque sea uno muy chiquitín. El comunismo propone esquemas cerrados, y no admite actitudes y sugerencias espontáneas, muy peligrosas para el dogma. La doctrina del anarquista español, si la tiene, se proyectaría, por el contrario, en figuras abiertas, en la confianza esperanzada en un más allá, que aviva el anhelo e incita al sacrificio.[69] El hombre interior, en cambio, carece de papel en la dogmática comunista.

Lo decisivo en el anarquismo español consiste, más que en ideologías expresadas en libros, en su enlace con una continuidad de situaciones y reacciones anímicas que, al entrecruzarse en el espacio y en el tiempo, han dado origen a modos interiores de *estar* en la vida. Lo serio y lo grave del anarquismo español es su auténtica españolidad. Tras él laten siglos de soledad desesperada y esperanzada, de confianza en la luz interior, de recelo de toda justicia y orden exteriores. Lo peor en esa vulgaridad de llamar "individualistas" a los españoles, es que impide ver cómo han surgido, en unas circunstancias de tiempo y espacio dadas, los hábitos de descreer en la legalidad del Estado, y de desobediencia íntima, de rechazo de toda norma venida de arriba que no lo beneficie a uno personalmente. La historia suele escribirse como si los españoles no hubieran sido actores y sensibles espectadores de cuanto tuvo lugar en la tierra que durante ocho siglos fueron arrancando de las manos de unos tenaces enemigos. Lo escrito en libros y en informes al rey sobre la agoniante situación creada por el excesivo número de frailes, se refería a algo que acontecía y afectaba al estado de ánimo de la gente; que hacía ver que la riqueza corría en una sola dirección, y dejaba en árida miseria vastas zonas de tierra y de alma españolas. El imperio económico de los frailes se alzaba tan monumentalmente, que la misma Isabel la Católica hubo de comentarlo:

"Dezía, que, si quisiesen cercar a Castilla, que la diesen a los trailes jerónimos." [70] Si esto puede parecer ironía, no lo es otro dicho de la Reina mencionado por el capitán don Bernardo de Vargas Machuca: "La católica reina doña Isabel decía que, para que España fuese abundantísima, convenía darse a los monjes de San Benito, por ser grandes labradores." [71] Circunstancias ya conocidas del lector impiden equiparar la situación española a la de otros países católicos, en donde el Estado y las actividades económicas y culturales poseían otro sentido. A los cardenales Richelieu y Mazarino preocupaban más los intereses seculares que los eclesiásticos; ni tampoco era monacal el ambiente en torno al rey de Francia, el emperador de Alemania o el dux de Venecia.

En toda ciudad o villa de España rodeada de tierras fértiles había varios monasterios; los religiosos (salvo en casos excepcionales de criminalidad) no estaban sometidos a la justicia del reino, ni pagaban impuestos. Trabajaban corporativamente bajo la regla libremente elegida (San Agustín, San Benito, San Bernardo, San Francisco, etc.), y les eran ajenas la miseria y la inquietud por el mañana. Las críticas orales o literarias del desorden moral de los frailes se referían a casos particulares, no a la totalidad de la institución monacal, salvo en el breve período de intenso erasmismo. Sea como fuere, ahora pienso en lo sentido por "los de abajo", siglo tras siglo, al contemplar la cómoda existencia de "los de arriba": opresión y miseria frente a libertad y holgura. El que a los frailes se debiera buena parte de la grandeza artística de España y de las Indias —el sí y el no de este drama—, de eso no se hablaba.

Iluminan vivamente la situación eclesiástica y moral de la sociedad española en 1551 y 1561 los *Memoriales* del beato Juan de Avila, remitidos al Concilio de Trento,[72] que analizaré muy sucintamente. Desde el comienzo aparece el problema de ser ineficaces las leyes cuando los usos vigentes se oponen a su cumplimiento: "El camino usado de muchos para reformación de costumbres caídas, suele ser hacer buenas leyes, y mandar que se guarden so graves penas... Mas, como no haya fundamento de virtud en los súbditos para cumplir estas buenas leyes..., han por fuerza de buscar malicias para... quebrantarlas" (pág. 3). Los ejemplos de esas "costumbres caídas" son abundantes; si quien tiene cura de una parroquia es un religioso (un fraile), el obispo no puede ejercer sobre él su autoridad, "y de esta esención siguen muchos escándalos" (pág. 32). Resalta en estos *Memoriales*, como en tantos otros testimonios acerca de cómo se vivía, el desacuerdo entre la fe religiosa y la conducta de los ministros de ella y de sus fieles; las consecuencias eran incalculables por ser el horizonte de los respetos sociales, en casi toda su extensión, religioso. Juan de Avila creía, como muchos otros, que una de las causas del protestantismo era la conducta del "estado eclesiástico", que hacía oír "triste sonido". Pues "el sonido que ahora se haze ha sido tal, que ha bastado a provocar la ira de Dios sobre el dicho estado y aun sobre el pueblo"; los ministros de Dios estaban "hechos esclavos de la maldad" (pág. 138). Así se expresaba este cristiano nuevo.

La Iglesia carecía de poder sobre los clérigos concubinarios, cuando éstos eran "calificados en sangre, o dignidad, o riqueza, y no ser parte el prelado para los subjectar" (pág. 132). De ahí la idea de Juan de Avila de si no valdría más suprimir el celibato eclesiástico, si no sería bien "que sean casados por evitar el mucho mal que ahora hay" (página 30). La ignorancia del clero era tan profunda, que un obispo llegó a decir a Juan de Avila: "Estos tales me echan a perder mi obispado" (pág. 143).

La reforma tridentina corregiría la situación hasta cierto punto, aunque la conducta de Lope de Vega como sacerdote, y lo que él descubre respecto de la opinión pública en cuanto a los frailes, hace presumir que la incomunicación o la disociación entre creencia y conducta continuarían siendo las mismas. Es por otra parte ingenuo o pueblerino seguir adjetivando como "erasmistas" o anticlericales juicios como esos, porque se trata de historia social y no de otra cosa. Debemos situarnos dentro del ánimo de quienes vivían en Madrid en 1561, 1661 o 1761, y frente a lo que estaba muy a la vista de todos: se castigaba con tortura u hoguera el crimen contra la creencia, mientras la acción de la autoridad civil no creaba ni disciplina estatal, ni armonías jurídico-morales de tipo ciudadano. Es cierto, sin duda alguna, que en otros países católicos la Iglesia actuó fuertemente sobre el Estado y sobre la vida social.[73] Se olvida, sin embargo (al equiparar a España con Francia, Bélgica, Alemania del Sur, etc), la circunstancia decisiva de que ningún fenómeno humano se hace real en sí mismo y aisladamente, y no es, por tanto, reductible a estadísticas —error capital del materialismo y positivismo históricos. En otros "países civilizados" (como dice el autor del anotado folleto) hubo, además del religioso, otros modos de cultura, otros usos mentales y sociales distintos de los hispano-portugueses. La realidad del fenómeno humano consiste en un simultáneo *vivir con* y *vivir sin*. Si el historiador no lo tiene presente, su historia se vuelve mera palabrería.

Como fenómeno social, el contraste entre plebe baja y fraile alto es comparable al antes existente entre "los menudos" oprimidos y despechados del siglo XIV, y los pujantes y opulentos hispano-judíos. El refranero popular los igualaba en el dicho "Fraile ni judío, nunca buen amigo".[74] Los "menudos", naturalmente, no podían aspirar a ingresar en la casta entonces económicamente privilegiada de los hispano-hebreos; pero sí fue posible al rústico, o al hidalgo sin rumbo, penetrar en la zona de los plácidos goces monacales, tanto más codiciados cuanto más se angostaban las posibilidades de bienestar para los seglares. Muchos se alarmaron e hicieron oír sus clamores, según ya se vio, porque España estaba a pique de convertirse en un Tibet occidental. Tal situación fue arrastrándose, mejor o peor, mientras el oro y la plata de las Indias continuaron haciendo de *deus ex machina* financiero. Pero al cesar en 1810 las importaciones del Perú y de México, y al desaparecer en 1833 la represión fernandina, las órdenes religiosas aparecían súbitamente como el perfecto blanco para la codicia y el rencor represado de un pueblo adormecido de alma, que ni siquiera mostró su asombro al perderse el inmenso imperio ultramarino en 1824.[75] Los frailes fueron vilmente asesinados en gran número en 1835, y obligados a huir los supervivientes. Se repetía, *mutatis mutandis*, la tragedia de los judíos y de los moriscos.[76] La matanza de frailes fue organizada, según algunos, por la masonería; también se dice que el exterminio de los judíos sevillanos, en 1391, fue inspirado por el arcediano de Ecija. Lo cierto, sin embargo, es que desmanes de tal alcance nunca fueron obra de un hombre ni de un grupo, sino expresión de amplios y profundos estados de ánimo.

Flotaba en la fantasía popular la imagen —como dice Gil de Zárate— de "su antigua prepotencia", y además, pienso yo, otra imagen más grata, la de una vida fundada interiormente sobre una fe querida, no impuesta por una ley adversa al interés de la persona. El vulgo se imaginaba al fraile exento incluso de trabas jerárquicas, pues los monasterios dependían de su orden, y en última instancia del papa, que residía muy lejos. Los monasterios tenían aspecto de asociaciones gremiales, desde el punto de vista de la ideología anarquizante del siglo XIX. Más de una vez el propagandista de ideas anárquicas ha sido comparado a un fraile laico, incrédulo aunque virtuoso: no bebe vino, no fuma, reparte lo que tiene, hasta la ropa que lleva puesta. La idea anarquista prendió sobre todo en el sur y en el este, regiones dotadas de intensa fantasía; el andaluz y el levantino son más impresionables y sentimentales, y menos mesurados, que el castellano. La promesa de liberación, divulgada por gentes de conducta irreprochable, hallaba eco en los sedientos de una nueva justicia, de un régimen comunal, fragmentado y cooperativo, como el tan español y tan conocido de aquellos odiados y envidiados frailes. Como una nueva Iglesia maternal, la "Madre Anarquía" sonreía piadosa a quienes nunca habían oído una voz sincera y altruista, sino el rumor confuso e incomprensible de leyes abstractas, respaldadas por la fuerza armada de un Estado adusto, sólo interesado en mantener el orden existente. Contra ese Estado agrio y empedernido habían escrito Santa Teresa, fray Luis de León, Quevedo y tantos más. No es extraño que muchos campesinos andaluces, en una España reducida hacia 1850 a una oquedad de sí misma, aceptaran como verosímil el fantástico mensaje de una

sociedad bien concertada y libre de la torpe ingerencia estatal; no más
extraño que la aceptación, hacia 1938, de la grata nueva de estar pron-
tas Alemania e Italia a "regalar" un imperio a España. Esto fue creído
como artículo de fe, no por incultos campesinos, sino por personas con
títulos académicos.

El arraigo de la creencia anarquista es hoy un fenómeno peculiar
de España, sólo entendible si es visto en conexión con su contextura
histórica. El anarcosindicalismo —a diferencia del comunismo— contiene un mínimo de ideología extranjera, y un máximo de espontaneidad
española. Es en su raíz un fenómeno más de creencia que de razonado
discurso; no existe un "tratado" de anarquismo español, ni en los ór-
ganos de propaganda anarcosindicalista se formula, clara y rigurosamente, cómo es posible que todo un pueblo "anarquizado" coexista junto
a otros europeos que no lo están. Se observa así, una vez más, que cuando al español se le cierra una vía de creencia, se inventa inmediatamente otra. De ahí el tremendo valor simbólico de la conversión al judaísmo
de aquel cristiano de ascendencia morisca (antes citado), después de haber
leído a fray Luis de Granada.

El español se aferra a la españolidad de Numancia y Viriato (cuando nadie en Europa cree en nada semejante), igual que hoy muchos creen
en la "Madre Anarquía" a destono con el resto del mundo, o hace pocos
años creían en un imperio fascista llovido del cielo, o en los beneficios
de volverse ciudadano de una provincia imperialmente regida desde
Moscú. Nada de lo cual se dice con fines políticos, y sí con el propósito
de poner término a los cuentos —que no historia— acerca del pasado
español. En lo que sí insisto es en la imposibilidad, o en la desmesura,
de emprender ninguna tarea política, o simplemente de interpretación de
la existencia y civilización de los españoles, sin una precisa noción de
cómo aparecieron aquéllos en el ámbito de la historia, y de la forma y
proceso interiores de su vivir. Los triunfos imperiales remacharon la
creencia en los hispano-cristianos de que estaban de más las otras dos
castas, que fueron eliminadas, aunque sin poderse quitar de encima, los
vencedores, la idea de que seguían siendo una casta, cuya pureza castiza
siempre era problemática, y forzaba a ahincarse en el "hombre interior",
en el ser personal y no en el hacer, pues "haciendo cosas" se corría el
riesgo de no aparecer como muy cristiano viejo. La consecuencia de ello
fue el progresivo envilecimiento de toda tarea con finalidad económica,
y la imposibilidad de servirse de las inmensas posibilidades comerciales
e industriales de las Indias. Decía el converso Hernando del Pulgar, "que
para enriquecerse uno en breve tiempo, que eran menester dos pocos y
dos muchos: Poca vergüenza, y poca conciencia; mucha codicia y *mucha
diligencia*." [77] "Agora, de quarenta años a esta parte" —escribe Juan

de Mal Lara en 1568— "ay otras maneras de gentes, que ni van por el cielo, porque no son tan sanctos que su intento sea convertir el infiel en christiano, sino van por el camino del infierno, *que es para adquirir oro y plata*... Traer oro y plata... es un bien que se deshaze entre las manos, y en fin es tesoro de duendes que se torna en carbones... Los tyranos que en las Indias se han alçado, que aunque eran *hijos de buenos* ['ben tovim', ver pág. 209], fueron su mal a buscar, *el bien que llama el vulgo*".[78] El hidalgo, el hijo de buenos, desmerece, se hace vulgar y plebeyo al enriquecerse en las Indias. El padre de Guzmán de Alfarache (1599) residía en Génova: "Era su trato... cambios y recambios por todo el mundo. Hasta en esto lo persiguieron infamándolo de logrero." [79] La madre de Guzmán, una mujer perdida, tenía por marido un sujeto que trataba en dineros. Cristóbal Suárez de Figueroa, en 1617, tiene una página atroz contra quienes vienen de las Indias: "¡Cuán rendidos al interés, al ahorro!... No he visto hacienda adquirida en aquellas partes lograda bien en las nuestras." [80] Y todavía en el siglo XIX se escribe, en un tono que recuerda los juicios de Hernando del Pulgar contra quienes hacen fortuna con sus negocios: "Para ser banquero en España se necesita mucho de lo primero (audacia), muy poco de lo segundo (dinero) y carecer absolutamente de lo tercero (corazón)." [81] El tipo del "Indiano", en *Los españoles pintados por sí mismos* (1851), fue descrito por Antonio Ferrer del Río en estilo entre irónico y despectivo, como el hoy usado al hablar del nuevo rico presuntuoso; parece subsistir aún algo de la actitud de Mal Lara y Suárez de Figueroa: "A las Indias, como al reino de los cielos, son muchos los llamados y pocos los elegidos." Los enriquecidos vuelven a España con un exterior de opulencia que deja traslucir su ordinariez nativa: "El bodeguero gasta levita y corbata, y aunque no es airoso ni pulido, se ha impregnado su figura en esa especie de barniz que destila la riqueza" (págs. 17, 19).

En suma, todavía a mediados del siglo XIX la sociedad española no aceptaba como normal y estimable la clase de los enriquecidos en los negocios, en la banca, o trabajando lejos de la patria. La atención seguía concentrándose sobre lo intrínseco de la persona, y no sobre lo adquirido por ella; faltaban actividades suficientemente interesantes de que tratar, y la persona acaudalada se movía en el vacío de su riqueza, usada para el propio bienestar sin promover finalidades sociales de mayor trascendencia. Los proyectos de vida colectiva tan intensamente delineados en tiempo de los Reyes Católicos, produjeron consecuencias enlazadas y trabadas unas con otras. Al ensancharse en dimensión asombrosa los horizontes económicos de España y Portugal en el siglo XVI, comenzaban precisamente a cerrarse, en el aspecto técnico y en el moral, los caminos que hubieran conducido a la riqueza, al capitalismo moderno. Los estímulos intelectuales e inventivos —los que había y hubieran podido multi-plicarse— se redujeron a bien poca cosa, por falta de objeto sobre que actuar.[82] De poco sirven, como se ve, la Prerreforma, la Contrarreforma y la "huida del mundo" —inanidades— para explicar los motivos de la crisis hondísima experimentada por los españoles en el siglo XVI.

España —la de los españoles de que estoy tratando— desdeñó la riqueza, cuando hubiera podido creársela en progresión rápida; prefirió sacrificarla en aras de su creencia en el valor absoluto de la persona, de un modo de existir (no de hacer) cerrado e incompatible con ningún otro. Cuando se dice que para el español la voluntad fue la dimensión pri-maria de su vida, conviene añadir que el acto voluntarioso adquiere sen-tido y realidad como fuerza que sostiene la fe en la primacía absoluta y castiza de la persona, de ese absoluto que consiste en ser así porque ya se era así. La condición castiza no fue una fase temporal o accidental de la vida española, sino un modo introvertido de saberse existir *así*, como persona de una fe, de una ley,[83] independientemente de los bienes que se poseyeran, o de las acciones y creaciones que se realizaran. La conciencia del ser de la persona se disuelve en la de la sociedad de que se forma parte. Ya no viven así los españoles, y la conciencia de la dig-nidad de la persona se afirma individualmente por encima de cuanta infamia intente arrojar sobre ella el grupo social a que pertenezca; pero las consecuencias de aquel modo *constituyente* de existir el español cris-tiano siguieron estando presentes en la subconciencia colectiva, en los hábitos estimativos, en los modos de existir y de obrar.

La voluntad castiza —enérgica y tenaz— erigió un muro protec-tor e inexpugnable en torno a aquel último y sacro recinto de la per-sona. Por eso dice Lope de Vega —el más vivo y fehaciente documento acerca de las estimaciones españolas—, que el converso Ricardo (en la antes citada comedia) habría pagado "mil cargas de Doroteas" —es decir, de lindas y adoradas muchachas—, y además toda su fortuna, si eso hubiera servido para borrar la infamia de su origen.

La valía y la imagen de serlo uno ya todo por el mero hecho de saberse ser un componente de la casta electa —siempre en tensión polé-mica con la opinión social en torno, en España y fuera de ella—, esa imagen se complacía en volver una y otra vez sobre sí misma, se expresa-ba en recargadas y puntillosas fórmulas de cortesía,[84] se adentraba y retorcía en inacabable exornación sin referencia a nada que no fuese ella misma.

Incluso la creencia religiosa parecía subordinarse, en ocasiones, a la primacía de la persona, a su voluntad imperativa, al propósito de mantenerse en alto y por encima de todo. Lo cual —ha de insistirse mu-cho en ello— no es "individualismo", porque éste implica interés en que exista en torno al "individualista" una sociedad capaz de ofrecerle contenidos individualizables (que es lo que aconteció en Inglaterra, en donde ha habido tanta variedad de actividades individuales). Lo que al español le sedujo fue hacer valer su supremacía como persona, y demostró poderlo hacer en numerosos y extraordinarios casos; y hasta, a veces, pretendió imaginativamente aparecer como antagonista de Dios, que es lo que Don Juan pretende ser en *El Burlador de Sevilla*. En cambio nunca se enfrentó polémicamente el español de casta cristiana con la creencia en Dios, pues las ideas que usó en tales ocasiones fueron importadas.

La prima concedida a la voluntad afirmativa del valor absoluto de la persona tuvo fatales consecuencias para la eficacia discursiva de esa tan absoluta persona, y admirables para su capacidad expresiva. Los españoles del futuro habrán de tener muy presentes ambas vertientes de este problema humano, a fin, primeramente, de no desestimar un pasado tan fecundo en obras y acciones de dimensión en verdad universal; y en segundo lugar, para tener muy en cuenta los riesgos inherentes al culto desmedido de lo que llamaría, no el individualismo, sino el absolutismo de la persona. En torno a ésta llegó a producirse un vacío alarmante de cosas, y de posibilidades de vivir por encima del ras de la tierra. A eso se debió, y no a otra cosa, que España se convirtiera en el país ruralizado del siglo XIX, tan descrito por españoles y extranjeros; que una y otra vez se haya estúpidamente vertido tanta sangre inútil; que una nación, antaño tan pujante, haya tenido que dejarse manejar por el capricho, el interés o el sadismo de fuerzas extranjeras. La historia no es "maestra de la vida"; pero en el caso excepcional de España, quienes pretendan ocuparse de su futuro debieran primero olvidarse de Numancia y Viriato, y tener en cuenta lo que el "casticismo" español hizo y deshizo en la tierra de España.

Lo logrado y malogrado durante los tres siglos del fabuloso Imperio Español, guardaba evidente relación con el hecho incontrovertible de haber sido Dios el único auténtico interlocutor a quien el español escuchaba, y a quien respondía con exaltado fervor. Fuera de eso, la conversación con sus semejantes, o *con sus circunstancias* —ávidas de ser conocidas e interpretadas—, fue, por lo general, un monólogo, o una figuración. A medida que se intensificaba el exclusivismo religioso (forma concreta y española del tiempo abstracto llamado siglo XVII), las respuestas a lo exigido por Dios como debido tributo fueron formuladas muy a menudo en pirámides de papel impreso, y de ingenua e ineficaz palabrería [85] —porque la expresión "obra de Dios", lo mismo que el concepto de "siglo", no es unívoca; y lo que el español juzgaba "obra de Dios", no era lo que Galileo y Keplero sentían serlo: intentar descubrir el pensamiento de Dios expresado en las magnitudes y movimientos de los astros.

Todo, sin embargo, no fue inane vacuidad. La figura del padre Feijóo y de alguno de sus discípulos fueron tan españolas como la de don Salvador Mañer, aunque es evidente que el curso habitual del pensamiento y de las estimaciones no experimentó apreciable mutación. Aparte de eso serían error y deficiencia graves no tener también presente lo que la persona interior del español había ganado en dimensión en esos siglos de solitario diálogo con Dios y consigo mismo. El siglo XVIII abunda en figuras heroicas, que aisladamente realizan prodigios en remotas regiones del Imperio: algunos virreyes mexicanos, los misioneros de California, casos de titanismo como el de don Blas de Lezo en la victoriosa defensa de Cartagena de Indias, etc.

Expresión del intento de alzarse hasta Dios fue sin duda la arquitectura de los siglos XVII y XVIII, vista a menudo como un abstracto género de arte, o como "mal gusto", y no como incitación contemplativa, como esfuerzo para no dejarse anular por la acción corrosiva del momento huidizo —bien pertrechado, como el parto, de flechas mortíferas. En su diálogo con Dios, el español exaltó las formas de su arte y afirmó su confianza en la valía y seguridad propias, en lo dispensable de cualquier otra compañía. Mas frente al empellón de las circunstancias llegó a encontrarse inerme. Unicamente así se explica el que las insistentes protestas y quejumbres quedaran flotando como místico soliloquio y como plegaria al buen sentido: no se tradujeron en efectivos obrar y pensar.[86]

Ya cité antes el extraño caso de Pedro de Guzmán —un jesuita con ánimo abierto y con espíritu crítico— que atribuyó los males de España a la ociosidad,[87] aunque sin poder darse cuenta de sus motivos.

Contrapone la enorme extensión de la monarquía, "veinte vezes mayor que la romana", con lo exiguo de la población peninsular, que no alcanza, dice él, a cuatro millones de personas (pág. 126), reducida a esa cifra a causa de la magnitud del Imperio. "Y no hago caso", añade, "de la que ha faltado por la expulsión que se ha hecho, assí en estos tiempos como en los de nuestros abuelos, de los que por su infidelidad merecieron los echássemos [de España], *aunque eran los que más la labravan y cultivavan*. Pues si la poca que queda no se aplica al trabajo y a la labor y cultura de la tierra, ella, que en gran parte es montuosa o de páramo, se vendrá a hazer un crial... Y diré del español lo que el Espíritu Santo del perezoso dice: 'Passé por la heredad del perezoso, y hallé que se havía cubierto de malezas y espinas' " (pág. 130). Contrapone Pedro de Guzmán la laboriosidad de los judíos y de los moriscos a la ociosidad de los católicos, así como antes citaba a los protestantes de La Rochela, cuyos gobernadores "tienen singularíssimo cuidado y atención que en su república no aya ociosos, como cosa en que consiste gran parte de su felicidad" (pág. 119).

Este jesuita, de mente amplia, hasta conoce las formas del trabajo en la China; se abstiene, sin embargo, de aludir a la superpoblación eclesiástica de España, y sorprende no se diera cuenta de que los cristianos limpios de sangre repudiaban la actividad laboriosa, a fin de no ser confundidos con los infieles expulsados del reino. Se pretendía hacer caminar a personas cuyos pies habían sido previamente trabados.

Sin la Revolución francesa y la nefasta invasión napoleónica, es muy probable que la sociedad española hubiera conservado durante bastante tiempo su aspecto eclesiástico-nobiliario y rural. De todos modos, los cambios introducidos en la primera mitad del siglo XIX al finalizar la época fernandina, fueron más superficiales que profundos, no obstante haber sido expulsadas las órdenes religiosas. Después de 1833, ni el régimen constitucional ni el pensamiento teórico de Europa echaron firmes raíces, mientras que revivían, en cambio, curiosamente los intentos de bucear en el *hombre interior*, a fin de así hallar salida para los problemas que continuaban inquietando el alma de los españoles más esclarecidos, y que hoy día van cobrando creciente actualidad, no obstante el imperio del automatismo creado por la técnica, y cuyo terrible riesgo es nada menos que la autodestrucción de la humanidad. Es decir, que pueden ser igualmente perniciosos el total aislamiento íntimo, y la entrega sin reserva (según acontece hoy en los pueblos llamados "civilizados" y guiadores del mundo) al anonimato e inconsciencia de la abstracción sociológica y de la máquina creadora de bienestar físico.

Retornando a España, las mutaciones introducidas en la primera mitad del siglo XIX fueron más aparentes y superficiales que efectivas. La expulsión de las órdenes religiosas no fue seguida de ninguna reforma —positiva, constructiva— de la posición religiosa del Estado o de los ciudadanos. Se había destruido por destruir, y las órdenes religiosas volverían a ser de nuevo muy influyentes. El sistema constitucional (en cuya defensa muchos perdieron la vida durante las guerras contra los carlistas) no alcanzó auténtica vigencia en ninguna nación de lengua española o portuguesa. Tampoco se abrió plenamente España, después de Fernando VII, a la ciencia extranjera o a las técnicas desarrolladas a consecuencia de la revolución industrial. Fueron sí aceptados, en algún caso con entusiasmo, los puntos de vista románticos para expresar literariamente la vida contemporánea o la del pasado.

Los emigrados políticos, vueltos a la patria después de estancias más o menos largas en el extranjero, o no importaron, o no lograron aclimatar en cantidad apreciable la ciencia de los países en donde habían vivido; pero sí contribuyeron a modificar y renovar la orientación política y la organización públicas. Los emigrados consiguieron familiarizar al español medio con la imagen de una Europa distinta de la del antiguo régimen.[89]

A mediados del siglo XIX, las salidas al extranjero, motivadas por curiosidades intelectuales, comenzaron a ser más frecuentes; las ideas importadas fueron, sin embargo, las más conformes con la índole y las preferencias tradicionales de nuestra gente. Ya subrayé antes (página 301) la reacción de Pi y Margall a ciertas ideas europeas, adecuadas para dar sentido nuevo a la poesía mística de San Juan de la Cruz y hallar posible salida a las dificultades políticas y sociales del momento. En otros casos, las doctrinas anarquistas —antiestatales y corporativas— de Owen, Proudhon y otros, sonaron a cosa muy familiar a un pueblo que venía renegando del Estado desde hacía siglos, y asiéndose como áncora de salvación a lo sentido por su hombre interior —oyéndose el alma más bien que obedeciendo al timonel de su razón. Se retornaba al refugio del sacro recinto de la persona, en donde ésta sueña en el más allá y se libera idealmente de la miseria material y moral en que se asfixia. El anarcosindicalismo no es, en el fondo, sino una versión laica de la tradición monacal española, densa de ascetismo y misticismo y abundante en críticas acerbas de la conducta de ciertos clérigos,[90] de su excesivo número y de sus exenciones tributarias, muy dañosas para la Hacienda del reino.

Conviene recordar ahora que la expulsión de los jesuitas en 1767 (fueren los que fueren los motivos de Carlos III) estuvo muy apoyada por las otras órdenes religiosas: "Entre estos monjes, los jesuitas habían levantado odios y contaban con enemigos encarnizados." [91]

Extinguidas casi todas las órdenes religiosas en 1835, y desvanecido el patrimonio económico de todas ellas, el recuerdo de su riqueza y modos de vida seguía estando presente. Para quien pensara en la posición única de los monasterios españoles, y prescindiese de su finalidad sobrenatural, aquéllos aparecerían, de hecho y exteriormente, como un modelo de organización sindical fragmentada en unidades corporativas, análogas a las más tarde descritas por Joaquín Costa. Cada monasterio ordenaba autónomamente su trabajo y disponía de lo producido por la tierra —propiedad comunal en beneficio de la comunidad. La fe, la virtud y el acuerdo mutuo, espontáncamente y sin presión coactiva, hacían innecesaria la propiedad privada, y usaban en provecho de todos las fuentes y los medios de producción. No es un azar que Rabelais (no obstante sus insolencias antifrailunas) imaginara como una abadía la utópica residencia en donde la única regla era la dictada por la propia voluntad —llamada en griego *thélēma.*

Las doctrinas extranjeras de tipo libertario ofrecían, en forma teórica y estructurada, lo preexistente en hábitos y tendencias que los españoles se sabían de memoria. Joseph Proudhon encontró en Sancho Panza la perfecta expresión de la justicia antiestatal, insistemática, y concretamente justa al aplicarse a cada caso:

"No busca en modo alguno, como los antiguos filósofos, el Supremo Bien, ni con los socialistas modernos, la Felicidad; no tiene fe alguna en lo absoluto, y rechaza como mortal enemigo, contrario a su naturaleza, todo sistema *a priori* y definitivo. Su sentido profundo le dice que lo absoluto, lo mismo que el *statu quo*, no puede entrar en las instituciones humanas. Lo absoluto, según él, es la vida misma, la diversidad en la unidad. Como no acepta como última ninguna fórmula, resulta así que la misión de los exploradores que le preceden, consiste únicamente en ensancharle el horizonte y en desbrozarle el camino." [92]

Hacia la misma época en que comenzaron a conocerse y a ser difundidas las "buenas nuevas" del anarquismo en ciertos medios rurales,[93] iniciaba don Julián Sanz del Río su enseñanza de la filosofía krausista en la Universidad de Madrid. No había coincidencia intencional entre uno y otro hecho, pero es evidente que sus motivaciones son inseparables de la situación "interior" de los afanosos de encontrar una posible salida a las dificultades planteadas por el "nuevo régimen" político y social. El panorama que durante siglos parecía consustancial con el modo de existir los españoles, ya no era el mismo. En los antes numerosos y pujantes monasterios, los frailes se habían desvanecido. Después de una larga y sangrienta guerra civil (1833-1839), el régimen constitucional predominaba sin posible duda sobre el absolutista. Sin Inquisición, sin frailes y sin monarquía absoluta, parecía como si España hubiese renacido de sus propias cenizas. Qué aconteciese en realidad, no es ahora tema que importe —artículos de Larra, política de Martínez de la Rosa, gobierno de Isabel II—, pues no estoy narrando la historia de España, sino tratando de hacer visibles y comprensibles la posición y los rumbos de la vida española.

El panorama de 1850 no era para el hombre ilustrado y reflexivo como el de los años fernandinos, cuando en días de lluvia o de frío desapacible, las oficinas públicas ponían a la entrada este letrero: "Cerrado por inclemencia del tiempo." Mas, a pesar de eso, no se veía la manera de hacer nada muy eficaz con un pueblo tan decaído económica y culturalmente, tanto en las ciudades como en los campos. Estaban en realidad obstruidas las vías de acción hacia el exterior; faltaban maestros, funcionarios, ciudadanos decididos a poner fin a inercias y apatías de lejana ascendencia. Comenzó a oírse la luego tan repetida frase: "Todo está por hacer." La verdad era —y ese es el tema estructural que venía debatiéndose desde hacía largo tiempo— que cuanto acontecía y tenía que acontecer en la zona *exterior*, social, dejaba indiferente al sólo interesado en el drama, novela o sainete representados en el *interior* de su propia persona. Tal era la dialéctica vital del español, la que durante siglos había motivado los intrincados debates entre el valor de las cosas hacederas y la jerarquía personal de quien tenía que hacerlas: "El buen linaje es como luz que alumbra las buenas cosas que los generosos ['de ilustre abolengo'] hacen, y por eso se llama oscuro el de la gente baja." [94]

No importaba el valor de la "cosa" que hacer, sino el valor del proceso autónomo e íntimo de su factura, el *desde quién* se hacía. Al español no le interesó una tarea (sino muy excepcionalmente) en la cual lo importante fuese una idea, una teoría, una utilidad común, y no el papel desempeñado por él en la faena que fuera; le importaba menos su provecho material, que el hecho de su intervención personal. Siglos de hidalguía y de rango castizo fueron para él como las tablas de su propia ley valorativa, de sus jerarquías de valoraciones.[95]

El imperativo categórico de Kant dejó fríos a los posibles kantianos españoles; no más éxito tuvo la teoría hegeliana del Estado absoluto, tan germánica y tan seductora para los alemanes. Esos dos filósofos hablaban sobre todo a la mente del razonador, y así ni el kantismo ni el hegelianismo dejaron huellas profundas en el pensamiento del siglos XIX. La filosofía romántica de Krause († 1832), muy por el contrario, concebía el Estado como una relatividad, como un medio que posibilitaba las finalidades, abiertas e ilimitadas, de la persona, de la familia, de las corporaciones, de la nación. Es decir, que, para Krause, el movimiento valorativo y estructurante iba de abajo arriba, como un impulso ético, como una esperanza. La metafísica panenteísta de Krause (enlazada con el "deus sive natura" de Spinoza) no dió demasiado que hablar ni que hacer en España; pero las derivaciones éticas, jurídicas y educativas (difundidas sobre todo por discípulos directos de Krause) apasionaron a muchos, y dieron ocasión, en la segunda mitad del siglo XIX, a un reavivamiento cultural sin precedente en la historia del pensamiento español.[96] Don Francisco Giner de los Ríos, el más ilustre y benemérito entre los afectados por el pensamiento de Krause, juzgaba un error afirmar que el Estado fuese "un instituto meramente social, como si el individuo no fuera, en igual concepto que la sociedad, persona también y sujeto activo del derecho"; el objeto directo de la actividad del Estado es "que cada persona, con cuantos medios a su alcance, sirva al fin racional de la vida". Examinando en otra ocasión el problema de las relaciones entre el individuo y el Estado, dice que un rasgo común de "todo el liberalismo moderno [es] la prevención con que mira al elemento corporativo y a cuantos círculos sociales aspiran *a vivir y a go-*

bernarse por sí, con independencia del Estado central" [97] (subrayado mío).

Giner y Costa no eran anarquistas, pues ambos justificaban la función permanente de la ley y del Estado; pero, como observó Dorado Montero, "Giner ha enseñado insistentemente... que la coacción *no* es un carácter esencial del derecho"; porque "la coacción en sus varias formas, hasta la material", no es "sino uno de tantos medios o condiciones necesarios, en circunstancias dadas, para el fin racional del hombre".[98] Aunque Krause, en su filosofía del derecho, admitiese la coacción, el fondo de su pensamiento es que "el derecho es un *orden ético*, de cooperación positiva, de prestación *voluntaria* de condiciones para la vida, de sacrificio caritativo de medios por parte de quien los tenga, en provecho de quien los necesite; orden cuya garantía propia no se halla, en realidad y en último término, *fuera de la conciencia de los individuos"* (Dorado Montero, *op. cit.*, pág. 194).

He ahí, según pienso, el motivo último del éxito del pensamiento krausista en España: la llamada, la incitación a poner en movimiento la espontaneidad de la conciencia personal, a hacer de cada persona una especie de artista creador y rector de su propia vida. Lo que sea y valga la filosofía de Krause no es tema de mi incumbencia; pero sí me importa hacer visible el punto en que entronca con la tradición de vida que he venido exponiendo en las precedentes páginas. Los anarquistas revolucionarios (los descritos por Blasco Ibáñez en *La bodega)* no tenían, en la práctica, nada en común con pensadores novecentistas tales como Pi y Margall, Giner o Costa; ambos movimientos, sin embargo, significaron una retracción al único firme refugio que había quedado intacto y seguro tras la ruina de todo valor estimable en la sociedad española. Antes de traspasar el umbral de las antiguas ventas, solía vocear el viandante hambriento y fatigado: "¡Mostrama! ¿Qué hay de cenar?" Y la respuesta solía ser: "¡Lo que vuesa merced traiga!"

Giner —como Luis Vives y Luis de León (ver págs. 282, 286)— recurre al pensamiento platónico para hacer sentir la inanidad "de querer suplir la falta de educación y de sentido interno, que es su fruto, formando reglamentos sobre reglamentos, añadiendo correcciones sobre correcciones, *con que no se logra sino empeorar la enfermedad".*[99] Para Giner, tanto la coacción como la emulación eran inválidas educativamente; de ahí que, sin declararse en modo alguno partidario del anarquismo, afirmara que éste "es una doctrina, exacta o inexacta, acertada o errónea, tan respetable como cualquier otra, y que tiene tanto que ver con los necios y brutales crímenes que en su nombre cometen unos cuantos desdichados, como otras doctrinas políticas, religiosas", o de la clase que sean, con los excesos a que dieron ocasión *(loc. cit.*, pág. 89). Tenía razón Giner: en nombre de Cristo fueron torturadas y quemadas incontables personas; las democracias europeas, lo mismo que las dictaduras, se afirmaron sobre crímenes y sobre toda suerte de iniquidades.

Si el anarquismo y el krausismo de mediados del siglo pasado convergían retrospectivamente hacia unas mismas posibilidades y necesidades vitales, no era menor su acuerdo en cuanto a algunas de sus derivaciones sociológicas: "De Ahrens, discípulo de Krause y profesor en Bruselas, parece haber recibido Proudhon los estímulos que le indujeron a concebir una organización profesional de la sociedad." [100]

Una vez que hemos logrado dotar de realidad viva nuestra imagen de la morada temporo-espacial del existir de un pueblo, el hoy y el ayer se traban prietamente con el anteayer. La ruptura sin posible remedio de la convivencia castiza desde fines del siglo XV, hizo que cada generación —por medio de sus más calificados portavoces— transmitiera a la siguiente un legado de inquietudes característicamente españolas. Entre el concepto de justicia y la vivencia de lo justo, la distancia fue haciéndose cada vez más insalvable; el contraste entre grandeza interior e incapacidad de acción se expresa en mil modos en la literatura del siglo XVII. El prójimo —el hombre próximo— fue sentido cada vez como más lejano.[101] Tras largos siglos de vida bajo un régimen de sospecha y desconfianzas mutuas (prescindiendo de la pugna corriente en todas partes entre pobres y ricos, tiranos y siervos), explican la situación íntima y pública de los "oficialmente" declarados libres a mediados del siglo pasado —sin Inquisición, sin frailes, sin monarquía absoluta.

Por lo que respecta a España, no es ya lícito historiar sólo narrativa, ilusoria o anecdóticamente lo acontecido a los españoles. La furia o la impasibilidad no son sino dos modos de impedir que lo ahí presente se muestre como una situación fundada sobre un pasado que es *el de los españoles*, antes que medioeval, renacentista, contrarreformista, o lo que se quiera. Ese pasado encierra, para mí al menos, incontables momentos de goce indecible, de reverente admiración, y también —no puede ser menos— de "dolorido sentir". Si me he detenido en el análisis histórico-vital del anarquismo, grato a tantos españoles (por motivos respetables o reprobables), es porque en ese *punctum candens* yace la posibilidad o imposibilidad de que el porvenir de todo un pueblo sea un caos, una permanente servidumbre, o una abertura hacia días de justificada esperanza. Lo que hay (y no se trata de enseñanzas históricas, sino de tocar con la vista y de contemplar con la mente), es ser ya imposible en el siglo XX cultivar sin enormes riesgos formas de existencia ancladas exclusivamente en el *hombre interior*. No niego que la presencia del *hombre interior* de los españoles sea hoy más necesaria que nunca, como contrapeso del hombre tan exteriorizado de este ya declinante siglo XX, capaz de utilizar como nunca la energía física, y ausente de sí mismo como nunca lo estuvo. Mas, planteado en esta forma, el problema es excesivamente amplio y se nos escapa de las manos. Cada pueblo y cada persona sólo puede hacer frente a un cierto número de dificultades, a las más inmediatas; la más urgente en el caso español es darse cuenta de que su presente situación está motivada por las situaciones en que ese su hombre interior ha venido colocándole. En su caso, las *in-stancias* fueron más decisivas que las *circum-stancias;* es decir, que el foco de su luz iluminadora ha sido proyectado hacia dentro más que hacia afuera. Las páginas anteriores han hecho ver cómo fue haciéndose hermético el futuro (el siglo XVII respecto del XVI, el XIX respecto del XVIII). El futuro ahora ante nosotros —no hace falta para predecirlo ser zahorí— irá haciéndose cada vez más hermético y oprimente, mientras no se abran amplias vías a la tarea exterior, mientras no se creen nociones, modos y maneras, que permitan vivir bajo la ley, en convivencia con el prójimo, dentro de un orden que haga improductivo el contubernio de la autoridad con la injusticia. El exclusivismo y la cerrazón del *hombre interior* han fracasado—, no el *hombre interior* mismo, si éste se decide a abrirse a las *circum-stancias.*

Era necesario poseer una visión precisa de las directrices determinantes de la estructura del pasado, a fin de que cuanto resta por decir en esta obra se haga inteligible. En lugar de inspirarme en el título de "los españoles *pintados* por sí mismos", preferí transformar aquél en este otro: "los españoles expresando sus vivencias, su reacción interior, al hallarse situados en la conciencia de sus grandezas y de sus poquedades". En lugar de narrar o describir, he preferido dejar a los españoles que se novelen a sí mismos. Este tipo de historia sería, respecto de la crónica narrativa, o la miscelánea anecdótica, lo que la novela de tipo cervantino al libro de aventuras, o al cuento. Amadís es contado; Don Quijote y Sancho se cuentan a sí mismos. Cada punto de esta historia depende de un sistema de fuerzas vitales, valorativas, y es afectado tanto como afecta; todas las posibilidades de la riqueza de las Indias fueron afectadas por la actitud estimativa acerca del adquiridor de riqueza y por las reacciones de éste. Para entender a los españoles (y lo mismo acontecería si se tratara de franceses o italianos) hace falta trastornar el ritmo del tiempo histórico —como hace Marcel Proust—, trenzar el recuerdo con la visión del futuro, inyectar en el "antes" la vivencia del "después" (y al revés). La historia se encarna así en realidad de vida, en experiencias empíricas (temporo-espaciales) y en proyecciones conceptuadas, en una trabazón de *in-stancias* y de *circum-stancias.* Vistas así las cosas, deja de ser un desatino el consabido chiste de "partamos para la Guerra de los Treinta Años". El historiador ha de tener presentes las grandiosas y tremendas consecuencias de llamarse "cristianos" —en sentido étnico y nacional— quienes hace doce siglos peleaban contra los musulmanes. Si aquellas gentes hubieran podido llamarse "españoles", su futuro no habría consistido ni en tanta grandeza ni en tanto desastre.

Lo que llamamos conceptualmente, para entendernos, "creencia, casta, economía", se expresó en vivencias y en acciones externas que, al ampliar sus radios, fueron creando la red protectora y enredadora de la vida, la convivencia tolerante y la angostura inquisitorial; la espontaneidad de los usos jurídicos y la rigidez legal que los destruye; la exultante grandeza de un imperio y la indiferencia ante su pérdida. Y en momentos de mínima ventura, ha acontecido al español estar buscando y revolviendo en los intersticios del hombre interior para escapar a sí mismo, o salir en busca de vestimentas extranjeras para cubrir y proteger sus desnudeces. Tal es el libro de esta historia, sin posible final; pues, como dice Ginés de Pasamonte del suyo, "¿Cómo puede estar acabado, si aún no está acabada mi vida?" Y tan no estaba, que luego le veremos ante el retablo de don Gaiferos, soñando maravillas más reales e *históricas* que sus picarescas trapacerías. España aún puede escoger entre varios estupendos destinos. ¿Por qué no?

NOTAS

[1] "Los campesinos andaluces de hoy *creen* en la "Madre Anarquía, como algunos de ellos la llaman, con la misma ingenuidad que sus abuelos *creían* en la Inmaculada Concepción. Están absolutamente convencidos de que un buen día, después de una breve revuelta campesina, desaparecerá el Estado con todas sus lacras, toda la tierra será labrada en común, y todos los hombres serán felices para siempre" (J. A. Balbontín, *La España de mi experiencia*, 1952, pág. 250).

[2] Una interesante exposición del problema en Peter Heintz, *Anarchismus und Gegenwart* [Actualidad del anarquismo], Zurich, 1951.

[3] Cuenta Juan Martí en la segunda parte del *Guzmán de Alfarache*: "¡Qué cosas pudiera decir de esperiencia y de vista en este viaje de Valencia...! Dejemos los grandes de Castilla, *que éstos son como estrellas, y son grandes príncipes y pueden lo que quieren, que sólo hablo de los particulares que*, cebados en el retinte ['resonancia'] de *sus linajes* y el desvanecimiento de ser tenidos [por grandes], gastando más de lo que podían y debieran..." (Bibl. Aut. Esp., III, 404 *b*).

[4] Gregorio Marañón, *Antonio Pérez*, I, pág. 36.

[5] Guerra de "españoles contra españoles" llamó a la guerra contra los moriscos don Diego Hurtado de Mendoza, que estaba allí, conocía los hechos y era inteligente *(Guerra de Granada*, Bibl. Aut. Esp., XXI, 73).

[6] Alfonso de Valdés, *Diálogo de las cosas ocurridas en Roma*, Madrid, 1928, pág. 53 de la introducción.

[7] *Apud* J. F. Montesinos, *op. cit.*, pág. 51.

[8] En Toledo, el 12 de febrero de 1486, setecientas cincuenta personas, hombres y mujeres, fueron obligadas a salir en procesión de la iglesia de San Pedro Mártir, "los hombres en cuerpo, las cabeças descubiertas e descalzos sin calças; e por el gran frío que hacía les mandaron llevar unas soletas debaxo los pies, por encima descubiertos, con candelas en las manos no ardiendo; e las mujeres en cuerpo sin cobertura ninguna, las caras descubiertas e descalças como los hombres e con sus candelas. *En la qual gente ivan muchos hombres principales de ellos* [es decir, cristianos nuevos] *y hombres de honra. Y por el*

*gran frío que hazía y de la desonra y mengua que reçebían por la gran gente que los mi-
raba..., ivan dando grandes alaridos; y llorando, algunos se mesavan; créese más por la
desonra y mengua que reçebían que no por la ofensa que a Dios hizieron".* Luego en la
catedral les dijeron misa y les predicaron los padres inquisidores, y a cada uno le leían públicamente las cosas en que había judaizado. (Fidel Fita, *La Inquisición toledana*, en "Boletín de la R. Academia de la Historia", IX, pág. 295; y Francisco Márquez, *Juan Alvarez
Gato*, 1960, pág. 295).

[9] Ver Francisco Márquez, *op. cit.*, pág. 297.

[10] F. Márquez, *op. cit.*, pág. 407.

[11] *Obras completas de Juan Alvarez Gato*, edic. de Jenaro Artiles, pág. 185.

[12] De una carta anterior a 1480, en F. Márquez, *op. cit.*, pág. 285.

[13] *Diálogo de las cosas ocurridas en Roma*, edic. J. F. Montesinos, pág. 109.

[14] "Bibliófilos Españoles", XXIX, 213.

[15] Archivo Histórico Nacional de Madrid, "Inquisición", libro 1123, *apud* I. S. Revah,
Spinoza et Juan de Prado, La Haya, Mouton et Cie., 1959, pág. 62.

[16] Los niños jugaban a "jueces y penitenciados" por el Santo Oficio, incluso el príncipe don Juan y los donceles que jugaban con él; los cuales a poco estrangulan a un "peni-
tenciado", el cual en efecto (sabemos ahora) era un cristiano nuevo. Por fortuna intervino
la reina Isabel, a quien despertaron de su siesta: La cual, "alçando un poco las faldas y sin
chapines, se fue al trascorral donde se executava el juego, que estava a pique que querían dar
a los relajados garrote y, según iva el negocio, de veras se lo dieran... Llegó al Príncipe y
diole un bofetón y quitó los presos, y llevóselos consigo cubiertos con unas capas. Súpose
esto, y a Fernán d'Alvarez [padre del presunto reo] se dio satisfacción de aquel juego".
El texto en F. Márquez, *Juan Alvarez Gato*, pág. 94.

[17] *Crisis política de España* (Discurso leído en los Juegos Florales de Salamanca,
15 de septiembre de 1901); incluido en *Historia política social patria*, selección y prólogo
de José García Mercadal, Madrid, Aguilar, 1961, pág. 250. Refiere igualmente a Luis de León,
Pedro Dorado Montero, *Valor social de leyes y autoridades*, Barcelona, Manuales Soler,
[1903], pág. 16.

[18] Edic. F. de Onís, I, págs. 131, 147.

[19] F. Giner de los Ríos citó a Platón, con referencia al anarquismo, en su artículo *Para
la historia de las teorías libertarias*, en "Boletín de la Institución Libre de Enseñanza", 1899,
XXIII, 88.

[20] Por motivos distintos, otro religioso, el jesuita Pedro de Rivadeneira, habla del
poco afecto sentido por Felipe II, en 1580, poco antes de la conquista de Portugal. Todos,
dice, "están amargos, desgustados y alterados contra Su Majestad". Los motivos eran múltiples: en los pueblos se quejaban por el impuesto que tenían que pagar de todo lo que
vendían (alcabalas); los clérigos protestaban por tener que dar al rey dos novenas partes
de los diezmos que percibían; los frailes "por la reformación que se ha intentado hacer
de algunas religiones"; los grandes, porque "no se hace caso de ellos"; los caballeros "por
las pocas mercedes que reciben". (Bibl. Aut. Esp., LX, 589). Los motivos aducidos por el
padre Rivadeneira no son los mismos que alegaba fray Luis, pero la falta de cohesión afectiva
entre el pueblo y el monarca confirma, desde otro punto de vista, el estado de mala voluntad
en quienes tenían que cumplir lo ordenado por la autoridad real: "De suerte que, aunque
es rey tan poderoso y tan obedecido y respetado, no es tan bien quisto como solía, ni tan
amado, ni tan señor de las voluntades y de los coraçones de sus súbditos..."

[21] *Nombres de Cristo*, libro II, "Rey de Dios", edic. cit., II, págs. 83-103, aunque
ha de tenerse en cuenta todo el capítulo.

[22] *Diálogo de las cosas ocurridas en Roma*, edic. J. F. Montesinos, pág. 94.

[23] Ver P. Dorado Montero, *op. cit.*, pág. 14.

[24] Un noble granadino, Yusé Banegas, expresaba su melancolía por el incumplimien-
to de lo pactado: "Si el rey de la conquista no guarda fidelidad, ¿qué aguardaremos de
sus sucesores?" (*Apud* F. Márquez, *Juan Alvarez Gato*, pág. 303).

[25] Citado por Joaquín Costa, *La ignorancia del derecho*, Barcelona, Manuales Soler,
s. a., pág. 37.

[26] *Obras completas*, traducción de L. Riber, II, 274-276.

[27] La obra de Alonso de Castrillo fue citada ya por Eduardo de Hinojosa, *Influencia
que tuvieron en el derecho público... los filósofos y teólogos españoles*, Madrid, 1890,
pág. 79. Ver, además, E. Tierno Galván, en su ensayo "De las Comunidades", incluso en *Del
espectáculo a la trivialización*, Madrid, 1961, págs. 287-317.

[28] Fritz Baer, *Die Juden im christlichen Spanien*, I, pág. 545.

[29] *Apud* F. Márquez, *Juan Alvarez Gato*, pág. 294.

[30] El texto de las instrucciones al embajador don Lope Hurtado de Mendoza, fue publicado por Fidel Fita, en *Bol. Acad. de la Historia*, Madrid, 1898, XXXIII, 330-345.

[31] *Memorial de los moriscos de Granada a Carlos V en 1526*, en Lea, *A Hist. of the Inquisition of Spain*, I, 585.

[32] Para toda esta cuestión debe verse Francisco Márquez, *Conversos y cargos concejiles en el siglo XV*, en "Rev. de Archivos, Bibliotecas y Museos", Madrid, LXIII, 2, 1957, págs. 503-540.

[33] Pero Mejía, *Relación de las Comunidades de Castilla*, en Bibl. Aut. Esp., XXI, 369.

[34] Ver F. Fita en "Bol. Acad. Historia", 1908, XXXIII, 307-326. Por esos documentos se sabe que a los cristianos viejos, los nuevos los llamaban "negros"; Juan de Padilla era "negro" (pág. 319). En cuanto comenzaron los alzamientos de las Comunidades, regresaron de Fez dos judíos, uno de los cuales había sido miembro del Consejo Real; fueron quemados en Sevilla en 1521 (pág. 339).

[35] *Crónica del Emperador Carlos V*, Madrid, 1920, I, pág. 458. Como es sabido, el autor fue cosmógrafo mayor de Carlos V, pero acompañó antes a Sebastián Cabot como tesorero en 1525, en su expedición a las islas de las Especias. Ver A. Morel-Fatio, *Historiographie de Charles-Quint*, 100. Santa Cruz tiene todo el aire de ser un converso.

[36] Dice Antonio de Guevara en una carta supuestamente dirigida al comunero Antonio de Acuña, obispo de Zamora: "También me ha caído en gracia el arte que habéis tenido para engañar y alterar a Toledo, a Burgos, a Valladolid, a León, a Salamanca, a Avila y Segovia, diciendo que de esta hecha quedarían exentas y libertadas, como lo son Venecia, Génova, Florencia, Sena y Luca, de manera que no las llamen ya ciudades sino señorías, y que no haya en ellas regidores, sino cónsules" *(Epístolas familiares,* Bib. Aut. Esp., XIII, 142 *a).*

[37] M. Danvila, *Historia de las comunidades de Castilla*, III, 676, *apud* E. Tierno Galván, *op. cit.*, pág. 311.

[38] Fracasaron los ensayos ocasionales, según se vio, para orientar las tres castas hacia un mismo vértice de creencia religiosa. Aquella ilusión estaba relacionada, en último término, con el anhelo (más que idea) sufí de hacer coincidir en un mismo Dios toda busca amorosa de lo divino.

[39] Ver sobre todo el citado artículo de Francisco Márquez sobre las cargos concejiles.

[40] Cervantes, cuyas ideas acerca de la justicia y la autoridad eran muy semejantes a las de los autores que vengo citando, hace decir burlescamente a Sancho, con ocasión de la famosa aventura del rebuzno: "No hace al caso a la verdad de la historia ser los rebuznadores alcaldes o regidores, como ellos una por una hayan rebuznado, porque tan a pique está de rebuznar un alcalde como un regidor" *(Quijote,* II, 27).

[41] *Verdadero gobierno desta monarquía*, Valencia, 1581, fol. 60. *Apud* P. Dorado, *op. cit.*, pág. 15. El autor era miembro del Consejo Real.

[42] *La ignorancia del derecho*, 1901, pág. 43.

[43] *Op. cit.*, págs. 101-110.

[44] *Acerca de la función de la ley*, Madrid, 1932, pág 47. Este ensayo fue publicado en francés, en la "Revue Internationale de Sociologie", en el número de agosto-septiembre de 1908.

[45] Contraprueba de haber sido así el sentir·íntimo de la gente, es la clase de los juramentos y blasfemias proferidos, a comienzos del siglo XVI, por quienes se creían injustamente privados del sostén de la gracia y de la esperanza, y se rebelaban contra Dios por haberlos *des-graciado* y *des-esperado.* En 1525 "se mandó pregonar públicamente en la plaza de Zocodover, de la ciudad de Toledo, que ninguno fuese osado de decir "descreo de Dios" ...ni "no ha poder en Dios", y "no creo en la fe de Dios" ...y "reniego de la fe y la crisma que recibí" (Alonso de Santa Cruz, *Crónica del Emperador Carlos V*, I, 146; II, 360).

[46] Gershom Scholem, *Die jüdische Mystik in ihren Hauptströmungen*, Frankfurt a/M, 1957, pág. 334. Ver también pág. 268: "Llevando hasta sus primarios fundamentos el proceso espiritual de la existencia, se llegaría a la noción de Redención, en el sentido de que el mundo volvería a su unidad y pureza originarias."

[47] Silvio A. Zavala, *La "Utopía" de Tomás Moro en la Nueva España*, México, 1937; y mi *Hacia Cervantes*, 1960, pág. 101.

[48] "Para saber si gobierna Satanás una república [y no Cristo], no hay otra señal más cierta que ver si los menesterosos andan buscando el remedio, sin atinar con la entrada a los príncipes" (Quevedo, *Política de Dios y gobierno de Cristo*, Bibl. Aut. Esp., XXIII, 34). Quevedo, y otros antes· de él, esperaban bajara a la tierra la justicia de Cristo, por ser mala e ineficaz la gobernación según principios puramente humanos.

[49] Ver Joaquín Costa. *Historia política, social, patria*, selección de J. García Mercadal,

Madrid, 1961, págs. 197 y sigs. Los legisladores durante el reinado de Carlos III (1759-1788) eran tan competentes como bien intencionados; pero, como dice Costa, "la tutela puramente intelectual del legislador no era suficiente", porque "los mismos negreros que tenían encadenada a su servicio a la plebe campesina, eran los encargados de romper por su propia mano las cadenas. El Consejo de Castilla giraba en un círculo vicioso" (pág. 206).

[50]   J. Vicens Vives, *Manual de Historia económica de España*, Barcelona, 1959, pág. 378.

[51]   Como digo en *Hacia Cervantes*, 1960, pág. 339: "La riqueza adquirida por el no noble (el noble la había heredado, o adquirido en servicio del rey) no fue estimada —ni la del indiano, ni la del banquero; las Cortes de 1566 propusieron al rey la expulsión de estos últimos, como antes lo habían sido los judíos, pues banquero y judío se equivalían." Los enriquecidos en las Indias aparecen en la literatura desempeñando papeles muy ridículos.

[52]   Ver *De la Edad conflictiva: El drama de la honra en España y en su literatura*, 1961, pág. 124.

[53]   Ver A. G. de Amezúa, *Introducción al epistolario de Lope de Vega*, Madrid, 1940, pág. 208.

[54]   El sentido aquí es "por medio de", con matiz peyorativo.

[55]   *Guzmán de Alfarache*, II, III, 4, Bibl. Aut. Esp., III, 336-337.

[56]   'Impuesto sobre el consumo de vino, vinagre, aceite, carne, jabón y velas de sebo.'

[57]   *Cartas completas*, edic. de A. Rosenblat, II, 11.

[58]   "*Ir a la sopa*: acudir a la portería de los monasterios, a donde dan a los pobres (cuando no tienen más que repartir con ellos) caldo y algunos mendrugos de pan con que hacen sopas" (S. de Covarrubias, *Tesoro de la lengua castellana*, 1611).

[59]   Bibl. Aut. Esp., LII, 146 *a*.

[60]   Ver *Hacia Cervantes*, 1960, págs. 79-82.

[61]   *La economía y la expansión de España bajo el gobierno de los Reyes Católicos*, Madrid, 1952, pág. 47.

[62]   *España en su historia*, Buenos Aires, 1948, pág. 27. Buen ejemplo de esta economía "a lo divino" es el de un naviero, que hacía la carrera de las Indias con doce o trece naos, y no las aseguraba en las Gradas, o sea, en un paseo o andén, alrededor de la catedral de Sevilla, en donde "los mercaderes hacían lonja para sus contrataciones" (M. Alemán, *Guzmán de Alfarache*, Bibl. Aut. Esp., III, 191). Este naviero, "señor de Cantillana y de otros lugares", prefería asegurar sus riquezas marítimas en las gradas "de los altares", porque "muchos rogaban a Dios... por su buen viaje. De cuanto cargaba daba a hospitales y monasterios, y hasta a pobres y viudas una parte; que un ducado y un real que a una viejecita daba [para que rezara por el buen suceso de sus naves], se hallaba después rica con el retorno de doce o de veinte ducados en sus naos; y éstas se las traían en salvo con sus oraciones. Jamás se le perdió una" de ellas (ver *Miscelánea de Zapata*, en "Memorial histórico español", 1859, XI, 240).

[63]   Marcel Bataillon ha escrito sobre esto páginas muy esclarecedoras: triunfó, a la postre, en América "el espíritu de la conquista pacífica" *(La Vera Paz. Roman et Histoire*, en "Bulletin Hispanique", 1951, LIII, 235-300).

[64]   A principios de este siglo estaba grabada esa sentencia en la fachada del seminario de Vergara, y allí la leí por primera vez.

[65]   En las Cortes de 1855 decía don Antonio Ríos Rosas, que una ley de tolerancia de cultos no atraería extranjeros a España, porque "aquí no emigran los americanos españoles, ni pobres, ni ricos", por haber "tantas, tan grandes, tan tristes y tan absurdas causas para que no se desarrolle nada... ¡Libertad de cultos! El culto de la libertad, el culto del derecho, el culto de la justicia, es lo que puede restituirnos nuestra pasada grandeza" *(Apud* Menéndez y Pelayo, *Historia de los heterodoxos españoles*, t. VII, 1932, pág. 292). Este era el medio social en donde se incubó el movimiento anarquista. Ríos Rosas no entendía, por lo visto, que la intolerancia religiosa implicaba privación de libertad, de derecho y de justicia.

[66]   Bibl. Aut. Esp., XVII, xviii El prólogo aparece como anónimo, pero Menéndez y Pelayo dice ser suyo ése y también el de las obras del padre Juan de Mariana en la misma Biblioteca *(Historia de los heterodoxos españoles*, t. VII, 1932, pág. 262). Ver también M. Bataillon, *Les idées humanitaires de 1848 et les valeurs littéraires de l'Espagne*, en "Actes du Congrès International d'Histoire Littéraire Moderne". París, 1948, pág. 229.

[67]   *Teoría del hecho jurídico*, 1880, pág. 22. La obra de Costa es anterior a la de Jean-Marie Guyau, *Essai d'une morale sans obligation ni sanction*, que en forma de artículos salió en la "Revue Philosophique", 1883.

[68]   *Fermín Salvochea*, en "España Libre", Nueva York, 17 de marzo de 1956. Véase también Gabriel Jackson, *The Origins of Spanish Anarchism*, en "The Southwestern Social Science Quarterly", septiembre, 1955.

[69] En 1960, los emigrados españoles en Europa y en América publicaban cuatro periódicos anarquistas.

[70] *Apud* Melchor de Santa Cruz, *Floresta general*, I, pág. 16 núm. 68.

[71] *Milicia y descripción de las Indias*, Madrid, 1599, fol. 212, *apud* Gallardo, *Ensayo de una biblioteca española de libros raros*, IV, 915.

[72] Inéditos hasta que fueron publicados por Camilo M. Abad, S. J., en *Miscelánea Comillas*, 1945, III, 3-171.

[73] Ver *Del excesivo desarrollo de las órdenes religiosas en España*, Madrid, Imprenta de la Revista de Archivos, 1910, obra de un eclesiástico que prefirió guardar el anónimo. Su conclusión es: "España no se halla en situación excepcional respecto de otros países civilizados en cuanto se refiere al número de órdenes religiosas" (pág. 85).

[74] Gonzalo Correas, *Vocabulario de refranes* (primera mitad del siglo XVII), edic. 1906, pág. 207.

[75] Ver Melchor Fernández Almagro, *La emancipación de América y su reflejo en la conciencia española*, Madrid, Instituto de Estudios Políticos, 1944. Me parecen de escaso fundamento los reparos puestos a este estudio.

[76] Don Antonio Gil de Zárate (un dramaturgo de segundo orden) describió al *Exclaustrado*, una figura característica de aquel tiempo, en *Los españoles pintados por sí mismos*, Madrid, 1851, págs. 149-153; algunas frases reflejan el sentir de los escritores liberales en aquel momento: "Si en algún tiempo me aconteció también el sacar a la escena, entregando a la execración pública, pasiones y crímenes de hombres que encerrara el claustro, cedí tal vez con harta facilidad al torrente que entonces nos arrastraba a todos; hallábase todavía mi ánimo preocupado con las ideas de *su antigua prepotencia;* y sobre todo no había visto a esos infelices cubiertos de andrajos, muriéndose de hambre, o implorando en las calles la caridad..."

[77] Melchor de Santa Cruz, *Floresta general*, pág. 85, núm. 418.

[78] *Filosofía vulgar*, edic. A. Vilanova, III, 85-86.

[79] Bibl. Aut. Esp., III, 189.

[80] *El Pasajero*, edic. F. Rodríguez Marín, pág. 147. En la comedia de Lope de Vega, *El premio del bien hablar* (escrita entre 1624 y 1625), afirma Leonarda que su padre es noble por ser vizcaíno, y pudo así enriquecerse en las Indias sin envilecerse:

> "Es de mi padre el solar,
> el más noble de Vizcaya:
> que a las Indias venga o vaya,
> ¿qué honor le puede quitar?
> Si le ha enriquecido el mar,
> no implica ['le impide'] ser caballero".

(Acto I, esc. 2.)

[81] *Madrid al daguerreotipo*, Madrid, 1849, pág. 39. En la misma obra se dice: "Nunca oímos decir *rico*, sin que se nos venga a las mientes la idea de un *americano*", es decir, de un hispanoamericano. "En la Bolsa se pierde una fortuna con mucha más facilidad que se conquista" (pág. 38).

[82] Ver *De la Edad conflictiva*, I, pág. 169.

[83] En la novelita de Lope de Vega, *El desdichado por la honra*, Felisardo abandona el servicio del virrey de España en Sicilia, al saber que sus padres han sido comprendidos en el edicto de expulsión de los moriscos, "cosa que a mi noticia jamás había llegado, antes bien me tenía por caballero hijodalgo, y *en esta fe y confianza* me trataba igualmente con los que lo eran... Parecióme dejar su casa de vuestra excelencia..., que no es justo que un hombre a quien pueden decir esta nota de infamia siempre que se ofrezca ocasión, viva en ella" (Bibl. Aut. Esp., XXXVIII, 18).

[84] Ver, por ejemplo, los *Diálogos familiares*, de Juan de Luna, París, 1619. Una señora se despide de otra, después de haber conversado largamente:

«*Doña María:* Beso las manos de vuesa merced por la que me haze...
Doña Ana: V. m. conoce lo que mereçe.
Doña María: Será por ser la más humilde criada de v. m.
Doña Ana: Yo lo soy de v. m.
Doña María: Beso las manos de v. m. mil vezes.
Doña Ana: Yo las de v. m. cien mil." Etc.

(*Apud* J. M. Sbarbi, *Refranes, adagios y proverbios castellanos*, Madrid, 1891, pág. 132.)

Las figuraciones sobrecargadas y laberínticas de la arquitectura llamada barroca presuponen una actitud de pasmo y de éxtasis en que convergían el artista y su público. Ese arte, hoy tan exterior e inexpresivo para muchos, invitaría en España a la contemplación y el recogimiento; en otras partes serviría para fines de propaganda eclesiástica o nobiliaria, o de complacencia sensual, o de mera gesticulación. Pero el tema no es para este lugar.

⁸⁵ He aquí un ejemplo entre centenares: Salvador José Mañer, *Dissertación crítico-histórica sobre el juicio universal, señales que le han de preceder y estado en que ha de quedar el mundo, con el destino de los niños del limbo*, Madrid, Imprenta del Reyno, calle de la Gorguera, 1741. Este adversario del padre Feijóo usa el lenguaje ya "racionalizado" de su tiempo, para decir cosas como ésta: "Cien años antes del Diluvio tuvo principio el Arca...; y si estamos por la opinión de los que dicen que los golpes que en su construcción se daban, se oían en todo el mundo, estarían todos advertidos" (pág. 4).

⁸⁶ Fue inútil que Joaquín Costa se dirigiera a su pueblo como un nuevo profeta de Israel, al alborear este siglo: "Quedan triunfadores e indemnes los hijos del privilegio... los vociferadores de *La Marcha de Cádiz*, los fracasados del bachillerato, señoritos de pueblo, los gomosos de la acera de las Calatravas... el fango social que inunda la plaza de toros, ebria de vino y de salvajismo, el día de la rota de Santiago de Cuba, sin que haya en el Gobierno quien recoja el látigo de Cristo en el templo para cruzar el rostro a la horda..." *(Crisis política de España*, discurso leído en los Juegos Florales de Salamanca, el 15 de septiembre de 1901, en "Obras Completas", VI, Madrid, Biblioteca "Costa", 1914, pág. 59).

⁸⁷ *Bienes del honesto trabajo y daños de la ociosidad*, Madrid, 1614, Imprenta Real, impreso por Jaques Veroliet, y vendido por Gerónimo de Courbes.

⁸⁸ En 1827 la Universidad de Cervera manifestó su adhesión y gratitud a Fernando VII en un célebre documento, no siempre citado con precisión. Los catedráticos de aquella Universidad, fundada por Felipe V, no dijeron: "Lejos de nosotros la funesta manía de pensar." Lo ocurrido fue que, el intento de promulgar el gobierno portugués una "carta" constitucional, provocó viva reacción en la corte madrileña a comienzos de 1827. Los partidarios del régimen absoluto mandaron al Rey declaraciones de adhesión, y entre ellas figura la de la Universidad de Cervera, publicada por la *Gaceta de Madrid*, el 3 de mayo de 1827, y cuyo más saliente pasaje es éste: "Todos somos de un corazón y de un alma: *lejos de nosotros la peligrosa novedad de discurrir*, que ha minado por largo tiempo, reventando al fin con los efectos que nadie puede negar, de viciar las costumbres, con total trastorno de imperios y religión en todas las partes del mundo." Los sabios maestros de Cervera se referían a la *novedad*, al trastorno político, sobre el cual no querían "discurrir", o sea, desearlo o planearlo; estaban a tono, esta vez, con la política reaccionaria de Europa, sobre todo con la de Carlos X de Francia. Los profesores de Cervera no podían referirse a la libertad de discurrir intelectualmente, poco o nada practicada por ellos; sí conocían, en cambio, lo acontecido en España durante el breve período constitucional de 1820 a 1823.

⁸⁹ Ver Vicente Llorens, *Liberales y románticos*, México, 1954.

⁹⁰ Un libro titulado *Espejo de la conciencia*, compuesto por "un fraile menor, morador e súbdito en la Custodia de los Angeles", es decir, en el monasterio franciscano de Guadalcanal (Sevilla), fue publicado como anónimo, y V. Barrantes dice que en una imprenta clandestina, en Extremadura, sin lugar ni año de impresión, hacia 1502 ó 1503 *(La imprenta en Extremadura*, pág. 41; ver además "Libros de Antaño", XII, 400). Hubo luego ediciones en Logroño, 1507; Sevilla, 1512; Toledo, 1513; Sevilla, 1516; Toledo, 1525; Sevilla, 1531; Sevilla, 1543 (en ésta aparece como autor Juan Bautista de Vinones, según Nicolás Antonio, *Bibliotheca Nova*) ; Sevilla, 1548; Medina del Campo, 1552 (estas últimas no llevan nombre de autor). Pues bien, en esa obra que hoy nadie lee, pero que fue leidísima y circuló libremente en la primera mitad del siglo XVI, se habla así a los obispos: "O, señores, miren e noten bien vuestras señorías en qué gastan los bienes e rentas de sus obispados, e [non] hagan salas pródigamente, e ni estén demasiadamente acompañados, ni tengan grandes baxillas, si no, en verdad que robáis los bienes de los pobres: e su sangre llama contra vosotros cada día delante de Dios" (edic. 1507, fol. 92). "Ellos los han dexado e dexan [a los pobres] perecer de fambre... Reprehenderlos los has aún de cómo son crueles e tiranos de los sus súbditos, en tanto que todo el mundo confiesa e dize que la más cruel señoría que en el mundo sea, es la señoría de los clérigos..., e si pudiessen arrancarían al mesquino las entrañas" (fol. 94). Etc.

⁹¹ François Rousseau, *Régne de Charles III d'Espagne*, París, 1907, I, pág. 135. En esta obra (escrita por un católico y prologada por el futuro cardenal Baudrillart) se hace referencia a los motivos que, según algunos historiadores, tuvo Carlos III para expulsar a los jesuitas. Parece que alguien le mostró una carta de Lorenzo Ricci, general de la orden, en la cual se decía que Carlos III era hijo, no de Felipe V, sino del cardenal Alberoni.

⁹² *Idée générale de la révolution au XIX° siècle, apud* Peter Heintz, *Anarchismus und*

Gegenwart, pág. 60, el cual poco antes afirma, que "el revolucionario anarquista, moder-namente, sería como un vivo retrato de Don Quijote".

[93] Ver Juan Díaz del Moral, *Historia de las agitaciones campesinas andaluzas*, Madrid, 1929, y la bibliografía citada en el mencionado artículo de Gabriel Jackson.

[94] Luis Zapata, *Miscelánea*, en "Memorial Histórico Español", XI, pág. 271.

[95] En cierta ocasión alguien se presentó a Joaquín Costa:
—Soy gallego, vivo en Barcelona, hace veinte años que sirvo al Estado.
—Dirá usted —le replicó Costa— que el Estado le sirve a usted desde hace veinte años. (Citado por J. García Mercadal en su Prólogo a la *Historia política, social, patria*, de Joaquín Costa, pág. 24.)

[96] Pierre Jobit, *Les éducateurs de l'Espagne contemporaine: Les Krausistes*, París, 1936. Juan López Morillas, *El krausismo español*, México, 1956. Ver además el artículo "Krausismo" en el *Diccionario de filosofía*, de J. Ferrater Mora.

[97] *El pensamiento vivo de Giner de los Ríos*, presentado por Fernando de los Ríos, Buenos Aires, 1949, págs. 202, 203, 242.

[98] P. Dorado Montero, *Valor social de leyes y autoridades*, pág. 194.

[99] *Para la historia de las teorías libertarias*, en "Boletín de la Institución Libre de Enseñanza", 1899, XXIII, pág. 88. Ver P. Dorado Montero, *op. .cit.*, pág. 11.

[100] F. de los Ríos, *El pensamiento vivo de Giner de los Ríos*, pág. 53.

[101] Hablan dos personajes en *La celosa de sí misma*, de Tirso de Molina:

> "—*Don Sebastián:* Como tan presto se pasa
> el tiempo en Madrid, no da
> lugar aun de conocerse
> los vecinos, ni poderse
> hablar.
>
> *Don Jerónimo:* ....
> En una casa tal vez
> suelen vivir ocho y diez
> vecinos, como yo vi,
> y pasarse todo un año
> sin hablarse, ni saber
> unos de otros.
>
> *Don Sebastián:* ....
> ...Llegué a ver
> en una casa, en un día,
> bodas, entierros y partos,
> llantos, risas, lutos, galas,
> en tres inmediatas salas,
> y otros tres contiguos cuartos,
> sin que unos de otros supiesen,
> ni dentro una habitación,
> les diese esta confusión
> lugar que se conociesen.
>
> *Don Jerónimo:* Está una pared aquí
> de la otra más distante,
> que Valladolid de Gante."
>
> *(Bibl. Aut. Esp.*, V, 128-129.)

Lo anterior no es una anécdota costumbrista, sino un rasgo expresivo del tema de la hendidura y escisión interiores, cuya nota más alta es la del "corazón partido": "Partir un corazón mismo / el cuchillo de los celos." De todas suertes, los modos del vivir ciudadano ofrecían "materia" a la "forma" de arte que solemos llamar "barroca". El desgarro social de los españoles ya fue expresado por Luis de León en los *Nombres de Cristo*, antes citados, y Tirso se sirve del mismo tema en esta deliciosa sinfonía de discordancias y desacuerdos.

Capítulo IX

ORIGENES DE LA REACCION CRISTIANO-EUROPEA: SANTIAGO DE GALICIA

LA CREENCIA EN EL APOSTOL SANTIAGO

"Por quien son las Españas
del yugo desatadas
del bárbaro furor, y libertadas."

(Luis de León.)

"Tan unidos estaban los intereses del cielo
y los de España, que en los mayores ahogos
de España se explicaba como auxiliar suyo el
cielo. ¿Qué grandeza iguala la de haber visto los españoles a los dos celestes campeones
Santiago y San Millán mezclados entre sus
escuadras?" (Feijóo, "Glorias de España", en
Teatro Crítico, IV, disc. 13, § 16).

El nombre, la expansión y la magnificencia de algunas ciudades
romanas se deben al hecho de haber sido construidas sobre lo que había
sido el campamento de una célebre legión; pues bien, Santiago de Compostela ("campus stellae") se alzó sobre el espacio de lo que era un
campamento espiritual, fue consecuencia del culto rendido al sepulcro
en donde yacía el cuerpo de uno de los mayores apóstoles de Cristo.
Hay, por supuesto, otras ciudades españolas en donde son veneradas
las reliquias de algún santo; pero la singularidad de Santiago consiste
en que el culto del Apóstol inspiró, durante ochocientos años, magnifi-
cencias arquitectónicas, muchas de las cuales siguen por fortuna estando ahí. Las peregrinaciones las hicieron posibles, y ellas, a su vez, fueron
expresión del durable prestigio de la creencia de hallarse, en aquel
lugar, la reliquia de un apóstol no menos importante que San Pedro y
San Pablo, venerados en Roma. En el siglo XI, según el *Codex Calixtinus*
(edic. Whitehill, pág. 149), se oía en Santiago hablar en lenguas de muy
varias y extrañas gentes: germánicas, inglesas, griegas, "y de otras procedentes de todos los climas del mundo"; y "así como el sol hace brillar a la

luna, del mismo modo el inmenso poderío del Apóstol ilumina a España y a Galicia" (pág. 148).

La historia de los españoles no hubiera sido, en efecto, como fue, sin la creencia de hallarse en Galicia el cuerpo de un discípulo y compañero del Señor, degollado en Palestina y trasladado a España en forma milagrosa; regresaba así a la tierra antes cristianizada por él, según una tradición que no tendría sentido discutir, y que existía desde antes de la llegada de los árabes. La fe en la presencia del Apóstol sostuvo espiritualmente a quienes luchaban contra los musulmanes; su culto determinó la erección de maravillosos edificios, tanto en Santiago como a lo largo de la vía de los peregrinos, y sus consecuencias para la cultura fueron considerables, tanto dentro como fuera de España; la orden de Cluny y otras no menos importantes se establecieron en el norte de la Península, atraídas por el éxito de la peregrinación; por el camino llamado francés discurrieron millones de gentes, que mantuvieron a los reinos cristianos en contacto con el resto de Europa. Arte, literatura, instituciones, costumbres y formas de expresión lingüística se entrelazaron con la creencia en tan prodigioso hecho, acaecido en el "finis terrae" de la Europa cristiana, flotante en la bruma de un paisaje indeciso.

A pesar de lo mucho escrito sobre Santiago de Galicia, seguimos preguntándonos cómo fue posible tal hecho.[1] * Se comprende que Roma, cabeza del imperio, hallase una continuación en la Roma cristiana, y que Jerusalén adquiriera extraordinario relieve. Galicia, en cambio, carecía de importancia; no tuvo significación perceptible ni cuando era romana, ni bajo los suevos y visigodos; esperaríamos, entonces, que un milagro acontecido allá hubiera tenido vigencia sólo local, y que hasta hubiese sido rechazado como ilegítimo al ser conocido fuera de España. No ocurrió así, y hay, por tanto, que pensar de nuevo en tan voluminoso suceso para que no continúe como un azar inconexo y mudo.

A comienzos del siglo IX se veneraba, cerca de la antigua ciudad de Iria Flavia, un sepulcro que se decía encerrar el cuerpo del apóstol Santiago. La opinión ortodoxa siempre admitió que el apóstol era Santiago el Mayor, hijo del Zebedeo. Lo mencionan como tal Berceo y el Poema de Fernán González en el siglo XIII, de acuerdo con la tradición eclesiástica; pero la creencia popular, frente a la de los doctos, adoró a un Santiago que incluía al Mayor (Mateo, IV, 21) y al llamado "hermano del Señor" en el Evangelio (Mateo, XIII, 55), calificativo tomado al pie de la letra, según veremos, por quienes veneraban el sepulcro. Tal fraternidad, olvidada por la ortodoxia, formó durante siglos el centro de aquella creencia, que adquirió dimensiones considerables, sobre todo

---

* Para las notas al capítulo IX véanse las páginas 357 a 361.

por referirse a un hermano del Salvador. Tal creencia semejaba a ciertos cultos precristianos de divinidades gemelas tales como Cástor y Pólux —Dioscuros o hijos de Júpiter—, uno de los cuales ascendía al cielo, mientras el otro permanecía en la tierra (al menos por algún tiempo) como protector del hombre. Ambos, como Santiago, descendían del cielo sobre sus blancos caballos para luchar a favor del ejército de su predilección.

De no haber sido España sumergida por el Islam, el culto a Santiago no hubiera prosperado. Mas la angustia de los siglos VIII y IX fortaleció la fe en un Santiago hermano del Señor, que, como un renovado Cástor, habría de lograr innumerables victorias, jinete en su blanco y radiante corcel. Otras circunstancias harían luego que lo que en otras partes fue milagro ocasional y anecdótico, se convirtiese en un muy necesario auxilio, a tono con formas de creencia olvidadas de los confines entre cielo y tierra, entre el prodigio y la realidad de la experiencia. Aparece, en efecto, con la creencia en Santiago un tipo de existir originalísimo, algo que llamaré "teobiosis" integral, sin exacto paralelo en la Europa cristiana, aunque tal vez sí en los estados musulmanes e israelita en donde se confunden las nociones de Estado y Religión. El culto a Santiago no fue un simple rasgo de piedad, utilizado luego en la lucha contra el moro. La verdad es, por el contrario, que tal creencia salió del plano humilde del folklore y asumió dimensión incalculable como respuesta a lo que estaba aconteciendo en el lado musulmán: a una guerra sostenida y ganada por la fe religiosa, se intentó oponer (no racionalmente, claro está) otra fe bélica, grandiosamente espectacular, apta a su vez para sostener al cristiano y llevarlo al triunfo. Del mismo modo que imitaban subconscientemente a los musulmanes quienes se llamaban a sí mismos "cristianos" (étnica y nacionalmente) —y no godos o hispanos—, así también se establecería una correlación en cuanto al uso bélico de las creencias.

A comienzos del siglo IX, unos cien años después de la invasión sarracena, los cristianos del Noroeste se sentirían muy caídos material y moralmente. El aislamiento respecto del resto de la cristiandad, muy grande ya en la época visigótica, debía ser casi total, y parecería cosa imposible restaurar la antigua monarquía de Toledo sobre la tierra de Hispania. Mas he aquí que a comienzos del siglo X los cristianos comienzan a erguirse bajo Alfonso III (866-910), que amplió considerablemente los límites del reino astur-leonés. Sus hijos y sus súbditos lo mencionan en 917 como "magnus imperator".[2] Los cristianos no se consideraban ya empequeñecidos frente a los musulmanes, puesto que llaman "imperatores" a sus monarcas, antes simplemente "principes" o "reges". ¿Qué justificación cabe hallar a semejante elevación de rango? Me atrevo a decir que el título de "imperator" es inseparable del título de pontífice dado con gran pompa verbal al obispo de Santiago, y de lo cual tenemos la primera muestra, que yo sepa, en un documento del año 954, y que es muy probable no fuese el primero: "Yo, Ordoño, príncipe y humilde siervo de los siervos del Señor, a vos, ínclito y venerable padre y señor Sisnando, obispo de nuestro patrón Santiago y *pontífice de todo el orbe*, os deseo eterna salud en Dios Nuestro Señor." [3] Quien así escribía era el rey Ordoño III de León, el cual debía tener poderosos motivos, no sólo políticos, para dar título papal al obispo de Santiago, desconociendo por consiguiente la jerarquía del romano pontífice.[4] El rey se permitía tal magnificación, porque los obispos de Santiago se creían pontífices; y lo creían porque Santiago era más alto apóstol que San Pedro: era protomártir, predilecto de Dios, hermano de Cristo e "hijo del trueno", según el Evangelio; la fe popular (que veremos luego reflejarse en la liturgia) lo había, en efecto, convertido en hermano gemelo del Señor.[5]

Las pretensiones pontificales y apostólicas de la sede compostelana, en rivalidad·con Roma, no eran simple gesto en el siglo X, pues fueron a veces aceptadas como válidas más allá de los límites del reino de León. Ejemplo de ello fue la venida a Compostela, en 956, de Cesáreo, un ambicioso catalán, abad de Santa Cecilia, en Montserrat; aprovechando la circunstancia de estarse celebrando allá un concilio, "se hizo consagrar por los obispos gallegos y leoneses, por el metropolitano de Lugo, y por el obispo apostólico de Santiago —en presencia y con la suscripción del rey Sancho el Craso"—, nada menos que "como metropolitano de la provincia tarraconense, con jurisdicción sobre las diócesis de Barcelona, Tarrasa, Gerona, Ampurias, Osona, Urgel, Lérida, Tortosa, Zaragoza, Huesca, Pamplona, Oca, Calahorra y Tarazona". Pretendía Cesáreo hacer revivir y poner bajo su autoridad espiritual esa vasta zona de lo que había sido iglesia visigótica. Pero como dice Ramón de Abadal, de quien tomo el dato,[6] ninguno de esos prelados (sobre todo el arzobispo Aimeric de Narbona) aceptó como válida la consagración de Cesáreo, por esta razón: la sede apostólica llamada de Hispania y de Occidente, no fue fundada por Santiago, porque este apóstol "llegó aquí estando ya muerto". Por consiguiente, la ordenación de Cesáreo no era legítima. El cual, sin embargo, continuó llamándose "arzobispo" en los documentos de Santa Cecilia, sin alcance alguna fuera de aquella abadía, desde luego.

El hecho es revelador de la tensión prestigiosa existente en Galicia, y de cómo aquel prestigio se proyectaba sobre el ánimo de los reyes de León. Mientras los condados catalanes vivían aún bajo la soberanía de los reyes francos, Galicia y León se permitían actitudes de universalidad imperial. Porque si el obispo Sisnando no fue el primero en creerse con derecho al pontificado universal, hay desde luego documentos que prueban que no fue el último. En 1049 el obispo Cresconio fue excomulgado por el Concilio de Reims, "porque contra el derecho divino reivindicaba para sí la cúspide del nombre apostólico".[7] Durante el obispado o pontificado de Diego Gelmírez (1100-1140), período de máximo esplendor para Santiago, aquel magnífico personaje instauró en su corte pompa y honores pontificales; muchos lo censuraban, y le recordaban "que algunos de sus antepasados habían pretendido nada menos que equiparar su iglesia con la de Roma" (L. Ferreiro, III, 274). Gelmírez nombró cardenales, que vestían paños de púrpura; recibía a los peregrinos "Apostolico more", como si fuera, en efecto, el papa.

Basta con los anteriores datos, que abarcan un período de tres siglos, para dejar probado el constante afán de universalismo jerárquico en los prelados compostelanos. Ya sé que no sólo Santiago disputó a Roma su supremacía durante la Edad Media, y que, alguna vez, Milán y Ravenna se creyeron con superiores títulos. La leyenda del Graal, por otra parte, supone la idea de que el eje de la cristiandad no pasaba sólo por Roma. Pero nada de eso se concretó en una pretensión tan sostenida como la de Santiago, ni tan conexa con un estado de ánimo popular y con formas de liturgia y de culto. Se sintió que de veras y justificadamente era Santiago el centro de la catolicidad. Tal sentimiento debía ser ya fuerte en torno a Alfonso III (866-910), que justamente fue quien hizo construir el primer templo decoroso en honor del Apóstol: "Et fizo la eglesia de Sant Yagüe, toda de piedra taiada, con pilares de mármol, *ca antes de esto, de tierra era fecha.*" [8]

La presencia del cuerpo de Santiago en Iria Flavia no es mencionada antes del siglo IX, aunque sí se había hablado de la venida del Apóstol a España con motivo de la cristianización de la Península; ya entonces se confundían ambos Santiagos,[9] que continuaron confundidos posteriormente.

En martirologios anteriores al año 1000 se coloca la pasión de Santiago en 25 de marzo, aunque en estos términos: "passio sancti Iacobi Iusti, fratris Domini, sicut in Actibus Apostolorum continetur" —pasión de Santiago el Justo, hermano del Señor, según se contiene en los Hechos de los Apóstoles.[10] Pero la pasión de que hablan los Hechos (XII, 2) es la de Santiago el Mayor, en tanto que el hermano del Señor (*Mateo,* XIII, 55) es Santiago el Justo, o sea, el Menor. La yuxtaposición de ambos apóstoles no fue única, porque ocurrió lo mismo con casi todos los demás.[11] En nuestro caso acontece, sin embargo, que ese tercer Santiago, resultado de la fusión de ambos, sufría su pasión el 25 de marzo, en el mismo día que se conmemoraba la pasión de Cristo (L. Ferreiro, I, 311-312), circunstancia que acentuaba la hermandad de ambos. El lla-

● Arcos lobulados, del siglo XI, descubiertos recientemente en la
catedral de Santiago, y que recuerdan en su forma los del mihrab
de la mezquita de Córdoba, del siglo X. (Foto Arturo. Santiago.)

mado *Códice calixtino,* falsamente atribuido al papa Calixto II, y compuesto en el siglo XII, todavía hace coincidir ambas pasiones en el mismo día 25 de marzo. Más tarde se trasladó al 25 de julio la festividad de Santiago, bien por haber perdido vigencia la divina fraternidad del Apóstol, o por haberse reconocido lo inadmisible de tal simultaneidad.

Si Santiago de Galicia fue una fusión de los dos Santiagos evangélicos, la actividad militar y ecuestre de Santiago Matamoros supone en el apóstol cristiano unos rasgos enteramente ajenos a cuanto dicen sobre él los Evangelios, los Hechos de los Apóstoles, la Historia eclesiástica de Eusebio de Cesárea y otras fuentes hagiográficas. El Santiago en que creían los españoles del siglo IX es el que luego aparece descrito en la *Crónica General* de Alfonso el Sabio, al narrar la aparición milagrosa del Apóstol en la batalla de Clavijo (822), en unos términos que corresponden a lo que esperaba la gente, habituada por tradición a imaginarse a Santiago (y siglos antes a los Dioscuros) bajando del aire sobre un caballo blanco para bien de sus patrocinados. El Apóstol se apareció al rey Ramiro I, y le dijo: "N. S. Jhesu Cristo partió a todos los otros apóstoles, mios hermanos et a mí, todas las otras provincias de la tierra, et a mí solo dió a España que la guardasse et la amparasse de manos de los enemigos de la fe...[12] Et por que non dubdes nada en esto que yo te digo, veerm'edes cras ['mañana'] andar ý en la lid, *en un cavallo blanco, con una seña blanca et grand espada reluzient en la mano*" (pág. 360). Entonces los cristianos, "fiando en ell ayuda de Dios et dell apóstol san Yagüe", vencieron a los moros.

También en 449, antes de Cristo, los gemelos Cástor y Pólux habían aparecido sobre sus blancos caballos y así decidieron la victoria del dictador Postumio junto al lago Regilo.[13] Estrabón (VI, 261) habla de un altar erigido a orillas del río Sagra para conmemorar la victoria lograda con el auxilio de los Dioscuros, en la que 10,000 locrios vencieron a 130,000 crotoniatas.

El caso más patente de aparición dioscúrica en España se encuentra en la *Vida de San Millán,* de Gonzalo de Berceo, primera mitad del siglo XIII. El conde Fernán González ganó la batalla de Simancas (939), según el poeta, gracias a la ayuda de Santiago y San Millán; temían los cristianos la superioridad numérica de los musulmanes:

> Mientras en esta dubda sedíen las buenas yentes,
> asuso contral çielo fueron parando mientes:
> vieron dues personas fermosas e lucientes,
> mucho eran más blancas que las nieves reçientes.
> Viníen en *dos cavallos plus blancos que cristal...*
> avíen caras angélicas, celestial figura,
> descendíen por el aer a una grant pressura,

> catando a los moros con torva catadura,
> espadas sobre mano, un signo de pavura (437-439).

La derrota de los moros fue completa:

> fué con Dios e los sanctos la fazienda rancada (452).[14]

Los mitos, una vez instalados en la fantasía y en la memoria de las gentes (sean éstas muchas o pocas), salvan enormes distancias geográficas, y se deslizan a través de las generaciones. Sus formas y sus contenidos experimentan mudanzas incalculables, con lo cual los mitos se prestan dócilmente a expresar lo que en cada lugar y momento conviene a la situación vital de quienes se sirven de ellos. Los mitos (las unidades, los hilos separables que forman el tejido de lo creído e imaginado), los mitos, lo mismo que los usos y el lenguaje, son la base que han hecho posible la existencia en el tiempo de lo humano del hombre —que sin eso habría continuado siendo una bestia. Esa base (todo lo humano es paradójico) es a la vez continua, mudable y movediza, aunque su presencia se ha hecho perceptible a lo largo de milenios, y gracias a eso han podido estructurar los historiadores el pasado del hombre.

He aquí un buen ejemplo entre centenares: en 1902 demostró Ramón Menéndez Pidal que el tema de *El condenado por desconfiado*, de Tirso de Molina, aparece por primera vez en el *Mahabharata*, compuesto unos mil seiscientos años antes.[15] El brahmán hindú es en Tirso, naturalmente, un católico, que ya no recita los Vedas sino que ora como su Iglesia le manda; el cazador que realiza actividades pecaminosas. (hacer daño a seres vivientes) es ahora Enrico, que roba y comete otros crímenes, etc. A través de las literaturas orientales y cristiano-europeas, el tema llegó a Tirso de Molina.

Sorprende que quienes ignoran tan elementales principios, se escandalicen y alboroten al enterarse de que varios historiadores de la cultura, hace mucho tiempo relacionaron la figura bélica de Santiago y su blanco caballo con la milenaria tradición de los Dioscuros.[16] Esa relación no es arbitraria ni "grotesca" —como dice el padre Justo Pérez de Urbel—, sino un simple y normal fenómeno dentro del amplio cuadro de conexiones entre el cristianismo y las religiones anteriores a él. El hecho de existir tales conexiones es conocido desde hace siglos, y ha sido aceptado modernamente por eminentes historiadores católicos. Con mucha anterioridad a ellos escribía Alfonso de Valdés en el siglo XVI:

"Havemos repartido entre nuestros santos los officios que tenían los dioses de los gentiles. En lugar de dios Mars, han succedido Sanctiago y Sanct Jorge; en lugar de Neptuno, Sanct Elmo; en lugar de Baco, Sanct Martín; en lugar de Eolo, Sancta Bárbola; en lugar de Venus, la Madalena. El cargo de Esculapio havemos

● Imágenes ecuestres de Santiago y San Millán, en el retablo del altar mayor del monasterio benedictino de San Martín Pinario (Santiago de Compostela.) (Foto Ksado. Santiago.)

repartido entre muchos: Sanct Cosme y Sanct Damián tienen cargo de las enfermedades comunes; Sanct Roque y Sanct Sebastián, de la pestilencia" etc.[17]

El padre Hippolyte Delahaye, bien conocido bolandista, dice en *Les légendes hagiographiques*, que la milagrosa llegada de Santiago a las costas gallegas es una supervivencia pagana: "Nada más común en la hagiografía popular que el tema de la llegada milagrosa de una imagen, o de un cuerpo santo, en un navío abandonado... Pausanias (VII, 5, 5-8) describe en forma análoga la llegada a Eritrea de la imagen de Hércules... Recordemos la llegada de Santiago a España, de San Lubencio a Dietkirchen", etc.[18] El padre Delahaye precisa el sentido de sus observaciones al añadir, discretamente, que "era natural que la nueva religión acabara por apropiarse la totalidad de un ritual que bastaba interpretar sanamente para convertirse en el lenguaje del alma cristiana al elevarse hacia el verdadero Dios. Todos los signos exteriores que no implicaban aceptación expresa del politeísmo, tenían que hallar gracia ante los ojos de la nueva religión..." *(op. cit.*, pág. 169). "No quiero negar que, a veces, la devoción popular se haya dejado impregnar, en ciertos lugares, del recuerdo aún vivo de las antiguas supersticiones...; que, por ejemplo, los santos Ciro y Juan hayan acabado por convertirse en una especie de santos curanderos, de médicos desinteresados, como *Cosme y Damián*, y que este último grupo... haya tomado en la imaginación popular una nueva y definitiva forma de genios auxiliadores de la humanidad, *a semejanza de los Dioscuros*. Pero manteniéndose en el terreno de los hechos, no hay motivo para decir que la Iglesia haya practicado sistemáticamente esas transposiciones de nombres que dejaban subsistir la cosa" *(op. cit.*, pág. 195). Es decir, que esas transposiciones acontecían en el subconsciente de quienes, en un breve lapso de tiempo, pasaban del paganismo al cristianismo; la Iglesia no mandaba que a tales o cuales dioses paganos se les diese culto como a santos cristianos.

Por lo que respecta al paso, a la transposición, de Cástor y Pólux a las figuras de apóstoles o santos que, sobre caballos refulgentes de blancura, se lanzan aire abajo para exterminar a los enemigos de sus fieles cultores, de esa transposición (aunque sin los caballos dioscúricos) se encuentran ya indicios en el Evangelio de San Marcos: "Y a Jacobo, hijo de Zebedeo, y a Juan, *hermano* de Jacobo, [Jesús] los apellidó *Boanerges*, o sea, Hijos del trueno" (III, 17).[19] Pero "Hijos del trueno" corresponde en su sentido a *Dios-kuroi* en griego, "hijos de Júpiter Tonante"; o a *Bana-ba-Tilo* "hijos del cielo", en Mozambique.

Jacobo y Juan son hermanos e Hijos del trueno; en el Evangelio de San Lucas (IX, 54) ofrecen a Jesús hacer bajar fuego del cielo para consumir con él a los samaritanos: "¿Quieres que digamos que baje fuego del cielo y los consuma?" Jesús no acepta tan atroz ofrecimiento, porque su misión era de amor y de paz. Pero es innegable que ambos evangelistas introducen en su relato las figuras de dos hermanos, caracterizados como "Hijos del trueno" por el mismo Jesús, aunque luego rechace "cristianamente" servirse de aquel temible poder.

Pero fuera del texto evangélico, la correlación entre una pareja de apóstoles y la de Cástor y Pólux ya fue establecida por quienes erigieron en Nápoles la iglesia de *San Paolo Maggiore* sobre el templo pagano de los Hijos de Júpiter Tonante, construido por T. Julio Tarso, un liberto de Augusto. "Aún existían en el siglo XVII el pórtico y ocho columnas corintias, y también la inscripción destinada a perpetuar el nombre y los títulos de quien había dedicado el templo. Un terremoto, en 1688, sólo dejó en pie dos columnas, encajadas con sus arquitrabes en la fachada de la iglesia moderna. Las estatuas de Cástor y Pólux, sin cabezas, sin brazos y sin piernas, yacen acostadas de lado en un pequeño nicho dominado por las estatuas de San Pedro y San Pablo." [20] Dos dísticos latinos, grabados en piedra sobre las estatuas mutiladas de Cástor y Pólux, dicen que los dos apóstoles cristianos, sólo con aparecer y abrir la boca, se hicieron oír de los dos dioses paganos. Estos desaparecieron:

> "Audit vel surdus Pollux cum Castore Petrum;
>   Nec mora: praecipiti marmore uterque ruit.
> Tyndaridas vox missa ferit; palma integra Petri est:
>   Dividit at tecum, Paule, tropaea libens."

Así pues —añade M. Albert— "estos Dioscuros cristianos habían ocupado el lugar de los Dioscuros paganos"; aunque este autor afirme que San Miguel y San Jorge han representado a los Hijos de Júpiter en la imaginación popular, no pensó en añadir a esto la figura y actividad bélica de Santiago. Pero en la enciclopedia católica *Reallexikon für Antike und Christentum,* s. v. *Dioskuren,*[21] se reconoce decididamente que la pareja San Pedro-San Pablo corresponde a la de los Dioscuros, "frente a los cuales, la Iglesia tomó, según acostumbraba, dos posiciones: una polémica, otra favorable a los indesarraigables Gemelos, que así aparecían con el aspecto de mártires o de santos... Nos limitamos a mencionar los casos en que está atestiguado, o en que puede deducirse con seguridad el hecho de haber sido venerados cristianamente los Dioscuros greco-romanos. La iglesia napolitana de San Paolo Maggiore, consagrada a los apóstoles Pedro y Pablo, fue alzada sobre el templo de los Dioscuros. Ambos príncipes apostólicos cumplieron en Roma su común destino; sus nombres poseían la misma inicial, es decir, que todo los predisponía a ser vistos como una pareja, y como una pareja propia para sustituir a los Dioscuros en su calidad de protectores de los navegantes.

Ambos apóstoles habían hecho viajes marítimos..., y la nave en que vino San Pablo a Italia llevaba la enseña de los Dioscuros ["navigavimus in navi Alexandrina... cui erat insigne Castorum", traduce la *Vulgata*], según los *Hechos de los Apóstoles*, 28, 11. En la misma Roma, el papa Dámaso I (366-384) llama a ambos apóstoles 'nova sidera', ['nuevas estrellas'] pensando en los Dioscuros (ver E. Caspar, *Geschichte des Papstum*, I, 1930, pág. 252). Otra pareja de santos, colocada en lugar de los Dioscuros, es la de los santos médicos Cosme y Damián".

Todo esto era verdad sabida de los doctos, pero ha habido que insistir en ello a causa del tosco vocerío y de la densa polvadera levantada por los mal enterados. El templo de los Dioscuros, en el Foro romano, duró tanto como el Imperio del cual Hispania (no España) era una parte. "Donde quiera que penetran y triunfan las armas romanas, con ellas van los Dioscuros; éstos se imponen a los vencidos, primero en la Italia septentrional y meridional, y luego en todas las provincias sucesivamente conquistadas" (M. Albert, *op. cit.*, pág. 41). En Hispania, como era normal, fueron venerados los dos divinos hermanos, y abundan las inscripciones votivas. En Hispania un funcionario ofrece un *exvoto* en recuerdo de las comidas públicas dadas para celebrar la toma de posesión de su cargo; una madre, Sulpicia, da gracias por haber recobrado su hijo la salud:

CASTORI ET POLLVCI DIIS MAGNIS...
OB FILIVM SALVTI RESTITVTVM.

(M. Albert, *op. cit.*, pág. 50.)

Toutain [22] encontró otras dos inscripciones en la Bética (que no era todavía Andalucía). Como se ve, al lado de las formas generales del culto dioscúrico en Hispania, aparece la especial motivada por su poder curativo, ejercitado luego entre cristianos por los santos Cosme y Damián. Y como protectores de los navegantes fueron venerados en Galicia, según demostró en 1943 José Filgueira Valverde [23] en un erudito estudio, al que no hago sino aludir aquí. Por largos caminos y complejos desvíos —como es normal— la Cofradía "do Corpo Santo", en Pontevedra, entronca con el culto de los gemelos Cástor y Pólux, en la misma región en donde Santiago cabalgará sobre un albo y dioscúrico caballo a fin de aniquilar sarracenos. También en Pontevedra, en el lugar de Portosanto, encontró Alfredo García Alén,[24] 1956, un anillo romano, de factura muy tosca, con dos figuras tocadas de gorros cónicos, "que recuerdan las representaciones de los Dioscuros". Me parece difícil con tan escasos elementos hacer una afirmación decisiva (el señor García Alén no la hace), pero el hecho de ser dos e iguales las figuras es un indicio importante.

No era necesario, después de todo, que en Galicia apareciesen huellas visibles de haber existido allá el culto de los Dioscuros, para relacionar con ellos la figura ecuestre de Santiago y su protección bélica a quienes invocaban su nombre.[25] Lo hizo en 1920 Georgiana G. King,[26] y antes de ella J. R. Mélida notó la relación entre el jinete, tan a menudo representado en monedas ibéricas, y el culto a Cástor (G. G. King, *The Way of Saint James*, t. III, págs. 298, 299).

No sólo en la España de la Reconquista permanecía latente (en la forma que fuera) la imagen cristianizada del Dioscuro amigo del hombre y que le ayuda en sus necesidades (en sus dolencias, en la navegación borrascosa, en la guerra). La huella de Cástor y Pólux también es perceptible en el caso de los santos Cuthberto y Wilfrido, famosos por su obra evangélica en Inglaterra, y muertos, respectivamente, en 687 y 719. Su recuerdo quedó muy vivo entre los anglosajones, y eso explica que fuesen invocados en situaciones graves. En la segunda mitad del siglo XI el rey Malcolm de Escocia ordenó el exterminio de los habitantes de Hexham por haber asesinado aquellos ingleses a sus mensajeros. La víspera del día fijado para la matanza, todo el pueblo se refugió en la iglesia de San Wilfrido. Un sacerdote se adormeció entre tanto, rendido por la fatiga, y en su sueño "se le aparecieron dos jinetes, uno de los cuales dijo: Mi nombre es Wilfrido, y vengo acompañado de San Cuthberto, al cual recogí al pasar por Durham. Al amanecer tenderé una red a lo largo del río Tyne, y vuestros enemigos no podrán cruzarlo." Y así aconteció.[27]

Tanto el conde de Montalembert, un escritor católico, como luego M. Albert, relacionaron los dos jinetes aparecidos a los habitantes de Hexham en el siglo XI con los aparecidos a los romanos en la batalla del lago Regilo, en 449 a. C. Y añadiré que son los mismos que se aparecieron al emperador Teodosio,[28] y a los cristianos de España, personificados como Santiago y San Millán, en la obra de Berceo antes citada.

Se comprende, a pesar de todo esto, que el Santiago de España tuviese generalmente que aparecer solo, pues su cuerpo era objeto de un culto singular y no dúplice. No era la suya una aparición ocasional, sino la de un cuerpo venido a su santuario compostelano, y que se hacía presente en su aspecto celestial cuando hacía falta. Por lo demás, las apariciones de tradición dioscúrica podían incluso ser triples, según se vio en la batalla de Antioquía (1098), cuando San Jorge, San Mercurio y San Demetrio, jinetes en caballos blancos, combatieron junto a los soldados de Cristo:

"Tunc autem [los enemigos] praeliati sunt cum illis [con los cruzados] et sagittando multos occiderunt ex nostris... Exibant quoque de montanis innumerabiles exercitus, habentes equos albos, quorum vexilla omnia erant alba. Videntes itaque nostri hunc exercitum, ignorabant penitus quid hoc esse et qui essent, donec cognoverunt esse adjutorium Christi, cujus ductores fuerunt sancti Georgius, Mercurius et Demetrius. Haec verba credenda sunt, quia plures ex nostris viderunt." [29]

Este relato, así como el referente a los santos Wilfrido y Cuthberto, son conocidos y fueron generalmente aceptados como un reflejo de tradiciones dioscúricas. Dice, por ejemplo, el padre Franchi de'Cavalieri: "Capisco altri ravvisi i Dioscuri nei ss. Giorgio, Mercurio e Demetrio, comparsi a cavallo nella grande battaglia di Antiochia, l'anno 1098, o nei ss. Wilfrid e Cuthbert, che una volta gli abitanti di Hexham in Inghilterra, minacciati dagli scozzesi, avrebbero veduto trascorrere su bianchi cavalli a tutta corsa. Capisco anche, fino ad un certo segno, come l'Harris [J. Rendel Harris] possa aver creduto riconoscere gli *equestres fratres* nei tre fratelli cappadoci... In alcuni loughi di Grecia si venerarono, è vero, tre Dioscuri in vece di due." [30]

Al situar la fe en Santiago en un espacio, en un tiempo, en una tradición de cultura y en un funcionamiento de vida, su realidad se hace tan plausible como valiosa. La necesidad, la imaginación y la voluntad de los acorralados en el noroeste de la Península inyectó nueva vida —vida cristiana— a un motivo tradicional, latente en Hispania como en toda la Europa de tradición greco-romana. El esquema dioscúrico, ya provisto de significación cristiana, resurge en la Roma cristiana, en Siria, en Inglaterra o en Hispania.

Lo acontecido en España con Santiago es un caso particular de la generalizada tendencia a interpretar cristianamente lo que fue creencia pagana; pero lo que de veras me importa es lo hecho con aquella creencia por los galaico-leoneses, y luego por los españoles. Los antecedentes históricos de un fenómeno como éste interesan mucho al historiador de las religiones, y menos al ocupado específicamente en la observación de cómo fue constituyéndose y adquiriendo valor historiable la vida de los españoles. Esos dos campos, o direcciones de interés, han de distinguirse claramente. Nótese, por lo pronto, que los casos conocidos de apariciones de tipo, pudiera decirse, dioscúrico, son fenómenos aislados, y en último término anecdóticos; en España, por el contrario, nos encontramos con una fuerza "jacobea" funcional y constituyente, y la prueba de ello es la existencia de la espléndida ciudad de Santiago de Compostela —ciudad "santiaguizada"—, un ejemplo señalado de lo que llamo valor historiable.

Lo acontecido con Santiago en Galicia no se debe a que tales o cuales mitos o creencias hubiesen ido discurriendo "folklóricamente" a través de la memoria y la fantasía de una serie de generaciones; la fe en la imagen y en las virtudes del Apóstol fue tema primordial para la vida, y por eso se hizo tema central de ocupación y de preocupación para el pueblo, para su conciencia colectiva. Esta reobró sobre el tema tradicional activamente, y no se contentó con lo que la tradición o la leyenda iba decantando ocasionalmente en la memoria de esta o la otra persona. La creencia en Santiago, en lugar de diluirse o desparramarse, se fue concentrando y adquiriendo nuevas dimensiones. No bastó, por lo mismo, que el Apóstol combatiese sobre un caballo blanco (la gente no tenía la menor sospecha de que tal figura fuese una herencia pagana), pues a eso se agregó, para magnificar su poder, otro aspecto de remotas tradiciones, originadas en Siria y Palestina, y condicionadas por el culto a los Dioscuros. Su carácter de divinidades gemelas se proyectó sobre la heterodoxa creencia de ser algunos apóstoles hermanos gemelos de Jesús. La Iglesia siempre interpretó tal hermandad espiritualmente, pero el pueblo (cuyos puntos de vista reflejan los escritos apócrifos) tomó tal hermandad en sentido ingenuo. El nombre del apóstol Tomás significa "mellizo" en siríaco. En el citado *de ortu et obitu Patrum* se dice: "Tomás, apóstol de Cristo, llamado Dídimo [en griego 'mellizo'], que en latín significa *hermano gemelo de Cristo* y semejante al Salvador." [31] El famoso heresiarca gallego Prisciliano, gran lector de escritos apócrifos, identificó al apóstol Judas de las epístolas canónicas con el Tomás del cuarto Evangelio, y lo convirtió así en hermano gemelo del Señor: "Judas apóstol, el hermano gemelo del Señor ('didymus Domini'), que creyó más en Cristo después de haber tocado las llagas de su pasión." [32]

Con ambos textos tenemos la prueba de haber corrido por España la creencia de tener Cristo hermanos gemelos; doctrina herética, pero que al parecer aceptaban algunos o muchos en el ambiente de imprecisión religiosa de fines del Imperio Romano. Unos textos hacen gemelos de Cristo a unos apóstoles, y otros, a otros. Ya había dicho Mateo (XIII, 55): "¿No es éste el hijo del Carpintero?, ¿no se llama su madre María, y sus hermanos Jacobo, José, Simón y Judas?", en lo cual no nos interesa el problema escriturario de lo que signifique aquí "hermano", sino lo que la opinión popular percibía en ello, esa opinión que confundía a ambos Santiagos. Lo que se entendía por "hermano" es lo que se lee en una epístola apócrifa del seudo-Ignacio dirigida a Juan. Después de expresar su deseo de ver a la Virgen en Jerusalén, añade que igualmente desearía conocer a Santiago, "al venerable Santiago, llamado el Justo, quien, según es fama, se asemeja muchísimo a Cristo Jesús en su vida y en su trato con las gentes, *como si fuera un mellizo nacido de la misma matriz*; dicen que si lo viese vería al mismo Jesús, sin hallar variación en un solo rasgo de su cuerpo".[33]

Este apóstol, supuesto hermano gemelo de Jesús, sufre su martirio en forma paralela a la pasión de Cristo, según refiere la *Historia ecle-*

● Giovanni del Biondo. Crucifixión (siglo xiv). El rostro del Apóstol Santiago (la figura con el báculo) es réplica del de Jesucristo. (El grabado procede de la revista *Dedalo*, Milán, 1931, pág. 1289.)

siástica de Eusebio de Cesárea (II, 23). Dice el obispo J. B. Lightfoot *(op. cit.*, I, 596) que a lo largo de la historia de la Iglesia, desde sus primeros tiempos, hubo la tendencia a encontrar en la vida de los santos y mártires una conformidad literal con los sufrimientos del Señor. En el caso de Santiago el Justo, sus enemigos son los escribas y los fariseos; muere durante la Pascua; ruega por sus verdugos: "Perdónalos, Señor, porque no saben lo que se hacen"; la destrucción de Jerusalén es castigo por haberle dado muerte. Lo mismo se ha dicho de otros mártires, y ya veremos el reflejo de dicha tradición en el caso de Santiago de Galicia.

En otros relatos apócrifos se sigue insistiendo sobre la hermandad de Jesús y Santiago: "¿No es éste el hijo del Carpintero, y su madre María, y sus hermanos Santiago y Simón?", en donde se reducen a dos los cuatro hermanos mencionados en Mateo, XIII, 55.[34] Para quienes en los primeros siglos de su culto veneraban el sepulcro de Galicia, el Apóstol fue a la vez "el hijo del trueno" y el hermano de Jesús; de ahí que hubiera reliquias de Santiago, hermano del Señor —"Sancti Jacobi, germani Domini"—,[35] que referimos a Santiago de Galicia, y no a Santiago el Menor, no sólo por cuanto hemos visto anteriormente, sino por el testimonio de historiadores árabes que escriben —porque así lo oían decir—, que el Santiago venerado en Galicia era "el hijo del Carpintero".

La creencia de que Jesús y Santiago (el de Compostela) eran mellizos se refleja en la pintura. Dice Karl Künstle *(Ikonographie der Heiligen*, Friburgo, 1926, II, 318): "El retrato de Santiago por Giovanni Santi en la sacristía de la catedral de Urbino se distingue de la figura de Cristo sólo por el largo báculo de peregrino. Martín Schaffner lo representó con los rasgos de Cristo en el Museo Germánico de Nuremberg." Como ilustración de este importante hecho reproduzco en las láminas que siguen una crucifixión del siglo XIV, en donde el Santiago al pie de la cruz tiene el mismo rostro de Cristo (tomado de la revista *Dedalo*, Milán, 1931, XI, 1289), y una imagen de Santiago que, como en el caso a que antes se refiere K. Künstle, sólo se distingue de la de Cristo por el báculo de peregrino *(Florentine Painting*, III, 2 pt. 1, pl. 33 [3], por R. Offner, a quien doy las gracias por autorizarme a reproducir esta fotografía).

Si para el pueblo cristiano Santiago era el hermano del Señor, ¿qué pensaban entretanto los musulmanes de su rival el Apóstol gallego? El enciclopedista Mas'ūdi, natural de Bagdad, que en 943 escribía *Las praderas de oro*, habla mucho de los discípulos de Jesús, aunque aún no había llegado a él la noticia de los prodigios de Santiago; sabía que Pedro y Pablo estaban enterrados en Roma, y que Tomás había ido a la India a predicar la ley del Mesías; dice que otro discípulo penetró hasta las regiones más remotas de Persia, y "el lugar de su tumba es venerado por los cristianos... Marcos murió en Alejandría en donde se halla su sepulcro".[36] No escaseaban, por tanto, las creencias acerca de las tumbas de los apóstoles cristianos, aunque ninguna de ellas adquiriera, como la de Santiago, carácter bélico y nacional.

Mas'ūdi habla de los apóstoles de Jesús, porque los árabes sentían viva curiosidad por cuanto era religioso, y musulmán y andalusí fue el primer expositor de las creencias religiosas de su tiempo: el cordobés Ibn Hazam (994-1063). En su *Historia crítica de las ideas religiosas*, traducida por M. Asín, Ibn Hazam habla de ciertos cristianos españoles que atribuían hermanos a Jesús; no se lo explica, "a no ser que digan que María los engendró de José el Carpintero, pues eso es lo que afirma una secta de los antiguos cristianos, uno de los cuales fue Julián, metropolitano de Toledo".[37] Ibn Hazam menciona a Santiago el Menor como hijo de José el Carpintero (III, 109), pero no he hallado en su obra referencia concreta al santuario de Compostela. Muy importantes son, en cambio, las dadas por otros autores. Ibn 'Idārī escribió en el siglo XIII una Historia de Africa y de España, en la cual, según costumbre árabe, recogió fragmentos de autores más antiguos. Según él, "Santiago es el *más importante santuario cristiano*, no sólo de España, sino de la Tierra Mayor (i. e., Europa). La iglesia de esta ciudad es para ellos *como la Kaaba para nosotros;* invocan a Santiago en sus juramentos, y se dirigen en peregrinación a su santuario desde los países más remotos... *Algunos cristianos dicen que Santiago era hijo de José el Carpintero...* Los devotos vienen a su templo desde Nubia, el país de los coptos".[38]

Aún más importante es el testimonio de Ibn Ḥayyān, historiador cordobés (987-1076), recogido por Al-Maqqarī, a comienzos del siglo XVII, en sus famosas Analectas:

Santiago es una ciudad en la región más apartada de Galicia, y uno de los santuarios más visitados, no sólo por cristianos de España, sino también de Europa; *para ellos es Santiago tan venerable como para los musulmanes lo es la Kaaba en la Meca*, pues en el centro de su Kaaba se encuentra también el objeto de su suprema adoración *(almatal).* Juran en su nombre, y van allá en peregrinación desde los lugares más distantes de la cristiandad. Pretenden que el sepulcro colocado en aquella iglesia es el de Santiago, uno de los doce apóstoles y el más amado por Jesús. *Los cristianos lo llaman hermano de Jesús*, porque no se separaba de él.[39] Dicen que fue obispo de Jerusalén y que anduvo predicando la religión y haciendo prosélitos, hasta llegar a aquel remoto rincón de España. Volvió luego a Siria, en donde murió a la edad de 120 años solares. Pretenden igualmente que, después de su muerte, sus discípulos lo trajeron y lo enterraron en aquella iglesia, por ser el lugar más lejano en donde había dejado la huella de su predicación. Ningún rey musulmán pensó nunca en penetrar hasta allá o en someter la ciudad al Islam, a causa

● EL APÓSTOL SANTIAGO, CON RASGOS IDÉNTICOS A LOS DE JESUCRISTO. (El grabado procede del libro *Florentine Painting*, III, 2, parte 1, lám. 33 (3), por cortesía del autor, prof. R. Offner.)

de lo inaccesible de su posición y de los peligros del camino. Tal empresa estaba reservada a Almanzor.[40]

Ibn Ḥayyān era hijo de un secretario de Almanzor, y oiría hablar mucho de Santiago, tanto a moros como a cautivos cristianos, después de la famosa expedición que nadie había osado emprender antes.

La impresión recogida por Ibn Ḥayyān es que Jesús y Santiago eran considerados como hermanos, porque ambos *formaban una pareja insepa- rable*. Eso es lo que se creía y sentía en Galicia hacia el año 1000, y se vendría creyendo desde siglos antes. Ibn 'Idārī sabía que Santiago era hijo de José el Carpintero, e Ibn Hazam se extrañaba de que gentes cristianas aceptaran el que Cristo tuviese hermanos. Desde direcciones distintas, los tres escritores árabes comprueban nuestro supuesto de lo que en realidad sentían los gallego-leoneses entre los siglos IX y XI.

En los sermones falsamente atribuidos al papa Calixto II, forjados por eclesiásticos compostelanos en el siglo XII a fin de dar aún más prestigio al culto del Apóstol, hallamos alusiones a su fraternidad con Jesús, aunque traducida ya a un lenguaje alegórico: "Es más importante ser hermano del Señor en el espíritu que en la carne. Por consiguiente, *quien llama a Santiago Zebedeo* [el Mayor] o a Santiago Alfeo [el Menor] *hermano del Señor, verdad dice*." [41] Seguía, pues, viva la creencia en la hermandad con Cristo, y de la igualdad de ambos Santiagos, lo cual casa perfectamente con los testimonios árabes. Son, además, importantes, los sermones del seudo-Calixto, por la forma en que expresan lo que sobrevivía de la creencia en un Santiago legendario. La señora Michaëlis de Vasconcellos, que no sospechaba la conexión entre Santiago y los Dioscuros, menciona atinadamente "la gran inclinación del noroeste marítimo de España hacia las supersticiones siderales".[42] Mas el ser Santiago un "hijo del trueno" y su presencia en la Transfiguración del monte Tábor, establecía ya el enlace, no con supersticiones, sino con creencias astrales, de las que hay un eco en el estilo de estos sermones: "Brillaba en su conversación como el lucero refulgente de la mañana entre las estrellas, al igual de una gran luminaria." [43] Con igual sentido espiritual y alegórico Santiago "tronó por mandato del Señor en toda Judea y Samaria, hasta en el último confín de la tierra, esto es, en Galicia; lanza truenos de terrífico son, riega la tierra con su lluvia, y emite resplandores". Ambos Boanerges "regaron la tierra con su lluvia al comunicar a los creyentes con su predicación la lluvia de la gracia divina" (col. 1.383). Todavía hoy, el campesino portugués habla del trueno como si Santiago los produjera.

Cada una de aquellas creencias había venido por vías distintas, y pertenecía a distintas épocas. No guardaban entre sí conexión razonable de ninguna clase. El ambivalente Santiago de Galicia sería para unos el hermano de Jesús; para otros un semihermano, hijo de un primer matrimonio de José, idea rechazada por San Jerónimo (346-420) y reemplazada por otra más de acuerdo con su amor por la virginidad: los llamados hermanos de Jesús eran sólo sus primos, José no tuvo otra esposa sino la Virgen, y él mismo siempre permaneció virgen. Por otra parte, hay también en árabe una *Historia de José el Carpintero,* según la cual José vivió cuarenta y nueve años con su primera esposa, y en ella tuvo a Judas, Justo, Santiago y Simón.[44] En esta enumeración, Santiago el Justo se desdobla en dos personas; en tanto que en la epístola del seudo-Ignacio se convierte en hermano gemelo del Señor, parentesco en que creían ciertos cristianos.[45]

El oficio divino en la catedral compostelana durante el siglo XI, y supongo que desde mucho antes, exaltaba los méritos del Apóstol en forma juzgada excesiva luego, puesto que aquel oficio fue cambiando en el siglo XII. Inspirándose en Marcos, III, 17, y en Mateo, XX, 21 y siguientes, los oficios decían:

> Jesús llamó a Santiago Zebedeo, y le puso por nombre Boanerges. *Llamó aparte al* bienaventurado Santiago en el monte excelso, y se transfiguró ante él. Santiago y Juan dijeron a Jesús: Concédenos que nos sentemos en tu gloria, uno a tu diestra y otro a tu siniestra.
> —¿Podéis beber el cáliz que yo he de beber?
> Pero ellos dijeron: Podemos.[46]

En los sermones del seudo-Calixto también se intenta realzar el papel de Santiago en la escena de la Transfiguración, pero por lo menos se añade que fueron testigos de ello Pedro y Juan ("testibus astantibus Petro et Joanne cum eo", *loc. cit.,* col. 1.393). Corrige igualmente el seudo-Calixto la pretensión de sentarse a la diestra y siniestra de Cristo, olvidado de las dulces palabras del Salvador: "mas [el poder de] sentaros a mi mano derecha y a mi izquierda, no es mío darlo" (Mat., XX, 23). Dice, en efecto, el sermón: "que parece imposible que alguien se siente entre el Padre y el Hijo, siendo así que el mismo Hijo está a la diestra del Padre, y el Padre a la izquierda del Hijo" (col. 1.394).

Mas todo parecía justificado a los cultores del Apóstol, cuando el obispo de Compostela se consideraba pontífice de la cristiandad, y los peregrinos acudían en número creciente.

Deslumbrados por el halo maravilloso que desde hacía siglos rodeaba a su Apóstol, no se limitaron sus cultores a cantar las anteriores antífonas en el día de su festividad, el 25 de marzo primeramente, y luego el 25 de julio. Hubo también una "Passio Sancti Jacobi", en la que se acentuaba el paralelismo con la de Cristo, en la forma antes aludida. La hermandad era así completa:

"Pasión de Santiago... que padeció bajo el rey Herodes", en un estilo que recuerda el de muchos evangelios apócrifos: "En aquellos días, el apóstol de N. S. Jesucristo, Santiago, hermano de Juan, apóstol y evangelista, visitaba toda la tierra de Judea y de Samaria y entraba en las sinagogas." El Apóstol realiza milagros y prodigios. Antes de ser degollado pide agua a su verdugo, lo mismo que hizo Cristo (Juan, XIX, 28). En la oración que reza antes de su suplicio, Santiago recuerda a Cristo cuán importante es su persona: "Dignaste mostrarnos los misterios de tus maravillas... Mientras estabas en el monte Tábor, y te transfigurabas en la divinidad de tu Padre, a ningún apóstol permitiste contemplar tales prodigios, sino a mí, a Pedro y a Juan, mi hermano", etc. Al morir Santiago "se produjo un gran terremoto, se abrió el cielo, el mar se alborotó, y se oyó un trueno intolerable; abierta la tierra, se tragó la mayor parte de la gente malvada, y una luz refulgente iluminó aquella región". Su cuerpo fue recogido por sus discípulos: "pusieron su cuerpo y su cabeza en una talega de piel de ciervo con aromas exquisitos; lo llevaron de Jerusalén a Galicia acompañados en su viaje marítimo por un ángel del Señor, y lo sepultaron en el lugar en que, desde entonces, es venerado hasta el día de hoy".[47]

No se trataba, pues, meramente del entusiasmo devoto de quienes dan culto a un santo o a una virgen determinados, y confían en su poder extraordinario; lo que caracteriza el culto de Santiago hasta el siglo XII, es el propósito de destacar su proximidad, e intimidad con Jesucristo.

Católicos eminentes han puesto en duda la existencia del cuerpo de un apóstol de Cristo en el santuario de Galicia. La reacción antisantiaguista tomó incremento en el siglo XVII, cuando ya no había enemigos musulmanes contra quienes hacer guerra santa, y cuando el horizonte religioso no era ciertamente el de los siglos X y XI. El jesuita e historiador Juan de Mariana, en 1601, ponía en duda la autenticidad del sepulcro de Santiago: "Algunas personas doctas y graves, estos años, han puesto dificultad en la venida del apóstol Santiago a España; otros, si no los mismos, en la invención de su sagrado cuerpo, por *razones* y textos que a ello les mueven." [48] Años después, otro jesuita, el padre Pedro Pimentel, juzgaba más conveniente para España confiar en la protección de Santa Teresa: "Muchas veces saldrá mejor despachado el que invocare a Teresa que a Santiago." [49] Hace pocos años, el jesuita P. Z. García Villada insistía en el escaso valor probatorio de los documentos que relatan el descubrimiento del cuerpo de Santiago, porque los más antiguos son del siglo XI, y es inevitable la sospecha de haber sido forjados para justificar *a posteriori* una creencia popular y muy antigua; esos textos "señalan el motivo que dio margen a que se formara la tradición de que en aquel sepulcro estaban encerrados los restos del Apóstol. Este motivo es el testimonio de los ángeles y las luces que se vieron sobre el lugar del sepulcro durante algunas noches. El grado de veracidad del maravilloso relato no podemos contrastarlo".[50] Monseñor L. Duchesne resume así su desilusionada búsqueda de pruebas racionales para el magno milagro de Santiago: "en el primer tercio del siglo IX se da culto a una tumba de tiempos romanos, que se creyó ser entonces la de Santiago. ¿Por qué lo creyeron? Lo ignoramos en absoluto".[51]

El error de esos doctos eclesiásticos consistió en pretender demostrar lo racionalmente indemostrable. Las creencias se instalan en el vacío dejado por otra creencia, y arraigan y se fortalecen en virtud de necesidades y circunstancias muy precisas, independientes de toda demostración. Los fenómenos de vida (desesperarse, sentirse esperanzado, aceptar o rechazar las creencias vigentes en torno a la persona crédula o escéptica) no pueden ser tratados como objetos físicos. Piénsese en cuán absurdo sería el mero intento de demostrar "científicamente" que el cuerpo de un apóstol fue traído de Jafa a Galicia el año 44 d. d. C., custodiado por los ángeles, y que unos ochocientos años después dio señales de su presencia. La historia —es decir, la vida integrada en una sucesiva conexión de valores— no es una secuencia de "hechos", aislables mediante abstracciones lógicas. Lo que importa en el caso presente es la intensidad de la creencia en Santiago y sus incalculables consecuencias; porque sería pensable que un acontecimiento prodigioso fuese "auténtico", en la forma que exigen los eclesiásticos antes mencionados, y a la vez insignificante e infecundo como acontecimiento enlazado con acciones y valoraciones humanas. Los confines entre lo real y lo imaginario se desvanecen cuando lo imaginado se incorpora al proceso mismo de la existencia colectiva, pues ya dijo Shakespeare, anticipándose a modernas filosofías, que "estamos hechos de la misma materia de nuestros sueños". Cuando lo imaginado en uno de esos sueños es aceptado como verdad por millones de gentes, entonces el sueño se hace vida, y la vida, sueño. Los mártires cristianos vivían en la realidad de Cristo al sonreír beatíficamente mientras sus carnes eran desgarradas por las fieras; y nunca alcanzaron plena realidad historiable los pueblos incapaces de morir por una fe. Incluso las formas de vida colectiva más "positivas" y materialistas acaban por resolverse en culto a deidades intangibles, aunque asuman la forma de un tractor, de un plan quinquenal o del automatismo electrónico.

Santiago se irguió frente a la Kaaba mahomética como un alarde de fuerza espiritual, en una grandiosa "mythomachía". La ciudad de Santiago aspiró a rivalizar con Roma y Jerusalén, no sólo como meta de peregrinación mayor, porque si Roma poseía los cuerpos de San Pedro y San Pablo, si el Islam que había sumergido a la Hispania visigótica combatía bajo el estandarte de su Profeta-Apóstol, los hispano-cristianos del siglo IX, desde su rincón gallego, desplegaban la enseña de una creencia antiquísima, magnificada en un impulso de angustia defensiva. La presencia en la casi totalidad de la Península de un pueblo poderoso e infiel avivaría, necesariamente, el afán de ser amparados por fuerzas divinas en aquella Galicia del año 800.

Es imposible conocer hoy el mapa de las creencias y cultos difundidos entre los cristianos al ser invadido el país por los sarracenos. En el libro de San Martín de Braga, *de correctione rusticorum*, se describen algunas de las creencias de los campesinos gallegos en el siglo VI, que atestiguan la vigencia de antiguas divinidades paganas: "Muchos demonios de los expulsados del cielo presiden en el mar, en los ríos, en las fuentes o en las selvas, y se hacen adorar de los ignorantes como dioses. A ellos hacen sacrificios: en el mar invocan a Neptuno; en los ríos, a las Lamias; en las fuentes, a las Ninfas; en las selvas, a Diana." [52] Así pues, a pesar de casi seis siglos de cristianismo, la religión romana continuaba viva, por lo menos en gran parte. (También entre los indios de Guatemala, cristianizados en el siglo XVI por los españoles, los ritos religiosos de los mayas todavía hoy se mezclan extrañamente con las creencias católicas.)

Cierto es que todo eso sólo vale como condición e instrumento para acciones y situaciones futuras, ya que el proceso vital y el existir histórico (irradiante de valores) de un pueblo son realidades distintas de las de los elementos que las hayan hecho posibles. Estos, en sí mismos, hubieran podido dar ocasión a imprevisibles disposiciones de vida colectiva. Lo que las gentes del noroeste de la Península llegaron a ser —su lengua, su sensibilidad peculiar, su modo de articularse socialmente con sus vecinos—, no fue resultado necesario ni de su clima brumoso, ni de los celtas, ni del paganismo, ni de Prisciliano,[53] ni de los suevos. Como siempre, el problema consiste en organizar los hechos conocidos en una cadena de conexiones provistas de sentido, y no sobre vagos e inconexos motivos prehistóricos. La existencia de un suceso humano, Santiago o el que sea, no consiste en elementos que el historiador separa con sus métodos de disección, porque lo que entonces, en efecto, resulta es disección, o sea, trabajo sobre un cadáver. Hay que empezar no llamando leyenda a la creencia en Santiago; el término leyenda es simplemente el epitafio inscrito sobre lo que fue creencia, la cual sólo es inteligible mientras está funcionando auténticamente. La historia de Santiago de Compostela consistiría en revivir lo hecho con la creencia de hallarse en Galicia el cuerpo del Apóstol, ni más ni menos.

Ningún estudio de religión comparada permite ver el culto dado a la tumba del Apóstol como lo que en realidad fue, como un caso de oposición y pugna de creencias. Estas no nacen y prosperan por capricho de la fantasía, por malicia de los sacerdotes o por simples motivos económicos, sino como algo brotado de los afanes, necesidades y limitaciones del hombre; el medio en que viven son las masas, infantiles o adultas, rústicas o pulidas, nacionales o universales. No es raro que las llamadas hoy leyendas, hayan nacido como reacción o respuesta a otras creencias rivales. Monseñor Duchesne, educado, aun siendo católico, en el positivismo y racionalismo franceses, no se explicaba cómo un sepulcro romano hubiese podido trocarse en el del apóstol Santiago. Si ahora enfocamos la cuestión pensando en procesos de vida, la respuesta parece sencilla. Los musulmanes habían extendido sus dominios desde la India hasta Coimbra, impulsados por una fe combativa, inspirada en Mahoma, apóstol de Dios. Los cristianos del Noroeste poseían escasa fuerza que oponer a tan irresistible alud, y millares de voces clamarían por un auxilio supraterreno que sostuviera sus ánimos y multiplicara su poder. Cuando las guerras se hacían más con valor y unidad de decisión que con armamentos complicados, el temple moral del combatiente era factor decisivo. Era indispensable la confianza en una fuerza visible y próxima, capaz de oponerse al mortífero grito de "¡Mahoma!" lanzado por el adversario. Era urgente realzar el ánimo de un pueblo acorralado, y en constante agonía, y al cual la ruina del reino visigodo dejaba colocado en primera línea. Desde hacía siglos corría por la Península la creencia de que Santiago el Mayor había venido a predicar la fe cristiana. San Julián, arzobispo de Toledo, conocía esa tradición y no la aceptaba; según él, Santiago predicó en Palestina y no en España,[54] lo cual revela que en 686, antes de la invasión sarracena, la Iglesia visigoda no sentía especial interés en fomentar creencias populares. Mas en el siglo IX, no sólo era urgente creer en la predicación de Santiago vivo, sino también en la presencia de su sagrado cuerpo. No hubo en ello superchería eclesiástica, sino simple florecimiento de antiguas creencias existentes a lo largo de muchos siglos, en una forma que nunca conoceremos sino en sus resultados. Si Santiago había venido a España, era pensable que hubiese regresado después de muerto, aunque en este segundo viaje su figura se hubiese entrecruzado con las de Cástor y Marte.

No es éste un caso único de que una creencia deba su origen a motivos polémicos. Todos saben que el personaje fabuloso de Bernardo del Carpio surgió como oposición a Roldán y a Carlomagno, glorificados en poemas humillantes para España. Hacia 1110 el monje de Silos protestaba en su Crónica contra los relatos épicos franceses que pretendían convertir a Carlomagno en libertador de España, porque el Emperador no venció a los moros, ni rescató de su poder el camino de Santiago; los españoles nada tenían que agradecer a Roldán y a su señor. A fines del siglo XII un juglar español lanzó a Bernardo del Carpio contra los franceses arrogantes en una batalla de Roncesvalles, concebida desde el punto de vista español; en ella perece Roldán y huye Carlomagno.[55] Un romance derivado del antiguo y perdido poema dirá luego:

> Mala la hubisteis, franceses,
> en esa de Roncesvalles.

Mas como el dar fe a los hechos de Bernardo del Carpio no era asunto de primaria importancia en el siglo XIII, el rey Alfonso el Sabio puso en duda su exactitud: "Algunos dizen que en tiempo deste rey Alfonso [el Magno] fué la batalla de Ronçasvalles, et non con Carlos el Gran, mas con Carlos el que llamaron Calvo... Et si alguno sopiere esto departir mejor, e lo dixiere más con verdad, dével ser cabido, ca nos dezimos lo que fallamos por los latines, en los libros antiguos."[56] El docto rey se lava las manos, porque el aniquilar a los franceses no era tarea primordial para Castilla; el pueblo miró siempre a los franceses con especial antipatía, en tanto que las clases dirigentes más bien estuvieron, en una u otra forma, bajo su influencia ilustradora. Aunque los vasallos de Alfonso el Sabio tomaran al pie de la letra los cantares de Bernardo, no le urgía al monarca darles la razón.[57]

Otro ejemplo de creencia de tipo polémico es la del rey Arturo de Inglaterra. En crónicas anteriores al siglo XII se hablaba de aquel monarca fabuloso, sin que a ello se le hubiese concedido mayor importancia. Mas he aquí que entre 1136 y 1138, Geoffrey de Monmouth lanza su *Historia regum Britanniae*, destinada a inmortalizar al inexistente rey, y a dejar su huella en la sensibilidad poética de Europa. El motivo de tal hecho era que la dinastía normanda en Inglaterra se sentía abatida frente a la de los reyes de Francia, muy prestigiosos a causa de su antecesor Carlomagno. La sometida raza británica poco tenía que oponerles antes de que Geoffrey de Monmouth los proveyese de un soberano más antiguo y más ilustre que el gran Emperador.[58] El pueblo británico aparecía así rehabilitado y glorificado, y mostró, por primera vez, su clara voluntad de no dejarse humillar por el Continente.

Mucho antes de eso se había cumplido en España el paso de un Santiago, apóstol pacífico, a un Santiago marcial e invicto, a favor de circunstancias más dramáticas que las que determinaron la difusión de la creencia en el rey Arturo. Es probable que en el siglo VIII el Santiago bélico no hubiese aún penetrado en la literatura eclesiástica; un himno de tiempo del rey Mauregato (783-788) no hace referencia al sepulcro, y sí a la predicación en España; país que le había sido asignado:

eiusque [de San Juan] frater potitus Ispania.[59]

En este himno se llama ya al Apóstol "áurea y refulgente cabeza de España", y le piden que evite la peste y toda clase de males.[60] Medio siglo más tarde le pedirán que extermine a los sarracenos, y será convertido en un anti-Mahoma, y su santuario en la anti-Kaaba. Sobre tal fondo se entiende el sentido de tan enorme creencia, y sus reflejos dentro y fuera de España. El torrente de aquella fe brotó de fuentes populares y remotas; su canalización fue tarea eclesiástica y política, a la vez nacional e internacional. Es perceptible hasta el siglo XII la equívoca interferencia entre el culto desmesurado y herético a un Santiago múltiple, y la idea ortodoxa que lo iba encajando en su papel de Santiago el Mayor, aunque siempre Matamoros. Análogo equívoco aparece en aquella pretensión al pontificado universal de los obispos de Compostela entre los siglos X y XII, la cual nunca llegó a tomar vuelos de alzamiento cismático frente a Roma; ni siquiera se rebeló violentamente Santiago contra la primacía de Toledo, su poco amada rival. Las aspiraciones exorbitantes de los prelados santiagueños fueron sobre todo gesto espectacular, muy conveniente para la causa de la guerra santa, y para atraer innumerables peregrinos, mas nunca un intento de cisma jerárquico. La creencia en el luchador invicto era algo comprendido por el musulmán y un eficaz escudo para el cristiano. Así se desbordó la fantasía de quienes vieron en el Apóstol una fuerza divina, jinete en su níveo e inmortal caballo, protector de la agricultura [61] y sumo taumaturgo.

COMO FUE IMAGINADA Y SENTIDA LA PRESENCIA DEL APOSTOL

En el siglo IX solían componerse martirologios, o sea, calendarios con noticias acerca de los mártires conmemorados (e incluso de santos que no eran mártires).[62] El diácono Floro de Lyon († 863) redactó uno al cual puso adiciones Adón de Toul, compuestas entre 830 y 860; [63] y allí se dice, que los huesos del muy bienaventurado apóstol Santiago fueron trasladados a los extremos límites de las Hispanias, y enterrados junto al mar británico; el culto y la veneración que se les rinde son conocidísimos ("celeberrima illarum gentium veneratione excoluntur"). Faltan datos acerca de cómo se representaran los gallegos y astures del siglo IX la figura y misión del futuro Santiago de España; lo cual no obsta para deducir consecuencias retroactivas de lo expresado más tarde por la literatura y por el arte. La primera crónica que menciona la existencia del sepulcro (la de Sampiro) [64] no es contemporánea del descubrimiento del sepulcro; más próximo está un documento de Alfonso III (del año 885), en el que el rey dona unas tierras y una villa a los monjes

● Santiago y San Juan. Pilar derecho del
arco central del Pórtico de la Gloria.
(Foto Arturo. Santiago.)

TÍMPANO DE MEDIADOS DEL SIGLO XII, EN UNO DE LOS BRAZOS DEL CRUCERO DE LA BASÍLICA DE SANTIAGO DE COMPOSTELA, CON LA MÁS ANTIGUA FIGURA ECUESTRE DEL APÓSTOL. (Foto Arturo. Santiago.)

que viven junto al sepulcro (ver Vázquez de Parga, *op. cit.*, pág. 30), y dice que, después de Dios, Santiago es su más piadoso patrono ("nobis post deum piissimo patroni"). El culto a Santiago debió poseer desde el comienzo (desde la primera mitad del siglo IX, poco más de un siglo después de la invasión musulmana) enorme significación política y religiosa. El Apóstol ecuestre, armado de una recia espada, aparece en un tímpano, en uno de los brazos del crucero de la basílica de Santiago; es obra de mediados del siglo XII, y fue incorporada a la misma estructura del templo. En el estandarte que, con la mano izquierda, sostiene la figura ecuestre, se lee: "Sanctus Jacobus Apostolus Christi." En la arquivolta del tímpano diez figuras angélicas contemplan la portentosa escena.

El arte de quienes labraron este tímpano queda muy por bajo del esplendor del Pórtico de la Gloria, una de las cimas de la escultura románica. En el Pórtico se expresa la posición docta de la Iglesia compostelana; en ella Santiago ocupa el lugar subordinado que le corresponde dentro de la jerarquía cristiana, junto a los profetas y a los apóstoles de Jesucristo. No hay ninguna alusión al carácter bélico de los Boanerges, los Hijos del Trueno. Lo cual significa que coexistían en la basílica compostelana dos contrarias representaciones de Santiago: la culta y "canónica", diríamos, y la del pueblo tradicionalmente apegado a su imagen del jinete celestial. No cabía prescindir de la una ni de la otra.

El semicírculo del tímpano y los más pequeños en torno a las cabezas angélicas valdrían como símbolo de la curva visible de los espacios celestes, mansión de los bienaventurados y fuente de venturas para quienes, sostenidos por la esperanza, dirigían su fe y sus plegarias a Santiago, mensajero de Dios, poderoso, invencible. La milagrosa aparición del Apóstol en nuestro tímpano es vista de un modo desde el cielo, y de otro desde este bajo mundo: los ángeles la contemplan sin salir de su mundo glorioso —un eterno prodigio que se contempla a sí mismo. Los mortales, humillados, en lugar de contemplar, suplican. En los siglos XI y XII de la cristiandad, el más allá, lo llamado ahora sobrenatural, era sentido como más real que lo llamado "natural". Se sabía de aquella otra "naturaleza" invisible mucho más que de la tangible; cuando llegaba la hora de la verdad, el cielo teológico resultaba estar más próximo que la tierra sobre la cual se caminaba. No era entonces posible contemplar un acontecimiento milagroso, como harían siglos adelante los señores toledanos contemporáneos de El Greco, ya bien afirmados en su existencia terrena. El prodigio del conde de Orgaz gravita hacia el mundo de más acá, el cual coexiste con el cielo de más allá. Pero quienes se prosternan ante el Santiago ecuestre no poseen todavía un "en sí" *desde* donde contemplar lo divino. Lo único hacedero es rendirse a él, orar y esperar. Lo que no es eso, es desorden pecaminoso, y su símbolo son los monstruos aplastados bajo los pilares del arco central del Pórtico de la Gloria.

El tema del Santiago ecuestre no fue una ocurrencia de un escultor compostelano en el siglo XII, porque sus fundamentos y antecedentes se encuentran en la piedad popular, en lo que se esperaba del Santiago bélico; o incluso, desmesurada y heréticamente, de su hermandad con Cristo. No tenía que inventar ningún escultor un tema, presente, sin discontinuidad, desde la antigüedad romana hasta la época cristiana del Imperio, y difundido luego por la Europa cristiana (ver págs. 335-336). El motivo del clamoroso éxito logrado por el sepulcro de Santiago ya en el siglo IX, es el que la literatura y el arte posteriores ponen tan claramente de manifiesto. Lo dice el *Poema del Cid*, hacia 1140:

"los moros llaman: ¡Mafómat!, e los cristianos: ¡Santi Yagüe!" (731) [65]

Ya cité antes (pág. 331) cómo en la *Vida de San Millán*, de Berceo, Santiago y San Millán bajaban de las alturas "en *dos cavallos plus blancos que cristal*", y ponían en fuga a la morisma. En el *Poema de Fernán González* (del siglo XIII, aunque basado en un cantar de gesta mucho más antiguo), el Apóstol ayuda al conde Castilla a vencer a Almanzor:

"í ['allí'] será el apóstol Santiago llamado,
enviarnos ha Cristo valer a su criado:
será con tal ayuda Almoçor embargado" (edic. Menéndez Pidal, copla 413).

Y, en efecto, en lo más recio de la batalla de Hacinas, el Conde

"alçó suso los ojos por ver quien lo llamava,
vio el santo apóstol que de suso le estava,
de caveros con él, grand compaña levava..." (copla 561).

En el relato en *de rebus Hispaniae* de la batalla de las Navas de Tolosa (1212), por don Rodrigo Jiménez de Rada, no se habla de Santiago, ni tampoco en la traducción de ese texto que figura en la *Crónica General* de Alfonso el Sabio. Es probable que el arzobispo de Toledo, Jiménez de Rada, no tuviera mucho interés en mencionar a Santiago, fundamento de las pretensiones de los arzobispos de Compostela a la primacía eclesiástica de España. Pero en otra versión de la crónica de Jiménez de Rada, titulada *Estoria Gótica*, el traductor hace intervenir a Santiago en aquella memorable batalla:

"Las señas de los reyes era la imagen de sancta María de Toledo, con quien siempre vencieron. Et diziendo: '¡Dios aiuda et Sanctiagüe!'; los otros: '¡Castiella, Castiella!'; otros: '¡Aragón, Aragón!', et otros: '¡Na-

● Detalle de la anterior ilustración. (Id.)

● Monstruos en el pedestal del parteluz del Pórtico de la Gloria. (Foto Arturo. Santiago.)

varra!', firieron todos de coraçon" (edic. E. Lidforss, Lund, 1876, página 123).

Quizá fueron los caballeros leoneses quienes en este texto aparecen invocando a Santiago, ya que no podían decir: "¡León, León!", por no haber acudido su rey a la batalla, suponiendo que "¡León!" hubiera sido alguna vez grito de guerra. De todos modos, "¡Santiago!" aparece mencionado en primer término.

A medida que la literatura fue ampliando su radio expresivo, la significación del Apóstol fue haciéndose más explícita; se pone entonces por escrito lo que estaba en la conciencia y en las palabras de todos. A mediados del siglo XIV la literatura de Castilla había adquirido dimensiones líricas, de expresividad íntima, mucho más amplias que hasta entonces; era, por tanto, esperable que el sentido tradicional de Santiago, el que vengo señalando desde hace años, se manifestara en forma expresa y muy clara. En el *Poema de Alfonso Onceno* habla el rey don Yuçaf, después de la derrota del Salado (1340):

> En la Alfambra de Granada
> entró con muy grand quebranto,
> quebrantó la su espada,
> e començó a fazer llanto...

> «—Yo, tu rey, finco vençido,
> cosa non sé que fazer,
> pues el poder he perdido,
> non te puedo defender.

> *Santiago el de España*
> los mis moros me mató,
> desbarató mi compaña,
> la mi seña quebrantó.

> *Yo lo vi bien aquel día*
> con muchos omnes armados,
> el mar, seco paresçía
> e cobierto de cruzados.»

> Este rey dixo verdat;
> aquesto sepan sin falla,
> que Dios, rey de piadat,
> quiso vençer la batalla.

> Por mostrar la su fazaña ['bondadosa merced']
> e el buen rey [Alfonso] ayudar,
> el apóstol de España
> í ['allí'] lo quiso enviar.

> Santiago glorioso
> los moros fizo morir,
> *Mahomat, el perezoso,*[66]
> tardo, non quiso venir.

(Coplas 1879-1888, edic. F. Janer.)

En ese poema, el rey Abofaçén invoca a Mahoma antes de iniciar la pelea contra los cristianos (coplas 1572-1575). Sin esa circunstancia, sin la necesidad de una fe combativa que oponer al Islam, los cristianos del noroeste de la Península no hubieran estructurado y valorado como lo hicieron el tema tradicional de los jinetes dioscúricos; habrían quedado éstos como esos dialectos que se agostan y se extinguen por falta de temas que expresar por encima de las vulgaridades cotidianas, o de las figuraciones ingenuas, siempre en tiempo presente y sin vistas a ningún futuro de alto vuelo. El folklore sirve para ser coleccionado y clasificado —o para atraer turistas—, pero no para crear historia.

Santiago —su acción secular, sus irradiaciones variadísimas— es uno de los pilares de la historia española. Los otros santos objetos de culto, por importantes que fueran en algún momento o lugar, son hoy como dialectos empobrecidos junto al ímpetu "literario" de la creencia en el Apóstol, que, allá en la basílica de Compostela, maneja un enorme espadón, sin el cual las peregrinaciones, la grandiosa basílica y todo lo demás no hubieran existido.[67]

Las luchas con los moros terminaron hace siglos, y en cambio perduran las solemnes bellezas de Santiago de Compostela, y de las antiguas abadías de Celanova, Osera, Samos, y de tantos otros templos, que la incuria ha dejado muy maltrechos. Pero se mantiene total y dignamente firme la ciudad de Santiago, lugar glorioso, uno de los centros y vértices de la vida española. Lo demuestra la profusión de los escudos reales —de los Reyes Católicos, de los Austrias y de los Borbones. La España de diversas épocas se buscaba a sí misma en Santiago, en cuyos varios estilos se armonizan, en amplios acordes, los capiteles románicos del palacio del arzobispo Gelmírez, el pórtico de la Gloria (expresividad de fe y de esperanza no ahogada por la riqueza decorativa), la serena magnificencia del palacio neoclásico de Rajoy. En la luz de Santiago siente el espectador que la piedra, humanizada por el arte, revive y continúa recreando su belleza.

CONSECUENCIAS BELICAS Y POLITICAS

El que en la creencia en Santiago se integraran lo religioso y lo bélico, dio lugar a que esa doble dimensión se proyectara también sobre sus sacerdotes y cultores. Santiago fue un reflejo de la guerra santa musulmana, y un apoyo para la guerra santa que hubieron de oponerle los cristianos; con lo cual el Apóstol evangélico se convertía en el maestre nato de las órdenes militares, mucho antes de que éstas tuviesen existencia legalizada. Decía el antiguo refrán: "Obispo de Santiago, ora la espada, ora el blago",[68] porque aquellos prelados lo mismo peleaban contra normandos, moros, o rebeldes feligreses, que empuñaban el báculo, símbolo de su autoridad espiritual. En 942, el obispo Rudesindo (luego San Rosendo) venció a los invasores normandos invocando el nombre del Señor.[69] En 968, el obispo Sisnando murió combatiendo contra las mismas gentes nórdicas, "sagitta percussus",[70] herido por una flecha. Rasgos análogos son frecuentes, y llegó a hacerse normal el que los obispos y abades lucharan como esforzados caudillos, interviniesen en política como consejeros de los reyes, o dirigieran las campañas militares. De este modo el elemento eclesiástico predominaba sobre el civil, del mismo modo que la inspiración y ayuda del cielo valían más que las simplemente terrenas, con lo cual iba perfilándose la que habría de ser disposición vital de los futuros españoles.

La conquista de Coimbra por Fernando I, en 1064, es reflejo del funcionamiento de aquella vida, de lo que he llamado "teobiosis", cosa distinta de la teocracia. Como preparación para la difícil conquista de la ciudad, fuertemente amurallada y situada en una eminencia, el rey pasó tres días ante la tumba del Apóstol, a fin de que éste lograra de Dios la anhelada victoria. Hechas las ofrendas, se puso en marcha la hueste, muy segura de la divina protección.[71] Comenzó el cerco en enero de 1064 y Coimbra se rindió por hambre el 7 de julio del mismo año. El *Cronicón Complutense* dice que el rey estaba acompañado de la reina doña Sancha y de los siguientes prelados: Cresconio, de la Sede Apostólica de Santiago (aquel que en 1049 fue excomulgado por usar el título que seguía usando en 1064); Vestruario, de Lugo; Sisnando, de Viseo; Suario, de Mondoñedo; los abades Pedro, de Guimaraens, y Arriano, de Celanova. Luego se mencionan en conjunto, sin citar ningún nombre, muchos hijosdalgo. Ni un solo nombre de seglar atrajo la atención del cronista.

Durante los largos meses del asedio la hueste regio-episcopal pasó por serias dificultades por haberse agotado los víveres, escasez remediada por los monjes de Lorván, un monasterio mozárabe enclavado en tierra musulmana, a favor de la conocida tolerancia de los sarracenos. Aquellos monjes habían ocultado en sus silos grandes reservas de cereales y, en el momento oportuno, abastecieron al ejército cristiano. Si el "estado mayor" lo integraban obispos y abades, los servicios de intendencia corrieron a cargo de un monasterio. ¿Qué mejor hecho para comprender una tan especial manera de vida? Dejemos ahora en segundo

23

término el que Santiago fuese supervivencia o reencarnación de creencias milenarias. Lo esencial es, en cambio, que las mismas condiciones de la vida española hubiesen hecho posible un modo de existir a favor de aquella creencia en el que lo divino y lo humano borraban sus confines. Histórica y humanamente pensando, el originario dioscurismo de Santiago tiene aquí el mismo valor que la crónica de Saxo Gramático respecto del *Hamlet* de Shakespeare, o que la madre de Napoleón respecto de éste. La vida —la del arte y la otra— se funda siempre en circunstancias tan indispensables como dispensables.

La Crónica del monje de Silos[72] completa la descripción de la conquista de Coimbra con un rasgo de inestimable valor. Mientras transcurrían los siete meses del cerco, el pueblo de Santiago asediaba también al Apóstol con sus plegarias en demanda de auxilio pronto y eficaz. Un peregrino griego que día y noche oraba junto a la sagrada reliquia, oía a quienes pedían a Santiago que pelease como buen soldado, y no concebía cómo un apóstol de Cristo, pescador de oficio y hombre de a pie que nunca cabalgó, se hubiese transmutado en personaje ecuestre y combativo. El hecho es verosímil, y no sería el piadoso griego el único en sorprenderse ante aquel poco evangélico culto. Añade el cronista que el Apóstol se apresuró a satisfacer las dudas del peregrino. He aquí cómo el Rey Sabio (o su fuente) tradujo y exornó el relato del Silense en su *Crónica General*, en donde el peregrino se ha convertido en obispo y se llama Estiano:

Estando ý faziendo vigilias et oraciones, oyó un día dezir a los de la villa et a los romeros que ý vinien, que sant Yagüe parescíe como cavallero en las lides a los cristianos. Et aquell obispo cuando lo oyó, pesól et díxoles: "amigos, non le llamedes cavallero, mas pescador". Et él teniendo en esta porfía, plogo a Dios que se adormeció, et paresciol en el sueño sant Yague con unas llaves en la mano, de muy alegre contenente, et dixól: "Estiano, tú tienes por escarnio porque los romeros me llaman cavallero, et dizes que lo non so; et por esso vin agora a ti a mostrárteme, por que nunca jamás dubdes que yo non so cavallero de Cristo et ayudador de los cristianos contra los moros." Et él diziendo esto, fuél aducho un cavallo muy *blanco*, et ell Apóstol cavalgó en él a guisa de cavallero muy bien guarnido de todas armas, *claras* et fermosas; et dixól allí en aquel sueño como querié ir ayudar al rey don Fernando que yazíe sobre Coimbra, VII años avíe ya: "et por que seas más cierto desto que te digo, con estas llaves que tengo en la mano, abriré yo cras, a ora de terçia, la çibdad de Coimbra..." Et bien assí como él dixo, assí fué fallado que acaesció después en verdad (pág. 487 *b*).

Ganada Coimbra, el rey don Fernando "fuese pora Sant Yagüe, et ofresció í sus dones, teniendo í sus vigilias" (488 *a*). El relato de la magnífica hazaña presentaba así el hecho mismo y su perspectiva española, ofrecía su plena realidad. El "hecho" de que un rey conquiste una ciudad es, como tal "hecho", una abstracción; es decir, algo insuficiente como realidad humana.

El obispo medieval, si era físicamente apto, combatía como cualquier hijodalgo. Siendo Santiago un apóstol bélico, no se ve por qué no habrían de ser también belicosos los sacerdotes encargados de su culto; y si los obispos y abades eran hombres de guerra, parece obvio que también lo fueran los canónigos y clérigos inferiores. Acostumbraban éstos a no usar ropas talares; llevaban barba y andaban armados. Lo sabemos porque todas esas costumbres se censuran y prohiben en los concilios compostelanos de 1060 y 1063: "Los obispos y clérigos usarán ropas talares... estarán tonsurados y se cortarán la barba... no llevarán armas." [73]

Los clérigos de Santiago, en los siglos X y XI, tenían ya mucho de caballeros de las órdenes militares, sobre cuyo carácter y origen me ocupo en otro lugar. Desde luego, la disciplina en Santiago era menos rígida que en los conventos de las primitivas órdenes del siglo XII, por exceso de confianza en la fuerza del Apóstol, y por los pingües ingresos de las peregrinaciones. Lo esencial, sin embargo, era el entrelace de lo divino y lo bélico, que incitaba a desdeñar la contemplación. La creencia en el "hijo del trueno" se desarrolló en años de angustia y abatimiento, muy aliviados con el progreso de la Reconquista en los siglos XI y XII. Lo que antes sirvió para tensar los ánimos, se volvió más tarde laxitud y exceso de confianza. El Apóstol máximo trajo seguridad, bienestar y un prestigio internacional conquistado mágicamente; en cierto modo, lo mismo que el dinero de San Pedro convirtió a Roma en un centro de relajamiento e indiferencia espiritual, hasta bastante después del Concilio de Trento. El arzobispo de Santiago, Diego Gelmírez (1100-1140), tuvo que prohibir a sus clérigos que asistiesen al coro vestidos de seglares, con barba crecida, con vestidos maltrechos o de color, y calzando espuelas, como si la iglesia del Apóstol tuviese caballeros y no clérigos.[74] Sería pura e ingenua abstracción hablar sólo de "relajación de costumbres"; la realidad fue que un santo esencialmente bélico produjo prelados combatientes y clérigos caballeros. Diego Gelmírez hubiera debido cambiar ante todo el carácter de su mágico Apóstol, gracias al cual podía rodearse de pompa y rango pontificales. Mas la vida de los futuros españoles se iba creando su destino. Cuatrocientos años en estado de guerra habían dispuesto el curso de las preferencias valorantes en aquel pueblo.

La España de los siglos XI y XII, era la tierra de Santiago, "Jakobsland", según la llamaban los peregrinos del norte de Europa. Puede sospecharse cómo sería la fe del pueblo y su entrega a su santo patrono, cuando el rey de León, Alfonso VI, concedía en 1072 ciertos privilegios forales a la ciudad de Valcárcel, próxima a Santiago, por amor "al Apóstol en cuyo poder se fundan la tierra y el *gobierno de toda España*".[75] Su hermana, la infanta Elvira, hace una donación a Santiago, en 1087, hallándose en trance de muerte: "a vos, el apóstol Santiago, mi señor *invictísimo y triunfador glorioso*".[76] En 1170, el rey Fernando II promete dotar la iglesia de Mérida, dependiente de la sede de Compostela, tan pronto como sea reconquistada, y continuar así las mercedes concedidas por los reyes sus antepasados al Apóstol, "con cuya protección confiamos vencer a los moros".[77] Alfonso el Sabio (m. 1284) ruega en su testamento a Santiago, "que es nuestro señor y nuestro padre, *cuyos Alfonsos somos*".[78]

Sería inútil allegar más testimonios de la conexión vital en que tanto León como Castilla se hallaban con el Apóstol, el adorado en Santiago desde el siglo IX no sólo como una devota reliquia, sino como una fuerza que orientaba la política de los reinos cristianos. Para aquellos monarcas "non erat potestas nisi a Jacobo", y en él se fundaban la fuerza, el prestigio y la esperanza del reino.

Hemos perdido la clave que permita entender tan extraña forma de religiosidad y lo contradictorio de sus motivos. Se adoraba el cuerpo de un compañero del Señor con tal entusiasmo, que el discípulo dejaba en penumbra la suave doctrina del Maestro. Comprendemos cómo el cristianismo español de la Edad Media fuese más fecundo en guerras santas, propaganda y taumaturgia, que en reflexiones reposadas y en emoción mística. En el ámbito de tal religiosidad quedaba escaso lugar para un San Bernardo, un San Francisco, un Santo Tomás, o un Roger Bacon. Los santos de España con dimensión internacional, serán: Santo Domingo de Guzmán, en el siglo XIII, y San Vicente Ferrer, en el XV; martillos de herejes y de infieles que anuncian el San Ignacio del siglo XVI —sea dicho sin disminución de la magnitud de sus figuras, sin las cuales la historia de Europa no habría sido como fue. La actividad reflexiva y técnica continuó siendo tarea de las otras dos castas.

El Santiago español es inseparable del sostenido anhelo de quienes buscaron y hallaron en él apoyo y sentido para su existencia; es inseparable de las vidas de quienes vivieron su creencia, una fe defensiva, labrada y reforjada continuamente por la misma necesidad de aferrarse a ella. Tan bien lo sintieron los moros de al-Andalus, que cuando Almanzor, en la cima de su poderío, juzgó necesario dar el golpe de gracia a la cristiandad del Norte, arrasó y dispersó las comunidades religiosas de León y Castilla, y al fin, destruyó el templo del Apóstol (997); he ahí la contraprueba de que los musulmanes consideraban a Santiago como un rival de su Mahoma. No se respetó sino el área estricta de la sagrada reliquia, porque el musulmán sabía que la virtud de lo sagrado no terminaba en los límites de su religión. Como trofeo hizo trasladar a Córdoba las campanas del santuario, a hombros de cautivos, para que, convertidas en lámparas, iluminaran la gran mezquita de Córdoba. El estrago causado por el rayo del Islam acrecentó la fe en la santa reliquia, tan santa, que ni el mismo Almanzor había logrado destruirla.

La creencia difusa e inconexa en Santiago, antiquísima aunque no valorada por la Iglesia visigoda, según antes vimos, adquirió volumen y estructura como una fe opuesta y, en cierto modo, similar a la musulmana. No podemos resolverla en una conseja piadosa como Guadalupe, el Pilar de Zaragoza, Montserrat y tantas otras. Santiago fue un credo afirmativo lanzado contra la muslemía, bajo cuya protección se ganaban batallas que nada tenían de ilusorias. Su nombre se convirtió en grito nacional de guerra, opuesto al de los sarracenos.

NOTAS

[1] Ver *Las peregrinaciones a Santiago de Compostela*, por L. Vázquez de Parga, José M. Lacarra y J. Uría Ríu, Madrid, 1949, 3 vols.

[2] R. Menéndez Pidal, *La España del Cid*, págs. 74, 77 y 710.

[3] *España sagrada*, XIX, 366, A. López Ferreiro, *Historia de la Iglesia de Santiago*, II, 319. R. Menéndez Pidal, *loc. cit.* El texto latino dice: "*totius orbis antistiti.*" El efecto decisivo de Santiago en la vida política y eclesiástica del reino de León ha sido reconocido por R. Menéndez Pidal, quien, conociendo ya mi idea, dice en una nueva edición de *La España del Cid:* "El hallazgo del sepulcro de Santiago y el imperio son dos hechos correlativos" (pág. 69). En otro reciente libro suyo, *El imperio hispánico y los cinco reinos*, Madrid, 1950, insiste en ello: "Con el hallazgo del sepulcro del apóstol Santiago, el pequeño reino asturiano no se sentía en la agobiante inferioridad de antes; ya tenía algo muy grande con qué superar la dignidad de la antigua corte visigótica" (pág. 22). Mi idea acerca de la función desempeñada por la creencia en Santiago no podía hallar mejor ni más alto reconocimiento.

El texto latino dice así en su integridad: "Ego exiguus et servorum Domini servus Hordonius Princeps vobis inclyto ac venerabili Patri Domino Sisnando, Episcopo hujus Patroni nostri et totius orbis Antistiti." El sentido es muy claro: "... a vos el ínclito y venerable padre señor Sisnando, obispo [de la sede] de este nuestro patrón [Santiago] y supremo prelado de todo el orbe" —es decir, "pontífice". No obstante la sencillez de este texto, el padre A. K. Ziegler lo mal entiende en *Speculum*, 1956, XXXI, 148-149: falsea su sentido a fin de oponerse a la evidencia de haberse creído y llamado los obispos de Santiago pontífices, en los siglos X, XI y XII. El padre Ziegler resuelve el problema mal traduciendo el texto antes transcrito, y el que cito en la nota 7. En este último, *culmen* significa, como es natural, "cúspide", y no "alto" como quiere Ziegler. Para completar su trabajo, Ziegler ignora cuanto digo a continuación sobre las pretensiones pontificales de los obispos de Santiago. No valdría la pena mencionar un error tan tosco, si no apareciera en una revista publicada por la *American Medieval Society*. Todo lo dicho en las páginas del padre Ziegler es tan inexacto como sus traducciones latinas. Ver mi nota en *Speculum*, 1957, XXX, 222-223.

[4] Si tenemos presente lo que eran los romanos pontífices en el siglo X, y cómo serían vistos desde León y Santiago, entenderemos mejor la pretensión de los prelados compostelanos. "Los papas en aquel tiempo aparecen y desaparecen según se les antoja a las facciones feudales. Los hay que mueren asesinados, o acaban sus días en una prisión. En aquel medio romano la desmoralización corre parejas con la brutalidad; intrigas femeninas dispusieron de la tiara más de una vez, pues Marozia y Teodora, sirviéndose de sus amantes o de sus sucesivos maridos, hicieron nombrar papas a sus hijos." (H. Pirenne, *Histoire de l'Europe*, 1936, pág. 115.) Un hijo de Marozia, que se titulaba "senadora" (*senatrix*) y mandaba sobre Roma, gobernó la capital de la cristiandad de 932 a 954; mientras Alberico ejercía así la tiranía, otro hijo de Marozia ocupaba la silla de San Pedro (931-936), estrictamente vigilado por

Alberico, quien, en tanto vivió, nombró estos papas: León VII (936-939), Esteban VIII (939-942), Marino II (942-946), Agapito II (946-955), quien por breves años elevó algo el caído prestigio de los pontífices. Los papas anteriores obedecieron en silencio al Tirano y no tuvieron relación con el exterior (F. Gregorovius, *History of the City of Rome in the Middle Ages*, Londres, 1895, III, 321). No había, pues, muchos obstáculos morales para que Santiago fortaleciera sus pretensiones apostólicas; la Roma de San Pedro (apóstol, como veremos, menos importante para los leoneses y gallegos que Santiago) aparecía débil, aislada y envilecida, sin fuerza moral para detener los avances de la sede del Hijo del Trueno. Santiago y Roma fueron dos islotes de la cristiandad, que durante el siglo x se ignoraron uno a otro. La orden de Cluny en el siglo xi hizo variar aquel estado de cosas.

⁵ Este audaz intento de crear en España un duplicado de la correlación pontificado-imperio es lo que daría dimensión europea a aquella creencia.

⁶ *Els primers comtes catalans*, Barcelona, 1958, pág. 280.

⁷ López Ferreiro, *Hist. Igl. Sant.*, II, 483. Más correcto que el texto citado por López Ferreiro es el dado por Caesar Baronius, *Annales Ecclesiastici*, ad annum 1049, núm. 17 (XVII, Parisiis, 1837, pág. 30 A): "Excommunicatus est etiam Sancti Iacobi archiepiscopus Galliciensis [Cresconius], quia contra fas sibi vindicaverat culmen Apostolici nominis."

⁸ *Crónica General*, pág. 369 b. Fue este un rey gran constructor de iglesias. En la ruta de Santiago se encontraba el santuario de una pareja de santos gemelos, Facundo y Primitivo: "Fizo otrossi sobre los cuerpos de sant Fagundo et sant Primitivo, en la ribera de Ceya, una eglesia de grant lavor" (*ibíd.*, pág. 379 a).

⁹ El *de ortu et obitu Patrum*, atribuido a San Isidoro al parecer sin fundamento, realiza ya la confusión, que también se halla en un texto bizantino que le sirve de base. Monseñor Duchesne (*Annales du Midi*, 1900, XII, 156-157) califica de enorme tal error.

¹⁰ López Ferreiro, *Hist. Igl. Sant.*, I, 63; el autor se refiere a martirologios del siglo viii y posteriores.

¹¹ Rendel Harris, *The Twelve Apostles*, Cambridge, 1927, *passim*.

¹² La crónica traduce el texto latino de los llamados Votos de Santiago, en Flores, *España sagrada*, XIX, 331. Por su texto se ve que la misión de Santiago fue sentida como una empresa bélica relacionada con la tarea de la Reconquista. Pero Cristo no mandó a ningún apóstol a pelear con armas, sino a enseñar a las gentes con buenas palabras: "ite, docete omnes gentes".

¹³ "Los dioses se han aparecido a nosotros, a Postumio en el lago Regilo, y a Vacieno en la vía Salaria... ¿crees que montaban caballos blancos cuando se aparecieron a Vacieno?" (Cicerón, *de natura deorum*, III, 5; II, 6). En este último texto se dice que en la batalla del lago Regilo, Cástor y Pólux, "ex equis pugnare visi sunt", se les vio luchar montados a caballo. Para estas y muchas otras referencias, véase el artículo sobre los *Dioskuroi* en Pauly-Wissowa, *Real-Encyclopädie*, IX, col. 1091: "Desde antiguo la primitiva pareja de dioses aparece relacionada con caballos, especialmente blancos." Eurípides los llama λευκόπωλω... ἔχγονω Διός (*Heracles furioso*, vs. 29-30). Se les imaginó incluso como dos caballos blancos, aunque más tarde los caballos se convierten en su atributo. En Esparta eran modelos y protectores para todo ejército ecuestre o militar. Había un altar dedicado a ellos a la entrada del hipódromo de Olimpia (Pausanias, V, 15, 5), etc.

¹⁴ Ya mencionó el carácter dioscúrico de esta aparición A. H. Krappe, *Spanish Twin Cults*, en "Studi e materiali di storia delle religioni", 1932, VIII, 13. En los *Milagros de Nuestra Señora*, de Berceo, copla 198, Santiago salva un peregrino suyo, cuya alma iban a llevarse los diablos. Pero en la fuente latina que sigue Berceo (obra al parecer de Hugo, abad de Cluny), Santiago realiza el milagro acompañado de San Pedro (dato de Raymond S. Willis). La tendencia a emparejar los santos —eco de una tradición pagana— se manifiesta en otros casos.

¹⁵ El *condenado por desconfiado*, de Tirso de Molina, en "Estudios literarios", Madrid, 1920, págs. 9-100.

¹⁶ Ver mi libro *Santiago de España*, Buenos Aires, Emecé Editores, 1958, págs. 89-91.

¹⁷ *Diálogo de las cosas ocurridas en Roma*, edic. J. F. Montesinos, pág. 206.

¹⁸ Edic. de 1906, págs. 34-36. Para más detalles ver H. Usener, *Die Sintflugsagen* [Las leyendas del Diluvio], Bonn, 1899, págs. 136-137.

¹⁹ Rendel Harris, *Boanerges*, 1913, págs. 2-4, demostró que *Boanerges* es palabra semítica, que contiene en su primera parte un plural de *bn* 'hijo' (hebreo *ben*, plural *bnaym)*; la segunda, *rges*, corresponde al hebreo *ra'am* 'trueno'; *raýasa* en árabe significa 'tronar'.

²⁰ Maurice Albert, *Le culte de Castor et Pollux en Italie*, París, 1883, págs. 47-48.

²¹ Stuttgart, 1957. El autor del artículo es W. Kraus (dato de P. Laín Entralgo).

²² *Les cultes païens dans l'Empire Romain*, I, 411. Otra, de Tortosa, encuentro en el

Corpus Inscriptionum Latinarum, II, *Suppl.* 6070: "Castori et Polluci M. Valerius Votum Solvit Libens."

23 *San Telmo y la advocación del "Corpo Santo"*, en "Revista general de Marina", Madrid, marzo, 1943.

24 *Dos anillos romanos del Museo de Pontevedra*, en "Cuadernos de estudios gallegos", 1959, pág. 355.

25 Sólo el desconocimiento de las relaciones entre el mundo pagano y el cristiano llevó a algunos a buscar en el *Apocalipsis* (XIX, 11) el modelo de la imagen de Santiago, para así desligarlo de antecedentes paganos. Pero el *Apocalipsis* se refiere a algo enteramente distinto: "Vi el cielo abierto, y he aquí un caballo blanco, y que le montaba es llamado Fiel, Verídico, y con justicia juzga y hace la guerra. Sus ojos son como llama de fuego, lleva en su cabeza muchas diademas, y tiene un nombre escrito que no conoce sino él mismo, y viste un manto empapado en sangre, y tiene por nombre Verbo de Dios. Le siguen los ejércitos celestes sobre caballos blancos", etc. Según los comentaristas, esta visión se refiere a una lucha "entre Dios y las criaturas" (Edic. de la Biblioteca de Autores Cristianos, Madrid, 1958). Santiago no es Dios, no está "empapado en sangre". Combate solo o en pareja con otro santo, a favor de un ejército y en contra de otro: interviene en asuntos humanos. Sorprende que tan absurda interpretación haya sido sostenida, por lo menos, por cuatro personas.

26 *The Way of Saint James*, The Hispanic Society of America, Nueva York, 1920.

27 Aelred Rievallensis, *De SS. Ecclesia Hagolstad*, cit. por el Conde de Montalembert, *Les moines d'Occident*, 1875, IV, 375.

28 Los apóstoles Juan y Felipe habían ayudado al emperador Teodosio (375-395) como los Dioscuros a los paganos en el lago Regilo. Según el historiador del siglo V, Teodoreto de Ciro *(Historia Ecclesiastica*, V, 24), el emperador Teodosio se encontró en un momento difícil mientras guerreaba contra el rebelde Eugenio —un cristiano que, apoyado por el pagano Flaviano, había usurpado el título imperial. El cristiano Teodosio fue a pasar la noche en una capilla, sin duda para consultar un oráculo, dice Teodoreto, y en sus sueños se le aparecieron dos hombres vestidos de blanco y montados en caballos blancos que manifestaron ser los apóstoles Juan y Felipe. Le ordenaron atacar al amanecer, y le aseguraron que triunfaría, pues ellos serían sus ayudantes y campeones. Los apóstoles desencadenaron un vendaval de polvo contra el enemigo, tan fuerte que las flechas y venablos que lanzaban herían a sus lanzadores. (Ver mi *Santiago de España*, pág. 98.)

29 *Gesta Francorum et aliorum Hierosolymitanorum seu Tudebodus Abbreviatus*, en *Recueil des Historiens des Croisades, Historiens Occidentaux*, t. III, París, 1866, pág. 157.

30 Ver *Nuovo Bulletino di Archeologia Christiana*, 1903, IX, 118.

31 "Thomas apostolus Christi, Didymus nominatus, et juxta Latinam linguam Christi geminus, ac similis Salvatoris." (En R. Harris, *The Twelve Apostles*, pág. 55.)

32 Edic. Shepss, pág. 44. R. Harris, *Boanerges*, pág. 408, observa que Prisciliano no veía dificultad en combinar la divinidad de Cristo con el hecho de tener un hermano gemelo.

33 "Similiter et illum venerabilem Jacobum qui cognominatur Justus; quem referunt Christo Jesu simillimum vita et modo conversationis, ac si ejusdem uteri frater esset gemellus; quem, dicunt, si videro, video ipsum Jesum secundum omnia corporis ejus lineamenta" (Texto en J. B. Ligthfoot, *The Apostolic Fathers*, parte II, tomo II, pág. 655).

34 "Hechos de Andrés y Matías", en A. Walker, *Apochryphal Gospels*, 1873, pág. 354.

35 Hallada en la catedral de León, en una caja con un texto en letra visigoda, por tanto anterior al siglo XII (ver J. E. Díaz-Jiménez, *Bol. Acad. Historia*, 1892, XX, 126).

36 *Les Prairies d'Or*, trad. Barbier de Meynard, II, 300-301.

37 III, 58. Nota Asín que tal opinión no se encuentra en los escritos de San Julián de Toledo, pero fue sostenida por Apolinar, uno de cuyos discípulos se llamaba Julián, y de ahí la confusión de Ibn Hazam.

38 *Histoire de l'Afrique et de l'Espagne*, trad. de E. Fagnan, 1904, II, 491, 494.

39 En árabe, *lazūm*, según el *Lexicon* de Lane, "one who keeps, cleaves, clings or holds fast much, or habitually to a thing". Como si dijéramos, en nuestro caso, "que nunca se despegaba de Jesús".

40 He seguido la traducción de P. de Gayangos, *The History of the Mohammedan Dynasties*, II, 193, pero corrigiéndola algo en vista del texto árabe (con ayuda de los señores Hitti y Ziadeh), en *Analectes sur l'histoire et la littérature des Arabes d'Espagne*, por Al-Maqqarī, Leyden, 1855, I, 270.

41 "Majus est esse fratrem Domini spiritualiter quam carnaliter. Quisquis ergo aut Jacobum Zebedaei aut Jacobum Alphaei *fratrem Domini dicit*, verum dicit." ("Sermones quatour

de Sancto Jacobo Apostolo in Gallaecia habiti", en *Patrologia*, de Migne, S. L., vol. 163, col. 1.387.) Otra prueba de la unión de ambos Santiagos nos la da la *Historia Compostellana*. Don Mauricio, obispo de Coimbra, descubrió en Jerusalén y trajo a España la cabeza de Santiago el Menor *(España sagrada*, XIX, 252); pero la *Historia Compostellana* (en *España sagrada*, XX, 222) cree que esa cabeza pertenece al cuerpo enterrado en Compostela, lo que prueba que no ofrecía dificultad referir al patrono de España la cabeza del hermano de Jesús, o sea, Santiago Alfeo, o el Menor.

[42] *Cancioneiro da Ajuda*, II, 842.

[43] *Patrologia, loc. cit.*, col. 1.398.

[44] Ver E. Amann, *Le protévangile de Jacques*, 1910, págs. 216-217; P. Santyves, *Deux Mythes évangéliques*, 1938, pág. 89. (Esa *Historia* debe ser posterior; ver *The Muslim World*, 1955, abril, pág. 187.)

[45] Prescindo ahora de bastantes datos de erudición a fin de destacar mi idea de que lo importante es la función de Santiago dentro de la morada vital de los españoles, y no los orígenes o la abstracta forma de la creencia.

[46] "Ihesus uocauit Iacobum Zebedei et imposuit eis [*sic*] nomina Boanerges. Eduxit Ihesus beatum Iacobum in montem excelsum seorsum, et transfiguratum est ante eum" (A. López Ferreiro, *Hist. Igl. Sant.*, I, 427). El *eis* "a ellos" revela que en una redacción anterior se mencionaba también a Juan, puesto que en el monte Tábor (Mat., XVII) se hallaron Pedro, Juan y Santiago. Mas al autor de estas antífonas le estorbaba la compañía de los otros dos apóstoles, y convierte la Transfiguración y el privilegio de contemplarla en una merced exclusivamente concedida a Santiago.

[47] Texto latino, en López Ferreiro, *Hist. Igl. Sant.*, I, 392-405.

[48] *Historia de España*, VII, 5.

[49] *Bibl. Aut. Esp.*, XLVIII, 445 *b*.

[50] *Historia eclesiástica de España*, I, 93.

[51] *Annales du Midi*, 1900, XII, 179.

[52] Ver Menéndez y Pelayo, *Historia de los heterodoxos*, II, 261. Ese valioso texto debe ser leído en la edición de C. P. Caspari, *Martin von Bracara's Schrift de correctione rusticorum*, Christiania, 1883. La obra se escribió entre 572 y 574 para evangelizar a los campesinos de la región Noroeste (Astorga y Braga). Además del pasaje transcrito por Menéndez y Pelayo según la antigua edición de la *España sagrada*, XV, nótese lo siguiente: "Gran locura es que un hombre bautizado en la fe de Cristo no celebre el día del Señor, [el domingo], en que Cristo resucitó, y que en cambio celebre los días de Júpiter, Mercurio, Venus y Saturno, que ningún día tienen, y fueron adúlteros, magos y malvados, y murieron de mala muerte en su tierra" (pág. 12). Saltando del siglo VI al XIX, la señora Michaëlis de Vasconcellos menciona la costumbre portuguesa de poner una moneda en el ataúd, para que el finado pueda pagar la "barca de Santiago" *(Cancioneiro da Ajuda*, II, 806).

[53] E. Ch. Babut, *Priscillien et le priscillianisme*, 1909.

[54] Ver L. Duchesne, en *Annales du Midi*, 1900, XII, 153.

[55] Ver R. Menéndez Pidal, en *Rev. de Filología Española*, 1917, IV, 151-152. Th. Heinerman, *Bernardo del Carpio*, 1927.

[56] *Crónica General*, pág. 376 *a*.

[57] Tanto era así, que un juglar navarro del siglo XIII aceptaba en el *Roncesvalles* español que Carlomagno dijese: "adobé los caminos del apóstol Santiago", y reconocía como legítimo el tema francés de Roldán (ver R. Menéndez Pidal, *loc. cit.*, 1917, IV, 151 y sigs.). El autor de ese cantar de gesta tal vez estaría en relación con monasterios franceses, interesados en el éxito de las peregrinaciones, más que en rehabilitar el buen nombre castellano.

[58] Ver G. H. Gerould, "King Arthur and Politics", en *Speculum*, 1927, II, 37. Desde hacía mucho se conocía que el rey Arturo antagonizaba a Carlomagno: ver W. A. Nitze, *ibíd.*, 318.

[59] *The Mozarabic Psalter*, edited by J. P. Gilson, 1905, págs. 208-209.

[60]
> *O uere digne sanctior apostole,*
> *caput refulgens aureum Ispanie,*
> *tutorque nobis et patronus uernulus,*
> *uitando pestem esto salus celitus,*
> *omnino pelle morbum, ulcus, facinus* (pág. 210.)

La razón para fechar este himno entre 783 y 788 es el siguiente acróstico: "O rex regum, regem pium mavrecatum exaudi cui probe hoc tuo amore prebe."

[61] C. Michaëlis de Vasconcellos, *Cancioneiro da Ajuda*, II, 834, para la protección dada por Santiago a plantas y ganados.

[62] Ver bibliografía en Gröber, *Grundriss der roman. Philologie*, II, 1902, pág. 144.

[63] L. Vázquez de Parga, *Las peregrinaciones a Santiago*, I, pág. 34.

64   De fines del siglo x y de comienzos del xi (B. Sánchez-Alonso, *Hist. de la historiografía española*, I, 1941, pág. 114).

65   Creo preferible la puntuación que ahora propongo.

66   En la provincia de Granada aún llaman "majoma" a una persona perezosa, sin darse cuenta de estar usando el nombre del Profeta musulmán; tampoco sospechaban los cristianos leoneses y castellanos que el Santiago a caballo debía su origen a un jinete dioscúrico. Así fue siempre el proceso temporal del lenguaje, de las costumbres y de las creencias.

67   Temas de esta clase han de ser vistos en forma estructurada y coherente; la forma artística y literaria en que Santiago aparece después del siglo xi no se explica sin una larga y lenta gestación oral, porque las creencias más veneradas, antes de ser fijadas en forma escrita, llevaban largo tiempo estando presentes en estado oral. Acerca del dogma de la Santísima Trinidad, dice la *Encyclopaedia of Religion and Ethics*, de Hastings (XI, 458): "In the *New Testament* we do not find the doctrine of the Trinity in anything like its developed form... [pero], if the doctrine of the Trinity appeared somewhat late in theology, it must have lived very early in devotion." Santiago y su espada no eran ningún dogma, naturalmente; mas por lo mismo es esclarecedor fijarse en lo acontecido con creencias que llegaron a serlo, a fin de que los poco versados en estas materias no aturdan con su ignorancia a ciertos lectores. Para algunos aspectos de la creencia en la Santísima Trinidad antes del concilio de Nicea, ver Adolf von Harnack, *Handbuch der Dogmengeschichte*, 1931, I, 575-577, en donde trata de "la doctrina del logos en Tertuliano e Hipólito".

68   En portugués: "Bispo de Santiago, ballista e bago." (Ver C. M. de Vasconcellos, *Cancioneiro da Ajuda*, II, 816.)

69   *España sagrada*, XVIII, apéndice XXXII.

70   *España sagrada*, XX, 13.

71   Los textos se hallan en A. López Ferreiro, *Hist. Igl. Sant.*, II, 486-489.

72   *Crónica silense*, ed. F. Santos Coco, 1919, págs. 74-76.

73   A. López Ferreiro, *Hist. Igl. Sant.*, II, Apéndices, págs. 229, 231, 239.

74   "Historia Compostellana", II, 3, en *España sagrada*, XX, 256.

75   "Sancto Jacobo Apostolo in cuius ditione vel regimen consistit totius Hispaniae" (C. M. de Vasconcellos, *Cancioneiro da Ajuda*, II, 797).

76   A. López Ferreiro, *Hist. Igl. Sant.*, III, pág. 25 del apéndice.

77   A. López Ferreiro, *Hist. Igl. Sant.*, IV, pág. 108 del apéndice.

78   Recordado por Quevedo, en *Su espada por Santiago*, Bib. Aut. Esp., XLVIII, 443 *b*.

Capítulo X

SANTIAGO, ATRACCION INTERNACIONAL

El santuario de Galicia aparecía proyectado sobre diferentes perspectivas: para los sarracenos era como una Meca cristiana, cuya eficacia sentían e intentaron invalidar; para los cristianos de la Península,
ya sabemos lo que fue; para los extranjeros conocedores de la fuerza
y del esplendor de al-Andalus, el sepulcro del Apóstol se convertiría en
lugar de peregrinación, tan venerable como Roma. En la lucha contra el
infiel, un apóstol del Señor había venido a intervenir a favor de la
buena causa, y tal prodigio acontecía en la tierra gallega, sede de milagros y ocasión para lograr provechos materiales. Cuando la orden de
Cluny, en alianza con los intereses seculares de la casa de Borgoña, emprendió la tarea de restaurar la cristiandad maltrecha, debió ver muy
pronto el valor de la ruta de los peregrinos para sus fines de expansión
internacional. A través de la diplomacia del espíritu, Francia logra-
ría resultados más efectivos que combatiendo contra los moros. La cruzada de España nunca atrajo de veras al pueblo francés.

Los reinos cristianos necesitaban a Francia para neutralizar en lo
posible la atracción islámica. Sabían los reyes que su poderío se afirmaba sobre la creencia y el valor personal, y para todo lo demás, su horizonte era el de las tierras musulmanas. Mas ahora, gracias al imperialismo cluniacense, los reyes cristianos, desde Navarra a Galicia, se esforza-
rían por acercarse a Francia, cuya civilización matizará vivamente la
vida hispano-cristiana en los siglos XI, XII y XIII.[1] * Aquellos reyes usaron
a Santiago como una fuente de prestigio internacional, del cual estaban
muy faltos. Europa conocía desde el siglo X la inmensa valía de Córdoba,
y en ella pensaba cuando volvía sus ojos a las cosas de este mundo. El
Islam dio a Europa matemáticas, filosofía, medicina, poesía, técnicas
varias, y además ofreció el bello espectáculo de ciudades como Sevilla,
Córdoba y Almería, enlazadas comercialmente con Italia y con el norte

* Para las notas al capítulo X véanse las páginas 402 a 406.

de Europa. Pero los reinos cristianos de Hispania no podían ofrecer gran cosa a los europeos, fuera de la merced insólita que Dios les había hecho con el cuerpo de Santiago.

Ya no entendemos bien lo que una reliquia de tal volumen significaba en aquellos siglos, cuando las prendas del favor divino valían más que cualquier conquista del esfuerzo humano. Dios gozaba socialmente de efectivo poderío. Dios estará hoy en los labios y en el corazón de muchos; mas las guerras y las paces responden ya a otros motivos, y la fe en El no da ocasión a que se reúnan los jefes de estado. Mas en 1010, Alduino, abad de Saint-Jean-d'Angély (Charente Marítima inferior), anunció el descubrimento de la cabeza de San Juan Bautista, y convocó a varios soberanos para el acto solemne de mostrarla a los fieles. Acudieron Roberto II el Piadoso, de Francia; Sancho el Mayor, de Navarra; Guillermo V, duque de Aquitania, amén de príncipes, condes y prelados, entre quienes destacaban Odón de Champaña y Landulfo de Turín.[2] Concurso tan deslumbrante parece que debía haber respaldado la autenticidad de la reliquia y logrado para ella fe y aceptación entre doctos e indoctos. Pero no fue así, pues la cabeza del Bautista sólo logró un culto reducido, con lo cual destacaba aún más el mérito incalculable del sepulcro de Compostela. Era inútil pretender competir con ella, y querer lanzar, así como así, una nueva creencia de dimensión internacional. En los *Acta Sanctorum* dicen que se trata de una invención fabulosa; pero aun sin eso, cómo iba a lograr adhesión universal una reliquia, si ya sus contemporáneos franceses la consideraban una impostura. Adhemar de Chabannes (988-1034), monje de San Cibar de Angulema, observa que "no aparece claro en modo alguno ni quién llevó a ese lugar la cabeza, ni cuándo, ni de dónde la trajo, ni si es del precursor de Jesucristo".[3]

Notemos ante todo con qué soltura se escribía a comienzos del siglo XI, en monasterios franceses, acerca de temas religiosos; este monje del Milenario razonaba ya, por otra parte, con ideas claras y tajantes, lo que confirma —si ello no fuera ocioso— que no por azar es francesa la filosofía de Descartes. Si junto a la tumba de Santiago hubiese habido en el siglo IX un fray Adhemar o un monseñor Duchesne, la creencia en el hijo del trueno apenas habría rebasado los límites de Iria Flavia. Pero la historia de cada pueblo ha ido constituyéndose según fuese la forma en que iba labrándose su peculiar morada de vida.

Es probable que el motivo último de haber aparecido en Saint-Jean-d'Angély la cabeza del Bautista fuera el encontrarse aquella abadía en el camino que, pasando luego por Blaye y Burdeos, seguían los peregrinos de Santiago. Es sabido que desde el siglo XI brotaban prodigios a lo largo de la "via francigena", uno de cuyos puntos iniciales era París, la "rue Saint-Jacques", llamada así por ese motivo. Al celeste camino de Santiago trazado en la vía láctea, correspondía en la tierra un sendero de maravilla, iniciado en Francia y concluso al llegar a la tumba del Apóstol invictísimo. Así me explico la aparición súbita de la cabeza de San Juan Bautista, y el que Guillermo V de Aquitania, tan unido a Cluny por sus antepasados, llamase en seguida al abad Odilón para que introdujera la observancia cluniacense en Saint-Jean-d'Angély, alzado de la noche a la mañana al rango de templo apostólico.

Interesa ahora de modo especial la presencia de Sancho el Mayor en aquella reunión de soberanos, porque, como es sabido, el monarca navarro entregó poco después a los monjes de Cluny los monasterios de San Juan de la Peña y de San Salvador de Leire (1022), que los peregrinos hallaban a poco de cruzar el Pirineo, al seguir la vía que iba a unirse a la principal, en Puente la Reina. La orden benedictina de Cluny había sido fundada en 910, por iniciativa de Guillermo el Piadoso, duque de Aquitania, aunque, desde el comienzo, el propósito de la orden fuese hacer prevalecer la soberanía de la Iglesia frente a los poderes seculares. Desde principios del siglo IX hasta mediados del XI —es sabido—, el papado ocupó lugar secundario respecto del imperio. Mientras los pontífices andaban envueltos en luchas muy debilitantes con la nobleza romana, Cluny empezó a desarrollar desde Borgoña enérgicas actividades de tipo político; sus efectos se hicieron sentir muy lejos de la célebre abadía en los siglos X y XI. Según Albert Brackmann los gérmenes de la política eclesiástico-imperial de Gregorio VII (1073-1085) ya estaban presentes en Cluny.[4]

Los nuevos estados cristianos del norte de la Península Ibérica habían de atraer muy pronto la atención de Cluny, ante todo la Marca Hispánica, políticamente unida al imperio carolingio.[5] Pero las posteriores fundaciones en Navarra, y más tarde en Castilla, fueron ya resultado de la atracción ejercida por el gran milagro de Compostela, conocido en el nordeste de Francia casi un siglo antes de la fundación de Cluny (ver pág. 348). La presencia en Hispania de un poderoso estado musulmán, aunque mantenía en constante alarma a la Roma pontifical,[6] no había dado ocasión a ninguna cruzada para liberar a tanto oprimido cristiano. Mas, como quiera que ello fuese, el hecho de que el sepulcro de un apóstol de Cristo hubiese aparecido en una zona ya liberada de infieles, debió incitar el interés de los abades de Cluny, ávidos de desarrollar una política espiritual y económica imposible para Roma en aquellas circunstancias. El abad Odilón (994-1048) hacía enviar al altar de San Pedro (al de Cluny, no al de Roma), el oro y la plata cogidos a los moros, que como tributo espiritual pagaban a su orden los reyes de León y de Castilla.[7]

La intervención religiosa y política de los cluniacenses fue motivada tanto por el ideal de catolicidad de aquellos monjes, como por el deseo de los reyes cristianos (en Navarra, León y Castilla) de contrarrestar la inevitable presión cultural de los musulmanes.[8] Claro está que el aliciente decisivo para la intervención cluniacense, desde Navarra a Galicia, fue el sepulcro de Santiago, cuya imagen ideal combatía a favor de quienes luchaban como cristianos en una región apenas sin contacto con el centro de la cristiandad desde hacía más de doscientos años. Una reliquia de tal volumen significaba en el siglo x —cuando lo espiritual y lo material confundían sus límites—, lo que el petróleo del Iraq en el xx; es decir, un incentivo para inteligentes y esforzadas empresas. La de los cluniacenses consistió en canalizar, para bien de las almas, la devoción de quienes ansiaban ir en peregrinación a Compostela.

Motivo ocasional para la venida de los cluniacenses a Navarra —zona de ingreso para la peregrinación— fue la relación amistosa entre el rey Sancho el Mayor y el duque Guillermo V de Aquitania, con quien ya lo encontramos reunido en 1010, en torno a la reliquia de San Juan Bautista. Sancho inició así una política internacional, con miras a romper el aislamiento en que vivían los cristianos, desde Navarra a Galicia, respecto de Europa; pero la verdad es que ese hecho iba ligado a los contactos ya establecidos gracias al camino de Santiago. Aunque Sancho el Mayor fuera entonces el más importante de los reyes hispánicos, fue la peregrinación lo que le alzó a un rango internacional, por regir él la zona por donde ingresaban en España quienes se dirigían a Compostela, en número creciente ya a comienzos del siglo xi. El duque de Aquitania (ca. 959-1030) figuraba entre ellos; "desde su juventud acostumbraba a visitar todos los años la morada de los apóstoles en Roma, y el año en que no iba a Roma, sustituía aquella devota peregrinación por la de Santiago de Galicia".[9] Guillermo vivía y viajaba con dignidad de rey más que de duque, y su peregrinación era por consiguiente un acontecimiento llamativo; y a causa de ella se inició su amistad con Sancho de Navarra y con Alfonso V de León (999-1028): "Se había captado la simpatía de esos reyes hasta el punto de recibir anualmente embajadores suyos que le traían preciosos dones, a los que él correspondía con presentes aún más valiosos."[10]

En esos regalos al duque de Aquitania veo el antecedente de las contribuciones que luego pagan a Cluny, Sancho el Mayor, su hijo Fernando I y su nieto Alfonso VI; y en esas frecuentes visitas del duque de Aquitania, tan unido a Cluny, se hallan los motivos inmediatos de la introducción de la orden francesa en Navarra, León y Castilla.

Para los monarcas hispanos la peregrinación era una fuente de santidad, de prestigio, de poderío y de riqueza, que el monacato nacional no estaba en condiciones de aprovechar suficientemente. Fue preciso traer

"ingenieros" de fuera para organizar un adecuado sistema de "do ut
des" entre España y el resto de la cristiandad, y realzar así la importancia de los reinos peninsulares frente al Islam y respecto de Europa.
El haber arrasado Almanzor a Santiago, sin destruir la santa reliquia,
propagaba la fama del Apóstol y ofrecía ocasión única para hacer venir
a clérigos bien enseñados en las cosas de Dios. Cuando en 1033 entregó
Sancho el Mayor el monasterio de Oña a Cluny, dijo que "era entonces
desconocido en toda nuestra patria el orden monástico, el más excelente
de los órdenes de la Iglesia",[11] juicio compartido en aquel siglo por reyes
y grandes señores. El que muchos monasterios fuesen "dobles", de frailes y monjas, había dado origen a desórdenes que, si no eran exclusivos
de España, justificaban la política monacal de los soberanos, cuya idea
última era atraer gente principal, riqueza y cultura europeas. En un
anticipio de ilustrado despotismo, España mostraba por vez primera y
a través de la enérgica acción de sus reyes, el propósito de "europeizarse", de sacarse las espinas del aislamiento y de la menosvalía. El monje de San Pedro de Arlanza que, hacia 1240, compuso el *Poema de Fernán González*, expresó entonces (según ya hube de decir) lo que desde
hacía siglos se sentía y puede deducirse de cuanto llevo escrito: Dios
favoreció a España con el cuerpo del Apóstol, porque:

> Fuerte mient quiso Dios a España honrar,
> quand al santo apóstol quiso í enviar,
> *d'Inglaterra y Francia, quísola mejorar,*
> sabet, non yaz apóstol en tod aquel logar (154).

Se ve así hasta qué punto se sentía a Santiago como un sostén para
la casta cristiana, y cómo ya en el siglo XIII España "vivía desviviéndose",
y con conciencia de su inseguridad.

Dios había otorgado el prestigio, y ahora se contrataba a los monjes de Cluny para organizarlo desde el punto de vista de los humanos
intereses. A medida que avanzaba el siglo XI, la ingerencia francesa se
hacía más perceptible. Francés fue el primer obispo del Toledo recon-
quistado (1085), y franceses eran muchos monjes y canónigos. Eco de tal
colonización religiosa es el número considerable de palabras francesas
anteriores al siglo XIII; su introducción en español y portugués no es
comparable al caso de Inglaterra, en donde el francés y el anglosajón
se mezclaron para dar origen a una tercera lengua; el castellano siguió
siendo en su estructura lingüística como era, aunque aumentado en palabras francesas (cosas), que en los siglos XI y XII correspondían a las que
desde hacía trescientos años se venían tomando del árabe.

Con la invasión cluniacense, y con lo que tras ella vino, comenzó
a modificarse el aspecto mozárabe-islámico de la Península en su zona

cristiana. El rito religioso fue reemplazado por el romano, usado en Cluny; cambió el tipo de escritura, y el estilo arquitectónico; la literatura, aun siendo originalísima (el *Poema del Cid* de hacia 1140 vale como lo que más valga en su tiempo), acudió a fuentes y formas francesas (teatro religioso, cuaderna vía, temas internacionales religiosos y profanos). Mas aunque los cristianos pasaran de dormir en el *almadraque* árabe a usar el *colchón* francés, la tensión personal de la casta heroica continuó siendo la misma; el cristiano —fuese leonés, castellano o navarro— se mantuvo a distancia de lo árabe y de lo francés.

Los monasterios cluniacenses jalonaban la vía de los peregrinos desde San Juan de la Peña hasta Galicia; en ellos se practicaba la caridad con los menesterosos, aunque lo esencial era que no "faltaban viajeros y peregrinos ricos, que pagaban generosamente la hospitalidad que se les daba".[12] Monasterios como Sahagún llegaron a poseer inmensas propiedades, donadas por quienes aspiraban a la salvación eterna gracias a los rezos de aquellos monjes, lo cual demuestra que si el pueblo los miraba de reojo, la gente acaudalada no sentía del mismo modo. La condesa Teresa de Carrión, bisnieta del rey leonés Bermudo II, y viuda del poderoso Gómez Días,[13] donó a Cluny, en 1076, el espléndido monasterio de San Zoil de Carrión, en la vía "qui discurrit ad Sanctum Jacobum": "morando en España, llegó a nosotros la fama del lugar de Cluny y del señor abad Hugo, santo de aquella comunidad, cuyos monjes viven en el servicio de Dios, bajo la disciplina de su regla y encaminándose al cielo sin desmayo ni aburrimiento (ad caelestia sine taedio tendunt)". En 1077 confirmó la Condesa su donación, la cual suscribe, como primer testigo, el obispo de Santiago, Diego Peláez,[14] lo que prueba, si falta hiciera, que todo el asunto de Cluny y la peregrinación a Santiago eran una y la misma cosa.

La aristocracia seguía el ejemplo de los reyes. Fernando I (m. 1065) pagaba a Cluny un censo anual de mil mencales de oro; su hijo Alfonso VI duplicó la suma, en testimonio de aún más firme vasallaje espiritual, con frases dulces y rendidas: "a Hugo, abad de Cluny, antorcha animada por el ardor del fuego divino, río de miel y de dulzura". Los motivos para tal vasallaje nos son conocidos ya. Hay que tener presente, además, que en ello no se sentía menoscabo, dado que el sincero sentimiento de catolicidad borraba la noción de fronteras en el reino de Dios. De todas suertes, la entrega a Cluny implicó la cesión de lo que hoy llamaríamos zonas de soberanía, porque los monjes formaban una institución completamente autónoma. Pero había que fortalecer los reinos cristianos, entreverados de moros y judíos, apenas sin otra firmeza que la de sus reyes; es decir, sin nada semejante a los estados feudales de Francia. Un motivo muy visible para la falta de feudalismo fue el que el poder real a veces llegara hasta el pueblo a través de funcionarios e instituciones no cristianos *(almojarife, almotacén, alfaqueque, zalmedina,* etc.). Además, el volumen de la riqueza secular y estable de los cristianos era escaso, en tanto que era desbordante el de las maravillas divinas. Santiago fue el máximo taumaturgo, y tras él, en cada región existían otros promotores de milagros: los santos Facundo y Primitivo, en Sahagún; San Millán, en La Rioja; y cien más. Había también milagreros de carne y hueso; en 1083, Alfonso VI dio a un ermitaño francés que, en su borriquillo, realizaba milagros ante el monarca, "la capilla de San Juan y una alberguería en la puerta oriental de Burgos",[15] lugar de tránsito para los peregrinos. La población cristiana vivía su creencia con tanto ardor como la mudéjar y la judía. No es, pues, la religiosidad de la Edad Media, más o menos uniforme en la Europa de Occidente, la que determinó la peculiaridad española; el concepto de Edad Media es una abstracción que sirve para poco cuando nos enfrentamos con la realidad inmediata de un grupo humano en un momento dado. Lo que caracterizaba entonces la casta cristiana no era un abstracto medievalismo, sino el predominio de la creencia sobre las tareas humanas (incluso sobre el pensar teológico), como más tarde predominaría la literatura y el arte sobre la ciencia durante el siglo XVII. En cualquier unidad histórica (la de un pueblo), cada manifestación de vida depende de lo que exista en torno a ella; en este sentido, la religión de la España del siglo XI no es igual a la de Francia en el mismo período; ni la literatura del siglo XVII fue producida y vivida como las contemporáneas de Europa. Hemos visto intentarse en Francia el establecimiento de un culto a base de la cabeza de San Juan, lo cual, al pronto, parece rasgo medieval y genérico; mas en seguida surgió el monje Adhemar con su crítica demoledora. A comienzos del siglo XII exhibía el monasterio de San Medardo (Soissons) un diente de leche del niño Jesús, y frente a él se alzó el abad de Nogent-sous-Coucy y trató de impostores a los otros frailes: "Attendite, falsarii..."[16] Rivalidades de frailes, dicen los apegados a lo externo de los "hechos". ¿Mas no las había también en España, y feroces? Lo exacto es pensar que los monjes franceses de los siglos XI y XII se movían ya según la misma disposición de vida (ver cap. IV) que más tarde se manifestará en Jean de Meun, Descartes y en la Enciclopedia, o sea, que lo francés (en cuanto a *la forma del dinamismo* de su vida) era en el siglo XI como en el XVIII, con las diferencias de contenido implicadas en una distancia de setecientos años. Porque el francés fue estructurándose así, la *Chanson de Roland* no fue como el *Poema del Cid;* ni hay en Francia un héroe nacional de carne y hueso como Rodrigo Díaz, ni un Cortés, ni una Santa Teresa, ni un Cervantes, y sí un Descartes, un Racine y también un Bossuet y un Voltaire.

Todo lo cual es necesario decir a fin de abrir la vía a nuevos modos de historiar, y no seguir creyendo que los "hechos" son algo absoluto y no conformado por las circunstancias que los hacen posibles —como si el río fuese aislable de la forma de su cauce y del declive que lo hace discurrir. Santiago, las peregrinaciones y todo lo demás, son ininteligibles si se habla de ellos —según es costumbre— como cosas que están ahí y simplemente acontecieron. El Santiago de España fue fenómeno único y funcionalmente relacionado con el modo peculiar de *estar* en la vida que hoy llamamos español.

Es, por lo tanto, indispensable afinar un poco más la atención para poner bien en claro que las modalidades de la creencia religiosa en España y en Francia divergían considerablemente, pese a la uniformidad impuesta por el insuficiente concepto de Edad Media. En 987 fue ungido como rey de Francia Roberto II, llamado el Piadoso, y este monarca fue el primero en aparecer dotado de la virtud de curar escrófulas, mediante imposición de manos y haciendo la señal de la cruz. Tan milagrosa facultad sería en adelante virtud anexa a la monarquía francesa, y fue ejercitada en el siglo XI lo mismo que en el XIX. Roberto II, hijo del usurpador Hugo Capeto, no se sentía muy seguro en el trono; temiendo que la legitimidad de la nueva dinastía fuese discutida, sus partidarios más fieles juzgaron eficaz atribuir al nuevo rey el poder de curar escrófulas, o lamparones, como las llamaban en España. Si el monarca hubiera sido un usurpador, Dios no le habría concedido el don milagroso de sanar a los enfermos.[17] Aunque luego he de decir una palabra acerca del origen de tan sorprendente innovación, lo que interesa ahora es su conexión con la modalidad francesa de vida, y el sentido del curiosísimo hecho de haberse arrogado la dinastía de los Capetos el poder de curar lamparones. Cuando hacia el año 1000, las gentes transidas de terror aguardaban el fin de los tiempos y confiaban en todo menos en sí mismas, unos franceses juzgaron útil y posible incorporar poderes divinos en un ser humano y hacerle realizar milagros reservados a los elegidos de Dios. El decidirse a dotar a los reyes de Francia de poderes taumatúrgicos implicaba la santificación en bloque y *a priori* de una dinastía, de un poder nacional existente en un espacio y tiempo humanos; se daba una inyección de cielo a realidades puramente terrenas. Si la facultad milagrosa de curar lamparones parece al pronto más taumatúrgica que la intervención de Santiago, pensando un poco se nota que es todo lo contrario; con la práctica de tal rito *se secularizaba y reglamentaba un poder sobrenatural*, en una forma imposible incluso para los papas, o para una orden religiosa. Algo como si los reyes de León o de Castilla se hubieran arrogado el poder de ganar batallas por el hecho de ser reyes, en vez de *esperar* ganarlas merced a la intercesión de Santiago.

En un libro reciente ha sido estudiada la génesis de la virtud taumatúrgica de los reyes de Francia.[18] Su origen se encuentra, por lo visto, en supersticiones germánicas, que no se sabe cómo, perduraron en el ambiente regio de los Capetos. De la creencia en la virtud curativa inherente al propio linaje (Sippenheil), se pasó a creer en la virtud sanante de un determinado linaje, el de los reyes germánicos y, más tarde, el de los Capetos. Hay testimonios de cómo actuaba la fuerza mágica del linaje entre los francos: una mujer franca curó a su hijo tocándolo con los flecos del manto del rey merovingio Gunnthram. Es notable, sin embargo, que una superstición popular hubiese sobrevivido en el ambiente de una corte cristiana, a favor de la idea de haber elevado Dios a los reyes de Francia sobre los otros reyes, por el hecho de ser aquéllos ungidos y consagrados con óleo santo, venido del cielo, y no comprado en ninguna botica (Schram, *op. cit.*, I, 150). La unción confería al rey de Francia un carácter superior al de los sacerdotes, pues éstos eran ungidos con el crisma y no podían hacer milagros; el rey, en cambio, era consagrado con óleo celestial (Himmelöl), que le ponían en la cabeza, en el pecho, entre y sobre los hombros y en las coyunturas de los brazos *(op. cit.,* página 158).

Todo ello enlazaba con la fe en la "gracia de Dios", pero con una fe naturalista y pagana (germánica en este caso), en la cual no aparecía muy clara la distinción entre los dioses y los mortales, una distinción muy nítida para las tres castas de creyentes que integraban los reinos hispano-cristianos del siglo XI. Por esa razón —según en seguida veremos— el poder milagroso de los reyes franceses parecía pura necedad a Alfonso el Sabio. Persisto por lo mismo en mi idea, de que la decisión de Roberto el Piadoso de lanzarse a curar escrófulas fue debida a un cálculo racional, y no meramente a que hubiese sobrevivido una tradición supersticiosa. Lo decisivo aquí no es la existencia de un uso (ver pág. 127), sino el modo en que aquel uso fue utilizado. Los santos realizan milagros sin proponérselo, y no se arrogan poder divino para trastornar el orden de la naturaleza, ni la facultad de transmitir esos poderes sobrehumanos a otras personas, sea cual fuere su rango social. Lo característico en el caso del rey de Francia fue la enérgica audacia de quienes sentaron esta premisa mayor: "Todos los reyes de Francia, *ipso jure,* poseen la virtud de curar ciertas enfermedades"; y dedujeron luego lógicamente: "Estoy ungido como rey de Francia, *ergo* curaré enfermedades." Fuera del acto de ungir al rey, la Iglesia no tenía en ello arte ni parte. El razonamiento, el juicio secularizado, se sobrepuso a la aceptación de lo exigido por la fe, por encima de todo razonar: la acción de la gracia divina es necesaria en cuanto tal, pero contingente en cuanto a los beneficiados por ella. Los reyes de Francia decidieron, *motu pro-*

prio, la cantidad de virtud curativa que necesariamente poseían. El que esos poderes regios enlazaran con una tradición mágica, no explica el que esa tradición fuese usada por los reyes de Francia para fines no mágicos. El problema no ha sido planteado en esta forma por quienes han tratado de la virtud "taumatúrgica" de los reyes de Francia.

La dinastía normanda de Inglaterra captó en seguida cuán útil sería poseer las mismas divinas virtudes, y Enrique I Beauclerc inició en el siglo XII la cura milagrosa de las escrófulas, con el mismo éxito que su colega del continente. La única precaución fue inventar que ya curaba escrófulas Eduardo el Confesor, último rey anglosajón. Con lo cual, y con la oportuna reanimación de la creencia en el fabuloso rey Arturo, la dinastía normanda se arraigaba bien hondo en la tierra inglesa, sin necesidad de buscar apoyos en divinidades celestiales. Francia e Inglaterra iniciaban su vida moderna ancladas en intereses humanos, en el prestigio pagano-espiritual de sus monarcas.

Los reyes de Francia dispensaron liberalmente su gracia curativa. Hasta hubo españoles que iban a ser "tocados" por el rey, y de ello hay testimonios todavía en 1602.[19] Pero la reacción de los españoles hace percibir en seguida la distancia que separa la religiosidad española de la francesa; aquella reacción fue escéptica e irónica, y de ello hay excelente ejemplo en la cantiga 321 de Alfonso el Sabio. Cierta niña padecía en Córdoba

> Una enfermedade muy forte
> que na garganta havía,
> a que chaman lamparões.

Los médicos no lograron sanarla, y un "hombre bueno" (un ingenuo racionalista) aconsejó a su madre que la llevase al rey, porque

> todos los reis crischãos
> han aquesto por vertude.

Mas he aquí la réplica del monarca, muy al tanto de que los reyes son algo más que especificaciones del "género" realeza:

> A esto que me dizedes,
> vos respondo assí, e digo
> que o que me consellades,
> sol non val un muy mal figo,
> pero que falades muito
> e tan toste como andoriña.
> Ca dizedes que vertude
> ei, dixedes neicidade.

El "hombre bueno" hablaba ligeramente y tan sin sentido como una golondrina. En lugar de la necedad de pretender que el rey la curara, éste mandó que llevaran a la niña a la "majestad de la Virgen,

> que é envolta
> en a púrpura sanguiña".

Lavaron con agua la santa imagen y al niño Jesús; vertieron el agua en el cáliz "en donde se hace la sangre de Dios del vino de la viña", y la dieron a beber a la enfermita, tantos días como letras tiene la palabra *María;* al cuarto, desaparecieron los lamparones.

La anécdota es excelente. Pensar que un ser humano, por ser rey, realice milagros, es una sandez; mas sí es cordura fabricar un verdadero hechizo con ingredientes cristianos, tratados según la mejor magia islámico-judía. Notemos que todo el proceso acontece como un juego de fuerzas y acciones ajenas a la persona. El lenguaje mismo lo expresa; la Virgen aparece "envuelta" en su manto de púrpura sanguínea, y desprende su virtud a través del agua que la toca, la cual recibe, a su vez, la del cáliz, crisol de transmutación divina; las letras del nombre de María no obran por sí mismas tampoco, sino a través de su cualidad numérica. Las cosas no son, pues, tales cosas, sino el doble espectral que flota en torno a ellas como formas sin materia, sin sustancia. Cada una de esas formas se desliza sobre otra, ya que, como en el Islam, lo único sustancial y quieto es Dios. La realidad natural es así fluencia de aspectos, y cada cosa se vierte en un "fuera" para encontrarse con el "fuera" de otra, y así hasta el infinito del arabesco decorativo, sin más continuidad que la de su misma fluencia. Tal era para el Rey Sabio la estructura del mundo natural. Lo serio del caso es que el hechizo aquí descrito ocurre en una obra regia, y no es una patraña que "dicen las viejas tras el fuego", porque no hubo raya que separara en absoluto lo docto de lo popular, ni entonces ni luego. Es así comprensible que el intento de los reyes franceses de curar las escrófulas fuese tratado de necedad; eludían aquéllos la construcción mágica del mundo, absorbían y racionalizaban lo sobrenatural, y lo convertían en atributo de la realeza, como la corona y el cetro, no en juego de apariencias flotando sobre el hombre. No cabía en España humanizar ni reglamentar lo divino, porque eso habría derrocado todo el sistema español, comenzando por Santiago, creencia que nadie tildó abiertamente de falsedad antes de 1600. Los reyes de España no se arrogaron poderes divinos: actuaban en virtud de la gracia que Dios les confería.

Fue fácil hacer llegar peregrinos a Santiago, y fue posible vencer a los moros con desnuda energía y exaltación heroica. Más arduo era articular las virtudes llovidas del cielo con el vivir de todos los días, y para ello fueron llamados los cluniacenses, quienes "sine taedio ad caelestia tendunt". Sería por otra parte injusto esperar que los monjes castellano-leoneses organizaran espiritualmente, con vistas a la cristiandad europea, unos reinos con fronteras desiertas y tierras esquilmadas por una guerra endémica, y con capacidad productiva muy escasa. La riqueza cristiana solía provenir del botín cogido a los sarracenos, o de la peregrinación —un turismo también "divinal". Alfonso VI creyó entonces que los cluniacenses resolverían, en un mismo impulso, los problemas del cielo y los de la tierra,[20] y se engañó. Un monje aislado puede ser un santo o un creador de ciencia; pero la orden religiosa es una institución ligada a los intereses del siglo, y los cluniacenses estaban ante todo al servicio de los intereses políticos del ducado de Borgoña. La historia no puede construirse con lamentaciones o con laudes, pero la verdad es que las consecuencias más importantes de la venida de Cluny fueron tristemente políticas. El abad de Cluny promovió el casamiento de Alfonso VI con Constanza, hija del duque de Borgoña; más tarde, las hijas del rey, Urraca y Teresa, casaron con los condes Ramón y Enrique de Borgoña. León y Castilla escapaban al localismo (con acento islámico) de la tradición mozárabe, para caer en un insuficiente europeísmo —en la red de los intereses cluniacenses y borgoñones. Mientras los españoles batallaban contra los almorávides, bajo la protección de Santiago, las diócesis se poblaban de obispos franceses, los más de origen cluniacense, y la corona de Alfonso VI estuvo a punto de pasar a un extranjero, a Ramón de Borgoña. Para Cluny, España aparecía como una segunda Tierra Santa en donde podía establecerse un reino como el de Jerusalén, muy próximo al Pirineo. Los designios franceses, en lo que hace a su esquema, eran en 1100 análogos a los de 1800; el Napoleón de entonces era el abad de abades, Hugo de Cluny.

PORTUGAL COMO INDIRECTA CONSECUENCIA DE SANTIAGO

Así iba procediendo la vida española en que ahora nos ocupamos, y cuyo conjunto conviene no perder de vista. Santiago, una vez nacido a la vida de la creencia, desplegó sus virtudes religioso-políticas; la riqueza de su personalidad le hizo ser aceptado lejos de España con igual fe que en su propia tierra. Dada su originalidad inimitable, fallaron los intentos de reemplazarlo, según vimos en el caso de Saint-Jean-d'Angély. La peregrinación fue el resultado de esa validez internacional, y por su ancho cauce discurrieron la piedad, el prestigio, la corrupción y la riqueza. Aquitania y Borgoña utilizaron la peregrinación en beneficio propio, con miras a la dominación de la España cristiana.[21] La debilidad de Alfonso VI, y su urgencia por prestigiarse él y su reino, le hicieron dócil instrumento de la política de Cluny, agente de la política imperial del papado. Casó primero con Inés de Aquitania (lo cual es todavía un eco de la acción de Cluny a través del ducado de Aquitania y de Navarra); luego, con Constanza, hija del duque de Borgoña. Sus yernos, Enrique y Ramón, pertenecían a la casa ducal de Borgoña, lo mismo que su pariente el abad Hugo de Cluny. La muerte del conde Ramón, heredero del reino, perturbó los planes cluniacenses en cuanto a León y Castilla, planes que entonces se concentraron sobre Portugal, feudo otorgado por Alfonso VI a su yerno el conde Enrique. Así pues, por caminos indirectos pero muy claros, la independencia de Portugal es inseparable del culto dado a Santiago.

Con gran tino escribieron la señora Michaëlis de Vasconcellos y Teófilo Braga que "sólo los *acontecimientos* hicieron de Portugal un estado independiente, y crearon poco a poco en sus habitantes el sentimiento de ser un pueblo aparte".[22] Mas, ahora, esos acontecimientos deben ser vistos a la indirecta luz que proyectaban sobre ellos el apóstol Santiago y el imperialismo borgoñón. El conde Enrique vino a España por los mismos motivos que hicieron a los cluniacenses establecer sus monasterios en los lugares estratégicos del camino de la peregrinación; también por esos motivos casó con Teresa, hija de una unión ilegítima de Alfonso VI, y recibió en feudo las tierras al sur de Galicia. Enrique miraba con enojo la mejor suerte de su primo Ramón, unido a la primogénita y legítima hija Urraca; hubo entre ellos graves desavenencias, muy perniciosas para la política cluniacense. El abad Hugo envió un emisario, que logró el acuerdo entre ambos condes: a la muerte del rey, se repartirían el rico tesoro de Toledo, dos partes del cual serían para Ramón y el resto para Enrique, quien, además, recibiría en feudo la tierra de Toledo, y si no, Galicia. La muerte de Ramón de Borgoña lo descompuso todo; el rey murió en 1109, y la viuda Urraca ocupó el trono, hasta tanto que el pequeño Alfonso VII llegara a la mayor edad. Muchos nobles temieron que una mujer no supiese hacer frente a los peligros que rodeaban a León y Castilla, y quizá para contrarrestar influencias francesas, aconsejaron el casamiento de Urraca con el rey Alfonso I de Aragón, idea excelente en teoría, y en la que ya apuntaba el propósito de hacer de la tierra de los cristianos un solo reino. Mas todavía no habían llegado los tiempos de los Reyes Católicos, y aquel matrimonio originó grandes desastres, porque Alfonso I no tomó posesión del reino, sino que lo devastó como un cruel invasor. La Iglesia de Santiago, los cluniacenses y el condado de Portugal se opusieron al aragonés. No conocemos aún el lado interno de esos acontecimientos; mas es lícito pensar que el caso creado por aquella guerra intestina fue debido a la imposibilidad de armonizar los intereses del clero francés, la personalidad de León y Castilla y la violencia de Alfonso I, que llegó a matar por su mano a un noble gallego asido a las faldas de la reina Urraca, lo que entonces se consideraba como refugio inviolable. Tal caos fue bien aprovechado por el conde Enrique (m. 1112) y por su viuda Teresa, que ya en 1115 usaba el título de reina,[23] con el cual se calmaba su despecho por ser inferior en nacimiento y rango a la reina Urraca, su media hermana. Los intereses franceses ganaron más apoyos en el condado portugués con la venida de los caballeros del Temple y de los monjes del Cister, igualmente enlazados con Borgoña. Circunstancia decisiva fue, además, que Enrique y Teresa tuvieran como heredero a Alfonso Enríquez, quien desde mozo mostró excelentes dotes de luchador y gobernante, multiplicadas por el ambiente de rebeldía inaugurado por su padre, bien descrito en la Crónica del arzobispo Rodrigo Jiménez de Rada, a comienzos del siglo XIII: "Ya en vida de Alfonso VI el conde Enrique de Borgoña comenzó a rebelarse un poco, aunque mientras vivió, no retiró su homenaje al rey; fue echando a los moros de la frontera, lo mejor que pudo, pero reivindicando ya para sí la soberanía. A pesar de ello acudía con su gente cuando lo llamaban a fin de ayudar a la hueste real, o para asistir a la corte. Alfonso VI, por bondad o más bien por abandono, toleraba a Enrique sus intentos de independencia, por ser yerno suyo, en lo cual demostró gran imprevisión." [24]

Tales fueron los "acontecimientos" que originaron la independencia de Portugal, y crearon a la larga motivos para su apartamiento de León y Castilla. Portugal nació como resultado de la ambición del conde Enrique, sostenido por Borgoña y Cluny, y por la debilidad de Alfonso VI, pábulo de guerras civiles. Portugal nació y creció por su voluntad de no ser Castilla, a lo que debió indudables grandezas y también algunas miserias.

Borgoña intentó hacer en Castilla lo que los normandos habían conseguido en Inglaterra algunos años antes: instaurar una dinastía extranjera. Las dificultades de la lucha con el Islam y la vitalidad castellana malograron el proyecto, pero no impidieron que naciese un reino al oeste de la Península. No surgió ese reino desde dentro de su misma existencia —según aconteció a la Castilla del conde Fernán González—, sino de ambiciones exteriores. La prueba es que la tradición hispano-galaica de Portugal quedó intacta, de lo cual es signo elocuente la falta total de una poesía épica. Si la inicial rebeldía de los portugueses hubiera procedido de la íntima voluntad de su pueblo, como en Castilla, el conde Enrique, o su hijo Alfonso Enríquez, se habrían convertido en temas épicos. Mas los pobladores extranjeros no podían crear ninguna épica nacional, y los gallegos venidos del Norte continuaban siendo líricos y soñadores. Su combatividad les vino de fuera. La única aureola poética en torno a Alfonso Enríquez se ajusta al modelo galaico y santiaguista: la victoria de Ourique (1139), tras la cual Alfonso se proclamó rey, aconteció el 25 de julio, fiesta del Apóstol; Cristo en persona se apareció durante la pelea, y dejó la huella de sus cinco llagas en las "quinas" del escudo portugués.[25] Portugal (dirigido y ayudado decisivamente por europeos del Norte) se hizo luchando contra la morisma en su frontera Sur, y contra Castilla en su retaguardia; aquel trozo desgajado de Galicia desarrolló un ánimo de ciudad cercada, que la débil monarquía castellana de la Edad Media no pudo dominar, y no supo asimilar la España de Felipe II (grandeza entre nubes). El recelo y el resentimiento frente a Castilla forjaron a Portugal, nacido del enérgico impulso de Borgoña, de Cluny y del Temple en los siglos XI y XII.

Para aceptar la validez de mi punto de vista acerca del origen de la nación portuguesa, hay que poner en paréntesis —por el momento al menos— la manera en que los portugueses sienten acerca de su historia. La creencia de que Portugal existía ya antes del siglo XII no es un error, sino una fábula paralela a la de los españoles. La creencia de que Portugal debe sus orígenes a sí mismo, y no a motivos exteriores, es inseparable de la existencia de esa ilustre nación; si las gentes del Miño para abajo se hubiesen sentido extensión de Galicia, León y Andalucía, no habrían realizado sus gloriosos descubrimientos, ni existirían las obras de Gil Vicente, de Luis de Camoens, de Eça de Queiroz y de tantos otros. La verdad fría de esta historia sería respecto de ella, como el personaje histórico y documentado del Cid respecto del Cid poético. La historia-leyenda de Portugal cree que las peculiaridades de la región situada entre los ríos Miño y Duero antes del siglo XII, equivalían a una conciencia de nacionalidad; los habitantes miraban ya hacia Lisboa y Santarén —todavía en manos musulmanas—, como a una prolongación de Portugal. Mas la verdad fría es que el futuro Portugal, antes de ser regido por el conde Enrique de Borgoña, no poseía una conciencia colectiva desligada de la de los gallegos y leoneses. Lo peculiar de una región (en su geografía, en su prehistoria) ni significa capacidad para constituirse como un estado político. No es menos cierto, sin embargo, que el error objetivo de la conciencia histórica actuó como fecunda interpretación del pasado, la cual, a su vez, se integró en la historia auténtica del pueblo portugués; existir como portugués consiste, entre otras cosas, en no sentirse apéndice de España: "Da Espanha, nem bom vento nem bom casamento." Ese distanciamiento impulsó a los portugueses a ensancharse hacia atrás en el tiempo, y a buscarse expansiones imperiales. El impulso heroico que llevó hasta Ormuz y Malaca, es solidario del intento de buscarse raíces nacionales no españolas. Los españoles, por su lado, hundieron sus raíces en Iberia, para librarse de su sombra islámico-judaica.

Según algunos historiadores, las gentes que moraban entre el Miño y el Tajo, ya en los siglos VIII y XI, estaban aguardando a ser ellos mismos, es decir, portugueses. Los *Annales Portugalenses veteres*, de comienzos del siglo XII, mencionan la toma de Coria por Alfonso VI, en 1077; eso se debe —piensan algunos— al hecho de creer ya los portugueses de aquel tiempo que la villa de Coria "era clave del valle del Tajo, y entraba ciertamente en el campo de su interés". (Pierre David, *Etudes historiques sur la Galice et le Portugal du VIe au XIIe siècle*, 1947, pág. 332.)

Portugal, *finis terrae*, soñaba en escapar a sus límites estrechos:

> "O Reino lusitano,
> Onde a terra se acaba e o mar começa"
>
> *(Lusiadas*, III, 20).

Sólo con criterios económicos o con cálculos racionales no cabe entender la formación del inmenso imperio portugués. Durante los siglos XVI, XVII y XVIII, la lengua portuguesa sirvió de vehículo a la civilización de Occidente en las Indias Orientales (David Lopes, *A expansão da lingua portuguesa no Oriente*, 1936). Holandeses, ingleses y daneses se comunicaban con los indígenas en aquella lengua, y en portugués hacían los misioneros protestantes su propaganda en Malaca, aun en 1800. La furia expansiva de aquel pueblo, de poco más de un millón de habitantes en el siglo XVI, rebasa todo cálculo. Los portugueses precedieron a los castellanos en las empresas africanas y atlánticas;[26] ya entre 1427 y 1432 se hallaban en las islas Azores. La instigación imperialista y mesiánica de los judíos fue tan intensa en Portugal como en Castilla.

España y Portugal no son naciones felices dentro de sí mismas, ni nunca lo han sido. A sus comunes inquietudes añade Portugal el resquemor de que su pasado no sea plenamente suyo. A fuerza de desearlo y de creer en él, fue incorporándolo al proceso de su propia existencia. Las empresas imperiales; la huella perdurable de Portugal en el Brasil, en la India y en Africa; las figuras grandiosas de Vasco de Gama, Alfonso de Alburquerque, Fernando de Magallanes —todo eso y algo más actúa como fuerza recreadora de los orígenes de Portugal. La conciencia histórica ha transformado lo no valioso de la realidad en una creación humano-poética. Un gran novelista no procede de otro modo.

Veamos ahora el fondo no poético de esta gran historia. Lo describe correctamente un historiador de lengua portuguesa:

"La rebeldía e independencia [del siglo XII] habían significado el desmembramiento del imperio hispano-cristiano en vías de constituirse; y la existencia de Portugal dependía de la no aceptación de las ideas imperialistas españolas. El nacionalismo portugués fué una posición histórica y moral opuesta al ideario político español: la política de España consistía en dirigir sus fuerzas en un sentido centrípeto; la portuguesa, en encontrar fuerzas morales y materiales centrífugas que la proveyeran de un destino histórico fuera del ámbito español... Portugal se buscó un pasado ilustre en el plano de la historia universal, pero no dentro de las perspectivas de la historia española." [27]

Portugal no poseía, en el siglo XII, una dimensión social distinta de la galaico-leonesa; su diferenciación del reino leonés no podía por tanto proceder de la voluntad de continuar siendo él mismo, sino en buscar algún modo de no ser como sus parientes y vecinos. Es obvio entonces que el ímpetu y el apoyo bélicos para aquel desgarro peninsular no pudieron nacer espontáneamente entre las gentes de lengua gallega que moraban al sur del Miño e iban extendiéndose con la Reconquista llevada a cabo por los reyes leoneses Fernando I y Alfonso VI. La motivación inicial de aquella rebeldía no yace en lo portugués del Condado que Alfonso VI otorgó en feudo a Enrique de Borgoña, sino en la condición borgoñona del Conde. No quedó rastro de tales motivos en la conciencia histórica de los portugueses, pues lo que hizo posible la existencia del reino lusitano exigía olvidar sus auténticos orígenes; esta conciencia, a su vez, creó retroactivamente la fe en el portuguesismo inicial y remoto de Portugal. En el proceso de la historia humana los hijos pueden dar vida a los padres tanto como éstos a aquéllos. De esta suerte quedan integradas la verdad de mi manera de entender los orígenes de Portugal, y la verdad de los historiadores portugueses que se oponen a ella. Metafóricamente diría que nuestra concepción de la historia se hace verdadera y se armoniza en un espacio ideal de múltiples dimensiones.

Es explicable que los orígenes del reino portugués aparezcan envueltos en obscuridades y leyendas. No ha podido localizarse la batalla de Ourique (1139), hecho máximo de la reconquista portuguesa, ni se sabe el nombre del vencido caudillo moro. La toma de Santarén (1143) está narrada en un relato a todas luces apócrifo. La intervención extranjera en la reconquista de la tierra que acabó por ser Portugal, fue considerable y decisiva. El reinado de Alfonso Enríquez, primer rey portugués (1128-1185), está mal conocido; las crónicas no nacionalizaron lo hecho por extranjeros que acudían a aquel extremo de Europa, y llevaban el peso de la guerra contra los moros, cosa que no había acontecido en Castilla, por numerosos que fueran los extranjeros presentes en su tierra.[28] Los relatos coetáneos acerca de la conquista de Lisboa (1147) fueron compuestos por un inglés y por dos alemanes, los cuales no dejan duda sobre el papel secundario que en aquella empresa tocó a los cristianos de la Península.[29] Rendida la ciudad, "el nombre· de los francos fue glorificado en toda España... Fue escogido para obispo de Lisboa uno de los nuestros, Gilberto de Hastings, con consentimiento del rey" *(loc. cit.*, pág. 122). En 1149 donaba Alfonso Enríquez a este obispo 32 casas: "xxxii domos cum omnibus suis hereditatibus ubicumque illas invenire potuerit".[30] La flota para conquistar Lisboa había zarpado de Inglaterra con 169 velas, y estaba integrada por ingleses, alemanes, flamencos, franceses y gascones. Las torres alzadas para la conquista de la ciudad fueron obra de flamencos, de ingleses y de un ingeniero de Pisa. Todo el botín fue para los extranjeros, quienes pactaron con los moros que el oro, la plata, los vestidos, los caballos y las mulas fueran para ellos, y la ciudad para el rey: "regi civitatem redderent" (págs. 129 y 139). El cronista de aquellas milicias internacionales escribe arrogantemente que "los soldados del rey de España" —"regis Hispaniae", no dice Portugal— "peleaban en una torre de madera", aunque muy asustados por los proyectiles de los moros, hasta que los teutones vinieron en su auxilio ("donec Theutonici eis auxilio venerant"). "Cuando los sarracenos vieron a los loreneses subir a la torre, les entró tal pánico que rindieron las armas" (pág. 132).

Un alemán informa, en 1191, sobre la toma de Silves, acaecida en 1189; según él fueron los cruzados o aventureros extranjeros quienes llevaron la iniciativa de la acción (págs. 162-163). En la toma de otras ciudades —Alcor, Alcácer— intervinieron también extranjeros.

La historia de Portugal en el siglo XII está llena de sombras y de vacíos. David Lopes, gracias a su conocimiento de las fuentes árabes, ha ampliado las noticias escasas que se tenían de Geraldo Sin Pavor, un caudillo contemporáneo de Alfonso Enríquez. Fue Geraldo, no el rey, quien conquistó Trujillo, Evora, Cáceres, Montánchez, Juromeña y Badajoz. Enemistado con el soberano, lo abandonó y se fue a Marruecos. Temiendo los traicionara, los moros le cortaron la cabeza.[31] Sorprende que los portugueses comparen a este personaje con el Cid castellano, por la aparente analogía entre el hecho de haberse sometido ambos a un rey musulmán. Pero del Cid se sabe mucho, y de Geraldo muy poco; el uno dio materia a poesía en latín y en romance, y el otro es sólo recordado en incompletos relatos cristianos o árabes. Además, Geraldo parece un extranjero tanto por su nombre como por su sobrenombre, más bien francés que portugués. A mediados del siglo X, el tercer duque de Normandía se llamaba "Richard Sans Peur". Por lo poco que se vislumbra de su vida, Geraldo ayudó al rey en ciertos casos y en otros no. Su relación con el monarca no es como la de Rodrigo Díaz. Sorprende mucho, de todas maneras, que las crónicas y los documentos nada digan de una persona de tanto relieve, fueran como fueran sus relaciones con el rey.

Geraldo sería tan extranjero como la dinastía que fundó el reino portugués, y como los conquistadores de Lisboa.

Superando la fría realidad de aquellos hechos, los portugueses crearon la obra de arte de su historia-vida. Los hizo independientes de León y Castilla la circunstancia de haber sido entregadas las tierras al sur de Galicia a una dinastía borgoñona, a la gente más vital y enérgica de la Europa de entonces. Más tarde, sobre ese fondo extranjero surgió una peculiaridad nacional, aunque con múltiples enlaces con el resto de la Península, según exigían las comunes tradiciones y la vecindad de las tierras.

Es inútil que algunos extranjeros pretendan construir una historia de Portugal fundada en geopolítica, en límites naturales, en clima y prehistoria. Esto podrá halagar en algún caso el amor propio nacional, pero ese resultado se logra al precio de silenciar cuanto afecta al nivel historiable de un pueblo, a lo que justifica pensar en él, estimarlo, y distinguirlo de gentes salvajes y sin historia, pero que también poseen límites naturales, economía, comercio, etc. Se suele llamar "científico" al estudio de la historia insensible a todo valor por encima del ras de la tierra —como si un estudioso del calzado sólo juzgara digno de interés las abarcas, las alpargatas y los guaraches. A lo que no es eso lo consideran "misticismo" burgués y fuera de sazón.[32] Pero la vida portuguesa es algo más que cultivos, cauces de ríos y demarcaciones prehistóricas.

Galicia, la hermana mayor —estrechamente unida a León y a Castilla por los lazos de la peregrinación—, permanecía entretanto en pasividad receptiva, gozando de riquezas atraídas por el Apóstol, recibiendo el reflejo del homenaje rendido por las masas de peregrinos. Disputaban éstos con tanta furia el privilegio de orar junto a la sacra tumba, que a veces se mataban unos a otros, y había que reconsagrar la Iglesia, ceremonia complicada que el papa autorizó a simplificar dada la frecuencia de tales disturbios. Galicia se inmovilizó, porque, sin hacer nada, todo lo obtenía: visitas de reyes y magnates, lujo, poesía de trovadores, comercio activo, donaciones incesantes; las nebulosidades de la vía láctea, entre las cuales galopaba el corcel de Santiago, descendían hasta el fondo del alma gallega. Sin fermento de templarios y borgoñones, no forzado a salir de sí mismo para ensanchar su tierra a precio de sangre, el gallego no se hizo conquistador como su hermano portugués. Lo cual no es decir que los gallegos, comenzando por sus arzobispos, no lucharan bravamente en la hueste de los reyes de León y Castilla, como antes lo hicieron contra los invasores normandos. Clérigos y caballeros de Galicia estuvieron presentes, y con gran honor, en las conquistas mayores:

Almería, Córdoba, Sevilla, Tarifa. Mas siempre intervinieron como auxiliares de los reyes. La lengua gallega no conquistó nuevos dominios, como iba haciendo Portugal, porque el imperialismo gallego era receptivo y no agresivo, o consistió en irradiar el prestigio del Apóstol por toda la cristianidad [33]; aquel prestigio mantuvo viva la peculiaridad gallega.

Cuando se agotaron las fuentes de la piedad lejana, el gallego se limitó a extender sobre otras tierras, blanda y melancólicamente, el sobre-exceso de su población amorosa y fecunda. Compostela, la bella reclusa, recibió durante siglos halagos y homenajes dignos de Roma, sin que tanta gloria le permitiera ejercitar una catolicidad imperial más allá de su recinto, no obstante poseer grandes dominios en el sur de Francia, Italia y otros lugares de Europa. El "antistes totius orbis" no tuvo orbe, y ni siquiera pudo conquistar la primacía de las Españas.

Las creencias y los usos vigentes desde el siglo IX hasta el XVII, hicieron que las formas y horizontes de la vida gallega sean lo que son. La proximidad constante a los misterios del santuario fomenta el escepticismo y la ironía; bajo las bóvedas de la catedral se oían canciones que acentuaban "el elemento humano, socarrón y licencioso".[34] Maquiavelo notó el contraste entre la irreligiosidad de Roma y la continua presencia del pontífice en la capital del mundo cristiano, y algo de esto aconteció en Galicia. Obtener el mayor provecho del peregrino exigía rapidez y agudeza de ingenio; a la postre acabó por dominar cierto escepticismo antiheroico y una rara facultad para la intriga política. Los más valiosos dones del alma gallega se concentraron en su prodigiosa lírica, siempre temblorosa de desengañada melancolía; no fue en cambio posible cultivar la épica heroica, o más tarde, el drama, géneros en los que tampoco Italia mostró ninguna particular eminencia. No es, pues, una casualidad que fuera gallego el padre Feijóo (1676-1764), escritor de espíritu irónico y de mente crítica; su energía en combatir falsos milagros y supersticiones populares, fue tal vez proporcional al largo marasmo en que Galicia había estado sumida. La presencia secular de Santiago fue para aquella región algo más expresivo de su vida que el celtismo o el suevismo —una fábula más— con que el gallego alimenta el "vivir desviviéndose" que como a español le corresponde. A la dimensión belico-imperativa del castellano, correspondía en Galicia la dimensión señorial y espectacular de la creencia. La grandeza y pujanza económica de sus abadías hasta el siglo XIX lo hace ver claramente.

LITERATURA Y DESORDEN

Estímulo primario para la invasión monacal de España fue la guerra santa contra el Islam, de la cual, como luego demostraré, nada sabían los europeos por propia experiencia. Rodolfo Glaber (m. 1050) dice que en tiempo de Sancho de Navarra "era tan escaso el ejército, que los monjes de aquella región se vieron forzados a tomar las armas".[35] El cronista ignoraba que el motivo del belicismo monacal no era tanto lo reducido del ejército como el ejemplo de los musulmanes, entre quienes la lucha con el infiel solía asociarse con el monacato; de todos modos tenemos en ello el primer testimonio sobre actividades que, un siglo más tarde, se organizarán en forma de órdenes militares. Sabían ya en Francia que morir combatiendo a los sarracenos abría las puertas del paraíso, según se desprende de la visión de un santo monje narrada por el famoso cronista: "su iglesia se vio invadida por una multitud que la llenaba completamente; todos vestían blancas albas y rojas estolas. El obispo que los conducía dijo la misa y explicó luego que todos habían perecido guerreando contra los agarenos de España, y cómo en su marcha hacia la bienaventuranza se habían detenido en aquel monasterio" *(loc. cit.,* col. 641). Sin tales visiones, el arzobispo Turpín no hubiese combatido a los sarracenos en la *Chanson de Roland:*

> Li arcevesque i fiert de sun espiet (v. 1.682),

ni hubiera mandado al cielo las almas de cuantos caían en torno a él;

> Tutes vos anmes ait Deus li Glorius!
> En pareïs le metet en sentes flurs (2.196-97).

Así se creaba un aire de maravilla en torno a la tierra del Apóstol, a la cual, en último término, vinieron muchos más peregrinos que cruzados. La Europa cristiana prestó débil ayuda a España, porque el sepulcro de Cristo no estaba en Sevilla, y el de Santiago tenía bien franco su camino. Sólo en la poesía luchó Carlomagno para dejarlo libre.

La liberalidad de los reyes y de la gente menor para con los monasterios borgoñones llegó a su máximo en el siglo XI con 375 donaciones de tierras y lugares poblados; en el siglo XII, las donaciones bajaron a 138,[36] no obstante seguir siendo intenso el influjo de Francia; mas Cluny decaía, y el Cister, nuevamente establecido, ya no impresionaba tanto a los señores de las tierras. La abadía de Cîteaux, junto a Dijon, surgió en 1098 bajo la protección del duque de Borgoña, y fue grande el éxito de su ascetismo místico, magnificado por la gloriosa figura de Bernardo de Claraval. Alfonso VII, olvidado de Cluny, concentró su simpatía en los nuevos monjes blancos, cuyos monasterios se extendieron profusamente a lo largo del siglo XII. Entre ellos se destacan las maravillas arquitectónicas de Poblet, en Cataluña; las Huelgas, en Burgos, y Alcobaça, en Portugal. España seguía siendo incapaz de hallar formas nacionales en que expresar su sentimiento religioso, y salía de una presión borgoñona para entrar en otra, de muy amplio vuelo, aunque poco enlazada ya con la ruta de los peregrinos. Cluny decaía a lo largo del camino de Santiago, y así me explico la clamorosa propaganda iniciada por aquellos monjes, y centrada en la falsificación del llamado *Códice calixtino*, atribuido al papa Calixto II, o sea, Guido de ⸗o̶ña, hermano de Raimundo, el yerno de Alfonso VI. Una parte del famoso manuscrito se refiere directamente al Apóstol y a la peregrinación: sermones sobre Santiago, oficios, liturgia y una descripción del camino a Compostela, que vale como la primera guía de turismo escrita en Europa.[37] Esta primera parte es en realidad un *Libro de Santiago*, menos importante literariamente que su continuación la *Crónica del seudo-Turpín*, con la supuesta historia de Carlomagno y Roldán. El fabuloso relato glorifica al emperador por su conquista de España, y a Roldán, héroe de Roncesvalles; y apenas menciona a Santiago, aunque todo su asunto está relacionado con lugares de la vía de los peregrinos. Creo que tiene razón J. Bédier al enlazar esta crónica con el camino de Santiago, en tanto que C. Meredith-Jones piensa que su finalidad fue incitar a una cruzada. Mas llamar a una cruzada glorificando sucesos acaecidos a lo largo del camino francés, ¿no era esa la más eficaz propaganda para, si no se iba a luchar contra el infiel, ir al menos a recorrer los lugares santos que guardaban las huellas de tanta gloria? La *Crónica del seudo-Turpín* se sirvió de los relatos épicos de la batalla de Roncesvalles, lugar situado en el camino de Santiago, con fines de propaganda.

Pero no agotaríamos el sentido de los siglos XI y XII en España presentándolos únicamente como sometidos a la intervención de los monjes borgoñones. Esa intervención fue solicitada por reyes muy cristianos que intentaban un mejor enlace con Dios para sus pueblos, a través del libre monacato más bien que buscando ayuda en la jerarquía centralizada de la Iglesia. No había en ello menoscabo, porque en el reino de Dios no existían fronteras. Alfonso VI cedió, en cambio, de mala gana a las presiones del papa Gregorio VII, quien le forzó a mudar el peculiar rito mozárabe por el de Roma, suprimido al fin por la acción combinada del papa y de los cluniacenses, según hacen ver los importantes hechos citados en nota.[38] Frente a los monjes mismos no hubo resistencia. Su misión correspondía, en otra dirección, con la que antes habían desempeñado los mozárabes emigrados del Sur: llenar los vacíos de cultura en los reinos cristianos con ayudas de fuera, tendencia siempre visible en los siglos posteriores, en grado mayor o menor, y cuyas manifestaciones aún se hacen sentir en el siglo XX.

Tal situación se debía sobre todo a las circunstancias creadas por la ocupación árabe. Antes de su venida, la Hispania visigótica había estado enlazada con lo que restaba de cultura en el mundo mediterráneo; el comercio era activo con Bizancio, cuyas naves incluso iban por vía fluvial hasta Mérida, Córdoba y Zaragoza. Hispano-visigodos huidos de la invasión sarracena evangelizaron importantes regiones de Europa, y fue San Pirminio quien fundó los monasterios de Reichenau y Murbach, a los cuales llevó numerosos códices salvados de España.[39] El país de San Isidoro de Sevilla y de San Eugenio de Toledo no hacía mal papel junto a los otros jirones del Imperio Romano, según vimos en el capítulo V. La vida que un día sería española hubo de iniciarse en la zona noroeste de la Península, muy débil hasta que no la sostuvo su creencia en Santiago, el anti-Mahoma. Sobre Santiago se afianzó primero el reino de León y luego Castilla, y gracias a ellos no fueron Navarra, Aragón y Cataluña una extensión de Francia, como lo fue Cataluña al comienzo de la Reconquista. A los catalanes los llamaban los árabes "francos" (y así los llama el *Poema del Cid* en 1140), en tanto que los cristianos del Norte eran "gallegos" para los escritores musulmanes, hecho explicable por el gran significado de aquella Meca cristiana; tras los catalanes asomaba el prestigio del imperio carolingio, y tras de los demás cristianos españoles, el del gallego Santiago. El número de gallegos en la España árabe no era bastante para olvidar a asturianos y leoneses; mas éstos no se singularizaban entonces en nada que permitiera destacarlos, y los gallegos, sí. Navarra, por su parte, estuvo muy expuesta a ser anexionada por Francia, y no perteneció totalmente a España hasta que Fernando el Católico la incorporó al reino.[40]

Los cristianos del nordeste gravitaron hacia Francia, y tardaron en oponerse a los musulmanes, justamente por poseer el nordeste de la Península maneras de vida más "occidentales", a causa de su entrega a los carolingios a fines del siglo VIII. En el noroeste, Santiago fue la fuerza cohesiva apta para organizar de algún modo a los cristianos del siglo IX, rudos y divididos; y gracias a esa fuerza el reino leonés comenzó a adquirir estructura política, y estímulos vitales —un ideal religioso-bélico capaz de enfrentarse con el del enemigo. Los monjes de fuera enlazaron a la casta cristiana con el resto de Europa en un trance, angustioso para el castellano, de afirmación de existencia y de sentir no estar siendo lo que se quiere ser. El proceso de querer salir de sí mismo y de replegarse luego hacia dentro de sí fue la lanzadera del telar hispano. Gracias a esto, la entrega al extranjero nunca llegó a la total renuncia de lo propio —bueno o malo—, pues a ello se opuso la energía de la casta cristiana, un *quid* último e inasible para el historiador, tan inexplicable en última instancia como lo es cualquier acto de creación en una vida digna de historia.

Tal proceso se hace ya patente en los siglos XI y XII. Cluny y el Cister no modificaron la forma de la religiosidad española, no incitaron a la casta belicosa a demorarse en la meditación, pues ellos escasamente la practicaron en España. Casi desde sus comienzos, los monasterios de Cluny abundaron en luchas infecundas entre los monjes, los vasallos y la realeza, de las cuales ningún poder salía favorecido. Tal vez fue Sahagún la más rica de sus abadías, elegida por Alfonso VI para su enterramiento; en torno a ellas se alzó una población integrada por gentes de todas partes, atraídas por la riqueza del camino francés: "gascones, bretones, alemanes, ingleses, borgoñones, normandos, tolosanos, provenzales, lombardos y muchos otros negociadores de diversas naciones e extrañas lenguas".[41] Semejante enumeración permite imaginar las condiciones sociales y el tipo de vida a lo largo del camino del Apóstol. El abad de Sahagún señoreaba aquella multitud amorfa, que a menudo desacataba la autoridad del monasterio. A la muerte de Alfonso VI (1109) los "burgueses" se revolvieron tumultuariamente, y durante largo tiempo la anarquía dominó el señorío abacial. Alfonso I de Aragón invadió León y Castilla, y la comunidad religiosa padeció mil sinsabores. Se reprodujo más tarde la rebelión, que continuó como mal endémico hasta el siglo XIII. No interesa ahora su detalle, sino observar simplemente cómo el propósito originario de la venida de los monjes —organizar la vida en torno a un principio espiritual— se volvió lucha de codicias, en que cada bando aspiraba a disfrutar la riqueza lograda por el otro. "Los burgueses de San Fagún usaban pacíficamente de sus mercadurías, e negociaban en gran tranquilidad; por eso venían e *traían de todas partes* mercadurías así de oro como de plata, y aun de muchas vestiduras de diversas faciones, en manera que los dichos burgueses e moradores eran mucho ricos, e de muchos deleites abastados. Pero como suele reinar en el abundancia e multiplicación de las cosas temporales empecible e dañosa alteración e gran arrogancia e soberbia, el corazón de los dichos burgueses comenzó a crecer e levantarse en soberbia, como muchas veces se acostumbra a los hijos de pequeño suelo e vil condición, si tengan abastanza de las cosas temporales" *(loc. cit.,* pág. 33). La turba de comerciantes eriquecidos asaltó el monasterio, que demostraba con ello estar privado de prestigio y autoridad, y muy mezclado con "las cosas temporales". A los burgueses se unieron los labradores, quienes llamaron "hermandad" a su conjuración, una hermandad que es remoto germen de lo que un día será el pueblo cristiano alzado contra la casta judía y, a veces, contra el poder real, y disciplinado más tarde en milicia por los Reyes Católicos. La hermandad de Sahagún se negó a pagar tributos, y mataba a los judíos que andaban por allá —otro antecedente de las matanzas de fines del siglo XIV—, porque al pueblo cristiano-español le fue siempre sumamente difícil inventarse nuevas formas de autoridad, de convivencia y de economía burguesas. En los frecuentes alborotos de Sahagún dominó la demagogia, corolario de la sobreabundancia de extranjeros, y del inestable equilibrio de las castas. En aquellos estragos no se perfilaba la organización de una clase artesana, porque todo ello giraba en torno a riqueza "traída" y no producida, sobre la cual se arrojaba la codicia de monjes, comerciantes (los "burgueses") y labriegos. No se fraguó tampoco en Sahagún alguna forma de cultura intelectual. Quedaba la belleza artística de los espléndidos edificios, que desdichas de toda suerte impidieron llegar hasta hoy.

La situación interna de otros monasterios cluniacenses entre 1259 y 1480, es conocida gracias a los documentos publicados por Ulysse Robert; [42] en algunos de ellos los abades y los frailes vivían con sus mancebas, y criaban a los hijos en el monasterio; por su parte, reyes, grandes señores y obispos, confiscaban en su provecho las propiedades monacales. Todos ansiaban la posesión de la riqueza ya existente, sin lograr con ello beneficios durables —en lo cual, a su vez, se anticipa la infecunda confiscación de los bienes eclesiásticos en el siglo XIX, fácil de justificar, sin duda, pero desastrosa, pues el Estado no supo aprovecharse de aquella riqueza, ni en España ni en Hispanoamérica, y muchos de los bienes y tesoros artísticos de las Ordenes militares y de la Iglesia se dispersaron o cayeron en ruina. En torno a los cluniacenses españoles se había desvanecido la fe ardiente que llevó a Alfonso VI, titulándose Emperador de España, a donar a Cluny, en 1079, el monasterio de Santa María de Nájera, "juxta ipsam viam que ducit apud Sanctum Jacobum." [43]

AUGE Y OCASO DE LA CREENCIA EN SANTIAGO

La "teobiosis" (p. 328), el hábito y los intereses creados mantuvieron viva e indiscutida la creencia en el Apóstol hasta comienzos del siglo XVII. Sale de mi intento narrar el detalle de sus vicisitudes, porque ya realizaron semejante tarea A. López Ferreiro en los once volúmenes de su *Historia*, y los no menos beneméritos autores de *Las peregrinaciones a Santiago de Compostela* (ver pág. 357, n. 1). Mi interés ahora se limita a poner de relieve el puesto eminente de Santiago dentro de la jerarquía de los valores españoles. Por eso insisto en lo que los reyes sintieron y expresaron acerca de ello. Con la ayuda de Santiago dijo Alfonso VII haber conquistado Coria en 1147; antes de tomar Baeza se le apareció la mano del Apóstol empuñando una espada de fuego. Celo tan eficaz se recompensaba con ofrendas y solemnes homenajes; cuando Luis VII de Francia vino a Castilla, porque malas lenguas decían que su esposa (hija de Alfonso VII) no era hija legítima, el mejor modo de disipar aquellas dudas y sellar el buen acuerdo entre ambos monarcas, fue organizar una

SANTIAGO DE COMPOSTELA. HOSPITAL DE LOS REYES CATÓLICOS. (Foto Arturo. Santiago.)

peregrinación a Compostela. Alfonso VII "et los reyes sus fijos don Sancho et don Fernando, et el rey de Navarra" acompañaron al rey francés: "et en la estada et en sus vigilias que rey romero avíe fazer, tantos complimientos et tantas maravillas et onras le fizieron padre et fijos", que Luis VII regresó a su tierra lleno de gozo.[44]

En 1228 dice Alfonso IX de León que por la "guarda singular del Apóstol subsiste nuestro reino y toda España". En 1482 Isabel la Católica llama a Santiago "luz e patrón e guiador de los reinos de España", lo mismo que antes decía Alfonso VI (pág. 356) que en Santiago se fundaba "el gobierno de toda España". Y por ser esto así hicieron construir los Reyes Católicos en Santiago un hospital para peregrinos, de belleza y grandiosidad únicas en la Europa de entonces.

La masa popular siguió confiando en su patrono, incluso en los siglos XVI y XVII,[46] aunque no siempre la siguiera en su fe una nueva clase social desconocida en los siglos anteriores: algunos escritores doctos —expresión de las circunstancias que llamo "conflictivas"— tomaron posiciones respecto de ciertas tradiciones vigentes entre el vulgo, cuyo efecto sobre la creencia en Santiago se verá más tarde. Aunque ahora, sin embargo, conviene todavía detenerse un poco en lo acontecido en Compostela antes del mil seiscientos.

La creencia en la virtud "ex machina" del Apóstol estimuló la belicosidad de leoneses y castellanos en una época crítica, y contribuyó eficazmente a reforzar la conciencia del valor político, cristiano-castizo, de la fe religiosa.

Reyes, clérigos y pueblo cristiano no pensaron en la necesidad de hacer algo para modificar las cosas en torno a ellos, mientras confiaban en la espada invictísima del patrón de España, y en el valor de una economía de conquista y botín. Cuando su ayuda no era urgente, la atención se dirigía hacia los tesoros allegados por la devoción internacional, y que los reyes utilizaron recurriendo ya a la habilidad, ya a la violencia. A Alfonso X le dieron cuanto exigía, aunque forzándole a declarar que lo demandaba "por gracia y no por fuero".[47] Por cierto que el Rey Sabio nunca fue en peregrinación a Compostela; le interesó más el culto a la Virgen —a la que ensalza en sus *Cantigas*—, de acuerdo con la nueva sensibilidad europea del siglo XIII; su despego por Santiago, reflejado en la escasa simpatía que le profesa A. López Ferreiro, obedece a motivos complejos, ante todo, a su inclinación más lírica e intelectual que épica y batalladora. Y quizá, también, al influjo del ambiente judío de su corte.

En la ciudad apostólica era continuo el rumor de extrañas lenguas y el espectáculo abigarrado de una inquieta muchedumbre. Dentro del templo, siempre abierto, había que imponer orden a la caterva de peregrinos, que, a empellones, pugnaba por instalarse cerca de la tumba sagrada. Los distintos grupos, según antes se ha visto, lucharon a veces entre sí para gozar del ansiado privilegio, y no era raro, además, que dejasen en la ciudad gérmenes de pestilencias asoladoras. Príncipes, grandes señores, mercaderes, mendigos y truhanes,[48] en confuso revoltijo, adoraban al Apóstol y ofrecían donativos, cuya vigilancia y manejo daba gran tarea a los canónigos-cardenales. Cada peregrino recibía testimonio escrito de su estancia, y compraba la concha o venera, símbolo del Apóstol, cuya venta constituía negocio importante para un centenar de mercaderes. El alojamiento de aquella masa inquieta, y la gerencia de las riquezas allegadas, tuvo en constante ajetreo a clérigos y seglares, y produjo frecuentes conflictos entre la Iglesia y los burgueses. Añádase a ello el ejercicio caballeresco de los clérigos, obligados a ir a la hueste cuando el rey los requería, puesto que el sacerdote era al mismo tiempo hombre de armas. El sentimiento religioso iba entremezclado con burocracia, milicia, liturgia, pleitos y finanzas.

Pretendieron los arzobispos imponer buenas costumbres a fuerza de sanciones y reglas exteriores, con la ineficacia que es de imaginar. Durante siglos ordenaron los concilios diocesanos que los clérigos se tonsuraran, vistieran de sacerdote y no llevasen armas; en 1289 aún no lo habían conseguido. El concilio de 1289 [49] dispone que los clérigos no usen barba, aunque sean jóvenes, ni vistan ropas listadas, verdes o rojas; ni anden de noche armados por la ciudad, ni beban en la taberna, ni jueguen a los dados en público, ni intervengan armados en riñas de soldados y paisanos, ni tengan concubinas públicamente, en sus casas o en las de otros. Se prohibe, además, que los sacerdotes practiquen sortilegios, encantos, augurios y adivinaciones. La falta de un análisis claramente documentado de cómo fue la vida religiosa en España impide entrar en más detalles.

Aunque nada de esto fuese exclusivo del clero compostelano, es llamativo el contraste entre la santidad del Apóstol y la conducta de sus inmediatos servidores, no atribuible, como candorosamente dice López Ferreiro, a "la zozobra en que vivió el reino", porque siempre y en todo lugar estuvo la virtud cercada de "zozobra". La resistencia a obedecer la ley enlazaba con el excesivo predominio de una muy especial forma de religión, no interesada en crear vínculos sociales y terrenos. Cuando la conducta no está sostenida por normas interno-externas, quien no es santo es anarquista. Lo que muy inexactamente se denomina individualismo español (ver cap. VIII) fue el residuo de una historia sin casi más norte que la creencia en los poderes incalculables de Dios y la voluntad soñadora y esforzada. Los principios de que emanaba la autoridad fueron demasiado sublimes, y no alcanzaron a moldear la prosaica tarea del vivir de cada hora. Pero volviendo siempre a mi idea central, si la casta cristiana no hubiese estado animada por los solidarios estímulos de la fe

● Santiago de Compostela. Portada del Hospital de los Reyes Católicos.
(Foto Arturo. Santiago.)

ilusionada y de la voluntad de imperio, la Reconquista la habría hecho gente no española, y no existirían el *Quijote*, las naciones que escriben su lengua y otras muchas cosas.

El péndulo osciló en Santiago entre la entrega rendida a los procuradores de la merced celeste, y la rebeldía caótica y hasta criminal. Durante las luchas civiles entre Pedro el Cruel y su hermano Enrique, conde de Trastámara, el arzobispo don Suero Gómez de Toledo se inclinaba más bien al segundo; Enrique era ya señor de casi todo el reino, y su señorío de Trastámara se encontraba en Galicia. Huyendo de su hermano, Pedro el Cruel pasó por Santiago en 1365, y dio el condado de Trastámara a su amigo y fiel vasallo don Fernando de Castro; no estando seguros de la adhesión del arzobispo, decidieron eliminarlo. Llamó el rey al prelado, que se había guarecido en su castillo de la Rocha, y lo hizo asesinar [50] cuando ya se acercaba a la catedral; el deán sufrió la misma suerte, aunque tuvo fuerzas para venir a rendir su vida junto al altar del Apóstol.

Después del asesinato del rey don Pedro por su hermano Enrique (1369), don Fernando de Castro continuó siendo poderoso; los burgueses tomaron su partido en contra de la Iglesia de Santiago, e hicieron huir al nuevo arzobispo don Rodrigo de Moscoso, quien, entonces, puso en entredicho la ciudad rebelde. La sanción espiritual no amedrentó a los burgueses enfurecidos; irrumpieron éstos en la catedral (martes santo, 1º de abril de 1371), cerraron con barras de hierro la Sala del Tesoro en donde se habían refugiado los canónigos (llamados en Compostela cardenales), con prohibición de que nadie les diera de comer o beber. Permanecieron allá nueve días, y no perecieron gracias al alimento que sus parientes les hacían llegar a espaldas de sus carceleros.[51]

Cuando Enrique II se afirmó en el trono, fue pródigo en amor y mercedes con la maltratada Iglesia compostelana. Dice López Ferreiro que "parece que don Enrique creía sinceramente que gran parte de su fortuna debía atribuirse al Apóstol" (VI, 198). La iglesia apostólica era llevada o por la brisa de la creencia, o por el huracán de los pecados capitales. Todos vivían en casual agrupación en torno a provechos sobrevenidos, origen frecuente de riñas y disturbios. La pompa pontifical no les sirvió de protección; el castillo de la Rocha, construido en 1223, imitaba al de Santángelo en Roma; los llamados cardenales eran párrocos de las iglesias de la ciudad, al igual de los cardenales romanos.

Como quiera que fuese, los ingresos de Santiago daban para todo, y las peregrinaciones no amenguaron hasta bien entrado el siglo XVII. Cierto que ya no iban los reyes a Santiago, como en el siglo XII, porque la monarquía no necesitaba del Apóstol para vencer a los sarracenos, y el español *castizo* (ver cap. II) había totalizado religiosamente el mundo en torno a él. La primacía de la fe y de la esperanza seguía siendo la misma, mas su perspectiva era otra. Había el "más allá", el *plus ultra* del Imperio Español, en donde cabía magnificarse como religioso o conquistador; el ansia de hidalguía, de limpieza de sangre, aunaba lo temporal y lo eterno, porque daba lo mismo, en fin de cuentas, aguardar las gracias llovidas del cielo, o la ventura allegada por todas las utopías.

Hasta el siglo xv, más o menos, la creencia pendía de Santiago (la única ciudad apostólica en España era la consagrada a él), junto al cual ya habían surgido otros nortes; la Virgen de Guadalupe, por ejemplo (cuyo paralelo mexicano aún anima la piedad de aquel pueblo).[52] La creencia acabó por fragmentarse en otras varias, incluso en la fe en la realeza, que con los Reyes Católicos se rodeó de prestigio mesiánico, y casi "califal" con Felipe II. Desde el siglo xvi es visible, además, la fe en la proyección del propio valor (ese valor que en Quevedo y Gracián son ya mitos casi divinizados). Un hombre como Alvar Núñez Cabeza de Vaca, que sin otro auxilio que el de su persona, cruza el sur de los futuros Estados Unidos entre indios salvajes señoreados por su ingenioso valor, debía sentirse ser una fuerza sobrehumana. Es la época del gran caudillo, desde Gonzalo de Córdoba al duque de Osuna. El prestigio que nimbaba la capitanía celestial de Santiago, se posa ahora sobre el héroe humano, escaso en la Edad Media (Fernán González, el Cid), porque España, a su modo, comenzó a exaltar, desde el siglo xvi, ciertas figuras de la casta triunfante, fenómeno que con no mucha exactitud se denomina Renacimiento, cuando se trata de España.

A desplazar el horizonte, antes trazado por los fulgores de Santiago, contribuyó la nacionalización de las órdenes religiosas, ya sin memoria de los enlaces franceses de Cluny y el Cister. Acabadas dentro de España las guerras, sin moros y judíos que convertir o expulsar, la religión vencedora llenó todos los resquicios de la vida social, extravasó y desbordó los cauces previos con los cientos de miles de frailes y monjas, presentes en ciudades, campos y aldeas. Antes solía acudirse a lo religioso cuando la necesidad de cada uno lo requería; ahora, la religión envolvía como una atmósfera (cap. VIII), y de finalidad se había vuelto medio de subsistencia. Es la época en que la hipocresía religiosa, como fuente de lucro, se convierte en tema para la literatura narrativa y dramática (*Marta la piadosa*, de Tirso de Molina, por ejemplo).

Los innumerables conventos masculinos y femeninos crearon una segunda España dentro de España, y cada orden pugnaba por ensanchar su prestigio y popularidad a expensas de las restantes. Sus santos fundadores venían a ser como monarcas espirituales que proyectasen honores de hidalguía sobre cada fraile, que, de hecho, eran hidalgos "a lo divino", un aspecto sin duda importante, porque la opinión pública pendía de los frailes y no de los seglares; éstos, carecían de perfil definido y, sobre todo, de medios de expresión comparable a los púlpitos, muy semejantes a lo que hoy es la prensa y la tribuna política. No había, en realidad, más oratoria que la sagrada. El orgullo nobiliario de las órdenes se tradujo en un cantonalismo del espíritu, que escindía aún más la ya precaria unidad de los habitantes de la Península, sin otro enlace civil que la común reverencia a la persona del rey, reverencia que no impidió a Portugal separarse definitivamente, ni a Cataluña intentarlo, ni que, incluso en Aragón, apareciesen signos de rebeldía en el siglo XVII.

En una sociedad tan frágil y vidriosa, era de esperar no permaneciese incólume la fe en el Apóstol invictísimo. Para entender tal hecho hemos tomado el anterior rodeo. El centro de España era ya Madrid; Santiago quedaba lejos y sin ligamen económico con el reino. Escritores de primer orden como Mariana, negaban su autenticidad; Cervantes hablaba irónicamente de la andante caballería de Santiago y, con temblor conmovido, del apóstol San Pablo, "santo *a pie quedo* por la muerte" *(Quijote,* II, 58). Tan débil se hizo el imperio de Santiago, que alguna orden religiosa se alzó contra él y trató de destronarlo; no pudiendo llegar a tanto, le enfrentaron un poder rival, copartícipe de su ya menguada soberanía. Tal es la significación de que los carmelitas descalzos, o reformados, consiguieran del rey Felipe III y del papa, la instauración de Santa Teresa en un nuevo e inaudito copatronato de España.

El país se alborotó como si se tratara de un asunto que afectase a la existencia de la nación. Temblaron los púlpitos y surgieron opúsculos a granel,[53] de los cuales únicamente se ha reimpreso el de Quevedo, *Su espada por Santiago*, dirigido a Felipe IV en 1628.[54] La disposición de la vida española seguía funcionando en el siglo XVII lo mismo que en el X: *en* la creencia y *desde* la creencia. Lo cual es compatible con que la situación del creyente respecto de su creencia hubiese experimentado algunos cambios. No había ya tierras peninsulares que reconquistar al grito de ¡Santiago! La mole ingente de las instituciones públicas daba a la España de los Felipes un aire más político-administrativo que militar. Más numerosas aún que los oficinas en donde se tramitaban y despachaban asuntos de Estado, eran aquellas otras ocupadas en los negocios de ultratumba: los templos y las residencias de religiosos de toda clase. El debate entre los partidarios de Santiago y de Santa Teresa semejará a veces una discusión entre leguleyos y agentes de negocios.

Aunque los adversarios del exclusivo patronato de Santiago no fuesen descreídos racionalistas (ni siquiera razonadores como el padre Feijóo), algo tenía de racionalismo su crítica de la eficacia celestial del Patrón de España. Si se negaba que Santiago hubiese andado a caballo sobre las nubes, y si se prefería el propio juicio a la creencia tradicional, esa era la vía por donde otras tradiciones piadosas hubieran podido desmoronarse. Mas los españoles ni querían, ni saber correr tan grave riesgo en el siglo XVII. Por este motivo, el vacío creado al ser puesta en duda una creencia no se llenaba (según empezaba a acontecer fuera de España) con juicios sobre el hombre y la naturaleza liberados de la tutela eclesiástica; cuando en España se debilitaba una creencia, muchas otras estaban allí para reemplazarla.

Corolario de esto es que el siglo XVII en España parezca más "Edad Media" que el siglo XV; aunque no tendría sentido pensar en un siglo XVII más "reaccionario" que la Edad Media, porque lo real no son las edades, sino la gente que vive en cada momento, según puede y le es dable. No fue posible en España discurrir con las únicas armas de la razón, por los motivos expuestos en mi libro *De la edad conflictiva*. En 1550 el español había alcanzado un cenit de gloria, siendo como era; durante siglos había señoreado a moros y judíos que habían descubierto y averiguado lo que entonces se podía saber; se había beneficiado de la técnica europea, trocándola por las virtudes de Santiago; luego había descubierto y dominado un inmenso imperio, próvido de incalculables riquezas. Una vez aceptado que la actividad intelectual era peculiaridad hispano-judaica, no cabía sino encastillarse en la hidalguía de la casta limpia; es así entendible que las creencias se desmesuraran en un movimiento defensivo frente al ademán, por tenue que fuese, de combatirlas; ya no se expresaban aquéllas con la inocente sencillez de los siglos XI y XII, cuando ni se sospechaba que pudiera existir la posibilidad de discutirlas. Pero en el siglo XVII no se respiraba un aire "normal" de creencia, sino algo que fuera como el oxígeno de la fe, situación demasiado tensa que ha incomodado a muchos observadores. Por otra parte (según ya demostré claramente), cuando cesó la convivencia entre cristianos, moros y judíos, el catolicismo español ya había absorbido la forma de religiosidad totalitaria propia de los moros y de los judíos.

Lo mismo que a la creencia religiosa aconteció a las demás —realeza, amor, virtud, honra—, todas galvanizadas en el siglo XVII con miras a la defensa. Dentro de semejante situación vital chocan el creer y el pensar, el desear y el deber, la ilusión y el desengaño, en un contraste que en España ofrece caracteres propios, además de valores singulares. Durante el siglo XVII la vida se expresaba en fórmulas dobles, cada uno de cuyos términos crecía o menguaba en función inversa del otro. Así acontece que el fraile carmelita Gaspar de Santa María, natural de Granada, diga que si el cuerpo de Santiago está enterrado en Galicia no pudo andar luchando a caballo.[55] Se burla además de quienes creen que el caballo de Santiago causa el trueno al andar; y como quienes en eso creen, son sobre todo gentes del pueblo, vierte su burla en el molde del habla popular granadina:

> El ruido que al tronar la nube suena,
> como dice *Juanico,*
> lo hace de Santiago el *caballico (ibíd.,* 456).

El grotesco poema en que estos versos ocurren fue escrito por fray Gaspar en respuesta al escrito de Quevedo, *Su espada por Santiago,* dirigido a su vez contra el copatronato de Santa Teresa. El poema del fraile carmelita consta de una primera parte atribuida falsamente a Quevedo, y de una respuesta a él. Con perversa intención (la guerra literaria apenas existió en España antes del siglo XVII) se hace decir a Quevedo:

> Así Teresa, es cosa conocida
> Que a Santiago le debe,
> Pues que a España dió luz, la luz que bebe *(ibíd.,* 451).

A lo que replica el carmelita:

> Mas decir no se debe
> Jamás que bebe luz: luz que se bebe
> (Con Góngora te pago),
> A *San-Trago* se debe, y no a *San-Tiago (ibíd.,* 453).

Cuando a una creencia se le inyecta razón, aquélla estalla, se desvanece; así aconteció a Santiago, cuyo nombre, simbólicamente, se escinde en dos partes; la primera conserva como un jirón de santidad, y la segunda se sume grotescamente en una atmósfera de taberna. Todo se fragmenta en la vida y en la mediocre poesía del fraile granadino; cree en Santa Teresa y destruye críticamente a Santiago; se llama Gaspar de Santa María y usa el seudónimo de Valerio Villavicencio; divide en dos partes su poema, y falsamente atribuye a Quevedo la primera; fractura, en fin, el nombre de Santiago, para escindirlo en un *San* y un *Trago* y no Iago. La dualidad radical del arte y de la vida del siglo XVII —sobre la que vengo hablando desde hace años—, se expresa en la fractura de la compacta unidad de ciertas creencias —desde Santiago hasta el honor—, antes nunca discutidas en España. La conciencia del "vivir desviviéndose" llega a un máximo, y toda la literatura está impregnada de ella. En el siglo XVI se censuraron muchas cosas, sobre todo los usos y costumbres, pero no se negó nada de raíz. Mas la España del siglo XVII, que tanto debía a Santiago, reniega de él por boca, no de la plebe ignorante, sino de sus frailes y teólogos. Como reacción, Quevedo escribe cosas increíbles, esas que antes he llamado ultramedievales:

> En las historias y annales antiguos hallaréis que se han dado en España cuatro mil y setecientas batallas campales a los moros, contando las de Castilla, Aragón, Portugal y Navarra; hallaréis que han muerto en España, en ellas, once

millones y quince mil y tantos moros; hallaréis que el santo Apóstol *peleando personal y visiblemente, ha dado las victorias y la muerte a tan innumerables enemigos* (439).

Los adversarios de Santiago usaron su escepticismo para intentar aniquilarlo, pero no para edificar ninguna verdad fundada en pensamiento; se limitaron a matar una creencia para reemplazarla con otra, de modo igualmente ultramedieval. Acontecía que la creencia afirmada mediante la destrucción de su rival, conservaba adherida a sí misma, en incómoda vecindad, algo de las razones usadas para combatir a la creencia enemiga. El patronato de Santa Teresa se alzaba sobre los escombros del de Santiago, en una aparente dualidad patronal, y como tal dualidad muy característica del estilo seicentista de vida, porque integraba un *no* santiaguista y un *sí* teresiano. Del mismo modo, la caterva de arbitristas dementes que fraguaba "arbitrios" o soluciones para los males del reino, creía en los arbitrios porque descreía en la eficacia del rey y su gobierno; y así sucesivamente. Símbolo y expresión de aquella vida imposible-posible es el juego de palabras, el retruécano, el rechazar los vocablos expresivos de la experiencia elemental de todos *(mesa)*, y poner en su lugar una metáfora que preste a esa referencia vulgar nuevo y sorprendente contenido *(cuadrado pino)*, según hace Góngora; o se anula el creer en la realidad de las cosas, ahogándolas bajo el sudario de la nada, según prefieren los nihilistas Quevedo y Gracián. Según veremos luego, los temas de la literatura árabe coexistían en la literatura del siglo XVII juntamente con la desesperada actitud de los judíos que, como he de decir más adelante, seguía aún viva.

En tal ambiente se desenlazó el conflicto que vimos iniciarse entre la mundanidad del cabildo compostelano y la estrella esplendente del Apóstol guerrero —una tierra inmanejable y un cielo inasible. Me parece abstracto y desenfocado referir los desacuerdos entre las ilusiones y la experiencia de la vida diaria en la España del siglo XVII sólo a circunstancias contemporáneas y europeas, a la situación creada después del Concilio de Trento. Lo que se llama Renacimiento, Contrarreforma o Barroco, fue vivido por los españoles desde dentro de su misma existencia, establecida sobre hábitos, quehaceres e intereses peculiarísimos; si lo olvidamos, reduciremos la historia del siglo XVII español a un abstracto patrón internacional. Algún día habrá de ser enfocado el problema de los llamados Manerismo (¿por qué *Manierismo?*) y Barroco, partiendo de la idea de que esos y otros análogos fenómenos culturales son expresión de muy concretas situaciones de vida, a la vez que calcos —a veces rutinarios— de usos expresivos ya socialmente acreditados, nacional o internacionalmente. Por sí solos, como entidades abstractas y genéricas, el

Renacimiento, el Manerismo y el Barroco, no crean nada, ni explican nada digno de la atención y de la estima del historiador.

Quevedo, caballero de Santiago, se sintió reducido a la condición de villano al ver que le arrebataban al patrón máximo de España, para sacrificarlo al ideal de los carmelitas, según Quevedo, gentes débiles y afeminadas. "¿Cómo pretenderán los padres de la Reforma [los carmelitas descalzos] que Santiago os dé armas a vos [habla al rey], y que las volváis contra él; que de su altar toméis la espada, y que le quitéis vos la que él tiene en su mano, para dársela a Santa Teresa, a quien sus mismos hijos han hecho estampar con una rueca?" (443). Quevedo había derribado todos los valores, el mundo en torno se le aparecía como un tapiz vuelto del revés, pero seguía rindiendo culto al valor y al arrojo, últimos asideros para su alma claudicante,[56] al borde de la nada absoluta. Puso un epitafio de sarcasmos sobre instituciones, personas y cosas, mas brincó como un tigre cuando hurgaron al fundamento de su nobleza castiza, de su última razón de existir. De ahí que sostuviese, con estadísticas absurdas de batallas y muertos, el prestigio del Apóstol, en una forma impensable en los siglos XII y XIII, cuando para leoneses y castellanos su creencia era como el aire que respiraban. Ahí siente uno con perfecta nitidez la situación del español del siglo XVII: ni podía superar su creencia mediante el análisis racional y la confianza en la útil eficacia de este último, ni podía permanecer dentro de ella con la seguridad de antes; más allá de sus fronteras comenzaba a triunfar el pensamiento crítico. De ahí el frenesí por "racionalizar" y hacer tangible la creencia, mediante la busca de reliquias y prodigios más abundantes que nunca en el siglo XVII; de ahí los estilos exasperados —Quevedo, Góngora, Gracián—, proyección y superación bellísimas de existencias ya flotantes sobre un vacío humano, sin serenidad, y sin ideas o "cosas" en donde reclinarse. Nada podía cambiar ya la condición española y los inmensos intereses creados por ella; era ya inútil que Cervantes prefiriera a San Pablo e ironizara a Santiago, y que el padre Mariana juzgara cuentos de vieja las galopadas de su caballo blanco, o las llagas de Cristo en el escudo portugués. Todo ello era breve ademán sin consecuencias, porque se seguía creyendo a pies juntillas que la vida se decidía en el cielo, y que allá se encontraba una secretaría especial de asuntos hispanos: "Es buena hermana [Santa Teresa], que como tal quiere a España, y *como agente de sus negocios en el cielo, pide los gajes librados en el honor de ser patrona*" (437). La Santa exigía que se le pagaran sus servicios con el honor de ser patrona de España, frase en que es notable la mezcla del lenguaje de los negocios —"librar gajes"— con el de la fe irreductible a cálculo. Todo el asunto del copatronato se discutió como un pleito judicial: "Mirando esta pretensión conforme al estilo de pleitos, ya que lo es por nuestros pecados" (435). "En tanto que ella no dejare de interceder, no puede el reino dejar de conservarla el nombre de patrona" (435). A lo cual replicaba Quevedo, que "Cristo quiso que el patronato fuese de su *primo* solamente" (435), en lo cual persiste un resto de la fe en el Apóstol a causa de su parentesco con Jesús, ahora primo y antes hermano. Frente a tal pretensión, los carmelitas esgrimían recios argumentos: el rey Felipe II hubiera permanecido en el purgatorio quién sabe cuánto tiempo, de no sacarlo de allí la Santa de Avila al octavo día, "porque no fuera largo desmán de la imaginación arremeterse a pensar que había de tener largo purgatorio" (438). Esto fue escrito treinta años después de morir Felipe II, por un carmelita de familia aristocrática, lo cual añade una voz más al coro de insatisfechos con la persona y la política del Rey Prudente (ver pág. 320, n. 20). Pero lo que ahora interesa es que se hablara de las intimidades del purgatorio con tan perfecta llaneza, como si hubiera comunicaciones postales entre la otra vida y el mundo visible. No es extraño que Baltasar Gracián leyera, desde el púlpito, una carta llegada de los mismos infiernos. Juzgaban además ciertos frailes, que Santa Teresa debiera ser preferida por su condición de mujer, porque Dios había de concederle cuanto pidiera, "o le costaría *su vergüenza a Cristo el no hacerlo*" (445).

Cuando Santiago era norte auténtico de España, la sociedad visible y actuante era sobre todo masculina; en el siglo XVII la *sociedad* aparecía ya como una entidad total, y dentro de su ámbito, la mujer se hacía presente como tema activo de vida y de arte. Signo del carácter social que el amor había adquirido es el motivo literario de la galantería en la novela y en el teatro. Los conventos de monjas correspondían, "a lo divino", a los salones europeos, y santas o beatas (Santa Teresa, Sor María de Agreda, Sor Juana Inés de la Cruz), fueron en España o en México como las madamas de Rambouillet o de Sévigné, puesto que era indistinto morar en el cielo o en la tierra: "Si santo o santa se conocen hoy que *a lo hechicero* hayan ganado corazones, es Santa Teresa" (436). No es pues sorprendente que Santa Teresa hubiera estado a punto de compartir oficialmente con Santiago la gerencia de los asuntos hispánicos en el más allá; Felipe IV, rey más de letras que de armas, se sumó a los partidarios de aquélla, y logró que el papa confirmara su copatronato. La mayoría de los españoles se rebeló contra tal disminución de prestigio para Santiago. El pontífice Paulo V, en 1618, a instancias de los carmelitas y del rey Felipe III, había declarado a Santa Teresa copatrona de España; pero la mayoría seguía afecta a Santiago, por ser más incitante el ardor bélico que la contemplación mística. Usando un lenguaje impropio diría que los salones favorecían a la Santa, y las masas, al Apóstol. En 1627 el papa Urbano VIII reformó el breve anterior, y dejó libertad al clero

RBANVS PP. VIII. Ad perpetuam rei memoriam, Romanus Pontifex æqui bonique fupremus affertor, ex commiffo fibi defuper Apoftolicæ feruitutis officio, dubia quæ fuper gratijs a fancta Sede Apoftolica emanatis, inter Chrifti fideles quomodolibet præfertim diuini numinis obfequijs mancipatos, pro tempore oriuntur, opportune declarationis fuæ minifterio tollere cõuenit, vt illis fublatis, ipfi Chrifti fideles, inquietis, pacifque amœnitate reddant Domino abundanter fructus fuos in fanctitate, & iuftitia coram ipfo. Alias fiquidem a nobis emanarunt literæ tenoris fubfequentis, videlicet. Vrbanus Papa

A   pa

BREVE DEL PAPA URBANO VIII (DADO EN 1627 Y CONFIRMADO EN 1630), EN EL CUAL SE DISPONE, QUE EL PATRONATO DE SANTA TERESA NO PRIVE DEL SUYO A SANTIAGO.

y al pueblo para aceptar o no el copatronato de la Santa,[57] con lo cual éste apenas tuvo efectividad fuera de los conventos de carmelitas. Todavía las Cortes de Cádiz (1812) trataron del copatronato de ambos santos, y su decreto aún tenía fuerza legal durante el reinado de Isabel II, destronada en 1868. Como quiera que fuese, aún subsistían en la España oficial del siglo XIX, huellas de la estructura religiosa del Estado, de la religiosidad oriento-occidental de los españoles.

Santiago cesó de atraer la atención, y Santa Teresa no lo reemplazó como figura nacional; pero la pugna entre el ideal bélico encarnado en el Apóstol y el anhelo de ternura femenina vinieron a armonizarse en el culto a la Virgen del Pilar, en el que aparecen reminiscencias de la divinidad bélica del Hijo del Trueno.[58] En 1808, la virgen zaragozana actuaba como "capitana de la tropa aragonesa" contra los invasores franceses, y en el siglo XX fueron concedidos a su imagen "honores de capitán general", en un tenue y tardío destello de cultos guerreros, cuyos antecedentes son ya familiares para el lector. En ellos se expresa el funcionamiento estructural de la vida española.

Conviene ahora decir una palabra más sobre el opúsculo de Quevedo, *Su espada por Santiago*. Quevedo fue el primer cronista de acontecimientos actuales, y lo actual consistía en este caso en que habían salido a discusión pública sentimientos antes guardados en la subconsciencia; la vida española había adquirido dimensión social, a causa, entre otros motivos, del volumen adquirido por la "opinión" pública que hacía y deshacía la limpieza castiza de los individuos. La crisis del patronato santiaguista, por otra parte, era expresión del viraje religioso ocurrido en la segunda mitad del siglo XVI, gracias a la mística de Santa Teresa y San Juan de la Cruz, que mostraron la vía de la intimidad espiritual, en realidad, por primera vez, al menos en aquella suprema forma. Salían a flor de vida las lejanas y ocultas corrientes de la espiritualidad islámica, que se combinaban con los influjos de otras místicas extranjeras.

Pero aun siendo maravillosa, la mística del siglo XVI fue escasa y efímera, y no sólo porque la Iglesia y la Inquisición la atajaron; en éste como en otros casos será más útil buscar las explicaciones de la historia en la autenticidad de las preferencias, más bien que en los obstáculos que las compriman (de haberlo de veras querido, los españoles no habrían tenido Inquisición). Ni a Quevedo ni a las órdenes religiosas les gustaba la reforma del Carmelo, la cual cultivaba la soledad con Dios y practicaba el trabajo manual, según acontecía entre los jerónimos del siglo XIV; vivir del trabajo manual era cosa de plebeyos, en último término, actividad propia de moros y judíos, repelente tanto para un caballero de Santiago como para un fraile mendicante.[59] Estos carmelitas, refractarios a la mendicación, fueron quienes habían propuesto el copatronato de Santa Teresa; su mística religiosidad provocaba el desdén de Quevedo, el cual afirmaba que antes de ella "se había tratado de este género de oración y teología en España", en un libro de Gómez García, llamado *Carro de dos vidas*, Sevilla, 1500; "no hay cosa alguna que no trate de la teología mística: arrobos, éxtasis, visiones, internas uniones, copilazando todo cuanto los santos y autores graves, Ricardo de San Víctor y San Buenaventura, escribieron" (448). Las necesidades de la polémica y la frecuente sequedad de su alma ocultaban a Quevedo los valores de la obra teresiana; mas es sorprendente la incomprensión de la orden franciscana, que debiera haber mirado con mejores ojos toda forma de amor divino; para ella pesó más, sin embargo, su tradición popularista y mendicante. Los franciscanos hablaron con desdén de las pretensiones carmelitas de trabajar hacendosamente y de resucitar la vida rigurosa, "sin ningún gravamen de la república, antes con mucha utilidad de ella, porque *han de trabajar y ganar con sus manos la comida*... Pareciendo esto cosa del cielo, se dio licencia para fundar, y en los conventos se pusieron telares y otros instrumentos de oficios honestos para ganar la comida". El proyecto fracasó, según afirma gozosamente el general de los franciscanos: "Si se ejecutó algo de ello, duró pocos días; véase ahora la multitud de conventos que se han fundado de esta reforma, y si están solamente en los desiertos, y si viven del trabajo de sus manos, y si piden limosna y tienen rentas" (447).

Los carmelitas intentaron hacia 1600 lo que los Hermanos de la Vida Común (en Flandes) y luego los jerónimos españoles habían hecho desde el siglo XIV: entregarse a la contemplación divina y cultivar la honesta artesanía con fines sociales. El general de los franciscanos señalaba su fracaso, y en otro libro hice ver que el intento de los jerónimos tampoco produjo frutos durables.[60] La estructura de vida hispano-cristiana rechazaba tanto la serena contemplación como el trabajo manual, cosas, vuelvo a decir, que los sufís musulmanes practicaban a su modo y muy visiblemente. Los carmelitas habían sido reformados por San Juan de la Cruz, cuyo vocabulario místico es calco (ver pág. 182), en algunos puntos esenciales, del de Ibn 'Abbād de Ronda. Ahora, en el 1600, su orden pretendía integrar las tareas físicas con las espirituales, y esa orden, justamente, es la que reacciona contra el belicismo de Santiago y postula la protección afectiva, "hechicera", de la Santa de Avila. Pero su acción sobre la sensibilidad española fue escasa; su intento, como tantos otros a redropelo de las inclinaciones arraigadas, no pasó de puro ademán. La Inquisición, al atajar los progresos de la espiritualidad de tipo íntimo, estaba de acuerdo con preferencias inveteradas de la casta triunfante.

La violenta polémica (muy lejos de la "pax Domini") acerca del patronato único o dúplice, confirma la idea de ser Santiago un esencial ingrediente para la historia hispana. Quevedo lo sentía con viva intensidad: "Hízole Dios patrono de España, que *ya no era*, para cuando por su intercesión, por su doctrina y por su espada, *volviera a ser*" (445). A Santiago *"se debe todo"* (438). A la concepción bélico-política de la historia, opusieron los carmelitas que de Dios "se sabía poquísimo antes que hubiese Teresa" (449). Se enfrentaban así una concepción pragmática y activista de lo divino, con la vivencia de Dios en la pura contemplación. Entre las alternativas absolutas del activismo bélico y de la ociosidad mendicante no quedó espacio para el quehacer afanoso, para el diálogo con las cosas, tan obras de Dios como las palabras de los textos revelados.

No he pretendido escribir una historia de Santiago de Galicia en el sentido usual, sino entenderlo como una réplica a la combatividad mahometana; lo mismo que el llamarse "cristianos" los antes "romano-godos" fue debido a ser musulmanes quienes dominaban la tierra antes hispano-romano-goda. La creencia fortaleció el arrojo y lo hizo eficaz, y a la vez dificultó la meditación intelectual y el trabajo creante. Cuando la creencia se amortiguó en el siglo XVII, ningún impulso de índole terrena pudo ya reemplazarla, una vez exterminadas las otras dos castas. Desde entonces el español ha vivido planteándose cada vez con mayor acuidad el problema de la validez de un pasado que aislaba a España, cada vez más, del contemporáneo presente de otros pueblos, en trance de continua renovación. El español, con conciencia clara de sus dimensiones colectivas, ha vivido en una tensión progresivo-regresiva. Muchos han creído deseable hacer revivir el programa político-social de los Reyes Católicos (ver final del cap. XIII) —una quimera imposible de razonar y que acabó por convertirse en otra "creencia". En el siglo XVIII fue iniciada la inmensa tarea de rectificar el curso de la vida colectiva, y así surgieron obras y hombres de extraordinario y muy vario relieve, desde Feijóo y Jovellanos hasta Goya, y el grupo de científicos y estudiosos que honran la época de Carlos III. El "vivir desviviéndose" continuó estimulando la labor de los mejores.

Este largo y tortuoso proceso se hace ahora comprensible una vez situada la auténtica historia de los españoles sobre la realidad, única en Europa, de sus tres castas. Santiago nos ha permitido contemplar la doble vertiente de los primeros siglos de la Renconquista: una, hacia y contra el Islam de al-Andalus; otra, hacia la cristiandad europea. Ahora bien, el venir los monjes de Cluny en el siglo XI y los del Cister en el XII fue promovido por los reyes y por los nobles de la casta cristiana, claramente delimitada por su creencia religiosa. Mientras la visión histórica ha estado orientada por la abstracta fantasía de que "los españoles" —como una entidad ilusoriamente homogénea— hacían esto y aquello, no ha sido posible percibir la peculiar forma de la acción cultural de la cristiandad europea sobre los hispano-cristianos de los siglos XI y XII. No obstante saberse muy bien que los reyes y sus nobles integraban sus costumbres privadas y sus actividades públicas en un complejo de circunstancias cristiano-islámico-judaica (vestimenta, baños, vida ciudadana, construcción de edificios, recaudación de impuestos, etc.), se han formulado juicios sobre la vida en los siglos XI y XII, como si esa tan peculiar situación no existiera. Pero ahí tenemos a la vista los epitafios del sepulcro de Fernando el Santo (pág. 39) como testimonio de cómo esas circunstancias afectaban los sentimientos y los pensamientos de "los españoles" de tres creencias, del funcionamiento íntimo de sus estimaciones y juicios en cuanto a la armonía y a la pugna entre las tres castas.

Que la de los cristianos no se interesaba mucho en cultivar los saberes de sus correligionarios europeos, se nota inmediatamente en el escaso cultivo de la literatura en latín, muy intenso desde Italia hasta Escandinavia, y que gozó de amplio cultivo entre los visigodos. La renovación cultural fomentada por cluniacenses y cistercienses (o por el clero secular) afectó a la literatura en lengua vulgar (al mester de clerecía, por ejemplo), y en modo muy especial al arte románico, sobre el cual disertaba hace poco brillantemente Juan Antonio Gaya Nuño.[61] Para él, la mitad meridional de España enlaza arquitectónicamente con la cultura oriental venida a través de Africa: "Las mezquitas y sus minaretes, los patios de naranjos y los palacios moros, la *casbah* de callecitas estrechas y encaladas... Acepto con orgullo todo este africanismo de nuestra España meridional", lo mismo que el "glorioso mestizaje del mudéjar... Pero al propio tiempo me jacto de que la otra media España, la septentrional, sea románica y europea" (pág. 83). En "la gran España de aquel siglo XII, tan europea, tan atenta a las últimas conquistas de una plástica internacional y novísima", fue posible que una aldehuela gallega, catalana o castellana adoptase... modos estéticos que por el mismo momento triunfaban en otras aldehuelas del País de Gales, de la Champaña o del Palatinado" (págs. 86 y 85). "La España más homogénea posible se forjó entonces, y al amparo de este gran arte" (pág. 86). Fue así, en efecto, aunque yo añadiría que aquella homogeneidad no europeizó la *mente* de la casta cristiana, aunque la expresión artística, extendida por todo el norte de España se hallase a tono, sincrónicamente, con el resto de Europa, según pudo comprobar, incluso el poco versado en historia del arte, al visitar la Exposición internacional de arte románico, celebrada en Barcelona en 1961.

No es menos cierto, a pesar de todo, que la religiosidad expresada en esos monumentos no funcionó en España como en otros países "románicos", muy afectados también por el espíritu cluniacense de "catolicidad", de imperialismo eclesiástico. En Europa comenzó a brotar, entre los siglos XI y XII, un pensamiento secularmente orientado por entre la fronda de la teología monacal. Hacia 1100 un anónimo eclesiástico compuso en York (Inglaterra) unos audaces tratados, que tendían a invalidar la idea de la supremacía pontificial representada por Cluny y Gregorio VII. Aunque tales escritos hubiesen sido ignorados por sus adversarios (pero leídos por Juan Wyclif), significaban una enérgica protesta contra la doctrina de que el Estado debía estar subordinado a la Iglesia. Están además, según pienso, en relación con la tendencia científico-naturalista de los ingleses (Roger Bacon) y de otros europeos, interesados en utilizar las virtudes ocultas de la naturaleza y en descubrir el orden divino en ella inmanente. De ese orden natural, obra de Dios, deduce el *Anonymus Eboracensis* que los sacerdotes deben casarse porque para Dios son equivalentes la "fecunditas" y la "virginitas". Sitúa al rey por encima del sacerdote, por ser la consagración del rey individual, y no genérica como la de los sacerdotes.[62]

Las luchas entre el Pontificado y el Imperio fueron contemporáneas de la gran difusión del arte románico en Europa, del comienzo de lo que había de ser la enseñanza secular de las universidades, sobre todo, del pensamiento que inspiró aquella enseñanza: "Credo ut intelligam" (Anselmo de Canterbury). Manifestaciones de ese espíritu secular aparecen incluso antes de fines del siglo XI, y ese es el sentido, en mi opinión, de que el rey de Francia decida autónomamente que él y sus sucesores poseerán la gracia de curar escrófulas (ver pág. 369).

Los templos románicos, desde Galicia a Cataluña, los grandes y los pequeños, fueron como fortalezas o burgos espirituales, bastiones avanzados a fin de proteger la creencia dominante frente a dos contrarias leyes religiosas. Gonzalo de Berceo compuso una célebre canción de vela, en la cual aparecen cantando los judíos para mantenerse en guardia e impedirles roben del sepulcro el cuerpo de Cristo:

> "Velat, aljama de los judíos,
>   ¡eya velar!
> que non vos furten el Fijo de Dios."
>
> *(Duelo de la Virgen.)*

Los cluniacenses y cistercienses fueron llamados por los reyes para ejercer el ministerio de cruzados espirituales, además del puramente sacerdotal. La estela de iglesias románicas dejada por su acción religiosa (directa o indirecta) hace visible la firme voluntad de que las aljamas de moros y judíos no arrebataran al cristiano el fundamento de su identidad colectiva —política y social. Como acertadamente sugiere Gaya Nuño, los monumentos románicos dialogaban —por así decir—, con el pueblo: "Muchos pórticos ciudadanos proporcionaron" un centro, en el cual "la sabia Iglesia de entonces brindaba reunión, cobijo, sol, sombra, plática y ambiente a los ciudadanos". Sus esculturas y bajorrelieves, "si unas veces iconografían el Antiguo y el Nuevo Testamento, otras se limitan a escenas... de la vida normal y cotidiana... Este hecho de secularizarse parcialmente un arte inicialmente religioso cuenta considerablemente en el haber de su éxito" (op. cit., págs. 86-87).

Se secularizó, parcialmente, el elemento figurativo del arte románico; pero del seno de aquella religiosidad románica no surgieron actividades intelectuales y críticas como las europeas, con lo cual se demuestra, una vez más, que cada fenómeno de cultura, en tanto que realidad existente, depende mucho menos de la geografía y de la economía, que del funcionamiento de la morada de vida dentro de la cual un fenómeno de cultura se convierta en quehacer para ella. En la mitad norte de la Península el románico europeo no fue tratado o manejado vitalmente como en Italia o Escandinavia, en donde, en los siglos XI y XII, las gentes se estaban fraguando sus moradas de vida (que hoy aparecen como historiables), en un modo peculiar y único. No hay sino una vida italiana, una vida escandinava, una vida española.

NOTAS

[1] Pero no occidentalizó decisivamente la disposición de su morada vital. Francia "incrustó" en la casta española palabras, objetos, literatura, arte; pero el sistema de las castas impidió a los cristianos seguir rumbos paralelos al de los otros pueblos románicos. Más adelante trataré del modo diferente en que Castilla, Aragón y Cataluña mantuvieron sus relaciones con Francia.

[2] Ernst Sackur, *Die Cluniacenser*, II, 68.

[3] "A quo tamen vel quo tempore vel unde huc delatum, vel si praecursoris Domini sit, haudquaquam fideliter patet" ("Historiarum libri tres", en Migne, *Patrologia*, 141, col. 67).

[4] *Zur politischen Bedeutung der kluniazensischen Bewegung*, Darmstadt, 1958, páginas 13-14.

[5] Ya en 962 había monasterios cluniacenses al sur del Pirineo, según J. Pérez de Urbel, *Los monjes españoles en la Edad Media*, 1933, II, 416 y sigs.

[6] "Hacer frente al peligro musulmán fue la más aguda preocupación de la política papal hasta bien entrado el siglo XI: la Italia meridional y España constituyeron durante largo tiempo los mayores desvelos de la curia romana" (P. Kehr, *Das Papstum und der katalanische Prinzipat*, en "Abhandlungen der preussischen Akademie der Wissenschaften", Berlín, 1926, pág. 4).

[7] Ernst Sackur, *Die Cluniacenser*, II, 112; A. Brackmann, *op. cit.*, pág. 18.

[8] Compárase —sólo en cuanto a la forma del fenómeno social— el interés de los países iberoamericanos en afirmar sus contactos de cultura con Europa, a fin de escapar a la seducción de los ineludibles modelos de la vida norteamericana.

[9] Adhemar de Chabannes, en *Patrologia*, 141, col. 56.

[10] La biografía de Guillermo de Aquitania puede verse en *Histoire littéraire de la France*, VII, 284, o en la *Patrologia*, 141, col. 823.

[11] A. de Yepes, *Crónica general de la orden de San Benito*, 1615, fol. 467.

¹² J. Pérez de Urbel, *op. cit.*, II, 446-448. Para este período, véase Marcelin Defourneaux, *Les Français en Espagne aux XI° et XII° siècles*, París, 1949.

¹³ Estaba emparentada con los célebres Infantes de Carrión del *Poema del Cid*; ver R. Menéndez Pidal, *Cantar de Mio Cid*, págs. 540 y sigs.

¹⁴ *Recueil des chartes de l'abbaye de Cluny*, 1888, IV, 604, 622.

¹⁵ R. Menéndez Pidal, *La España del Cid*, pág. 273.

¹⁶ Migne, *Patrologia*, 156, col. 652. Ver M. Bloch, *Les rois thaumaturges*, pág. 29.

¹⁷ M. Bloch, *Les rois thaumaturges*, págs. 79-81.

¹⁸ Percy Erns Schramm, *Der König von Frankreich*, 1960.

¹⁹ M. Bloch, *op. cit.*, pág. 312.

²⁰ Una explicación inaceptable sería que Cluny fue llamado a causa de la ruina de los monasterios después de las campañas de Almanzor y sus sucesores inmediatos. En primer lugar, cuando se entregaron a los monjes borgoñones los grandes monasterios, éstos conservaban aún sus comunidades, y por eso fue difícil en ocasiones instalar en ellos a los extranjeros. Por otra parte, se exagera la destrucción de Almanzor, porque en el monasterio de Abellar, junto a León, no se interrumpió la vida por mucho tiempo; el abad Tehodo recibía donaciones en 994, 997 y 1001, año en que lo sustituye el abad Fredenando. No Almanzor, sino los navarros serían quienes arrasaran a Abellar en 1034 y 1035. (Véase J. E. Díaz-Jiménez, en *Boletín de la Academia de la Historia*, 1892, XX, 149-150.)

²¹ Entiéndase bien que la ingerencia internacional en el siglo XI no debe confundirse con las de nuestro tiempo, dirigidas meramente a lograr ventajas militares y económicas. Las gentes del siglo XI vivían en Dios y sentían su fuerza, lo mismo que hoy sentimos la acción de las fuerzas naturales de la técnica y de la economía. No había entonces separación entre lo espiritual y lo temporal; pero la proporción de los valores asignados a cada uno de esos aspectos de la vida, y el mayor o menor acento sobre cada uno de ellos, introdujeron diferencias decisivas entre los pueblos europeos. Sería, pues, un error interpretar la política de las órdenes religiosas de Francia como maniobras insinceras, a fin de mejorar sus finanzas exclusivamente; en los siglos X, XI y XII nada humano se oponía conscientemente a lo divino.

²² "Geschichte der portuguiesischen Literatur", en Gröber, *Grundriss*, II, 2, pág. 129.

²³ P. B. Gams, *Kirchengeschichte von Spanien*, 1876, III, 64 y sigs.

²⁴ "De rebus Hispaniae", VII, 5, edic. de la *Hispaniae Illustratae*, II, 114.

²⁵ El padre Juan de Mariana (X, 17) dice que algunos creen "stulte scilicet et inaniter" (sin duda necia y vanamente) que los cinco escuditos son las llagas de Cristo, y no una alusión a las cinco banderas de los cinco caudillos moros vencidos en Ourique. En la redacción española escribe Mariana más cautamente: "no sé si con fundamento bastante". La razón crítica del padre Mariana, en 1600, se expresaba en latín, que leían pocos, y no en la lengua de todos.

²⁶ Intentadas ya en el siglo XIV, y llevadas plenamente a cabo por el infante Don Enrique el Navegador (1394-1460). Para bibliografía sobre este punto, véase Fortunato de Almeida, *Historia de Portugal*, II, 1924, págs. 26 y sigs. La importancia de las hazañas portuguesas en Africa se percibe en obras como los monumentales *Anais de Arzila*, por Bernardo Rodrigues, que abarcan de 1508 a 1550 (edición de David Lopes, I, 1915; II, 1919; Academia das Sciências de Lisboa); o en la *Chronica do descobrimento e conquista de Guiné*, que en 1448 terminó Gomes Eannes de Azurara (edición del Visconde da Carreira, París, 1841). El que los portugueses conserven todavía sus colonias africanas (Angola, Mozambique) va unido a las circunstancias nacionales e internacinoales de su pasado.

²⁷ A. Soares Amóra, *O Nobiliario do Conde D. Pedro*, São Paulo, 1948, pág. 62.

²⁸ V. Carolina Michaëlis de Vasconcellos, *Cancioneiro da Ajuda*, II, 692-698. Es significativa la errónea etimología de Portugal, que corría en el siglo XV: "Portus Galliae." El conde don Enrique y su hijo Alfonso Enríquez donaron muchas villas y tierras a borgoñones y franceses.

²⁹ Alfredo Pimenta, *Fontes medievais da Historia de Portugal*, 1948, I, 107-140.

³⁰ A. E. Reuter, *Documentos da chancelaria de Afonso Henriques*, Coimbra, 1938, pág. 219.

³¹ "O Cid portugués: Geraldo Sempavor", en *Revista Portuguesa de Historia*, 1941, I, 93-104.

³² En un reciente e importante estudio de la ciudad de Pisa "in the early Renaissance", se habla de todo, menos de "la grandeur intellectuelle et artistique de la cité qui, avec Leonardo Fibonacci et Burgundio, donnait à l'Occident la science arabe et le droit romain, et qui, dans les années même qu'il étudie, appelle sur les chantiers du plus bel ensemble d'édifices religieux que jamais ville ait construit, le rénovateur de la grande sculpture classique,

Nicolas d'Apulie, dit Nicolas Pisano, dont le nom n'est même pas prononcé" (Yves Renouard, en *Annales*, París, 1962, núm. 1, págs. 141-142).

³³ El prestigio apostólico de Galicia determinó, sin embargo, una expansión del gallego, usado en documentos notariales de Zamora y Salamanca todavía a principios del siglo XIII, o en la poesía lírica compuesta por Alfonso el Sabio y otros.

³⁴ A. López Ferreiro, *Hist. Igl. Sant.*, V, 369.

³⁵ "Historiarum libri quinque", en *Patrologia*, 142, col. 640.

³⁶ J. Pérez de Urbel, *Los monjes españoles en la Edad Media*, II, 450.

³⁷ Ver C. Meredith-Jones, *Historia Karoli Magni et Rotholandi*, ou *Chronique du pseudo-Turpin*, París, 1936. Ver página 43 para el contenido del códice, y la abundante bibliografía de las páginas 353-357.

³⁸ Los cluniacenses fueron los primeros en llamar la atención del rey Sancho el Mayor de Navarra sobre la anormalidad del rito mozárabe o toledano. Pero el rito romano fue introducido primero en Aragón, en el monasterio de San Juan de la Peña, en 1071; en 1076 lo adoptaron en Navarra y en 1078 en León y Castilla (P. Kehr, *Wie und wann wurde das Reich Aragon ein Lehen der römischen Kirche?* [¿Cómo y cuándo se infeudó el reino de Aragón a la Iglesia de Roma?], en "Sitzungsberichte d. preuss. Akademie d. Wissenschaften", 1926, págs. 204-208. R. Menéndez Pidal, *La España del Cid*, 1947, pág. 239). Aragón se hacía feudatario de los papas a fin de protegerse contra la presión de Castilla; sin la ofensiva almorávide, Alfonso VI habría llegado hasta el Ebro, y el pequeño reino de Aragón habría quedado reducido a bien poco. Pero aceptar la protección pontifical, llevaba consigo la adopción del rito romano y la política religiosa de los cluniacenses, representantes del pontificado y de la vida europea. Castilla y León, por su parte, no podían continuar aislados de la cristiandad europea, es decir, de Cluny en este caso; el horizonte mozárabe, o sea, el de al-Andalus, comenzó a orientarse hacia Europa en el siglo XI declinante. Seguimos estando, por consiguiente, en el área de los nuevos problemas religioso-político-económicos planteados por las peregrinaciones a Santiago.

³⁹ J. Pérez de Urbel, *op. cit.*, I, 352 y 5227.

⁴⁰ Exagerando mucho, dice J. A. Brutails: "La Navarra de la Edad Media pertenece quizá más a Francia que a España" *(Documents des archives de la chambre des comptes de Navarre*, 1890, pág. 2).

⁴¹ *Las crónicas anónimas de Sahagún*, edic. de J. Puyol, pág. 32.

⁴² "Etat des monastères espagnols de l'ordre de Cluny aux XIIIᵉ et XVᵉ siècles", en *Boletín de la Academia de la Historia*, 1892, XX, 321-431.

⁴³ *Recueil des chartes de l'abbaye de Cluny*, IV, 666.

⁴⁴ *Crónica General*, pág. 657 a.

⁴⁵ *Hist. Igl. Sant.*, V, apéndice, pág. 44; VII, 407. Alguna vez intervino Santiago en victorias francesas, aunque en otra forma. Felipe Augusto dijo a los prisioneros cogidos en la batalla de Bouvines (1214), que no él, sino Santiago, patrono de Lieja, los había vencido (V, 80). El rey francés pensaba, como buen creyente, que su victoria fue castigo de Dios por haber ofendido sus enemigos al patrono de Lieja. Puede haber aquí influencia del Santiago español, aunque reducida a límites sólo espirituales; no hay prodigio visible durante la batalla, no galopa el caballo blanco sobre los ejércitos, y, sobre todo, Felipe Augusto no había confiado a ningún santo la gerencia directa de su nación.

⁴⁶ En 1535 apareció Santiago "visiblemente delante de los españoles, que lo vieron ellos y los indios, encima de un hermoso caballo blanco"; lo relata el Inca Garcilaso en sus *Comentarios reales*, II, II, 24. En 1626, el maestre de campo don Diego Flores de León hizo extender un acta notarial para dar fe de cómo venció a siete mil indios chilenos con sólo doscientos sesenta españoles, gracias al Apóstol. En 1639, el marqués de Flores-Dávila derrotó en Orán a todo el ejército de Abdelcáder con quinientos españoles, gracias a la ayuda de "un jinete vestido de coleto blanco, armado de lanza y adarga sobre un caballo". *(Hist. Igl. Santiago*, IX, 319-321.) Fray Vicente Palatino, para probar la justicia de la guerra contra los indios americanos dice que cuando Hernán Cortés batallaba en México, "apareció un hombre en un caballo blanco, el cual hacía gran matanza en los indios, y el caballo también los destruía a bocados y a coces". Si la guerra hubiera sido injusta, Dios no habría enviado a Santiago a luchar a favor de los españoles. ("Tratado de derecho y justicia de la guerra...", 1559, en L. Hanke y A. Millares, *Cuerpo de documentos del siglo XVI*, México, 1943, página 24.)

⁴⁷ *Hist. Igl. Sant.*, V, 220. Alfonso VII sometió al arzobispo Gelmírez a un verdadero acoso (IV, 208, 214).

⁴⁸ Pienso que la peregrinación introdujo en español gran número de vocablos enlazados con la vida de la canalla: *arlote, belitre, bufón, gallofero, jaque, jerigonza, pícaro, ribaldo, titerero, truhán*, y muchos más, venidos del francés o de sus dialectos. Escribe don Cris-

tóbal Pérez de Herrera, en 1598: "Pasan y se hospedan cada año por el Hospital de Burgos, dándoles allí de comer de limosna dos o tres días..., ocho o diez mil franceses y gascones, que entran con ocasión de romería por estos reinos... Se dice que prometen en Francia a las hijas en dote, lo que juntarán en un viaje a Santiago de ida y vuelta, como si fuesen a las Indias, viniendo a España *con invenciones*" ("Discurso del amparo de los legítimos pobres", en Diego Clemencín, *Notas al Quijote*, II, 54). El eco de la pobretería del sur de Francia se percibe aún en la expresión gallego-portuguesa *andar á móina* 'pedir limosna', del gascón *móina*, lat. *eleemosyna*. (H. y R. Kahane, en *Language*, 1944, XX, 83-84.) Por lo demás, Galicia fue tierra de elección no sólo para extranjeros de mal vivir. Todavía en 1541 dice Antonio de Guevara, obispo de Mondoñedo, "que muchos clérigos franceses y otros de otras partes, y muchos frailes de diversas órdenes andan por nuestro obispado diciendo misas, y aun siendo rectores de muchas iglesias... Muchas veces a los clérigos franceses no los entienden... y aun muchos clérigos naturales de las diócesis no tienen qué comer por haber tantos extranjeros" ("Constituciones sinodales", en R. Costes, *Antonio de Guevara, Sa vie*, 1925, pág. 62).

⁴⁹ *Hist. Igl. Sant.*, V, apéndice, págs. 116 y 235.

⁵⁰ Aparte de cualquier otra consideración, la sede compostelana tenía que inclinarse a Francia en política internacional; don Enrique estaba sostenido por el rey de Francia, y don Pedro por el de Inglaterra. Al asesinar al arzobispo, el rey Don Pedro, cometía una crueldad más, pero suprimía a un enemigo serio, si bien tarde y sin ventaja para él.

⁵¹ Una de las víctimas narró el hecho en sabroso gallego: "E de mais foron buscar todos los outros coengos e personas que eran enna villa, a sus casas. E por forza trouxeron a o cardeal dom Afonso Pérez e a o cardeal dom Afonso Gónzales... e ensarraronnos con os outros enno dito Tesouro, e mandaron dar pregón por toda a villa que nihum non fose ousado de les dar pan nen vino, nen outra cousa ninhua... E alguus seus parentes e criados ascundudamente les davan vino e vianda por que se manteveron. E os vellos e fracos que non podían sair, ouveron de fazer enno dito Tesouro aquelo que e necessario e se non pode escussar" *(Hist. Igl. Sant.*, VI, apéndice, pág. 142).

⁵² En el siglo XVI, San José intervenía en la vida pública y oficial como antes Santiago y luego la Virgen de Guadalupe, según se ve por esta disposición de un concilio mexicano: "Porque de parte de toda la República, así eclesiástica como seglar, con grande instancia nos fue suplicado mandássemos guardar y celebrar la fiesta del glorioso San José..., y le recibiéssemos por abogado y patrón de esta nueva Iglesia, especialmente *para que sea* abogado e intercesor contra las tempestades, truenos, rayos y piedras, con que esta tierra es muy molestada", el Concilio de 1555 recibió a San José por patrón de la Iglesia de México *(Concilios provinciales celebrados en la ciudad de México en 1555 y 1565*, México, 1769, pág. 67). Lo singular del caso no es la creencia, que puede existir en cualquier lugar y tiempo, sino su rango, y el tratar de ella en un documento público, como si se tratara de un principio físico.

⁵³ Algunos de ellos se encuentran en la biblioteca de la Hispanic Society of America. Ver Clara L. Penney, *A List of Books printed 1601-1700*, págs. 624-626.

⁵⁴ En *Bib. Aut. Esp.*, XLVIII. En lo que sigue, los números entre paréntesis se refieren a las páginas de esa edición.

⁵⁵

> *El cuerpo de Santiago está en Galicia,*
> *que el orbe nos codicia;*
> *de donde cierto infiero,*
> *que no anduvo en las lides caballero*
> *su cuerpo...*

(Bib. Aut. Esp., XLVIII, 453.)

⁵⁶ "No faltaron en el camino [del infierno] *muchos* eclesiásticos, *muchos* teólogos. Vi *algunos* soldados, pero *pocos*; que por la otra senda [la del paraíso], *infinitos* iban en *hilera ordenada, honradamente triunfando*." *(El sueño del infierno.)* Todo es caos para Quevedo, fuera del orden creado por la valentía, bajo cuyo estímulo su expresión se exalta noblemente y deja de ser una mueca escéptica. Esas dos palabras, "hilera ordenada", descubren el único valor terrenal en que de veras creía y en el cual se afirmaba su angustiada existencia.

⁵⁷ El breve de 21 de julio de 1627, dice que la Santa puede seguir siendo patrona, "sine tamen praeiuditio, aut innouatione, aut diminutione aliqua Patronatus sancti Iacobi Apostoli in universa Hispaniarum regna". (Reproduzco la primera página de este breve, del cual poseo un ejemplar amablemente enviado por don Fermín Bouza Brey.)

⁵⁸ La Virgen de Guadalupe (Extremadura) fue también un centro irradiante de vitalidad hispana. Los extremeños Cortés y Pizarro le debieron mucho. En México, poco después de la conquista española, apareció la imagen de una virgen que también fue llamada

de Guadalupe. El cura Hidalgo inició en 1810 su rebelión contra el régimen español, llevando como estandarte una imagen de aquella Virgen.

[59] Fueron jerónimos portugueses quienes imprimieron con sus manos la traducción del místico Enrique Herp, *Espelho de perfeição*, Coimbra, 1535.

[60] *Aspectos del vivir hispánico*, Santiago de Chile, 1949.

[61] *Teoría del románico español*, en "Boletín de la Universidad Compostelana", Santiago de Compostela, 1960, págs. 77-93.

[62] Los tratados citados se hallan en los *Libelli de Lite Regum et Pontificum*, "Monumenta Germaniae Historica". Ver A. Brackmann, *op. cit.*, págs. 36 y sigs.

CapÍtulo XI

PERSPECTIVA ISLAMICA DE TRES INSTITUCIONES CRISTIANAS

ORDENES MILITARES

Entre los siglos XII y XV las poderosas órdenes de Calatrava, Santiago y Alcántara ocupan el primer plano de la historia como fuerza militar y política. En ellas parecen delinearse los primeros trazos del futuro ejército permanente de los Reyes Católicos. Nacieron animadas por la religiosidad a la vez espiritual y bélica de la casta cristiana; convirtiéronse desde el siglo XIV en una institución más política que religiosa, y sus extensas propiedades les otorgaron un poder que mermó el de la realeza, y dio frecuente ocasión a querellas intestinas retardadoras del progreso de la Reconquista. En algunos casos los comendadores de las órdenes tiranizaron las villas que les estaban encomendadas, y fomentaron así odios y particularismos infecundos. En el siglo XV —tal vez la única época en que la nobleza ejerció plenamente su misión rectora—, algunos grandes maestres se distinguieron por su interés por la cultura, y dejaron huellas valiosas en la espiritualidad religiosa, en las ciencias y en las letras. (Gracias a la protección nobiliaria fueron posibles las actividades de cultura de bastantes individuos de la casta hebrea.) Su poderío económico perduró hasta los albores del siglo XIX, y sus uniformes vistosos exornaron hasta en nuestros días las ceremonias palatinas, como rasgo decorativo de una aristocracia ya sin auténtica función social. La nobleza de España, depositaria de la gloriosa tradición de las órdenes, ni supo ni quiso preservar de la ruina los maravillosos santuarios de Calatrava y de Uclés, sedes de los antiguos maestrazgos. Como tantos otros reflejos del pasado, las órdenes, usando palabras de Quevedo, eran, desde hacía largo tiempo, sólo "un vocablo y una figura".[1] *

---

* Para las notas al capítulo XI ver las páginas 435 a 439.

Carecemos de una adecuada historia de las órdenes militares, no obstante existir gran número de documentos sobre ellas. Alejado de esos materiales, sólo me interesa ahora lo que afecte a posibles relaciones entre el Islam y los reinos cristianos. La idea dominante es que las órdenes españolas surgieron como una réplica a las francesas del Hospital y del Temple, establecidas en España en el siglo XII.[2] Frente a este aserto, algunos arabistas españoles han visto en el siglo XX que el comienzo de las órdenes españolas hay que buscarlo en el Islam;[3] pero antes de ellos ya lo había dicho José Antonio Conde *(Historia de la dominación de los árabes en España*, Madrid, 1820, I, pág. 619) : "de estos morabitos ['almorávides'] procedieron, así en España como entre los cristianos de Oriente, las órdenes militares". Nadie prestó atención a lo escrito por Conde. Creo, por mi parte, que se plantearía mal el problema si creyésemos que hay que optar por el origen europeo o el musulmán, siendo así que las órdenes del Hospital y del Temple serían ininteligibles sin el modelo oriental, aspecto a que no se alude en libros modernos acerca del origen del Temple.[4] Ha de tenerse en cuenta que sólo en el mundo musulmán se dan unidas en una misma persona la vida de rigurosa ascesis y el combate contra el infiel. En este punto la idea de Asín Palacios se hace evidente. No es, pues, ningún azar el que las órdenes en cuestión naciesen en el siglo XII en las fronteras del Islam —Palestina y España—, y no en otra parte. Los Templarios, "pauperi commilitones Christi", comenzaron protegiendo a los peregrinos que iban a Jerusalén contra los ataques de los infieles, y antes de ellos los Hospitalarios se ocupaban en el cuidado de los pobres y de los enfermos que llegaban a la ciudad santa. Pero hacía siglos que, entre los musulmanes, "las obras de caridad y beneficencia (cuidar de los pobres, enfermos y leprosos, servir de fámulos a los maestros de espíritu, etc) ocupaban la vida de no pocos ascetas, aunque sin recibir nombre peculiar derivado de su profesión; en cambio se apellidaban 'almorávides' los que a la vida devota unían la militar, defendiendo las fronteras en conventos que a la vez eran cuarteles *(ribats, rápitas)*" (Asín, *Islam cristianizado*, pág. 141).[5]

Tomando un punto de mira exclusivamente cristiano no se entiende cómo puedan coincidir en una misma persona el ejercicio ascético y la actividad bélica, del mismo modo que, con sólo la Biblia, no es posible entender a Santiago Matamoros. Es sabido que la Iglesia nunca aprobó que los clérigos dieran muerte a seres humanos (y por eso la Inquisición entregaba sinuosamente sus víctimas al "brazo secular"). En cambio, siglos antes de que aparecieran las órdenes militares, conocían los musulmanes la institución de los *ribāṭ* (plural de *rābiṭa)*, 'ermita en donde vivían retirados los almorávides', o sea, los hombres santos que alternaban la ascesis con la defensa de las fronteras. De ahí que *ribāṭ* también signifique 'guerra santa, sobre todo la defensiva', y que haya en España tantos nombres de lugar *Rábida, Rápita*. De *ribāṭ* proceden, según demostró J. Oliver Asín, las palabras *rebato* y *arrebatar*, y el antiguo *arrobda* 'centinela avanzada'. La adopción de tales palabras supone la existencia previa de aquello que significan.[6] Si, por consiguiente, nos colocamos más allá de las fronteras cristianas, el nacimiento de las órdenes militares parece naturalísimo; visto desde España, país muy islamizado en el siglo XII (y en donde un apóstol de Cristo tajaba cabezas de infieles), no hay tampoco motivo para sorprenderse, como tampoco sorprendería que en el *Poema del Cid* (1140) el obispo don Jerome —personaje histórico y no legendario como el Turpín del Roland— pelee como un león en la avanzada de los cristianos. Por lo demás, según vimos al tratar de Santiago, el tipo del obispo guerrero que aparece en la epopeya medieval de Francia deberá incluirse en la misma corriente de presencias orientales, que no tendría sentido limitar a la tierra de España en aquellos siglos. En *Le Jeu de Saint Nicolas*, de Jean Bodel (fines del siglo XII), un ángel aparece y dice a los cristianos que batallan: "Seréis exterminados luchando al servicio de Dios, pero recibiréis la alta corona." Cierto que en Francia los sentimientos inspiradores de la guerra santa desaparecieron con las Cruzadas, en tanto que en España aun estaban vivos en el siglo XVI. Cuando en 1568 se supo que los moros de Granada se habían sublevado, "hasta los frailes del monasterio de San Francisco dejaron sus celdas, y se pusieron en la plaza armados". Más tarde, cuando en Dúrcal (en las Alpujarras) se vio el pueblo en un momento difícil, "acudieron también ocho religiosos, cuatro frailes de San Francisco y cuatro jesuitas, diciendo que querían morir por Jesucristo, pues los soldados no lo osaban hacer; mas no se lo consintió el capitán Gonzalo de Alcántara" (Luis del Mármol, *Rebelión y castigo de los moriscos*, lib. V, cap. II).

Veamos ahora cómo reaccionaban frente a esta novedad islámica en el más alto centro de espiritualidad cristiana del siglo XII, es decir, en la abadía de Clairvaux. El primer maestre de la orden del Temple, Hugo de Paynes, vino de Jerusalén a Francia para lograr la aprobación de la nueva orden, y a ese efecto se dirigió a su amigo, el futuro San Bernardo, abad de Claraval, la persona más influyente de la cristiandad, que, según decían, hacía nombrar papas y renunciaba a serlo él mismo. Pretendía Hugo de Paynes que el abad de Claraval apoyara con su pluma la creación de aquel extraño instituto, cuya regla fue por fin aprobada en el concilio de Troyes (1128). San Bernardo redactó con este motivo su célebre sermón, *de laude novae militiae*, a repetidos ruegos del nuevo Maestre: "Por tres veces, si no me engaño, solicitaste de mí, muy querido Hugo, que redactara para ti y para tus compañeros de armas, una arenga que levantara vuestro ánimo." [7] Como se ve, Hugo de Paynes tuvo que rogar al abad tres veces que escribiera a favor de la causa de los caballeros del Temple, y San Bernardo no se decidía, esperando que alguien lo hiciera mejor que él, y por miedo de que su adhesión al nuevo instituto no se juzgase ligera y temeraria ("sed ne levis praecepsque culparetur assensio"). Por fin se decide, porque, al parecer, la nueva Orden necesitaba ser defendida y explicada. Todo ello revela que los cruzados de Palestina traían a Europa una novedad que chocaba con la tradición cristiana: "Una nueva clase de milicia, de la cual nada se sabía hasta ahora." [8] San Bernardo se deja arrebatar por el entusiasmo de la guerra santa, inyectado a la cristiandad por el Islam: "¡Cuán gloriosamente vuelven del combate! ¡Cuán bienaventuradamente perecen en él como mártires!" Su entusiasmo era en verdad extraño, pues, según San Bernardo, ni siquiera era lícito matar a un semejante en propia defensa: "es menor mal perder el cuerpo que perder el alma". Mas en el caso de los nuevos caballeros, la defensa de Dios lo autorizaba todo: "porque su guerra es la guerra de su Dios, y en modo alguno deben temer el pecado de matar al enemigo, o el riesgo de su propia muerte".

Así penetraba en la cristiandad europea una doctrina y unos hábitos familiares al Islam desde hacía siglos, aunque nueva e inaudita para los monjes franceses del Cister y de Cluny. Darse a la ascesis contemplativa y verter sangre enemiga eran tareas compatibles para el musulmán, porque en él se borraban las distancias entre lo corporal y lo espiritual, entre lo mundano y lo divino. Las posturas más contradictorias se integran así en la unidad vital de la persona. Lo mismo que cabe armonía entre la piedad más estricta y la efusión de sangre, así también hubo sectas místicas que se abandonaban al amor divino mediante la contemplación de una "présence charnelle", embelesándose junto a "la beauté d'un jeune visage admiré".[9] Esa armonía de valores opuestos, contradictoria según la religión cristiana, se hizo accesible en Jerusalén para los afectados por el ejemplo de una cultura extraña y esplendorosa. Se adoptaban los modos de su rara espiritualidad, lo mismo que se imitaban las maneras de vivir. El rey Balduino I vestía como un oriental, y en sus costumbres, ceremonias y boato semejaba un monarca musulmán. El hecho es conocido por tratarse de un fenómeno visible y tangible; mas no se ha querido ver que la mezcla de piedad religiosa y violencia sangrienta era como un vestido oriental para el espíritu cristiano. El asombro, aunque entusiasta, de Bernardo de Claraval da sin embargo la medida de la gran distancia que separaba las nuevas órdenes militares de la concepción cristiana de la vida. Si el Temple fue aceptado y acumuló en seguida incalculables riquezas, ello se debió a que sólo aquellos caballeros estaban decididos a luchar continua y regularmente por la posesión de los

Santos Lugares, un dominio más que problemático para las gentes cristianas. Tan problemático, que con la caída de San Juan de Acre, a fines del siglo XIII, se derrumbó toda la empresa de las Cruzadas y, a la vez, la razón de existir para la orden del Temple. Habían comenzado como "almorávides", o santones guerreros del Islam; no obstante tales orígenes, muy pronto influyó sobre ellos la índole más sensual que ascética de la vida francesa, y el Temple se transformó en una sociedad bancaria que durante cerca de dos siglos hizo posible el tráfico comercial entre Europa y el Oriente,[10] porque la historia expresa el entrelace de la forma peculiar de la vida colectiva con unas muy concretas y cambiantes circunstancias. Se convirtieron los templarios en banqueros de los reyes, y se "desdivinizaron" casi enteramente. Al desaparecer el dominio cristiano en Palestina, el rey Felipe el Hermoso de Francia obtuvo del papa la disolución de la orden, se apoderó de sus inmensas riquezas, y para hacer firme el título de su propiedad, mandó quemar al Gran Maestre y a muchos de sus caballeros, después de someterlos a exquisitas torturas (1310-1314).

Esto significa que ya a comienzos del siglo XIV la monarquía francesa podía deshacerse de un enojoso competidor, respaldado por su carácter religioso más que por su fuerza militar, calculada en unos 15,000 hombres. Junto a estas causas materiales e inmediatas, debiera tenerse en cuenta lo extraño de la religiosidad templaria, en nada parecida a la de las otras órdenes, contra las cuales era aún ineficaz la fuerza y la codicia del poder civil. Algo había en los templarios que chocaba con la vida francesa, y de ello es signo la leyenda acerca de sus liviandades y herejías. Su piedad belicosa fue tolerada mientras vivieron en Palestina; reducidos a su país de origen, se hizo patente el conflicto entre Iglesia y guerra, espiritualidad y negocios profanos, imposible ya de integrar en la racionalizada Francia, para la cual un banquero era un banquero, y un religioso un religioso. Habían perdido el halo místico, y mostraban su escueta realidad, abierta a la codicia de los altos y a la envidia e irrespetuosidad de los bajos. Tenían que desaparecer, aunque hoy todavía inspiren piedad aquellas víctimas de una Inquisición sádica y codiciosa.

La incompatibilidad de la orden del Temple con la nítida separación entre cielo y tierra, mito y razón, característica de la vida francesa, sirve de punto de referencia para entender por contraste el largo esplendor de las órdenes militares en España. Aquí, como en Palestina, los "almorávides" de las "rábidas" hicieron prosélitos. En la segunda mitad del siglo XII, durante los reinados de Sancho III y Alfonso VIII de Castilla, se constituyeron las órdenes de Calatrava, Santiago y Alcántara, si bien es más que probable que antes de aquel tiempo hubiese habido cris-

tianos ascetas que incluyeran la matanza de moros entre sus deberes pia-
dosos. Así se explica que los orígenes de las órdenes mencionadas estén
rodeados de cierta vaguedad cronológica, lo que no es incompatible
con que el ejemplo de los templarios contribuyese a que los ascetas-gue-
rrilleros se organizaran en comunidades regulares.[11] Recordemos sucintamente los hechos conocidos. Las órdenes del Hospital de Jerusalén y del
Temple se difundieron por los reinos cristianos en el primer tercio del
siglo XII, sobre todo en Aragón y Cataluña. Les fueron donados castillos, villas, vasallos y tierras en reconocimiento de los servicios pres-
tados en la guerra contra los infieles. Su prestigio llegó al máximo cuando en 1134 Alfonso I de Aragón nombró herederos de su reino a los caballeros del Santo Sepulcro, a los del Hospital de Jerusalén y a los del
Temple. Este hecho, si de una parte expresa el ardiente espíritu de reconquista religiosa que animaba al monarca, de otra hace ver cuán débil era aún la personalidad política de Aragón en 1134. Aragón, Navarra y Cataluña, conexos en tantos sentidos, se encontraban más desunidos
políticamente en aquella época que Castilla, León y Galicia. La entrega
de Aragón a las órdenes militares fue tanto un rasgo de exaltada fe religiosa, como expresión de escasa confianza en la solidez de la monarquía aragonesa. Como era esperable, el testamento de Alfonso el Batallador no pudo cumplirse, y fue Ramiro II el Monje quien le sucedió en
el trono. Alfonso I esfumaba en su testamento los confines entre cielo y
tierra, y tal vez con aquella ilusoria solución compensaba muy efectivos
despechos y desengaños.

También gozaron los templarios de la munificiencia de los reyes
de Castilla, aunque en menor extensión. Cuando en 1147 conquistó Alfonso VII la villa de Calatrava (Ciudad Real), encargó su defensa a la
Orden del Temple, lo cual es prueba de que aún no existía en Castilla ninguna milicia organizada de carácter semejante.[12] Diez años más tarde
los templarios se declararon incapaces de sostener frente a los moros
aquella clave de la frontera, y manifestaron al rey Sancho III que "non
podríen ellos ir contra grand poder de los aláraves, ...ca non avíen gui-
sado de lo que era mester por que contra ellos se parassen; demás que ell
rey mismo non fallara ninguno de los grandes omnes de Castiella que
al peligro de aquel logar se atroviesse a parar" (Crónica General, página 666). Dos monjes, Raimundo de Fitero y Diego Velázquez, se ofrecieron al rey para defender Calatrava, y levantaron al efecto un gran
ejército. De esa cruzada salió la Orden de Calatrava. Pero notemos antes
que sus dos fundadores ofrecían el ejemplo de un religioso, Raimundo
de Fitero, que se lanzaba al combate contra el infiel; y el de un caballero, Diego Velázquez ("que fuera en otro tiempo al sieglo omne libre
en fecho de cavallería"), que se hacía monje y como tal emprendía la

misma lucha. No sería el primer caso en que esto aconteciera, aunque carezca de documentos para probarlo.[13]

Hacia la misma época aparecen organizadas las otras dos órdenes de Santiago y de Alcántara, lo cual apoyaría la idea de que el modelo de su instituto hubiese sido la orden franco-islámica del Temple. En vista de tales complicaciones, me atrevería a sugerir que si bien la forma de constituirse las órdenes españolas fue debida al ejemplo de los templarios, su materia posibilitante fue hispano-islámica.[14] Lo que habría sido lucha desorganizada de los guerrilleros de la fe, cristalizó en una fuerza regular reconocida por el poder público. No creo que procediese de la orden del Temple el espíritu ascético y heroico mostrado por los primeros caballeros de Calatrava, justamente cuando la orden francesa abandonaba aquel difícil lugar fronterizo en 1158, fueren las que fueren las razones de su retirada. Vuelvo a insistir en que la lucha contra el moro en España no necesitaba de organización especial para ofrecer la combinación de heroísmo bélico y actitud piadosa, fenómeno que en forma dispersa ocurriría a cada paso. Es presumible, por consiguiente, que la primitiva organización de los caballeros de Calatrava, lejos de surgir como envidiosa imitación de la pujanza templaria, hubiera sido más bien una reacción de ascetismo guerrero frente a un ocasional desfallecimiento de aquella institución extranjera. Lo cual no impide que la estructura económico-política de las órdenes españolas se inspirara en el precedente templario; empezando por la palabra *maestre*, que es un galicismo. La materia islámico-cristiana se refundía en formas francesas.

En las órdenes militares adquirían peculiar sentido castellano la tradición musulmana y el ejemplo próximo de los templarios. La creencia, el ánimo bélico y el prestigio de la monarquía hallaron expresión conjunta en una página de la crónica del arzobispo don Rodrigo Jiménez de Rada (¿1180?-1247), *de rebus Hispaniae*, y en la versión de la *Crónica General*. La belleza y el sentido de estos textos no habían sido puestos de relieve. En don Rodrigo se hacen visibles las dimensiones más auténticas del vivir castellano y de su posibilidad de cultura: conocía bastante bien el latín, poseía el árabe y lo utilizó en sus obras históricas; siguió estudios en Bolonia y París, rigió la Iglesia española desde la sede primada de Toledo y, a su hora, combatió por su fe y junto a su rey en la más alta ocasión de la lucha secular entre cristianos y moros, en la decisiva batalla de las Navas de Tolosa (1212), ganada por Alfonso VIII. Era el arzobispo un castellano de alta clase que había refinado su cultura gracias a sus contactos con el Islam y con la Europa cristiana.[15]

El estilo de *de rebus Hispaniae* es, casi siempre, sencillamente narrativo, y carece de intención poética. Pero la prosa se hace expresivamente artística al tratar de los grandes hechos de Alfonso VIII, el rey más admirado por don Rodrigo; la frase se hace parelística y rimada:

> "In manu robusta vastavit eos, [los moros],
> et in cordis magnificentia coegit eos;
> succendit ignibus civitates,
> et succidit viridia deliciarum;
> replevit terram timore suo,
> conclusit Arabes adventu suo."

Tomada la ciudad de Cuenca, situada entre abruptas rocas,

> "rupes eius factae sunt perviae,
> et aspera eius in planicies".[16]

La misma manera de prosa continúa hasta el final del capítulo. En la versión de la *Crónica General* (pág. 679 *a*), el texto aparece así:

> "Et destrúxolos con rezia mano,
> et encogiolos con la grandeza de su coraçón;
> quemoles las çipdades et las otras pueblas,
> cortoles las huertas et los logares de sus annazeas
> o fazíen sus deleytes et tomavan sus solazes", etc.

El texto latino recuerda el paralelismo de ciertos textos bíblicos:

> "Halitus eius prunas ardere facit,
> et flamma de ore eius aggreditur." *(Job. XLI, 12.)*

Mas ahora interesa especialmente el refuerzo de la tensión poética en el capítulo siguiente de *de rebus Hispaniae* (VII, 27), cuyo título es "Item de magnalibus et piis operibus nobilis Aldephonsi"; su tema es, si bien en prosa, un cántico a las órdenes militares y a la fundación del maestrazgo de la de Santiago por el rey Alfonso. He aquí las frases más bellas de este poco accesible texto:

> "Cepit Alarconem in rupibus sempiternis,
> et firmavit seras defensionis;
> aldeis multis dotavit illud,
> ut abundaret in eo incola fidei;
> constituit fortes in munimine,
> ut esset Arabibus via necis;...
> alcarias rupium domuit populis,
> et duritiam ilicis convertit in vias.
> In Uclesio statuit caput ordinis,
> et opus eorum ensis defensionis;
> persecutor Arabum moratur ibi,

> et incola eius defensor fidei;
> vox laudantium auditur ibi,
> et iubilus desiderii hilarescit ibi;
> rubet ensis sanguine Arabum,
> et ardet fides charitate;
> mentium excecratio est cultori daemonum,
> et vita honoris credentium in Deum...
> *Rex Aldephonsus educavit eos* [a los caballeros de las órdenes],
> et possessionibus pluribus ditavit eos;...
> et sustulit sarcinam paupertatis,
> et superaddidit divitias competentes,
> multiplicatio eorum corona principis;
> qui laudabant in Psalmis, accinti sunt ense,
> et qui gemebant orantes, ad defensionem patriae;
> victus tenui[s] pastus eorum,
> et asperitas lanae tegumentum eorum;
> disciplina assidua probat eos,
> et cultus silentii comitatur eos;
> frequens genuflexio humiliat eos;
> et nocturna vigilia macerat eos;
> devota oratio erudit illos,
> et continuus labor exercet eos.
> Alter alterius observat semitas,
> et frater fratrem ad disciplinam." [17]

En medio de la pobreza de la literatura latina de Castilla, el texto transcrito debe ser puesto de relieve por dársenos en él un auténtico trozo de autobiografía castellana, un latido de su función estructural, de su *vividura*. Según el cronista, fue Alfonso VIII (1158-1214) quien organizó económica y espiritualmente a los caballeros de Santiago y de Calatrava: "educavit eos". A ningún rey concede don Rodrigo tan extensas y encendidas alabanzas; la conquista de Córdoba por Fernando III, hecho capital para el progreso de la Reconquista, es narrada por él en muy llano y liso estilo. El recuerdo de la batalla de las Navas y el del caudillo que hizo posible tan espléndida victoria perdura en el esforzado arzobispo, como Lepanto y don Juan de Austria perdurarían en el ánimo de Cervantes siglos más tarde. A la acción bélica de Alfonso VIII en las fronteras, correspondía la gran obra organizadora de aquellas santas milicias en el interior del reino.

Casa perfectamente con la estructura castellana de vida que este batallador arzobispo se sirva de un estilo excepcionalmente poético para enaltecer aún más al monarca personalmente preferido, a *su* rey, y para magnificar las órdenes religioso-militares en un estilo de compás bíblico, próximo en sus metáforas a las de la literatura árabe, familiar para don Rodrigo. No es la literatura de la Antigüedad la que inspira al cronista, cuyo arte es paupérrimo si lo medimos con el de escritores más versados en el latín de los clásicos; su grave y austera moralidad es la castellana, y su propósito no es cultivar la expresión exuberante y ornada, sino rendir un homenaje reverente al rey, a las órdenes militares y a su propia conciencia. Un caso ejemplar de personalismo e integralismo castellanos.

He aquí ahora cómo la *Crónica General* vertió el pasaje anterior:

"Este rey don Alfonso preso a Alarcón... que está en peñas que nunca fallesçrán,
et firmóla con cerraduras de defendimiento;
enriquesçióla con muchas et buenas aldeas,
porque oviesse en ella abondo de moradores de los fieles de Cristo;
et establesçió los fuertes en la su fortaleza,
porque fuesse ella carrera de muerte a los aláraves...
Las alcarias de las peñas domólas con pueblos,
et tornó en uvas sabrosas la dureza de la enzina.[18]
El [rey] ganó Uclés et establesçió en ella cabesça de orden,
et el uebra de essa orden, espada de defendimiento;
segudador de los aláraves mora ý ['allí'],
et el morador de ella, defendedor de la fe;
vozes de alabadores de Dios son oídas ý,
canto de desseo se alegra ý;
de sangre de aláraves se envermejesçe la su espada,
arde con caridat et amor la fe de las mientes de ellos;
descumulgamientos son allí de los que aoran et onran a los demonios,
et assí es allí vida et onra de los que creen en Dios...
Este rey don Alfonso... los levantó et los crió,
et los enriquesçió de muchas possessiones;...
et tollióles carga de pobreza,
et ennadióles de suso riquezas convinientes;
el amuchiguamiento de ellos, la gloria del rey es,
et el enseñamiento de los sus frayres, corona de prinçep;
los que alabavan a Dios en salmos, ceñidos son de espada,
et los que emíen faziendo oraçión, parados son al defendimiento de la tierra;
el vito de ellos, delgado comer,
et aspereza de lana el vestido de ellos;
la disçiplina cutiana... los prueva et los da por buenos,
la onra del silencio... los acompaña;
el fincar de los inojos espessamientre los omilla,
el velar de la noche lo muestran con la magrez;...
la omillosa oraçión los enseña et los faze enseñados,
el trabajo cutiano los da usados a ello;
ell una de éstas guarda las carreras de la otra,[19]
et el frayre al frayre, a las disçiplinas" (págs. 679-680).

Así, pues, gracias a don Rodrigo Jiménez de Rada posee el castellano del siglo XIII un trozo de literatura ascética, lleno de tensión emotiva y en el que auténticamente se proyectan un momento de historia y el ánimo de quien lo vivió. Tal era, en efecto, el sentido de las órdenes militares durante el reinado de Alfonso VIII, cuando la tierra abrupta de Cuenca se incorporó a la cristiandad; la tensión lírica del cronista le hace aludir, en una incipiente visión poética del paisaje, a las "peñas sempiternas" y a las "duras encinas" que crecen entre ellas. Este fondo de ruda firmeza se acordaba bien con la imagen de aquellos frailes, sostén y esperanza para la corona de Castilla cuando, después de la derrota de Alarcos, vino el triunfo de 1212 a asentar para siempre la superioridad de los cristianos. El gozoso optimismo del arzobispo de Toledo se espeja en su bien entonado latín, y a través de él en el texto de la *Crónica General.* Son escasos en la literatura castellana del siglo XIII pasajes como éste, tan denso de graves metáforas y de inspiración tanto bíblica como ascético-islámica.

De acuerdo con el método que preside a la estructura de esta obra, haré notar que ofrece menos interés demostrar la analogía entre órdenes militares y rábidas musulmanas, que hacer visible la perspectiva del vivir cristiano bajo un horizonte islámico, de una vida manifestada ahora en la institución del eremita-guerrero y en la expresión literaria de cómo era sentido en el siglo XII. El que dicha institución se convirtiera luego en algo distinto, guarda relación con el hecho de ser menos apremiante la azarosa vigilia de las fronteras, y mucho mayor la confianza de que los musulmanes no ganarían ya ninguna batalla decisiva. Las órdenes militares fueron olvidando el ascetismo, y se orientaron hacia la riqueza de sus tierras y el prestigio político y social, un prestigio cada vez menos auténtico. El ejercicio de un poder ya sin finalidad, dio motivo al desprestigio de ese poder, e incitó una vez más a la desobediencia. (ver cap. VIII). De ahí los comendadores "monstruos", inmortalizados por Lope de Vega en *Fuente Ovejuna* y en *El comendador de Ocaña,* unidos sólo por el nombre a aquellos de los siglos XII y XIII: "et aspereza de lana ell vestido de ellos".

Ese aspecto negativo de las órdenes es lo que la emoción popular percibió desde el siglo XV, cuando avanzaba hacia el primer plano de la historia la masa rural que había de aniquilar a los judíos y conquistar América. Para el pueblo bajo, los poderosos caballeros personificaban lo que la lengua actual llama "señoritismo" —ocio, sensualidad y mal empleo de los privilegios anejos a poseer riqueza. La bellísima endecha de *Los comendadores de Córdoba* [20] —dos "señoritos" andaluces que hallaron la muerte en una infausta aventura de amor— muestra ya bajo qué horizonte aparecían al pueblo los comendadores de las órdenes. Lope de Vega se hará luego intérprete de aquel sentimiento, justamente por ser reverso del tapiz de las hazañas gloriosas, un tema ya no épico, sino dramáticamente conflictivo.

Más raro es que se destaquen las zonas de luz en la historia de las órdenes, porque, dejando a un lado excepciones, desde el siglo xv la literatura ha solido expresar el ánimo adverso —ver capítulo VIII— hacia cualquier forma de autoridad o justicia (*La Celestina*, el *Quijote*, la novela picaresca, *El alcalde de Zalamea,* etc.). Carecemos, en cambio, de crónicas o historias locales que hagan posible conocer la actuación de las órdenes en las zonas en que ejercían su señorío, y echamos muy de menos tal género de obras durante el siglo xv, época en que, como he dicho, la nobleza dio señales de serlo más que en cualquier otro tiempo. Desearíamos conocer intimidades acerca de don Luis de Guzmán, maestre de Calatrava, que, influido por corrientes de espiritualidad religiosa no bien conocidas, sintió deseos de leer una versión exacta del Antiguo Testamento, y para ello pagó grandes sumas a Rabí Arragel de Guadalajara. Durante diez años trabajó el sabio hebreo en la villa de Maqueda, propiedad de la Orden de Calatrava, y al cabo de ellos entregó a su señor un espléndido manuscrito, ilustrado con miniaturas valiosas y glosado doctamente —parece que con colaboración del Maestre.[21]

De gran importancia es asimismo otro episodio del cual no se conocen sino sus líneas más externas. Don Juan de Zúñiga, último maestre de la orden de Alcántara, frecuentó en Salamanca la clase de Antonio de Nebrija, introductor en España de la latinidad de los humanistas. El discípulo se convirtió en mecenas del profesor, y lo llevó consigo a su palacio de Zalamea (Cáceres), en donde constituyó una academia científica, en la que figuraban los hebreos Abraham Zacuto y Abasurto,[22] astrónomos. En la ilustración que reproduzco [23] aparece Nebrija, ennoblecido con el hábito de caballero de Alcántara, instruyendo en humanidades al Maestre y a sus familiares. Ignoro la extensión y profundidad de tal enseñanza, y qué repercusiones tuviesen las cultas iniciativas del maestre en el seno de la orden, afincada en la región extremeña. Es de notar, en todo caso, que Extremadura poseyera una cultura literaria y humanística en la primera mitad del siglo xvi, que hoy me parece, en gran parte, obra de conversos, protegidos por los maestres de Alcántara, por el duque de Alba, y por otros grandes señores. El drama español nació a fines del siglo xv con Juan del Encina como brote humanista de la universidad de Salamanca, y para satisfacer la apetencia artística de las cortes del príncipe don Juan y del duque de Alba, en Alba de Tormes (Salamanca). El nuevo arte se propagó luego hacia el sur, y resultado de ello son las obras de los extremeños Torres Naharro, Miguel de Carvajal, Sánchez de Badajoz, Díaz Tanco, y otros, todos ellos mal conocidos biográficamente; de sus obras se salvaron escasísimos ejemplares. La Universidad, el clero y la Orden de Alcántara mantenían íntima relación en Extremadura, aunque habría que investigar en los ar-

● El maestro Antonio de Nebrija enseñando humanidades al maestro de Alcántara, don Juan de Zúñiga, y a sus familiares.

chivos españoles para hablar de ello con suficiente base. Es posible que algún día pudiera probarse que la Universidad de Salamanca, el monasterio jerónimo de Guadalupe (foco de conversos) y la Orden de Alcántara fueron centros en donde la cultura hispano-hebrea halló por última vez amparo a las sombra de algunos esclarecidos aristócratas.

GUERRA SANTA

El imaginarse la vida europea en su época cristiano-islámica sin tener en cuenta la presencia conflictivo-armónica de los cristianos y de los musulmanes, es el motivo de que ciertos historiadores cierren su mente a lo *expresado* por los documentos. Los textos de los siglos IX, X y XI salidos de la cancillería pontificia tienen presente la poderosa vecindad de los Estados musulmanes, lo mismo que hoy los gobiernos de Occidente no hacen ninguna declaración de carácter internacional (e incluso nacional), sin reflejar en ella, directa o indirectamente, la conciencia de que gran parte de la humanidad está regida en este tiempo por la idea-religión marxista. Lo que en el siglo XI era inquietud y temor, se manifiesta en algunos historiadores como antipatía retrospectiva hacia el mundo musulmán. Frente a la creencia del historiador belga Henri Pirenne de que, sin Mahoma, Carlomagno es inconcebible [24] —una idea exagerada—, algunos opinan que la cristiandad europea se bastaba a sí misma, y que la guerra santa y el impulso primario que movió a los cruzados se explican perfectamente sin el Islam. Acontece en este caso, como es esperable, que los juicios históricos reflejen las estimaciones del juzgador, lo cual es importante en el caso de la historia de los españoles, todavía más que cuando se trata de la del resto de Europa. Los historiadores españoles pugnan por europeizarse retrospectivamente, y hasta llegan al extremo de convertir en "españoles" a los musulmanes de al-Andalus.[25]

En mi caso, mis preferencias personales me llevan a aceptar la existencia de lo que pienso haber sido la realidad de la vida europea e hispánica en los siglos IX, X y XI, o sea, un oponerse y un coexistir de gentes cristianas y mahometanas. Lo cual no deja de ser también un "partidismo", porque lo pienso, creo que es verdad y lo mantengo,[26] a fin de explicarme quiénes y cómo fueran los españoles, cosa que ignoraba hace treinta años, y que muchos prefieren seguir ignorando.

La guerra contra los musulmanes en España y en Palestina, dejando aparte lo diferente de sus finalidades y consecuencias, estuvo inspirada por el *ŷihād* o guerra santa musulmana. El volumen y forma de esa inspiración importa menos que la evidencia de haber existido aquélla. Se ha escrito bastante sobre las Cruzadas y la guerra santa.[27] En una obra, excelente en cuanto a información documental,[28] se trata de la posible conexión entre la guerra santa y la mahometana; el autor se pregunta, ante todo, si "los cristianos estaban al tanto del papel desempeñado por el *ŷihād,* durante los siglos IX y X, entre los musulmanes de la cuenca occidental del Mediterráneo" (pág. 27). En mi opinión es inconcebible que el papa León IV, en 848, y Urbano II en 1095, ignoraran que los caudillos musulmanes recordaban a sus huestes, al incitarlos a pelear contra el infiel, que Mahoma había prometido un paraíso de exquisitas delicias a quienes en aquella lucha perdieran la vida. Deslumbrados por una perspectiva de eternos placeres, tan seguros para el musulmán como la salida del sol y de la luna, los mahometanos combatían ferozmente. La eficacia de aquel estímulo se refleja en lo conquistado por las gentes de "la casa del Islam" en menos de un siglo —desde Persia hasta Hispania. Para juzgar del efecto de tan enormes acontecimientos en el ánimo de quienes dirigían la cristiandad, no hace falta ser un consumado orientalista ni leer árabe, como piensa C. Erdmann *(op. cit.,* pág. 27). Ni cabe tampoco, por lo que a al-Andalus se refiere, considerar la guerra santa como una empresa económica, según afirma Richard Konetzke: [29] "La ganancia material parece haber sido el más visible estímulo para la 'guerra santa', tanto para el Estado como para los particulares." Pero el que los moros combatiesen animados del deseo de conseguir rico botín, no priva de su significación la esperanza de alcanzar el paraíso quien perdía la vida en una expedición militar. La ganancia terrena complementaba la celestial, ya que esta última estaba asegurada a quien había combatido contra el infiel. E. Lévy-Provençal (citado por Konetzke) lo reconoce claramente: "al impulso místico de ofrecer la propia vida 'pour le bon combat' se mezclaba a menudo el propósito manifiesto, o por lo menos la tácita esperanza de ganar, mediante el ofrecimiento de la propia vida, algún beneficio material".[30] Nada de lo cual priva de su sentido a la guerra santa; únicamente lo perdería si se demostrase (cosa que nadie ha intentado) que el musulmán no creía en el galardón prometido por Alá, a través de su profeta Mahoma, a quien perdiera su vida peleando contra los cristianos. Lévy-Provençal menciona a los "voluntarios de la guerra santa", deseosos de "cumplir, por lo menos una vez en su vida, con el precepto canónico del *ŷihād*" *(op. cit.,* pág. 79).

Ciertos occidentales toman en este caso un punto de vista, que llamaría "cristiano", y falsean el sentido del *ŷihād* al pretender investigar la sinceridad religiosa del combatiente musulmán (como si se dijera que, por haber habido ermitaños hipócritas, la vida eremítica fue una farsa). No lo digo en son de crítica, sino simplemente para subrayar una vez más la necesidad de situarnos dentro del funcionamiento vital de los hechos humanos, siempre "habitados" por un alguien-algo. Los rectores de las fuerzas cristianas en los reinos peninsulares, en Roma y en Cluny, tenían cabal conciencia de la temible eficacia de la promesa alcoránica. Si la contienda entre cristianos y musulmanes hubiese sido una cuestión de economía, a ras de tierra —según piensa Konetzke—, los pontífices y quienes eran menos que ellos en dignidad, no hubieran calcado la fórmula alcoránica del ŷihād. Lo hizo el papa León IV en 848 al prometer la eterna bienaventuranza a quienes muriesen luchando contra los musulmanes que ocupaban Sicilia: "regna ille caelestia minime negabuntur".[31] Este Papa se sirvió al predicar su "guerra santa" de la misma arma espiritual esgrimida por el Islam. Y el autor del *Poema del Cid*, que sabía muy bien que al Cid y a los suyos les interesaba grandemente el botín, infundió el espíritu de la guerra santa, del ŷihād, en quienes peleaban ferozmente:

"Veriedes... tantos pendones blancos salir vermejos de sangre,
tantos buenos cavallos sin sos dueños andar.
Los moros llaman '¡*Mafomat!*', e los cristianos '¡*santi Yagüe!*'" (728-731.)

En uno y otro campo habría gente codiciosa de bienes terrenos y muy impura de alma. Pero tanto los unos como los otros combatían con la seguridad de que, al morir, alcanzarían un lugar de elección en sus respectivos paraísos.

En el Islam no se hace distinción entre guerra religiosa y guerra secular, porque "cualquier guerra entre musulmanes y no musulmanes puede ser un ŷihād, con sus adecuados alicientes y recompensas" *(Encyclopedia of Islam, s. v.)*. El mahometano se atenía a lo escrito en el *libro:* "Combate por la causa de Dios contra quienes combaten contra ti... Mátalos donde quiera que los encuentres, y échalos de cualquier lugar de donde ellos te hayan arrojado" (II:186-187). "No serán tratados igualmente los creyentes que están sentados en su casa libres de cuidados, y aquéllos que ayudan valerosamente a la causa de Dios con su caudal y con sus personas. Dios ha asignado un lugar, por encima de quienes están sentados en su casa, a los que luchan de verdad con sus personas y con su caudal. A todos ha hecho El divinas promesas. Pero Dios ha asignado a los esforzados una hermosa recompensa, superior a la de quienes están sentados tranquilamente en sus casas, un puesto elegido por ellos, y el perdón, y la misericordia; porque es clemente y misericordioso" (IV: 97-99).

Lo mismo que León IV no podía ignorar en 848 la índole de la creencia religiosa de quienes habían conquistado Sicilia en 827 oyendo recitar suras del *Alcorán*, tampoco la desconocería Urbano II al llamar solemnemente a la cruzada, en 1095, en el Concilio de Clermont. Según ahora diré, ni en la Biblia, ni en San Agustín, ni en ningún otro padre de la Iglesia se hallará nada como lo escrito por Urbano II (entre 1089 y 1091) a los condes de Besalú, Ampurias, Rosellón y Cerdaña, al exhortarlos a combatir contra los sarracenos de Tarragona: "Quien sucumbiere en esa expedición por amor de Dios y de sus hermanos, no dude en modo alguno de que hallará perdón de sus pecados, y participará de la vida eterna, gracias a la clementísima misericordia de *nuestro* Dios." [32]

El Pontífice dice "de nuestro Dios", porque sabe que en el campo enemigo se invoca la clemencia y la misericordia de Alá, el Dios musulmán. Los papas se habían referido ya antes al problema de la similitud o disparidad de ambas Divinidades, como era natural que aconteciese después de cuatrocientos años de guerras, oposiciones y armonías entre cristianos y musulmanes. El negarse caprichosamente a aceptar esta elemental situación histórica confunde a los lectores, y nos obliga a perder tiempo en la tarea de rebatir ingenuas incoherencias. Gregorio VII, tan afanoso de imperar sobre todos los reinos cristianos, intentó mantener cordial relación con Anazir (al-Nāsir), un príncipe de Mauritania, y la razón que daba era ser uno mismo el Dios de los cristianos y el de los mahometanos: "Unum Deum, licet diverso modo, credimus et confitemur." [33] Para este gran papa, la diferencia entre la creencia cristiana y la musulmana era una cuestión de modalidad, no de esencia. Fue así posible aceptar el que la clemencia y misericordia de Dios librara de todo pecado al cristiano que perdiera la vida combatiendo contra el musulmán: expresamente lo dijeron los papas León IV y Urbano II. Ese era el punto central de la "guerra santa", y no el que la guerra tuviese como finalidad defender la Iglesia de Dios, o atacar a sus enemigos; ni que la guerra fuese emprendida bajo el amparo de Dios. Todo esto aconteció antes de que el Islam existiese; pero desde el siglo VIII, cuando los musulmanes ya habían arrebatado al Imperio cristiano de Oriente extensos y preciados territorios, los principios y los sentimientos que animaban a quienes luchaban contra los musulmanes, estaban ya afectados por los de aquel formidable enemigo. Se incurre en confusión cuando se discute si la Reconquista fue o no en España una lucha por la fe (Glaubenskämpfe), como hace Erdmann en su citada obra (pág. 89). Ni es pertinente calificar de "romántica" la opinión de quienes hablan de la finalidad "misionera" de la guerra, porque se trata de algo menos simple, o sea, *del entrelace de las actividades guerreras, con las pacíficas de la convivencia y la tolerancia.* Lo hemos visto muy bien en esos documentos emanados de la cancillería pontificia: Gregorio VII busca la amistad de un príncipe musulmán al amparo del vértice divino en que coinciden dos creencias enemigas y rivales; Urbano II esgrime una creencia de origen muslímico para incitar a la guerra santa a unos grandes señores de Cataluña. Todo lo cual es compatible con que sobreviviera la idea agustiniana de la oposición entre el Estado de Dios y el Estado de Satanás, con la bendición de la hueste al marchar al combate, etc. (Erdmann, pág. 73). Combatir a favor de una causa grata a Dios, suplicar el favor divino, recibir señales de una ayuda sobrenatural, nada de eso tiene que hacer con los reflejos de la doctrina del *ŷihād* en las palabras de los pontífices León IV y Urbano II.

Si esto acontecía en las cimas de la cristiandad, era naturalísimo que la doctrina del *ŷihād* fuera archiconocida de los cristianos de nuestra Península, empezando por los mozárabes.

Trata de estos últimos Karl Heisig en un excelente artículo sobre la *Chanson de Roland*,[34] que mencioné brevemente en la primera edición de esta obra (pág. 217), por juzgar innecesario insistir sobre una cuestión ya resuelta. En vista, sin embargo, de la incomprensión de algunos medioevalistas, es preciso hacer ver con más detalle el especial carácter "sacramental" —absolutorio de pecados— que a veces tuvo para los cristianos la guerra contra el musulmán.

A mediados del siglo IX, las relaciones, hasta entonces pacíficas entre los musulmanes y los mozárabes de Córdoba, se convirtieron en mutua y feroz animosidad. Se produjo un estado de delirio colectivo entre los cristianos, y muchos de ellos sufrieron martirio por su fe. 'Abd al-Raḥmān II intentó apaciguar aquella sublevación espiritual, pero algunos exaltados opusieron gran resistencia. Interesa ahora, únicamente, la obra de Eulogio, *Memoriale Sanctorum* (Memorial de quienes sufrieron martirio); en su primer libro, escrito en 851, se incita a los fieles cristianos a guerrear contra los musulmanes: "bellum parare incredulis",[35] en una forma que podría llamarse "sacramental" desde un punto de vista católico. Según Eulogio, a quienes pelean para matar al musulmán "no debe importarles que queden en ellos culpas no satisfechas, o que vengan a sufrir el martirio manchados por cualquier suciedad pecaminosa, puesto que comparecerán ante Cristo para ser coronados y libres de toda culpa, gracias a la enseña triunfal de su martirio".[36] K. Heisig *(loc. cit.*, pág. 19) percibió, como era normal, la conexión entre esta doctrina y la alcoránica: "a cuantos cayeren luchando 'en el camino de Dios', se les hará partícipes, sin más, de los goces del paraíso". La coincidencia de ambas doctrinas en un lugar y en un tiempo, también coincidentes, excluye la idea —según Heisig— de que pudiera no ser islámico el origen de las ideas del mozárabe Eulogio. Se da en este caso, como en tantos otros, una convergencia de violentas oposiciones y de inevitables contactos. Cree Heisig, de todos modos, que llevado por la exaltación de la polémica contra el *Alcorán*, Eulogio buscó en el Antiguo Testamento textos en apoyo de su campaña antimahometana; "aunque el motivo decisivo de recurrir *a posteriori* a antiguos testimonios bíblicos fue, sin duda alguna, el precepto islámico". Aunque acepto lo razonable de tal juicio, creo debe ser afirmado resueltamente que ninguno de los textos del Antiguo Testamento, o del Evangelio, allegados y alegados por Eulogio, coincide en su sentido con el de las suras alcoránicas antes citadas. Es cierto que en la Biblia la muerte del culpable es grata a Yahvé: "Y Samuel dijo: Como tu espada dejó las mujeres sin hijos, así tu madre será sin hijo entre las mujeres. Entonces Samuel cortó en pedazos a Agag delante de Yahvé en Gilgal" (1 *Samuel*, XV, 33). El salmo CXVI (CXV de la Vulgata) es en realidad un himno de acción de gracias por haber recobrado la salud: "Amo a Yahvé, pues ha oído la voz de mis súplicas" (1) ... "Ahora cumpliré mis promesas a Yahvé, delante de todo su pueblo. Estimada es a los ojos de Yahvé, la muerte de los devotos a El" (14, 15), o sea, en el texto latino alegado por Eulogio: "pretiosa est in conspecto Domini mors sanctorum ejus". Pertinente también parece a Eulogio, para justificar su versión cristiana del *ŷihād*, un texto evangélico, que él cita así: "Si quis voluerit animam suam salvam facere, perdet eam, et qui perdiderit animam suam propter me, in vitam aeternam custodiet eam" *(Matth.*, X, 39), que parece estar de acuerdo con el sentido de la sura antes citada: "No serán tratados igualmente los creyentes que estén sentados en su casa libres de cuidados, y aquellos que ayudan valerosamente en la causa de Dios con su caudal y con sus personas" *(Alcorán*, IV: 97). Pero el texto de la Vulgata dice en realidad: "Qui invenit animam suam, perdet illam; et qui perdiderit animan suam propter me, inveniet me" ("Quien hallare su vida, la perderá; y quien perdiere su vida por causa mía, la hallará"). San Mateo no dice: "in vitam aeternam custodiet eam", 'la conservará en la vida eterna'.

Es decir, que por mucho que se rebusque en el Antiguo y en el Nuevo Testamento, no se hallará nada que convenga a la doctrina alcoránica. Lo dicho por San Mateo (que concuerda con otros textos evangélicos) acerca de "hallar y perder la vida", en nada semeja a la doctrina de "pierde tu vida combatiendo contra el infiel, y sólo con eso gozarás de los deleites del paraíso".

Esta doctrina conviene, desde luego, genéricamente con la idea del "sacrificio" de la persona o de sus bienes ofrecido a Dios, a fin de "religarse" la criatura con su creador; pero en tan abstracta forma la doctrina no sirve para explicar lo acontecido en el punto de convergencia de Islam y Cristianismo en el caso de la guerra santa. Lo que en el *Alcorán* aparece como paso *exterior* de la persona desde el campo de batalla al goce paradisíaco, sin referencia a su estado *interior*, se tradujo por fuerza en el lado cristiano en una absolución de los pecados de quien pelea contra el infiel. La referencia de Eulogio a "la suciedad pecaminosa" del combatiente hace ver con claridad la forma en que hubo de cristianizarse la doctrina alcoránica. Porque el estado del alma, la conciencia de "mi alma", había sido la enorme y decisiva innovación cristiana.

En suma, al tratar del fenómeno humano "guerra santa", ha de procederse de un modo cuando aquél es expresión de la vida cristiana, y de otro cuando es expresión de la vida islámica. El cristiano —ya se ha visto— puso sentido íntimo en lo que en las suras alcoránicas no lo tenía; nosotros historiadores, a nuestra vez, no debemos inyectar sentido cristiano en la guerra santa alcoránica, y negar la realidad de su existencia cuando quienes cumplían el precepto religioso de combatir en el ŷihād, iban animados por el afán de lucro material, o cuando eran piratas o salteadores. Ni las finalidades secundarias del ŷihād, ni la impureza interior del combatiente privaban la guerra santa musulmana de ser ŷihād.

Aparte de todo esto, si la forma en que Eulogio formuló la doctrina de la guerra santa, hubiese sido algo normal y llanamente relacionable con la tradición cristiana, los monjes franceses (o más bien, francos) Usuardo y Odilardo que, en 858 habían venido a Córdoba, habrían entendido lo que la doctrina mozárabe de la guerra santa significaba. La finalidad de su viaje era llevarse los cuerpos de los santos Jorge y Aurelio al monasterio de Saint-Germain-des-Prés (ver Heisig, *loc. cit.*, página 25). Otro monje del mismo monasterio, Aimoin, escribió el relato de su peligroso viaje *(Patrologia, S. L., CXV, 941-948)*, y expuso su modo de sentir respecto de los mozárabes que, como mártires, habían sucumbido por enfrentarse espiritualmente contra los infieles. Pero ni Aimoin, ni las otros monjes Usuardo y Odilardo, comprendieron el modo en que Eulogio interpretaba los textos del Antiguo Testamento. Que el cristiano padeciera martirio pasivamente, parecía muy lógico a aquellos monjes; pero la guerra activa y material contra el infiel carecía de sentido para ellos. "La Francia del siglo IX ["el reino de los francos", en mi lenguaje] no estaba aún preparada para aceptar estas ideas, mientras que en España, luego de haberse originado allá, se mantuvieron vivas durante la larga contienda entre la fe cristiana y la mahometana" (Heisig, *loc. cit.*, pág. 26).

Todavía en el siglo XII, según fue ya notado (pág. 410), vaciló mucho el futuro San Bernardo de Claraval antes de decidirse a dar su aprobación a quienes aunaban su carácter sagrado con el hecho de dar muerte a los enemigos de la fe cristiana. Lo cual es compatible con que ciertos pontífices hubiesen patrocinado la idea islámica de la guerra santa, ya que las ideas y los sentimientos no siempre avanzan a lo largo del tiempo sincrónicamente alineados.

La creencia de que morir luchando con los moros llevaba a la gloria eterna, se expresa ya en el *Poema del Cid*. El obispo don Jerome absuelve a las gentes del Cid antes de acometer a los almorávides:

"El que aquí muriere lidiando de cara,
préndol yo los pecados, e Dios le abrá el alma" (1704-1705).

El hacer depender la salvación del alma de volver o no volver la espalda al enemigo, acentúa el espíritu bélico más que el cristiano; la absolución anticipada del obispo está más afectada por la guerra santa del Islam que por la espiritualidad de la Iglesia. Referencia a la guerra santa se hace también en una traducción de la *Historia Gothica*, del arzobispo de Toledo Jiménez de Rada; dice éste al rey Alfonso VIII, junto al cual peleaba en la batalla de las Navas de Tolosa: "Señor, si a morir fuere, todos irán con vos a paraíso." [37] Pero en otras referencias a la guerra santa hechas en los siglos XII y XIII se armonizan ya la doctrina islámica y la cristiana, a diferencia de lo que acontecía entre los mozárabes del siglo IX. La *Crónica General* narró la batalla de las Navas, siguiendo el texto latino de Jiménez de Rada. Cuenta la *Crónica* que el Arzobispo de Toledo, la víspera de la batalla, anduvo entre la hueste "esforçándolos... y perdonándoles todos sus peccados muy omillosa-mientre et muy con Dios" (pág. 699). Y más adelante: "confessáronse todos et, tomado ell consagrado cuerpo de Nuestro Señor Jhesu Cristo, guisáronse todos et guarnesciéronsse de todas armas" (pág. 700). Más adelante, en la misma *Crónica*, al narrar la defensa de la peña de Martos (Jaén), el cronista refleja más bien la creencia popular que el punto de vista eclesiástico, y olvida mencionar el requisito de la confesión previa. Un caballero, Diego Pérez de Vargas, exhorta así a los otros caballeros en un momento crítico: "Los que no podiermos passar et moriéremos oy, salvaremos nuestras almas et iremos a la gloria de parayso" (pág. 738).

Don Juan Manuel, en el siglo XIV, también compaginó en este caso la ley islámica y la cristiana, según antes habían hecho el arzobispo de Toledo y los redactores de la *Crónica General*. Leemos en el *Libro de los Estados* que Dios permitió la conquista por los moros de las tierras "que eran de los cristianos" (no dice de los *españoles*), para que aquéllos guerrearan a fin de recobrar sus tierras, y para que "los que en [la guerra] murieren, habiendo complido los mandamientos de santa Eglesia, sean *mártires*, o sean las sus almas quitas del pecado que ficieren". Más adelante, en el mismo *Libro*, insiste en que quienes "fueren contra los moros", conviene "vayan muy bien confesados et fecha emienda de sus pecados lo más que pudieren"; y que piensen que lo mismo que Jesu-cristo "quiso tomar muerte en la cruz por redimir los pecadores, que así van ellos aparejados por recibir *martirio* et muerte por defender et ensalzar la sancta fe católica".[38] Pero la idea de ser mártires quienes mueren combatiendo contra los musulmanes es de origen islámico, y no estuvo motivada originariamente por el propósito de salvar a los europeos del peligro africano.[39] El que a los europeos les conviniera que el frente antiislámico estuviese en Castilla y Aragón, no quiere decir que castella-nos y aragoneses sufrieran martirio para bien de los provenzales y de los franceses, sino que adaptaban a su cristianismo la concepción maho-metana del *ŷihād:* "En al-Andalus no se ven sino ojos que vigilan para satisfacer a Dios, combatientes que luchan en la vía de Dios. Cualquiera que perezca en ese estado, *muere mártir;* cualquiera que viva [es decir, incluso el que no muera en la guerra] es dichoso, pues la guerra santa y los que la hacen, son pilares de acercamiento [a Dios]." [40] Los almo-hades que cayeron frente a Santarem (Portugal), en 1184, "murieron como *mártires*".[41] Tal modo de calificar a quienes sucumbían en con-tiendas por motivo de religión, hasta se encuentra en una glosa cristia-na a la Biblia traducida por Arragel (hacia 1420): "Quién la muerte en servicio de Dios de mano de algunos erejes recibiere por la verdad e católica fe..., non tan solamente non pena [en la otra vida], mas antes gualardón por tal averá: que sin dubda non los *mártires* mue-ren".[42] Como dice I. Goldzieher, "la guerra santa ordenada por el *Al-corán*, es una de las vías más seguras de alcanzar el *martirio*".[43]

A ese martirio se refería don Juan Manuel, muy familiarizado con las creencias y modos de vida islámicos, que él acerca lo más posible al cristianismo en el caso de la guerra santa. Por eso ha de aclarar, que no "todos los que mueren en la guerra de los moros son mártires ni sanc-tos; ca los que allá van robando et forzando las mujeres et faciendo muchos pecados et muy malos, et mueren en aquella tierra, nin aun los que van solamente por ganar algo ['riqueza'] de los moros, o por dineros que les dan, o por ganar fama en el mundo, et non por entención derecha et defendimiento de la ley et de la tierra de los cristianos, éstos, aunque mueran, Dios que sabe las cosas escondidas, sabe lo que ha de ser de estos tales" *(op. cit.,* pág. 324). Don Juan Manuel intenta resolver el conflicto entre el *ŷihād* y el cristianismo, para el cual, como antes dije, la guerra contra el infiel no podía tener carácter "sacramental". Don Juan Manuel tuvo presente la dificultad, y a la vez no quiso anular la virtud salvadora del *ŷihād;* y entonces propuso dos salidas: una, confiar en que los pecadores caídos en la pelea se arrepintieran de sus malas obras, y Dios que todo lo sabe, les "hace merced et los salva". Para nuestro sutil don Juan Manuel, el punto de contrición final puede poner bien con Dios el alma del moribundo sin necesidad de sacramentos, pues sabe que no se condenan las almas por vivir mal o bien, sino por su arrepentimiento final, y por la confianza que pongan en la clemencia divina. Acontece así, que personas que "hayan seído de buena vida, que pierden las almas: et esto *todo es en la merced et en la piedad de Dios"*, lo cual significa ladearse un poco hacia la doctrina alcoránica. Mas, a pesar de ello, el docto Infante juzgó necesario rectificar algo su posición: "en mejor esperanza está [por supuesto] el home que vive buena vida et ha buena muerte, *segunt la ley et la fe de los cristianos"*. Aunque de todos modos, sigue pensando este fino espíritu, "aun de los pecadores que mueren et los matan los moros, *muy mejor esperanza* deben haber de su salvación, *que de los otros pecadores que nos' mueren en la guerra de los moros" (loc. cit.)*. Por todo lo cual, quienes van a combatir contra el infiel, si van con buena intención y con la mente puesta en la muerte redentora de Jesucristo, "los que así mueren, sin dubda ninguna son sanctos et derechos *mártires"*.

El pensamiento de don Juan Manuel acerca de la guerra santa está ya "mudejarizado", si cabe hablar así. Lo que aparece como escueto calco islámico en las palabras del mozárabe Eulogio en el siglo IX, y también en las de los papas León IV y Urbano II, se entrevera de sentido cristiano en la Castilla de los siglos XII, XIII y XIV.

En la prosa del infante don Juan Manuel, la guerra santa aparece como problema, que el autor analiza psíquica, moral y teológicamente. Era natural que así fuera cuando, como resultado de la convergencia de las culturas cristiana, islámica y judaica, el castellano de alma sensible y moralmente estricta, comenzó a expresar, como nunca antes, situaciones de conciencia hasta entonces, o latentes o apenas balbuceadas. Fenómenos característicos de aquella mutación —además de la prosa de don Juan Manuel— serán la poesía del Arcipreste de Hita, la angustiada experiencia filosófico-moral de don Sem Tob de Carrión, la sensibilización de la épica en el naciente Romancero, la intimidad ascético-contemplativa de la orden de San Jerónimo. En ese medio es donde el autor del *Libro de Patronio* matiza cristiano-islámicamente la institución de la guerra santa, ahora encajada en la sensibilidad ético-religiosa de un castellano de máximo rango. Don Juan Manuel no podía ignorar su origen, pues conocía y estimaba en grado sumo a sus enemigos-amigos los musulmanes. Si no fuera "por la falsa secta en que viven, et porque non andan armados nin encabalgados en guisa que puedan sofrir feridas ['golpes') como caballeros...., yo diría que en el mundo non ha tan buenos homes de armas, nin tan sabidores de guerra, nin tan aparejados para tantas conquistas" *(op. cit.,* pág. 323). Don Juan Manuel distingue —nadie lo había hecho antes en Castilla— entre los accidentes íntimos y externos del hombre, y el hombre mismo, lo que él llama "el hombre en sí". Un caballero moro, con su errónea fe rectificada y con adecuado armamento, valdría tanto como el mejor de los combatientes castellanos. Prescindamos de si tal juicio es o no acertado; sólo me importa descubrir algo de la mente y del ánimo de quien sometió a penetrante análisis la, para un cristiano, siempre ambigua institución de la guerra santa.

TOLERANCIA

Si el llamarse "cristianos" quienes emprendieron la Reconquista de al-Andalus fue reflejo de la oposición entre aquéllos y los "moros", el hecho de haberse constituido tanto las gentes del Norte como las del Sur, como una sociedad de tres castas de creyentes, estuvo condicionado por la doctrina islámica de la tolerancia religiosa. Dice así el Alcorán: "Y combate [a los no creyentes] hasta que cese la persecución; y la religión sea sólo para Alá; pero si desisten, entonces no debiera haber hostilidad sino contra los malvados" (II, 189). "Que no haya violencia en la religión; la senda de la verdad se ha hecho ahora claramente distinta de la del error" (II, 257). "Más si vuestro Señor lo hubiera querido, en verdad que cuantos hay en el mundo habrían tenido la misma creencia. ¿Obligarás entonces a los hombres a que sean creyentes? Ningún alma cree sino con licencia de Dios" (X, 99-100).

El Alcorán, fruto del sincretismo religioso, era ya un monumento de tolerancia, puesto que en él aparecían combinadas las creencias islámicas con las del judaísmo y el cristianismo. La idea sufí de que todos los caminos llevan a Dios estaba ya sugerida en aquel libro, fundado a su vez (como es bien sabido) en la creencia de que nada es sustancial ni seguro fuera de la esencia divina. Esa falta de firmeza de todo lo humano incluso hizo posible pensar, que "los caminos que llevan a Dios son tan numerosos como las almas de los hombres".[44]

Salvo ocasionales excepciones, la tolerancia fue practicada en todo el mundo musulmán,[45] y la persecución contra los mozárabes de Córdoba en el siglo IX fue dirigida más "contra quienes se rebelaban políticamente que contra los infieles por su religión".[46] Cuando más tarde, en los siglos XI y XII, almorávides y almohades persiguieron fanáticamente tanto las comunidades cristianas como las judaicas, los reinos cristianos habían ya moldeado sus costumbres sociales, según el ejemplo ofrecido por al-Andalus. Ya se vio antes (cap. II) cómo eran recibidos los reyes al entrar solemnemente en las ciudades, y cómo se agruparon armónicamente las tres creencias en torno al sepulcro de Fernando III. Ha de tenerse presente, por otra parte, lo dicho al tratar de los moriscos con motivo de los Plomos del Sacro Monte de Granada.

La tolerancia musulmana iba implícita en la misma constitución de aquella nueva fe, y estuvo fomentada por las necesidades surgidas al ampliarse vertiginosamente los límites del casi súbito imperio mahometano. Muchos se adhirieron a tan victoriosa creencia, portadora de sabrosos incentivos y de esperanzas paradisíacas; porque el imperio de Bizancio era débil, y el caos y la incertidumbre reinaban en amplias zonas de lo que había sido imperio de Roma. En el nuevo mensaje se aunaban las atracciones espirituales y las sensuales; la furia dominadora y bien asentada políticamente, y la posibilidad de abandonarse a la ascesis y la meditación mística. Las religiones monoteístas no fueron sentidas como mortales enemigos, pues según Mahoma "su mensaje coincidía en algunos puntos con la fe de los judíos y con la de los "cristianos".[47] En un *hadiz* [48] aparece la oración del padrenuestro como oración islámica, según vimos decían algunos moros de Granada.

Que uno de los aspectos de la tolerancia musulmana fuera el interés económico, o sea, percibir el tributo pagado por los cristianos o judíos sometidos, nadie lo duda; pero la mezcla del motivo económico y del espiritual es característica del mahometismo lo mismo que del cristianismo. Sería necedad, sin embargo, negar el sentido espiritual de ambas religiones a lo largo de los siglos, en vista del celo con que eran impuestos y percibidos los diezmos y primicias —o porque el mozárabe pagaba su capitación o *ŷizyah*.[49]

Mas aparte de esas consideraciones, y del hecho de que ninguna religión es enteramente fiel a su credo, ha de tenerse presente que además del precepto que obligaba a ser tolerante con cristianos y judíos, hubo formas de misticismo en las cuales el antidogmatismo y el relativismo psicológico de la creencia se encontraban en el centro de la experiencia religiosa. El místico Ibn Arabī (1164-1240), nacido en la Murcia musulmana, se expresa así:

Mi corazón puede tomar cualquier forma: es un pasto para gacelas y un convento para monjes cristianos.
Un templo para ídolos, y para la Ka'aba de los peregrinos, y para las tablas de la Tora, y para el libro del Alcorán.
·Sigo la religión de amor: sea cual fuere el rumbo de los camellos de mi amor, allá están mi religión y mi fe.[50]

Expresiones de tal ambigüedad son impensables en el lado cristiano. En varias ocasiones hemos visto apuntada la idea-sentimiento de que a Dios puede llegarse por varias vías (cap. II); pero no es igual decir que el Dios de los cristianos, el de los mahometanos y el de los judíos era uno mismo, y pensar que es posible llegar a Dios en cualquier forma, pues en tal caso la creencia se convierte en indiferencia. Mas lo que sin duda penetró en el pensamiento castellano fue la doctrina alcoránica de la tolerancia, tal como ésta se encuentra formulada en el Alcorán. Dice Alfonso el Sabio:

> Por buenas palabras, e convenibles predicaciones, deven trabajar los christianos de convertir a los moros, para fazerles creer la nuestra fe... non por fuerza, nin por premia [*Alcorán:* 'No hay violencia en la religión'] ca si voluntad de nuestro Señor fuesse de los aduzir a ella, e de gela fazer creer por fuerça, El los apremiaría, si quisiesse [*Alcorán:* 'Mas si vuestro Señor lo hubiera querido, en verdad que cuantos hay en el mundo habrían tenido la misma creencia']; mas El non se paga del servicio quel fazen los omes a miedo, mas de aquel que se faze de grado, e sin premia ninguna. *(Partidas,* VII, tít. XXV, ley 2).[51]

Don Juan Manuel, escritor de estirpe regia, se expresa en el mismo sentido en el siglo XIV: "Ha guerra entre los cristianos e los moros, e habrá, fasta que hayan cobrado los cristianos las tierras que los moros les tienen forzadas; ca *cuanto por la ley nin por la secta que ellos tienen,* non habrían guerra entre ellos; ca Jesucristo nunca mandó que matasen nin apremiasen a ninguno porque tomase la su ley, ca El non quiere servicio forzado, sinon el que se face de buen talante et de grado" *(Libro de los Estados,* edic. cit., pág. 294).

El anterior texto de don Juan Manuel fue ya citado por R. Menéndez Pidal en *La España del Cid,* 1947, pág. 632; observa justamente el gran historiador que la religiosidad pierde, "precisamente en la Edad Media..., cierta intolerancia racial que se descubre antes en la época cristiano-bárbara". Ahora bien, me parece que la cuestión seguirá estando confusa e ininteligible si continuamos hablando (según yo también solía hacer) de "Edad Media", de "religiosidad" en abstracto y de "raza"; porque la verdad es que la idea de don Juan Manuel sobre la tolerancia deriva de la de Alfonso el Sabio, en las *Partidas,* y ésta es simple calco de la doctrina del Alcorán. El paso de la tolerancia vigente en los reinos cristianos (salvo casos aislados de persecución anti-judaica) hasta fines del siglo XIV, a la agresión de "los menudos" contra los judíos en 1391, y de los inquisidores desde 1481, no es comprensible si se enfoca como un abstracto fenómeno de "época"; su razón de existir se encuentra en la situación de cada casta respecto de las otras. En cada "época" del pasado de los auténticos (no de los legendarios) españoles, hemos de preguntarnos qué está queriendo y pudiendo hacer cada una de las tres castas agrupadas en torno al sepulcro de Fernando el Santo en 1252 —y de los Reyes Católicos en 1516 (en esta última fecha dos de ellas habían quedado reducidas al papel de mudas y dolientes sombras).

El paso lento o rápido de la tolerancia a la intolerancia en la casta cristiana, dependió del poder de la clase alta sobre el pueblo bajo.

Este último aún no llevaba la voz cantante en la batalla de las Navas de Tolosa (1212), no era temido por los señores. Narra en su crónica el arzobispo de Toledo,[52] que algunos "terga vertentes fugere videbantur. Quod attendens Aldephonsus nobilis vidensque *quosdam plebeia vilitate quid deceat non curare*", exclamó: "Archiepiscope, ego et vos hic moriamur." En la versión de la *Crónica General* ese texto reza así: "Unos de los nuestros començaron a covardar, et tornando las espaldas, semeiava que fuíen ya. El veyendo esto el muy noble rey don Alfonso, [lo que estaban haciendo] unos de *los viles del pueblo menudo* que non avíen cuedado de catar *lo que estaba mal*, dixo all arçobispo de Toledo, oyéndolo todos: 'arçobispo, yo et vos aquí morremos'" (pág. 701 *b*). Después de tan gran victoria dijo el Arzobispo al rey: "Menbradvos de la graçia de Dios que cumplió en vos todas las faltas...: et menbradvos otrossí de *vuestros cavalleros*, por cuya ayuda viniestes a tan grand gloria et tanto prez entre los reyes de España" (página 702 *b*). La acción de la minoría fuerte y prestigiosa se hacía sentir en la Castilla de la primera mitad del siglo XIII.

Unos dos siglos más tarde la "gente de los menudos" atacó a los judíos de Sevilla (1391), y exterminó a millares de ellos; "las gentes de los pueblos, lo uno por tales predicaciones [del arcediano Ferrant Martínez], lo ál por voluntad de robar, otrossí non aviendo miedo al rey [Enrique III] por la edad pequeña, e por la discordia que era entre los señores del regno, ...non presciaban cartas del rey, nin mandamientos suyos las cibdades, nin villas, nin caballeros; por ende acontesció este mal".[53]

A reserva de analizar con más detalle la cuestión al tratar de los judíos, conviene desde ahora tener presente que el motivo último de la violenta intolerancia iniciada desde fines del siglo XIV, fue, de una parte, el haberse debilitado la autoridad de la clase señorial; de otra, el aumento de volumen de la población cristiana. El desnivel económico entre ésta y las otras dos castas no pudo ya ser salvado por la autoridad de los de arriba, ni por ningún principio espiritual. Llegará en fin un día en que los Reyes Católicos necesitarán imperiosamente a las "gentes del común" (los "menudos" de siglos anteriores) para sus empresas bélico-imperiales, y sobrevendrá a la postre el aniquilamiento de las castas ya sin posible defensa. Hubo, con todo ello, algunas excepciones, como la de Tarazona (Zaragoza), en donde cristianos y judíos se pusieron hábilmente de acuerdo en 1391 a fin de no romper la paz tradicional entre cristianos, moros y judíos.[54]

Se comprende que Raimundo Lulio escribiera en árabe, antes que en catalán, el *Libro del gentil y los tres sabios*, en el cual un cristiano, un moro y un judío platican amistosamente, sin usar la menor acritud mientras exponen los contenidos de sus respectivas creencias. Sin dudar de la ortodoxia de Raimundo Lulio, no es menos cierto que en este libro se dejó arrebatar por el anhelo emocionado de una religiosidad en la que cupieran las creencias de las tres castas hispánicas. Lo mismo que en la legislación de las *Partidas* de Alfonso X conviven jurídicamente las tres religiones,[55] así conviven también éstas en el intelectualismo ensoñador de Raimundo Lulio, siguiendo el modelo de Yehudá ha-Leví en el *Cuzarī*.[56] En Alfonso X se expresó como objetividad jurídica, muy castellana, lo que en el mallorquín aparece como entusiasmo lírico y cordial. La simpatía hacia el infiel brota en frases como éstas: "En la oración no se olvide nuestra alma de los infieles, que son nuestra carne y sangre, siendo en especie y forma semejantes a nosotros. Ignorancia de fe y de ciencia hay en ellos por falta de maestros que los enseñen." [57] Ha de tenerse presente, sin embargo, que la armonía vital y legal, entre los creyentes españoles, no era un aspecto del orden teológico y metafísico de la llamada Edad Media, cuya máxima expresión fueron Dante y Tomás de Aquino. En esa época España era algo muy singular, según nos hace ver la totalidad de su historia; su tolerancia era resultado y expresión de un "modus vivendi", no de una teología.[58]

Para Alfonso el Sabio y su discípulo don Juan Manuel, el moro aparecía como un rival político que había que vencer y no como un enemigo religioso que hubiese que exterminar. El cristiano español fue, en cambio, implacable con el hereje que escindía la creencia. El infiel —moro o judío— poseía un "libro" lo mismo que el cristiano (como dice el Alcorán), y era respetable por ese simple hecho. La concepción de la tolerancia se derrumbó —según se ha visto— cuando los musulmanes dejaron de ser temibles y admirables, y cuando las masas comenzaron a arrollar a los judíos desde fines del siglo XIV.

Sobre tan extraño complejo se alzaba el poder de reyes y ricos hombres, que mantenía juntos en convivencia, sin demasiados choques, a aquella heterogénea mescolanza —una convivencia que la Iglesia (sobre todo ciertas órdenes religiosas) hizo cuanto pudo para romper desde fines del siglo XIII. El empuje popular, desde fines del XIV, arremetió contra el judío y no atacó a los mudéjares por miedo a las represalias contra los cautivos de Granada. Desde fines del siglo XV, España estuvo ya regida por una sola casta. No se pensaba ya que debieran "bivir los moros entre los christianos guardando su ley, e non denostando la nuestra" *(Partida,* VII, XXV, 1). Entre las leyes feroces del *Fuero Juzgo* contra los judíos (siglo VII), y las muy suaves de Alfonso el Sabio, median quinientos años de Islam [59] —y la sociedad de tres castas merced a la cual se formaron la estructura y las dimensiones sociales del español.

Durante esos quinientos años las creencias se opusieron y al mismo tiempo se entrelazaron, como en el caso de Raimundo Lulio. Ibn Hazam estudió en detalle el escepticismo de quienes suspendían todo juicio acerca de la verdad o falsedad de cualquier sistema filosófico o de cualquier religión: "toda demostración en pro de una tesis o dogma está compensada por otra demostración contraria", lo cual, según observa M. Asín Palacios, ya fue dicho por los pensadores alejandrinos.[60] En su *Historia crítica de las religiones* se refiere Ibn Hazam a quienes piensan que "indudablemente habrá entre todas las religiones alguna que sea auténtica, mas a nadie se le manifiesta de modo evidente y claro, y por eso Dios no impone a nadie las obligación de profesarla" (Asín, *loc. cit.*, página 302).[61]

No sé por cuáles cauces llegaría al franciscanismo un destello de la idea de una religión universal. Preguntado San Francisco por qué recogía los escritos paganos con la misma solicitud que los cristianos, respondió que era "porque en ellos encontraba las letras de que se compone el nombre de Dios... Lo que hay de bueno en esos escritos no pertenece al paganismo ni a la humanidad, sino sólo a Dios que es el autor de todo bien".[62] Mucho antes que San Francisco había escrito en al-Andalus el judío Ibn Paquda (entre los siglos XI y XII): "Dicen los rabís que quienquiera que dice una palabra sabia, incluso si él es un gentil, es llamado sabio."[63]

Reflejos poéticos de la amplitud religiosa de la España medieval se encuentran en las *Cantigas* de Alfonso el Sabio (ver pág. 41); además de eso, la Virgen salva a una mora con su hijita (núm. 205); un rey de Marruecos vence a su enemigo con la ayuda de un estandarte de la Virgen (181); los moros sacan una imagen de la Virgen que habían echado al mar para volver a tener pesca (183); etc. Recuérdense también las rogativas judías en casos de sequía, una de ellas en el siglo XV autorizada por el cabildo de la catedral de Sevilla, y de la cual hablaré al tratar de los judíos.

Durante los años de convivencia cristiano-islámico-judía, la comunicación espiritual entre las tres creencias hizo posible que Alfonso el Sabio fundara en el Alcorán su doctrina de la tolerancia, sin sentir en ello ofensa para la Iglesia de que era hijo fiel. Mas aquello pasó, y la vida española tomó otros rumbos. Todavía en el reinado de Juan II, el famoso arquitecto de Segovia, Abderrahmán, trazó la planta de la cartuja del Paular (véase pág. 236); y aun a principios del siglo XVI se oyen palabras como éstas del obispo Antonino de Guevara: "Llamar a uno perro moro, o llamarle judío descreído, palabras son de gran temeridad y aun de poca cristiandad... En llamando a un convertido 'moro perro' o 'judío marrano', es llamarle perjuro, fementido, hereje."[64]

Antes vimos otras frases humanas dichas acerca de los moriscos (página 207). Mas a medida que iba avanzando el tiempo, el español se hacía cada vez más intolerante, porque habían desaparecido los motivos que habían creado los intereses y respetos recíprocos, después que el pueblo había hecho expulsar a quienes se resistían a ingresar en la comunidad cristiana. El aragonés don Artal de Alagón, conde de Sástago, escribe en 1593: "No mezclarse con otra familia; y esto haze la cristiana, no admitiendo ni oyendo los errores de las naciones infames que están apartadas de Dios... Aunque [Jesucristo] vino a redimir a todos, vemos que dixo a la Cananea gentil que no era razón dar el pan de los hijos a los perros, queriendo en esto significar que mientras los gentiles no mudassen de parecer, y reconociessen y recibiessen su ley, avían de ser tratados como perros."[65] Eliminados los adversarios de la creencia católica (por expulsión o por conversión forzosa), los españoles católicos procedían en el siglo XVI como los moros y los judíos habían procedido dentro de sus propias religiones; es decir, sin permitir que el musulmán o el judío se apartara de su creencia: "La Inquisición es en el Islam una institución popular, que funciona constantemente", y es independiente de los tribunales ordinarios "para las funciones de *pesquisa* y *delación*". A fines del siglo X, Almanzor se captó las simpatías del vulgo y de los alfaquíes "organizando una verdadera Inquisición oficial, o expurgo de todas las bibliotecas del imperio, sin excluir la misma biblioteca real de Alháquem II" (M. Asín, *Abenmasarra*, 1914, págs. 24 y 91). Más adelante veremos que los judíos españoles poseyeron una verdadera Inquisición para perseguir a los correligionarios que se apartaran de su ortodoxia.

Las páginas anteriores, sin embargo, han hecho ver con suficiente claridad, que el exclusivismo religioso de la casta católica del siglo XVI (con la idea del Estado-Iglesia) fue más debido al espíritu judaico infundido en la vida española, que a la huella del Islam. Los musulmanes han permitido a los judíos convivir con ellos en Marruecos, Turquía y otros países hasta la época actual; lo mismo hizo la Santa Sede en el siglo XVI.

NOTAS

[1] Calatrava —el templo, el convento y el castillo— fue demolida en 1804. En 1888 escribía M. Danvila: "Los clamores de los buenos no han evitado que el abandono y la intemperie hagan desaparecer los últimos restos de Calatrava." *(Bol. Acad. Hist.,* 1888, XII, 125.) El convento y lo mejor de Uclés se despoblaron y derrumbaron a mediados del siglo XIX. El archivo y la biblioteca casi desaparecieron. En 1860 una comisión de archiveros fue a "desenterrar materialmente los libros y papeles de entre el salitre e inmundicias de todo género" (J. M. Escudero de la Peña, en *Bol. Acad Hist.,* 1889, XV, 308-309).

[2] Ver, por ejemplo, H. Prutz, *Entwicklung und Untergang des Tempelsherrenordens,* 1888, pág. 8: "Ein Seitenstück bietet der Ritterorden von S. Jago." (Un fenómeno paralelo al de los templarios ofrece la orden de Santiago.) Lo mismo en J. Piquet, *Les Templiers.*

1939: "Les Ordres du Temple et de l'Hôpital excitaient une grande jalousie en Espagne, car la plupart des Frères étaient des étrangers; aussi la tendence fut-elle à la création d'Ordres militaires nationaux" (pág. 234).

³ J. Oliver Asín, *Origen árabe de "rebato, arrobda" y sus homónimos*, 1927. Según M. Asín Palacios, "el *ribât* es el neto modelo de las Ordenes militares" (*Islam cristianizado*, págs. 137, 141).

⁴ G. A. Campbell, *The Knights Templars*, 1937.

⁵ M. Asín, *Vidas de santones andaluces*, pág. 157, traduce la biografía de Abûl-l-'Abbās Ahmad b. Hammām, tal como la refiere Ibn 'Arabī en su *Epístola de la santidad:* "Era muy fervoroso. Continuamente estaba gimiendo por la salud de su alma, como la madre que ha perdido a su hijo único..." Un día refirió a Ibn 'Arabī: "Lo que voy a hacer es irme a las fronteras del Islam, al frente del enemigo, y en una cualquiera de sus rápitas me consa-·graré a la guerra santa hasta morir." Marchóse, en efecto, a una de las fronteras, a un lugar que llaman Jerumeña [Portugal], donde fijó su residencia, hasta que, algo después, regresó a Sevilla, tomó las cosas que le eran necesarias para su nuevo género · de vida, y se volvió a la frontera para consagrarse a la vida de monje guerrero. Esto acontecía a fines del siglo XII, aunque casos análogos eran corrientes en el Islam desde mucho antes.

⁶ "The multiplication of *rābiṭas* in Spain and their possible confusion with *ribāṭ* are connected with the great movement of mystic piety which, starting in Persia, had brought about the substitution of monasteries —*khānaka* in the east, *zāwia* in Barbary— for the foundations more military than religious, of the heroic age of Islam" (G. Marçais, en *Encyclopedia of Islam, s. v. ribāṭ*).

⁷ "Semel, et secundo, et tertio, ni fallor, petiisti a me, Hugo charissime, ut tibi tuisque comilitonibus scriberem exhortationis sermonem." Migne, *Patrologia*, S. L., 182, col. 921 y sigs.

⁸ Los editores de la *Patrologia* citan, a este propósito, un pasaje de una carta de Pedro el Venerable, abad de Cluny (1156): "Quis non laetetur, quis non exsultet, processisse vos, non ad simplicem, sed ad *duplicem* conflictum. Estis monachi virtutibus, milites actibus."

⁹ L. Massignon, *La passion d'Al-Hallaj*, pág. 798. M. Asín, *Islam cristianizado*, pág. 327.

¹⁰ Ver J. Piquet, *Les Templiers. Etude de leurs opérations financières*, 1939.

¹¹ Compárese con esto lo acontecido en el siglo XIV a los religiosos de la orden española de los jerónimos, quienes durante un tiempo imposible de precisar vivieron en dispersión eremítica, hasta que en 1373 fue su regla aprobada por el papa.

¹² Al mismo tiempo, el rey confiaba el gobierno de la conquistada fortaleza a Rabí Judá, hijo del príncipe hebreo Rabí Josef aben Ezra. F. Fita supuso que los Templarios aceptaron tal autoridad a causa de su iniciación masónica, reflejada en sus ritos judíos (*Bol. Acad. Hist.*, 1889, XIV, 267). Pero el motivo de ese hecho fue el enlace de las castas, la tolerancia ya tan habitual en los reinos cristianos.

¹³ La primera mención de la Orden es de 1158, cuando Sancho III dona Calatrava a Raimundo de Fitero, "ut defendatis eam a paganis inimicis crucis Christi", y a quienes en el futuro fueran "vestri ordinis et ibi Deo servire voluerint" (*España sagrada*, L, 413).

¹⁴ Para otro caso de "materia" española y "forma" extranjera, véase cap. VIII, pág. 293.

¹⁵ Para ayudar a Alfonso VIII en su guerra contra los almohades acudían a Toledo "yentes de muchas tierras et departidas por costumbres, et en las maneras del vestir et por los lenguajes desacordavan; et *porque plazie al rey*, ell arçobispo de la çipdad de Toledo [don Rodrigo], morava entonçes y ['allí'], porque por la su sabiduría se amansasse el desacuerdo de aquellos que desacordavan" (*Crónica General*, pág. 689 a).

¹⁶ "De rebus Hispaniae", VII, 26, en *Hispaniae Illustratae... Scriptores Varii*, Francoforti, 1603, t. II, pág. 124. Presento el texto en esta forma para hacer perceptible su estructura rítmica.

¹⁷ Edic. cit., pág. 125.

¹⁸ La mala inteligencia del original (la fuente latina de este pasaje me fue señalada por R. Menéndez Pidal, a quien doy aquí las gracias por ello) ha dado origen a una linda y extraña expresión; el latín dice: "et duritiam ilicis convertit in vias" —'la dureza de la encina se convirtió en caminos', como antes, refiriéndose a Cuenca, dijo don Rodrigo: "rupes eius factae sunt perviae, et aspera eius in planicies"— 'sus peñas fueron hechas practibles, y sus asperezas fueron allanadas'. El *uias* del manuscrito fue leído como *uvas*.

¹⁹ Lo que el original latino dice es: 'cada freire de las órdenes observa la senda, la conducta del otro; y cada uno de ellos da ejemplo de disciplina al otro'. La intelección rigurosa de la *Crónica General* requeriría un cotejo minucioso de las fuentes, una labor ingente que revelaría mucho de la intimidad de la cultura castellana. Es curioso que "erudit" se traduzca por 'los enseña et los faze enseñados': un saber que no es incorporado auténticamente en la vida del sabio, no es saber.

20

> *¡Los comendadores,*
> *por mi mal os vi!*
> *¡Yo vi a vosotros,*
> *vosotros a mí!*
>
> . . . .
>
> *Los comendadores*
> *de Calatrava*
> *partieron de Sevilla*
> *en hora menguada,*
> *para la ciudad*
> *de Córdoba la llana,*
> *con ricos trotones*
> *y espuelas doradas.*
> *Lindos pajes llevan*
> *delante de sí.*

(Ver *Bib. Aut. Esp.*, XVI, 697.)

21 Ver A. Paz y Melia, "La Biblia de Arragel", en *Homenaje a Menéndez y Pelayo.* El magnífico texto fue publicado en 1922, a expensas del duque de Alba, según la transcripción hecha por los señores A. Paz y Melia y J. Paz. No era, por lo demás, la primera vez que un maestre de las órdenes utilizaba a un hebreo para fines de cultura. Don Lorenzo Suárez de Figueroa, maestre de Santiago, mandó a don Jacob Çadique de Uclés que tradujera del catalán al castellano el *Libro de sabios e philosophos e de otros ejemplos e dotrinas muy buenas*, tarea que terminó en 1402 (J. Rodríguez de Castro, *Biblioteca española de los escritores rabinicos*, Madrid, 1781, I, 263). Jacob Çadique se había bautizado, sin duda a consecuencia de las matanzas de 1391; el libro traducido por él debe ser algo parecido al *Libre de la saviesa* del judío catalán Yafuda. Se ve, pues, cómo los grandes señores de las órdenes se interesaban en la literatura didáctico-moral, tan propia de árabes y judíos, y tan gustada por los cristianos.

22 Véase F. Cantera, *El judío salmantino Abraham Zacut*, 1935. Zacuto no era portugués sino salmantino, y fue muy protegido por el docto obispo Gonzalo de Vivero (m. 1480), que lo honró mucho en vida y le dejó un legado en su testamento. Zacuto halló entonces protección en el palacio del maestre de Alcántara, al cual describe como "amador de todas las ciencias y sabidor de ellas, que, a su fama [es decir, 'hasta el punto de que atraídos por su fama'], todos los sabios y letrados dexan sus tierras y su nacimiento por buscar sosiego verdadero y perfección cumplida"; junto a él, "los letrados han refrigerio e remuneración". La noticia más detallada de la academia creada en torno a don Juan de Zúñiga, se halla en la *Crónica de la Orden* de Alcántara, de Alonso de Torres Tapia, 1763, II, 569: "Era el maestre aficionado a todas las buenas letras: y demás de los religiosos que allí [en Zalamea] tenía consigo, llevó algunos hombres insignes en ellas: el bachiller Frey Gutierre de Trijo, jurista; el maestro Fray Domingo, teólogo del orden de predicadores; el doctor de la Parra [un converso, luego médico en la corte de los Reyes Católicos]; *Abasurto*, judío de nación, astrólogo; el *maestro Antonio de Lebrija* [casi seguramente de casta hebrea], y el maestro de capilla Solórzano, el mayor músico que conocieron aquellos siglos. El maestro Antonio le enseñó latín, y él [el Maestre] había dado el hábito y encomienda de la Puebla a Fray Marcelo de Lebrija, su hijo. El judío astrólogo le leyó la *Esfera* [probablemente los libros de astronomía mandados traducir por Alfonso el Sabio], y todo lo que era lícito saber en su arte. Y era tan aficionado, que en un aposento de los más altos de la casa, hizo que le pintasen el cielo con todos sus planetas, astros y signos del Zodíaco. Ya hoy está muy deslustrado con la antigüedad." Zacuto escribió un *Tratado breve de las influencias del cielo*, 1486, "para ayuda de los médicos del Maestre" (Cantera, pág. 87). Sobre Abasurto, véase J. Gillet, *Propalladia*, de Torres Naharro, III, 630. He aquí lo que al pronto parecería una corte del Renacimiento, y que en realidad era algo muy español y sin análogo en la Europa contemporánea. Aparecen mezclados los teólogos de la orden dominicana con astrónomos hebreos y con humanistas de ascendencia judía formados en Italia. El sentido de todo ello habría que referirlo a la vieja tradición peninsular, mantenida por los grandes señores de las órdenes, como un eco de aquella máxima corte del siglo XIII, la de Alfonso X el Sabio.

23 Tomada de un artículo de A. Paz y Melia, en *Rev. de Archivos*, 1898, pág. 8.

24 *Mahomet et Charlemagne*, París-Bruselas, 1937.

25 La repugnancia por cuanto es islámico viene de muy antiguo y ciega la mente. Ya Petrarca lanzó toda suerte de improperios contra la literatura árabe en una epístola dirigida a un médico. En las historias de la literatura italiana no se hace referencia a la estructura árabe del *Decamerón*. El inglés Thomas Fuller decía, en 1840, que la difusión del Islam fue

como "the spreading of leprosy", una maldición ("that cursed doctrine"). Ver *The History of the Holy War*, págs. 8-9.

26 Con referencia a la reforma monetaria de un califa en el siglo VII, dice Carlo M. Cipolla que la relación entre el oro y la plata en el mundo islámico se reflejó en Occidente, "porque las dos zonas nunca estuvieron completamente aisladas una de otra" *(Annales*, París, 1962, núm. 1, pág. 136).

27 Ver mi libro *De la edad conflictiva*, 1961, págs. 95-98.

28 Carl Erdmann, *Die Entstehung des Kreuzzugsgedankens* (Génesis de la idea de Cruzada), Stuttgart, 1935.

29 *Islam u. christliches Spanien im Mittelalter* (El Islam y la España cristiana en la Edad Media), en "Historische Zeitschrift", 1957, pág. 586. El autor no siente simpatía por el tema de su estudio y, como tantos otros, lo malentiende.

30 *Histoire de l'Espagne musulmane*, 1953, III, pág. 104.

31 Ver *De la edad conflictiva*, pág. 95.

32 "In qua uidelicet expeditione si quis pro Dei et fratrum suorum dilectione occubuerit, peccatorum profecto suorum indulgentiam et eterne uite consortium inuenturum se ex clementissima Dei nostri miseratione non dubitet" (P. Kehr, *Papsturkunden in Katalonien*, en "Abhandlungen der Gesellschaft der Wissenschaften zu Göttingen", sección filológico-histórica, nueva serie, XVIII, 2. Berlín, 1926, págs. 287-88).

33 *Gregori VII Registrum*, edic. E. Caspar, lib. III, 21. Apud F. Cognasso, *La genesi delle crociate*, Turín, 1934, pág. 38.

34 *Die Geschichtmetaphysik des Rolandsliedes und ihre Vorgeschichte* (sentido histórico-metafísico de la 'Chanson de Roland' y prehistoria del mismo), en "Zeitschrift für romanische Philologie", 1935, LV, 1-87.

35 Ver F. J. Simonet, *Historia de los mozárabes*, Madrid, 1903, Las obras de Eulogio fueron editadas por el cardenal Lorenzana, *Sanctorum patrum Toletanorum opera*, II, 391-642; y en la *Patrologia*, de Migne, S. L., CXV, 731-870.

36 "Si culpis obnoxii maneant, et ex qualibet sorde vitiorum infecti ad maryrium veniant, nihil impedit; cum omnibus martyriali tropaeo deletis ad Christum coronandi accedant" (*Patrologia*, CXV, pág. 855).

37 Véase la página 123 de la traducción editada por E. Lidforss, Lund, 1876 (*La Estoria Gótica*), La *Historia Gothica* es título abreviado del *Rerum in Hispania gestarum Chronicon*, traducido en formas varias desde el siglo XIII, y utilizado por los redactores le la *Crónica General* (ver B. Sánchez Alonso, *Versiones en romance de las crónicas de Toledano*, en "Homenaje a Menéndez Pidal", 1925, I, 341-354). El pasaje citado aparece así en la *Crónica General*, pág. 701: "Sennor, si a Dios plaze esso, corona nos viene de victoria, esto es de vençer nos", etc. En el texto antes citado de la *Estoria Gótica*, al traductor le interesó destacar la conexión inmediata entre morir e ir al paraíso.

38 *Bibl. Aut. Esp.*, LI, 294, 324-325.

39 Según piensa R. Menéndez Pidal, *La España del Cid*, 1947, pág. 637.

40 Anónimo de Almería, *Descripción de España* [o sea, de al-Andalus], trad. de René Basset, en "Homenaje a don Francisco Codera", pág. 641.

41 Ver Dozy, *Recherches*, II, 457.

42 Edic. del duque de Alba, I, 116 *a*. En esa glosa habría sin duda intervenido alguno de los colaboradores cristianos del rabí.

43 *Le dogme et la loi de l'Islam*, 1920, pág. 97.

44 I. Goldzieher, *Le dogme et la loi de l'Islam*, pág. 143.

45 I. Goldzieher, *l. c.*, pág. 29.

46 Lévy-Provençal, *Histoire de l'Espagne musulmane*, 1950, I, 227.

47 Tor Andrae, *Mahomet: Sa vie et sa doctrine*, 1945, pág. 92.

48 O sea, la forma documentada en que aparece la tradición sagrada *(Sunna)* de lo oralmente expresado por el Profeta. (I. Goldzieher, *op. cit.*, págs. 34, 35.)

49 Para lo relativo a la difusión del mahometismo, ver T. W. Arnold, *The Preaching of Islam*, Londres, 1913.

50 *The Tarjumán Al-Ashwáq*, trad. de R. A. Nicholson, Londres, 1911, pág. 67. En el comentario del autor a su propio poema se dice: "Mi corazón puede tomar cualquier forma, porque su nombre significa «cambio»... La variedad de sus sentimientos es debida a la variedad de las manifestaciones divinas que aparecen en lo más hondo de su intimidad" *(ibíd.*, pág. 69). El corazón, y todo lo demás, sería para el auténtico mahometano como una veleta, sin más sentido que el que en ella ponga el soplo de Dios. ¡Qué bien se entiende, bajo esta luz, un alma como la de Lope de Vega!

51 Los juristas musulmanes se inspiraban en la misma doctrina: "La profesión de fe musulmana, cuando es forzada, no tiene valor alguno para la ley religiosa" (I. Goldzieher, *Le*

dogme et la loi de l'Islam, pág. 257, en donde se cita una decisión parecida de fines del siglo XVII).

[52] *De rebus Hispaniae*, libro VIII, cap. X, edic. "Hispania illustrata", II, pág. 135.

[53] *Crónica de Enrique III*, en "Bibl. Aut. Esp.", LVIII, 177 *b*.

[54] *Sefarad*, 1947, págs. 66-75. Véase lo dicho en el capítulo II sobre la entrada del obispo de Palencia en 1486. Todavía hacia esta época los judíos hacían rogativas públicas para que lloviera *(Sefarad*, 1958, pág. 282).

[55] Entre otras humanas leyes acerca de los judíos, encontramos ésta: "E porque la synagoga es casa do se loa el nome de Dios, defendemos que ningún christiano non sea osado de la quebrantar, nin de sacar ende nin de tomar alguna cosa por fuerça" (VII, XXV, 4).

[56] Según antes vimos, el sufismo intentó, positivamente, esfumar las fronteras que separaban las diferentes confesiones religiosas; algunos llegaban a sostener que "con el conocimiento de la unidad divina se dio un elemento de unión a la humanidad, en tanto que las diferentes leyes religiosas fomentaban la separación". Es manifiesto que en Raimundo Lulio se hallan presentes estas ideas, muy de acuerdo con el exaltado iluminismo de su alma lírica. El deísmo racionalista ha sido precedido en Europa por situaciones emotivas en que islamismo y cristianismo se armonizaban. Guillaume Postel intentaba concordar el Alcorán y el Evangelio *(Alcorani, seu legis Mahometi, et Evangelistarum Concordiae liber*, París, 1543), no para enriquecer "el antiguo sueño unitario *de la Edad Media*" (como dice Lucien Febvre, *Le problème de l'incroyance religieuse au XVI° siècle*, 1947, pág. 116), sino porque Postel era un arabista que había estado en Oriente, había escrito una gramática árabe, etc. Como siempre acontece, se trata también aquí de un problema de vida y no sólo de ideas, impenetrable para quienes lo enfocan desde supuestos inoperantes. El fantasma deshumanizado de la "Edad Media" es algo como el ".flogisto" de la antigua química.

[57] "Evast y Blanquerna", cap. XL, en Ramón Llull, *Obras literarias*, edic. de M. Batllori y M. Caldentéy, Madrid, 1948, pág. 255.

[58] La tolerancia había descendido hasta las capas profundas del pueblo español, a juzgar por algunas disposiciones locales, fundadas en el derecho consuetudinario: "E los iodíos ayan foro como christiano; que qui lo firiere o matare, tal omezío peche como si fuesse christiano, o matasse uezino de Salamanca" *(Fuero de Salamanca*, edición de Américo Castro y Federico de Onís, pág. 202).

[59] "Que non fagan su pascua, que non se casen segund su ley, que non se circunciden"; el judío que no bautice a sus hijos "reciba cien azotes, e esquílenle la cabeza, é echenlo de la tierra, e sea su buena en poder .del rey", etc. *(Fuero Juzgo*, libro XII, título II y III). La situación de los judíos durante el período visigodo ha sido estudiada por Solomon Katz, *The Jews in the Visigothic and Frankish Kingdoms of Spain and Gaul*, 1937. Aquellos monarcas encontraron grave obstáculo para hacer cumplir sus rigurosas leyes contra los hebreos en el hecho de que éstos sobornaban a los clérigos (pág. 13) y eran protegidos por los nobles.

[60] *Cultura Española*, 1907, V, 299.

[61] Ver mi estudio sobre "La leyenda del Sultán Saladino", en *Hacia Cervantes*, Madrid, Taurus, 1960.

[62] Ozanam, "Les poètes franciscains en Italie", *ap*. Fr. Michel-Ange, en *Etudes Franciscaines*, 1909, XXII, 610. Duns Scoto descubre en todo los vestigios de Dios, porque "In commendando enim Christum, malo excedere quam deficere a laude" (3, Dist. XIII, qua est. 4, núm. 9) *(ibid.)*.

[63] *Duties of the Heart*, edic. Hyamson, 1925, pág. 16.

[64] Epístola XIV, de la segunda parte, en *Bib. Aut. Esp.*, XIII, 213 *b*.

[65] *Concordia de las leyes divinas y humanas*, Madrid, 1593, fol. 104 *r*. La crisis del sentimiento de tolerancia y la fundamentación de la guerra contra el infiel en puros motivos religiosos son fenómenos solidarios, y que descubren un cambio del horizonte histórico. Mas de aquellas circunstancias remotas procede, en último término, la busca de "justas causas" para las guerras contra los indios americanos. Antes de descubrirse América escribía el rey don Duarte de Portugal acerca de la justificación de la guerra contra los moros: "O Santo Padre... nos enduz pera fazernos tal guerra, *da qual seer justa*, persoa fiel, contra seu mandado, *nom deve aver duvida*" *(Leal Conselheiro*, edic. J. M. Piel, 1942, cap. XVIII).

NOTAS ADICIONALES

GUERRA "DIVINAL"

Todavía en 1821 estaba vivo el sentimiento de ser santa y celestial la guerra en defensa de la soberanía del rey de España. La Guerra de la Independencia contra los franceses estuvo inspirada por motivos tanto políticos como religiosos; y el último funcionario con autoridad virreinal en México dirigió una proclama a los rebelados contra la autoridad española en un tono que recuerda las palabras de don Alonso de Cartagena, citadas antes en la página 85: "El señor rey de Inglaterra, aunque faze guerra, pero non es aquella guerra *divinal*." El mariscal de campo don Francisco Novella quedó al mando de las fuerzas leales, con autoridad virreinal, al abandonar la ciudad de México el último virrey, don Juan Ruiz de Apodaca, conde de Venadito, en julio de 1821. De la proclama de Novella, dirigida a los habitantes de Puebla, me interesan sólo las siguientes frases:

"Poblanos: Vuestro virrey os habla por última vez. Ya habréis sabido cómo el pérfido Iturbide piensa levantar las compuertas del pueblo de Tenepantla para inundarnos: No hay cuidado, tengo cañones y bayonetas... El pérfido Iturbide quiere que caminéis sin la España, y que pongáis un gobierno aparte... No tengo de quien fiaros, porque luego después no os quejéis de los comandantes; [1] pero sí os digo que la Santa Religión nuestra peligra... El Romano Pontífice no quiere que hagáis eso, y los sacerdotes más bien se irán de aquí. *Esta es guerra del cielo,* y el *Apóstol Santiago* siempre [está] por los españoles." [2]

LUIS DE GRANADA Y LOS CONVERSOS

Luis de Carvajal (El Mozo), quemado por la Inquisición mexicana, en 1596, declaró en la audiencia del Santo Oficio de 21 de octubre de aquel año, que Manuel de Lucena le dijo "que tenía un compadre en las minas de Pachuca, que se llama Juan del Cassal, ...al cual, por ser hombre de muy buena masa... se

---

[1] Antes ha amenazado Novella con hacer venir al comandante Manuel de la Concha, cuya crueldad represiva era notoria. Novella, en cambio, era conocido por sus sentimientos humanos.

[2] El texto de la proclama se encuentra en *Adiciones a la "Imprenta en la Puebla de los Angeles"* de J. T. Medina (*Colección Florencio Gavito*). (Prefacio y compilación bibliográfica de Felipe Teixidor). México, 1961, pág. 565. Para la situación de México en aquel momento, ver William S. Robertson, *Iturbide of Mexico*, Duke University Press, 1952.

había atrevido a tratarle cosas muy altas en la ley de Moisén; y que de las pláticas había nacido que había hecho dudar en la fe al dicho Juan del Cassal, y que [éste] le había respondido: "quiero ver en qué ley vivimos, y si vamos errados". Y que *por consejo* del dicho Manuel de Lucena, el dicho Juan del Cassal había pedido al dicho Manuel de Lucena que le comprase el *Símbolo de la Fe*, de Fr. Luis de Granada, el cual le compró.[3]

Es manifiesto que si Manuel de Lucena recomendó la lectura de una obra de Luis de Granada a la persona que esperaba convertir al judaísmo, sería por juzgar aquella lectura conveniente para su propósito. Es decir, que mucho antes de que Lorenzo Escudero declarara, en 1658, que "el aber leydo en los libros de fray Luis de Granada le havía hecho judío" (ver antes pág. 282), vemos utilizadas las obras del gran espiritualista cristiano para finalidades judaicas. Escudero no decía qué obra de Luis de Granada había leído; Lucena sí dice que se sirvió expresamente de la *Introducción al Símbolo de la Fe*. Supongo que los judaizantes españoles se sentirían atraídos por la idea de manifestarse Dios en las maravillas del mundo, tan bella y seductoramente descritas por Luis de Granada, y tan en armonía con la doctrina de que "los cielos narran la gloria del Señor". Ciertos conversos juzgarían más grato prescindir de la creencia de que Dios se revela a través de su Iglesia, y orientar, en cambio, su fe hacia la Naturaleza, expresión directa de la infinitud de Su Creador. El tema debería ser expuesto y analizado con más detenimiento.

---

[3] *Procesos de Luis Carvajal (El Mozo)*. Publicaciones del Archivo General de la Nación, México, 1935, pág. 432.

SISTEMA DE TRANSCRIPCIÓN ÁRABE [1]

ا	(nada)	ز	z	ك	k
آ،ٱ	ā'	س	s	ل	l
ب	b	ش	š	م	m
ت	t	ص	ṣ	ن	n
ث	ṯ	ض	ḍ	ه	h
ج	ŷ	ط	ṭ	و	w
ح	ḥ	ظ	ẓ	ي	y
خ	j	ع	ʿ	ة	a [estado absoluto]
د	d	غ	g	ة	at [estado constructo]
ذ	ḏ	ف	f		
ر	r	ق	q		

Vocales breves: ـَ = a; ـِ = i; ـُ = u.

Vocales largas: اـَ = ā; يـِ = ī; وـُ = ū.

Artículo: *al-*, aun ante solares.

Idem, precédido de palabra terminada en vocal: -*l-*.

---

[1] Utilizamos aquí el mismo sistema de transcripción usado por los arabistas españoles y por la revista *Al-Andalus*.

INDICE ALFABETICO
DE LA INTRODUCCION
EN 1965

INDICE DE PERSONAS, PALABRAS Y MATERIAS

[447]

INDICE DE LAMINAS

INDICE GENERAL

CAPITULO IV

CAPITULO V

CAPITULO VI

CAPITULO VII

BIBLIOTECA PORRUA

y biografía del autor; más tres bibliografías, por Miguel León-Portilla. 4 tomos con 1,649 págs., y un Atlas. Rústica: $ 260.00. Tela: $ 300.00.

21-22-23-24-25. RESEÑA HISTORICA DEL TEATRO EN MEXICO. Por Enrique de Olavarría y Ferrari. 1538-1911. 5 tomos. Prólogo de Salvador Novo. 3ª edición. Ilustrada y puesta al día, de 1911 a 1961, por David N. Arce. xxx-727/ De 730 a 1,440-xix/ De 1,472 a 2,219-ix/ De 2,222 a 2,979-vi/ De 2,982 a 3,680-xii pp. Retrato. 199 ilustraciones. Rústica: $ 500.00. Keratol: $ 550.00.

26. OBRAS SUELTAS. De José Mª Luis Mora. 775 págs. Rústica: $ 90.00. Keratol: $ 100.00.

27. LA PERSONALIDAD JURIDICA DEL INDIO Y EL III CONCILIO PROVINCIAL MEXICANO (1585). Ensayo histórico-jurídico de los documentos originales. Por José A. Llaguno, S. J. Rústica: $ 70.00. Keratol: $ 80 00.

28. MEXICO Y EL ARBITRAJE INTERNACIONAL. Por Antonio Gómez Robledo. El Fondo Piadoso de las Californias. La Isla de la Pasión. El Chamizal. 412 págs. Con una lámina: Nuevo cauce del Río Bravo. Rústica: $ 60.00. Keratol: $ 70.00.

La Impresión de este libro fué terminada el 5 de Noviembre de 1965 en
los talleres de EDITORA DE LI-
BROS, FOLLETOS Y REVIS-
TAS, S. de R. L., Laguna de
Términos No. 9-1 siendo
su tiro de 3,000
ejemplares.

1885